Tercera edición

Mercadotecnia

Philip Kotler

Northwestern University

Traducción:
José Manuel Salazar
Traductor Técnico

Revisión Técnica:
Clotilde Hernández Garnica
Licenciada en Administración
Investigadora en el Centro de
Investigación de la Facultad
de Contaduría y Administración, UNAM

PRENTICE-HALL HISPANOAMERICANA, S.A.

México ▪ Englewood Cliffs ▪ Londres ▪ Sydney ▪ Toronto ▪
Nueva Delhi ▪ Tokio ▪ Singapur ▪ Rio de Janeiro

EDICION EN ESPAÑOL

EDITOR: OTHONIEL ALMEYDA BAUTISTA
SUPERVISOR
TRADUCCION Y CORRECCION
DE ESTILO: GUILLERMO LOPEZ PORTILLO SANCHEZ
SUPERVISOR
DE PRODUCCION: JUAN CARLOS HERNANDEZ GARCIA
DIRECTOR: RAYMUNDO CRUZADO GONZALEZ

EDICION EN INGLES

Editorial/production supervision by Esther S. Koehn
Interior/cover design by Maureen D. Eide
Cover illustration by Tcherevkoff Studios Ltd.
Photo research by Tobi Zausner
Manufacturing buyer: Ed O'Dougherty

MERCADOTECNIA

Traducido de la Tercera edición en inglés de:
PRINCIPLES OF MARKETING

DERECHOS RESERVADOS © 1989 respecto a la Segunda edición en español por
PRENTICE – HALL HISPANOAMERICANA S.A.
Enrique Jacob No. 20, Col. El Conde C.P.
53500 Naucalpan de Juárez, Edo. de México

Miembro de la Cámara Nacional de la Industria Editorial, Reg. Núm. 1524
ISBN   968-880-156-9

Original English language edition published by
Copyright © MCMLXXXVI by Prentice – Hall Inc.
All Rights Reserved

ISBN   0-13-701731-6

IMPRESO EN MEXICO / PRINTED IN MEXICO

☐
DIC

EN GRAFICAS MONTEALBAN, S.A. DE C.V.
MUNICIPIO EL MARQUES, QUERETARO.

3 000   1994
☐   ☐

Mercadotecnia

Este libro está dedicado a mis estudiantes
que me han enseñado tanto

Semblanza del Autor

Philip Kotler es una de las principales autoridades mundiales en mercadotecnia. Ocupa la cátedra Harold T. Martin de mercadotecnia en la Kellogg Graduate School of Management en la Northwestern University. Realizó su maestría en la University of Chicago y su doctorado en el MIT, ambos en economía. Realizó trabajos posdoctorales en matemáticas en Harvard, y en ciencias del comportamiento en la University of Chicago.

El doctor Kotler es el autor de *Marketing Management: Analysis, Planning and Control* (Prentice-Hall), ahora en su quinta edición. Este libro se ha traducido a once idiomas, incluyendo el ruso y el chino, y es el libro de texto de mercadotecnia más usado en las escuelas de negocios. Su obra *Marketing for Nonprofit Organizations*, ahora en su segunda edición, es el "best seller" en esa área especializada. Otros libros del doctor Kotler son: *The New Competition; Marketing Professional Services; Strategic Marketing for Educational Institutions*, y *Marketing Model-Building*. Y además ha escrito más de ochenta artículos para revistas importantes, incluyendo la *Harvard Business Review, Journal of Marketing, Journal of Marketing Research, Management Science, Journal of Business Strategy* y *Futurist*. Es el único autor que ha ganado tres veces el premio Alpha Kappa Psi para el mejor artículo anual publicado en la *Journal of Marketing*.

El doctor Kotler ha sido presidente del College of Marketing del Institute of Management Sciences (TIMS); director de la American Marketing Association; miembro de la junta directiva del Marketing Science Institute y director del Management Analysis Center (MAC). Ha sido consultado por muchas compañías estadunidenses importantes acerca de estrategia de mercadotecnia.

En 1978, el doctor Kotler recibió el premio *Paul D. Converse* que confiere la American Marketing Association para honrar "las contribuciones sobresalientes a la ciencia en el campo de la mercadotecnia". En 1983, recibió el premio *Steuart Henderson Britt* como mercadólogo del año. En 1985, fue galardonado con el premio *Distinguished Marketing Educator*, un premio nuevo establecido por la American Marketing Association. En el mismo año, The Academy for Health Services Marketing estableció el reconocimiento *Philip Kotler for Excellence in Health Care Marketing* y lo nombró el primer ganador. También recibió el *Prize for Marketing Excellence*, conferido por la European Association of Marketing Consultants and Sales Trainers.

Contenido

dos
ORGANIZACION DEL PROCESO DE PLANEACION
DE MERCADOTECNIA

3

Planeación estratégica y planeación de mercadotecnia 54

4

Investigación de mercados y sistemas de información 82

tres
ANALISIS DE OPORTUNIDADES DE MERCADO

5

Ambiente de la mercadotecnia 118

6

Mercados de consumo: influencia sobre la conducta del consumidor 154

7

Mercados de consumo: procesos de decisión del comprador 182

8

Mercados organizacionales y conducta de compra organizacional 202

cuatro
SELECCION DE MERCADOS META

9

Medición y pronóstico de la demanda 234

10

Segmentación, selección de mercados y posicionamiento en el mercado 252

cinco
DESARROLLO DE LA MEZCLA DE MERCADOTECNIA

11
Diseño de productos: productos, marcas, empaque y servicios 284

12
Diseño de productos: estrategias relativas al desarrollo de nuevos productos y al ciclo de vida del producto 320

13

Fijación de precios de los productos: consideraciones y enfoques 352

14

Fijación de precio de los productos: estrategias 376

15

Colocación de productos: canales de distribución y distribución física 396

16

Colocación de productos: comercios detallista y mayorista 428

17

Promoción de productos: comunicación y estrategias 468

18

Promoción de productos: publicidad, promoción de ventas y publicidad no pagada 490

19

Promoción de los productos: ventas personales y administración de ventas 524

seis

ADMINISTRACION DEL ESFUERZO DE MERCADOTECNIA

20

Estrategias competitivas de mercadotecnia 558

21

Implantación, organización, y control de los programas de mercadotecnia 586

siete
MERCADOTECNIA AMPLIADA

22

Mercadotecnia internacional 632

23

Mercadotecnia de servicios y mercadotecnia no lucrativa 654

24
Mercadotecnia y sociedad 673

Apéndice 1
Aritmética de la mercadotecnia 709

Apéndice 2
Carreras en mercadotecnia 716

Glosario 725

Indice de autores 734

Indice analítico 738

Prefacio

La mercadotecnia es algo que todos los seres humanos hacemos. "Todos nos ganamos la vida vendiendo algo", observaba el escritor Robert Louis Stevenson. Los trabajadores intercambian su trabajo por ingresos y usan éstos para comprar los artículos que quieren (satisfactores). Las compañías venden sus bienes y usan los ingresos para comprar materias primas y equipo necesario para producir más artículos, y ganan utilidades en este proceso. Las naciones intercambian sus bienes por los bienes que necesitan de otros países.

La *mercadotecnia* es el estudio de los procesos de intercambio: la manera en que se pueden iniciar, motivar, facilitar y consumar las transacciones. La *administración de mercadotecnia* estudia cómo las organizaciones y la gente pueden mejorar sus actividades de intercambio para producir más ingresos para ellos mismos y más satisfacción a otras personas. El *concepto de mercadotecnia* establece como filosofía que las organizaciones que dan lugar a la plena satisfacción del consumidor, usualmente tienen éxito para alcanzar sus metas organizacionales.

La mercadotecnia consiste en un conjunto de principios para escoger mercados meta, identificar las necesidades del consumidor, desarrollar productos y servicios que satisfagan esas necesidades, y proporcionarles valor a los consumidores y utilidades a la compañía. La mayoría de las compañías exitosas deben sus logros a la práctica de una orientación minuciosa hacia el consumidor. Por ejemplo, McDonald's debe su éxito a la satisfacción de las necesidades de la gente con un servicio de comida rápido, Kodak a la satisfacción de las necesidades de cámaras confiables y económicas, y las computadoras Apple a la necesidad, de computadoras personales. Compañías como Procter & Gamble, Gillette, Sears, IBM, y Delta son practicantes ejemplares del concepto de mercadotecnia. Hacen de las necesidades del consumidor el fundamento de las oportunidades para la compañía.

A los estudiantes les sorprende descubrir la gran aplicación de la mercadotecnia. Esta tiene importancia no sólo para las compañías manufactureras, mayoristas y minoristas, sino para cualquier organización. Abogados, contadores, médicos y consultores administrativos usan cada vez más ideas de mercadotecnia para ampliar el ejercicio de sus profesiones. Las universidades, hospitales, museos y los grupos artísticos recurren a la mercadotecnia con el fin de resolver el problema de una demanda baja o decreciente para sus servicios. Ningún político puede ganar votos y ninguna zona vacacional puede obtener turistas sin desarrollar y ejecutar planes de mercadotecnia. Y los estudiantes, cuando entran al mercado laboral, deben hacer "investigación de mercados", para determinar las mejores oportunidades y la mejor manera de "venderse a sí mismos" a los patrones potenciales. Los estudiantes afirman que el estudio de la mercadotecnia les abre los ojos y les hace ver cosas familiares de una manera completamente nueva.

PRINCIPALES CARACTERISTICAS DE ESTE LIBRO

Actualmente hay más estudiantes de mercadotecnia que nunca. Y hay más libros de texto de entre los cuales escoger. Cada libro refleja el punto de vista, el estilo y el entusiasmo que tenga el autor por el tema. Este texto está estructurado sobre cinco principios.

Comprensible

En su primera exposición a la mercadotecnia, el estudiante deberá considerar primordialmente el tema en toda su amplitud. Este libro abarca los principales temas de interés para los estudiantes y profesionales de la mercadotecnia. Los estudiantes leerán acerca de las *principales instituciones* que intervienen en el proceso de la mercadotecnia: fabricantes, mayoristas, detallistas, agencias de publicidad, firmas de investigación de mercados, bancos, transportistas, almacenes, y muchos otros. Los estudiantes también examinarán las *principales herramientas* que los mercadólogos modernos usan: diseño de producto, empaquetado, marcas, servicios auxiliares, fijación de precios, publicidad, promoción de ventas, publicidad no pagada y ventas personales. Por último, los estudiantes examinarán las *principales fuerzas ambientales* que afectan el proceso de la mercadotecnia: demografía, economía, ecología, tecnología, política y cultura.

Sistemático

La mercadotecnia puede volverse abrumadora fácilmente, debido a su gran número de temas, conceptos, teorías y ejemplos. La principal necesidad consiste en presentar este abundante material en una estructura sistemática, de modo que los lectores sepan dónde han estado, dónde están, y hacia dónde van en el tema. Este libro usa una estructura de siete partes. La primera parte, *comprensión de la mercadotecnia*, inicia al estudiante en el papel fundamental que la mercadotecnia desempeña en la economía, y la forma en que las compañías planean y administran la mercadotecnia. La segunda parte, *organización del proceso de planeación de mercadotecnia*, muestra la manera de cómo la mercadotecnia encaja en el proceso de la planeación estratégica de la compañía y la forma cómo las firmas recaban la información necesaria para comprender a los clientes, competidores y otros actores en el lugar del mercado. La tercera parte, *análisis de oportunidades de mercado*, describe el ambiente de la mercadotecnia y las necesidades y patrones de compra del consumidor y de los compradores organizacionales. La cuarta parte, *selección de mercados meta*, presenta principios y herramientas para medir y pronosticar la demanda, y para segmentar, seleccionar y entrar en mercados atractivos y proporcionar ofertas distintivas de satisfacción de necesidades. La quinta parte, *desarrollo de la mezcla de mercadotecnia*, describe los principios específicos para diseñar, fijar precios, colocar y promover productos y servicios atractivos. La sexta parte, *administración del esfuerzo de mercadotecnia*, explica los sistemas de administración de mercadotecnia que las compañías usan para implantar, organizar y controlar su esfuerzo de mercadotecnia. La séptima parte, *mercadotecnia ampliada*, describe la mercadotecnia internacional, mercadotecnia de servicios, y mercadotecnia no lucrativa, y concluye con un examen del impacto de la mercadotecnia sobre la sociedad.

Científico

Este libro presenta conceptos, generalizaciones y teorías de la mercadotecnia que están apoyados por investigación y evidencia de carácter científico. La mercadotecnia es una ciencia aplicada construida sobre los fundamentos de la *ciencia económica*, la *ciencia de la conducta y la teoría moderna de la administración*. La economía nos dice que la mercadotecnia implica el uso de recursos escasos para satisfacer necesidades de competencia y, por tanto, estos recursos deben asignarse cuidadosamente. La ciencia de la conducta nos recuerda que la mercadotecnia trata sobre los seres humanos (personas que compran y que dirigen organizaciones) y que debemos entender sus necesidades, motivaciones, actitudes y conducta. Por último, la teoría de la administración nos recuerda que la mercadotecnia busca respuesta a la manera en que las organizaciones pueden administrar mejor sus actividades de mercadotecnia para crear valor para ellas mismas, sus consumidores y la sociedad.

Práctico

Cada situación de mercadotecnia es única. Los gerentes necesitan saber cómo analizar problemas y aplicar la teoría de mercadotecnia pertinente para resolverlos. En este libro se describen numerosas situaciones en las cuales algunas compañías bien conocidas y otras poco conocidas aplican la mercadotecnia para resolver problemas de mercado (si hubiera muy poca demanda para sus productos o servicios, el tipo equivocado de demanda o incluso una demanda excesiva). Las situaciones se ilustran en ejemplos que aparecen a lo largo de todo el libro, especialmente en recuadros y en casos de estudio.

Ameno

Un libro de texto tiene que ser ameno para que le permita al estudiante disfrutar del tema. La mercadotecnia es un tema fascinante y el autor espera que le haya comunicado su entusiasmo al lector. Casi todos los capítulos comienzan con una viñeta que describe una compañía, lo cual enfrenta una situación peculiar de mercadotecnia que se examinará en el capítulo. En cada capítulo se insertan ejemplos oportunos e interesantes para ilustrar principios importantes.

La intención del autor es presentar la mercadotecnia de una manera comprensiva, sistemática, científica, práctica y amena. El mercado determinará si la intención tuvo éxito: qué tan satisfechos están los lectores y qué uso pueden hacer de las ideas de este libro.

AUXILIARES PEDAGOGICOS

Este libro emplea numerosos auxiliares para facilitarle el aprendizaje al estudiante. Los principales auxiliares que aparecen en el libro son: *viñetas iniciales,* que comienzan la mayoría de los capítulos con una historia dramática de mercadotecnia diseñada para despertar el interés del estudiante; *principales temas de cada capítulo,* que se enuncian inmediatamente después de la viñeta; numerosas *figuras, tablas y fotografías,* que ilustran puntos importantes con materiales visuales de gran fuerza; *recuadros,* que contienen material de interés excepcional; *resúmenes,* que proporcionan a cada capítulo una declaración concisa de los conceptos principales; *preguntas de repaso,* que tratan sobre los temas principales de cada capítulo; *20 casos de estudio* donde se describen compañías reales que enfrentan situaciones difíciles de mercadotecnia y que retan a los estudiantes para que apliquen principios de mercadotecnia a problemas reales; *dos apéndices,* uno sobre aritmética de mercadotecnia y otro sobre carreras de mercadotecnia; un *glosario extenso* de términos para consulta rápida, y *dos índices,* uno de autores, el otro analítico.

CAMBIOS EN LA TERCERA EDICION

La tercera edición se ha escrito durante una época difícil para muchas compañías, industrias y naciones. Muchas industrias importantes en Estados Unidos (acero, equipo de construcción, textiles, zapatos) están experimentando un crecimiento lento o nulo, y se enfrentan a la competencia agresiva de compañías extranjeras que tienen costos más bajos de trabajo y de otros tipos. Las nuevas industrias de alta tecnología (computadoras, artículos electrónicos, robótica) están ampliándose pero también se enfrentan a una competencia extranjera de alta calidad y ofrecen pocas oportunidades de empleo porque no hacen uso intensivo del trabajo. Las industrias de servicio (restaurantes de comida rápida, hoteles, clubes deportivos, etc.) están creciendo con rapidez y hacen uso intensivo del trabajo, pero no proporcionan grandes oportunidades para ganancias en productividad. Es materia de acalorada polémica saber cuáles industrias representan la mejor esperanza para el futuro y si el gobierno debería favorecer ciertas industrias en vez de otras. Mientras tanto, el desempleo es demasiado alto y golpea fuertemente a ciertos grupos. Los consumidores compran productos nuevos, como computadoras personales, videograbadoras, etc., pero ninguno representa el límite de ingresos y de empleo que proporcionaban las principales industrias del pasado, como los ferrocarriles, los automóviles y la aeronáutica.

Mientras tanto, dos terceras partes de la población mundial están en pésimas condiciones de nutrición, vestido y vivienda. Tienen necesidades básicas que la capacidad industrial existente puede abastecer, pero carecen del poder de compra necesario. La economía mundial aún debe resolver el problema de crear patrones comerciales con lo cual aquéllos que tengan gran necesidad de artículos básicos puedan pagar por éstos de alguna forma, con dinero en efectivo o con otros bienes, tarde o temprano. Los mercados de los países menos desarrollados representan la nueva frontera, si puede encontrarse una manera de abastecerlos.

Sobre los hombros de los mercadólogos cae la tarea de definir lo que sus compañías pueden hacer y vender lucrativamente, aquí y en el extranjero. Deben detectar y evaluar desarrollos como la aparición del mercado "Yuppie" (de supermoda), el mercado de las personas solteras, el mercado de los ancianos, el mercado hispano, y sus diferentes necesidades. Los mercadólogos deben entonces conducir a sus compañías hacia el desarrollo de productos y servicios atractivos para estos mercados. Idealmente, la labor de la mercadotecnia consiste en hacer que las compañías produzcan los productos correctos con el precio correcto, ofrecidos en los lugares y con la promoción correctos. Deberán hacer esto dentro del marco de referencia de la satisfacción de las necesidades del consumidor, sus propias necesidades corporativas y sus responsabilidades sociales.

La tercera edición de *Mercadotecnia* ha sido mejorada en cuanto a su organización, contenido y estilo de redacción. El cambio principal de organización consiste en describir en el capítulo 3, y no al final del libro, lo que es la planeación de mercadotecnia y cómo encaja en los procesos de la planeación estratégica general de la compañía, y presentar una visión general de los principales elementos de un plan eficaz de mercadotecnia, que se examinarán en capítulos subsecuentes.

En cuanto al contenido, en la tercera edición se ha agregado material nuevo sobre estrategias competitivas de mercadotecnia, problemas con la implantación de planes de mercadotecnia, comportamiento y conflicto del canal de mercadotecnia. Se ha aumentado y mejorado el alcance de la exposición de áreas temáticas tales como la planeación estratégica, el papel de la mercadotecnia en relación con otras funciones de los negocios, enfoques nuevos de investigación de mercadotecnia, conducta de compra organizacional, posicionamiento de producto y marca, el papel de los precios en la mezcla de mercadotecnia, y las percepciones que tienen los consumidores sobre la fijación de precios. Se ha agregado un número sustancial de casos nuevos y contemporáneos, así como viñetas al comienzo de cada capítulo y recuadros. El estilo se ha mejorado y ahora hay oraciones más cortas, más verbos activos, menos redundancia, y otras características que acrecientan la amenidad. Todos los materiales complementarios han sido motivo de revisión y mejoramiento.

La tercera edición se ha revisado mediante un proceso de recopilación, de retroalimentación intensiva de maestros y estudiantes. Este libro intenta ser un instrumento propicio, que le proporcione a los estudiantes la mejor capacitación posible en mercadotecnia y puedan dominar las oportunidades y los retos de la mercadotecnia del futuro.

RECONOCIMIENTOS

Un libro de texto debe su existencia al trabajo y a los reconocimientos de numerosos predecesores y colegas. Hay una gran deuda con los pioneros de la mercadotecnia que identificaron por primera vez los temas principales de este campo, clarificaron el propósito y el alcance de la mercadotecnia, e instituyeron las ideas centrales para su desarrollo.

Esta tercera edición tiene una gran deuda con mi amigo, colega, y antiguo alumno, el profesor Gary M. Armstrong. El profesor Armstrong ha sido un ferviente revisor y usuario de *Mercadotecnia* y me ha ayudado a corregir todas las páginas del texto con el fin de mejorar la claridad, la organización y los ejemplos. Su gran discernimiento pedagógico del complicado mundo de la mercadotecnia me ayudó inconmensurablemente en el proceso de preparar la tercera edición.

También quiero agradecer a mi colega y amigo de la Northwestern University, el profesor Richard M. Clewett, por preparar casos recientes para esta edición, basándose en su gran experiencia como maestro y autor. Los casos son oportunos, interesantes y retadores. También quiero agradecer las contribuciones del profesor Patrick E. Murphy de la Notre Dame University y del profesor Bruce Wrenn de la Andrews University por el material que prepararon. Un gran número de revisores capaces que usaron la segunda edición de *Mercadotecnia* proporcionaron sugerencias muy valiosas para la tercera edición. Estoy en deuda con mis colegas:

Gerald Albaum
University of Oregon

David L. Appel
University of Notre Dame

Boris W. Becker
Oregon State University

Michael Belch
San Diego State University

Robert L. Berl
Memphis State University

Paul N. Bloom
University of North Carolina

Austin Byron
Northern Arizona University

Charles R. Canedy III
University of Hartford

Keith Cox
University of Houston

Rohit Deshpande
University of Texas at Austin

Thomas Falcone
Indiana University of Penna.

Denise Johnson
Indiana University

Raymond F. Keyes
Boston College

Jean Lefebvre
University of Hartford

John Martin
Boston University

Douglas W. Mellott, Jr.
Louisiana Tech University

Chem Narayana
University of Illinois at Chicago

Robert Olsen
California State University, Fullerton

Christopher P. Puto
University of Michigan

David R. Rink
Northern Illinois University

Dennis W. Rook
University of Southern California

Dean Siewers
Rochester Institute of Technology

Clint B. Tankersley
Syracuse University

Peter Wilton
University of California, Berkeley

Mis colegas en la Northwestern University han brindado generosamente su tiempo para el análisis y la evaluación de las principales ideas de mercadotecnia. Estoy en deuda con los profesores James C. Anderson, Bobby J. Calder, Lakshman Krishnamurthi, Stephen A. LaTour, Sidney J. Levy, Prahbakant Sinha, John F. Sherry, Louis W. Stern, Brian Sternthal, Alice M. Tybout, y Andris Zoltners.

Le doy las gracias también a mi decano y amigo de toda la vida, Donald P. Jacobs, por su apoyo generoso para mis esfuerzos de investigación y redacción.

Un libro no es un libro sin una compañía editora. La compañía con la cual disfruto más trabajando es Prentice-Hall, con la cual he colaborado desde 1967. Ellos son los ''profesionales de la edición''. Elizabeth Classon, mi antigua editora contribuyó mucho al desarrollo de la segunda y tercera ediciones. Whitney Blake, mi editor actual, agregó un discernimiento fresco. También quiero agradecer el trabajo editorial de gran calidad de Esther Koehn, editora de producción universitaria, y el diseño gráfico creativo de Maureen Eide.

También se merecen un agradecimiento especial nuestras secretarias de departamento de la Northwestern University que me ayudaron a cumplir con la fecha de entrega: Marion Davis, Laura Kingsley, Ruby Chan y Tracy Ayers.

También quiero agradecer a la familia Harold T. Martin por su generoso apoyo de mi cátedra en la Northwestern University.

Por último, quiero dar las gracias a mi esposa Nancy, mis hijas Amy, Melissa y Jessica, y a mis amigos íntimos por su continuo apoyo y aliento.

Mercadotecnia

uno

COMPRENSION DE LA MERCADOTECNIA

En la primera parte de este libro se presenta la ''imagen global'':
¿Qué es la mercadotecnia? ¿Por qué es necesaria la mercadotecnia?
¿Cómo funciona la mercadotecnia?

1

Fundamentos sociales de la mercadotecnia: satisfacción de las necesidades humanas

La mercadotecnia influye en todos nosotros cotidianamente. Despertamos con la alarma de un reloj de radio Panasonic, que comienza a tocar una canción de Lionel Richie seguida por un comercial de Mexicana de Aviación que anuncia vacaciones en Cancún. Entramos al cuarto de baño y nos cepillamos los dientes con Colgate, nos rasuramos con Gillette, hacemos gárgaras con Listerine, nos rociamos el cabello con Revlon, y usamos otros artículos de tocador y aparatos eléctricos producidos por fabricantes de todo el mundo. Nos ponemos pantalones Calvin Klein y zapatos Bass. Entramos en la cocina y bebemos jugo de naranja Minutte Maid y comemos Rice Krispies de Kellogg's con leche Borden. Después tomamos una taza de café Decaf con dos cucharadas de azúcar mientras comemos una rebanada de pan Bimbo. Consumimos naranjas cultivadas en Veracruz, café de Coatepec, un periódico hecho de pulpa de madera canadiense, y oímos noticias en la radio que provienen incluso de Australia. Abrimos la correspondencia y encontramos un catálogo de compradores del Museo Metropolitano de Arte, una carta de un representante de ventas de la compañía aseguradora La Comercial que ofrece servicios, y cupones que nos ahorran dinero en nuestras marcas preferidas. Salimos de casa y vamos en coche al centro comercial Plaza Satélite, donde están las tiendas El Puerto de Liverpool, París Londres, Sears y muchos otros establecimientos llenos hasta el tope de artículos. Después hacemos ejercicios en el centro de acondicionamiento físico Nautilus, nos cortamos el cabello en Vidal Sassoon, y planeamos un viaje al Caribe en una agencia de viajes Thomas Cook.

El sistema de mercadotecnia ha hecho posible todo esto, con poco esfuerzo de nuestra parte. Nos ha proporcionado un estándar de vida que hubiera sido inconcebible para nuestros antecesores.

¿QUE ES LA MERCADOTECNIA?

¿Qué significa el término mercadotecnia? A 300 administradores de las universidades se les formuló esta pregunta.[1] El 90% contestaron que la mercadotecnia eran ventas, publicidad o relaciones públicas. Sólo el 9% dijo que la mercadotecnia también incluía evaluación de necesidades, investigación de mercado, desarrollo de producto, fijación de precios y distribución. La mayoría de la gente identifica erróneamente la mercadotecnia con las ventas y la promoción.

¡Esto no tiene nada de extraño! Se nos bombardea constantemente con comerciales de televisión, anuncios en los periódicos, publicidad de correo directo y visitas de ventas. Siempre hay alguien que intenta vender algo. Parece ser que no podemos escapar de la muerte, de los impuestos o de las ventas.

Por tanto, muchos estudiantes se sorprenden cuando averiguan que la parte más importante de la mercadotecnia no son las ventas. Las ventas constituyen tan sólo la parte visible del iceberg de la mercadotecnia. Las ventas son tan sólo una de las diversas funciones de la mercadotecnia, y con frecuencia no la más importante. Si el mercadólogo cumple perfectamente sus funciones de identificar las necesidades del consumidor, desarrollar productos apropiados, y fijarles precio, distribuirlos y promocionarlos en forma efectiva, estos bienes se venderán fácilmente.

Todo el mundo conoce aquellos productos ''atractivos'' tan populares entre los consumidores. Cuando Eastman Kodak diseñó su cámara Instamatic o cuando Atari diseñó su primer juego de video, estos fabricantes recibieron muchísimos pedidos por que habían diseñado el producto ''correcto''. No se trataba de productos similares, sino de productos distintivos que ofrecían beneficios nuevos.

Peter Drucker, uno de los principales teóricos de la administración, explicaba las cosas de esta manera:

> *El objetivo de la mercadotecnia consiste en hacer superflua la venta.* La finalidad es conocer y comprender al consumidor tan bien que el producto o servicio satisfaga sus necesidades y se venda sin promoción alguna.[2]

Esto no quiere decir que la venta y promoción carezcan de importancia, sino más bien que son parte de una ''mezcla de mercadotecnia'' o conjunto de herramientas de mercadotecnia que deben conjugarse para obtener el impacto máximo en el lugar del mercado.

He aquí nuestra definición de la *mercadotecnia*:

> La *mercadotecnia* es una actividad humana cuya finalidad consiste en satisfacer las necesidades y deseos del ser humano mediante procesos de intercambio.

Para enriquecer esta definición se explicarán los siguientes términos: *necesidades, deseos, demandas, productos, intercambio, transacciones* y *mercados*.[3]

Necesidades   El concepto más importante que sustenta la mercadotecnia es el de las necesidades humanas, que se definen de la siguiente manera:

> Una *necesidad humana* es el estado de privación que siente una persona.

Las necesidades humanas son abundantes y complicadas. Incluyen necesidades fisiológicas de alimentación, ropa, calor y seguridad; necesidades sociales de pertenencia, influencia y afecto; y necesidades individuales de conocimiento y expresión de sí mismo. Estas necesidades no son creadas por la publicidad, sino que constituyen una parte fundamental de la naturaleza humana.

Cuando una necesidad no se satisface, la persona no está feliz. Una persona infeliz hará una de dos cosas: buscar un objeto que satisfaga la necesidad, o tratar de extinguir el deseo. Los seres humanos en las sociedades industriales intentan encontrar o desarrollar objetos que satisfagan sus deseos. Las personas en sociedades pobres intentan reducir sus deseos y restringirlos a lo que esté disponible.

Deseos   Los **deseos humanos** son la forma que adoptan las necesidades humanas, de acuerdo con la cultura y la personalidad individual. Una persona hambrienta en Bali, quiere mangos, lechones y frijoles. Una persona hambrienta en Estados Unidos quiere una hamburguesa, papas fritas y un refresco de cola. Los deseos se describen en términos de objetos definidos culturalmente que satisfarán la necesidad.

A medida que una sociedad evoluciona, los deseos de sus miembros se amplían. Los seres humanos están expuestos a más objetos que despiertan su curiosidad, interés y deseos. Los productores emprenden acciones específicas para que el público sienta el deseo de adquirir sus artículos. Intentan establecer una conexión entre lo que producen y las necesidades de la gente. Promueven su producto como un satisfactor de una o más necesidades particulares. El mercadólogo no crea la necesidad, sino que ésta ya existe.

Los vendedores suelen confundir los deseos con las necesidades. Un fabricante de brocas puede pensar que el consumidor necesita esa mercancía, pero lo que el cliente necesita en verdad es un agujero. En este sentido, no hay productos; sólo hay servicios que los productos ejecutan.

Algunos vendedores sufren de ''miopía de mercadotecnia''.[4] Están tan prendados de sus productos que únicamente se concentran en los deseos existentes y pierden de vista las necesidades implícitas del consumidor. Olvidan que un producto físico es sólo una herramienta para resolver un problema del consumidor. Estos vendedores son vulnerables a los productos sucesores: si aparece un producto nuevo que satisface la necesidad mejor o más económicamente, el consumidor tendrá la misma necesidad, pero un deseo nuevo.

Demandas   Los deseos de los seres humanos prácticamente son ilimitados, pero los recursos son limitados. Los consumidores escogen productos que les dan la mayor satisfacción por su dinero.

La misión de la compañía Kaizer Sand & Gravel es ''encontrar una necesidad y satisfacerla''. *Cortesía de Kaiser Sand & Gravel, una subsidiaria de Koppers Company, Inc.*

Sus deseos se convierten en **demandas** *cuando éstos están respaldados por el poder adquisitivo.*

Es fácil enumerar las demandas en una sociedad determinada en un momento dado. En un año determinado, 230 millones de estadunidenses podrían comprar 67 mil millones de huevos, 2 mil millones de pollos, 5 millones de secadores para el pelo, 133 mil millones de millas-pasajero de vuelos nacionales, y más de 20 millones de clases en el salón dictadas por profesores universitarios de inglés. Estos y otros bienes y servicios de consumo conducen a su vez a una demanda de más de 150 millones de toneladas de acero, 4 mil millones de toneladas de algodón y muchos otros artículos industriales. Estas son algunas de las demandas que se expresan en una economía de 2 000 millones de dólares.

Una sociedad podría planear la producción del año próximo usando la mezcla de demanda del año en curso. La Unión Soviética y otras economías de planificación central planean la producción sobre esta base. Sin embargo, las demandas no son tan confiables. La gente se aburre de algunas cosas que consumen corrientemente; buscan variedad por el mero gusto de buscarla; y hacen nuevas elecciones como respuesta a los cambios de precios y de ingresos.

Los consumidores consideran los productos como conjuntos de beneficios y escogen aquellos productos que les den el mejor conjunto por su dinero. Así, un automóvil Toyota representa transportación básica, precio bajo de compra, y economía de combustible; un Cadillac representa comodidad, lujo y *estatus*. Los consumidores escogen el producto cuyos atributos combinados proporcionan la mayor satisfacción, y que corresponda a sus deseos y recursos.

Productos

Las necesidades, deseos y demandas del ser humano indican que hay productos que los satisfacen. Un producto se define de la manera siguiente:

> Un *producto* es cualquier cosa que se ofrece en un mercado para la atención, adquisición, uso o consumo capaces de satisfacer una necesidad o un deseo.

Supóngase que una persona siente la necesidad de ser más atrayente. Los productos que sean capaces de satisfacer esta necesidad conformarán el conjunto de opciones de un producto. Estos pueden incluir ropas nuevas, servicios de peluquería, un bronceado de sol tipo caribe, clases de gimnasia, y muchos otros. No todos estos productos son igualmente deseables. Es probable que se compren primero los productos más accesibles o menos costosos, como las ropas o un nuevo corte de pelo.

Es posible representar un producto específico y un deseo humano específico mediante círculos y representar la capacidad de satisfacción del deseo del artículo por el grado en que el círculo del producto cubre al círculo del deseo. En la figura 1-1A se muestra que el producto A no tiene ninguna capacidad de satisfacción de deseo en relación con el deseo X. La figura 1-1B muestra que el producto B tiene una capacidad parcial de satisfacción de deseo. La figura 1-1C muestra que el producto C prácticamente satisface el deseo por completo. El producto C se denominará producto ideal.

Los productores están interesados por el concepto de un producto ideal, porque mientras mejor satisfaga un producto el deseo del consumidor, más éxito tendrá el productor. Supóngase que un productor de helados le pregunta a un consumidor cuánta "cremosidad" y "dulzura" le gusta en un helado; y supóngase que la respuesta del consumidor está representada por el "ideal" en la figura 1-2. Ahora se le pide al consumidor que pruebe tres marcas competitivas de helados y describa sus niveles de cremosidad y dulzura. Estos también están representados por puntos en la figura 1-2.

Cabría esperar que el consumidor prefiriera la marca B porque es la que más se acerca a los niveles ideales de los dos atributos que el consumidor desea. Si el productor ofreciese un helado más cercano al ideal del consumidor que la marca B, el nuevo producto se

FIGURA 1-1
*Tres grados de
satisfacción
de deseo*

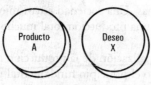 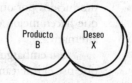

**A. No hay satisfacción
del deseo**

**B. Satisfacción parcial
del deseo**

**C. Satisfacción completa
del deseo**

vendería más, siempre que el precio, la asequibilidad y otras condiciones sean similares. La moraleja es que los productores deberían determinar el grupo de consumidores al que le quieren vender y proporcionar un artículo que se acercara todo lo posible a la satisfacción de los deseos de este grupo.

El concepto de producto no está limitado a objetos físicos. Cualquier cosa capaz de satisfacer una necesidad puede denominarse producto. Además de bienes y servicios, éste incluye *personas, lugares, organizaciones, actividades,* e *ideas.* Un consumidor decide qué programas ver en televisión, a qué lugares ir de vacaciones, a qué organizaciones contribuir y cuáles ideas apoyar. Desde el punto de vista del consumidor, éstos son productos alternativos. Si el término producto parece artificial a veces, se le puede sustituir por el término satisfactor, recurso u oferta. Todos estos términos describen algo de valor para alguien.

Intercambio   La mercadotecnia tiene lugar cuando los seres humanos deciden satisfacer necesidades y deseos mediante el intercambio.

> El *intercambio* es el acto de obtener un objeto deseado que pertenece a una persona ofreciéndole a ésta algo a cambio.

El intercambio es uno de los cuatro medios con que la persona puede obtener un objeto deseado. Por ejemplo, la persona hambrienta puede obtener comida de las siguientes maneras: puede encontrar su alimento dedicándose a la cacería, a la pesca o a la recolección de frutos (autoproducción). Puede robarle o quitarle la comida a otra persona (coacción). Puede mendigar (mendicidad). Y por último, puede ofrecer otro recurso como el dinero, otro artículo o un servicio a cambio del alimento (intercambio).

De estas cuatro maneras para satisfacer las necesidades, el intercambio tiene mucho a su favor. El hombre no tiene que aprovecharse de otros o depender de donativos. Tampoco tiene que poseer las habilidades necesarias para producir todas sus necesidades. Puede concentrarse en la producción de las cosas que hace mejor e intercambiarlas por artículos

FIGURA 1-2
*Marcas de helado de
vainilla en un espacio
de marca compuesto
de cremosidad y
dulzura*

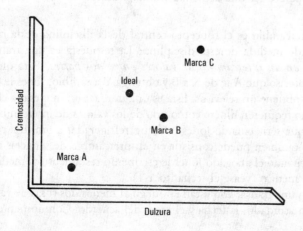

Capítulo 1   Fundamentos sociales de la mercadotecnia: satisfacción de las necesidades humanas

producidos por otras personas. Una sociedad cuyos miembros producen aquellos artículos que hacen mejor, obtienen una producción total mucho más grande que con cualquier otra alternativa.

Sin embargo, la especialización de la producción no siempre conduce a una sociedad que use el intercambio como el principio fundamental para distribuir bienes.[5] Algunas sociedades funcionan sobre el principio de la reciprocidad. Cada productor abastece de bienes y servicios a otras personas que los necesitan y a su vez recurre a otras para lo que él necesita. La familia moderna funciona sobre este principio, donde cada miembro les proporciona libremente servicios a los otros miembros sin acuerdos formales de intercambio. Otras sociedades aplican el principio de la redistribución. Los productores ceden parte o la totalidad de su producción a un líder o a un depósito central. La producción se redistribuye entonces a los seres humanos de acuerdo con sus necesidades, estatus o poder.

Pero en la mayoría de las sociedades los productores venden sus bienes a otras personas a cambio de dinero. El intercambio es el concepto central de la disciplina de la mercadotecnia. Para que ocurra un intercambio voluntario, deben darse cinco condiciones:

1. Hay un mínimo de dos partes.
2. Cada parte tiene algo que puede tener valor para la otra.
3. Cada parte es capaz de comunicar y entregar algo.
4. Cada parte puede aceptar o rechazar la oferta de la otra.
5. Cada parte cree que es apropiado o deseable tratar con la otra.

Estas cinco condiciones establecen un potencial para el intercambio. En realidad, el intercambio ocurrirá si las dos partes llegan a un acuerdo sobre los términos. Si hay acuerdo, se saca la conclusión de que la acción de intercambio es beneficiosa para todos (o al menos no es peor) ya que cada quien está en libertad de rechazar o aceptar la oferta. En este sentido, el intercambio es un proceso creador de valor. Así como la producción crea valor, el intercambio también crea valor al aumentar las posibilidades de consumo a las cuales se enfrenta un individuo.

El intercambio es una actividad humana complicada que no tiene paralelo en el reino animal. Las colonias de hormigas y las sociedades de gorilas muestran cierta división del trabajo, pero muy poca evidencia de intercambio formal. Adam Smith observaba que "nadie ha visto que un perro haga un intercambio justo y deliberado de un hueso por otro con otro perro. Nadie ha visto nunca que un animal le diga a otro mediante gestos y voces naturales, esto es mío, eso es tuyo; deseo darte esto por eso".[6] Pero el ser humano, según Adam Smith, tiene una "propensión natural para comerciar, trocar e intercambiar una cosa por otra". Los antropólogos han puesto en duda si el intercambio es una propensión humana natural o una disposición humana aprendida; pero, en cualquier caso, el intercambio parece ser una actividad humana única.[7]

Transacciones Si el intercambio es el concepto central de la disciplina de la mercadotecnia ¿Cuál es la unidad de medida de esta disciplina? La respuesta es una transacción. Una **transacción** *consiste en un intercambio de valores entre dos partes*. Para que se efectúe una transacción es preciso que A le dé X a B y obtenga Y a cambio. Jones le da cuatrocientos dólares a Smith y obtiene un televisor. Esta es una transacción monetaria clásica, aunque las transacciones no requieren dinero como uno de los valores de intercambio. Una transacción de tipo trueque sería cuando Jones le da un refrigerador a Smith a cambio de un televisor. El trueque también puede consistir en el intercambio de servicios en vez de artículos, como sucede cuando el abogado Jones le escribe un testamento al médico Smith a cambio de un examen médico (véase el recuadro 1-1).

En una transacción están en juego al menos dos cosas de valor, unas condiciones que se hayan acordado, la fecha y el lugar del acuerdo. Comúnmente aparece un sistema legal para apoyar y sancionar las cláusulas de las transacciones. Las transacciones pueden dar lugar fácilmente a conflictos basados en la mala interpretación o en la mala fe. Sin una ley de contratos, los seres humanos considerarían las transacciones con cierta desconfianza y todos perderían.

Los negocios mantienen registros de sus transacciones y los analizan con cuidado. Por ejemplo, el análisis de las ventas significa una implicación de evaluación de transacciones de ventas de una firma por producto, consumidor, territorio y otras variables específicas.

Una *transacción* es diferente de una *transferencia*. En una transferencia A le da X a B pero no recibe nada explícito a cambio. Las transferencias incluyen regalos, subsidios y acciones altruistas. Parecería que los mercadólogos deberían limitar su estudio a las transacciones en vez de las transferencias. Sin embargo, la conducta de transferencia también puede comprenderse mediante el concepto de intercambio. La persona que transfiere da un regalo con la expectativa de algún beneficio, como el agradecimiento, el alivio de una sensación de culpa o el deseo de poner a la otra parte bajo una obligación. Los profesionales de la recabación de fondos para alguna causa conocen muy bien los motivos de la ''reciprocidad'' que mueven a los donadores e intentan proporcionar los beneficios que éstos buscan. Si descuidan a los donadores o no muestran gratitud, muy pronto perderán el apoyo de éstos. Como resultado, recientemente los mercadólogos han aplicado el concepto de mercadotecnia para incluir el estudio de la conducta de transferencia, así como la conducta de transacción.

RECUADRO 1-1

RETORNO AL TRUEQUE

Usualmente, las compañías venden sus productos y servicios a cambio de dinero. Pero en la economía competitiva y escasa de dinero en efectivo hoy en día, muchas están regresando a la práctica primitiva del trueque: intercambiar los bienes y servicios que hacen por otros bienes y servicios que necesitan. Las compañías hacen trueques por más de 20 000 millones de dólares en valor de bienes y servicios al año, y la industria está creciendo a una tasa anual del 25%. Más del 65% de todas las compañías de la bolsa de valores de Nueva York realizan algún tipo de trueque. El trueque les proporciona a las compañías una forma para incrementar las ventas, descargar inventarios excesivos o anacrónicos y conservar el efectivo. Por ejemplo, cuando Shell Oil descubrió que estaba atascada con 5 millones de tiras de Can Care (un producto como las tiras No-Pest para matar insectos en latas de basura), arregló un intercambio con un centro de vacaciones del Caribe para una carga de azúcar no refinada. Cuando la Corporación Climaco tenía existencias excedentes de burbujas para baño, intercambió el exceso en su valor total por 300 000 dólares de publicidad para otros de sus productos.

No es sorprendente que hayan surgido muchos tipos de compañías especializadas para ayudar a las empresas que hacen trueques. Los ''clubes'' de intercambio y comercio al menudeo arreglan trueques para detallistas pequeños y medianos u otros negocios más pequeños. Las grandes corporaciones usan consultores corporativos y firmas de corredores para servicios que fluctúan desde la documentación de importación y exportación hasta el análisis del riesgo transaccional. Las casas de corredores de medios de comunicación proporcionan publicidad a cambio de productos. Organizaciones especializadas manejan el trueque internacional. Una compañía de trueque, Barter Systems, Inc., de Oklahoma City, opera 62 centros de trueque en Estados Unidos. Una carta que mandó recientemente a un número selecto de sus 25 000 clientes contenía la siguiente declaración: ''Se dan 300 000 dólares de leche en polvo o de hojuelas de maíz a cambio de un avión de igual valor''. Este tipo de organizaciones usan computadoras para localizar a personas o firmas que quieran efectuar un intercambio y hasta conceden créditos en especie para futuras transacciones. Usualmente les pagan a sus empleados en efectivo, pero prefieren pagarles en bienes y servicios si los trabajadores así lo desean.

Fuente: basado en Linda A. Dickerson, ''Barter to Gain a Competitive Edge in a Cash-Poor Economy'', *Marketing News*, marzo 16, 1984, pp. 1-2; Jack G. Kaikati, ''Marketing without Exchange of Money'', *Harvard Business Review*, noviembre-diciembre 1982, pp. 72-74; y ''Swapathon'', *Time*, noviembre 9, 1981, pp. 74-75.

En un sentido genérico, el mercadólogo intenta provocar una respuesta hacia alguna oferta, y la respuesta no es la de comprar ni la de intercambiar en el sentido estricto. Un candidato político desea una respuesta que se llama voto, una iglesia desea una respuesta denominada afiliación, un grupo de acción social quiere una respuesta que se llama adopción de la idea. La mercadotecnia está formada por las acciones emprendidas con el propósito de provocar una respuesta deseada de un público meta hacia cierto objeto.

Mercados   El concepto de transacciones conduce al concepto de un mercado.

Un *mercado* es el conjunto de compradores reales y potenciales de un producto.

Para comprender la naturaleza de un mercado, imagínese una economía primitiva formada por cuatro personas: un pescador, un cazador, un alfarero y un agricultor. En la figura 1-3 se muestran tres formas diferentes cómo estas personas pueden satisfacer sus necesidades. En el primer caso, la autosuficiencia, cada uno puede conseguir los bienes que necesita. Así, el cazador pasa la mayor parte de su tiempo dedicado a la cacería, pero también se dedica a la pesca, hace cerámica y cultiva la tierra para obtener los otros bienes. El cazador es menos eficiente en la cacería, y lo mismo les sucede a las otras tres personas. En el segundo caso, el intercambio descentralizado, cada persona ve a las otras tres como "compradores" potenciales que integran un mercado. Por lo tanto, puede que el cazador haga varios viajes para intercambiar carne por los artículos del pescador, el alfarero y el agricultor. En el tercer caso, intercambio centralizado, aparece una nueva persona denominada "comerciante" que está ubicada en un área central que se llama mercado. El pescador, el alfarero, el agricultor y el cazador le llevan sus artículos al comerciante y los cambian por los bienes que necesitan. Así, el cazador hace transacciones con un "mercado" para obtener todos los bienes necesarios, en vez de hacer transacciones con las otras tres personas.

La aparición del comerciante reduce sustancialmente el número total de transacciones requeridas para obtener un volumen dado de intercambio. En otras palabras, los comerciantes y los mercados centrales acrecientan la eficacia transaccional de la economía.[8]

A medida que aumenta el número de personas y de transacciones en una sociedad, también se incrementa el número de comerciantes y de mercados. En las sociedades avanzadas, los mercados no necesitan ser lugares físicos donde los compradores y los vendedores interactúan. Con las comunicaciones y los medios de transporte modernos, un comerciante puede anunciar un producto por televisión, recibir pedidos de centenares de clientes por teléfono, y enviarles la mercancía por correo al día siguiente sin tener ningún contacto físico con los compradores.

FIGURA 1-3
Evolución hacia el intercambio centralizado

Autosuficiencia   **Intercambio descentralizado**

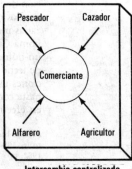

Intercambio centralizado

Un mercado también puede desarrollarse en torno a un producto, un servicio o cualquier cosa de valor. Por ejemplo, el mercado de trabajo consta de personas que están deseosas de ofrecer su trabajo a cambio de sueldos o productos. Varias instituciones se desarrollarán en torno de un mercado laboral para facilitar el funcionamiento de éste, como las agencias de empleo y las firmas de asesoramiento profesional. El dinero es otro mercado importante que aparece para satisfacer las necesidades de las personas que quieren obtener préstamos, conceder fondos, ahorrar y proteger su dinero. Y el mercado de donadores surge para satisfacer las necesidades financieras de organizaciones no lucrativas.

Mercadotecnia El concepto de mercado nos lleva de nuevo al de mercadotecnia. La mercadotecnia significa la actividad humana que se lleva a cabo en relación con los mercados. Significa trabajar con los mercados para realizar intercambios potenciales con el propósito de satisfacer las necesidades y deseos humanos. Así, regresamos a nuestra definición de la mercadotecnia como *la actividad humana tendiente a satisfacer los deseos y necesidades mediante procesos de intercambio.*

Los procesos de intercambio implican trabajo. Los vendedores tienen que buscar compradores, identificar las necesidades de éstos, diseñar productos apropiados, promoverlos, almacenarlos y transportarlos, negociarlos, etc. Actividades tales como el desarrollo e investigación de productos, la comunicación, distribución, fijación de precios y el servicio constituyen actividades centrales de mercadotecnia.

Aunque comúnmente se piensa que los vendedores son quienes realizan la mercadotecnia, los compradores también ejecutan actividades de mercadotecnia. Los consumidores hacen ''mercadotecnia'' cuando buscan los artículos que necesitan a precios que puedan costear. Un agente de adquisiciones que necesita un volumen reducido de un artículo de oferta escasa debe buscar a quienes lo venden y hacerles una oferta atractiva. Un mercado de vendedores es aquél en el cual los vendedores tienen más poder y los compradores deben ser los ''mercadólogos'' más activos. En un mercado de compradores, los compradores tienen más poder y los vendedores deben ser ''mercadólogos'' más activos.

A comienzos de la década de 1950, la oferta de bienes comenzó a crecer más rápidamente que la demanda, y la mercadotecnia se convirtió en sinónimo de vendedores que intentaban encontrar compradores. En este libro se adoptará este punto de vista y se examinarán los problemas de la mercadotecnia de los vendedores en un mercado de compradores.

ADMINISTRACION DE MERCADOTECNIA

Las personas que intervienen en el proceso de intercambio aprenden a realizarlo mejor después de cierto tiempo. En particular, los vendedores aprenden a ser más profesionales en su administración de la mercadotecnia. La administración de la mercadotecnia se define así:

> La *administración de mercadotecnia* es el análisis, planeación, realización y control de los programas destinados a crear, establecer y mantener intercambios útiles con los compradores meta con el propósito de alcanzar los objetivos organizacionales.

La imagen tan conocida del administrador o gerente de mercadotecnia es la de alguien cuya tarea consiste, principalmente, en encontrar suficientes clientes para la producción actual de la compañía. Sin embargo, ésta es una visión demasiado limitada de las tareas que corresponden a los gerentes de mercadotecnia. Estos no sólo se ocupan de crear y ampliar la demanda, sino también de modificarla y reducirla ocasionalmente. *La administración de mercadotecnia busca influir en el nivel, la oportunidad y el carácter de la de-*

manda de tal forma que le ayude a la organización a lograr sus objetivos. Dicho de una manera sencilla, la administración de mercadotecnia es la *administración de la demanda.*

La organización se forma una idea del nivel deseado de transacciones con un mercado. En cualquier momento, el nivel real de la demanda puede ser menor, igual, o superior al nivel deseado de la demanda. Es decir, a veces no habrá demanda, otras veces habrá una demanda débil, una demanda adecuada, o una demanda excesiva, y la administración de mercadotecnia debe enfrentarse con estos estados distintos (véase el recuadro 1-2).

Por **administradores o gerentes de mercadotecnia** se entiende el personal de la compañía que interviene en el análisis, planeación, implantación o control de las actividades de mercadotecnia. Este grupo abarca gerentes de ventas y vendedores, ejecutivos de publicidad, especialistas en promoción de ventas, investigadores de mercados, gerentes de producto y especialistas en fijación de precios. En los capítulos 2 y 21 y en el apéndice 2, "Carreras en mercadotecnia", se proporcionará más información sobre estos puestos de mercadotecnia.

FILOSOFIAS DE LA ADMINISTRACION DE MERCADOTECNIA

La administración de mercadotecnia ha sido descrita como el esfuerzo concienzudo para lograr los intercambios deseados con los mercados meta. ¿Qué criterios deberían orientar a estos esfuerzos de mercadotecnia? ¿Qué valor debería dárseles a los intereses de la organi-

---

RECUADRO 1-2

DIVERSOS ESTADOS DE LA DEMANDA Y LAS TAREAS CORRESPONDIENTES DE MERCADOTECNIA

1. *Demanda negativa.* Un mercado se encuentra en un estado de demanda negativa si a una gran parte del mercado le disgusta el producto y hasta puede llegar a pagar un precio por evitarlo. La gente tiene una demanda negativa por las vacunas, el dentista, la vasectomía y las operaciones de la vesícula biliar. Los patronos sienten una demanda negativa por empleados expresidiarios y alcohólicos. La labor de la mercadotecnia consiste en analizar por qué le disgusta el producto al mercado, y averiguar si un programa de mercadotecnia puede cambiar las creencias y actitudes del mercado mediante el nuevo diseño del producto, precios más bajos y una promoción más positiva.

2. *Ausencia de demanda.* Se observa cuando los consumidores meta no tienen interés o son indiferentes al producto. Así, los agricultores tal vez no tengan interés por un nuevo método de cultivo, y los estudiantes universitarios tal vez no tendrán interés de tomar cursos de idiomas extranjeros. La tarea de la mercadotecnia consiste en encontrar formas para conectar los beneficios del producto con las necesidades e intereses naturales de la persona.

3. *Demanda latente.* Se da cuando muchos consumidores comparten un fuerte deseo por algo que ningún producto o servicio existente puede satisfacer. Hay una fuerte demanda latente por cigarrillos no dañinos a la salud; barrios más seguros, y automóviles que gasten menos gasolina. La tarea de la mercadotecnia consiste en medir el tamaño del mercado y desarrollar bienes y servicios eficaces que satisfagan la demanda.

4. *Demanda decreciente.* Toda organización afrontará tarde o temprano una demanda decreciente para uno o más productos. Las iglesias han visto mermar el número de feligreses, y las universidades privadas han visto disminuir el número de inscripciones. El mercadólogo debe analizar las causas de tales fenómenos y determinar si es posible volver a estimular la demanda al encontrar nuevos mercados meta, cambiar las características del producto o desarrollar comunicaciones más eficaces. La tarea de la mercadotecnia consiste en invertir la demanda decreciente mediante una recomercialización creativa del producto.

5. *Demanda irregular.* Muchas organizaciones tienen una demanda que varía por temporada, por día o incluso por hora, lo cual ocasiona problemas de capacidad ociosa o de sobrecapacidad. En el transporte masivo, gran parte del equipo está ocioso en las horas de poco tránsito y resulta insuficiente en las de mucho tránsito. Los museos están prácticamente desiertos en los días de la semana y atestados sábados y domingos. Los quirófanos reciben demasiados pacientes los primeros días de la semana y muy pocos a medida que avanza la semana. La tarea de la mercadotecnia consiste en encontrar la forma para modificar el patrón temporal de la demanda mediante una fijación de precios muy flexibles, la promoción y otros incentivos.

6. *Demanda plena.* Una organización tiene este tipo de demanda cuando está satisfecha con su volumen de negocios. La tarea de la mercadotecnia consiste en mantener el nivel actual de la demanda ante las preferencias cambiantes del consumidor y la competencia cada vez más fuerte. La organización tiene que preservar su calidad y medir constantemente la satisfacción del cliente para cerciorarse de que está haciendo bien las cosas.

7. *Demanda excesiva.* Algunas organizaciones se enfrentan a una demanda que supera sus capacidades o sus deseos. Así, el puente Golden Gate tiene un volumen de tránsito mayor al que permiten las medidas de seguridad; el parque nacional Yellowstone está repleto de gente en el verano. La tarea de la mercadotecnia, denominada *desmercadotecnia,* requiere buscar medios para reducir la demanda de modo temporal o permanente. La desmercadotecnia general procura desalentar la demanda excesiva y consta de medidas como elevación de precios y reducción de la promoción y el servicio. La desmercadotecnia selectiva consiste en intentar reducir la demanda procedente de aquellas partes del mercado que sean menos lucrativas o tengan menos necesidad del servicio. La desmercadotecnia no intenta destruir la demanda, sino tan sólo reducir su nivel.

8. *Demanda de productos nocivos.* Los productos nocivos dan lugar a esfuerzos organizados para desalentar su consumo. Se han dirigido campañas contra la venta de cigarrillos, alcohol, drogas, pistolas, películas pornográficas y familias numerosas. La tarea de la mercadotecnia consiste en hacer que las personas a quienes les gusta algo renuncien a ello, usando para este fin herramientas tales como los mensajes publicitarios basados en el miedo, el aumento de precios y la reducción de la asequibilidad de los artículos.

Fuentes: Para una explicación más detallada, véase: Philip Kotler, ''The Major Tasks of Marketing Management'', *Journal of Marketing,* octubre 1973, pp. 42-49; y Philip Kotler y Sidney J. Levy, ''Demarketing, Yes, Demarketing'', *Harvard Business Review,* noviembre-diciembre 1971, pp. 74-80.

---

zación, de los consumidores y la sociedad? Con mucha frecuencia estas cosas entran en conflicto. Evidentemente, las actividades de mercadotecnia deberían llevarse a cabo bajo cierta filosofía.

Hay cinco conceptos en competencia con los cuales dirigen su actividad de mercadotecnia los negocios y otras organizaciones: los conceptos de producción, producto, ventas, mercadotecnia, y mercadotecnia social. Estos conceptos constituyen respuestas a diferentes periodos en la historia de la economía estadunidense. Cada periodo representó retos diferentes para la supervivencia y la rentabilidad de una compañía. La evolución desde un concepto de producción o de producto hasta una orientación de ventas, de consumo, o incluso social, ha sido impulsada por grandes cambios sociales, económicos y políticos durante los últimos cincuenta años.

Concepto de producción

El concepto de producción es uno de los criterios más antiguos que orientan a los vendedores.

El *concepto de producción* sostiene que los consumidores favorecerán aquellos productos que estén disponibles y que sean sumamente costeables, y por esto la administración debería concentrarse en el mejoramiento de la eficiencia de producción y distribución.

El concepto de producción es un criterio apropiado en dos tipos de situaciones. La primera se da cuando la demanda de un producto excede la oferta. Aquí, la gerencia debería concentrarse en encontrar formas para acrecentar la producción. La segunda situación es cuando el costo del producto es alto y donde se necesita mejorar la productividad para reducirlo. La filosofía de Henry Ford era la de perfeccionar la producción del modelo T, de modo que pudiera bajar el costo y hubiera más personas capaces de costearlo. Le gustaba bromear acerca de que le ofrecía a la gente cualquier color de automóvil siempre que fuera negro. Hoy en día, Texas Instruments (TI) practica esta filosofía de aumentar el volumen de producción y bajar el costo con el fin de ofrecer precios más bajos. Este criterio le permitió obtener una gran porción del mercado estadunidense de calculadoras de bolsillo. Sin embargo, cuando TI aplicó la misma estrategia en el mercado de los relojes digitales, fracasó. Aunque su precio era bajo, a los consumidores no les parecían atractivos los relojes TI.[9]

Algunas organizaciones de servicio también siguen el concepto de producción. Muchos consultorios médicos y dentales están organizados, según el principio de la línea de montaje, y también algunas agencias gubernamentales, como las oficinas de desempleo y las oficinas de licencias. Aunque esto permita manejar muchos casos por hora, este tipo de administración está abierta a las acusaciones de impersonalidad e insensibilidad frente al consumidor.

Concepto de producto

El concepto de producto es otro de los conceptos fundamentales que orientan a los vendedores.

> El *concepto de producto* sostiene que los consumidores preferirán aquellos productos que ofrezcan la mejor calidad, rendimiento y características, y por esto la organización debería dedicar su energía a introducir mejoramientos constantes en sus productos.

Muchos fabricantes creen que si pudieran construir una ratonera mejor, el mundo se pondría a sus pies.[10] Pero a menudo se llevarán una desilusión. Los compradores están buscando la solución para un problema de ratones, pero no necesariamente una ratonera mejor. La solución podría ser una sustancia química con pulverizador, un servicio de exterminio, o algo que funcione mejor que una ratonera. Además, una ratonera mejor no se venderá si el fabricante no toma las medidas positivas para diseñar, empaquetar y fijar el precio de su nuevo producto en términos atractivos, colocarlo en los canales de distribución convenientes, presentarlo a la atención de las personas que lo necesitan, y convencerlas de que el producto tiene cualidades superiores.

El concepto de producto conduce a una miopía de la mercadotecnia. La gerencia de los ferrocarriles en Estados Unidos pensó que los usuarios querían trenes en vez de transporte y pasaron por alto el creciente reto de las líneas aéreas, los autobuses, camiones de carga y automóviles. Los fabricantes de reglas de cálculo pensaban que los ingenieros querían estos artículos en vez de la capacidad de cálculo y pasaron por alto el reto de las calculadoras de bolsillo. Los administradores de colegios superiores y universidades pensaron que los estudiantes de enseñanza media querían una educación en artes liberales, cuando en realidad su preferencia se inclinaba hacia una educación de orientación vocacional.

Concepto de venta

Muchos productores siguen el concepto de venta:

> El *concepto de venta* sostiene que los consumidores no comprarán el volumen suficiente de productos de la empresa, a no ser que ésta emprenda un gran esfuerzo de promoción y ventas.

El concepto de ventas se practica con más agresividad cuando se trata de "bienes de escasa demanda", artículos que el consumidor rara vez piensa comprar, como seguros, enciclopedias y lotes de cementerios. Estas industrias han perfeccionado varias técnicas de venta para ubicar a los prospectos y convencerlos de las ventajas de sus productos. El método agresivo de ventas ocurre con los bienes de mucha demanda, como los automóviles.[11]

Desde el preciso instante en que el cliente entra en la sala de exhibición, el vendedor hace una evaluación psicológica de la persona. Si el cliente se interesa por el modelo que allí se exhibe, se le dirá que hay otra persona que tiene intenciones de comprarlo, de modo que le será mejor apresurar su decisión. Si el precio le parece excesivo, el vendedor le prometerá hablar con el gerente y conseguir un precio especial. El cliente espera diez minutos y el vendedor regresa para decirle: "esto no le gusta al jefe, pero podré convencerlo". El objetivo de esto es "convencer al cliente" de que cierre la compra en ese mismo momento.

El concepto de ventas se practica también en el área de las organizaciones no lucrativas. Un partido político venderá vigorosamente a su candidato entre los votantes diciendo que es la persona más idónea para el puesto. El candidato recorre los recintos electorales desde temprano hasta por la noche, estrechando manos, besando niños, saludando a los que brindan apoyo económico, pronunciando discursos vigorosos. Se gasta mucho dinero en publicidad de radio y televisión, carteles y correo directo. Los defectos del candidato se ocultan celosamente porque el objetivo es lograr la venta, sin preocuparse por la satisfacción posterior a la compra.

Concepto de mercadotecnia

Este es un criterio más reciente en el mundo de los negocios.[12]

El *concepto de mercadotecnia* sostiene que la clave para alcanzar las metas organizacionales, consiste en determinar las necesidades y deseos de los mercados meta y proporcionar las satisfacciones deseadas en forma más efectiva y eficiente que los competidores.

El concepto de mercadotecnia se ha expresado de maneras muy vistosas, como éstas: "Descubra las necesidades y satisfágalas"; "Fabrique lo que usted pueda vender en vez de tratar de vender lo que fabrica"; "Ame a su cliente, no al producto"; "Lo que el cliente pida" (Burger Kind); y "Usted es el que manda" (United Airlines). El lema de J.C. Penney resume esta actitud: "Hacemos todo lo posible para darle al cliente el máximo valor, calidad y satisfacción por cada dólar de compra".

El concepto de venta y el concepto de mercadotecnia a menudo se confunden. Levitt los compara de esta manera:

Las ventas se concentran en las necesidades del vendedor; la mercadotecnia en las necesidades del comprador.
Las ventas se ocupan por la necesidad del vendedor de convertir su producto en dinero en efectivo; la mercadotecnia se ocupa de la idea de satisfacer las necesidades del consumidor mediante el producto y todo el conjunto de elementos asociados con la creación, distribución y consumo del mismo.[13]

En la figura 1-4 se comparan los dos conceptos. El concepto de venta comienza con los productos existentes de la compañía y requiere de una intensa promoción y ventas, con el propósito de hacer transacciones lucrativas. El concepto de mercadotecnia comienza con las necesidades y los deseos de los consumidores meta de la compañía. La compañía integra y coordina todas las actividades que afectarán la satisfacción del cliente y consigue sus utilidades mediante la creación y el mantenimiento de la satisfacción del consumidor. En esencia, el concepto de mercadotecnia es una orientación hacia las necesidades y deseos del consumidor, respaldada por el esfuerzo integral de mercadotecnia dirigido a procurar la satisfacción del consumidor como la clave para alcanzar las metas organizacionales.

El concepto de mercadotecnia expresa el compromiso de la compañía hacia la *soberanía del consumidor*. La compañía produce lo que los consumidores quieren, y de esta forma eleva al máximo la satisfacción del consumidor y obtiene utilidades.

Muchas compañías han adoptado el concepto de mercadotecnia. Se sabe que Procter & Gamble, IBM, Avon y McDonald's, siguen este concepto al pie de la letra (véase el re-

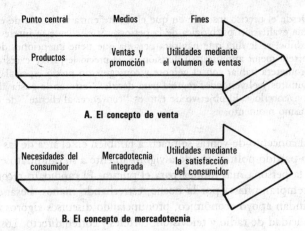

FIGURA 1-4
*Comparación de los
conceptos de ventas y
de mercadotecnia*

Punto central	Medios	Fines
Productos	Ventas y promoción	Utilidades mediante el volumen de ventas

A. El concepto de venta

Necesidades del consumidor	Mercadotecnia integrada	Utilidades mediante la satisfacción del consumidor

B. El concepto de mercadotecnia

cuadro 1-3). También se sabe que el concepto de mercadotecnia se practica más en las compañías de bienes de consumo que en las compañías de bienes industriales, y más en las compañías grandes que en las pequeñas.[14] Asimismo, muchas compañías profesan el concepto pero no lo practican. Cuentan con las formalidades de la mercadotecnia (como un vicepresidente de mercadotecnia, gerentes de producto, planeación de mercadotecnia e investigación de mercados), pero no la practican en verdad.[15] Se necesitan varios años de trabajo duro para que una compañía orientada hacia las ventas se convierta en una firma orientada al mercado.

Concepto de mercadotecnia social

Este es el concepto más reciente.

El *concepto de mercadotecnia social* sostiene que la tarea de la organización consiste en determinar las necesidades, deseos e intereses de los mercados meta, y proporcionar las satisfacciones deseadas con más eficacia y eficiencia que los competidores, y hacerlo de una manera que mantenga o mejore el bienestar de la sociedad y de los consumidores.

El concepto de la mercadotecnia social surge de una interrogante, acerca de si el concepto puro de mercadotecnia constituye un criterio adecuado del mundo comercial en una época de deterioro ambiental, escasez de recursos, explosión demográfica, inflación a escala mundial y servicios sociales deficientes.[16] ¿Actúa siempre en favor de los intereses a largo plazo de los consumidores y de la sociedad la firma que percibe, sirve y satisface los deseos de los compradores? El concepto de mercadotecnia pura prescinde de los posibles conflictos existentes entre los deseos inmediatos del consumidor y el bienestar de este mismo a largo plazo.

Considérese la compañía Coca-Cola. A los ojos del público se presenta como una corporación sumamente responsable, y la fuerte demanda de sus productos implica que satisface los deseos de millones de consumidores. Sin embargo, algunos grupos de consumidores y de ecologistas han planteado las siguientes preocupaciones acerca de la forma cómo este refresco podría dañar el bienestar a largo plazo de los consumidores:

1. La Coca-Cola tiene muy poco valor nutricional.
2. El azúcar y el ácido fosfórico que contiene dañan los dientes.
3. Su aceite vegetal con bromo ha sido suprimido de la lista de productos "generalmente reconocidos como seguros (inocuos)" de la Federal Drug Administration.
4. En algunos casos, se ha descubierto que la cafeína de los refrescos de cola produce temblores, insomnio, problemas gastrointestinales y posiblemente lesión celular.
5. La sacarina que se usaba en la bebida dietética Tab de Coca-Cola, ha producido cáncer en animales de laboratorio.

RECUADRO 1-3

LA CORPORACION MCDONALD'S APLICA
EL CONCEPTO DE MERCADOTECNIA

La corporación McDonald's, que se dedica al negocio de restaurantes de comida rápida, es una verdadera maestra en el arte de la mercadotecnia. En sólo treinta años de existencia, McDonald's ha servido más de 45 000 millones de hamburguesas a consumidores en Estados Unidos y otros 32 países. Con más de 7 900 sucursales, tiene una porción del 19% del mercado de la comida rápida, una cifra muy superior a la de sus rivales: Burger King (6.5%) y Wendy's (4.0%). Sus ventas anuales son actualmente del orden de 8.7 miles de millones de dólares. El mérito de esta posición de liderazgo le corresponde a una fuerte operación de mercadotecnia. McDonald's sabe muy bien cómo servir al público y adaptarse a sus exigencias cambiantes.

Antes de que esta empresa apareciera en el mercado, los estadunidenses conseguían hamburguesas en restaurantes o comedores. Muchas veces encontraban hamburguesas de mala calidad, un servicio muy lento, una decoración poco atractiva, meseras poco serviciales, condiciones sin higiene y un ambiente muy ruidoso. En 1955, Ray Kroc, un vendedor de cincuenta y dos años que manejaba máquinas para hacer leches malteadas, se sintió muy entusiasmado por una cadena de siete restaurantes que pertenecían a Richard y Maurice McDonald. A Kroc le encantó el concepto de restaurante de servicio rápido y entró en negociaciones con los propietarios para comprarles la cadena y el nombre por 2.7 millones de dólares. Kroc decidió ampliar la cadena vendiendo franquicias. Los concesionarios adquieren una franquicia de 20 años por ciento cincuenta mil dólares. Toman un curso de entrenamiento de 10 días en la "Hamburger University" de McDonald en Elk Grove Village, Illinois. Salen de allí con un grado en "hamburguesología" y una mención honorífica en "papas fritas".

La estrategia mercadológica de Kroc se sintetiza en el lema "Q.S.C. & V.", que son las siglas de quality, service, cleanliness y value (calidad, servicio, limpieza y valor). El cliente entra en un restaurante limpio, se dirige al amable anfitrión, ordena y recibe una deliciosa hamburguesa en no más de cinco minutos, y se la come allí o se la lleva. No hay rocola ni teléfono para crear un ambiente propio de una reunión de adolescentes. Tampoco hay máquinas expendedoras de cigarrillos ni de periódicos. McDonald's es un restaurante para familias, de gran atracción sobre todo para los niños.

McDonald's ha sabido adaptarse a los cambios que se han producido al paso del tiempo. Amplió las secciones de asientos, enriqueció su decoración, lanzó un menú para el almuerzo, añadió nuevos platillos y abrió locales nuevos en zonas de mucho tránsito.

McDonald's ha dominado el arte de la mercadotecnia de servicio a los concesionarios. Escoge las ubicaciones cuidadosamente, selecciona concesionarios altamente calificados, proporciona entrenamiento completo en administración en la Hamburger University, apoya a sus concesionarios con publicidad nacional de gran calidad y con programas de promoción de ventas, monitorea la calidad del producto y del servicio mediante encuestas continuas entre los consumidores, y dedica gran energía al mejoramiento de la tecnología de producción de hamburguesas, para simplificar operaciones, reducir los costos y acelerar el servicio.

La gran importancia que McDonald's les confiere a los consumidores ha hecho de esta firma la organización de servicio de comidas más grande del mundo.

---

6. El uso de botellas desechables es un desperdicio de recursos e incrementa el problema de los desechos.

Estas y otras situaciones similares han dado lugar a la formulación del concepto de mercadotecnia social.[17] Este concepto invita a los mercadólogos a equilibrar tres consideraciones para establecer sus políticas de mercadotecnia (véase la figura 1-5). Originalmente, las compañías basaban sus decisiones de mercadotecnia principalmente en los cálculos de las utilidades inmediatas. Después comenzaron a reconocer la importancia a largo plazo de satisfacer los deseos del consumidor, y esto condujo al concepto de mercadotecnia. Ahora comienzan a incluir los intereses de la sociedad en la toma de decisiones. El concepto de mercadotecnia social requiere un equilibrio entre las tres consideraciones. Varias

compañías han obtenido ventas sustanciales y buenas utilidades mediante la adopción y la práctica del concepto de mercadotecnia social.

METAS DEL SISTEMA DE MERCADOTECNIA

Se sabe que la mercadotecnia afecta a todos los seres humanos: el comprador, el vendedor, el ciudadano. Y se sabe que las metas de éstos pueden entrar en conflicto. Los *compradores* quieren que el mercado proporcione productos de buena calidad a precios razonables y en ubicaciones convenientes. Quieren un amplio surtido de marcas y características; vendedores útiles, agradables y honestos; y fuertes garantías respaldadas por un buen servicio. El sistema de mercadotecnia puede representar una gran diferencia en la satisfacción del comprador.

Los *vendedores* se enfrentan con varias decisiones difíciles cuando preparan una oferta para el mercado. ¿Qué características quieren los consumidores? ¿Qué grupos de consumidores deberían ser los mercados meta, y cómo deberían diseñarse los productos y qué precios convendría fijarles para satisfacer las necesidades del consumidor? ¿Cuáles mayoristas y detallistas deberían usarse? Y ¿qué tipo de publicidad, ventas personales y promoción de ventas ayudaría a vender el producto? El mercado tiene muchas demandas. Los vendedores deben aplicar un pensamiento moderno de mercadotecnia para desarrollar una oferta que atraiga y satisfaga a los consumidores.

Los legisladores, los grupos de interés público, y otros *ciudadanos* tienen un fuerte interés por las actividades de la mercadotecnia de negocios. ¿Hacen los fabricantes productos seguros y confiables? ¿Describen sus productos fielmente en anuncios y empaques? ¿Interviene la competencia en el mercado para proporcionar un rango razonable de elección de calidad y precio? ¿Son negativas para el ambiente esas actividades de fabricación y empaquetado? El sistema de mercadotecnia tiene un gran impacto sobre la calidad de la vida, y diversos grupos de ciudadanos quieren lograr que el sistema funcione tan bien como sea posible. Actúan como vigilantes de los intereses del consumidor y están a favor de la educación, información y protección para el consumidor.

La mercadotecnia afecta a tantas personas de tan diversas maneras que inevitablemente provoca polémica. A algunas personas les disgusta mucho la actividad de la mercadotecnia moderna, y la acusan de arruinar el ambiente, bombardear al público con anuncios tontos, crear deseos innecesarios, enseñarles codicia a los jóvenes, y cometer algunos otros pecados. Considérese lo siguiente:

Durante los últimos 6 000 años, se ha considerado que el campo de la mercadotecnia está formado por artistas que se han enriquecido de la noche a la mañana, por timadores, estafadores, y distribuidores de artículos de mala calidad. Muchos de nosotros hemos sido "víctimas" alguna vez de estafadores o timadores; y a todos nos han engañado para que compremos toda clase de "cosas" que no necesitábamos en verdad, y que según descubrimos después ni siquiera queríamos.[18]

¿Pero qué necesita realmente un ser humano? Algo de comida todos los días, calor y refugio, un espacio para dormir, y alguna forma de actividad laboral que le proporcione un sentido de logro. Eso es todo, en un sentido material. Y todos lo sabemos. Pero nuestro sistema económico nos lava el cerebro hasta que terminamos en una tumba debajo de una pirámide de abonos, hipotecas, objetos innecesarios y diversos juguetes que distraen nuestra atención del carácter estúpido de la charada.[19]

Otros defienden vigorosamente la mercadotecnia. Considérese lo siguiente:

Las políticas y prácticas agresivas de mercadotecnia han sido responsables en gran parte del alto nivel material en Estados Unidos. Actualmente, mediante la mercadotecnia masiva de bajo costo, disfrutamos de productos que antes se consideraban lujos y que en muchos países extranjeros todavía se clasifican así.[20]

La publicidad alimenta el poder de consumo de los seres humanos. Crea el deseo de un mejor nivel de vida. Le hace ver a un hombre la meta de un hogar mejor, mejores ropas, mejores alimentos para él y su familia. Estimula el esfuerzo individual y la mayor producción. Reconcilia en un esfuerzo conjunto y fructífero cosas que de lo contrario nunca se hubieran armonizado.[21]

¿Qué debería buscar la sociedad de su sistema de mercadotecnia? La interrogante es oportuna porque varios gobiernos empiezan a reglamentar cada vez más las actividades de mercadotecnia de las firmas. A veces, las intervenciones gubernamentales pueden ser drásticas:

- Algunos funcionarios estatales de la India desearían prohibir las *marcas* de azúcar, jabón, té, arroz y otros alimentos básicos. Sostienen que las marcas, empaques y publicidad no hacen más que elevar los precios.
- Algunos funcionarios del gobierno en las Filipinas están a favor de la fijación de *precios socializada*, es decir, el sostenimiento del precio de los alimentos básicos mediante el control de precios.
- Algunos funcionarios gubernamentales de Noruega defienden la prohibición de algunos artículos de "lujo", como las albercas privadas, canchas de tenis, aviones y automóviles de lujo. Piensan que los recursos de Noruega son muy limitados para usarlos en este tipo de artículos. Estos funcionarios están a favor del "consumo colectivo" de bienes y servicios caros.
- La Federal Trade Commission introdujo tres medidas a comienzos de la década de 1970 para promover *"la veracidad en la publicidad"*. La *verificación de los mensajes publicitarios* exige que las firmas estén preparadas para aportar pruebas documentales que respalden lo que anuncian. La *publicidad correctiva* es una disposición legal que obliga a la empresa culpable de falsedad en su propaganda a gastar el 25% del presupuesto publicitario en un mensaje de rectificación. La *contrapublicidad* alienta a los grupos que se oponen a un producto (por ejemplo, el grupo que ataca el tabaquismo) a conseguir acceso a los medios de comunicación y presentar su opinión.

El aumento mundial de la reglamentación de la mercadotecnia plantea una pregunta fundamental: ¿Cuál es la meta apropiada de un sistema de mercadotecnia? Se han propuesto cuatro metas alternativas: maximizar el consumo, maximizar la satisfacción del consumidor, maximizar el número de opciones y maximizar el nivel de vida.

Maximizar el consumo   Muchos ejecutivos de empresas creen que la labor de la mercadotecnia debería consistir en facilitar y estimular el consumo máximo, lo cual daría lugar a su vez a una producción tope, a un mayor número de empleos y mayor riqueza. Este punto de vista se refleja en los encabezados típicos: "Wrigley busca la manera de hacer que la gente mastique más chicle''; ''Los optometristas introducen la estética en los anteojos con el fin de estimular la demanda''; ''La industria siderúrgica traza una estrategia para incrementar las ventas''; ''La industria automotriz hace esfuerzos por elevar las ventas''.

La premisa fundamental es que mientras más compre y consuma la gente, más feliz será. ''Más es mejor'' es el grito de batalla. Pero otro grupo duda de que el incremento en los bienes materiales signifique más felicidad. Ven que muchas personas ricas son infelices. La filosofía de este grupo es ''Tener menos es mejor'' y ''Lo pequeño es hermoso''.

Frederick Pohl, en una historia de ciencia y ficción llamada *The Midas Touch* (el toque del rey Midas), dramatiza las consecuencias fatales del consumo exagerado. En su historia, las fábricas son completamente automáticas. Continuamente producen artículos, y los seres humanos deben consumir tanto como puedan para que no terminen sepultados bajo tantos productos. Solamente la élite está exenta de la obligación de consumir mucho. Además, la élite hereda los escasos trabajos restantes, de modo que no deberán enfrentarse al aburrimiento de no tener que trabajar.

Maximizar la satisfacción del consumidor

Otra opinión es la que dice que la meta del sistema de mercadotecnia consiste en maximizar la satisfacción del consumidor, no el consumo. Masticar más chicle o poseer más ropas tiene importancia únicamente si esto da lugar a una mayor satisfacción del consumidor.

Por desgracia, la satisfacción del consumidor es difícil de medir. Primero, ningún economista ha ideado aún un método para cuantificar la satisfacción de diferentes personas en una escala significativa, de modo que pueda evaluarse la satisfacción total creada por un producto particular o una actividad de mercadotecnia. Segundo, la satisfacción directa que el consumidor obtiene de determinados ''bienes'' no toma en cuenta los aspectos ''malos'', como la contaminación o el daño ambiental. Tercero, la satisfacción que la gente experimenta al consumir ciertos artículos, como los bienes de estatus, depende exactamente del menor número de personas que los poseen. En consecuencia, es difícil evaluar un sistema de mercadotecnia en términos de la satisfacción que le proporciona al ciudadano.

Maximizar el número de opciones

Algunos mercadólogos creen que la meta de un sistema de mercadotecnia sería la de maximizar la variedad del producto y las opciones del consumidor. Este sistema les permitiría a los consumidores encontrar aquellos artículos que satisfagan exactamente sus gustos. Los consumidores podrían maximizar sus estilos de vida y, por ende, su satisfacción.

Por desgracia, la maximización de las opciones del consumidor tiene un costo. Primero, los bienes y servicios serán más caros, ya que la mayor variedad hará aumentar los costos de producción y de inventario. Los precios más altos reducirán los ingresos y el consumo reales del consumidor. Segundo, el aumento en la variedad del producto requerirá de más investigaciones y esfuerzo del consumidor. Los consumidores tendrán que dedicar más tiempo para conocer y evaluar los diferentes productos. Tercero, el mayor número de productos no hará aumentar necesariamente las opciones reales de los consumidores. Hay muchas marcas de cerveza en Estados Unidos y la mayoría de ellas tienen el mismo sabor. Cuando una categoría de producto contiene muchas marcas con pocas diferencias, esto se denomina proliferación de marcas, y el público se enfrenta a opciones falsas. Por último, la mayor variedad de productos no siempre tiene buena aceptación entre los consumidores. Algunos piensan que hay exceso de opciones en ciertas categorías de artículos, lo cual origina frustración y ansiedad.

Maximizar el nivel de vida

Mucha gente cree que la meta de un sistema de mercadotecnia debería ser mejorar el ''nivel de vida'': la calidad, cantidad, variedad, asequibilidad y costo de los bienes; la calidad del ambiente físico; y la calidad del ambiente cultural. Estas personas juzgarían los sistemas de mercadotecnia no sólo por la cantidad de satisfacción directa para el consumidor, sino también por el impacto de la actividad de mercadotecnia sobre la calidad del ambiente físico y cultural. La mayoría de la gente estaría de acuerdo con que el nivel de vida es una meta válida para el sistema de mercadotecnia, pero reconocen que no es fácil de medir y está sujeta a interpretaciones conflictivas.

ADOPCION RAPIDA DE LA MERCADOTECNIA

La mayoría de la gente cree que la mercadotecnia sólo se lleva a cabo en las grandes empresas que operan en países capitalistas. La verdad es que la mercadotecnia se realiza dentro y fuera del sector de los negocios en cualquier país.

En el sector de los negocios
En el sector de los negocios, distintas compañías se interesan por la mercadotecnia en épocas diferentes. General Electric, General Motors, Sears, Procter & Gamble, y Coca-Cola vieron las potencialidades de la mercadotecnia casi de inmediato. La mercadotecnia se difundió con gran rapidez en las compañías de bienes empacados, las empresas de bienes duraderos, y las firmas de equipo industrial, en ese orden. Los fabricantes de productos de acero, sustancias químicas y papel, la adoptaron después y aún muchos tienen un largo camino por recorrer.

Durante los últimos diez años las firmas del servicio al consumidor, particularmente las líneas aéreas y los bancos, han ido adoptando poco a poco la mercadotecnia moderna. Las líneas aéreas comenzaron a estudiar las actitudes de los viajeros hacia diferentes características del servicio: programas de vuelos, manejo del equipaje, servicio durante el vuelo, ambiente amable en el interior del avión, comodidad de las butacas. Rechazaron la noción de que estaban en el negocio del transporte aéreo y comprendieron que se hallaban en el negocio global de los viajes. Los banqueros inicialmente se resistían a la mercadotecnia pero ahora la están adoptando con entusiasmo. La mercadotecnia también está atrayendo el interés de las compañías corredoras de acciones y las de seguros, aunque a éstas les falta todavía mucho para aplicar esta disciplina eficazmente.

Los últimos grupos de negocios que se han interesado por la mercadotecnia son los profesionales que proporcionan servicio como abogados, contadores, médicos y arquitectos. Las sociedades de profesionales habían tenido prohibido hasta hace poco, que sus miembros se dedicaran a la competencia de precios, búsqueda de clientes y publicidad. La oficina antimonopolio de Estados Unidos dictaminó recientemente que estas restricciones son ilegales. Contadores, abogados y otros grupos de profesionales pueden ahora anunciarse y fijar precios audazmente.

> La gran competencia engendrada por los nuevos límites al crecimiento corporativo está obligando a las firmas de contabilidad a adoptar posiciones nuevas y de ataque... Los contadores insisten en referirse a sus esfuerzos para convocar negocios como "desarrollo práctico". Pero muchas de las actividades que este eufemismo engloba, son lo que se denominaría "mercadotecnia" en otros campos... Los contadores hablan de "posicionar" sus firmas y "penetrar" industrias nuevas y no explotadas. Compilan "listas principales" de clientes potenciales y a continuación "los rodean" al colocar a los socios de sus firmas en estrecho contacto social con los altos ejecutivos de las compañías meta.[22]

En el sector internacional
La mercadotecnia no sólo se practica en Estados Unidos sino en todo el mundo. En realidad, varias compañías multinacionales europeas y japonesas (Nestlé, Siemens, Toyota y Sony) han superado en muchos casos a sus competidores estadunidenses. Las multinacionales han introducido y difundido la mercadotecnia moderna en todo el mundo. Como resultado, en países pequeños los gerentes de empresas comienzan a preguntarse: ¿qué es la mercadotecnia? ¿cómo se diferencia de las ventas comunes? ¿cómo puede introducirse la mercadotecnia dentro de la compañía? ¿habrá una diferencia?

En los países socialistas, la mercadotecnia tradicionalmente ha tenido mala fama. Sin embargo, varias de sus funciones, como la investigación de mercados, selección de marca,

Un ejemplo de publicidad innovadora para hospitales. *Cortesía de St. Mary's Medical Center, Evansville, Indiana; director de arte, Greg Folz.*

publicidad y promoción de ventas, ahora se generalizan con rapidez. En la Unión Soviética hay ahora más de cien agencias de publicidad y firmas de investigación de mercados operadas por el Estado.[23] Varias compañías en Polonia y Hungría tienen departamentos de mercadotecnia. Y en varias universidades socialistas ya se enseña mercadotecnia.

En el sector de empresas no lucrativas

La mercadotecnia comienza a atraer el interés de organizaciones no lucrativas como universidades, hospitales, departamentos de policía, museos y orquestas sinfónicas.[24] Considérense los siguientes desarrollos:[25]

Muchas universidades privadas con pocas inscripciones y altos costos están usando la mercadotecnia para atraer estudiantes y fondos. El St. Joseph's College en Renssalaer, Indiana, logró un aumento del 40% en alumnos de nuevo ingreso al anunciarse en *Seventeen* y en varias estaciones de radio de música rock. El politécnico de Worchester ofrece una admisión negociable para acortar el periodo de licenciatura para los solicitantes con base en los estudios anteriores y en la experiencia laboral. Algunas otras instituciones están elaborando programas de mercadotecnia más completos mediante el análisis de sus ambientes y sus mercados, selección de segmentos meta y preparación de planes completos de mercadotecnia para posicionarse a sí mismas en mercados escogidos.

A medida que aumentan los costos y las tarifas de habitación en los hospitales, muchas de estas instituciones operan por debajo de su cupo, especialmente en las secciones de maternidad y de pediatría. Muchos hospitales comienzan a aplicar la mercadotecnia. Un hospital de Filadelfia, que competía por pacientes de maternidad, ofrecía una cena de filete y champagne, iluminada con velas, para los nuevos padres. Otros hospitales, en un esfuerzo por atraer médicos, han agregado servicios como baño sauna, choferes, y canchas de tenis privadas.

La orden de la Santísima Trinidad, una comunidad católica de 100 miembros fundada por sacerdotes y hermanos en el año 1198 y dedicada a las buenas obras en el mundo secular, tenía problemas para encontrar nuevos reclutas.

En un esfuerzo por llegar a los jóvenes universitarios, la orden colocó un anuncio en *Playboy*. La revista afirma que el anuncio atrajo a 600 aspirantes. Muchas organizaciones culturales (grupos de teatro, museos, orquestas sinfónicas) no pueden atraer suficiente público y se enfrentan con grandes déficit de operaciones. Por esto recurren cada vez más a la mercadotecnia. Una sala de conciertos, afectada por la escasa asistencia y por ingresos que no lograban cubrir los costos, dirigió una auditoría de mercadotecnia para evaluar y mejorar el rendimiento. La auditoría dio lugar a recomendaciones en el sentido de que la sala de conciertos estableciera un gran departamento de mercadotecnia profesional, desarrollara un sistema de planeación de mercadotecnia, fortaleciera sus comunicaciones de mercadotecnia, elevara sus precios, y lanzara una intensa campaña de suscripción dirigida a sus diferentes segmentos de mercado.

Estas organizaciones tienen problemas de mercado. Sus directivos buscan mantenerlas vivas ante las actitudes cambiantes del consumidor y la disminución de los recursos financieros. Muchas instituciones han recurrido a la mercadotecnia como una posible respuesta para sus problemas. Como un signo de los tiempos, el Evanston Hospital de Evanston, Illinois nombró un vicepresidente de mercadotecnia para desarrollar y promover sus servicios en la comunidad, y elaborar planes para atraer más pacientes, médicos y enfermeras.

Las agencias del gobierno de Estados Unidos se muestran cada vez más interesadas en la mercadotecnia. Así, el servicio de correos y el Amtrak han desarrollado planes de mercadotecnia para sus operaciones. El ejército de Estados Unidos tiene un plan de mercadotecnia para atraer reclutas y es una de las instituciones que destinan más dinero a la publicidad. Otras agencias gubernamentales se valen de la mercadotecnia para promover la conservación de la energía, erradicar el hábito de fumar y defender otras causas sociales.

PLAN DEL LIBRO

En los capítulos siguientes se profundizará en los temas y principios de la mercadotecnia que se introdujeron en este capítulo. En el capítulo 2, ''Proceso de la administración de mercadotecnia'' se proporciona una visión general del proceso de la mercadotecnia en una compañía, el cual consiste en analizar oportunidades de mercado, seleccionar mercados meta, elaborar la mezcla de mercadotecnia y dirigir el esfuerzo de mercadotecnia.

En la parte Dos, ''Organización del proceso de planeación de la mercadotecnia,'' se explica la manera en que las actividades de mercadotecnia se planifican y se integran dentro del plan estratégico de la compañía. También se examinará la importancia de la investigación e información de mercados en la preparación de los planes de la compañía y de mercadotecnia.

En la parte Tres, ''Análisis de oportunidades de mercado,'' se examina el ambiente cambiante de la mercadotecnia y las características clave de los mercados organizacional y de consumo. El mercadólogo estudia estos mercados y el medio ambiente para identificar mejor las oportunidades atractivas.

La parte Cuatro, ''Selección de mercados meta,'' describe el arte de seleccionar mercados apropiados. El proceso se inicia con la medición y el pronóstico de la demanda. El mercadólogo segmenta entonces el mercado, selecciona segmentos meta, y posiciona los productos de la compañía en los mercados escogidos.

En la parte Cinco, "Desarrollo de la mezcla de mercadotecnia," se examinan las principales actividades de mercadotecnia de la firma: diseño, fijación de precios, colocación y promoción de los productos y servicios. Se examinarán los diversos conceptos que orientan a los gerentes de mercadotecnia y las técnicas que usan para desarrollar ofertas atractivas y venderlas con éxito.

En la parte Seis, "Administración del esfuerzo de mercadotecnia," se analizan algunas estrategias competitivas amplias de la mercadotecnia que las compañías pueden usar con base en sus posiciones competitivas en el mercado: estrategias que igualan mejor los recursos de la compañía con las oportunidades ambientales. Después se verá la forma cómo los planes y estrategias de mercadotecnia son implantados por las personas de la organización de mercadotecnia, por otras personas en la compañía y otras fuera de ésta. Esto requiere una organización eficaz y de controles de mercadotecnia para asegurar que se alcancen las metas de la organización.

En la parte Siete, "Mercadotecnia ampliada," se examinan los temas de interés actual, incluyendo la mercadotecnia internacional y la mercadotecnia de servicios y organizaciones no lucrativas. En el último capítulo, "Mercadotecnia y sociedad," se regresa a la pregunta básica acerca del papel y el propósito de la mercadotecnia en la sociedad, sus contribuciones y sus deficiencias.

RECUADRO 1-4

ENFOQUES DEL ESTUDIO DE LA MERCADOTECNIA

La mercadotecnia se ha estudiado desde varios puntos de vista. Los enfoques siguientes son los más comunes:

1. *Enfoque de mercancía.* El enfoque de mercancía se concentra en determinadas mercancías y clases de productos para precisar cómo se producen y se distribuyen a consumidores intermedios y finales. Las principales clases de productos estudiadas son los productos agrícolas, minerales, artículos manufacturados y servicios.

2. *Enfoque institucional.* El enfoque institucional se concentra en la naturaleza, evolución y funciones de instituciones particulares en el sistema de mercadotecnia, como productores, mayoristas, detallistas y agencias transportistas. Los institucionalistas podrían estudiar, por ejemplo, las tiendas de departamentos para determinar cómo han evolucionado y hacia dónde se dirigen.

3. *Enfoque funcional.* El enfoque funcional centra su atención en la naturaleza y en la dinámica de diversas funciones de mercadotecnia, como compra, venta, almacenamiento, financiamiento y promoción. Un funcionalista estudia la manera cómo se ejecutan estas funciones en varios mercados de productos y a manos de diversas instituciones de mercadotecnia.

4. *Enfoque administrativo.* El enfoque administrativo da importancia al uso de la mercadotecnia para posicionar organizaciones y productos en el mercado exitosamente. Los mercadólogos administrativos están interesados especialmente en el análisis, planeación, organización, implantación y control de mercadotecnia.

5. *Enfoque social.* El enfoque social se concentra en las contribuciones y en los costos sociales creados por diversas actividades e instituciones de mercadotecnia. Este enfoque trata temas tales como la eficiencia de mercado, obsolescencia del producto, veracidad de la publicidad y el impacto ecológico de la mercadotecnia.

El libro termina con dos apéndices. En el primero se presentan las matemáticas de la mercadotecnia que los gerentes usan cuando toman muchas decisiones. En el segundo se analizan las carreras en mercadotecnia y la forma en que los estudiantes pueden aplicar los principios de mercadotecnia en la búsqueda de empleos deseables.

En el recuadro 1-4 se describen varios enfoques para el estudio de la mercadotecnia. En este libro se usa el enfoque administrativo como un marco de referencia para incorporar a todos los demás.

■ Resumen

La mercadotecnia está presente en la vida de todos los seres humanos. Es el medio por el cual se desarrolla un estándar de vida y se hace llegar a la gente. La mercadotecnia implica un gran número de actividades, incluyendo investigación de mercados, desarrollo de producto, distribución, fijación de precios, publicidad y ventas personales. Mucha gente confunde la mercadotecnia con las ventas, pero la mercadotecnia combina en realidad diversas actividades destinadas a percibir, servir y satisfacer las necesidades del consumidor y alcanzar las metas de la organización. La mercadotecnia se realiza mucho antes de la compra y no termina con ésta.

La *mercadotecnia* es el estudio de la manera en que varias partes satisfacen sus necesidades y deseos mediante los procesos de intercambio. Los conceptos clave en el estudio de la mercadotecnia son necesidades, deseos, demandas, productos, intercambio, transacciones y mercados.

La *administración de mercadotecnia* es el esfuerzo consciente para dirigir el proceso de intercambio con el fin de asegurar el resultado deseado. Implica análisis, planeación, implantación, y control de programas destinados a crear, construir y mantener intercambios provechosos con los mercados meta con el propósito de alcanzar los objetivos organizacionales. Los mercadólogos deben ser eficaces para manejar el nivel, la oportunidad y la composición de la demanda, ya que ésta no siempre coincide con lo que quiere la compañía.

La administración de mercadotecnia puede dirigirse según cinco *filosofías de mercadotecnia* distintas. El concepto de producción sostiene que los consumidores favorecerán los productos que sean asequibles a un costo bajo, y por esto la labor de la gerencia consiste en mejorar la eficiencia de producción y reducir los precios. El concepto de producto sostiene que los consumidores favorecen los productos de calidad, y que por esto se requiere muy poco esfuerzo promocional. El concepto de venta dice que los consumidores no comprarán lo suficiente de los productos de la compañía a no ser que se les estimule mediante un gran esfuerzo de promoción y venta. El concepto de mercadotecnia afirma que una compañía deberá investigar las necesidades y deseos de un mercado meta bien definido y le proporcionará las satisfacciones deseadas. El concepto de mercadotecnia social sostiene que la compañía deberá generar satisfacción al consumidor y bienestar a largo plazo para el consumidor y la sociedad como la clave para alcanzar las metas organizacionales.

Las actividades de la mercadotecnia tienen un gran impacto sobre los seres humanos en sus papeles como compradores; vendedores y ciudadanos. Se han propuesto diferentes metas para un sistema de mercadotecnia, como la maximización del consumo, la satisfacción del consumidor, las opciones del consumidor o el nivel de vida. Mucha gente cree que la meta de la mercadotecnia debería ser la de mejorar el nivel de vida y que el medio debería ser el concepto de la mercadotecnia social. El interés por la mercadotecnia está intensificándose a medida que aumenta el número de organizaciones en el sector de los negocios, el sector internacional y el sector de las organizaciones no lucrativas que reconocen la gran contribución de esta disciplina para mejorar el rendimiento del mercado.

■ Preguntas de repaso

1. El historiador Arnold Toynbee ha criticado las actividades de mercadotecnia en Estados Unidos, al señalar que los consumidores están siendo manipulados para comprar productos que no son necesarios para satisfacer las "exigencias materiales mínimas de la vida" o "los deseos legítimos". ¿Qué piensa usted de esto? Defienda su opinión.

2. ¿En qué se distinguen la mercadotecnia y las ventas? ¿Preferiría usted ser un mercadólogo experto o un vendedor experto cuando busque un trabajo después de graduarse? Explique por qué.

3. Usted planea ir a comer a un restaurante de servicio rápido. Aplique las nociones de productos, intercambio, transacciones y mercado a esta situación.

4. Aunque la corporación McDonald's ha recibido grandes elogios por haber sido la primera en aplicar el concepto de mercadotecnia, también ha sido muy criticada por practicar una orientación de producto. ¿A qué podría deberse esta crítica?

5. El éxito de Procter & Gamble suele atribuirse a la capacidad que tiene la compañía para "saber escuchar". ¿Cómo se relaciona esto con el concepto de mercadotecnia?

6. ¿Cómo se pueden comparar y hacer resaltar las diferencias de las filosofías de mercadotecnia orientadas al concepto de producción y al de producto? Proporcione un ejemplo de cada uno.

7. ¿Por qué ha venido a reemplazar el concepto de mercadotecnia social al de mercadotecnia pura en ciertas organizaciones?

8. ¿Cómo puede tener un impacto la mercadotecnia sobre cada uno de los tres aspectos del nivel de vida mencionados? ¿Puede usted señalar otras dimensiones relativas al nivel de vida? ¿Cómo podría afectarlas la mercadotecnia?

9. ¿Por qué en los últimos años muchas organizaciones no lucrativas han adoptado la mercadotecnia? Explique su respuesta con un ejemplo específico.

■ *Bibliografía*

1. PATRICK E. MURPHY y RICHARD A. MCGARRITY, "Marketing Universities: A Survey of Student Recruiting Activities", *College and University,* primavera 1978, pp. 249-61.
2. PETER F. DRUCKER, *Management: Tasks, Responsabilities, Practices* (Nueva York: Harper & Row, 1973), pp. 64-65.
3. Véanse otras definiciones: "La mercadotecnia es el desempeño de las actividades del negocio que dirigen el flujo de bienes y servicios desde el productor hasta el consumidor o el usuario". "La mercadotecnia consiste en llevar los bienes y servicios adecuados a quienes los necesiten en el momento y lugar más indicados, fijando el precio justo y utilizando una buena comunicación y promoción", "La mercadotecnia consiste en crear y proporcionar un buen nivel de vida".
4. Véase el artículo clásico de THEODORE LEVITT, "Marketing Myopia", *Harvard Business Review,* julio-agosto 1960, pp. 45-56.
5. CYRIL S. BELSHAW, *Traditional Exchange and Modern Markets* (Englewood Cliffs, NJ: Prentice-Hall, 1965).
6. ADAM SMITH, *The Wealth of Nations* (Nueva York: Crowell-Collier and Macmillan, 1909), p. 19.
7. Para una explicación más amplia sobre la mercadotecnia como un proceso de intercambio, véase PHILIP KOTLER, "A Generic Concept of Marketing", *Journal of Marketing,* abril 1972, pp. 46-54: y RICHARD P. BAGOZZI, "Toward a Formal Theory of Marketing Exchanges", en *Conceptual and Theoretical Developments in Marketing, eds.* O. C. FERRELL, STEPHEN W. BROWN y CHARLES W. LAMB (Chicago; American Marketing Association, 1979), pp.431-47.
8. Para una explicación más amplia véase: WROE ALDERSON, "Factors Governing the Development of Marketing Channels", en *Marketing Channels for Manufactured Products,* ed. Richard M. Clewett (Homewood, Ill.: Richard D. Irwin, 1957), pp. 214-14. El número de transacciones en un sistema descentralizado de intercambio se da por $N(N — 1)/2$. Con cuatro personas, esto significa que $4(4 — 1)/2 = 6$ transacciones. En un sistema de intercambio centralizado, el número de transacciones se da por N que aquí es 4. Así, un sistema de intercambio centralizado reduce el número de transacciones requeridas para lograr un volumen dado de intercambio.
9. "Texas Instruments Shows U.S. Business How to Survive in the 1980's", *Business Week,* septiembre 18, 1978, pp. 66 ff; y "The Long-Term Damage from TI's Bombshell", *Business Week,* junio 15, 1981, p. 36.
10. Véase: "So We Made a Better Mousetrap", *President's Forum,* otoño 1962, pp. 26-27.
11. Véase: IRVING J. REIN, *Rudy's Red Wagon: Communication Strategies in Contemporary Society* (Glenview, IL: Scott, Foresman, 1972).
12. Véase: JOHN B. MCKITTERICK, "What Is the Marketing Management Concept?", *The Frontiers of Marketing Thought and Action* (Chicago: American Marketing Association, 1957), pp. 71-82; FRED J. BORCH, "The Marketing Philosophy as a Way of Business Life", *The Marketing Concept: Its Meaning to Management,* Marketing Series, No. 99 (Nueva York: American Management Association, 1957), pp. 3-5; y ROBERT J. KEITH, "The Marketing Revolution", *Journal of Marketing,* enero 1960, pp. 35-38.
13. LEVITT, "Marketing Myopia".
14. CARLTON P. MCNAMARA, "The Present Status of the Marketing Concept", *Journal of Marketing,* enero 1972, pp. 50-57.
15. PETER M. BANTING y RANDOLPH E. ROSS, "The Marketing Masquerade", *Business Quarterly* (Canadá), primavera 1974, pp. 19-27. Véase también PHILIP KOTLER, "From Sales Obsession to Marketing Effectiveness", *Harvard Business Review,* noviembre y diciembre 1977, pp. 67-75.
16. LAURENCE P. FELDMAN, "Societal Adaptation: A New Challenge for Marketing", *Journal of Marketing,* julio 1971, pp. 54-60; y MARTIN L. BELL y C. WILLIAM EMERY, "The Faltering Marketing Concept", *Journal of Marketing,* octubre 1971, pp. 37-42.
17. El concepto de mercadotecnia social recibe distintos nombres. Véase LESLIE M. DAWSON, "The Human Concept: New Philosophy for Business", *Business Horizons,* diciembre 1969, pp. 29-38; JAMES T. ROTHE y LISSA BENSON,

'Intelligent Consumption: An Attractive Alternative to the Marketing Concept'', *MSU Business Topics,* invierno 1974, pp. 29-34; y George Fisk, ''Criteria for a Theory of Responsible Consumption'', *Journal of Marketing,* 1973, pp. 24-31.

18. Richard N. Farmer, ''Would You Want Your Daughter to Marry a Marketing Man?'', *Journal of Marketing,* enero 1967, p. 1.

19. Sterling Hayden, *Wanderer* (Nueva York: Knopf, 1963).

20. William J. Stanton, *Fundamentals of Marketing,* 7th ed. (Nueva York: McGraw-Hill, 1984), p. 9.

21. Sir Winston Churchill.

22. Deborah Rankin, ''How C.P.A.'s Sell Themselves'', *New York Times,* septiembre 25, 1977.

23. Thomas V. Greer, *Marketing in the Soviet Union* (Nueva York: Holt, Rinehart & Winston, 1973).

24. Para una buena reseña de la mercadotecnia de organizaciones no lucrativas, véase Christopher H. Lovelock y Charles B. Weinberg, ''Public and Nonprofit Marketing Comes of Age'', en *Review of Marketing 1978,* eds. Gerald Zaltman y Thomas V. Bonoma (Chicago: American Marketing Association, 1978).

25. Varios de éstos y otros ejemplos se examinan en Philip Kotler, *Marketing for Nonprofit Organizations* (Englewood Cliffs, NJ: Prentice-Hall, 1982), pp. 15-17, 170-72.

PARA CALIDAD, PARA PUREZA, PARA ESTADOS UNIDOS Y LA TRADICION CONTINUA...

HIGH LIFE

UNA CERVEZA DE MESA CON sabor perfecto, producida en nuestra moderna cervecería mediante una combinación hábil de materiales con buena calidad y limpieza absoluta e inteligencia. Es saludable, pura y deliciosa, reuniendo todas las cualidades de las cervezas de Milwaukee con el rico sabor Miller acentuado y hecho aún más perfecto.
De venta en todos los carros comedor, en buques de vapor y en cafés de prestigio.

MILLER BREWING CO., Milwaukee

Miller "La Mejor" Cerveza de Milwaukee

Miller HECHA AL ESTILO TRADICIONAL

PUREZA QUE USTED PUEDE COMPROBAR. CALIDAD QUE PUEDE PROBAR.

2
Proceso de la administración de mercadotecnia

Antes de 1970, la compañía cervecera Miller de Milwaukee era una compañía muy conservadora que ocupaba el séptimo lugar en la industria, con una porción de mercado del 4% y ventas estancadas. Mientras tanto, las ventas de Anheuser-Busch crecían 10% al año, el doble de la tasa de crecimiento global en la industria. Entonces, Philip Morris, enriquecido gracias a su próspero negocio de cigarrillos, decidió comprar la compañía Miller para entrar en el mercado de la cerveza. Con su entusiasmo y vigor fortaleció esa débil empresa, introdujo varias iniciativas y en el lapso de cinco años convirtió a Miller en la número 2. Para 1983, Miller detentaba 21% del mercado cervecero, muy cerca del 34% de Anheuser-Busch pero muy adelante de Stroh's (14%), Heileman (10%) y Coors (8%). ¿Cómo creó Philip Morris este milagro de la mercadotecnia moderna?

En esencia, Philip Morris se alejó del enfoque tradicional de la mercadotecnia de la cerveza; es decir, trabajar duro en la eficiencia de producción y en promociones de precio. Philip Morris trajo consigo técnicas clásicas de la mercadotecnia del consumidor, que Procter & Gamble había aplicado por primera vez y que Philip Morris había usado para ganar el puesto número 2 en la industria tabaquera y dirigir la marca más exitosa de cigarrillos de la historia, Marlboro. El enfoque requiere el estudio de las necesidades y deseos del consumidor, la división del mercado en segmentos, la identificación de los segmentos de mayor oportunidad, la producción de artículos y empaques hechos específicamente para estos segmentos, y grandes gastos en publicidad y en promoción para los nuevos productos. "Antes de que Miller entrara al mercado, las industrias cerveceras operaban como si hubiese un mercado homogéneo para la cerveza que podía ser atendido por un solo producto en un empaque", según Robert S. Weinberg, ex ejecutivo de Anheuser-Busch.

El primer paso que dio Philip Morris fue la reposición de Miller High Life, el único producto de esta firma. Promovida como la "champagne de las cervezas", La Miller High Life atraía a muchísimas mujeres y a consumidores de clase alta que no eran grandes bebedores de cerveza. Los ejecutivos de Philip Morris ordenaron una investigación de mercados y descubrieron que el 30% de los bebedores de cerveza consumían el 80% de ese producto. Miller estudió las características de los consumidores que bebían 6 latas de

cerveza al día (sus perfiles demográficos, psicológicos y de medios de comunicación) y decidió desarrollarle una imagen "machista" a Miller High Life. Sus anuncios mostraban a obreros perforadores de pozos petroleros que bebían cerveza mientras se desplazaban por las dunas en carritos. El lema del anuncio era éste: "Si usted tiene tiempo, nosotros tenemos la cerveza", y esta campaña mantuvo su éxito durante diez años.

A continuación, Miller comenzó a abrir nuevos segmentos del mercado. Observó que las mujeres preocupadas por la dieta y las personas de edad pensaban que la botella estándar de 12 onzas de cerveza era demasiado para consumir. Miller introdujo su botella de 7 onzas "tamaño pony" y tuvo gran éxito.

Esto no fue nada comparado con su lanzamiento en 1975 de su cerveza baja en calorías llamada Lite. Esta es la cerveza nueva de mayor éxito que se ha introducido en Estados Unidos desde el año 1900. Otras cervezas bajas en calorías habían fracasado, debido principalmente a que se anunciaban como bebidas dietéticas para consumidores preocupados por la dieta, que de todas formas no bebían mucha cerveza. Como resultado, las cervezas bajas en calorías adquirieron una imagen afeminada. Miller posicionó Lite no como una cerveza baja en calorías, sino como una cerveza que no producía sensación de saciedad para los "verdaderos" bebedores de cerveza. En la publicidad aparecían personalidades del deporte, quienes decían que como Lite tenía menos calorías podían beber más cerveza sin sentirse saciados. Hasta el empaque proyectaba un mensaje de virilidad y servía para identificar el producto.

Entonces, Miller dirigió sus ataques contra la cerveza que le proporcionaba más utilidades a Anheuser-Busch, la Michelob, y para superar a ésta lanzó una cerveza muy selecta, Lowenbrau. La posicionó como una cerveza "para buenos amigos", durante ocasiones especiales cuando los compradores deberían "preferir Lowenbrau."

Esta campaña revolucionó la mercadotecnia en la industria cervecera y estableció a la compañía Miller como líder en la industria, pero los competidores se pusieron rápidamente al día. A mediados de la década de 1980, siguiendo el ejemplo de mercadotecnia de Miller, Budweiser era más fuerte que nunca y Stroh's, Heileman y Coors estaban creciendo, a pesar de un mercado cervecero raquítico.

Sin embargo, Miller tenía problemas. Aunque las ventas de Miller Lite eran fuertes, las ventas de la Miller High Life estaban bajando. La compañía que había sido pionera de la segmentación en la industria cervecera no tenía acceso a los sectores de precio popular, de superpremio e importados, y se encontró pérdida en estas categorías. Miller ya no intenta superar a Budweiser sino que trata de encontrar la antigua magia: hace nuevos anuncios, intenta enfoques publici- tarios novedosos, y prueba empaques nuevos en un esfuerzo por mantener su segundo puesto.

Miller le enseñó a la industria una lección de mercadotecnia y aprendió otra a cambio, y el futuro todavía es brillante para la compañía. En palabras de un mayorista: ''la compañía es menos arrogante ahora y está comenzando a comprender mejor las cosas. Todo saldrá bien''.[1]

Philip Morris adquirió la compañía cervecera Miller y la transformó de una compañía tercamente orientada a la producción, en una compañía eminentemente exitosa con orientación de mercadotecnia. En este capítulo se hace una revisión general de la forma cómo las compañías exitosas y orientadas hacia la mercadotecnia dirigen sus actividades mercadológicas.

Cada compañía opera en un ambiente complicado y cambiante. Para que la compañía sobreviva, debe ofrecerle algo de valor a cierto grupo de consumidores en el medio ambiente de éstos. A través del intercambio, recupera los ingresos y los recursos que necesita para sobrevivir.

La compañía debe asegurarse de que su misión corporativa y sus líneas de productos sigan siendo pertinentes para el mercado. Las compañías alertas reexaminarán sus objetivos, estrategias y tácticas periódicamente. Se basarán en la mercadotecnia por considerarla como el principal sistema para monitorear el mercado cambiante y adaptarse a él. La mercadotecnia no consiste sencillamente en una actividad publicitaria y de fuerza de ventas, sino que más bien es todo un proceso que permite a la compañía aprovechar las mejores oportunidades del mercado. El proceso de administración de la mercadotecnia se define de la manera siguiente:

El proceso de *administración de mercadotecnia* consiste en: 1) organizar el proceso de planificación de mercadotecnia, 2) analizar las oportunidades de mercado, 3) seleccionar los mercados meta, 4) desarrollar la mezcla de mercadotecnia y 5) administrar el esfuerzo de mercadotecnia.

Estos pasos pueden apreciarse en la figura 2-1, junto con los capítulos que tratan con cada paso. En este capítulo se examinará el proceso total.

Para demostrar el proceso, se examinará una compañía bien conocida, Helene Curtis:

Las industrias Helene Curtis son una empresa de Chicago que fabrica artículos para tocador y otros productos. Fundada hace más de 50 años, las ventas de la compañía en 1983 fueron de 243 millones de dólares. Helene Curtis opera cuatro divisiones, cada una fabrica diversos productos: división de productos de consumo (champús, acondicionadores de pelo, lociones para el cuidado de la piel); la división profesional (champús, accesorios); la división internacional; y la división de tratamientos de protección (selladores y adhesivos).

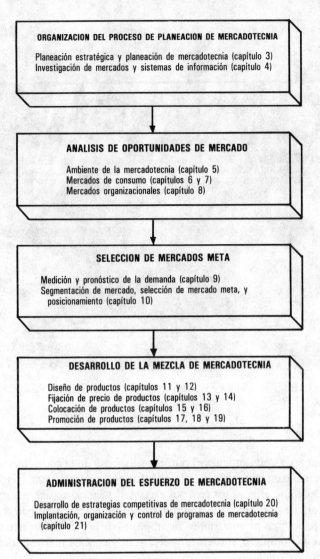

FIGURA 2-1
El proceso de administración de mercadotecnia

ORGANIZACION DEL PROCESO DE PLANEACION DE MERCADOTECNIA

Planeación estratégica y planeación de mercadotecnia (capítulo 3)
Investigación de mercados y sistemas de información (capítulo 4)

ANALISIS DE OPORTUNIDADES DE MERCADO

Ambiente de la mercadotecnia (capítulo 5)
Mercados de consumo (capítulos 6 y 7)
Mercados organizacionales (capítulo 8)

SELECCION DE MERCADOS META

Medición y pronóstico de la demanda (capítulo 9)
Segmentación de mercado, selección de mercado meta, y
posicionamiento (capítulo 10)

DESARROLLO DE LA MEZCLA DE MERCADOTECNIA

Diseño de productos (capítulos 11 y 12)
Fijación de precio de productos (capítulos 13 y 14)
Colocación de productos (capítulos 15 y 16)
Promoción de productos (capítulos 17, 18 y 19)

ADMINISTRACION DEL ESFUERZO DE MERCADOTECNIA

Desarrollo de estrategias competitivas de mercadotecnia (capítulo 20)
Implantación, organización y control de programas de mercadotecnia
(capítulo 21)

ORGANIZACION DEL ESFUERZO DE PLANEACION DE MERCADOTECNIA

Cada compañía debe determinar a dónde quiere ir y cómo llegar. El futuro no debería dejarse a la casualidad. Para satisfacer esta necesidad, las compañías hacen planeación estratégica y planeación de mercadotecnia.

La planeación estratégica es algo reciente en la escena de la planeación de la compañía. Se trata de planeación que abarca a toda la compañía y que comienza con la premisa de que cada firma consiste en diversos negocios. Por ejemplo, Helene Curtis produce artículos de tocador, equipo y abastecimiento para salones de belleza, selladores y adhesivos. Cada negocio consta de varios productos; los artículos de tocador de Helene Curtis incluyen champús, acondicionadores de cabello y lociones para el cuidado de la piel.

No todos estos negocios o productos son igualmente atractivos. Algunos negocios están creciendo, otros son estables y otros más están en decadencia. Ahora bien, si Helene Curtis consistiera tan sólo en negocios decadentes, estaría en graves problemas. Helene Curtis debe

Helene Curtis debe planear su cartera de producto y de negocio para la rentabilidad de la compañía. *Cortesía de Helene Curtis Industries, Inc.*

asegurarse de que comienza el número suficiente de negocios buenos y prometedores (o de productos) para mantener la compañía fuerte y en crecimiento. Helene Curtis también debe saber cómo asignar sus recursos escasos al negocio actual que más lo merezca. Sería un error asignar su dinero para apuntalar negocios perdidos, mientras deja morir de hambre a los negocios más prometedores. El propósito de la planeación estratégica consiste en asegurar que la compañía encuentre y desarrolle negocios fuertes y descontinúe o elimine sus negocios más débiles.

La principal herramienta para hacer esto se denomina *análisis de la cartera del negocio*. Básicamente, la compañía clasifica todos sus negocios actuales en términos de cuáles vale la pena construir, mantener, apuntalar y eliminar; también busca nuevos negocios que valgan la pena. Esto es similar a la actividad de administrar una cartera de acciones y tomar decisiones acerca de cuáles acciones comprar, de cuáles comprar más o mantener, o vender parte de ellas, o venderlas todas. Aunque es más fácil hacer cambios en una cartera de acciones, que en una de negocios, la analogía sustenta el pensamiento estratégico.

Gracias a la planeación estratégica, la compañía decide lo que quiere hacer con cada unidad comercial. Dentro de este plan global, la compañía debe preparar entonces planes *funcionales* para cada negocio, producto o marca: planes para mercadotecnia, finanzas, producción y personal. La planeación de mercadotecnia implica decidir las estrategias de mercado que le ayudarán a la compañía a alcanzar sus objetivos estratégicos finales. Es necesario un plan detallado de mercadotecnia para cada negocio. Por ejemplo, supóngase que Helene Curtis decide que el champú Suave debería trabajarse más debido a su fuerte potencial de crecimiento. Entonces, el gerente de la marca Suave desarrollará un plan de mercadotecnia para llevar a cabo el objetivo de crecimiento de Suave.

El gerente de marca de Suave preparará en realidad dos planes de mercadotecnia, un plan a largo plazo y un plan anual. El gerente preparará primero un plan quinquenal para

Suave, que describa los principales factores y fuerzas que afecten este mercado durante los próximos cinco años; sus objetivos, a cinco años, las principales estrategias que se usarán para desarrollar la porción de mercado y las utilidades de la marca, el capital necesario y las utilidades esperadas. Este plan quinquenal se revisaría y se actualizaría cada año, de modo que siempre habría un plan actual a cinco años.

Después se prepara el plan anual, que representa una versión detallada del primer año del plan quinquenal. El plan anual describe la situación actual de la mercadotecnia, las amenazas y oportunidades actuales, los objetivos y problemas a los que se enfrenta el producto o la marca, la estrategia de mercadotecnia para el año, el programa de acción, presupuestos y controles. Este plan se le presenta a la gerencia superior para aprobación y se convierte en el fundamento para coordinar todas las actividades (producción, mercadotecnia, finanzas) a fin de alcanzar los objetivos del producto.

En la preparación de planes de mercadotecnia (y, de hecho, durante todo el proceso de administración de la mercadotecnia), los gerentes necesitan mucha información oportuna y exacta. Necesitan información sobre los estados pasado, presente y futuro del ambiente, de los consumidores meta, los competidores, los abastecedores y revendedores, y el público. Se obtiene mediante el sistema de información de mercadotecnia y la investigación de mercados. El sistema de información de mercadotecnia determina las necesidades de información de los gerentes de mercadotecnia y obtiene los datos necesarios de diversas fuentes: registros internos de la compañía, información de mercadotecnia e investigación de mercados. Entonces distribuye esta información entre los gerentes adecuados en la forma correcta y el momento oportuno.

ANALISIS DE LAS OPORTUNIDADES DE MERCADO

Toda compañía necesita ser capaz de identificar las nuevas oportunidades del mercado. Ninguna compañía puede depender para siempre de sus mercados y productos actuales. Ya no se ven pasar carruajes por las calles ni se usan las reglas de cálculo, pues todos esos fabricantes o cerraron sus plantas o fueron lo bastante inteligentes para emprender otros negocios. En muchas compañías, la mayor parte de las ventas y de las utilidades actuales provienen de productos que ni siquiera se fabricaban hace cinco años.

Algunas compañías pueden creer que tienen pocas oportunidades, pero esto significa que no han pensado estratégicamente acerca de qué negocio tienen y qué ventajas poseen. De hecho, cada compañía se enfrenta con una abundancia de oportunidades de mercado. Supóngase que Helene Curtis está buscando nuevas oportunidades de mercado ¿Cómo podría identificarlas y evaluarlas?

Identificación de oportunidades de mercado

Las organizaciones pueden buscar nuevas oportunidades de forma casual o sistemática. Muchas organizaciones encuentran nuevas ideas manteniéndose sencillamente alertas a los cambios en el mercado. Los ejecutivos de la compañía leen periódicos, asisten a exhibiciones comerciales, examinan los productos de la competencia y recaban información de mercado por otros medios. Pueden recogerse muchas ideas usando métodos informales.

Otras organizaciones usan métodos formales de identificación de oportunidad de mercado. Un dispositivo útil es la *rejilla de expansión de producto/mercado*. La rejilla se muestra en la figura 2-2 y se aplicará al producto de champú de Helene Curtis.

Penetración en el mercado

Primero, el gerente de productos de champú en Helene Curtis decide si la marca principal de la compañía, Suave, puede lograr una mayor *penetración de mercado:* más ventas a sus consumidores actuales sin cambiar para nada el producto. Para lograr esto, la compañía

FIGURA 2-2
*Identificación de
oportunidades de
mercado mediante la
rejilla de expansión
de producto-mercado*

podría reducir el precio de lista del champú Suave, acrecentar el presupuesto de publicidad, mejorar el mensaje publicitario, lograr que Suave sea vendido en el mayor número de tiendas o conseguir mejores posiciones de anaquel para Suave. Básicamente, el gerente del champú le gustaría atraer a los consumidores de otras marcas sin perder a ninguno de los consumidores actuales.

Desarrollo de mercado

Segundo, el gerente de champús intenta identificar nuevos segmentos de mercado para Suave. El gerente examina los *mercados demográficos* (lactantes, niños en edad preescolar, adolescentes, adultos jóvenes, ancianos) para averiguar si es posible alentar a uno de estos grupos a comprar más del champú Suave. Después, el gerente examina los *mercados institucionales* (clubes deportivos, salones de belleza, hospitales) para investigar si es posible incrementar las ventas a estos consumidores. Por último, el gerente revisa los *mercados geográficos* (Francia, Tailandia, India), para estudiar la posibilidad de ampliarlos. Todo ello representa las estrategias de desarrollo de mercado.

Desarrollo de producto

Tercero, el gerente de champús podría considerar la posibilidad de ofrecerles productos nuevos o modificados a los clientes actuales. El champú Suave podría ofrecerse en nuevos tamaños, o con nuevas esencias o ingredientes, o en un nuevo envase; lo que representa posibles modificaciones del producto. Helene Curtis también podría lanzar una o más marcas de champú para atraer a diferentes usuarios. Esto hizo en 1982 y 1984 cuando introdujo exitosamente los champús y acondicionadores para cabello Finesse y Attune, marcas principales que complementan la marca Suave dirigidas al mercado de valor. Helene Curtis también podría lanzar otros productos para el cuidado del cabello (permanentes, secadores de pelo) que sus clientes actuales podrían comprar. Todo esto representa estrategias de desarrollo de producto.

Diversificación

Cuarto, Helene Curtis tiene ante sí muchas oportunidades de *diversificación*. Podría comenzar o adquirir negocios cuyo giro sea totalmente ajeno a sus artículos y mercados actuales. Podría considerar las posibilidades de entrar en industrias tan dinámicas como las telecomunicaciones, el equipo de procesamiento de palabras, las computadoras personales y los centros de cuidados diurnos. Algunas compañías tratan de identificar las industrias de desarrollo más atractivo; piensan que la mitad del secreto del éxito consiste en entrar en industrias atractivas en vez de tratar de ser eficientes en una industria sin atractivo.

¿Pero qué constituye una industria atractiva? El Boston Consulting Group, una importante firma consultora en administración, afirma que el mejor indicador del atractivo de una industria es la *tasa de crecimiento del mercado*.[3] Según esa compañía, la tasa de crecimiento de una industria atractiva es mayor al 10% anual (esto es un tanto arbitrario). Michael Porter, en su obra *Competitive Strategy,* presenta una lista más amplia de los indicadores de una industria atractiva.[4]

1. *Grandes obstáculos para la entrada.* Mientras más grandes sean los obstáculos para entrar (factores como protección de patentes, ubicación superior, altas necesidades de capital y reputación superior), más elevadas serán las utilidades de una firma.
2. *Competidores débiles.* Mientras más débiles sean los competidores actuales, más elevadas serán las utilidades de la firma.
3. *Sustitutos débiles.* Mientras menos sustitutos haya o mientras menos satisfactorios sean éstos, más elevadas serán las utilidades de la firma.
4. *Compradores débiles.* Mientras más débiles o menos organizados sean los compradores, más elevadas serán las utilidades de la firma.
5. *Abastecedores débiles.* Mientras más débiles o menos organizados sean los abastecedores, más elevadas serán las utilidades de la firma.

Esto sugiere que una firma debería favorecer las industrias con una clasificación alta en estas características.[5]

Evaluación de las oportunidades de mercadotecnia

Una cosa es identificar las oportunidades y otra determinar cuáles oportunidades son buenas para la compañía. La oportunidad de mercadotecnia de una compañía se define así:

La *oportunidad de mercadotecnia de una compañía* es un área atractiva para la acción de mercadotecnia, en la cual la firma disfrutará de una ventaja competitiva.

Por ejemplo, las computadoras personales son una industria atractiva, pero inmediatamente se ve que no serían apropiadas para Helene Curtis. ¿Por qué? La respuesta se indica en la figura 2-3. Una oportunidad de mercadotecnia debe ajustarse a los objetivos y a los recursos de la compañía. Considérese cada uno de ellos por separado.

Objetivos de la compañía

Toda compañía persigue un conjunto de objetivos basados en su misión y en el alcance de su negocio. Helene Curtis opera principalmente en el negocio de cuidado del cabello y busca un nivel elevado de utilidades, ventas, aumento de ventas y buena voluntad del consumidor. Helene Curtis probablemente decidiría que sus objetivos son suficientes para descartar la industria de las computadoras. Las ventas y las utilidades podrían ser volátiles. Además, si los consumidores de Helene Curtis consideran que los cosméticos y las computadoras personales son incompatibles, su preferencia podría desaparecer cuando Helene Curtis invadiera ese mercado.

Recursos de la compañía

Aun cuando la industria de las computadoras fuera compatible con los objetivos de Helene Curtis, esta firma probablemente carecería de los recursos necesarios para tener éxito en tal industria. Cada industria tiene ciertos *requisitos para el éxito.* La industria de las computadoras requiere mucho capital, conocimientos técnicos y canales de distribución eficaces, nada de los cual tiene Helene Curtis. Por supuesto, la carencia de las capacidades de requerimiento no sería fatal si la compañía pudiera adquirirlas a un costo razonable. Helene Curtis podría perfectamente adquirir una compañía pequeña de computadoras. Pero ésta sería una adquisición oportunista en vez de una garantizada por algún recurso ventajoso que Helene Curtis pudiera llevar a esta industria.

Las firmas de mayor éxito de una industria son aquéllas que disfrutan de una *ventaja diferencial* sobre los competidores, alguna superioridad que da lugar a la preferencia del

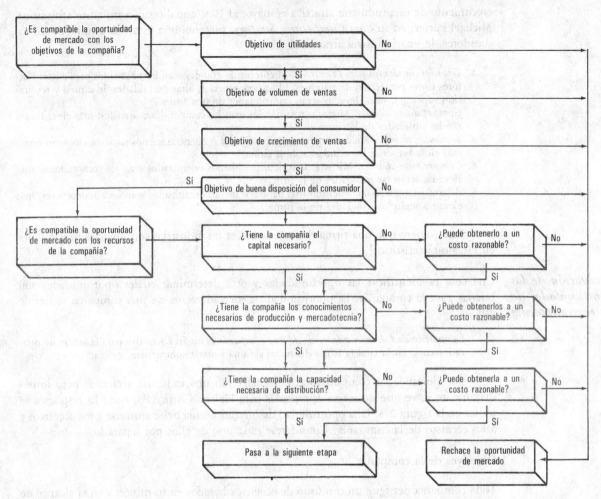

FIGURA 2-3
Evaluación de una oportunidad de mercado en términos de los recursos y objetivos de la compañía

comprador. Por ejemplo, IBM disfruta de una ventaja diferencial en la industria de las computadoras que se basa en sus años de experiencia como fabricante, sus patentes, sus canales de distribución y su servicio al cliente. Pero las compañías rara vez pueden encontrar oportunidades ideales y perfectas en mercados nuevos y atractivos, que se ajusten exactamente a sus objetivos y recursos. El desarrollo y diversificación de productos suelen ser riesgosos y pueden pasar muchos años para que la compañía desarrolle una ventaja diferencial (véase el recuadro 2-1). En el momento de evaluar las oportunidades de mercadotecnia, el gerente debe decidir si los resultados potenciales justifican los riesgos.

SELECCION DE MERCADOS META

El proceso de identificar y evaluar oportunidades de mercado normalmente produce muchas ideas nuevas. Con frecuencia, la tarea real consiste en escoger entre varias las mejores ideas que concuerden con los objetivos y recursos de la compañía.

Supóngase que Helene Curtis evaluó cierto número de oportunidades de mercado y descubrió que el mercado de "píldoras contra el dolor de cabeza" constituía una de las oportunidades más atractivas. Los ejecutivos de Helene Curtis pensarían que la introducción

RECUADRO 2-1

UNA OPORTUNIDAD DE MERCADO ATRACTIVA PERO PELIGROSA PARA JOHNSON & JOHNSON

Cuando se piensa en Johnson & Johnson, usualmente recordamos los productos Band-Aids, Baby Shampoo y Tylenol, o tal vez una de sus otras marcas bien conocidas, Sine-Aid, Sundown, Sunscreen, Affinity Shampoo, cepillos dentales Tek y Reach, anticonceptivos Ortho, productos para la higiene femenina Stayfree y Carefree y muchos otros. Johnson & Johnson ha sido uno de los mercadólogos de productos de consumo de mayor éxito en el mundo, y los productos de consumo corresponden tan sólo a alrededor de 40% de los 6 000 millones de dólares en ventas anuales de la compañía. Johnson & Johnson también tiene mucho éxito vendiendo abastecimiento para hospitales y medicamentos (es una de las compañías farmacéuticas más importantes del mundo). Su habilidad en mercadotecnia queda demostrada por el hecho de que más de la mitad de sus ventas proviene de productos que son el número uno en sus mercados.

Aunque los productos de consumo y negocios farmacéuticos de Johnson & Johnson han sido muy lucrativos, la gerencia pensaba que el potencial de crecimiento en estos mercados maduros era limitado. A fines de la década de 1970, la compañía comenzó a buscar oportunidades de mercado nuevas y atractivas, y decidió seguir una diversificación audaz, pero peligrosa en el campo de la tecnología médica de alto crecimiento y de cambios rápidos. A fines de la década de 1970 y comienzos de la de 1980, Johnson & Johnson adquirió varias compañías en el prometedor mercado del cuidado de la salud de alta tecnología. Ahora, además de sus productos más tradicionales, la empresa fabrica productos tan exóticos como rayos láser para aplicaciones quirúrgicas, vacunas sintéticas, dispositivos para el monitoreo de la sangre, exploradores de resonancia magnética, injertos quirúrgicos ortopédicos y lentes intraoculares (para reemplazar las lentes naturales en el ojo después de operaciones en cataratas). La compañía ha llegado a invertir millones en las etapas iniciales de una empresa para fabricar medicinas en el espacio exterior.

Estos nuevos mercados de atención sanitaria de alta tecnología ofrecen un crecimiento rápido y utilidades elevadas, pero la entrada de Johnson y Johnson en estos campos nuevos será difícil. Aunque la compañía tiene recursos financieros sustanciosos, el mercado de productos médicos complejos requiere diferentes enfoques de mercadotecnia, habilidades administrativas y estructuras organizacionales de aquéllas con las que Johnson & Johnson tuvo éxito para vender Band-Aids, champús y abastecimiento quirúrgico. Y los nuevos mercados son más volátiles y competitivos que las áreas tradicionales de Johnson & Johnson de productos farmacéuticos y de consumo: los mercados en crecimiento que atrajeron a Johnson & Johnson también atrajeron a muchos competidores grandes y pequeños. Incluso una compañía del tamaño de Johnson & Johnson tendrá que trabajar duro para desarrollar una ventaja diferencial.

El movimiento de Johnson & Johnson para aprovechar una nueva oportunidad de mercado ha sido costoso. La compañía ha hecho una gran inversión para establecer en el negocio médico de alta tecnología. Pero hasta el momento las pérdidas han sido grandes, y la gerencia comprende que pueden necesitarse muchos años para construirse una posición sólida en los mercados nuevos. Pero Johnson & Johnson cree que a largo plazo debe encontrar y desarrollar oportunidades de mercado nuevas y atractivas para completar sus negocios en mercados plenamente establecidos: sus productos y mercados actuales no durarán para siempre.

Fuentes: Basado en los informes anuales de Johnson & Johnson; "Changing a Corporate Culture: Can Johnson & Johnson Go from Band-Aids to High Tech?" *Business Week,* mayo 14, 1984, pp. 130-38; y Henry Eason, "How a Space Venture Could Ease Suffering on Earth" *Nation's Business,* junio 1984, p. 48.

---

de un analgésico se ajusta a los objetivos y recursos de la empresa. Este tipo de producto se relacionaría bien con las ventajas existentes de mercadotecnia de la compañía: una fuerza de ventas y una red de distribución muy eficaces, así como una gran experiencia en la promoción de artículos empacados.

Más específicamente, Helene Curtis debe estar convencida de que puede trabajar eficazmente con los principales actores en el ambiente de la mercadotecnia de los analgésicos: abastecedores, intermediarios de mercadotecnia, competidores y público. Es decir,

Helene Curtis debe creer que puede establecer buenas relaciones con los abastecedores de productos químicos básicos, equipo y otros recursos que se necesitan en esta industria. Debe tener la seguridad de que son fuertes sus relaciones con los intermediarios de mercadotecnia que harán llegar sus productos a los consumidores. Debe estar convencida de su capacidad para desarrollar una oferta distintiva y atractiva. Y debe tener la seguridad de que su entrada en esta industria no causará ninguna reacción pública adversa.

Cada oportunidad debe estudiarse aún más en términos del tamaño y la estructura del mercado pertinente para la industria, con el propósito de que las opciones se reduzcan. Esto implica cuatro pasos: medida y pronóstico de la demanda, segmentación del mercado, elección del mercado meta y posicionamiento en el mercado.

Medición y pronóstico de la demanda

Helene Curtis desearía ahora hacer un cálculo más cuidadoso del tamaño actual y futuro de este mercado. Para estimar el tamaño actual del mercado, Helene Curtis identificaría todos los productos que se venden en éste (Bayer, Excedrin, Anacin, Bufferin, Tylenol y otros) y estimar sus ventas actuales. Como estos productos se venden en miles de establecimientos, la compañía tendría que confiar en datos recabados por alguna organización de investigación de mercados en un régimen regular. Por ejemplo, A. C. Nielsen dirige auditorías periódicas en las tiendas para estimar qué nivel se ha vendido de cada marca en cada categoría principal de producto. Helene Curtis podría comprar estos datos de A.C. Nielsen para determinar si el mercado es lo suficientemente grande.

Es igualmente importante el crecimiento futuro del mercado de los analgésicos. Las compañías quieren entrar a mercados que muestren fuertes tendencias de crecimiento. La tasa de crecimiento pasada del mercado de los analgésicos ha sido fuerte, pero ¿qué puede decirse de su tasa futura? Esto dependerá de la tasa de crecimiento de ciertos grupos cronológicos, de ingresos y de nacionalidad, ya que el uso de remedios contra el dolor de cabeza está relacionado con factores demográficos. El uso también está relacionado con grandes desarrollos en el ambiente, como pueden ser los cambios en las condiciones económicas, en la tasa de criminalidad y en el estilo de vida. Es difícil pronosticar el impacto futuro de estas fuerzas ambientales, pero esto debe hacerse con el propósito de tomar una decisión acerca de este mercado. Esto será un reto para el ingenio de los especialistas en información de mercadotecnia de Helene Curtis.

Supóngase que el pronóstico de la demanda parece bueno. Helene Curtis debe decidir ahora cómo entrar al mercado. Este está formado por muchos tipos de consumidores, productos y necesidades. Helene Curtis necesita comprender la estructura del mercado y determinar qué segmentos ofrecen la mejor oportunidad para lograr su objetivo.

Segmentación del mercado

Los mercadólogos reconocen que los consumidores en un mercado son heterogéneos y pueden agruparse de distintas formas. Los grupos de consumidores pueden formarse con base en variables geográficas (regiones, ciudades), variables demográficas (sexo, edad, ingresos, educación), variables psicográficas (clases sociales, estilos de vida) y variables conductistas (ocasiones de compra, beneficios buscados, índice de uso). El proceso de clasificar a los consumidores en grupos que muestran necesidades, características o conducta diferentes se denomina *segmentación del mercado*. Cada mercado está compuesto por segmentos de mercado.

No todos los sistemas de segmentación tienen la misma utilidad. Por ejemplo, hacer una distinción entre usuarios de analgésicos del sexo masculino y femenino, es innecesario si ambos responden de la misma manera a los estímulos de mercadotecnia. Un **segmento de mercado** consta de *consumidores que responderán de una manera similar a un conjunto dado de estímulos de mercadotecnia.* Los consumidores que escogen el analgésico más fuerte independientemente de su precio constituyen un segmento del mercado; otro segmento sería el de los consumidores que se preocupan principalmente por el precio. Es difícil para una sola marca de analgésicos ser la primera elección de cualquier consumidor.

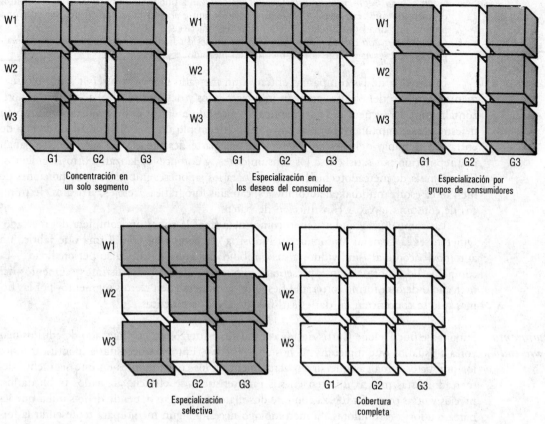

FIGURA 2-4
Cinco patrones de cobertura de mercado (W = Deseo, G = grupo)

Fuente: adaptada de Derek F. Abell. *Defining the Business: The Starting Point of Strategic Planning* (Englewood Cliffs, NJ: Prentice-Hall, 1980).

A las compañías les conviene concentrar sus esfuerzos en la satisfacción de distintas necesidades de uno o más segmentos del mercado. Cada segmento del mercado meta debería definirse por sus características demográficas, económicas y psicográficas, con el propósito de que pueda evaluarse su atractivo como una oportunidad de mercadotecnia.

Selección de mercado meta

Una compañía tiene la opción de entrar a uno o más segmentos de un mercado dado. Presupóngase que el mercado de los analgésicos puede subdividirse en tres *deseos del consumidor* (W1: alivio rápido; W2: alivio prolongado; y W3: alivio suave), y tres *grupos de consumidores* (Gl: gente joven; G2: personas de edad madura, y G3: ancianos). Al comparar estos deseos y grupos, es posible distinguir nueve posibles segmentos de mercado. Helene Curtis puede escoger entrar en este mercado en una de las cinco maneras que se muestran en la figura 2-4 y que se enumeran a continuación:

1. *Concentrarse en un solo segmento.* La compañía puede decidir servir a un solo segmento del mercado, en cuyo caso significaría producir un analgésico de alivio prolongado para adultos de edad madura.
2. *Especializarse en un deseo del consumidor.* La compañía puede especializarse en satisfacer un deseo particular del consumidor, en cuyo caso produciría un analgésico de alivio prolongado para todo tipo de consumidor.
3. *Especializarse en un grupo de consumidores.* La compañía puede decidir producir varios analgésicos que necesita cierto número de consumidores, en este caso los adultos de edad madura.

4. *Servir algunos segmentos no relacionados.* La compañía puede decidir servir varios segmentos de mercado que tengan poca o ninguna relación entre sí, con la excepción de que cada uno proporcione una oportunidad individualmente atractiva.
5. *Cubrir el mercado completo.* La compañía puede decidir hacer una variedad completa de analgésicos para servir a todos los segmentos del mercado.

La mayoría de las compañías entran a un mercado nuevo para servir a un solo segmento, y, si esto tiene éxito, agregan más segmentos y después se amplían vertical u horizontalmente. La secuencia de segmentos de mercado a entrar deberá ajustarse a un plan maestro. Las compañías japonesas son un buen ejemplo de una planeación cuidadosa de entrada y dominio del mercado. Penetran una parte descuidada del mercado, se ganan una reputación por satisfacer a los consumidores, y entonces se lanzan a otros segmentos. Esta fórmula de mercadotecnia ha ganado para los japoneses impresionantes porciones de mercado a escala mundial en automóviles, cámaras fotográficas, relojes, artículos electrónicos de consumo, acero y construcción de barcos.

Las compañías grandes tienen como meta final la cobertura completa del mercado. Quieren ser la General Motors de su industria. La compañía GM afirma que fabrica un automóvil acorde al "individuo, a sus posibilidades económicas y a su personalidad". La compañía líder normalmente presentaría diferentes ofertas para distintos segmentos del mercado o de otra forma correría el riesgo de ser superada en ciertos segmentos por las firmas que se concentran en darles satisfacción a esos segmentos.

Posicionamiento en el mercado

Supóngase que Helene Curtis decida centrar sus esfuerzos en el "mercado de adultos mayores y usuarios que ingieren muchos analgésicos". Entonces necesitaría identificar todos los productos y marcas que sirven actualmente a los consumidores en este segmento del mercado. Estas marcas difieren en sus características de eficacia, llamados publicitarios, precios y otras cosas. La fuerza con que dos marcas compitan depende de lo similar que les parezca a los consumidores. El mercadólogo necesita algún medio para representar la forma cómo compiten las marcas actuales y el grado en el que sirven a los deseos importantes del consumidor.

La clave consiste en reconocer que todo producto es una combinación de atributos percibidos. Por ejemplo, la aspirina Excedrin se considera como un analgésico de acción rápida, pero que causa malestar estomacal. Tylenol se considera como un analgésico de acción lenta, pero que no causa trastornos gástricos. Esto indica que una forma para comparar marcas consiste en identificar la posición que ocupan en cuanto a los atributos que los consumidores usan al escoger una marca. Los resultados pueden mostrarse en un *mapa de posición del producto* (véase la figura 2-5A).[6]

En este mapa pueden observarse varias cosas. Primero, consta de sólo dos atributos de un conjunto mayor de posibilidades (como el costo, o el riesgo). Sería posible mostrar tres dimensiones al mismo tiempo (en la forma de un cubo), pero esto sería problemático. Se escogió la "suavidad" y la "eficacia" porque en opinión de los consumidores éstos son los atributos más importantes. Segundo, los atributos se clasifican numéricamente, cada uno en una escala de 5 puntos. Por ejemplo, Excedrin obtiene 4 en eficacia (eficacia adecuada) y 1 en suavidad (poca suavidad). Tercero, las marcas están posicionadas de acuerdo con las percepciones del consumidor, no con características objetivas. Es posible que Excedrin sea suave, pero lo que cuenta es la forma cómo los compradores lo perciben. Si se quiere, las marcas también podrían trazarse en otro mapa de acuerdo con sus características objetivas. Cuarto, mientras más contiguas estén dos marcas en el mapa de posición de los productos, más convencidos estarán los consumidores de que las dos satisfacen la misma necesidad. Cabría esperar que se diera un mayor cambio de preferencias entre Bayer y Bufferin que entre Excedrin y Tylenol.

La compañía tiene que averiguar entonces qué prefieren los consumidores en lo que toca a los principales atributos. Se les puede pedir a los consumidores que describan el ni-

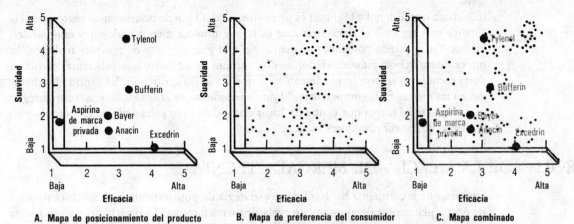

FIGURA 2-5 *Mapas que muestran las posiciones del producto y las preferencias del consumidor*

vel de eficacia y de suavidad que quieran en un analgésico. La combinación ideal de atributos de cada consumidor puede representarse como un punto en el *mapa de preferencia del consumidor*. En la figura 2-5B se muestra una distribución hipotética de preferencias para los dos atributos del analgésico.

El mercadólogo combina entonces el mapa de posición del producto y el mapa de preferencia del consumidor, en el mapa conjunto que se muestra en la figura 2-5C. Un resultado claro es que muchos consumidores prefieren un analgésico que sea suave y eficaz (esquina superior derecha), aunque no perciben una marca que ofrezca ambas cosas.

Helene Curtis podría aprovecharse de esta oportunidad. Para tener éxito necesita dos cosas. Primero, la compañía debe ser capaz de fabricar un producto que los compradores consideren como una combinación de estos dos atributos. Es posible que los competidores no hayan presentado esta combinación porque no puedan encontrar una manera para producirla. Segundo, la compañía debe ser capaz de ofrecer este producto a un precio que el mercado esté dispuesto a pagar. Si el costo de fabricación es extremadamente alto, el producto quedaría fuera del mercado por su precio. Pero si estas condiciones pueden satisfacerse, la compañía servirá bien al mercado y tendrá utilidades. En esencia, la compañía ha descubierto un deseo insatisfecho del consumidor y puede dedicarse a la mercadotecnia de creación de valor.

Si estas condiciones no pueden darse, Helene Curtis tendría que posicionarse junto a un competidor existente y pelear por la porción del mercado, Considérese el ejemplo siguiente:

> Hace algunos años Bristol Myers entró al segmento de alta suavidad del mercado de los analgésicos, al lanzar una marca llamada Datril para competir con la marca líder en este segmento, Tylenol. Bristol Myers consideraba que el segmento de alta suavidad era también el de crecimiento más rápido, pensaba que Tylenol era un peso ligero en la mercadotecnia de consumo, y creía que tenía los recursos para sacar a Tylenol del mercado. El precio de Datril era la mitad del precio de Tylenol y se anunciaba diciendo que todos los analgésicos "suaves" eran idénticos. Pero Bristol Myers subestimó la gran lealtad que los consumidores tenían por la marca Tylenol y la habilidad de ésta para defenderse. A pesar de sus fuertes ataques, Datril nunca pudo destronar a Tylenol. Datril se había posicionado demasiado cerca de un competidor fuerte.

Supóngase que Helene Curtis quiere competir con Tylenol pero desea hacerlo de manera distinta. Puede posicionar su marca como la "marca Cadillac" al afirmar que es más eficaz que Tylenol y al cobrar el precio más alto. O puede posicionar su marca como la "marca más segura" al demostrar que es la que provoca menos malestares estomacales. Helene Curtis puede posicionar su marca según el gran número de posibles atributos. La nueva marca deberá girar alrededor de un conjunto de atributos que suficientes consumidores consideren importantes, deseables, y que no se encuentren en las cantidades deseadas en las marcas de la competencia. El *posicionamiento en el mercado* consiste en arreglar una oferta de tal forma que ocupe un lugar claro, distintivo y deseable en el mercado y en la mente de los consumidores meta.

DESARROLLO DE LA MEZCLA DE MERCADOTECNIA

Una vez que la compañía ha decidido su estrategia de posicionamiento, está lista para comenzar a planear los detalles de la mezcla de mercadotecnia. La mezcla de mercadotecnia es uno de los conceptos principales en la mercadotecnia moderna. Su definición es la siguiente:

> La *mezcla de mercadotecnia* es el conjunto de variables controlables de la mercadotecnia que la firma combina para provocar la respuesta que quiere en el mercado meta.

La mezcla de mercadotecnia se compone de todo aquello que una compañía puede hacer para influir sobre la demanda de su producto. Las numerosas posibilidades pueden reunirse en cuatro grupos de variables que se conocen como las "cuatro P": *producto, precio, plaza y promoción*.[8] En la figura 2-6 se muestran las variables particulares de mercadotecnia bajo cada *P*.

Producto indica la combinación de "bienes y servicios" que la compañía le ofrece al mercado meta. Así, el nuevo analgésico de Helene Curtis podrá consistir en 50 píldoras blancas envasadas en una botella verde oscuro con una tapa que los niños no puedan abrir y una caducidad a tres años. Llevará el nombre de marca Relief y se ofrecerá con la garantía de devolución del dinero si el consumidor no queda satisfecho.

Precio denota la cantidad de dinero que los consumidores tienen que pagar para obtener el producto. Helene Curtis recomienda precios al mayoreo y menudeo, descuentos, rebajas y condiciones de crédito. Su "precio" deberá corresponder con el valor percibido de la oferta, o de otra forma los consumidores comprarán los productos de la competencia.

FIGURA 2-6
Las cuatro P de la mezcla de mercadotecnia

Plaza comprende las diversas actividades de la compañía para que el producto llegue a los consumidores meta. Así, Helene Curtis escoge mayoristas y minoristas, los motiva para que le den al producto una buena atención y exhibición, verifica los inventarios y logra un transporte y almacenamiento eficientes del producto.

Promoción indica las actividades mediante las cuales se comunican los méritos del producto y se persuade a los consumidores meta para que lo compren. Así, Helene Curtis compra publicidad, emplea vendedores, realiza promociones de ventas y organiza la propaganda de su producto.

El diseño de la mezcla de mercadotecnia implica dos decisiones relativas al presupuesto. Primero, la compañía debe decidir el monto total que gastará en el esfuerzo de mercadotecnia (*decisión de nivel de gastos de mercadotecnia*). Por ejemplo, Helene Curtis podría gastar 20 millones de dólares para comercializar un nuevo analgésico en el primer año. Segundo, la compañía debe asignar el presupuesto total de mercadotecnia a las principales herramientas de la mezcla de mercadotecnia (*decisión sobre la mezcla de mercadotecnia*). Helene Curtis podría asignar la mayor parte de los 20 millones de dólares publicidad, y gastar mucho menos en promoción de ventas, investigación de mercados, etc. Sin embargo, reconocería que las diversas herramientas de la mezcla de mercadotecnia interactúan y son sustitutos potenciales.

La decisión de posicionamiento en el mercado de la compañía tiene una gran influencia sobre estas decisiones de mezcla de mercadotecnia. Supóngase que Helene Curtis decide sacar una marca "Cadillac" para el segmento de mercado de alta suavidad. Esta decisión de posicionamiento indica que la marca de Helene Curtis debe ser al menos tan suave como Tylenol, o incluso más. Debe usar un empaque de alta calidad y debe ofrecerse en diversos tamaños. El precio debería ser más elevado que Tylenol y el producto debería venderse en establecimientos de calidad. El presupuesto de publicidad debería ser grande. Los anuncios deberían mostrar usuarios acomodados que quieren el mejor analgésico en el mercado. La marca debería evitar reducciones de precio o promociones que abarataran su imagen. Así, la decisión de posicionamiento proporciona la base para diseñar una mezcla coordinada de mercadotecnia.

ADMINISTRACION DEL ESFUERZO DE MERCADOTECNIA

La administración del esfuerzo de mercadotecnia implica *análisis* de mercados y del ambiente de la mercadotecnia, *planeación* de las estrategias de mercadotecnia y programas para aprovechar las oportunidades de mercado, implantación de estas estrategias y programas mediante una organización eficaz de mercadotecnia y *control* de los esfuerzos de mercadotecnia para asegurar que la compañía opere con eficiencia y eficacia. Hasta el momento, se ha examinado cómo la compañía analiza su ambiente, selecciona mercados meta, y planea la mezcla de mercadotecnia para proporcionar una oferta de mercado que satisfaga las necesidades del consumidor. Pero cuando desarrolla una estrategia de mercadotecnia, los gerentes deben considerar otras cosas aparte de las necesidades del consumidor: la posición de la compañía en la industria, en relación con la competencia. Los gerentes de mercadotecnia deben diseñar estrategias de mercadotecnia que se ajusten efectivamente a la posición y a los recursos de la compañía en comparación con los de la competencia, y deben adaptar constantemente estas estrategias para satisfacer las condiciones cambiantes.

Además, hasta la mejor estrategia de mercadotecnia tendrá poco valor a no ser que se implante bien. La compañía debe movilizar su personal y sus recursos dentro de la organización formal de mercadotecnia para poner en marcha el plan estratégico. A continuación, debe elaborar sistemas de control para evaluar constantemente las actividades y el rendimiento de mercadotecnia con el propósito de asegurar que se alcancen los objetivos estratégicos de la mercadotecnia.

Estrategias competitivas de mercadotecnia

Para tener éxito, la compañía debe ser más eficaz que sus competidores con el fin de satisfacer a los consumidores meta. Así, las estrategias de mercadotecnia deben adaptarse a las necesidades de los consumidores y también a las estrategias de los competidores. Con base en su tamaño y en su posición en la industria, la compañía debe encontrar la estrategia que le proporcione la ventaja competitiva más fuerte posible.

Una firma que domine un mercado puede adoptar una o más de varias estrategias de *líder de mercado*. Puede tratar de ampliar el mercado total al buscar mayor uso, nuevos usuarios y nuevas aplicaciones. Como el líder tiene la porción más grande del mercado es el que se beneficia más cuando el mercado total se amplía. O puede que la compañía intente aumentar su porción de mercado mediante grandes inversiones para robarles clientes a sus competidores. La compañía dominante también puede desarrollar estrategias para defender su negocio actual de los ataques de la competencia. Puede dirigir la industria en materia de innovación, eficacia competitiva y valor para los consumidores. Puede evaluar cuidadosamente las amenazas competitivas potenciales y contrarrestarlas cuando sea necesario. El líder de mercado puede adoptar una estrategia de "defensa preventiva": lanzar nuevos productos o programas de mercadotecnia para derrotar a los competidores antes de que se conviertan en grandes amenazas.

Los retadores de mercado son compañías subcampeonas que atacan agresivamente a los competidores para obtener una porción mayor del mercado. El retador podría atacar al líder del mercado, otras firmas de su mismo tamaño o competidores locales y regionales más pequeños. Los retadores pueden escoger entre diversas estrategias de *reto de mercado*. Si el retador es lo bastante fuerte, puede lanzar un ataque frontal en el cual concentre sus recursos directamente contra los de la competencia. Un retador más débil puede lanzar ata-

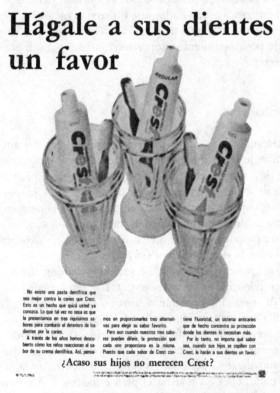

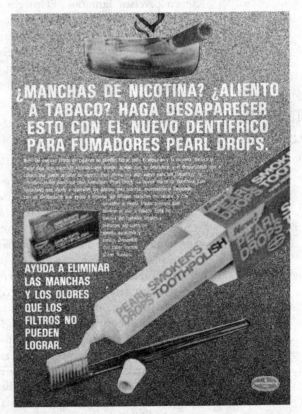

Crest, líder de mercado, se dirige ampliamente a los padres y a otros adultos. Pearl Drops, poseedora del nicho de mercado, se dirige a los fumadores. *Cortesía de la Procter & Gamble Company (Crest) y Carter-Wallace, Inc. (Pearl Drops).*

ques en los flancos al concentrar sus ventajas contra las desventajas del competidor. O el retador puede atacar indirectamente al pasar por alto al competidor y al desarrollar nuevos productos, nuevos mercados o nuevas tecnologías.

Algunas firmas subcampeonas preferirán seguir al líder del mercado en vez de retarlo. Las firmas que usan estrategias de *imitación de mercado* buscan porciones de mercado y utilidades estables al seguir las ofertas de producto, los precios y los programas de mercadotecnia del competidor. Pueden seguirlo muy de cerca o a cierta distancia, o pueden seguirlo muy de cerca en algunas cosas y en otras seguir su propio estilo.

La meta del imitador de mercado consiste en mantener los consumidores actuales y atraer una porción justa de otros nuevos, sin ganarse la venganza del líder del mercado u otros competidores. Muchos imitadores de mercado son más rentables que los líderes en su industria.

Las firmas más pequeñas en un mercado o incluso las firmas más grandes que carecen de posiciones establecidas, adoptan muy a menudo estrategias de *nicho de mercado*. Se especializan en servir nichos de mercado que los grandes competidores pasan por alto o ignoran. Las firmas con estrategia de nicho de mercado evitan las confrontaciones directas con las compañías más grandes mediante una especialización por líneas de mercado, consumidor, producto o mezcla de mercadotecnia. Gracias a una estrategia inteligente de nicho de mercado, las firmas con una porción baja en una industria pueden ser tan rentables como sus competidores más grandes.

Así, la compañía debe escoger sus estrategias con base en su posición en la industria, en sus ventajas y desventajas en relación con la competencia. Y la estrategia debe cambiar para enfrentarse a los cambios en la situación competitiva. Por ejemplo, Helene Curtis podría entrar al mercado de analgésicos con una estrategia de nicho, ofreciendo un producto muy suave y eficaz al segmento más pequeño que desea pagar un precio alto. Una vez establecida en este segmento especializado, la compañía podría comenzar a retar a los competidores más débiles por porciones en otros segmentos. Si Helene Curtis se convirtiera en el principal competidor en el mercado de los analgésicos, podría desarrollar una línea de producto sumamente diferenciada y lanzar ataques frontales completos contra competidores más firmemente fortificados.

Implantación de programas de mercadotecnia

El análisis de mercadotecnia y la buena planeación estratégica son sólo el comienzo del desempeño exitoso de una compañía: las estrategias deben implantarse bien. A menudo es más fácil diseñar buenas estrategias de mercadotecnia que llevarlas a la práctica.

La gente en todos los niveles del sistema de mercadotecnia debe colaborar para implantar la estrategia y los planes de mercadotecnia. El personal de mercadotecnia debe coordinar sus actividades con el personal de finanzas, compras, fabricación y otros departamentos en la compañía. Y muchas personas y organizaciones fuera de la compañía deben ayudar en la implantación: proveedores, revendedores, agencias de publicidad, firmas de investigación, los medios de comunicación. Todos deben coordinar sus actividades en un curso efectivo de acción para implantar el programa de mercadotecnia.

La implantación exitosa depende de tener a la gente apropiada haciendo las cosas correctas dentro de la estructura y el clima organizacionales apropiados. El proceso de implantación implica desarrollar *programas de acción* detallados, construir una *estructura organizacional* eficaz, diseñar *sistemas de decisión y recompensa*, encontrar y asignar *recursos humanos* apropiados, y establecer un *clima organizacional* adecuado.

El *programa de acción* identifica las decisiones y tareas de implantación importantes y las asigna a personas o unidades específicas en la compañía. También establece un horario que determina el momento en que deban tomarse las decisiones y cuándo las acciones deben llevarse a la práctica. El programa de acción muestra lo que debe hacerse, quién lo hará y cómo se coordinarán las decisiones y las tareas para implantar el plan de mercadotecnia.

El programa de acción se ejecutará dentro de la *estructura organizacional* formal de la compañía. La estructura define tareas para departamentos y personas específicas, establece líneas de autoridad y comunicación, y coordina decisiones y acciones en todos los niveles de la compañía. La estructura de la organización deberá ajustarse y apoyar las estrategias y los programas de la compañía. Por ejemplo, una compañía que desarrolle productos nuevos para mercados que cambian con rapidez, podría necesitar una estructura organizacional flexible y descentralizada que aliente al personal de la compañía a ser creativo y a comunicarse más a menudo y de modo informal. Una compañía más establecida en mercados más estables podría necesitar una estructura centralizada que asigne actividades rutinarias y defina los canales de comunicación más formales.

Los *sistemas de decisión y recompensa* de la compañía también deberán apoyar las estrategias y los programas de mercadotecnia. Estos sistemas consisten en procedimientos de operación para actividades tales como planeación, investigación, presupuesto, reclutamiento, compensación y control. Los sistemas bien elaborados pueden alentar la buena implantación. Por ejemplo, supóngase que Helene Curtis decide lanzar el nuevo analgésico. Gran parte del éxito del producto dependerá de cuánta atención reciba de los vendedores de la compañía. La fuerza de ventas debe convencer a los detallistas que adquieran el producto nuevo, le den el suficiente espacio de anaquel, usen los exhibidores promocionales y anuncien el producto en su publicidad. El sistema de compensaciones para la fuerza de ventas puede ayudar o dificultar la implantación de este nuevo producto. Los vendedores querrán darles la mayor parte de su atención a los productos establecidos que sean más fáciles de vender. Pero si se cambia el sistema de compensaciones para que proporcione comisiones más altas por el nuevo producto, los vendedores le darán más atención.

Los programas de mercadotecnia son implantados por seres humanos, y la implantación exitosa requiere una planeación cuidadosa de los *recursos humanos*. La compañía debe reclutar, desarrollar, asignar y motivar a personas que sean capaces de realizar las estrategias y programas de mercadotecnia. Y la gerencia debe establecer un *clima organizacional* en el cual estas personas puedan trabajar eficazmente. Las estrategias y programas que no se ajusten al clima administrativo y a la "cultura de la compañía" serán difíciles de implantar. Por ejemplo, si Helene Curtis tomara la decisión de ofrecer productos baratos a precios de descuento, habría resistencia por parte de aquellos vendedores que se identifican fuertemente con la reputación de la compañía de ofrecer calidad y valor.

Por tanto, para que haya una implantación exitosa, todos los elementos del proceso de implantación (el programa de acción, la estructura de la organización, los sistemas de decisión y recompensa, el personal y el clima organizacional) deben apoyar las estrategias y los programas de mercadotecnia que se estén implantando. La compañía debe combinar los cinco elementos en un programa coherente.

Organización del departamento de mercadotecnia

La organización del departamento de mercadotecnia proporciona una estructura formal dentro de la cual se llevan a cabo las actividades de análisis, planeación, implantación y control de mercadotecnia. En compañías muy pequeñas, una sola persona podría ejecutar estas funciones administrativas para todas las tareas de mercadotecnia: investigación de mercados, ventas, publicidad, servicio al cliente, etc. A esta persona se le podría denominar gerente de ventas, gerente de mercadotecnia o director de mercadotecnia. Si la compañía es grande, habrá varios especialistas en mercadotecnia. En consecuencia, Helene Curtis tiene vendedores, gerentes de ventas, investigadores de mercado, personal de publicidad, gerentes de producto y de marca, gerentes de segmento de mercado y personal de servicio al cliente.

Las organizaciones de mercadotecnia suelen estar dirigidas por un vicepresidente de mercadotecnia que realiza dos tareas. La primera consiste en coordinar el trabajo de todo el personal de mercadotecnia. El vicepresidente de mercadotecnia de Helene Curtis debe asegurarse, por ejemplo, de que el gerente de publicidad colabore con el gerente de ventas de modo que la fuerza de ventas esté preparada para manejar preguntas generadas por anuncios que el departamento de publicidad está a punto de colocar.

Otra tarea del vicepresidente de mercadotecnia es la de trabajar muy de cerca con los vicepresidentes de finanzas, fabricación, investigación y desarrollo, y otras áreas para combinar los esfuerzos de la compañía con el propósito de complacer a los clientes. Por tanto, si el personal de mercadotecnia de Helene Curtis anuncia el champú Suave como un producto de calidad, pero si el departamento de investigación y desarrollo no lo dictamina como tal, o si el departamento de fabricación lo mezcla inapropiadamente, el departamento de mercadotecnia no cumplirá con su promesa. La labor del vicepresidente de mercadotecnia debe asegurar que todos los departamentos de la compañía colaboren para cumplir la promesa que mercadotecnia hizo a los clientes.

La eficacia del departamento de mercadotecnia depende no sólo de la forma como esté constituido, sino también de la eficacia con la que su personal haya sido seleccionado, entrenado, dirigido, motivado y evaluado.

Es decisiva la selección de un personal de mercadotecnia capaz. Por ejemplo, los vendedores varían mucho en su habilidad para vender. Los vendedores no sólo deberían ser capaces de desempeñarse bien en el trabajo al ingresar, sino que también deberían ser capaces de desarrollarse con el puesto y ascender en ventas. Las compañías que les pagan salarios bajos a sus vendedores, investigadores de mercado, gerentes de marca y otros, pueden concluir con personal de mercadotecnia que carezca del potencial para una mayor responsabilidad.

La capacitación es una parte esencial de cualquier trabajo y debería conducir a un mejor rendimiento. Cada trabajo en mercadotecnia debería contar con una descripción del puesto, que defina los principales deberes y responsabilidades del empleado. Cada trabajador necesita capacitación para comprender la historia, el propósito, la situación actual, las metas actuales, los productos y mercados de la compañía.

Cada empleado es responsable ante un superior quien proporciona dirección. Los vendedores son responsables ante un gerente de ventas quien establece cuotas y gastos de ventas para el periodo actual. Cada vendedor sabe lo que se espera de él y la forma como se medirá el rendimiento.

Las instrucciones no son suficientes. Los empleados deben estar motivados para lograr sus objetivos y posiblemente superarlos. Su nivel de motivación depende del clima laboral, el plan de compensaciones, las actitudes de sus compañeros de trabajo y el estilo de apoyo del jefe. Hay una gran diferencia en el rendimiento de un grupo de mercadotecnia "motivado" que de otro "no motivado."

Por último, el personal de mercadotecnia necesita retroalimentación acerca de su rendimiento. Los gerentes deben reunirse periódicamente con sus subordinados para revisar el rendimiento de éstos, alabar sus logros y señalar sus deficiencias y las formas para corregirlas.

Control de mercadotecnia

Es probable que ocurran muchas sorpresas cuando se implanten los planes de mercadotecnia. La compañía necesita procedimientos de control para asegurar el logro de sus objetivos. Varios gerentes tendrán que ejercer responsabilidades de control además de sus responsabilidades de análisis, planeación e implantación. Es posible distinguir tres tipos de control de mercadotecnia: control del plan anual, control de rentabilidad y control estratégico.

Control del plan anual

El control del plan anual es la tarea que consiste en asegurar que la compañía esté logrando las ventas, utilidades y otras metas establecidas en su plan anual. Esta tarea comprende cuatro pasos. Primero, la gerencia debe estipular metas bien definidas en el plan anual para cada mes, trimestre, u otro periodo durante el año. Segundo, la gerencia debe contar con formas para medir el rendimiento actual en el mercado. Tercero, la gerencia debe determinar las causas de cualquier problema en el rendimiento. Cuarto, la gerencia debe decidir la mejor acción correctiva a tomar para cerrar el vacío entre metas y rendimiento. Para lograr esto, puede que sea necesario mejorar la manera como se implanta el plan, o incluso cambiar las metas

Control de rentabilidad

Las compañías necesitan analizar periódicamente la rentabilidad real de sus diferentes productos, grupos de consumidores, canales de comercialización, y magnitud de los pedidos. Esta no es una tarea sencilla. El sistema de contabilidad de una compañía rara vez está diseñado para medir la rentabilidad real de diferentes entidades y actividades de mercadotecnia. Por ejemplo, para medir la rentabilidad de la marca, los contadores de Helene Curtis deben estimar cuánto tiempo gasta la fuerza de ventas en cada marca, cuánta publicidad se destina a cada marca, y muchas otras cosas. El *análisis de rentabilidad de mercadotecnia* es la herramienta usada para medir la rentabilidad de diferentes actividades de mercadotecnia. También podrían dirigirse *estudios de la eficiencia de la mercadotecnia* para evaluar la forma en que actividades diferentes de mercadotecnia puedan ejecutarse con más eficiencia.

Control estratégico

De vez en cuando, las compañías como Helene Curtis deben dar un paso atrás y volver a examinar críticamente su enfoque global del lugar del mercado. Esto va más allá de la ejecución del control del plan anual y el control de rentabilidad. La mercadotecnia es una de las áreas principales, donde la obsolescencia rápida de objetivos, políticas, estrategias y programas es una posibilidad constante. Las grandes compañías como Chrysler, International Harvester, Singer y A&P tienen épocas difíciles porque no vigilaron el mercado cambiante y no hicieron las adaptaciones apropiadas. Debido a los cambios rápidos en el ambiente de la mercadotecnia, cada compañía necesita reevaluar periódicamente la eficacia de su mercadotecnia. Una herramienta principal a este respecto es la *auditoría de mercadotecnia,* que se describe en el capítulo 21.

EL FUTURO

En la figura 2-7 puede verse un resumen del proceso completo de la administración de mercadotecnia de una compañía y las fuerzas que influyen sobre esa estrategia de mercadotecnia. Los consumidores meta están en el centro, y la compañía concentra sus esfuerzos en servirlos y satisfacerlos. La compañía desarrolla una mezcla de mercadotecnia compuesta de los factores bajo su control, las cuatro *P:* producto, precio, plaza y promoción. Para llegar a su mezcla de mercadotecnia, la compañía administra cuatro sistemas: un sistema de información de mercado, un sistema de planeación de mercadotecnia, un sistema de organización de mercadotecnia, y un sistema de control de mercadotecnia. Estos sistemas están interrelacionados ya que se requiere información mercadológica para trazar los planes de mercadotecnia, los cuales son puestos en práctica por la organización de mercadotecnia y los resultados se revisan y se controlan.

Mediante esos sistemas la compañía monitorea el ambiente de la mercadotecnia y se adapta a él. La compañía se adapta a su microambiente, que consta de intermediarios de mercadotecnia, proveedores, competidores y públicos. Y se adapta al macroambiente, que

FIGURA 2-7
*Factores que influyen
en la estrategia
de mercadotecnia
de la compañía*

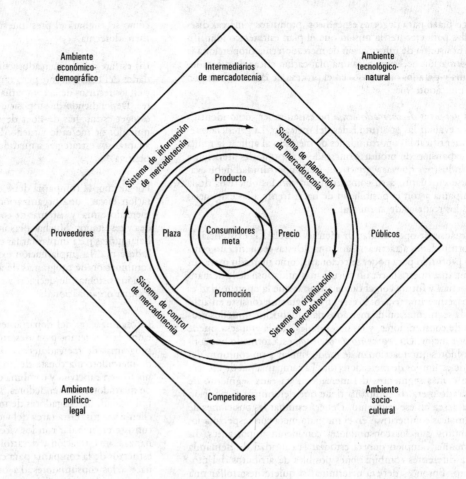

está formado por fuerzas demográficas y económicas, fuerzas político-legales, tecnológicas-ecológicas, y socioculturales. La compañía toma en cuenta a los actores y las fuerzas en el ambiente de mercadotecnia para desarrollar y posicionar su oferta en el mercado meta.

Este proceso de la administración de mercadotecnia se examinará desde el capítulo 3 hasta el 21. Los capítulos 22 al 24 ampliarán la mercadotecnia a áreas adicionales, como es el caso de la mercadotecnia internacional (capítulo 22), mercadotecnia de servicios y de organizaciones no lucrativas (capítulo 23), y mercadotecnia y sociedad (capítulo 24). En el capítulo 24 se cerrará el círculo, ya que entonces estaremos en una mejor posición para evaluar las contribuciones que la mercadotecnia hace a la sociedad.

■ *Resumen*

Toda compañía necesita administrar eficazmente sus actividades de mercadotecnia. En particular, necesita saber cómo planear el esfuerzo de mercadotecnia, analizar las oportunidades de mercado, seleccionar mercados meta apropiados, desarrollar una mezcla eficaz de mercadotecnia y administrar el esfuerzo de mercadotecnia. Estas actividades integran el proceso de la administración de mercadotecnia.

El proceso de mercadotecnia comienza con la planeación estratégica y la de mercadotecnia. La planeación estratégica se concentra en el diseño de una compañía robusta, compuesta al menos de algunos negocios en desarrollo para compensar aquéllos que pudieran estar en decadencia. La planeación de mercadotecnia se orienta mediante el plan estratégico global de la compañía y consta de planes de mercadotecnia anual y a largo plazo para negocios específicos, productos y marcas diseñadas para ejecutar la misión que el plan estratégico identifica. El sistema de información de mercadotecnia proporciona la información necesaria para una planeación eficaz de mercadotecnia y para los otros pasos en el proceso de la administración de mercadotecnia.

Los *gerentes de mercadotecnia* necesitan saber cómo identificar y evaluar las oportunidades del mercado. La gerencia puede identificar las oportunidades de mercado al aplicar la rejilla de expansión de producto/mercado y al prestarles atención a las industrias nuevas y atractivas. Cada oportunidad debe evaluarse en cuanto a su compatibilidad con los objetivos de la compañía y con la posibilidad de hacer frente a las exigencias con los recursos de la misma.

El análisis de oportunidad de mercado revelará la existencia de oportunidades atractivas. Cada una de éstas requerirá un estudio profundo para poder seleccionarla como mercado meta. La compañía querrá hacer un cálculo más cuidadoso de la demanda actual y futura con el fin de asegurar que la oportunidad es lo bastante atractiva. Si lo es, el paso siguiente consiste en aplicar la segmentación de mercados para identificar aquellos grupos de consumidores, y las necesidades que la empresa puede cubrir mejor. Un *segmento de mercado* está formado por consumidores que reaccionan de modo similar a un conjunto dado de estímulos de mercadotecnia. La compañía puede escoger uno o más segmentos del mercado. Para cada segmento de mercado meta, la compañía tiene que determinar la posición que desea en ese segmento. Deberá estudiar las posiciones de las marcas competitivas en el mercado meta con respecto a los atributos que los consumidores consideran importantes. La compañía también deberá estudiar la cantidad de demanda para diferentes combinaciones posibles de atributos del producto. Entonces deberá determinar si quiere desarrollar una marca para cubrir una necesidad insatisfecha o una marca similar a otra ya existente. En el segundo caso, debe estar preparada para luchar contra la marca rival estableciendo alguna diferenciación en la mente del consumidor.

Una vez que la compañía ha decidido su posicionamiento en el mercado, desarrolla una mezcla de mercadotecnia para apoyar este posicionamiento. La *mezcla de mercadotecnia* es una combinación de las cuatro *P*: producto, precio, plaza, y promoción. La compañía tiene que decidir su presupuesto total de mercadotecnia, la forma cómo asignará el presupuesto a las principales categorías de mezcla de mercadotecnia y la forma cómo se asignará el presupuesto dentro de cada categoría de mercadotecnia.

Las estrategias de mercadotecnia deben basarse en las necesidades del consumidor, pero también en la posición industrial y en los recursos de la compañía en relación con los competidores. Dependiendo de su posición y fuerza, la compañía puede escoger estrategias de líder de mercado, retador de mercado, imitador de mercado y nicho de mercado. La compañía debe adaptar sus estrategias a medida que cambie su situación competitiva.

Por último, la compañía debe desarrollar un plan de implantación eficaz, una organización fuerte del departamento de mercadotecnia, y sistemas de control para monitorear actividades y resultados. Muchas personas y organizaciones deben trabajar juntas para implantar las estrategias y programas de mercadotecnia. La implantación exitosa depende del desarrollo y combinación de programas de acción, estructura de la organización, sistemas de decisión y recompensa, recursos humanos y clima organizacional.

La organización del departamento de mercadotecnia proporciona la estructura para desarrollar e implantar estrategias y programas de mercadotecnia. Por lo regular, la organización de mercadotecnia consta de un vicepresidente de mercadotecnia, quien supervisa y combina el trabajo de varios especialistas de mercadotecnia: vendedores, gerentes de ventas, personal de publicidad, investigadores de mercado, personal de servicio al cliente y otros. Otra tarea del vicepresidente de mercadotecnia consiste en trabajar con los vicepresidentes de fabricación, finanzas, investigación y desarrollo, etc., a fin de coordinar los esfuerzos de la compañía para cumplir la promesa que ésta les hace a los consumidores. La organización de mercadotecnia debe estar bien diseñada y ser eficaz para seleccionar, entrenar, dirigir, motivar y evaluar al personal de mercadotecnia.

La implantación rara vez ocurre como se planea, de modo que la compañía necesita establecer algunos procesos de control. El control del plan anual consiste en dar pasos para asegurar que se alcancen los objetivos del plan anual. El control de rentabilidad consiste en tomar medidas para identificar dónde hace dinero la compañía y dónde puede mejorar su eficiencia de mercadotecnia. El control estratégico consiste en tomar medidas para evaluar y mejorar la operación y el rendimiento globales de mercadotecnia de la compañía.

■ *Preguntas de repaso*

1. Una autoridad en mercadotecnia ha dicho que ''la necesidad de que la compañía tome en cuenta su competencia significa que la compañía exitosa no combina ciegamente sus recursos con las especificaciones exactas del mercado''. ¿Qué significa esto? ¿Cómo se relaciona esto con el concepto de mercadotecnia y con la evaluación de oportunidad de mercado?

2. En 1978 el presidente de AT&T apareció en el circuito cerrado de televisión de la compañía para anunciar a los empleados que ''nos convertiremos en una compañía de mercadotecnia''.

   ¿Qué piensa usted acerca de lo que quiso decir con eso y qué cambios habrá que introducir en la empresa para hacer que esto ocurra?

3. Se ha informado que algunos fabricantes japoneses de equipo estereofónico especializado empiezan a sufrir mermas en sus ventas y una creciente competencia. Utilizando la rejilla de expansión de producto/mercado que aparece en la figura 2-2, ¿qué estrategias podrían adoptar estos fabricantes?

4. Analice el atractivo del mercado de la cerveza usando los índices de Porter.

5. Si hace cien años se les hubiera preguntado a los fabricantes de velas de parafina que cuál era su negocio, habrían contestado esto: "Hacemos velas de parafina". Si los fabricantes hubiesen tenido una orientación de mercado, ¿qué hubieran contestado?

6. Relacione los cinco pasos principales en el proceso de mercadotecnia con un servicio que usted elija.

7. Se argumenta que el éxito de las pantimedias L'eggs se debe al hecho de que la compañía comprende los factores de la mezcla de mercadotecnia.

Explique las variables importantes de la mezcla de mercadotecnia en cuanto a la relación que guardan con L'eggs.

8. Si los gerentes realizan un buen trabajo de organización y de implantación, también dirigirán bien el paso de esfuerzo de mercadotecnia en el proceso de mercadotecnia. Comente esta afirmación.

■ Bibliografía

1. Escrito por el autor y basado en "Turmoil among Brewers-Miller's Fast Growth Upsets the Beer Industry. Can It Topple U.S. Leader?" *Business Week,* noviembre 8, 1976, pp. 58-67; Robert Reed, "Beer Makers Try New Tacks", *Advertising Age,* febrero 13, 1984, p. 2; y Robert Reed, "Miller No Longer a High-Flyer", *Advertising Age,* septiembre 26, 1983, p. 4. La nota final se reproduce con permiso del número de septiembre 26, 1983, de *Advertising Age.* Copyright 1983 por Crain Communications, Inc.

2. H. IGOR ANSOFF, "Strategies for Diversification", *Harvard Business Review,* septiembre-octubre, 1957, pp. 113-24.

3. Para una descripción del enfoque del Boston Consulting Group, véase a DEREK F. ABELL y JOHN S. HAMMOND, *Strategic Market Planning* (Englewood, Cliffs, NJ: Prentice-Hall, 1979), capítulo 4.

4. MICHAEL E. PORTER, *Competitive Strategy: Techniques for Analyzing Industries and Competitors* (Nueva York: Free Press, 1980), capítulo 1.

5. Para más detalles de los dos enfoques principales para evaluar el atractivo de la industria véase el capítulo 3.

6. Este ejemplo se describe a fondo en GLEN L. URBAN y JOHN R. HAUSER, *Design and Marketing of New Products* (Englewood Cliffs, NJ: Prentice-Hall, 1980), pp. 187, 221, y en otras partes.

7. Véase "A Painful Headache for Bristol-Myers?" *Business Week,* octubre 6, 1975, pp. 78-80.

8. La clasificación de las cuatro *P* fue propuesta originalmente por E. JEROME MCCARTHY, *Basic Marketing: A Managerial Approach* (Homewood, IL: Irwin, 1960).

dos

ORGANIZACION DEL PROCESO DE PLANEACION DE MERCADOTECNIA

En la parte dos de este libro se examina la forma en que los mercadólogos planean sus actividades dentro del plan estratégico global de la compañía, y la importancia de la investigación e información de mercado en la preparación de los planes de mercadotecnia.

Capítulo 3, PLANEACION ESTRATEGICA Y PLANEACION DE MERCADOTECNIA

Capítulo 4, INVESTIGACION DE MERCADOS Y SISTEMAS DE INFORMACION

3
Planeación estratégica y planeación de mercadotecnia

Dart & Kraft, Inc., es una compañía gigantesca compuesta por muchas firmas pequeñas, divisiones, marcas y productos que generan ventas de casi 10 mil millones de dólares al año. La mayoría de los consumidores están familiarizados con el nombre Kraft de Dart & Kraft, que tiene muchas marcas conocidas de artículos alimentarios en más de 130 países. Marcas como Miracle Whip, Velveeta, aderezos para ensalada Kraft, Parkay, Cracker Barrel, Philadelphia, Sealtest y Breyer's son bien conocidas. Y a la mayoría de los consumidores no les sorprendería saber que Kraft vende productos alimentarios comerciales e industriales.

La mayor parte de los consumidores saben muy poco acerca de Dart en Dart & Kraft. Algunas de sus marcas son muy conocidas, pero casi nadie las relacionaría con Dart & Kraft. Entre ellas se encuentran Tupperware, baterías y lámparas Duracell, equipo Hobart para servicio comercial de alimentación, electrodomésticos Kitchen-Aid, y aparatos y utensilios de cocina West Bend. Dart & Kraft también tiene varios productos poco conocidos, fabricados por compañías más pequeñas como Universal Packaging Corporation (cajas de cartón), Wilson Plastic Company (laminados y adhesivos), Hospital Products Company (productos médicos y quirúrgicos desechables) y la Absorbent Cotton Company (algodón y vendas de gasa).

La planeación del futuro de este grupo grande y diversificado de unidades comerciales es una tarea difícil. Cada unidad tiene ventajas y necesidades especiales. Algunas de las compañías y productos tienen gran éxito en mercados maduros; por ejemplo, los productos Dart & Kraft son dueños de casi la mitad del mercado de queso en Estados Unidos. Otros están fuertemente posicionados en mercados más pequeños, pero de crecimiento más rápido: Celestial Seasonings, una marca recientemente adquirida, tiene una porción de 40% del creciente mercado de té, de hierbas y proporciona oportunidades de expansión al campo de los productos de alimentos naturales. Otros más están relacionados con mercados menos atractivos y de crecimiento lento o en áreas donde Dart & Kraft tienen menos ventaja estratégica, mercados como los aceites comestibles a granel y cajas de cartón.

Muchas de estas compañías, productos y marcas se manejan independientemente, pero cada una debe contribuir al rendimiento corporativo de Dart & Kraft. La alta gerencia debe vigilar que los diversos productos ofrecidos por la compañía se combinen para satisfacer las necesidades de los consumidores y lograr las metas de crecimiento y rentabilidad generales de la compañía. Y esto se consigue mediante la planeación formal: la planeación que comienza en el nivel superior y continúa hasta llegar a marcas y funciones específicas.

Primero, tomando en cuenta las oportunidades en el lugar del mercado y las ventajas y desventajas relativas de la compañía, la alta gerencia debe definir la misión corporativa de Dart & Kraft. ¿Será ésta una compañía de productos lácteos, una compañía de productos alimentarios, una compañía de productos de consumo u otra cosa? En seguida, la misión de la compañía debe traducirse en objetivos específicos para los gerentes de Dart & Kraft. Por ejemplo, la meta financiera de la firma consiste en estar 20% arriba en la industria de productos de consumo en términos del valor de las acciones. Su meta de mercadotecnia es obtener liderazgo en mercados atractivos al ofrecer productos de alta calidad con "valor agregado" para el consumidor.

Entonces la gerencia corporativa debe planear estrategias para alcanzar sus objetivos. La gerencia de Dart & Kraft ha diseñado una estrategia de "construir y comprar" para lograr el crecimiento al aumentar las ventas de los productos existentes, y desarrollar o adquirir productos nuevos que complementen las líneas existentes. Quiere dejar caer los productos menos atractivos mientras desarrolla o adquiere otros más lucrativos en mercados más atrayentes. En consecuencia, durante los últimos años, Dart & Kraft ha recortado su línea de productos 25%, ha abandonado varios negocios (como el aceite comestible a granel y su negocio de leche refrigerada), y ha usado el dinero en efectivo para adquirir productos más prometedores (en áreas como el equipo para hacer gimnasia en casa y los alimentos naturales).

Por último, orientados por el plan general de la corporación, los gerentes en toda la organización preparan planes de mercadotecnia, finanzas, producción, personal y otros planes funcionales para cada compañía, producto y marca. Estos planes forman una jerarquía: los planes de mercadotecnia y de finanzas para Miracle Whip son parte del plan para el grupo de alimentos al menudeo para Estados Unidos, que es parte del plan de productos Kraft, que a su vez es un componente del plan corporativo de Dart & Kraft.

Una compañía tan grande y complicada como Dart & Kraft no puede sobrevivir en un medio de cambios rápidos, tomando decisiones de último momento y confiando en la suerte.

Los gerentes deben emplear la planeación formal para posicionar la compañía en el éxito a largo plazo.[1]

T arde o temprano, todas las compañías se preguntan a sí mismas si necesitan sistemas de planeación formal, qué forma deberán tener esos sistemas de planeación y qué podría hacerse para volverlos más eficientes. La toma de decisiones continuas y diversas, no es lo mismo que la planeación. La planeación es una actividad de orden superior de la compañía que a menudo conduce a un aumento de las utilidades y del rendimiento de las ventas. En este capítulo se examinará la forma cómo las compañías planean sus actividades para aprovechar las oportunidades del mercado, y la manera cómo los gerentes ensamblan los componentes de la mezcla dentro de los planes de mercadotecnia. Se comenzará con una visión general de la planeación y después se examinará la planeación estratégica, la planeación de mercadotecnia y las relaciones entre ambas.

VISION GENERAL DE LA PLANEACION

Beneficios de la planeación

Muchas compañías operan sin planes formales. En las compañías nuevas, los gerentes están tan ocupados que no tienen tiempo para la planeación. En las compañías maduras, muchos gerentes argumentan que lo han hecho bien sin planeación formal y, por tanto, ésta no puede ser tan importante. Se resisten a usar el tiempo para preparar un plan por escrito. Argumentan que el mercado cambia demasiado rápido para que un plan tenga éxito y que éste terminaría recogiendo polvo. Por estas y otras razones, muchas compañías no han introducido sistemas de planeación formal.

Sin embargo, la planeación formal puede producir cierto número de beneficios. Melville Branch enumera los siguientes: 1) la planeación estimula el pensamiento sistemático de la gerencia; 2) da lugar a una mejor coordinación de los esfuerzos de la compañía; 3) conduce al desarrollo de estándares de rendimiento para el control; 4) hace que la compañía intensifique sus objetivos y políticas; 5) da lugar a una mejor preparación para desarrollos repentinos; 6) provoca un sentido de mayor participación de los ejecutivos en sus responsabilidades de interacción.[2]

Cómo se desarrolla la planeación formal en las organizaciones

Rara vez una organización puede instalar un sistema de planeación avanzada desde el comienzo. Su sistema de planeación se desarrolla a través de diversas etapas: mejorando en cada una. Los sistemas de planeación tienden a modificarse a través de las siguientes etapas.

Etapa no planificada

Cuando las compañías se organizan por primera vez, sus gerentes están demasiado ocupados buscando fondos, clientes, equipo y materiales, y tienen muy poco tiempo para planear. La gerencia está inmersa en las operaciones cotidianas necesarias para sobrevivir.

Etapa de sistema de presupuestación

La compañía instala a la larga un sistema de presupuestación para mejorar su control de flujo efectivo. La gerencia estima las ventas totales para el año venidero y los costos y flujos de efectivo asociados. Los gerentes de departamento preparan presupuestos para sus departamentos. Estos presupuestos son financieros y no requieren el tipo de pensamiento que interviene en la planeación real. Los presupuestos no deberán confundirse con los planes a escala completa.

Etapa de planeación anual

Con el tiempo, la gerencia reconoce las ventajas de desarrollar planes anuales. Adopta uno de entre tres enfoques posibles de la planeación.

En el primer enfoque, *planeación descendente* (de arriba-a abajo), la alta gerencia establece metas y planes para todos los niveles inferiores de administración. Este modelo se utiliza en organizaciones militares, donde los generales preparan los planes y las tropas los llevan a cabo. En las firmas comerciales, esto acompaña a una visión de los empleados de teoría X, es decir, a éstos les disgusta la responsabilidad y prefieren ser dirigidos.

En el sistema opuesto, *planeación ascendente* (de abajo-a arriba), las diversas unidades de la organización preparan sus propias metas y planes con base en lo que piensen que puedan hacer mejor y los remiten a los niveles superiores de la gerencia para su aprobación. Este enfoque se basa en la teoría Y, es decir, a los empleados les gusta la responsabilidad y son más creativos y se comprometen más si participan en la planeación.

La mayoría de las compañías usan un tercer sistema que se conoce como *planeación de metas abajo y planes arriba*. En este caso la alta gerencia considera las oportunidades y requerimientos de la compañía y establece metas corporativas para el año. Las diversas unidades de la firma son responsables de desarrollar planes para ayudar a la compañía a lograr estas metas. Estos planes, cuando son aprobados por la alta gerencia, se convierten en el plan anual oficial. Un ejemplo típico es el de la compañía Celanese:

> El proceso de planeación anual comienza a fines de agosto, cuando la alta gerencia recibe los informes de investigación de mercados y manda una carta de orientación, en la cual se estipulan el volumen general y las metas de utilidades. Durante septiembre y octubre, los gerentes de planeación de producto desarrollan planes globales de mercadotecnia en consultas con el gerente de ventas de campo y el vicepresidente de mercadotecnia. A mediados de octubre, el vicepresidente de mercadotecnia revisa y aprueba los planes y se los presenta al presidente para la aprobación final. Mientras tanto, el gerente de ventas de campo trabaja con sus gerentes regionales de ventas y con los vendedores para desarrollar planes de ventas de campo. Por último, en la cuarta semana de octubre, el contralor prepara un presupuesto operativo, el cual pasa, a principios de noviembre, a la alta gerencia para su aprobación final. Así, tres meses después de iniciado el proceso de planeación, hay un plan y un presupuesto terminados que están listos para entrar en operación.[3]

Etapa de planeación a largo plazo

La gerencia comprende que deberá prepararse primero un plan a largo plazo y que el plan anual deberá ser una versión detallada del primer año del plan a largo plazo. Por ejemplo, los gerentes de la American Hospital Supply Company preparan un plan quinquenal para cada producto a comienzos del año, y más tarde un plan anual para ese mismo año. El plan quinquenal se revisa cada año (lo cual se denomina *planeación rodante*) ya que el ambiente cambia y es necesario revisar las premisas de la planeación a largo plazo.

Etapa de planeación estratégica

A la larga, los gerentes de la compañía comprenden que gran parte de su planeación sólo trata con negocios actuales y cómo mantenerlos en marcha, y que deberían planear también en cuáles negocios debe mantenerse la empresa y cuáles negocios nuevos debe buscar. El entorno está lleno de sorpresas, y la gerencia debe organizar a la compañía para que soporte choques. La planeación estratégica implica adaptar a la compañía para que aproveche las oportunidades en su medio, que cambia constantemente.

PLANEACION ESTRATEGICA

La planeación estratégica prepara el terreno para el resto de la planeación de la firma, de modo que se examinará primero. Su definición es la siguiente:

La *planeación estratégica* es el proceso administrativo que consiste en desarrollar y mantener concordancia estratégica entre las metas y capacidades de la organización y sus oportunidades cambiantes de mercadotecnia. Se basa en el establecimiento de una misión clara para la compañía, los objetivos y las metas de apoyo, una cartera comercial sólida y estrategias funcionales coordinadas.

En la figura 3-1 se ilustran los pasos en el proceso de la planeación estratégica. A nivel corporativo, la compañía define primero su propósito y misión generales. Esta misión se convierte entonces en un conjunto detallado de objetivos de apoyo que orientan a toda la empresa. A continuación, las oficinas centrales deciden qué cartera de negocios y productos es mejor para la firma, y cuánto apoyo de recursos se les debe dar a cada unidad comercial o producto. Cada unidad comercial, y cada nivel de producto dentro de la unidad, debe desarrollar a su vez planes más detallados de mercadotecnia y de otras áreas funcionales que apoyen el plan global de la compañía. La planeación de mercadotecnia ocurre en los niveles de unidad comercial, producto y mercado. Apoya la planeación estratégica corporativa e implica planeación más detallada para oportunidades específicas de mercadotecnia. Enseguida se examinarán más a fondo cada uno de los pasos de la planeación estratégica.

Definición de la misión de la compañía

Una organización existe para lograr algo en un medio más grande. Comúnmente su propósito específico está claro al comienzo. Con el paso del tiempo, su misión puede perder claridad a medida que la organización crece y agrega nuevos productos y mercados. O la misión puede seguir siendo clara, pero tal vez algunos gerentes ya no tengan interés en ella. O la misión puede continuar siendo clara, pero puede que ya no sea apropiada para las nuevas condiciones en el medio.

Cuando la gerencia perciba que la organización está desviándose, debe renovar su búsqueda de propósito. Es el momento de plantearse las siguientes preguntas:[4] *¿Cuál es nuestro negocio? ¿Quién es el consumidor? ¿Qué es de valor para el consumidor? ¿Cuál*

FIGURA 3-1
Pasos en la planeación estratégica

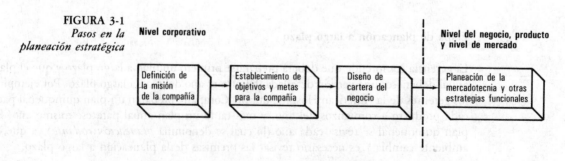

será nuestro negocio? Estas preguntas aparentemente sencillas se cuentan entre las más difíciles que la compañía debe resolver. Las firmas exitosas continuamente se plantean estas interrogantes y las responden cuidadosa y concienzudamente.

Muchas organizaciones desarrollan *declaraciones de misión* formales. Una declaración de misión bien desarrollada le proporciona al personal corporativo un sentido compartido de oportunidad, dirección, significancia y logro. La declaración de misión de la compañía actúa como una "mano invisible" que guía a los empleados más dispersos y puedan trabajar en forma independiente e incluso colectiva para desarrollar el potencial de la organización. Establecer una declaración de misión formal de la compañía no es fácil. Algunas organizaciones pasarán un año o dos intentando preparar una declaración satisfactoria acerca del propósito de la firma. En el proceso descubrirán mucho acerca de ellas mismas y sus oportunidades potenciales.

La declaración de misión deberá definir el *los dominio(s) del negocio* en el cual la organización operará. Los dominios del negocio pueden definirse en términos de *productos, tecnologías, grupos de consumidores, necesidades del consumidor* o alguna combinación de éstos. Tradicionalmente, las compañías han definido sus dominios de negocio en términos de productos, como "Fabricamos juegos de video", o en términos tecnológicos, como "Somos una firma procesadora de sustancias químicas". Hace algunos años, Theodore Levitt propuso que las definiciones de mercado de un negocio son superiores a las definiciones tecnológicas o de producto.[5] Argumentaba que un negocio debe considerarse como un proceso de *satisfacción del consumidor,* no como un proceso de *producción de bienes.* Los productos y las tecnologías a la larga se hacen obsoletos, mientras que las necesidades básicas del mercado pueden durar para siempre. Una declaración de misión orientada al mercado define el negocio en términos del servicio a grupos de consumidores o necesidades específicas. Considérense los siguientes ejemplos:

A comienzos de la década de 1980, los consumidores empezaban a cansarse de los juegos de video. Sólo en 1983, las pérdidas de la industria totalizaban más de 1 500 millones de dólares. Muchas compañías que se habían autodefinido como "productoras de juegos de video" tuvieron épocas difíciles o se retiraron del mercado. Pero Bally Manufacturing, líder en juegos de video de galerías, había definido su negocio como "diversión y entretenimiento". Guiada por su definición, había diversificado su cartera para incluir a Health and Tennis Corporation of America (una cadena de clubes de salud) y Six Flags Corporation (parques de diversiones). Cuando la industria de los juegos de video entró en crisis, el impacto sobre Bally fue minimizado por el hecho de que los juegos de video generaban menos de 50% de las ventas.[6]

En 1978, Sperry Rand Corporation iba a la deriva. Sus negocios incluían aparatos eléctricos de consumo, equipo hidráulico, implementos agrícolas, sistemas electrónicos de defensa y computadoras. Entonces, la gerencia volvió a definir a Sperry como "una compañía eminentemente de computadoras". Como resultado, recortó sus negocios de aparatos eléctricos de consumo y equipo hidráulico, redujo su énfasis en equipo agrícola y aumentó sus inversiones en sistemas electrónicos y en computadoras. Seis años después, Sperry disfrutaba de grandes aumentos en sus utilidades y buscaba adquisiciones en mercados más atractivos como en equipo automatizado y robots.[7]

En el desarrollo de una declaración de misión orientada al mercado, la gerencia deberá evitar hacer su misión demasiado estrecha o demasiado amplia. Un gran fabricante de lápices que diga que está en el negocio de hacer equipo de comunicaciones está enunciando su misión en términos demasiado amplios. Un enfoque útil consiste en moverse desde el producto actual hasta niveles más elevados de abstracción y después decidir el nivel más factible de abstracción disponible para la compañía. Cada paso de ampliación indica nuevas oportunidades, pero también puede llevar a la compañía a aventuras poco realistas más allá de sus capacidades.

La declaración de la misión de la compañía debe ser motivadora. A los empleados les gusta sentir que su trabajo es importante y que contribuyen al bienestar de la gente. Si la compañía Wrigley dice que su misión es ''vender más goma de mascar'', o ''hacer más dinero'', o ''ser el líder del mercado'', estos objetivos no inspiran mucho. Las ventas, utilidades y liderazgo de mercado deberán ser el resultado del éxito que tenga la compañía en el empeño de su misión, no de la misión en sí. De ser posible, la misión deberá estipularse como algo bueno para realizar fuera de la firma.

Muchas declaraciones de misión están escritas con propósitos de relaciones públicas y carecen de pautas específicas que les permitan a los gerentes escoger entre diferentes cursos de acción. La declaración ''Queremos ser la compañía líder en esta industria que produce los artículos de calidad superior con la mayor distribución y el mejor servicio al precio más bajo posible'' suena bien pero está plagada de contradicciones. No ayudará a la compañía a tomar decisiones firmes.

Establecimiento de objetivos y metas de la compañía

La misión de la compañía ha de convertirse en un conjunto detallado de objetivos de apoyo para cada nivel administrativo. Cada gerente deberá tener objetivos y ser responsable por el logro de los mismos. Este sistema se conoce como *administración por objetivos*.

Por ejemplo, la International Minerals and Chemical Corporation tiene varios negocios, incluyendo el de fertilizantes. La división de fertilizantes no dice que su misión sea la de producir fertilizantes. En vez de ello, afirma que su misión es ''combatir el hambre en el mundo''. Esta misión da lugar a una jerarquía de objetivos (véase la figura 3-2). La misión de combatir el hambre en el mundo conduce al objetivo de la compañía de acrecentar la productividad agrícola. Esto se logra al hacer investigaciones de nuevos fertilizantes que prometen mayor rendimiento. Pero la investigación es costosa y requiere de mayores utilidades para reinvertir en programas de investigación. De modo que uno de sus objetivos principales sea el de ''mejorar la rentabilidad''.

Las utilidades pueden mejorarse al aumentar las ventas de los productos actuales, reducir los costos actuales, o ambas cosas. Las ventas pueden incrementarse al aumentar la porción de mercado de la compañía en el mercado doméstico y al entrar en mercados

FIGURA 3-2
Jerarquía de objetivos para la International Minerals and Chemical Corporation, división de fertilizantes

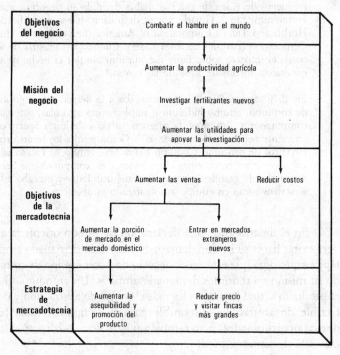

extranjeros nuevos. Estos se convierten entonces en los objetivos actuales de mercadotecnia de la compañía.

Deben desarrollarse estrategias de mercadotecnia para apoyar estos objetivos de mercadotecnia. Para aumentar su porción del mercado doméstico, la compañía aumentará la asequibilidad y promoción de sus productos. Para entrar en mercados extranjeros nuevos, la compañía reducirá los precios y visitará a clientes grandes. Estas son las estrategias generales de mercadotecnia.

Cada estrategia de mercadotecnia tendrá que detallarse a fondo. Por ejemplo, aumentar la promoción del producto requerirá más vendedores y mayor publicidad, y estas dos cosas tendrán que detallarse. De esta forma la misión de la firma se traduce en un conjunto específico de objetivos para el periodo actual. Cuando sea posible, los objetivos deberán traducirse en metas cuantitativas específicas. El objetivo ''aumentar nuestra porción del mercado'' no es tan satisfactorio como ''aumentar nuestra porción de mercado 15% para fines del segundo año''. Los gerentes usan el término *metas* para describir objetivos que se han hecho específicos con respecto a la magnitud y al tiempo. La conversión de objetivos en metas facilita la planeación y el control.

Diseño de la cartera de negocios

Orientada por la declaración de misión y los objetivos de la compañía, ahora la gerencia debe decidir qué conjunto de negocios y productos (qué *cartera de negocios*), se ajustará mejor a las ventajas y desventajas de la firma en relación con las oportunidades de su medio. Debe: 1) analizar la cartera de negocios actual y decidir qué negocios deberán recibir más o menos atención y recursos y 2) desarrollar estrategias de crecimiento para agregar productos o negocios nuevos a la cartera.

Análisis de la cartera actual de negocios

La principal herramienta en la planeación estratégica es el *análisis de la cartera del negocio,* mediante el cual la gerencia evalúa los negocios que forman la compañía. Esta querrá poner recursos fuertes en los negocios más rentables y reducir o abandonar sus negocios más débiles. Puede mantener al día su cartera de negocios al fortalecer o agregar negocios en crecimiento y retirarse de negocios decadentes.

El primer paso de la gerencia es identificar los negocios claves que componen la compañía. Estos pueden denominarse unidades estratégicas de negocios (UEN). Idealmente, una UEN tiene las características siguientes: 1) es un solo negocio; 2) posee una misión definida; 3) tiene sus propios competidores; 4) cuenta con un gerente responsable; 5) controla ciertos recursos; 6) puede beneficiarse de la planeación estratégica; y 7) se puede planificar independientemente de los otros negocios. Una UEN puede ser una o más divisiones de la compañía, una línea de producto dentro de una división, o a veces un solo producto o marca.

Definir las UEN puede ser muy difícil. En una corporación grande, ¿deberán definirse las UEN a nivel de compañías, divisiones, líneas de producto o marcas específicas? En Dart & Kraft, ¿es la División minorista de alimentos en Estados Unidos una UEN, o es la marca Miracle Whip una UEN? Muchas compañías aplican una jerarquía de carteras. Por ejemplo, General Electric tiene una estructura de cartera de cinco niveles: los productos individuales se combinan para integrar carteras de línea de producto, las cuales se combinan para integrar carteras de segmento de mercado, las cuales integran las UEN, que se combinan a su vez en carteras de sector de negocios. La cartera corporativa incluye todas las carteras de nivel más bajo. Por tanto, la definición de las unidades básicas del negocio para el análisis de cartera, a menudo suele ser una tarea complicada.

El paso siguiente requiere que la gerencia evalúe el atractivo de sus diversas UEN con el propósito de decidir cuánto apoyo merece cada una. En algunas compañías, esto se hace de modo informal. La gerencia reconoce que la firma es una cartera de diferentes negocios o productos y usa el discernimiento para decidir cómo deberá contribuir cada UEN al desempeño corporativo general y cuánta inversión deberá recibir cada una. Otras compañías usan modelos de planeación de cartera formales y estructurados: modelos hechos a la medida desarrollados específicamente para la firma o modelos estándar desarrollados por otros y adaptados a las necesidades de la compañía.

El propósito de la planeación estratégica es encontrar formas para que la compañía pueda usar mejor sus ventajas y aprovechar las oportunidades atractivas en el medio. Así, la mayoría de los enfoques estándar de análisis de cartera utilizan una matriz que evalúa las UEN en dos dimensiones importantes: el atractivo del mercado o industria de las UEN y la fuerza de la posición de las UEN en el mercado o industria. El más conocido de estos enfoques de planeación de cartera de matriz son los del Boston Consulting Group y la General Electric Company.[8]

ENFOQUE DEL BOSTON CONSULTING GROUP. El Boston Consulting Group (BCG), una importante firma consultora en administración, desarrolló un enfoque en el cual una compañía clasifica todas sus UEN en la matriz de porción de crecimiento que se muestra en la figura 3-3. El eje vertical, *tasa de crecimiento de mercado,* se refiere a la tasa de crecimiento anual del mercado en el cual se vende el producto y proporciona una medida del atractivo del mercado. En la figura, la tasa de crecimiento del mercado va desde una baja (nula) de 0% hasta una alta de 20%, aunque podría mostrarse un rango más grande. El crecimiento del mercado se divide arbitrariamente en crecimiento bajo y alto por una línea de crecimiento de 10%.

El eje horizontal, *porción relativa del mercado,* se refiere a la porción de mercado de las UEN relativa a la del competidor más grande. Sirve como una medida de la fortaleza de la compañía en el mercado. Una porción relativa de mercado de 0.1 significa que la UEN de la firma está a 10% de la porción del líder; y 10 significa que la UEN de la compañía es el líder y tiene diez veces las ventas de la siguiente compañía más fuerte en el mercado. La porción relativa del mercado se divide en porción alta y baja, empleando 1.0 como la línea divisoria. La porción relativa del mercado se traza a escala logarítmica.

Al dividir la matriz de porción de crecimiento de la manera indicada, se pueden distinguir cuatro tipos de UEN.

■ *Estrellas:* Las estrellas son UEN de alto crecimiento y alta porción. Son típicamente UEN que usan efectivo, ya que el efectivo es necesario para financiar su rápido crecimiento. A la larga su

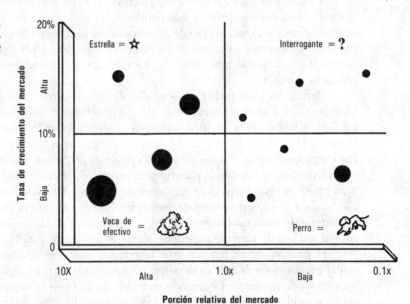

FIGURA 3-3
Matriz de porción de crecimiento del BCG

crecimiento disminuirá, y se convertirán en vacas de efectivo y en principales generadores de efectivo que apoyan a otras UEN.

- *Vacas de efectivo.* Las vacas de efectivo son UEN de crecimiento bajo y porción alta. Producen mucho efectivo que la compañía usa para pagar sus cuentas y apoyar otras UEN que usan efectivo.
- *Interrogantes.* Los interrogantes son UEN de porción baja en mercados de crecimiento alto. Requieren mucho efectivo para mantener su porción, y también para aumentarla. La gerencia tiene que pensar muy bien acerca de cuáles interrogantes deberá intentar convertir en estrellas y cuáles deberán descontinuarse o descartarse.
- *Perros.* Los perros son UEN de bajo crecimiento y baja porción. Pueden generar suficiente efectivo para mantenerse a sí mismas, pero no prometen ser una gran fuente de efectivo.

Los diez ciclos en la matriz de porción y crecimiento representan las diez UEN actuales de la compañía. La firma tiene dos estrellas, dos vacas de efectivo, tres interrogantes y tres perros. Las áreas de los círculos son proporcionales a las ventas en dólares de las UEN. Esta compañía está en condiciones adecuadas aunque no buenas. Por fortuna, tiene dos vacas de efectivo de buen tamaño, cuyo efectivo ayuda a financiar los interrogantes, las estrellas y los perros de la firma. La compañía deberá considerar emprender alguna acción decisiva acerca de sus perros y sus interrogantes. Las cosas serían peores si la compañía no tuviera estrellas, o si tuviera demasiados perros, o si sólo tuviese una vaca de efectivo débil.

Al haber llegado a esto, la tarea de planeación de cartera de la compañía consiste en determinar qué papel asignarle a cada UEN en el futuro. Pueden perseguirse cuatro objetivos alternativos:

- *Construir.* Aquí el objetivo es aumentar las porciones de mercado de las UEN, incluso renunciando a ganancias a corto plazo para lograr este objetivo. La ''construcción'' es apropiada para interrogantes cuya porción tiene que crecer para que se conviertan en estrellas.
- *Mantener.* Aquí el objetivo es preservar la porción de mercado de las UEN. El objetivo es apropiado para vacas de efectivo fuertes a fin de que continúen produciendo un flujo de efectivo grande y positivo.
- *Cosechar.* Aquí el objetivo es acrecentar el flujo de efectivo a corto plazo de las UEN independientemente del efecto a largo plazo. Esta estrategia es apropiada para vacas de efectivo débiles cuyo futuro es oscuro y de las cuales se necesita más flujo de efectivo. También puede utilizarse con interrogantes y perros.
- *Despojar.* Aquí el objetivo es vender o liquidar el negocio porque los recursos pueden emplearse mejor en otra parte. Esto es apropiado para perros e interrogantes que la compañía no puede financiar.

A medida que pasa el tiempo, las UEN cambian su posición en la matriz de crecimiento-porción. Cada UEN tiene una vida (véase el capítulo 12). Muchas UEN comienzan como interrogantes, pasan a la categoría de estrellas si tienen éxito, después se convierten en vacas de efectivo conforme disminuye el crecimiento del mercado y por último se convierten en perros hacia el fin de su ciclo de vida. La compañía necesita agregar nuevos productos y se aventura continuamente de modo que algunos de ellos se moverán a estatus de estrella y a la larga se transformarán en vacas de efectivo para ayudar a financiar las otras UEN.

ENFOQUE DE LA GENERAL ELECTRIC. La General Electric introdujo una planeación total de cartera denominada *rejilla de planeación comercial estratégica* (véase la figura 3-4). Se parece al enfoque del BCG en el sentido de que usa una matriz de dos dimensiones: una que representa el atractivo de la industria y otra que representa la fortaleza de la firma en la industria. Los mejores negocios son los que se ubican en industrias altamente atrayentes donde la compañía en cuestión tiene una gran fuerza comercial.

En la figura 3-4 la *atractividad de la industria* se muestra en el eje vertical. En el enfoque GE, se consideran muchos factores además de la tasa de crecimiento del mercado. La atracción del mercado es un índice compuesto de factores tales como los siguientes:

FIGURA 3-4
*Rejilla de planeación
estratégica del
negocio de General
Electric*

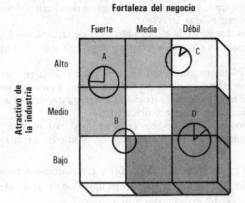

- *Tamaño del mercado.* Los mercados grandes son más atrayentes que los pequeños.
- *Tasa de crecimiento del mercado.* Los mercados de crecimiento alto son más atrayentes que los de crecimiento bajo.
- *Margen de utilidades.* Las industrias de margen elevado de utilidades son más atrayentes que las industrias de margen bajo de utilidades.
- *Intensidad competitiva.* Las industrias con muchos competidores fuertes son menos atrayentes que las industrias con unos cuantos competidores débiles.
- *Ciclicidad.* Las industrias que son menos afectadas por el ciclo del negocio son más atrayentes que las industrias altamente cíclicas.
- *Temporada.* Las industrias con menos movimiento por temporada son más atrayentes que las industrias con alto movimiento por temporada.
- *Economías de escala.* Las industrias donde los costos unitarios caen con una gran distribución y tamaño de la planta son más atrayentes que las industrias de costo constante.
- *Curva de aprendizaje.* Las industrias donde los costos unitarios bajan a medida que la gerencia acumula experiencia en producción y distribución son más atrayentes que las industrias donde la gerencia ha alcanzado el límite de su aprendizaje.

Cada uno de estos factores se clasifica y se combina en un índice de la atractividad de la industria. Para nuestros propósitos, la atractividad de una industria se describirá como alta, media o baja.

En la figura 3-4, la *fortaleza del negocio* se muestra en el eje horizontal. De nueva cuenta, el enfoque GE usa un índice en vez de sólo una medición de la porción relativa del mercado. El índice de fortaleza del negocio incluye factores como los siguientes:

- *Porción relativa de mercado.* Mientras más alta sea la porción relativa de mercado de la compañía, mayor será su fortaleza del negocio.
- *Competitividad de precio.* Mientras más elevada sea la competitividad de precio de la firma, mayor será su fortaleza de negocio.
- *Calidad de producto.* Mientras más alta sea la competitividad de la calidad del producto de la compañía, mayor será la fortaleza de su negocio.
- *Conocimiento del consumidor/mercado.* Mientras más profundo sea el conocimiento que tenga la firma de los consumidores, mayor será la fortaleza de su negocio.
- *Eficacia en ventas.* Mientras más grande sea la eficacia en ventas de la compañía, mayor será la fortaleza de su negocio.
- *Geografía.* Mientras más grandes sean las ventajas geográficas de la compañía en el mercado, mayor será la fortaleza de su negocio.

Estos factores se clasifican y se combinan en un índice de la fortaleza del negocio. La fortaleza del negocio puede describirse como fuerte, media o débil.

La rejilla se divide en tres zonas. Las tres celdillas en la parte superior izquierda muestran UEN, fuertes en las cuales la firma debería ''invertir y crecer''. Las celdillas diagonales que se extienden desde la parte inferior izquierda a la parte superior derecha indican UEN que tienen un atractivo medio general. La compañía deberá mantener su nivel de inversión en estas UEN. Las tres celdillas en la parte inferior derecha indican UEN que tienen un atractivo general bajo. La compañía deberá considerar seriamente "cosecharlas" o descartarlas.

Los círculos representan cuatro UEN en la compañía. Las áreas de los círculos son proporcionales a los tamaños de las industrias en las cuales estas UEN compiten, mientras que las "tajadas del pastel" dentro de los círculos representan la porción de mercado de cada UEN. Así, el círculo A representa la UEN de una compañía con una porción de mercado de 75% en una industria de buen tamaño que es sumamente atractiva y en la cual la compañía tiene una gran fortaleza comercial. El círculo B representa una UEN en la cual la compañía tiene una porción de mercado de 50%, pero la industria no es muy atrayente. Los círculos C y D representan otras dos UEN de la compañía en las cuales la firma tiene porciones pequeñas de mercado y no mucha fortaleza comercial. En general, la compañía debería construir A, mantener B, y tomar alguna decisión básica acerca de qué hacer con C y D.

La gerencia también debería trazar las posiciones proyectadas de las UEN con y sin cambios en las estrategias. Al comparar las rejillas del negocio actuales y proyectadas, la gerencia puede identificar los principales temas estratégicos y oportunidades que enfrenta.[9]

PROBLEMAS CON LOS ENFOQUES DE MATRICES. Los enfoques BCG, GE, y otros enfoques de fórmula-matriz desarrollados en la década de 1970 revolucionaron la planeación estratégica. Pero estos enfoques tienen limitaciones. Pueden ser difíciles, pueden llevar mucho tiempo y ser costosos de implantar. A la gerencia le puede resultar difícil definir las UEN o decidir qué tipo de medidas es mejor para dar ventajas a la compañía y dimensiones de eficacia en la industria con la matriz de negocios. Asimismo, estos enfoques se concentran en la clasificación de los negocios actuales, pero proporcionan muy pocos informes específicos para la planeación de una cartera óptima: la gerencia aún debe usar el discernimiento para establecer el objetivo de negocio para cada UEN, para decidir qué recursos se darán a cada uno y averiguar qué negocios nuevos deberían agregarse a la cartera.

Los enfoques de fórmula-matriz de planeación de la cartera no son apropiados para cualquier compañía. Pueden hacer que la firma haga demasiado hincapié en el crecimiento de la porción de mercado o en el crecimiento mediante la entrada en mercados nuevos y atractivos. Empleando estos enfoques, muchas compañías han ignorado sus negocios actuales y se han aventurado en mercados nuevos y de alto crecimiento, pero no relacionados y han obtenido resultados desastrosos.

> Estas técnicas demasiado cuantitativas provocaron que las compañías pusieran demasiada atención en la porción de mercado. Como resultado, las compañías dedicaban demasiado tiempo a la planeación de la cartera corporativa, y muy poco tiempo a la organización de estrategias para convertir las operaciones malas en operaciones buenas o para asegurar que un negocio fuerte continuara así. En muchos casos, la planeación estratégica degeneró en la adquisición de negocios en crecimiento que los compradores no sabían cómo administrar y en la venta o en la desaparición de negocios maduros.[10]

Una compañía no puede confiar ciegamente en enfoques de fórmula cuando analiza y diseña su cartera de negocios. Muchas compañías han abandonado estos métodos de fórmula y han adoptado enfoques de planeación estratégica hechos a la medida y más adecuados para sus situaciones específicas. Las compañías más grandes y diversificadas utilizan alguna forma de análisis de planeación estratégica.[11] Aunque tal análisis no es una panacea para el desarrollo de la estrategia, puede ayudar a la gerencia a comprender mejor la posición competitiva general de la compañía, evaluar la contribución de cada negocio o producto, asignar mejor sus recursos a sus negocios y orientar mejor a la firma para el éxito futuro.

TABLA 3-1	I. CRECIMIENTO INTENSIVO	II. CRECIMIENTO INTEGRATIVO	III. CRECIMIENTO POR DIVERSIFICACION
Principales clases de oportunidades de crecimiento	A. Penetración de mercado	A. Integración hacia atrás	A. Diversificación concéntrica
	B. Desarrollo de mercado	B. Integración hacia adelante	B. Diversificación horizontal
	C. Desarrollo de producto	C. Integración horizontal	C. Diversificación conglomerada

Desarrollo de estrategias de crecimiento

Además de evaluar los negocios actuales, el diseño de la cartera de negocios implica, determinar negocios futuros y direcciones del negocio que la compañía debería considerar. La planeación del crecimiento de la compañía se ilustrará con el ejemplo siguiente:

> La Modern Publishing Company publica una conocida revista de salud que tiene una circulación mensual de 300 000 ejemplares. El ambiente de mercadotecnia de la compañía está cambiando rápidamente en términos de interés del consumidor, competidores nuevos y aumento de los costos de publicación. La firma intenta formular un plan sistemático para su crecimiento durante la próxima década.

Una compañía puede desarrollar una estrategia de crecimiento al pasar por tres niveles de análisis. El primer nivel identifica las oportunidades disponibles para la compañía dentro de su alcance actual de operaciones (*oportunidades de crecimiento intensivo*). El segundo nivel identifica las oportunidades para integrar otras partes del sistema de mercadotecnia en la industria (*oportunidades de crecimiento integrativo*). El tercer nivel identifica oportunidades que se encuentran fuera de la industria (*oportunidades de crecimiento por diversificación*), En la tabla 3-1 se enumeran las oportunidades específicas dentro de cada clase genérica.

CRECIMIENTO INTENSIVO. El crecimiento intensivo tiene sentido si la compañía no ha aprovechado totalmente las oportunidades en sus productos y mercados actuales. Ansoff ha propuesto un dispositivo útil denominado *matriz de expansión de producto/mercado* para identificar las oportunidades de crecimiento intensivo.[12] Esta matriz, que se mostró en el capítulo 2 señala tres tipos principales de oportunidades de crecimiento intensivo:

1. *Penetración de mercado. La compañía busca mayores ventas para sus productos actuales en sus mercados actuales, a través de un esfuerzo más agresivo de mercadotecnia.* Esto incluye tres posibilidades:
   a. La compañía puede estimular a los suscriptores actuales para que aumenten su *cantidad comprada* obsequiándoles suscripciones a sus amigos.
   b. La compañía puede intentar atraer a los *consumidores de la competencia* al ofrecer tarifas de suscripción más bajas o al promover su revista como una publicación superior a otras revistas de salud.
   c. La compañía puede intentar *convertir en lectores a los prospectos nuevos* que no leen revistas de salud, pero que muestran el mismo perfil que los lectores actuales.
2. *Desarrollo de mercado. La compañía busca aumentar las ventas al introducir sus productos actuales en mercados nuevos.* Esto incluye tres posibilidades:
   a. La compañía puede distribuir su revista en *mercados geográficos nuevos* (a niveles regional, nacional o internacional) donde no existía.
   b. La compañía puede hacer atrayente la revista para nuevos segmentos de consumidores mediante el desarrollo de características apropiadas.
   c. La compañía puede intentar vender su revista a segmentos institucionales nuevos como hospitales, consultorios médicos, y clubes de salud.
3. *Desarrollo de producto. La compañía busca aumentar las ventas al desarrollar productos nuevos o al mejorar los actuales para sus mercados presentes.* Esto incluye tres posibilidades:
   a. La firma puede desarrollar *revistas nuevas y diferentes* que tengan atractivo para los lectores de su revista de salud.

b. La compañía puede crear diferentes *versiones regionales* de su revista de salud.

c. La compañía puede desarrollar una *versión en casete* de su revista mensual destinada a mercados que prefieran escuchar en vez de leer.

CRECIMIENTO INTEGRATIVO. El crecimiento integrativo tiene sentido si la industria es fuerte o si la compañía puede beneficiarse al moverse hacia atrás, hacia adelante, o en sentido horizontal en la industria. Existen tres posibilidades:

1. *Integración hacia atrás. La compañía intenta ser propietaria o tener mayor control de sus sistemas de abastecimiento.* La firma editora podría comprar una compañía abastecedora de papel o una compañía impresora para aumentar su control sobre los proveedores.

2. *Integración hacia adelante. La compañía busca ser propietaria o tener más control de sus sistemas de distribución.* La editorial tal vez considere conveniente comprar algunos negocios de revistas al mayoreo o agencias de suscripciones.

3. *Integración horizontal. La compañía intenta ser propietaria o tener mayor control de algunos de sus competidores.* La editora podría comprar otras revistas de salud.

CRECIMIENTO POR DIVERSIFICACIÓN. El crecimiento por diversificación tiene sentido si la industria no presenta muchas oportunidades para el crecimiento futuro de la compañía, o si las oportunidades fuera de la industria son superiores. La diversificación no significa que la compañía deba tomar cualquier oportunidad. La compañía identificará campos en los cuales aproveche su experiencia o que le ayuden a superar ciertas deficiencias. Hay tres tipos de oportunidad de diversificación:

1. *Diversificación concéntrica. La compañía agrega productos nuevos que tengan semejanza tecnológica o de mercadotecnia con la línea de producto existente; estos artículos suelen tener interés para nuevas clases de consumidores.* Por ejemplo, la compañía editora podría iniciar una edición de libros de bolsillo para aprovechar su cadena de distribuidores de revistas.

2. *Diversificación horizontal. La compañía agrega productos nuevos que podrían tener interés para sus consumidores actuales, aunque no tengan relación con su línea de producto presente.* Por ejemplo, la editorial podría abrir clubes de salud con la esperanza de que los lectores de su revista de salud se conviertan en miembros de los clubes.

3. *Diversificación conglomerada. La compañía agrega productos nuevos que no tienen relación con la tecnología, productos o mercados actuales; estos productos por lo normal tendrán interés para nuevas clases de consumidores.* La firma editora podría querer entrar a nuevas áreas de negocio como las computadoras personales, franquicias para oficinas de bienes raíces o servicio de comida rápida.

Estrategias funcionales de planeación

El plan estratégico de la compañía establece los tipos de negocios que la compañía tendrá y los objetivos de ésta para cada UEN. Dentro de las UEN, debe realizarse ahora una planeación más detallada. Cada UEN debe averiguar qué papel desempeñará cada uno de sus departamentos funcionales (mercadotecnia, finanzas, contabilidad, compras, fabricación, personal y otros) para lograr los objetivos asignados por el plan estratégico de la compañía.

Cada departamento se especializa en tratar con diferentes públicos para obtener los insumos que el negocio necesita para lograr sus objetivos: recursos tales como dinero en efectivo, trabajo, materias primas, ideas de investigación, procesos de fabricación y otros. Por ejemplo, la mercadotecnia genera ingresos al negociar intercambios con los consumidores. El departamento de finanzas organiza intercambios con prestamistas y accionistas para obtener efectivo. Así, los departamentos de mercadotecnia y de finanzas deben colaborar para obtener los fondos que se necesitan para el negocio. De modo similar, el departamento de personal suministra la mano de obra, y el departamento de compras obtiene los materiales necesarios para las operaciones y la fabricación.

Cada departamento desempeña un papel importante en el proceso de planeación estratégica. Los departamentos proporcionan información sobre estrategias y capacidades financieras, como insumos para la planeación estratégica. Después, la gerencia en cada

Crecimiento por diversificación: Cuando bajaron las ventas de los juegos de video, Bally se diversificó en clubes de salud y parques de entrenamiento, ambos congruentes con la misión de entrenamiento y diversión de la compañía. *Cortesía de Bally Manufacturing Corp.*

UEN prepara un plan que estipula el papel específico que cada departamento desempeñará y coordina todas las actividades funcionales, para alcanzar los objetivos especificados para la UEN en el plan estratégico.

Papel de la mercadotecnia en la planeación estratégica

Hay mucha superposición entre la estrategia global de la compañía y la estrategia de mercadotecnia. La mercadotecnia evalúa las necesidades del consumidor y la capacidad de la compañía para obtener una ventaja competitiva en mercados importantes, y estas consideraciones sirven de orientación para la misión y los objetivos corporativos. La mayor parte de la planeación estratégica de la compañía trata con variables de mercadotecnia (porción de mercado, desarrollo de mercado, crecimiento) y, a veces, es difícil separar la planeación estratégica de la planeación de mercadotecnia. De hecho, en algunas compañías, la planeación estratégica se denomina "planeación estratégica de mercadotecnia".

La mercadotecnia desempeña un papel clave en el desarrollo del plan estratégico de la compañía de diversas maneras. Primero, la mercadotecnia proporciona una perspectiva que orienta la planeación estratégica: la estrategia de la compañía debe girar en torno de la obtención de una ventaja competitiva con grupos importantes de clientes. Segundo, la mercadotecnia proporciona información que les sirve a los planificadores estratégicos para identificar las oportunidades atractivas de mercado y evaluar el potencial de la firma para lograr una ventaja competitiva. Por último, dentro de las UEN individuales, la función de mercadotecnia diseña estrategias para lograr los objetivos de la UEN.[13]

Dentro de cada UEN, la gerencia de mercadotecnia debe encontrar la mejor manera en que puede contribuir al logro de los objetivos estratégicos. Los gerentes de mercadotecnia descubrirán en ciertas UEN que su objetivo no es necesariamente aumentar las ventas; su trabajo puede consistir en mantener el volumen existente con menor gasto en mercadotecnia o, incluso, reducir la demanda. *Por tanto, la tarea de la gerencia de mercadotecnia es administrar la demanda al nivel apropiado decidido por la planeación estratégica que se hace en las oficinas centrales.* La mercadotecnia contribuye a la evaluación del potencial de cada UEN, pero una vez que se establezca el objetivo de la UEN, la tarea de la mercadotecnia consiste en ejecutarlo de modo eficiente y rentable.

Mercadotecnia y las otras funciones del negocio

Hay mucha confusión acerca de la importancia de la mercadotecnia en la compañía. En algunas firmas es tan sólo otra función. Las otras funciones cuentan al influir en la estrategia corporativa, y ninguna es líder. Esto puede verse en la figura 3-5A. Si la compañía enfrenta un crecimiento lento o una disminución de las ventas, la mercadotecnia puede volverse más importante por el momento (véase la figura 3-5B).

Algunos mercadólogos afirman que la mercadotecnia es la función central de la firma. Citan la declaración de Drucker: ''El objetivo del negocio consiste en crear clientes''. Dicen que el trabajo de la mercadotecnia consiste en definir la misión, los productos y los mercados de la compañía, y dirigir las demás funciones en la tarea de servir a los clientes (véase la figura 3-5C).

Los mercadólogos ilustrados prefieren colocar al cliente en el centro de la compañía. Están a favor de una orientaión hacia el cliente en la que todas las funciones trabajan juntas para percibir, servir y satisfacer al consumidor (véase la figura 3-5D).

Por último, algunos mercadólogos dicen que aún la mercadotecnia necesita ocupar una posición central en la compañía para que las necesidades de los consumidores se in-

FIGURA 3-5
Opiniones alternativas del papel de la mercadotecnia en la compañía

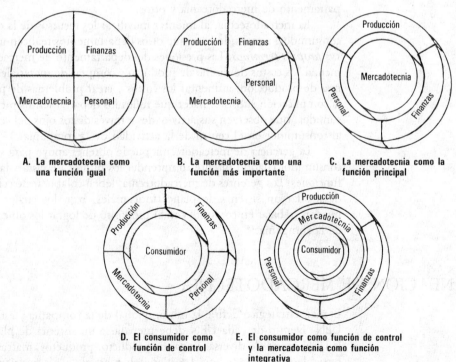

A. La mercadotecnia como una función igual

B. La mercadotecnia como una función más importante

C. La mercadotecnia como la función principal

D. El consumidor como función de control

E. El consumidor como función de control y la mercadotecnia como función integrativa

terpreten correctamente y se satisfagan con eficiencia (véase la figura 3-5E). Estos mercadólogos argumentan que los activos de la firma tienen poco valor sin los clientes. Por lo tanto, la principal tarea de la firma es atraer y retener consumidores. A éstos se les atrae por medio de promesas y se retienen mediante satisfacción, y la labor de la mercadotecnia consiste en definir una promesa apropiada y asegurar que se cumpla. Pero la satisfacción real que se le proporciona a los consumidores depende también del desempeño de los otros departamentos, de modo que la mercadotecnia necesita influir en esos departamentos para poder satisfacer a los consumidores.

Conflicto interdepartamental

Cada función del negocio tiene una perspectiva distinta acerca de cuáles públicos y actividades son más importantes. La función de fabricación se concentra en los proveedores y en la producción eficiente; las finanzas se ocupan de los accionistas y de la inversión sólida; la mercadotecnia hace hincapié en los consumidores y el producto, la fijación de precio, las actividades de promoción y distribución. En principio, todas las funciones deberían combinarse armoniosamente para lograr los objetivos generales de la firma. Pero en la práctica, las relaciones departamentales se caracterizan a menudo, por grandes rivalidades y malos entendidos. Algunos conflictos interdepartamentales surgen de las diferencias de opinión acerca de qué es lo mejor para la firma; algunos a partir de trueques reales entre el bienestar departamental y el bienestar de la firma; y algunos de estereotipos y prejuicios departamentales desafortunados.

Según el concepto de mercadotecnia, es conveniente coordinar todas las diferentes funciones con el propósito de satisfacer al consumidor. El departamento de mercadotecnia recalca el punto de vista del consumidor. Pero otros departamentos subrayan la importancia de sus propias tareas, y puede que se resistan a cooperar con el departamento de mercadotecnia. Como los departamentos muestran una tendencia a definir los problemas y metas de la compañía desde sus propios puntos de vista, los conflictos son inevitables. En la tabla 3-2 aparece un resumen de las principales diferencias de puntos de vista entre el departamento de mercadotecnia y otros.

La mercadotecnia, al intentar movilizar los recursos de la compañía para satisfacer al consumidor, a menudo hace que otros departamentos realicen un trabajo deficiente *según sus propios términos*. Las presiones del departamento de mercadotecnia pueden hacer aumentar los costos de diseño de producto y compras de materiales, desorganizar los programas de producción, aumentar los costos y crear problemas de presupuesto. Sin embargo, la complicación subsiste: hacer que todos los departamentos piensen en términos del consumidor, que observen sus actividades a través de los ojos del consumidor y que coloquen al consumidor en el centro de la actividad de la compañía.

La gerencia de mercadotecnia puede obtener apoyo para su meta de satisfacción del consumidor cuando intente comprender los puntos de vista y las situaciones de las demás funciones. Los gerentes de mercadotecnia deben colaborar de cerca con otros gerentes para desarrollar un sistema de planes funcionales, bajo los cuales diferentes departamentos puedan trabajar en conjunto con el propósito de lograr los objetivos estratégicos generales de la compañía.[14]

PLANEACION DE MERCADOTECNIA

El plan estratégico define la misión global de la compañía y establece objetivos para cada UEN. Dentro de cada UEN debe prepararse un sistema de planes de mercadotecnia. Si la UEN consta de diversas líneas de producto, productos, marcas y mercados, deben escribirse planes para cada uno. Los planes de mercadotecnia podrían incluir planes de produc-

DEPARTAMENTO	ENFASIS	ENFASIS EN MERCADOTECNIA
IyD	Investigación básica	Investigación aplicada
	Calidad intrínseca	Calidad percibida
	Características funcionales	Características de ventas
Ingeniería	Tiempo largo de diseño	Tiempo corto de diseño
	Pocos modelos	Muchos modelos
	Componentes estándares	Componentes hechos a la medida
Compras	Línea de producto reducida	Línea de producto amplia
	Partes estándares	Partes no estándar
	Precio del material	Calidad del material
	Tamaños de lotes económicos	Grandes lotes para evitar agotamiento de existencias
	Compras a intervalos no frecuentes	Compra inmediata para necesidades del consumidor
Producción	Tiempo largo de producción	Tiempo corto de producción
	Largas corridas con pocos modelos	Corridas cortas con muchos modelos
	No hay cambio de modelos	Cambios frecuentes en los modelos
	Pedidos estándar	Pedidos por encargo
	Facilidad de fabricación	Apariencia estética
	Control de calidad medio	Control de calidad estricto
Inventario	Artículos de movimiento rápido, línea de producto reducida	Línea de producto amplia
	Nivel económico de almacén	Nivel alto de existencias
Finanzas	Fundamentos estrictos para el desembolso	Argumentos intuitivos para los gastos
	Presupuestos difíciles y duros	Presupuestos flexibles para satisfacer las necesidades cambiantes
	Fijación de precios para cubrir costos	Fijación de precios para acrecentar el desarrollo de mercado
Contabilidad	Transacciones estándar	Condiciones y descuentos especiales
	Pocos informes	Muchos informes
Crédito	Revelaciones financieras completas de los consumidores	Examen mínimo del crédito de los consumidores
	Bajos riesgos de crédito	Riesgos medios de crédito
	Términos difíciles de crédito	Condiciones fáciles de crédito
	Procedimientos firmes de cobro	Procedimientos fáciles de cobro

to, de marcas o de mercado. A continuación se examinarán los planes de mercadotecnia y los pasos que intervienen en el desarrollo del plan de mercadotecnia.

Componentes de un plan de mercadotecnia

¿Cuáles son los aspectos importantes de un plan de mercadotecnia? La explicación se concentrará en planes de producto o de marca. Un plan de producto o de marca deberá contener las siguientes secciones: resumen para los ejecutivos, situación actual de mercadotecnia, amenazas y oportunidades, objetivos y problemas, estrategias de mercadotecnia, programas de acción, presupuestos y controles (véase la figura 3-6).

Resumen para los ejecutivos

El documento de planeación debería comenzar con un breve resumen de los principales objetivos y recomendaciones que se presentarán en el plan. Véase a continuación un ejemplo abreviado:

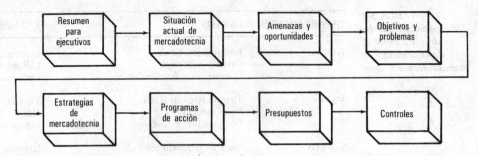

FIGURA 3-6
Componentes de un plan de mercadotecnia

El plan de mercadotecnia de 1986 busca un aumento significativo en las ventas y utilidades de la compañía, en comparación con el año anterior. La meta de ventas es de 80 millones de dólares, una ganancia planeada en las ventas de 20%. Este incremento se considera factible debido a las mejores condiciones económicas, competitivas y de distribución. La meta en el margen de operación es de 8 millones de dólares, un aumento de 25% en relación con el año anterior. Para lograr estas metas, el presupuesto de promoción de ventas será de $1.6 millones, o 2% de las ventas proyectadas. El presupuesto de publicidad será de $2.4 millones o 3% de las ventas proyectadas. . . [Más detalles a continuación]

El resumen para los ejecutivos permite que la alta gerencia entienda rápidamente los aspectos principales del plan. Después del resumen debe haber una tabla de contenido.

Situación actual de mercadotecnia

La primera sección principal del plan describe el mercado meta y la posición de la compañía en éste. El mercadólogo proporciona información acerca de los siguientes temas:

■ *Descripción del mercado.* Aquí se define el mercado servido, incluyendo sus segmentos principales. El tamaño del mercado (en unidades o en dólares) se muestra para varios años anteriores, en total y por segmentos. Se revisan las necesidades del consumidor, así como los factores en el ambiente de la mercadotecnia que puedan afectar las compras del consumidor.

■ *Revisión del producto.* En ella se muestran las ventas, precios y márgenes brutos para los productos principales en la línea de producto.

■ *Competencia.* Aquí se identifican los principales competidores y se describe cada una de sus estrategias en lo que toca a la calidad del producto, fijación de precios, distribución y promoción. La sección también muestra las porciones de mercado que tiene la compañía y que tiene cada competidor.

■ *Distribución.* Aquí se describen las tendencias recientes y los desarrollos de ventas en los principales canales de distribución

Amenazas y oportunidades

Esta sección requiere que el gerente estudie el futuro y visualice las principales amenazas y oportunidades a las que se enfrenta el producto. El propósito consiste en contrarrestar la tendencia de los gerentes a concentrarse en problemas actuales y a no prever desarrollos importantes que puedan tener un impacto significativo sobre la compañía. Los gerentes deberán enumerar tantos riesgos y oportunidades como puedan imaginar. Supóngase que el gerente de una compañía tabaquera se encuentra con la lista siguiente:

1. El secretario de salud pública de Estados Unidos le está pidiendo al gobierno una ley que estipule que todas las marcas de cigarrillos incluyan una calavera y dos tibias cruzadas al frente del

paquete, junto con esta inscripción: "La evidencia científica muestra que fumar diariamente acorta la vida de una persona en un promedio de siete años".

2. Un creciente número de lugares públicos comienzan a prohibir fumar y cuentan con secciones separadas para fumadores y no fumadores.

3. Un nuevo insecto está atacando las zonas de cultivo del tabaco, y esto conduce a la posibilidad de menores cosechas en el futuro y mayores aumentos de precio, si no se descubre un medio para el control de la plaga.

4. El laboratorio de investigación de la compañía está a punto de encontrar una forma para convertir lechugas en tabaco benigno. Si esto tiene éxito, el nuevo tabaco será agradable e inofensivo.

5. El hábito de fumar está aumentando rápidamente en los mercados extranjeros, especialmente en países en desarrollo.

Cada inciso tiene implicaciones para el negocio de los cigarrillos. Los tres primeros son amenazas. No todas las amenazas merecen la misma atención o preocupación. El gerente deberá evaluar cada amenaza de acuerdo con su gravedad potencial y su probabilidad de ocurrencia. En la figura 3-7A se muestran los resultados de la evaluación de las tres amenazas enumeradas. Las tres tienen un potencial alto de gravedad; dos tienen alta probabilidad de ocurrencia.

El gerente deberá concentrarse en las amenazas principales (aquéllas en la celdilla de gravedad alta y probabilidad alta) y preparar planes de contingencia con antelación. El gerente también deberá vigilar las amenazas en las celdillas sudoeste y noreste, aunque los planes de contingencia no sean necesarios. Para todos los propósitos prácticos, el gerente puede ignorar las amenazas en la celdilla sudeste.

Los últimos dos incisos en la lista son *oportunidades de mercadotecnia de la compañía,* campos atractivos para la acción de mercadotecnia donde la compañía disfrutará de una ventaja competitiva. El gerente deberá evaluar cada oportunidad de acuerdo con el atractivo potencial de ésta y la probabilidad de éxito de la compañía. En la figura 3-7B se muestran los resultados de la evaluación de las dos oportunidades. El gerente desarrollará planes de acción para las oportunidades que caigan en la celdilla noroeste, vigilará aquéllas en las celdillas sudoeste y noreste y les prestará poca o ninguna atención a las oportunidades en la celdilla sudeste.

Objetivos y problemas

Después de haber estudiado las amenazas y oportunidades del producto, el gerente puede ahora establecer objetivos y considerar problemas que afectarán el logro de estos objetivos. Los objetivos deberán estipularse como metas que a la compañía le gustaría lograr durante el término del plan. Por ejemplo, puede que el gerente quiera lograr una porción de mer-

FIGURA 3-7
Amenazas y oportunidades

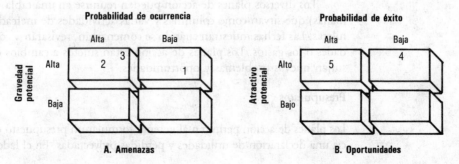

A. Amenazas

B. Oportunidades

cado de 15%, unas utilidades sobre las ventas de 20% antes de impuestos y unas utilidades sobre la inversión de 25% antes de impuestos. Supóngase que la porción actual de mercado es sólo de 10%. Esto plantea un problema clave: ¿Cómo puede aumentarse la porción de mercado? El gerente querrá examinar los puntos principales que intervienen a la hora de incrementar la porción de mercado.

Estrategias de mercadotecnia

En esta sección, el gerente prepara la estrategia de mercadotecnia general o ''El plan de acción'' para alcanzar sus objetivos. La estrategia de mercadotecnia se define de la manera siguiente:

> La *estrategia de mercadotecnia* es la lógica de mercadotecnia mediante la cual el negocio espera lograr sus objetivos de mercadotecnia. Esta estrategia consta de estrategias específicas acerca de mercados meta, mezcla de mercadotecnia y nivel de gastos de mercadotecnia.

MERCADOS META. La estrategia de mercadotecnia deberá describir los segmentos de mercado en los cuales se concentrará la compañía. Estos segmentos difieren en sus preferencias, respuestas al esfuerzo de mercadotecnia y rentabilidad. A la compañía le conviene asignar su esfuerzo y su energía para aquellos segmentos de mercado, a los que pueda servir mejor desde un punto de vista competitivo. Deberá desarrollar una estrategia de mercadotecnia para cada segmento seleccionado.

MEZCLA DE MERCADOTECNIA. El gerente deberá describir las estrategias específicas para los elementos de la mezcla de mercadotecnia, como son los productos nuevos, campaña de ventas, publicidad, promoción de ventas, precios y distribución. El gerente deberá explicar cómo responde cada estrategia a las amenazas, oportunidades y problemas clave que se describen en secciones anteriores del plan.

NIVEL DE GASTOS DE MERCADOTECNIA. El gerente también deberá describir el presupuesto de mercadotecnia que se necesitará para ejecutar las diversas estrategias. El gerente sabe que los presupuestos más altos producirán más ventas, pero está buscando el presupuesto de mercadotecnia que producirá los mejores resultados en lo referente a las utilidades.

Programas de acción

Las estrategias de mercadotecnia deberán convertirse en programas específicos de acción que respondan las siguientes preguntas: 1) ¿*Qué* se hará. 2) ¿*Cuándo* se hará? 3) ¿*Quién* es responsable para hacerlo? y 4) ¿*Cuánto* costará? Por ejemplo, puede que el gerente quiera intensificar la promoción de ventas como una estrategia clave para ganar porción de mercado. Deberá trazarse un plan de acción de promoción de ventas y describir ofertas especiales con sus fechas, participación en exhibiciones comerciales, nuevos exhibidores de punto de venta, etc.

Los diversos planes de acción pueden reunirse en una tabla, con doce meses (o 52 semanas) que sirvan como columnas y varias actividades de mercadotecnia que sirvan como hileras. Las fechas muestran cuándo se comenzarán, revisarán y complementarán las actividades o los gastos. Los planes de acción están sujetos a cambios durante el año conforme surjan nuevos problemas y oportunidades.

Presupuestos

Los planes de acción permiten al gerente formular un presupuesto de apoyo, que es en esencia una declaración de utilidades y pérdidas proyectadas. En el lado de los ingresos, muestra el número pronosticado de unidades que se venderían y el precio neto promedio. En el lado de los gastos, muestra el costo de producción, de distribución física y de mercadotecnia, dividido en categorías más pequeñas. La diferencia son las utilidades proyectadas. La alta gerencia revisará el presupuesto y lo aprobará o modificará. Una vez aprobado, el presupuesto es la base para la compra de materiales, la programación de producción, la planeación de la mano de obra y las operaciones de mercadotecnia.

Controles

En la última sección del plan se describen los controles que se usarán para vigilar el progreso. Típicamente, se especifican metas y presupuestos para cada mes o trimestre. Esto significa que la gerencia superior puede revisar los resultados en cada periodo y detectar negocios que no están logrando sus metas. Los gerentes de estos negocios tienen que ofrecer una explicación e indicar las medidas correctivas que tomarán.

Desarrollo del presupuesto de mercadotecnia

A continuación se examinará la tarea de elaborar un presupuesto de mercadotecnia para obtener un nivel dado de ventas y utilidades. Primero, se ilustrará un enfoque común de establecimiento de presupuesto y después se verán ciertas mejoras.

Planeación de las utilidades meta

Supóngase que John Smith, gerente de producto de salsa catsup en Heinz, tiene que preparar su plan anual de mercadotecnia. Probablemente seguirá el procedimiento que se muestra en la tabla 3-3 y que se conoce como *planeación de las utilidades meta*.

TABLA 3-3 *Plan de utilidades meta*	1. *Pronóstico del mercado total* El mercado total de este año (23 600 000 cajas) × tasa de crecimiento reciente	25 000 000 cajas
	2. *Pronóstico de la porción del mercado*	28%
	3. *Pronóstico del volumen de ventas* (1 × 2)	7 000 000 cajas
	4. *Precio al distribuidor*	$4.45 por caja
	5. *Estimación de ingresos por ventas* (3 × 4)	$31 150 000
	6. *Estimación de costos variables* Tomates y especias ($0.50) + botellas y tapas ($1.00) + trabajo ($1.10) + distribución física ($0.15)	$2.75 por caja
	7. *Estimación del margen de contribución para cubrir los costos fijos, utilidades y mercadotecnia* ([4 − 6]3)	$11 900 000
	8. *Estimación de costos fijós* Cargo fijo $1 por caja × 7 millones de cajas	$7 000 000
	9. *Estimación del margen de contribución para cubrir utilidadaes y mercadotecnia* (7 − 8)	$4 900 000
	10. *Estimación del objetivo de utilidades meta*	$1 900 000
	11. *Cantidad disponible para mercadotecnia* (9 − 10)	$3 000 000
	12. *División del presupuesto de mercadotecnia* Publicidad Promoción de ventas Investigación de mercados	$2 000 000 $ 900 000 $ 100 000

John Smith calcula primero el mercado total para la salsa catsup en el próximo año. (Nos concentraremos en el mercado doméstico.) Puede hacerse un cálculo para aplicar la tasa de crecimiento reciente en el mercado (6%) al tamaño de mercado de este año (23.6 millones de cajas). Esto pronostica un tamaño de mercado de 25 millones de cajas para el próximo año. Smith pronostica entonces las ventas de Heinz con base en la premisa de que su porción de mercado, pasada de 28%, continuará. Así, las ventas de Heinz se pronostican en 7 millones de cajas.

A continuación, Smith fija un precio de 4.45 dólares por caja para los distribuidores durante el año próximo, con base especialmente en los incrementos esperados para los costos de trabajo y material. En consecuencia, los ingresos esperados por ventas serán de $31.15 millones.

En seguida calcula los costos variables del próximo año en $2.75 por caja. Esto significa que el margen de contribución para cubrir los costos fijos, utilidades y costos de mercadotecnia es de $11.9 millones. Supóngase que la compañía le carga a su marca un costo fijo de $1 por caja, o bien $7 millones. Esto deja un margen de contribución de $4.9 millones para cubrir las utilidades y costos de mercadotecnia.

John Smith introduce ahora la meta de las utilidades deseadas. Supóngase que un nivel de utilidades de $1.9 millones dejará satisfecha a la alta gerencia. Usualmente se trata de cierto incremento; por ejemplo, de 5 a 10% sobre las utilidades de este año. Entonces resta las utilidades meta de lo que queda del margen de contribución con el resultado de que se dispone de $3 millones para mercadotecnia.

En el último paso, Smith divide el presupuesto de mercadotecnia en los elementos que lo componen como publicidad, promoción de ventas e investigación de mercados. La división suele hacerse en la misma proporción que la del año anterior. Smith decide gastar dos terceras partes del dinero en publicidad, casi una tercera parte en promoción de ventas y el resto en investigación de mercadotecnia.

Aunque este método produce un plan y un presupuesto de mercadotecnia adecuados, es posible hacer varias mejoras.

1. El gerente de producto estimó el tamaño y la porción de mercado mediante la extrapolación de tendencias pasadas. Debería considerar cambios en el ambiente de mercadotecnia que conducirían a un pronóstico diferente de la demanda.

2. El gerente de producto continuó con su estrategia de mercadotecnia pasada. Pero una de las razones de la planeación consiste en considerar estrategias alternativas de mercadotecnia, y el impacto potencial de las mismas sobre las ventas y las utilidades de la compañía. No debería estimar la porción de mercado de la compañía hasta después de desarrollar su estrategia de mercadotecnia.

3. El gerente de producto estableció el precio del próximo año principalmente para cubrir los aumentos esperados en los costos. El establecimiento del precio según el costo, no es un método de fijación de precios con orientación de mercado.

4. El gerente de producto desarrolló la mezcla de mercadotecnia con base en un criterio de "más de lo mismo", en vez de investigar la contribución de potencial de cada elemento de la mercadotecnia a los objetivos de mercadotecnia en esta etapa del ciclo de vida del producto.

5. El gerente de producto está preparando un plan "satisfactorio", uno que produzca utilidades satisfactorias. En vez de ello, debería intentar encontrar el plan de utilidades óptimas.

Planeación de optimización de utilidades

Ahora se quiere considerar cómo encontrar el plan de optimización de utilidades. La optimización de utilidades requiere que el gerente identifique la relación cuantitativa entre el volumen de ventas y los diversos elementos de la mezcla de mercadotecnia. Se empleará el término de función de respuestas de ventas para describir la relación entre el volumen de ventas y uno o más elementos de la mezcla de mercadotecnia.

> Una *función de respuesta de ventas* pronostica el volumen probable de ventas durante determinado periodo, asociado con diferentes niveles posibles de uno o más elementos de la mezcla de mercadotecnia.

En la figura 3-8 puede verse una función de respuesta de ventas hipotética. Esta función indica que mientras más gaste la compañía en mercadotecnia durante un periodo dado, tendrá mayores probabilidades de incrementar sus ventas. Esta función tiene forma de S, aunque otras formas son posibles. La función en forma de S indica que los niveles bajos de gastos en mercadotecnia no tienen probabilidades de producir muchas ventas. La mercadotecnia de la compañía llegará a muy pocos compradores, o bien llegará a ellos de modo eficaz. Los niveles más altos de gastos en mercadotecnia por periodo producirán niveles mucho más altos de ventas. Sin embargo, los desembolsos muy altos por periodo, tal vez no agreguen más ventas y representen una "mercadotecnia excesiva".

A la larga, la ocurrencia de rendimientos declinantes cuando hay aumentos en gastos de mercadotecnia parece admisible por las siguientes razones. Primero, hay un límite superior para la demanda potencial total de cualquier producto. Los prospectos de ventas más fáciles compran casi de inmediato, dejando a los más difíciles en el mercado. A medida que se alcanza el límite superior, se vuelve cada vez más costoso atraer a los compradores restantes. Segundo, a medida que la compañía intensifica su esfuerzo de mercadotecnia, es probable que sus competidores hagan lo mismo, con el resultado de que cada firma experimente una creciente resistencia a las ventas. Y tercero, si las ventas crecieran a un ritmo constante, el resultado sería la existencia de monopolios naturales. Una sola compañía se apoderaría de cada industria. Pero esto no es lo que se observa.

¿Cómo pueden estimar los gerentes de mercadotecnia las funciones de respuesta de ventas aplicables a sus negocios? Hay tres métodos disponibles. El primero es el *método estadístico,* en el cual los gerentes recopilan datos sobre ventas pasadas y niveles de variables de mezcla de mercadotecnia, y calculan las funciones de respuesta de ventas con ayuda de técnicas estadísticas.[15] El segundo es el *método experimental,* en el cual se varían los gastos de mercadotecnia y los niveles de la mezcla en muestras igualadas de unidades geográficas o de otro tipo y se anota el volumen de ventas resultante.[16] El tercero es el *método de criterio o juicio,* en el cual se pide a expertos que hagan conjeturas bien fundadas acerca de las relaciones necesarias.[17]

Una vez estimadas las funciones de respuesta de ventas, ¿cómo se usan en la optimización de utilidades? Gráficamente, se introducen algunas curvas más para encontrar el punto de desembolsos óptimos en mercadotecnia. El análisis se muestra en la figura 3-9.

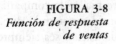

FIGURA 3-8
Función de respuesta de ventas

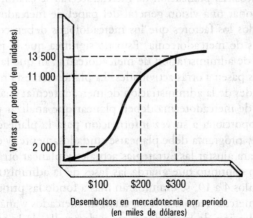

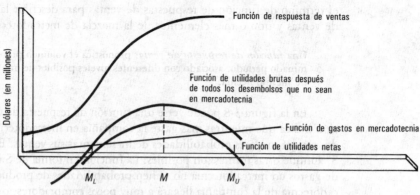

FIGURA 3-9
Relaciones entre volumen de ventas, gastos en mercadotecnia y utilidades

La función clave con la cual comenzamos es la función de respuesta de ventas. Se parece a la función de respuesta de ventas en forma de S en la figura 3-8, con dos diferencias. Primero, la respuesta de ventas se expresa en términos de dólares de ventas en vez de unidades de ventas a fin de que podamos encontrar el desembolso en mercadotecnia de maximización de utilidades. Segundo, el inicio de la función de respuesta de ventas aparece arriba de las ventas cero porque algunas ventas podrían efectuarse incluso en ausencia de desembolsos en mercadotecnia.

Para encontrar el desembolso en mercadotecnia óptimo, el gerente de ese departamento resta todos los demás gastos de la *función de respuesta de ventas* para obtener la *función de utilidades brutas*. Después, la función de gastos de mercadotecnia se representa como una línea recta que parte del origen y se eleva a la tasa de un dólar de desembolso en mercadotecnia en el eje horizontal para cada 10 dólares en el eje vertical. La función de gastos de mercadotecnia se resta entonces de la *curva de utilidades brutas* para obtener la *curva de utilidades netas*. Esta curva de utilidades netas muestra utilidades netas positivas con desembolsos en mercadotecnia de entre M_L y M_U, que podría definirse como el rango racional de gastos en mercadotecnia. La curva de utilidades netas alcanza un máximo de M. Por lo tanto, el gasto en mercadotecnia que maximizará las utilidades netas es M.

La solución gráfica también puede efectuarse con métodos numéricos o algebraicos; de hecho, estos métodos deben aplicarse si el volumen de ventas es una función de más de una variable de la mezcla de mercadotecnia.[18]

Algunas conclusiones sobre la planeación de mercadotecnia

En este capítulo se ha examinado la forma cómo las compañías desarrollan planes estratégicos para aprovechar las oportunidades de mercado, y la manera cómo los gerentes de mercadotecnia diseñan planes de mercadotecnia para ayudar a la compañía a alcanzar sus objetivos estratégicos. La planeación de mercadotecnia se examinó al comienzo de este libro para proporcionar una visión general del papel de mercadotecnia en la compañía, y para presentar todos los factores que los mercadólogos deben considerar cuando diseñan programas eficaces de mercadotecnia. Esto no significa que la planeación sea siempre la primera actividad de administración de mercadotecnia, ni que la planeación termine aquí y los mercadólogos pasen a otras actividades. La planeación está muy relacionada con todas las demás actividades de la administración de mercadotecnia: análisis, implantación y control. Los gerentes de mercadotecnia deben planear qué analizar y cuándo, y el análisis de mercadotecnia proporciona a su vez información para la planeación eficaz. La implantación de estrategia y programa debe planearse cuidadosamente, y el control proporciona retroalimentación para ajustar las estrategias actuales y planear otras nuevas. Así, la planeación es un proceso continuo que guarda las fases de la administración de mercadotecnia.

En los capítulos 4 a 19, se examinarán más a fondo las principales actividades y áreas de decisión de la mercadotecnia: investigación de mercados y análisis de oportunidades de mercadotecnia, selección de mercados meta y desarrollo de la mezcla de mercadotecnia.

Eastern reconoce que *todo* su personal debe cooperar para brindarles calidad en el servicio aéreo a los clientes de esta compañía.
Cortesía de Eastern Airlines.

Después, en los capítulos 20 y 21 se estudiará la forma cómo los gerentes de mercadotecnia vinculan todas estas actividades y decisiones bajo estrategias de mercadotecnia competitivas más amplias, y la manera cómo las compañías se organizan para implantar y controlar sus estrategias y programas.

■ *Resumen*

No todas las compañías emplean la planeación formal, ni la utilizan bien. Sin embargo, la planeación formal tiene varias ventajas, incluyendo el pensamiento sistemático, una mejor coordinación de los esfuerzos de la compañía, objetivos más claros y una mejor medición del rendimiento, todo lo cual puede dar lugar a un aumento de las ventas y las utilidades. La planeación en las compañías parece pasar por varias etapas, entre las cuales se cuenta la etapa no planeada, de sistema de presupuestación, de planeación anual, de planeación a largo plazo y la etapa de planeación estratégica.

La planeación estratégica establece el fundamento para el resto de la planeación de la compañía. El proceso de planeación estratégica consiste en desarrollar la misión, los objetivos y las metas, la cartera de negocios y los planes funcionales de la compañía.

El desarrollo de una declaración de misión congruente es una tarea desafiante. La declaración de misión deberá estar orientada al mercado, ser factible, motivadora y específica para que dirija a la compañía hacia sus mejores oportunidades. La declaración de misión conduce a objetivos y metas de apoyo, en un sistema que se conoce como *administración por objetivos*.

A partir de aquí, la planeación estratégica requiere analizar la cartera de negocios de la compañía y decidir cuáles negocios deberán recibir más o menos atención y recursos. La compañía podría usar un método de fórmula-matriz, como la matriz de crecimiento-porción del BCG o la rejilla estratégica del negocio GE. Pero en la actualidad, la mayoría de las compañías diseñan enfoques de planeación de la cartera hechos a la medida que se ajustan mejor a sus situaciones particulares.

Para conseguir el crecimiento de la compañía, la planeación estratégica requiere identificar las oportunidades de mercado donde la compañía disfrutaría de una ventaja diferencial sobre los competidores.

La compañía puede identificar oportunidades importantes al considerar las oportunidades de crecimiento intensivo dentro de su alcance presente de producto-mercado (penetración de mercado, desarrollo de mercado y desarrollo de producto), oportunidades de crecimiento integrativo dentro de su industria (integración hacia atrás, hacia adelante y horizontal), y oportunidades de crecimiento por diversificación fuera de su industria (diversificación concéntrica, horizontal y conglomerada).

Cada uno de los departamentos funcionales de la compañía proporciona información para la planeación estratégica. Una vez que se hayan definido los objetivos estratégicos, la gerencia dentro de cada negocio debe preparar un conjunto de planes funcionales que coordinen las actividades de los departamentos de mercadotecnia, finanzas, producción y otros. Cada departamento tiene una idea distinta acerca de cuáles objetivos y actividades son más importantes. El departamento de mercadotecnia recalca el punto de vista del consumidor. Otras funciones dan importancia a diferentes cosas, lo cual genera conflicto interdepartamental. Los gerentes de mercadotecnia deben comprender el punto de vista de las otras funciones y colaborar con otros gerentes funcionales para desarrollar un sistema de planes mediante los cuales se puedan alcanzar mejor los objetivos estratégicos generales de la firma.

Cada negocio tiene que preparar planes de mercadotecnia para sus productos, marcas y mercados. Los principales componentes de un plan de mercadotecnia son: resumen para los ejecutivos, situación actual de mercadotecnia, amenazas y oportunidades, objetivos y problemas, estrategias de mercadotecnia, programas de acción, presupuestos y controles. La sección de presupuesto de mercadotecnia del plan puede desarrollarse, ya sea al establecer una meta de utilidades deseadas o al usar funciones de respuesta de ventas para identificar el plan de mercadotecnia de optimización de utilidades.

■ *Preguntas de repaso*

1. La compañía papelera Scott se ha enfrentado a una creciente competencia de P&G, Georgia Pacific, Fort Howard Paper y artículos sin marca durante los últimos diez años, perdiendo porción de mercado y viéndose obligada a desarrollar el primer plan estratégico en los 101 años de la historia de la compañía. Explique qué cree que debería incluir tal plan.

2. ¿Por qué es la planeación estratégica un proceso tan importante para las organizaciones que entran a la década de 1990?

3. Desarrolle una declaración de misión para discos Capitol. Explique también cada una de las características esenciales de esta declaración para Capitol.

4. Describa brevemente los cuatro tipos de unidades estratégicas del negocio (UEN) desarrollados por el Boston Consulting Group. Clasifique los modelos actuales de automóviles Ford en cada una de las cuatro categorías. Justifique sus elecciones.

5. ¿En qué se diferencian las principales clases de oportunidades de crecimiento? ¿En qué clase o clases colocaría a las siguientes compañías: McDonald's, IBM y Tenneco?

6. ¿Suelen comenzar su planeación estratégica la mayoría de los negocios, dedicándose al proceso de la planeación estratégica? En caso negativo, ¿qué suele suceder?

7. Un nuevo miembro del personal de mercadotecnia de Kellogg's estaba ayudando a integrar el plan de mercadotecnia para Rice Krispies. Preguntó: "¿Por qué se necesita el resumen para los ejecutivos?" ¿Cómo respondería?

8. Explique brevemente los aspectos del análisis de la situación actual de mercadotecnia que un mercadólogo de los vinos Gallo tendría que considerar.

9. ¿Cuáles son las principales decisiones que constituyen la fase de estrategia de mercadotecnia en el plan de mercadotecnia? ¿Por qué es tan importante que éstas estén bien coordinadas?

■ *Bibliografía*

1. Basado en datos de los informes anuales de Dart & Kraft. véase también "Dart & Kraft Turns Back to Its Basic Business: Food", *Business Week*, 11 de junio de 1984, pp. 100-05.
2. MELVILLE C. BRANCH, *The Corporative Planning Process* (Nueva York: American Management Association, 1962), pp. 48-49.
3. *The Development of Marketing Objetives and Plans: A Symposium* (Nueva York: Conference Board, 1963), p. 38.
4. Véase PETER DRUCKER, *Management: Tasks Responsabilities, Practices* (Nueva York: Harper & Row, 1973), capítulo 7.
5. THEODORE LEVITT, "Marketing Myopia", *Harvard Business Review*, julio-agosto 1960, pp. 45-46.
6. FAYE RICE, "Guess Who's the Sultan of Sweat", *Fortune*, abril 16, 1984, pp. 52-56.
7. "Sperry: Out of an Industry Crisis, a New Dedication to Electronics", *Business Week*, abril 30, 1984, pp. 69-70.
8. Para lecturas adicionales de estos y otros enfoques de análisis de cartera, véase DEREK ABELL y JOHN S. HAMMOND, *Strategic Planning: Problems and Analytical Approaches* (Englewood Cliffs, NJ: Prentice-Hall, 1979), capítulo 4; PHILIPPE HASPESLAGH, "Portfolio Planning: Limits and Uses", *Harvard Business Review*, enero-febrero 1982, pp. 58-73; YORAM WIND y VIJAY MAHAJAN, "Designing Product and Business Portfolios", *Harvard Business Review*, enero-febrero 1981, pp. 155-65; y YORAM WIND, VIJAY MAHAJAN y DONALD J. SWIRE, "An Empirical Comparison of Standardized Portfolio Models", *Journal of Marketing*, primavera 1983, pp. 89-99.
9. Para más lecturas, véase ABELL y HAMMOND, *Strategic Planning*, p. 191.
10. "The New Breed of Strategic Planner", *Business Week*, septiembre 17, 1984, p. 63.
11. Véase HASPESLAGH, "Portfolio Planning", p. 59.
12. H. IGOR ANSOFF, "Strategies for Diversification", *Harvard Business Review*, septiembre-octubre, 1957, pp. 113-24.
13. Para más lecturas sobre el papel de la mercadotecnia, véase: PAUL F. ANDERSON, "Marketing, Strategic Planning and the Theory of the Firm", *Journal of Marketing*, primavera 1982, pp. 15-26; y YORAM WIND y THOMAS S. ROBERTSON, "Marketing Strategy: New Directions for Theory and Research", *Journal of marketing*, primavera 1983, pp. 12-25.
14. Para más lecturas, véase YORAM WIND, "Marketing and the Other Business Functions", en *Research in Marketing*, volumen 5, Jagdish N. Sheth, ed. (Greenwich, CT: JAI Press, 1981), pp. 237-56.
15. Para ejemplos de estudios empíricos que usan funciones de respuestas de ventas, véase DOYLE L. WEISS, "Determinants of Market Share", *Journal of Marketing Research*, agosto 1968, pp. 290-95; DONALD E. SEXTON, JR., "Estimating Marketing Policy Effects on Sales of a Frequently Purchased Product", *Journal of Marketing Research*, agosto 1970, pp. 338-47; y JEAN-JACQUES LAMBIN, "A Computer On-Line Marketing Mix Model", *Journal of Marketing Research*, mayo 1972, pp. 119-26.
16. Véase RUSSELL ACKOFF y JAMES R. EMSHOFF, "Advertising Research at Anheuser-Bush", *Sloan Management Review*, invierno 1975, pp. 1-15.
17. Véase PHILIP KOTLER, "A Guide to Gathering Expert Estimates", *Business Horizons*, octubre 1970, pp. 79-87.
18. Véase PHILIP KOTLER, *Marketing Decision Making: A Model Building Approach* (Nueva York: Holt, Rinehart & Winston, 1971).

4
Investigación de mercados y sistemas de información

En 1977, Converse era el principal productor de calzado deportivo en Estados Unidos, y fabricaba dos terceras partes de todos los zapatos para baloncesto. Pero en la década de 1970, los zapatos para baloncesto no eran el artículo más importante. El hábito de correr se convirtió en una cruzada para 25 millones de estadunidenses, y los corredores no querían hacer ejercicio con zapatos de gimnasia gastados, pantaloncillos viejos y una camiseta rota. Se apresuraban a comprar zapatos para correr que tenían las marcas Adidas, Puma, Tiger, Nike, Brooks, New Balance y Etonic en lo que se había convertido en una industria de 2 300 millones de dólares para la década de 1980.

La gerencia de Converse inicialmente prefirió permanecer al margen. ''Pensábamos que el hábito de correr sería una moda pasajera'', decía uno de los ejecutivos. Pero la información de mercadotecnia de la compañía estaba equivocada. Las ventas de otros fabricantes de zapatos continuaron aumentando. Por ejemplo, las ventas de Nike aumentaron más de 30 veces entre 1977 y 1983, mientras que las ventas de Converse aumentaron sólo 60%.

Finalmente, Converse decidió ofrecer una línea de zapatos para correr. Tuvo que decidir si convenía desarrollar los zapatos para el extremo elevado, el extremo bajo o ambos extremos del mercado. Esto requería investigación de mercados para averiguar qué deseaban los compradores en ese tipo de zapatos, cómo los juzgaban y cómo seleccionaban tiendas al menudeo y marcas. Converse necesitaba también estudiar los zapatos de la competencia. Por ejemplo, Nike introdujo un modelo llamado Tailwind ''que tiene un cojín de cámaras de poliuretano con aire encapsulado'' y es ''la nueva generación en materia de zapatos''.

Usando los datos de investigación de mercados, Converse diseñó varios modelos de zapatos y los sometió a prueba entre los corredores. Para mediados de la década de 1980, la compañía había desarrollado varias líneas fuertes, incluyendo zapatos para correr de primera calidad con barras estabilizadoras patentadas para reducir las lesiones en las rodillas.

La investigación también encontró oportunidades en otros mercados de zapatos para atletismo. Converse desarrolló líneas completas de zapatos tenis y para calzar. Y revitalizó sus ofertas de zapatos para baloncesto hasta incluir zapatos diseñados bioquímicamente que tenían un mejor apoyo y flexibilidad. Hasta el venerable zapato para baloncesto de lona All Star, introducido en 1916, se ofrecía en colores rosa y violeta para aprovechar la última locura: el ''break dancing''. Converse ofrece ahora líneas fuertes en todos los segmentos de zapatos para atletismo.

Apoyando sus líneas con grandes presupuestos de mercadotecnia, la compañía revitalizada captaba la atención con comerciales y anuncios en los que aparecían Chris Everet Lloyd y Julius Irving y consiguió el título de zapato oficial para atletismo en los juegos olímpicos de 1984. Aunque Converse todavía tiene una larga distancia por recorrer (una porción de mercado de 9% en comparación con la de 35% de Nike), está experimentando grandes aumentos en sus ventas dentro de un mercado maduro y muy competido. Para trazar el siguiente paso de Converse, el recurso más importante es la información.[1]

A
l ejecutar el análisis, la planeación, la implantación y el control de mercadotecnia, los gerentes de este departamento necesitan información casi en todo momento. La información referente a los consumidores, competidores, distribuidores y otras fuerzas en el mercado. Marion Harper lo define así: "Administrar un negocio bien es administrar su futuro; y administrar el futuro es administrar información".[2]

Durante el siglo pasado, la mayoría de las compañías eran pequeñas y conocían muy bien a sus clientes. Los gerentes recababan información de mercadotecnia mezclándose con la gente, observándola y planteando preguntas. Durante este siglo, muchos desarrollos han acrecentado la necesidad de más y mejor información. A medida que las compañías se expanden a mercados nacionales, necesitan más información sobre mercados más grandes y más distantes. Conforme aumentan los ingresos y los compradores se vuelven más selectivos en lo que compran, los vendedores necesitan mejor información de la forma cómo los compradores responden a los diferentes productos y llamados. Los vendedores usan enfoques más complicados en medios más competidos, según necesiten información acerca de la eficacia de sus herramientas de mercadotecnia. Por último, las compañías operan ahora en medios que cambian más rápidamente, y los gerentes tienen más necesidad de información actualizada para tomar decisiones oportunas.

El suministro de información también ha aumentado mucho. John Neisbitt indica que Estados Unidos está pasando por un "megacambio" desde una economía basada en la industria a otra basada en la información.[3] Descubrió que más de 65% de la fuerza laboral en Estados Unidos trabaja ahora en la generación o procesamiento de información, en comparación con 17% en 1950. En la actualidad, usando mejores sistemas de computación y otras tecnologías, las compañías pueden proporcionar información en grandes cantidades. En palabras de Neisbitt: "Quedarse sin información no es un problema, pero ahogarse en ella sí lo es".[4] Sin embargo, el abasto de información nunca parece ser suficiente. Los mercadólogos rara vez tienen toda la información que necesitan, y a menudo no necesitan toda la información que tienen. Suelen quejarse de que carecen de la suficiente información adecuada o que tienen demasiada equivocada. O también sucede que la información de mercadotecnia está tan dispersa en la compañía que se requiere un gran esfuerzo para localizar datos sencillos. Los subordinados pueden ocultar información porque piensan que ésta es un reflejo negativo de su desempeño. A menudo, la información importante llega demasiado tarde para que sea útil, o la información oportuna no es exacta.

Así, los gerentes de mercadotecnia necesitan más y mejor información. Las compañías tienen una mayor capacidad para proporcionarles mayor información a los gerentes, pero a menudo no hacen buen uso de ésta. Muchas compañías están estudiando las necesidades de información de sus ejecutivos y están diseñando sistemas formales de información para satisfacerlas.

SISTEMA DE INFORMACION DE MERCADOTECNIA

El sistema de información de mercadotecnia se define así:[5]

> Un *sistema de información de mercadotecnia (SIM)* es una estructura permanente e interactiva compuesta por personas, equipo y procedimientos, cuya finalidad es recabar, clasificar, analizar, evaluar y distribuir información pertinente, oportuna y precisa que servirá a quienes toman decisiones de mercadotecnia para mejorar la planeación, ejecución y control.

El concepto de sistema de información de mercadotecnia puede verse en la figura 4-1. El SIM comienza y termina con el usuario de la información. Primero interactúa con

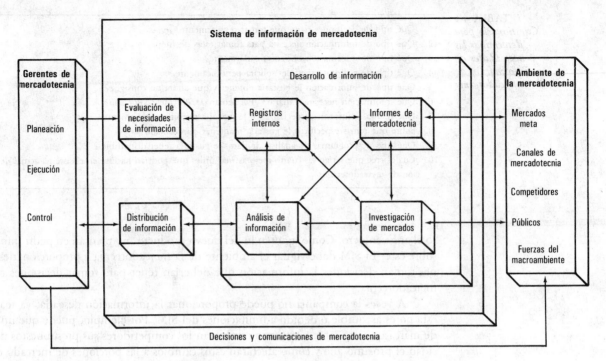

Sistema de información de mercadotecnia

Gerentes de mercadotecnia
- Planeación
- Ejecución
- Control

Desarrollo de información
- Evaluación de necesidades de información
- Registros internos
- Informes de mercadotecnia
- Distribución de información
- Análisis de información
- Investigación de mercados

Ambiente de la mercadotecnia
- Mercados meta
- Canales de mercadotecnia
- Competidores
- Públicos
- Fuerzas del macroambiente

Decisiones y comunicaciones de mercadotecnia

FIGURA 4-1 *Sistema de información de mercadotecnia*

los gerentes de mercadotecnia para evaluar las necesidades de información de éstos. Después desarrolla la información necesaria a partir de los registros internos de la compañía, las actividades del informe de mercadotecnia y el proceso de investigación de mercados. El análisis de información evalúa y procesa la información para hacerla más útil. Por último, el SIM distribuye información para los gerentes en la forma correcta y en el momento oportuno a fin de ayudarlos en la planeación, ejecución y control de la mercadotecnia.

A continuación se examinarán más a fondo las funciones del sistema de información de mercadotecnia.

EVALUACION DE NECESIDADES DE INFORMACION

Un sistema de información de mercadotecnia bien diseñado reconcilia la información que a los gerentes les *gustaría* tener, la información que realmente *necesitan* y pueden manejar, y aquélla que sea *posible* ofrecer. La compañía comienza entrevistando a los gerentes para averiguar qué información les gustaría. En la tabla 4-1 se enumera un conjunto útil de preguntas. Pero los gerentes no siempre necesitan toda la información que solicitan, y tal vez no pidan toda la que verdaderamente necesitan. Además, algunas veces el SIM no puede suministrar toda la información que los gerentes piden.

Algunos gerentes pedirán cualquier información que puedan conseguir sin considerar cuidadosamente la que necesitan en verdad y la que pueden utilizar. Con la tecnología moderna de la información, la mayoría de las compañías pueden proporcionar más información (y más complicada) de la que los gerentes pueden usar. El exceso de información puede ser tan dañino como la escasez.

Otros gerentes ocupados pueden omitir cosas que debieran conocer. O tal vez los gerentes no sepan cómo pedir algunos tipos de información que debieran tener. Por ejemplo, quizá los gerentes necesiten saber que un competidor planea introducir un nuevo produc-

1. ¿Qué tipo de decisiones tiene que tomar regularmente?
2. ¿Qué tipo de información necesita para tomar estas decisiones?
3. ¿Qué tipo de información obtiene regularmente?
4. ¿Qué tipo de estudios especiales solicita periódicamente?
5. ¿Qué tipo de información le gustaría obtener y que ahora no consigue?
6. ¿Qué información necesita a diario? ¿Por semana? ¿Por mes? ¿Por año?
7. ¿Qué revistas e informes especializados le gustaría recibir rutinariamente?
8. ¿Sobre qué temas específicos le gustaría mantenerse informado?
9. ¿Qué tipo de programas de análisis de datos le gustaría tener disponibles?
10. ¿Cuáles cree que serían las cuatro mejoras más útiles que podrían hacerse en el sistema actual de información de mercadotecnia?

to el año venidero. Como ignoran lo del nuevo producto, no piensan en pedir información sobre éste. El SIM debe vigilar el ambiente de la mercadotecnia y proporcionarles a quienes toman decisiones la información que deberían tener para tomar decisiones claves de mercadotecnia.

A veces la compañía no puede proporcionar la información deseada, ya sea porque ésta no es asequible o debido a limitaciones del SIM. Por ejemplo, puede que un gerente de marca quisiera saber en cuánto cambiarán los competidores sus presupuestos de publicidad el próximo año y cómo afectarán estos cambios a las porciones de mercado de la industria. Probablemente la información sobre los presupuestos planeados no es asequible. E incluso si lo fuera, tal vez el SIM de la compañía no tenga la suficiente capacidad para pronosticar con exactitud los cambios resultantes en las porciones de mercado.

Por último, la compañía debe de decidir si los beneficios de tener un archivo de información valen el costo de conseguirlo, y tanto el valor como el costo a menudo son difíciles de evaluar. Por sí sola, la información no tiene valor; su valor proviene de la manera como se emplee. Aunque se han desarrollado métodos para calcular el valor de la información[6] los ejecutivos deben confiar en el juicio subjetivo. De modo similar, en tanto que la compañía pueda sumar los costos del personal, equipo y las instalaciones que integran un sistema de información de mercadotecnia o los costos de un proyecto de investigación de mercados, puede ser difícil estimar el costo de un artículo específico de información. Los costos de obtener, procesar, almacenar y distribuir información pueden aumentar rápidamente. En muchos casos, la información adicional hará muy poco para cambiar o mejorar la decisión de un gerente, o los costos de la información superarán los rendimientos de la mejor decisión así lograda. Por ejemplo, supóngase que una compañía calcula que el lanzamiento de un producto de reciente desarrollo sin ninguna información más producirá una utilidad de $500 000. El gerente piensa que la información adicional mejorará la mezcla de mercadotecnia y le permitirá a la compañía ganar $525 000. Sería tonto pagar $30 000 para obtener la información adicional.

DESARROLLO DE LA INFORMACION

La información que necesitan los gerentes de mercadotecnia puede obtenerse de los informes internos de la compañía, el informe de mercadotecnia y la investigación de mercados. Después, el sistema de análisis de información procesa y transforma estos datos con el propósito de hacerlos más útiles para la toma de decisiones de mercadotecnia.

Informes internos   La mayoría de los gerentes de mercadotecnia usan informes y registros internos con regularidad, en especial para tomar decisiones cotidianas de planeación, ejecución y control. El sistema de contabilidad de la compañía produce estados de cuenta financieros y mantiene registros detallados de ventas y pedidos, costos, cuentas por pagar y flujos de efectivo. El departamento de fabricación informa sobre programas de producción, embarques e inventario. Los informes de visitas de la fuerza de ventas proporcionan información sobre las reacciones de los revendedores, las actividades de la competencia y las condiciones en el ambiente. El departamento de servicio al cliente proporciona información sobre satisfacción o servicio para el cliente y problemas con las garantías. Los estudios de investigación dirigidos en un área pueden proporcionar información útil para algunas otras, y los informes especiales adquiridos por una división a veces pueden ser útiles para otra. Los gerentes pueden emplear información recabada de éstas y otras fuentes de la compañía para evaluar el rendimiento y detectar problemas y oportunidades.

A continuación véanse algunos ejemplos del uso que hacen ciertas compañías de la información interna para tomar decisiones de mercadotecnia.

Sears. Sears utiliza informes internos como una poderosa herramienta de mercadotecnia. Los agentes de mercadotecnia emplean información computadorizada acerca de los 40 millones de consumidores de Sears para promover ofertas especiales de productos y servicios entre segmentos de mercado tan diversos como jardineros, compradores de aparatos eléctricos y futuras madres. Por ejemplo, Sears mantiene registros de las compras de aparatos de cada cliente y promueve tratos especiales de paquetes de servicio entre los consumidores que han comprado varios aparatos, pero que no han adquirido contratos de mantenimiento para los mismos. Muy pronto los gerentes en otras subsidiarias de Sears (Allstate Insurance, Dean Witter Reynolds y Coldwell Banker, corredores de bienes raíces) serán capaces de desarrollar primeros lugares en ventas usando estos datos.[7]

General Mills. Los gerentes en la división de productos de abarrotes de General Mills reciben información de ventas diariamente. Los gerentes de ventas de zona, de región y de distrito comienzan el día con un informe de teletipo acerca de los pedidos y embarques en su área el día anterior. El informe también contiene porcentajes que se comparan con los porcentajes meta y los porcentajes del año pasado.

Mead Paper. Los representantes de ventas de Mead Paper pueden obtener respuestas inmediatas a las preguntas de los consumidores acerca de la disponibilidad de papel, al comunicarse telefónicamente con el centro de computación de la compañía. La computadora determina si hay existencia de papel en el almacén más próximo y cuándo puede embarcarse; si no hay existencias, la computadora verifica el inventario en todos los demás almacenes cercanos hasta que localiza uno. Si no hay existencias de papel, la computadora determina dónde y cuándo puede producirse el papel. El representante de ventas recibe una respuesta en pocos segundos y tiene así una ventaja sobre los competidores.

La información de los registros internos usualmente puede obtenerse con más rapidez y a más bajo costo que la información de otras fuentes, pero también tiene algunos problemas. Como a menudo se recaba para otros propósitos, puede que la información sea incompleta o esté en la forma equivocada para tomar decisiones de mercadotecnia. Por ejemplo, los datos de ventas y costos del departamento de contabilidad usados en el análisis financiero y en la preparación de estados de cuenta deben adaptarse para que se les pueda emplear en la evaluación del rendimiento del producto, de la fuerza de ventas o del canal. Asimismo, las diversas áreas de una compañía grande producen demasiada información; mantener registros de toda ésta es una tarea difícil. El sistema de información de mercadotecnia debe recabar, organizar, procesar e indexar esta montaña de información para que los gerentes la puedan encontrar con facilidad y rapidez.

Informes de mercadotecnia

Los informes de mercadotecnia consisten en *datos de acontecimientos,* información cotidiana acerca de sucesos ambientales importantes (nuevas leyes, tendencias sociales, avances tecnológicos, cambios demográficos, maniobras de los competidores) que ayuda a los gerentes a preparar y ajustar los planes de mercadotecnia. El *sistema de informes de merca-*

dotecnia determina qué información es necesaria, la recaba al inspeccionar e investigar el ambiente, y se les entrega a los gerentes de mercadotecnia que la necesiten.

El informe *defensivo* de mercadotecnia ayuda a evitar sorpresas que amenacen los planes y las acciones de mercadotecnia presentes o futuros.[8] La verificación de las solicitudes de patentes puede informarle a una compañía acerca de productos nuevos desarrollados por los competidores, mucho antes de que éstos aparezcan en el mercado y con el plazo suficiente para desarrollar estrategias que defiendan la posición de mercado de su propio producto. El informe *ofensivo* ayuda a identificar oportunidades.

Por ejemplo, la información de este tipo sobre tendencias en el ambiente social podría indicar nuevas estrategias de posicionamiento o nuevos enfoques publicitarios que aprovechen esas tendencias.

El sistema de informes de mercadotecnia de la compañía recaba datos de diversas fuentes. Mucha información valiosa puede conseguirse del propio personal de la compañía: ejecutivos, ingenieros y científicos, agentes de compras y la fuerza de ventas. Sin embargo, el personal de la compañía a menudo está muy ocupado y no pasa información importante. La compañía debe "convencer" a su personal de la importancia de éste como recopilador de información, entrenarlo para que descubra nuevos desarrollos y estimularlo para que informe a la compañía.

La compañía también debe motivar a los proveedores, distribuidores, consumidores y otros aliados para que den informes importantes. La información sobre los competidores puede obtenerse de lo que ellos dicen acerca de sí mismos en informes anuales, discursos y comunicados de prensa, anuncios y juntas de accionistas. La compañía puede aprender de los competidores a partir de lo que otras personas dicen sobre ellos en publicaciones especializadas, exhibiciones comerciales e informes de agencias. O la compañía puede monitorear lo que los competidores hacen: puede comprar y analizar sus productos, monitorear sus ventas, vigilar sus anuncios de empleo y verificar patentes nuevas. (Véase el recuadro 4-1).

A menudo, la compañía puede obtener información útil del gobierno bajo la ley de libertad de información. Por ejemplo, cuando la FTC le pidió a Procter & Gamble que probara su afirmación de que "el papel de baño New White Cloud es el papel más suave de la Tierra", Crown Zellerbach solicitó copias de toda la información presentada.[9] Las compañías también compran información de proveedores externos. La A. C. Nielsen Company vende datos bimestrales (basados en una muestra de 600 tiendas) acerca de participación de marca, precios al menudeo, porcentajes de tiendas que manejan el artículo y porcentaje de tiendas que no lo almacenan. La firma Market Research Corporation of America vende informes (basados en la compra diaria de un panel representativo de 7 500 familias diseminadas en todo el país) acerca de movimientos semanales de participación de marca, tamaños, precios y transacciones. Se contratan servicios de recortes de periódico para conocer los anuncios de la competencia, sus gastos de publicidad y sus mezclas de medios de comunicación.

Por último, algunas compañías establecen una oficina para recopilar y transmitir informes de mercadotecnia. El personal analiza las principales publicaciones, hace resumen de las noticias importantes y les remite un boletín noticioso a los gerentes de mercadotecnia. Desarrolla un archivo de la información pertinente.

El personal de *staff* ayuda a los gerentes en la evaluación de la nueva información. Estos servicios mejoran en gran medida la calidad de la información disponible para los gerentes de mercadotecnia.

Hay una gran cantidad de información de mercadotecnia disponible. El sistema de informes de mercadotecnia debe explorar detalladamente el ambiente, seleccionar información pertinente y procesable, y ayudarles a los gerentes a evaluarla y usarla. Estos servicios mejoran demasiado la calidad de la información disponible para los gerentes de mercadotecnia.

RECUADRO 4-1

RECOPILACION DE INFORMES: CURIOSEANDO A LOS COMPETIDORES

La recopilación de informes de la competencia ha crecido mucho a medida que aumenta el número de compañías que necesitan saber lo que hacen sus competidores. Compañías tan conocidas como Ford, Westinghouse, General Electric, Gillette, Revlon, Del Monte, General Foods, Kraft y J.C. Penney son conocidas por curiosear activamente a sus competidores.

En un artículo reciente de la revista *Fortune* se enumeran más de veinte técnicas que las compañías utilizan para recopilar su propia información. Las técnicas caen en cuatro categorías principales.

■ *Recopilación de información de reclutas y empleados de los competidores.* Las compañías pueden obtener informes mediante entrevistas de trabajo o de conversaciones con los empleados de la competencia. De acuerdo con la revista *Fortune:*

Cuando entrevistan a estudiantes para puestos de trabajo, las compañías les dan una atención especial a quienes han trabajado para la competencia, aunque sea temporalmente. La persona que busca trabajo está deseosa de causar una buena impresión y a menudo no sabe las consecuencias de divulgar lo que es apropiado. A veces revelan información valiosa... Varias compañías mandan equipos de técnicos sumamente capacitados, en vez de ejecutivos de personal para reclutar en las universidades.

Las compañías mandan ingenieros a conferencias y a exhibiciones comerciales para interrogar a los técnicos de la competencia. Esas conversaciones suelen comenzar inocentemente; unos cuantos técnicos que comentan entre colegas procesos y problemas... [que sin embargo son los de la competencia], los ingenieros y los científicos suelen jactarse de haber superado retos técnicos, y en el proceso revelan información vital.

Algunas veces las compañías anuncian y dirigen entrevistas para trabajos que no existen, con el propósito de hacer que los empleados de la competencia cometan indiscreciones... Muchas veces los aspirantes han vivido en la oscuridad o creen que sus carreras se han estancado. Están deseosos de impresionar a cualquiera.

En lo que probablemente sea la táctica más antigua en la recopilación de informes corporativos, las compañías contratan ejecutivos claves de sus competidores para averiguar lo que saben.

■ *Recopilación de información de personas que hacen negocios con la competencia.* Los consumidores clave pueden mantener informada a la compañía acerca de la competencia, incluso pueden estar dispuestos a solicitar y comunicar información sobre los productos de los competidores.

Por ejemplo, hace poco tiempo Gillette le comunicó a un fuerte distribuidor canadiense la fecha en la que planeaba comenzar a vender sus hojas desechables Good News en Estados Unidos... El distribuidor canadiense se comunicó rápidamente con Bic y le comunicó a éste del inminente lanzamiento del producto. Bic estableció un programa de choque y logró comenzar a vender sus rasuradoras poco tiempo después de Gillette.

El informe también puede recopilarse al infiltrarse en las operaciones comerciales de los consumidores:

A veces las compañías les proporcionan ingenieros a sus clientes sin ningún cargo... La relación íntima y cooperativa que los ingenieros prestados cultivan con el personal de diseño del consumidor a menudo les permite averiguar qué productos nuevos están preparando los competidores.

■ *Recopilación de información de materiales publicados y documentos públicos.* El mantenimiento de registros de información publicada y aparentemente sin importancia puede proporcionar informes del competidor. Por ejemplo, los tipos de personas buscadas en los anuncios clasificados de ofertas de empleo puede indicar algo acerca de los avances tecnológicos y el desarrollo del producto nuevo del competidor. Las agencias gubernamentales son otra buena fuente. Por ejemplo:

Aunque suele ser ilegal que una compañía fotografíe la planta de un competidor desde el aire... hay medios legítimos para conseguir las fotos... A menudo, las fotos aéreas están en los archivos del departamento de agrimensura o del organismo de protección ambiental. Estos son documentos públicos disponibles a cambio de una tarifa nominal.

Las compañías pueden obtener información valiosa en las agencias gubernamentales según leyes que permitan la libertad de información, o pueden usar firmas especializadas para obtener esa información discretamente.

■ *Recopilación de información observando a los competidores o analizando la evidencia física.* Las compañías pueden llegar a conocer mejor a sus competidores comprando los productos de éstos o examinando otra evidencia física.

Son cada vez más las compañías que compran productos de la competencia y los desarman para determinar costos de producción y hasta métodos de fabricación.

En ausencia de una mejor información sobre la porción de mercado y el volumen de productos que los competidores embarcan, las compañías han medido la herrumbre acumulada en las vías férreas de los desvíos a las plantas de sus competidores o han contado los trailers que salen de la zona de embarque.

Incluso algunas compañías compran los desperdicios de sus competidores:

Una vez que ha salido de los terrenos del competidor, la basura se considera legalmente propiedad abandonada. Aunque algunas compañías pulverizan ahora el papel que sale de su laboratorio de diseño, suelen descuidar esto con la basura de los departamentos de mercadotecnia o de relaciones públicas que es casi tan reveladora.

Aunque la mayoría de estas técnicas son legales, y algunas podrían considerarse competitividad astuta, muchas implican una ética cuestionable. La compañía deberá aprovechar la información públicamente disponible, pero las compañías responsables evitan prácticas que pudieran considerarse ilegales o contrarias a la ética. Una compañía no tiene que infringir la ley ni los códigos aceptados de ética para conseguir informes de mercadotecnia y los beneficios ganados usando esas técnicas no valen los riesgos.

Fuente: Basado en Steven Flax, "How to Snoop on Your Competitors", *Fortune,* 14 de mayo de 1984, p. 29-33. Citado con permiso de *Fortune,* © 1984 Time, Inc. Todos los derechos reservados.

Investigación de mercados Los gerentes no siempre pueden esperar que la infrmación llegue en fragmentos desde el sistema de informes de mercadotecnia. A menudo requieren estudios formales de situaciones específicas. Considérese lo siguiente:

■ Hewlett-Packard planea introducir una nueva computadora personal portátil y ligera. El gerente de marca quiere saber el número y el tipo de personas o compañías que comprarán el producto. El hecho de conocer los ingresos, ocupación, educación y estilo de vida de los consumidores potenciales y sus reacciones al nuevo producto, ayudará al gerente a desarrollar mejores estrategias de ventas y publicidad.

■ Pacific Stereo opera una cadena nacional de tiendas de equipo de audio. La gerencia quiere estudiar el potencial de mercado de algunas ciudades del Sur como ubicaciones para nuevas tiendas.

■ Barat College en Lake Forest, Illinois, quiere que se inscriban en él mujeres sobresalientes. Necesita conocer el porcentaje de su mercado meta que ha oído hablar de Barat, qué concepto tienen, cómo se enteraron de su existencia y qué piensan del mismo. Con esta información, Barat podrá mejorar su programa de comunicaciones.

En tales situaciones, el sistema de informes de mercadotecnia no proporcionará la información detallada necesaria y los gerentes por lo regular no tienen ni la habilidad ni el tiempo para obtener la información por su cuenta. Necesitan una investigación formal de mercados.

La investigación de mercados se define de la manera siguiente:

La *investigación de mercados* es el diseño, obtención, análisis y comunicación sistemáticos de los datos y resultados pertinentes para una situación específica de mercadotecnia que afronta la compañía.

Cualquier mercadólogo necesita la investigación de mercados. Un gerente de marca de Procter & Gamble encargará tres o cuatro grandes estudios de investigación de mercados al año. Los gerentes de mercadotecnia en compañías más pequeñas pedirán menos estudios de investigación de mercados. Cada vez son más las organizaciones no lucrativas que descubren la necesidad de una investigación de mercados. Un hospital quiere saber si la gente en su área de servicio tiene una actitud positiva hacia el hospital. Una universidad quiere determinar qué tipo de imagen tiene entre los consejeros de bachillerato. Una organización política quiere descubrir lo que los votantes piensan de los candidatos.

Los investigadores de mercado han ido ampliando sus actividades (véase la tabla 4-2). Las diez actividades más comunes son la medición de los potenciales de mercado, análisis de porción de mercado, determinación de las características de mercado, análisis de ventas, estudios de tendencias comerciales, pronóstico a corto plazo, estudios de productos competidores, pronóstico a largo plazo, estudios de sistemas de información de mercadotecnia y pruebas de productos existentes.

Una compañía puede hacer investigación de mercados en su propio departamento de investigación, o bien realizar parte o la totalidad de ésta en el exterior. Las compañías

TABLA 4-2 *Actividades de investigación de 599 compañías*

TIPO DE INVESTIGACION	PORCENTAJE QUE LA HACEN	TIPO DE INVESTIGACION	PORCENTAJE QUE LA HACEN
Investigación publicitaria		**Investigación del producto**	
A. Investigación motivacional	47%	A. Aceptación y potencial del producto nuevo	76
B. Investigación de textos	61	B. Estudios de producto competitivo	87
C. Investigación de medios	68	C. Prueba de productos existentes	80
D. Estudios de eficacia del anuncio	76	D. Investigación del envase: diseño o características físicas	65
E. Estudios de publicidad competitiva	67		
Investigación corporativa y de economía del negocio		**Investigación de ventas y de mercado**	
A. Pronóstico a corto plazo (hasta 1 año)	89	A. Medición de potenciales de mercado	97
B. Pronóstico a largo plazo (más de 1 año)	87	B. Análisis de porción de mercado	97
C. Estudios de tendencias del negocio	91	C. Determinación de las características del mercado	97
D. Estudios de fijación de precios	83	D. Análisis de ventas	92
E. Estudios de ubicación de almacén y planta	68	E. Establecimiento de cuotas y territorios de ventas	78
F. Estudios de adquisición	73	F. Estudios de canales de distribución	71
G. Exportaciones y estudios internacionales	49	G. Mercados de prueba, auditoría de tiendas	59
H. SIA (sistema de información administrativa)	80	H. Operaciones de panel de consumidores	63
I. Investigación de operaciones	65	I. Estudios de compensaciones de ventas	60
J. Empleados internos de la compañía	76	J. Estudios promocionales de premios, cupones, muestras gratuitas, transacciones, etc.	58
Investigación de responsabilidad corporativa			
A. Estudios del "derecho a conocer" del consumidor	18		
B. Estudios del impacto ecológico	23		
C. Estudios de restricciones legales sobre publicidad y promoción	46		
D. Estudios de valores sociales y política	39		

Fuente: Dik Warren Twedt, ed., *1983 Survey of Marketing Research* (Chicago; American Marketing Association, 1983), p. 41.

pequeñas pueden pedirle a los estudiantes o profesores de un colegio local que diseñen y ejecuten el proyecto, o también pueden contratar una firma de investigación de mercados. Las compañías grandes (de hecho, mas de 73% de ellas) tienen sus propios departamentos de investigación de mercados.[10] Estos departamentos están integrados por un número variable de investigadores: de una a varias docenas. Por lo general, el gerente del departamento de investigación de mercados suele estar bajo las órdenes del vicepresidente de mercadotecnia y se desempeña como director del estudio, administrador, asesor de la compañía y defensor. Los otros investigadores pueden ser diseñadores de encuestas, peritos en estadísticas, científicos del comportamiento y constructores de modelos.

Los presupuestos de la investigación de mercados comúnmente fluctúan desde 0.01 hasta 3.50% de las ventas de la compañía. Entre una mitad y tres cuartas partes de este dinero lo gasta directamente el departamento, y el resto se usa para adquirir servicios de firmas externas. Las firmas de investigación de mercados se dividen en tres grupos:

1. *Firmas de servicios de agencia de investigación.* Estas firmas recaban información periódica sobre los consumidores y sobre el comercio que les venden a los clientes. Los gerentes de mercadotecnia pueden comprar informes sobre el auditorio de televisión de la A. C. Nielsen Company o la American Research Bureau (ABR); sobre los radioescuchas de la ARB; sobre los lectores de revistas de Simmons; sobre movimientos de almacén de la Selling Areas-Marketing, Inc. (SAMI); y sobre auditorías de anaqueles al menudeo de Nielsen. Nielsen, la más grande de estas compañías tuvo una facturación estimada de 463 millones de dólares en 1983.[11]

2. *Firmas de investigación de mercados por pedido.* Estas firmas son contratadas para ejecutar proyectos específicos de investigación. Intervienen en el diseño del estudio, y el informe se convierte en propiedad del cliente. Market Facts es una de las principales firmas de investigación de mercados por pedido, con una facturación anual aproximada de 25 millones de dólares.

3. *Firmas de investigación de mercados especializadas.* Estas firmas les proporcionan un servicio especializado a otras firmas de investigación de mercados y a los departamentos de investigación de mercados de la compañía. El mejor ejemplo es la firma de servicio de campo, que les vende servicios de entrevistas de campo a otras compañías.

La información abunda, el problema es dar a los gerentes la *información correcta* en el *momento oportuno. Cortesía de Apple Computer, Inc.*

El hecho de que una compañía use esas firmas externas depende de las habilidades y los recursos dentro de la empresa. Una compañía que no cuente con un departamento de investigación tendrá que comprar los servicios de firmas de investigación externas. Pero hasta las firmas que cuentan con sus propios departamentos, a menudo, emplean firmas externas para ejecutar tareas o estudios especiales de investigación.

Proceso de investigación de mercados
En esta sección se describen los cuatro pasos en el proceso de investigación de mercadotecnia (Figura 4-2): definición del problema y los objetivos de investigación, elaboración del plan de investigación, implantación del plan e interpretación y presentación de los resultados.

Definición del problema y los objetivos de investigación

El gerente de mercadotecnia y el investigador deben colaborar para definir cuidadosamente el problema y acordar los objetivos de investigación. El gerente comprende mejor el problema o la decisión para los cuales se necesita información; el investigador comprende mejor la investigación de mercadotecnia y la forma para obtener la información.

Los gerentes deben conocer lo suficiente sobre la investigación de mercados para participar en la planeación e interpretar los resultados de la investigación. Si conocen poco sobre la investigación de mercados pueden obtener la información equivocada, aceptar interpretaciones incorrectas, o bien, solicitar información que cuesta demasiado. Los investigadores de mercados con experiencia y que comprenden el problema del gerente también deberían intervenir en esta etapa. El investigador debe ser capaz de ayudarle al gerente a definir el problema, y recomendar caminos de investigación para ayudar al gerente a tomar mejores decisiones.

La definición de problema y objetivos de investigación suele ser el paso más difícil en el proceso de investigación. Puede que el gerente sepa que algo es erróneo, pero que tenga problemas para identificar las causas específicas. Por ejemplo, los gerentes de una cadena regional de tiendas de descuento decidieron apresuradamente que la disminución de las ventas se debía a la mala publicidad y ordenaron una investigación para someter a prueba los nuevos enfoques publicitarios. Cuando esta investigación mostró que la publicidad actual estaba llegando al público correcto con el mensaje adecuado, los gerentes quedaron sorprendidos. Resultó que las tiendas no proporcionaban lo que la publicidad prometía. Una definición más cuidadosa del problema habría evitado el costo y el retraso de la investigación de publicidad y recomendar una investigación sobre el problema real de las reacciones del consumidor a la comercialización, productos y precios que se ofrecían en las tiendas de la cadena.

El problema también puede definirse de una forma demasiado vaga o amplia. Si los gerentes de la cadena de tiendas les hubiesen dicho a los investigadores: ''Vayan y consigan datos sobre el mercado al menudeo'', habrían quedado insatisfechos con los resultados. Podrían investigarse centenares de cosas. Para ser útiles, los resultados de la investigación deben relacionarse con decisiones específicas a las que se enfrente la compañía. Una definición vaga o incorrecta del problema es un desperdicio de tiempo y dinero. Como dice un antiguo adagio, un problema bien definido se ha resuelto a la mitad.

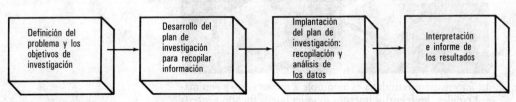

FIGURA 4-2 *El proceso de investigación de mercados*

Cuando el problema se ha definido con cuidado, el gerente y el investigador deben establecer los objetivos de investigación. Un proyecto de investigación de mercados podría tener uno de entre tres tipos de objetivos. Algunas veces el objetivo es *exploratorio:* recabar información preliminar que ayudará a definir el problema y a recomendar hipótesis en una forma más óptima. A veces el objetivo es *descriptivo:* describir cosas tales como el potencial de mercado para un producto, o los perfiles de la demografía y las actitudes de los consumidores que compran el producto. En ocasiones el objetivo es *causal:* probar hipótesis acerca de relaciones de causa y efecto. Por ejemplo, ¿una disminución de 10% en las colegiaturas de un colegio privado daría lugar a un aumento de más de 10% en las inscripciones necesarias para no ganar ni perder? Los gerentes suelen comenzar con investigación exploratoria y más tarde inician la investigación descriptiva o causal apropiada.

La declaración del problema y los objetivos de investigación gobernarán todo el proceso de investigación. El gerente y el investigador deberán redactar la declaración para asegurar que estén de acuerdo con el propósito y los resultados esperados de la investigación.

Desarrollo del plan de investigación

El segundo paso del proceso de investigación de mercados requiere determinar la información necesaria y desarrollar un plan para recabarla con eficiencia.

DETERMINACION DE NECESIDADES ESPECIFICAS DE INFORMACION. Los objetivos de investigación deben traducirse en necesidades específicas de información. Por ejemplo, supóngase que Campbell's decide hacer investigaciones para descubrir cómo reaccionarán los consumidores a un nuevo envase plástico en forma de tazón que cuesta más, pero les permite a los consumidores calentar la sopa en un horno de microondas y comerla sin usar ni limpiar utensilios. Esta investigación podría requerir la siguiente información específica:

La información secundaria es asequible a menor costo y con mayor rapidez; los registros internos son una buena fuente. *Cortesía de Hewlett-Packard.*

- Las características demográficas, económicas y de estilo de vida de los consumidores actuales de sopa. (Parejas que trabajan y para las cuales la conveniencia del nuevo envase vale el precio; familias con niños que podrían desear pagar menos y lavar los platos y la cacerola.)

- Los patrones de los consumidores en cuanto a la utilización de sopa: cuánta sopa comen, en dónde y cuándo. (El nuevo empaque podría ser ideal para adultos que comen fuera de casa, pero menos conveniente para los padres que alimentan varios niños o para restaurantes que sirven a muchos clientes.)

- La penetración de los hornos de microondas en los mercados comerciales y de consumo. (El número de hornos de microondas en hogares y en comedores comerciales limitarán la demanda del nuevo envase.)

- Reacciones del minorista al nuevo envase. (Si no se obtiene el apoyo del minorista habría un efecto negativo para las ventas del nuevo envase.)

- Pronósticos de ventas del envase nuevo y del actual. (¿Aumentarán las utilidades de Campbell's con el nuevo envase?)

Los gerentes de Campbell's necesitarán éstos y otros tipos específicos de información para decidir si introducen o no el nuevo producto.

ENCUESTAS DE INFORMACION SECUNDARIA. Para satisfacer las necesidades de información del gerente, el investigador puede recabar datos secundarios, datos primarios o ambos. Los **datos secundarios** consisten en información que ya existe en alguna parte y que ya se ha recabado para otro propósito. Los **datos primarios** son información recabada para el propósito específico del momento.

Los investigadores suelen comenzar sus estudios recabando datos secundarios. La tabla 4-3 muestra la gran variedad de fuentes disponibles de datos secundarios, incluyendo fuentes *internas* y *externas*.[12] Comúnmente los datos secundarios pueden obtenerse con más rapidez y a menor costo que los datos primarios. Por ejemplo, una visita a la biblioteca podría proporcionar toda la información que Campbell's necesita acerca del uso de hornos de microondas a un costo mínimo. Un estudio para recabar información primaria podría tardar semanas y meses, y costaría miles de dólares diseñar formas de recopilación de datos, contratar entrevistadores, reunir y analizar los datos y preparar un informe de los resultados. Asimismo, las fuentes secundarias a veces pueden proporcionar datos que una compañía individual no puede recabar por sí sola: información que no es asequible directamente y que resultaría costosa conseguir. Por ejemplo, sería demasiado caro para Campbell's dirigir una auditoría constante de tiendas al menudeo para obtener información sobre las porciones de mercado, precios y exhibidores de sus marcas y de las marcas de la competencia. Pero puede comprar el índice al menudeo Nielsen, que proporciona esta información a partir de auditorías regulares de 1 300 supermercados, 700 farmacias y 150 comerciantes mayoristas.[13]

Los datos secundarios también presentan problemas. Puede que la información necesaria no exista: los investigadores rara vez pueden obtener todos los datos que necesitan a partir de fuentes secundarias. Por ejemplo, no es probable que Campbell's encuentre información existente acerca de las reacciones del consumidor hacia su nuevo envase. O tal vez la información requerida sea difícil de localizar entre la gran cantidad de datos disponibles. Incluso cuando los datos puedan encontrarse, tal vez no se les pueda usar por completo. El investigador debe evaluar cuidadosamente la información secundaria para asegurar que ésta sea: 1) *pertinente,* que se ajuste o pueda adaptarse a las necesidades del proyecto de investigación; 2) *exacta,* que se recabó de modo confiable y se informa con exactitud; 3) *actual,* es lo suficientemente actualizada para tomar decisiones; 4) *imparcial,* se recabó y se informó de ella de manera objetiva en vez de fomentar un interés o un punto de vista especiales.

TABLA 4-3
*Fuentes de datos
secundarios*

A. *Fuentes internas*

Las fuentes internas incluyen los estados de cuenta de utilidades y pérdidas de la compañía, hojas de balance, cifras de ventas, informes de visitas de ventas, facturas, registros de inventario e informes anteriores de investigación.

B. Publicaciones gubernamentales

Statistical Abstract of the U.S., actualizado anualmente, proporciona resúmenes de datos sobre aspectos demográficos, económicos, sociales y de otros aspectos de la economía y la sociedad estadunidense.

County and City Data Book, actualizado cada tres años, presenta información estadística para poblados, ciudades y otras unidades geográficas acerca de población, educación, empleo, ingresos agregados y medios, vivienda, depósitos bancarios, ventas al menudeo, etc.

U.S. Industrial Outlook proporciona proyecciones de la actividad industrial por industria, e incluye datos sobre producción, ventas, embarques, empleo, etc.

Marketing Information Guide proporciona una bibliografía comentada mensual de información de mercadotecnia.

Otras publicaciones gubernamentales son: *Annual Survey of Manufacturers; Business Statistics; Census of Manufacturers; Census of Population; Census of Retail Trade, Wholesale Trade and Selected Service Industries; Census of Transportation; Federal Reserve Bulletin; Monthly Labor Review; Survey of Current Business;* y *Vital Statistics Report.*

C. Publicaciones periódicas y libros

Business Periodicals Index, publicado mensualmente, enumera artículos de negocios que aparecen en gran variedad de publicaciones.

Standard and Poor's Industry Surveys proporciona análisis y datos estadísticos actualizados de las industrias.

Moody's Manuals proporcionan datos financieros y nombres de ejecutivos en compañías importantes.

Encyclopedia of Associations proporciona información de las principales asociaciones comerciales y profesionales en Estados Unidos.

Las revistas de mercadotecnia incluyen *Journal of Marketing, Journal of Marketing Research* y *Journal of Consumer Research.*

Las revistas especializadas útiles incluyen *Advertising Age, Chain Store Age, Progressive Grocer, Sales and Marketing Management, Stores.*

Entre las revistas comerciales útiles se cuentan las siguientes: *Business Week, Fortune, Forbes* y *Harvard Business Review.*

D. Datos comerciales

A. C. Nielsen Company proporciona datos sobre productos y marcas vendidos en tiendas detallistas (Retail Index Services), datos sobre el auditorio de televisión (Media Research Services), datos sobre circulación de revistas (Neodata Services, Inc.), etc.

Market Research Corporation of America proporciona datos sobre compras semanales por familia de productos de consumo (National Consumer Panel), datos sobre consumo alimenticio por vivienda (National Menu Census) y datos sobre 6 000 comercios minoristas, farmacéuticos y de descuento en varias zonas geográficas (Metro Trade Audits).

Selling Areas-Marketing, Inc., proporciona informes sobre retiros de almacén a tiendas de alimentos en áreas seleccionadas de mercado (informes SAMI).

Simmons Market Research Bureau proporciona informes anuales que cubren mercados de televisión, artículos deportivos, medicinas de patente, etc., dando datos geográficos por sexo, ingresos, edad y preferencias de marca (mercados selectivos y medios que llegan a éstos).

Otras firmas de investigación comercial que venden datos a suscriptores son: *Audit Bureau of Circulation, Audits and Surveys, Dun and Bradstreet, National Family Opinion, Standard Rate and Data Service* y *Starch.*

Los datos secundarios son un buen punto de partida para la investigación y a menudo ayudan a definir el problema y los objetivos de investigación. Sin embargo, en muchos casos las fuentes secundarias no pueden proporcionar toda la información secundaria y la compañía debe reunir datos primarios.

PLANEACION DE LA RECOPILACION DE DATOS PRIMARIOS. Algunos gerentes recopilan datos primarios ideando unas cuantas preguntas y encontrando algunas personas para entrevistarlas. Los datos recopilados de esta manera podrían ser útiles o, aún peor, engañosos. El plan para la recopilación de datos primarios debería ser diseñado por investigadores de mercados profesionales. Al mismo tiempo, los gerentes de mercadotecnia deberían conocer sobre la recopilación de datos primarios para aprobar el diseño de investigación e interpretar los resultados.

La tabla 4-4 muestra que el diseño de un plan para la recopilación de datos primarios requiere decisiones acerca de enfoques de investigación, métodos de contacto, plan del muestreo e instrumentos de investigación.

ENFOQUES DE INVESTIGACION. Los datos primarios pueden recopilarse mediante observación, encuestas y experimentos.

La *investigación observacional* es la recopilación de datos primarios mediante la observación de personas, acciones y situaciones pertinentes. Por ejemplo:

■ Una compañía aérea contrata investigadores para que deambulen por los aeropuertos y las agencias de viajes y se enteren de conversaciones de los viajeros acerca de diferentes transportistas y la forma de cómo los agentes manejan los arreglos de vuelo.

■ Un fabricante de productos alimentarios manda investigadores a los supermercados para que descubran los precios de marcas de la competencia o cuánto apoyo les dan los minoristas a sus marcas con espacio de anaquel y exhibidores.

■ Un mercadólogo de refrescos junta anuncios de los competidores para estimar los desembolsos de publicidad de éstos, y obtener información sobre estrategias de productos nuevos y de mercadotecnia.

■ Un banco evalúa las posibles ubicaciones de nuevas sucursales al verificar las ubicaciones y el patrocinio de sucursales competidoras, patrones de tráfico y condiciones del barrio.

■ Un fabricante de productos de cuidado personal somete sus anuncios a pruebas preliminares al mostrárselos a la gente y medir los movimientos del ojo, el pulso y otras reacciones físicas.

■ Una cadena de tiendas de departamentos manda a sus establecimientos observadores que pretenden ser clientes para que verifiquen las condiciones de la tienda y el servicio.

La investigación observacional tiene muchos enfoques distintos.[14] Los investigadores pueden observar el comportamiento cuando ocurre naturalmente o en situaciones fingidas (como en una tienda de abarrotes simulada). La gente y las situaciones pueden observarse abiertamente, o bien a través de espejos que permiten ver sin ser visto, cámaras ocultas u

TABLA 4-4 *Planeación de la recopilación de datos primarios*	ENFOQUES DE INVESTIGACION	METODOS DE CONTACTO	PLAN DE LA MUESTRA	INSTRUMENTOS DE INVESTIGACION
	Observación	Correo	Unidad de muestreo	Cuestionario
	Encuesta	Teléfono	Tamaño de muestra	Instrumentos mecánicos
	Experimento	Personal	Procedimiento de muestreo	

observadores disfrazados. La observación puede ser sumamente estructurada (los observadores saben exactamente qué observar y registrar), o no estructurada (los observadores usan su propio juicio para decidir lo que es importante). La observación directa implica vigilar la conducta real; la observación indirecta consiste en impedir la conducta al considerar los resultados de la misma. Por ejemplo, un museo puede verificar la popularidad de diversas exhibiciones al observar la cantidad de desgaste del piso alrededor de ellas.

La investigación observacional puede utilizarse para obtener información que la gente no desea o es incapaz de proporcionar. Por ejemplo, puede que los consumidores no sepan exactamente qué dirección siguieron sus ojos mientras miraban un anuncio o cuánto tiempo se detuvieron en el encabezado o la ilustración. Tal vez no quieran informarle al investigador sobre algún aspecto de su conducta de compra que pueda observarse con facilidad. En algunos casos, la observación puede ser la única manera para obtener la información necesaria. Por otra parte, algunas cosas sencillamente no pueden observarse: sentimientos, actitudes, y motivos del comportamiento personal. También es difícil observar la conducta a largo plazo o la ocasional. Debido a estas limitaciones, los investigadores a menudo emplean la observación en combinación con otros métodos de recopilación de datos.

La *investigación por encuesta* es el enfoque más adecuado para recopilar información descriptiva. Una compañía que quiera información sobre los conocimientos, creencias, preferencias, satisfacción o conducta de compra de las personas a menudo podrá encontrarla preguntándoles a ellos directamente. Al igual que sucede en la observación, la investigación por encuesta puede ser estructurada o no estructurada. Las encuestas estructuradas usan listas formales de preguntas que se les plantean a todos los respondientes de la misma manera. La entrevista no estructurada le permite al entrevistador utilizar un formato abierto para sondear al respondiente y guiar la entrevista según las respuestas que reciba.

La investigación por encuesta puede ser directa o indirecta. En el enfoque directo, el investigador plantea preguntas directas acerca de la conducta o pensamientos de interés: por ejemplo, "¿Por qué no compra ropas en K mart?" Usando el enfoque indirecto, el investigador podría preguntar: "¿Qué tipo de gente compra ropas en K mart?" A partir de la respuesta a esta pregunta indirecta, el investigador puede ser capaz de descubrir la razón por la cual el consumidor evita la ropa de K mart, de hecho, puede indicar razones por las cuales el consumidor no está consciente de ello. (El recuadro 4-2 proporciona otro ejemplo del enfoque de encuesta indirecta.) Los enfoques de investigación por encuesta se examinarán cuando se vean los métodos de contacto, el plan de muestreo y los instrumentos de investigación.

La investigación por encuesta es el método más usado para recopilar datos primarios, y a menudo es el único método que se emplea en un estudio de investigación. La principal ventaja de la investigación por encuesta es su adaptabilidad. Puede usarse para obtener distintos tipos de información en diferentes situaciones de mercadotecnia. Dependiendo del diseño de la encuesta, también puede proporcionar información con más rapidez y a un costo más bajo que la investigación observacional o experimental.

La investigación por encuesta también tiene algunos problemas. A veces la gente es incapaz de responder preguntas de encuesta porque no pueden recordar o nunca consideraron conscientemente lo que hacían y por qué. Otras personas no desean contestar preguntas formuladas por entrevistadores desconocidos o que se refieren a cosas que consideran privadas. Las personas muy ocupadas tal vez no tengan tiempo. Los respondientes pueden contestar preguntas de encuesta cuando no saben la respuesta, con el fin de parecer inteligentes o más informados, o tal vez intenten ayudar al entrevistador dándole respuestas placenteras. El diseño cuidadoso de la encuesta puede ayudar a reducir al mínimo estos problemas.

La *investigación experimental* es más apropiada para recopilar información causal, mientras que la observación es más adecuada para la investigación exploratoria y el trabajo de encuesta para la investigación descriptiva. Esa investigación implica seleccionar grupos

RECUADRO 4-2

¿POR QUE LA GENTE SE RESISTIA INICIALMENTE A COMPRAR CAFE INSTANTANEO?

Mason Haire dirigió un excelente ejemplo de investigación de encuesta indirecta para determinar por qué las amas de casa se resistían a comprar café instantáneo cuando apareció por primera vez en el mercado. Las amas de casa se quejaban de que este producto no tenía sabor a café verdadero. Pero en pruebas con los ojos vendados, muchas de estas mujeres no podían distinguir entre una taza de café instantáneo y una taza de café de grano. Esto indicaba que gran parte de su resistencia era psicológica. Haire diseñó las siguientes listas de compras, y la única diferencia entre ambas era que el café regular estaba en una lista y el café instantáneo en la otra:

LISTA DE COMPRAS 1	LISTA DE COMPRAS 2
1½ lb de hamburguesa	1½ lb de hamburguesa
2 hogazas de Wonder Bread	2 hogazas de Wonder Bread
Ristra de zanahorias	Ristra de zanahorias
1 lata de polvos para hornear Rumford	1 lata de polvos para hornear Rumford
Café instantáneo Nescafé	1 lb de café Maxwell House (bien molido)
2 latas de duraznos Del Monte	2 latas de duraznos Del Monte
5 lb de papas	5 lb de papas

Se les pidió a las amas de casa que adivinaran las características sociales y personales de la mujer cuya lista de compras veían. Los comentarios eran muy parecidos con una diferencia significativa: una proporción más elevada de las amas de casa en cuya lista se mencionaba el café instantáneo describían a la mujer como "floja, derrochadora, una mala esposa que no trataba bien a su familia". Estas mujeres le atribuían al ama de casa ficticia sus propias ansiedades y sus imágenes negativas acerca del café instantáneo. La compañía del café instantáneo sabía ahora la naturaleza de la resistencia y desarrolló una campaña para cambiar la imagen de las amas de casa que servían el café instantáneo.

Fuente: Véase Mason Haire, "Projective Techniques in Marketing Research", Journal of Marketing, abril de 1950, p. 649-56.

igualados de sujetos, darles diferentes tratamientos, controlar factores no relacionados y buscar diferencias en las respuestas de grupo. Según el grado en que los factores no relacionados puedan ser eliminados o controlados, las diferencias en las respuestas podrán relacionarse con diferencias en los tratamientos. La investigación experimental estudia relaciones de causa y efecto eliminando las explicaciones competidoras de resultados observados. La observación y las encuestas deben utilizarse para recopilar información en la investigación experimental.

Los investigadores en McDonald's podrían emplear experimentos antes de agregar un emparedado nuevo al menú para responder preguntas tales como las siguientes:

■ ¿En cuánto hará aumentar el nuevo emparedado las ventas de McDonald's?

■ ¿Cómo afectará el nuevo emparedado las ventas de los otros artículos del menú?

■ ¿Qué enfoque publicitario (testimonial o de estilo de vida) tendría el efecto más grande sobre las ventas del emparedado?

■ ¿Qué tan sensibles serían las ventas a diferentes precios cobrados por el producto?

■ ¿Debería destinarse el nuevo artículo a adultos, a niños o ambos?

Por ejemplo, para comprobar los efectos de dos precios diferentes, McDonald's podría dirigir el siguiente experimento sencillo. Podría introducir el nuevo emparedado a un precio en sus restaurantes de una ciudad y a otro precio en restaurantes de otra ciudad. Si las ciudades son muy semejantes, y si todos los demás esfuerzos de mercadotecnia para el emparedado son iguales, entonces las diferencias de ventas de las dos ciudades podrían estar relacionadas con el precio cobrado. Es posible diseñar experimentos más elaborados para incluir otras variables y otras ubicaciones.

El método experimental suministra los datos más convincentes si se aplican los controles adecuados. En la medida que el diseño y la ejecución del experimento eliminan otras hipótesis alternativas que pudieran explicar los resultados, los investigadores y los gerentes de mercadotecnia pueden tener confianza en los resultados.[15]

MÉTODOS DE CONTACTO. La información puede recabarse por correo, teléfono o entrevistas personales. La tabla 4-5 muestra las ventajas y desventajas de cada uno de estos métodos de contacto.

Los *cuestionarios por correo* pueden utilizarse para reunir cantidades muy grandes de información a un costo bajo por respondiente. Los respondientes pueden dar contestaciones más honestas o respuestas a preguntas más personales, en un cuestionario por correo, que frente a un entrevistador desconocido en persona o por teléfono. No interviene ningún entrevistador que pueda afectar las respuestas del respondiente. Sin embargo, los cuestionarios por correo no son muy flexibles: requieren preguntas sencillas y redactadas claramente; todos los respondientes contestan las mismas preguntas en un orden establecido; y el investigador no puede sondear ni adaptar el cuestionario con base en las respuestas anteriores. Las respuestas por correo usualmente llevan más tiempo y la tasa de respuesta (el número de personas que regresan los cuestionarios contestados) suele ser muy baja. Comúnmente, el investigador tiene muy poco control de la muestra del cuestionario por correo. Incluso con una buena lista postal, suele ser difícil controlar *quién* contesta el cuestionario en la dirección del destinatario.

Las *entrevistas telefónicas* son el mejor método para recabar información rápidamente y proporcionan más flexibilidad que los cuestionarios por correo. Los entrevistadores pueden explicar preguntas que no se comprendieron. Pueden saltarse algunas o profundizar en otras, dependiendo de las respuestas obtenidas. Las entrevistas telefónicas permiten un mayor control de la muestra: los entrevistadores pueden solicitar hablar con respondientes que posean las características deseadas o incluso dirigirse a ellos por su nombre, y las tasas de respuesta tienden a ser superiores que los cuestionarios por correo.

Las entrevistas telefónicas también tienen sus desventajas. El costo por respondiente es más alto que con los cuestionarios por correo, y la gente puede mostrarse renuente a discutir cuestiones personales con un entrevistador. El servicio de un entrevistador acrecienta la flexibilidad, pero también introduce la influencia del entrevistador. La forma como

TABLA 4-5 *Ventajas y desventajas de los tres métodos de contacto*		CORREO	TELEFONO	PERSONAL
	1. Flexibilidad	Mala	Buena	Excelente
	2. Cantidad de datos que pueden recopilarse	Buena	Regular	Excelente
	3. Control de los efectos del entrevistador	Excelente	Regular	Mala
	4. Control de la muestra	Regular	Excelente	Regular
	5. Velocidad de la recopilación de datos	Mala	Excelente	Buena
	6. Tasa de respuesta	Mala	Buena	Buena
	7. Costo	Buena	Regular	Mala

Fuente: Adaptada con permiso de Macmillan Publishing Company de *Marketing Research: Measurement and Method*, 3a. ed., por Donald S. Tull y Del I. Hawkins. Copyright © 1984 por MacMillan Publishing Company.

Entrevista telefónica con ayuda de computadora (CATI). El entrevistador introduce directamente las contestaciones del respondiente a la computadora. *Cortesía de Research Triangle Institute, Research Triangle Park*, NC.

hablan los entrevistadores, diferencias leves en la manera como plantean preguntas y otras diferencias pueden afectar las respuestas obtenidas. Las interpretaciones y los registros de las respuestas pueden variar según el entrevistador, o las presiones de tiempo pueden hacer que algunos entrevistadores registren respuestas sin plantear preguntas.

Las *entrevistas personales* son de dos tipos: individuales y de grupo. Las *entrevistas individuales* consisten en hablar con la gente en sus hogares u oficinas, en la calle o en centros comerciales. El entrevistador debe ganarse su cooperación, y el tiempo de la entrevista puede fluctuar desde unos cuantos minutos hasta varias horas. A veces se le da a la gente un pequeño pago o incentivo como agradecimiento.

Las *entrevistas de grupo* consisten en invitar seis a diez personas para una reunión de unas cuantas horas con un entrevistador capacitado para discutir un producto, servicio, organización u otra entidad de mercadotecnia. Con el fin de obtener resultados valiosos, el entrevistador necesita calificaciones, tales como objetividad, conocimiento del tema y de la industria y cierta comprensión de dinámica de grupos y la conducta del consumidor. A los participantes se les suele pagar una pequeña suma por asistir. La reunión se lleva a cabo en un ambiente agradable y se sirven bebidas para recalcar la informalidad. El entrevistador de grupo comienza con preguntas generales antes de pasar a temas más específicos, y alienta la conversación libre y fácil, con la esperanza de que la dinámica de grupo sacará a la luz los sentimientos y pensamientos reales. Al mismo tiempo, el entrevistador "enfoca" la plática y de allí el nombre: *entrevista de grupo de enfoque*. Los comentarios se registran mediante notas o en cintas de video que se estudian después para comprender el proceso de compra de los consumidores. La entrevista de grupo de enfoque está convirtiéndose en una de las principales herramientas de investigación de mercadotecnia para conocer más los pensamientos y los sentimientos del consumidor.[16]

Las entrevistas personales son muy flexibles y pueden usarse para recabar grandes cantidades de información. Los entrevistadores capacitados pueden mantener la atención del respondiente por mucho tiempo y pueden explicar preguntas complicadas. Pueden guiar entrevistas, explorar temas y sondear a los respondientes cuando la situación lo requiera. Las entrevistas personales pueden aplicarse con cualquier tipo de cuestionario. Los entrevistadores pueden mostrarles a los sujetos, productos, anuncios o envases existentes y observar reacciones y conducta. En la mayoría de los casos las entrevistas personales pueden dirigirse con bastante rapidez.

Las principales desventajas de las entrevistas personales son los costos y los problemas de muestreo. Las entrevistas personales pueden costar de tres a cuatro veces más que las entrevistas telefónicas. Los estudios de entrevistas de grupo suelen utilizar muestras pequeñas para mantener bajos el tiempo y los costos, y tal vez sea difícil generalizar a partir de los resultados. Como los entrevistadores tienen mayor flexibilidad en las entrevistas personales hay un problema mayor en cuanto a prejuicios del entrevistador.

La elección del mejor método de contacto depende de la información que quiera el investigador, y del número y tipos de respondientes que será necesario contactar. Los avances en computadoras y telecomunicaciones tendrán un impacto sobre los métodos de obtención de información en el futuro. Por ejemplo, algunas firmas de investigación dirigen actualmente sus entrevistas empleando una combinación de líneas WATS y terminales de entrada de datos (denominadas CATI: entrevista telefónica con ayuda de computadora). El entrevistador lee un conjunto de preguntas en una pantalla de video y teclea las respuestas del sujeto en la computadora. Esto elimina la edición y la codificación de datos, reduce errores y ahorra tiempo. Otras firmas de investigación han establecido terminales interactivas en centros comerciales: los respondientes se sientan frente a una terminal, leen preguntas en una pantalla y teclean sus propias respuestas en una computadora.

PLAN DE MUESTREO. Los investigadores de mercadotecnia usualmente sacan conclusiones sobre grupos grandes de consumidores al observar o interrogar a una muestra pequeña de la población total de consumidores. Idealmente, la muestra de investigación debería ser representativa, de modo que el investigador pueda hacer estimaciones exactas de los pensamientos y conductas de la población más grande. El investigador de mercadotecnia debe diseñar un plan de muestreo, lo cual requiere tres decisiones:

1. *Unidad de muestreo: ¿A quién habrá de encuestar?* La unidad de muestreo apropiada no siempre es evidente. Por ejemplo, para investigar el proceso de toma de decisiones para la compra de un automóvil familiar, ¿debería entrevistar el investigador al esposo, la esposa, otros miembros de la familia, distribuidores o a todas estas personas? ¿Un proveedor de equipo industrial que estudia la manera cómo las compañías seleccionan sus productos o los de la competencia debería hablar con la gente que usa los productos, las personas que influyen en la decisión de compra (ingenieros, ejecutivos de la firma) o con los agentes de compras que hacen los pedidos? Cuando los papeles de compra de iniciador, influyente, decisor, usuario o comprador no se combinan en la misma persona, el investigador debe determinar qué información es necesaria y quién es más probable que la tenga.

2. *Tamaño de la muestra: ¿A cuántas personas deberá encuestarse?* Las muestras grandes proporcionan resultados más confiables que las muestras pequeñas. Sin embargo, no es necesario muestrear todo el mercado meta, ni tampoco una porción sustancial para lograr resultados confiables. Las muestras de menos de 1% de una población suelen proporcionar buena confiabilidad, siempre que el procedimiento de muestreo sea seguro.

3. *Procedimiento de muestreo: ¿Cómo deberá escogerse a los respondientes?* Para obtener una muestra representativa, deberá sacarse una muestra probabilística de la población. El muestreo probabilístico permite el cálculo de límites de confianza para error de muestreo. Así, podrá sacarse la conclusión de que "el intervalo de cinco a siete viajes por año tiene una probabilidad de 95 en cien, de contener el número verdadero de viajes realizados al año por viajeros aéreos en el sudoeste". En la tabla 4-6A se describen tres tipos de muestreo de probabilidad. Cuando el costo o tiempo implicado en el muestreo probabilístico es excesivo, los investigadores de mercado tomarán muestras no probabilísticas. En la tabla 4-6B pueden verse tres tipos

TABLA 4-6
*Tipos de muestras
probabilísticas y
no probabilísticas*

A. Muestra probabilística	
Muestra aleatoria simple	Cualquier miembro de la población tiene una oportunidad de selección conocida e igual.
Muestra aleatoria estratificada	La población se divide en grupos mutuamente excluyentes (como grupos cronológicos), y se sacan muestras aleatorias de cada grupo.
Muestra de grupo (área)	La población se divide en grupos mutuamente excluyentes (como los bloques), y el investigador saca una muestra de los grupos a entrevistar.
B. Muestra no probabilística	
Muestra de conveniencia	El investigador selecciona los miembros más fáciles de la población de los que obtiene información.
Muestra de juicio	El investigador usa su propia capacidad de juicio para seleccionar miembros de la población que sean buenos prospectos para información fidedigna.
Muestra de cuota	El investigador busca y entrevista a un número prescrito de personas en cada una de varias categorías.

de muestreo no probabilístico. Algunos investigadores de mercado creen que las muestras no probabilísticas pueden ser útiles en muchas circunstancias, aun cuando no pueda medirse el error de muestreo.

INSTRUMENTOS DE INVESTIGACION. En la recopilación de datos primarios, los investigadores de mercado pueden escoger entre dos instrumentos principales de investigación: el cuestionario y los dispositivos mecánicos.

El *cuestionario* es el instrumento más común. En términos generales, un cuestionario consta de un conjunto de preguntas que se le plantean a un respondiente para que las conteste. El cuestionario es muy simple ya que hay muchas formas de plantear preguntas. Es necesario elaborar cuidadosamente los cuestionarios, verificar y depurarlos antes de que se les pueda administrar en gran escala. Comúnmente es posible descubrir varios errores en un cuestionario preparado casualmente (véase el recuadro 4-3).

RECUADRO 4-3

UN CUESTIONARIO "CUESTIONABLE"

Supóngase que el director de un campamento de verano ha estado preparando el siguiente cuestionario que se usará para entrevistar a los padres de presuntos excursionistas. ¿Qué piensa de cada pregunta?

1. ¿Cuáles son sus ingresos en cientos de dólares?

    La gente no conoce necesariamente sus ingresos en una cifra exacta, ni tampoco quieren revelar lo que ganan. Además, un cuestionario no debería comenzar con una pregunta tan personal.

2. ¿Le da usted un apoyo fuerte o débil a la idea de que sus hijos pasen la noche fuera en un campamento de verano?

> **¿Qué significan "fuerte" y "débil"?**

3. ¿Se portan bien sus hijos en un campamento de verano?
Sí ( ) No ( )

> **"Portarse bien es un término relativo. Además, ¿querrá contestar esto la gente? Por otra parte, ¿Es "sí" o "no" la mejor manera de permitir una respuesta para la pregunta? ¿Por qué se plantea la pregunta en primer lugar?**

4. ¿Cuántos campos le enviaron publicidad por correo el último mes de abril? ¿Este mes de abril?

> **¿Quién puede recordar esto?**

5. ¿Cuáles son los atributos más sobresalientes y determinantes en su evaluación de campamentos de verano

> **¿Qué significa "atributos sobresalientes y determinantes"?**
> **No usen palabras complicadas.**

6. Cree usted que es correcto privar a su hijo de la oportunidad de convertirse en una persona madura mediante la experiencia del campamento de verano?

> **Pregunta tendenciosa. ¿Cómo se puede contestar "Sí" dado el planteamiento?**

En la preparación de un cuestionario, el investigador de mercados escoge cuidadosamente las preguntas formuladas, la forma de las mismas, la redacción y la secuencia de esas preguntas.

Un tipo común de error ocurre en las *preguntas planteadas,* incluyendo preguntas que no pueden contestarse, o que no se contestarían, o que no es necesario responder y omisión de preguntas que deberían contestarse. Cada pregunta deberá verificarse para determinar si contribuye a los objetivos de la investigación. Las preguntas que son meramente interesantes deberán descartarse porque alargan el tiempo requerido y pueden agotar la paciencia del respondiente.

La *forma de la pregunta* puede influir en la respuesta. Los investigadores de mercados hacen una distinción entre preguntas abiertas y cerradas.

Las **preguntas cerradas** abarcan todas las posibles respuestas, y el respondiente escoge entre ellas. La tabla 4-7A muestra las formas más comunes de preguntas cerradas tal y como la compañía aérea Delta podría usarlas en una encuesta de usuarios de líneas aéreas.

Las **preguntas abiertas** le permiten al respondiente contestar con sus propias palabras. Estas preguntas pueden adoptar diversas formas; las principales aparecen en la tabla 4-7B. Las preguntas abiertas suelen revelar más, ya que los respondientes y las respuestas no están restringidas. Las preguntas abiertas son especialmente útiles en la etapa exploratoria de la investigación donde el investigador intenta determinar cómo piensa la gente y no están viendo cuántas personas piensan de cierta manera. Por otra parte, las preguntas cerradas proporcionan respuestas que son más fáciles de interpretar y tabular.

Es necesario tener cuidado en la *redacción de las preguntas.* El investigador deberá redactar de una forma sencilla, directa y sin prejuicios. Las preguntas deberán someterse antes a una prueba para aplicarse a gran escala.

Deberá tenerse cuidado en la *secuencia de las preguntas.* La pregunta principal deberá crear interés si es posible. Las preguntas difíciles o personales deberán plantearse al fi-

TABLA 4-7 *Tipos de preguntas*

A. PREGUNTAS CERRADAS

NOMBRE	DESCRIPCION	EJEMPLO
Dicotómicas	Una pregunta que ofrece dos elecciones como respuesta.	"¿A la hora de organizar este viaje, escogió personalmente Delta?" Sí ☐ No ☐
Elección múltiple	Una pregunta que ofrece tres o más elecciones como respuesta.	"¿Quién lo acompaña en este viaje?" Nadie ☐ Compañero o socio de negocios/ amigos/familiares ☐ Esposa ☐ Una excursión en grupo ☐ Esposa e hijos ☐ Sólo los hijos ☐
Escala Likert	Una declaración con la que el respondiente muestra el nivel de acuerdo/desacuerdo.	"Las aerolíneas pequeñas generalmente dan mejor servicio que las grandes." Fuertemente en desacuerdo / En desacuerdo / Ni de acuerdo ni en desacuerdo / De acuerdo / Fuertemente de acuerdo 1 ☐ 2 ☐ 3 ☐ 4 ☐ 5 ☐
Diferencial semántico	Una escala se inscribe entre dos palabras bipolares y el respondiente selecciona el punto que representa la dirección y la intensidad de sus sentimientos.	*Líneas aéreas Delta* Grande __X__:__:__:__:__:__:__ Pequeña Experimentada __:__:__:__:__:__X__:__ Inexperta Moderna __:__:__:__X__:__:__:__ Antigua
Escala de importancia	Una escala que clasifica la importancia de algún atributo desde "nada importante" hasta "extremadamente importante".	"El servicio de comidas de las líneas aéreas me parece" Extremadamente importante / Muy importante / Un poco importante / No muy importante / Nada importante 1___ 2___ 3___ 4___ 5___
Escala de clasificación	Una escala que clasifica algún atributo desde "malo" hasta "excelente".	"El servicio de comida de Delta es" Excelente / Muy bueno / Bueno / Regular / Malo 1___ 2___ 3___ 4___ 5___

B. PREGUNTAS ABIERTAS

NOMBRE	DESCRIPCION	EJEMPLO
Completamente no estructurada	Una pregunta que los respondientes pueden contestar en un número casi infinito de maneras.	"¿Qué opinión tiene de las aerolíneas Delta?"
Asociación de palabras	Se presentan palabras, una por una, y los respondientes mencionan la primera palabra que les venga a la mente.	"¿Cuál es la primera palabra que se le ocurre cuando escucha lo siguiente?" Línea aérea _____ Delta _____ Viajes _____
Terminación de oraciones	Se presentan oraciones incompletas, una por una, y los respondientes completan las oraciones.	"Cuando escojo una línea aérea, el factor más importante en mi decisión es _____"

TABLA 4-7 (cont.) *Tipos de preguntas*

A. PREGUNTAS CERRADAS

NOMBRE	DESCRIPCION	EJEMPLO
Terminación de historias	Se presenta una historia incompleta y se les pide a los respondientes que la terminen.	''Volé por Delta hace unos días. Observé que el interior y el exterior del avión tenían colores muy brillantes. Esto me provocó los siguientes pensamientos y sensaciones.'' *Ahora termine la historia.*
Terminación de figuras	Se presenta una imagen gráfica de dos personajes donde uno de ellos hace una declaración. Se les pide a los respondientes que se identifiquen con la otra persona y llenen el espacio vacío.	*Bien, aquí está la comida.* Llene el espacio vacío
Prueba de percepción temática (TAT)	Se presenta una imagen y se les pide a los respondientes que inventen una historia acerca de lo que piensan que está sucediendo o pueda suceder en la ilustración.	Invente una historia sobre lo que está viendo.

nal de la entrevista para que los respondientes no se pongan a la defensiva. Las preguntas deberán seguir un orden lógico. Los datos de clasificación sobre el respondiente se dejan al final porque son más personales y menos interesantes para éste.

En la investigación de mercados también se usan *instrumentos mecánicos,* aunque los cuestionarios son el instrumento de investigación más común. El galvanómetro es un instrumento que mide la fuerza del interés o las emociones de un sujeto provocadas por la exposición a un anuncio o imagen específicos. El galvanómetro detecta el mínimo grado de transpiración que acompaña la excitación emocional. El taquistoscopio es un instrumento que proyecta un anuncio ante el sujeto con un intervalo de exposición que fluctúa entre una centésima de segundo y varios segundos. Después de cada exposición, el respondiente describe todo lo que recuerda. Las cámaras oculares se usan para estudiar los movimientos de los ojos del respondiente y determinar en qué puntos sus ojos se enfocan primero y cuánto tiempo permanecen fijos allí. El audiómetro es un instrumento electrónico conectado a los televisores de las familias que participan en el experimento y cuya finalidad es indicar cuándo se enciende el aparato y en qué canal se sintoniza.[17]

PRESENTACION DEL PLAN DE INVESTIGACION. En esta etapa, el investigador de mercados debería resumir el plan en una propuesta escrita. Esta es especialmente importante cuando el proyecto de investigación será grande y complicado, o cuando una firma externa dirige el estudio. La propuesta deberá cubrir los problemas de administración tratados y los objetivos de investigación, información específica que habrá de obtenerse, fuentes de información secundaria o métodos para recolectar datos primarios y cómo ayudarán los resultados en la toma de decisiones de la gerencia. La propuesta también deberá incluir una estimación de los costos del proyecto de investigación. Un plan o propuesta de investigación por escrito asegura que se han considerado cuidadosamente todos los aspectos importantes del proyecto de investigación, y que el gerente de mercadotecnia y los investigadores están de acuerdo con el por qué de la investigación y cómo se llevará a cabo. El gerente deberá revisar la propuesta cuidadosamente antes de aprobar el proyecto.

Implantación del plan de investigación

A continuación el investigador implanta el plan de investigación de mercadotecnia. Esto implica recopilar, procesar y analizar la información. La recopilación de datos puede hacerse mediante el personal de investigación de mercados de la compañía o con firmas externas. La compañía mantiene un mayor control del proceso de recopilación y de la calidad de los datos usando su propio personal. Sin embargo, las firmas externas especializadas en recopilación de datos suelen hacer el trabajo con más rapidez y al menor costo.

La fase de recopilación de datos del proceso de investigación de mercados es generalmente la más costosa y la más propensa al error. El investigador deberá vigilar el trabajo de campo cuidadosamente para asegurar que el plan se implante de la forma correcta y prevenir problemas al contactar a los respondientes, con los respondientes que se niegan a cooperar o que dan respuestas tendenciosas o deshonestas y entrevistadores que cometen errores u omisiones. En la investigación experimental, los investigadores tienen que preocuparse por igualar a los grupos experimental y de control, por no influir sobre los participantes con su presencia, por administrar los tratamientos de una manera uniforme y por controlar los factores extraños.

Los datos recabados deben procesarse y analizarse para extraer la información pertinente y los resultados. Los datos que provienen de cuestionarios y otros instrumentos se verifican en cuanto a su exactitud y su integridad, y se codifican para el análisis por computadora. Con la ayuda de especialistas, el investigador aplica programas estándar de computadora para preparar tabulaciones de los resultados y computar promedios y medidas de dispersión de las variables principales. El investigador también puede aplicar técnicas estadísticas avanzadas y modelos de decisión en el sistema analítico de mercadotecnia con la esperanza de encontrar información adicional.

Interpretación e informe de los resultados

Después, el investigador debe interpretar los resultados, sacar conclusiones acerca de las implicaciones de éstos e informar a la gerencia. El investigador deberá evitar abrumar a los gerentes con cifras y técnicas estadísticas de moda, ya que esto los hará perderse. El investigador deberá presentar los principales resultados que sean pertinentes para las principales decisiones emprendidas por la investigación.

La interpretación no deberá dejarse tan sólo en manos de los investigadores. Estos suelen ser expertos en diseños de investigación y en estadística, pero el gerente de mercadotecnia sabe más acerca de la situación problemática y las decisiones que deben tomarse. En muchos casos, los resultados pueden interpretarse de distintas formas y los intercambios de opiniones entre los investigadores y gerentes ayudarán a señalar las mejores interpretaciones. El gerente también querrá verificar que el proyecto de investigación se dirigió apropiadamente y que se hicieron todos los análisis necesarios. O bien, es probable que después de ver los resultados, el gerente tenga preguntas adicionales que puedan contestarse usando los datos de investigación recabados. Por último, el gerente es quien debe decidir, en última instancia, qué acción señala la investigación. Los investigadores pueden incluso remitirles los datos directamente a los gerentes de mercadotecnia para que éstos puedan hacer nuevos análisis y sometan a prueba nuevas relaciones por su cuenta.

La interpretación es una fase muy importante del proceso de mercadotecnia. La mejor investigación carece de significado si el gerente acepta ciegamente interpretaciones no fundadas o inexactas del investigador. De modo semejante, los gerentes pueden tener interpretaciones predispuestas: tienden a aceptar resultados de investigación que apoyen sus expectativas y rechazar aquéllos que sean contrarios a lo que se espera. Por tanto, los gerentes e investigadores deben trabajar en coordinación cuando interpreten resultados de investigación.

Investigación de mercados en organizaciones más pequeñas

En esta sección se ha examinado el proceso de investigación de mercados (desde la definición de los objetivos de la investigación, hasta la interpretación y el informe de los resultados) como un proceso largo y formal realizado por grandes compañías de mercadotecnia. Pero muchos negocios pequeños y organizaciones no lucrativas también utilizan la investigación de mercados con el fin de obtener información que les permita tomar mejores decisiones de mercadotecnia. Casi cualquier organización puede encontrar alternativas informales y de bajo costo en vez de las técnicas de investigación de mercadotecnia formales y complicadas que usan los expertos de investigación en las firmas grandes (véase el recuadro 4-4).

RECUADRO 4-4

INVESTIGACION DE MERCADOS EN NEGOCIOS PEQUEÑOS Y EN ORGANIZACIONES NO LUCRATIVAS

A menudo los gerentes de negocios pequeños y de organizaciones no lucrativas creen que la investigación de mercados sólo la pueden hacer los expertos en las compañías grandes con elevados presupuestos de investigación. Pero muchas de las técnicas de investigación de mercados que se estudian en este capítulo también pueden usarse de una manera no tan formal por organizaciones más pequeñas y no tan complicadas. La recopilación de información para mejorar las decisiones de mercadotecnia tampoco debe ser costosa.

Los gerentes de negocios pequeños y de organizaciones no lucrativas pueden obtener mucha información de mercadotecnia sencillamente al *observar* con atención los sucesos y la conducta en torno suyo. Por ejemplo, los minoristas pueden evaluar ubicaciones nuevas para las tiendas observando el tránsito de vehículos y personas. Pueden visitar las tiendas de la competencia para verificar las instalaciones y los precios. Pueden evaluar su mezcla de clientes al observar y registrar cuántos y qué tipos de consumidores compran en la tienda, en diferentes momentos del día y en distintos días de la semana. La publicidad de la competencia puede monitorearse mediante la recopilación sistemática de anuncios en los medios de comunicación locales.

Los gerentes pueden dirigir *encuestas* informales empleando muestras pequeñas que comúnmente son adecuadas para propósitos de investigación exploratoria. El director de un museo de arte puede aprender acerca de las reacciones del benefactor o del no benefactor hacia nuevos programas o exhibiciones al dirigir "grupos de enfoque" informales (invitando grupos pequeños a comer y alentando pláticas sobre temas de interés). Los vendedores al menudeo pueden platicar con los clientes que visitan la tienda; los funcionarios de hospitales pueden entrevistarse con los pacientes. Los gerentes de restaurantes pueden hacer llamadas telefónicas al azar durante las horas de poca actividad, para preguntar a los clientes en dónde comen o qué piensan de los diversos restaurantes del área.

Los agentes también pueden dirigir sus propios *experimentos* sencillos. Por ejemplo, al variar los temas en los envíos postales rutinarios para solicitar fondos y al mantener un registro de los resultados, el gerente de una asociación no lucrativa puede acumular muchísima información acerca de cuáles estrategias de mercadotecnia funcionan mejor. Al variar los anuncios en los periódicos, el gerente de una tienda puede averiguar los efectos de cosas tales como el tamaño y la posición del anuncio, los cupones de precio y los medios de comunicación usados.

Las organizaciones pequeñas tienen acceso a gran parte de los datos secundarios disponibles para los grandes negocios. Además, muchas asociaciones, medios de comunicación locales, cámaras de comercio, oficinas gubernamentales y otros atienden las necesidades especiales de las organizaciones pequeñas. La U.S. Small Business Administration ofrece docenas de publicaciones gratuitas que proporcionan consejos que van desde la planeación de la publicidad de negocios pequeños hasta los pedidos de letreros comerciales. Los periódicos locales a menudo proporcionan información sobre las características de los patrones de compra de los consumidores del área.

A veces se dispone de voluntarios y de colegios superiores que desean ayudar a dirigir la investigación. Muchas organizaciones no lucrativas reciben ayuda de voluntarios pertenecientes a asociaciones de servicio locales y a otras fuentes. La U.S. Small Business Administration tiene programas que ofrecen asistencia a los negocios pequeños. Muchas universidades buscan negocios pequeños y organizaciones no lucrativas que sirvan como casos para proyectos en clases de investigación de mercado.

Así, la recopilación de datos secundarios, la observación, las encuestas y los experimentos pueden usarse eficazmente en las organizaciones pequeñas con presupuestos reducidos. Aunque esta investigación informal es menos elaborada y complicada, de todas formas debe hacerse con cuidado. Para tener éxito en el uso de estos enfoques informales, los gerentes deben pensar cuidadosamente en los objetivos de la investigación, formular preguntas con antelación, reconocer los prejuicios introducidos por muestras más pequeñas e investigadores menos preparados y dirigir la investigación sistemáticamente. Si se planea y se implanta con cuidado, esa investigación con bajo costo puede utilizarse para obtener información confiable que sirva para mejorar la toma de decisiones en mercadotecnia.

Fuente: Basado en información existente en Alan R. Andreasen, ''Cost-Conscious Marketing Research'', *Harvard Business Review*, julio-agosto de 1983, p. 74-79 y otras fuentes.

Análisis de información

La información recabada por los sistemas de informes de mercadotecnia y de investigación de mercados de la compañía, a menudo requieren más análisis, o bien, los gerentes necesitan más ayuda para aplicarla a problemas y decisiones de mercadotecnia. El *sistema analítico de mercadotecnia* incluye un banco estadístico y un banco de modelos (véase la figura 4-3). El *banco estadístico* es un grupo de procedimientos estadísticos avanzados para aprender más acerca de las relaciones de un conjunto de datos y su confiabilidad estadística. Estos procedimientos le permiten a la gerencia ir más allá de las distribuciones de frecuencia, medias y desviaciones estándar en los datos. A menudo, los gerentes quieren respuestas para preguntas como las siguientes:

■ ¿Cuáles son las principales variables que afectan mis ventas y qué tan importante es cada una?

■ Si yo elevara mi precio 10% y aumentara mis gastos publicitarios 20%, ¿qué les pasaría a las ventas?

■ ¿Cuáles son los predictores más característicos de los consumidores que son propensos a comprar mi marca en vez de la marca de mi competidor?

■ ¿Cuáles son las mejores variables para segmentar mi mercado y cuántos segmentos existen?

El lector interesado en estas técnicas estadísticas debería consultar una fuente estándar.[18]

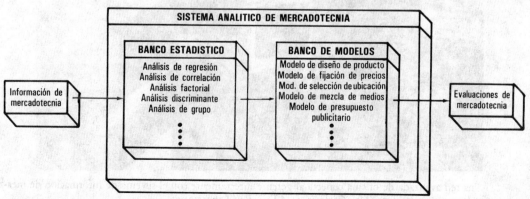

FIGURA 4-3 *Sistema analítico de mercadotecnia*

El *banco de modelos* es una colección de modelos matemáticos que ayudarán a los mercadólogos a tomar mejores decisiones de mercadotecnia. Cada modelo consiste en un conjunto de variables interrelacionadas que representan algún sistema, proceso o resultado existentes. Estos modelos pueden ayudar a contestar las preguntas *qué pasa si* y *cuál es mejor*. Durante los últimos veinte años, los estudios de la mercadotecnia han desarrollado un gran número de modelos para ayudar a los gerentes de mercadotecnia a tomar mejores decisiones en la mezcla de mercadotecnia, diseñar territorios de ventas y planes de visitas de ventas, seleccionar ubicaciones para tiendas al menudeo, desarrollar mezclas óptimas de publicidad y pronosticar las ventas de productos nuevos.[19]

DISTRIBUCION DE INFORMACION

La información de mercadotecnia no tiene ningún valor hasta que los gerentes la usen para tomar mejores decisiones de mercadotecnia. La información recabada en los informes de mercadotecnia y los sistemas de investigación de mercados, debe distribuirse entre los gerentes de mercadotecnia adecuados en el momento oportuno. La mayor parte de las compañías tienen sistemas centralizados de información de mercadotecnia que les proporcionan a los gerentes informes regulares de rendimiento, nuevos datos de comercialización e informes sobre los resultados de los estudios. Los gerentes necesitan estos informes rutinarios para tomar decisiones regulares de planeación, ejecución y control. Pero es probable que los gerentes de mercadotecnia también puedan necesitar información no rutinaria o análisis de situaciones especiales y decisiones en el momento. Por ejemplo, un gerente de ventas que tiene problemas con un consumidor grande quiere un resumen de las ventas y la rentabilidad de la cuenta durante el último año, o bien, el gerente de una tienda al menudeo a quien se le ha terminado un producto de gran venta quiere conocer los niveles actuales del inventario en las demás tiendas de la cadena. En las compañías con sistemas

Una red avanzada de oficina conecta al gerente directamente con el sistema de información de mercadotecnia de la compañía. *Cortesía de AT&T Bell Laboratories.*

centralizados de información, estos gerentes deben solicitar la información del personal SIM y esperar; con frecuencia, la información llega demasiado tarde para ser útil.

Los desarrollos recientes en el manejo de información han causado una revolución en la distribución de información. Con los avances recientes en mini y microcomputadoras, software para procesamiento de datos y de palabras y telecomunicaciones, muchas compañías han descentralizado sus sistemas de información de mercadotecnia. Les han dado a los gerentes acceso directo a la información almacenada en el sistema y los programas para analizarla y comunicar los resultados.[20] En algunas compañías, los gerentes de mercadotecnia pueden usar una terminal de escritorio para conectarse con la red de información de la compañía, obtener información de bancos de datos internos o servicios de información externos, analizar la información utilizando paquetes y modelos estadísticos del sistema analítico de mercadotecnia, preparar informes y correspondencia en un procesador de palabras y comunicarse con otros mediante la red de comunicaciones (véase el recuadro 4-5).

RECUADRO 4-5

REDES DE INFORMACION: DESCENTRALIZACION DEL SISTEMA DE INFORMACION DE MERCADOTECNIA

Las nuevas tecnologías de la información facilitan a los gerentes la obtención, procesamiento y envío de información directamente a través de máquinas, en vez de usar los servicios de especialistas de asesoría en información. Los sistemas centralizados de información de la década pasada están evolucionando a sistemas de procesamiento distribuido, que quitan la administración de información de las manos de los especialistas de asesoría y la colocan en las manos de los gerentes. Muchas compañías están desarrollando *redes de información* que emplean las telecomunicaciones, para vincular máquinas que trabajan con información y para fusionar tecnologías antes separadas, como el procesamiento de palabras, de datos y de imágenes en un solo sistema. Los gerentes de mercadotecnia pueden conectarse con estas redes y trabajar con información almacenada como datos en computadoras, texto en procesadoras de palabras, imágenes en microfilmes y voz en la misma red.

Por ejemplo, imagínese el día de trabajo de un gerente de mercadotecnia del futuro. En cuanto llega a su oficina, el gerente opera una terminal de escritorio y lee cualquier mensaje que haya llegado durante la noche, revisa el horario del día, verifica el *estatus* de una conferencia de computadoras en marcha, lee varios comunicados de informes de mercadotecnia y examina resúmenes de artículos pertinentes que aparecieron en la prensa comercial del día anterior. Para preparar una reunión esa mañana con el comité de productos nuevos, el gerente llama un informe reciente de investigación de mercados desde el almacén de microfilmes hasta la pantalla de la terminal, repasa las secciones pertinentes, las edita en un informe corto, manda copias electrónicamente a otros miembros del comité que también están conectados con la red de información y hace que la computadora archive una copia en microfilm. Antes de salir a la junta, el gerente usa la terminal para hacer reservaciones de comida en un restaurante favorito y comprar boletos de avión para el viaje de la semana próxima a Chicago. Pasa la tarde preparando pronósticos de ventas y de utilidades para el nuevo producto del que se habló en la junta de esa mañana. El gerente obtiene datos de mercado de prueba de los bancos de datos de la compañía e información sobre demanda de mercado, ventas y porciones de los productos competidores y proyecciones de condiciones económicas con ayuda de bases externas de datos a las cuales la compañía está suscrita. Estos datos se usan como información para el modelo de pronóstico de ventas almacenado en el banco de modelos de la compañía. El gerente ''juega'' con el modelo para comprobar los efectos de diferentes premisas de los resultados esperados. Esa misma noche en su casa, el gerente usa una computadora portátil para contactar la red, preparar un informe del producto y enviar copias a las terminales de otros gerentes relacionados quienes las podrán leer al otro día por la mañana. Cuando el gerente apaga la terminal, la computadora automáticamente pone la alarma del despertador y saca al gato.

Las redes de información modernas ayudarán mucho a los gerentes a mejorar el rendimiento. Los costos de los sistemas de procesamiento distribuido aún son prohibitivos para muchas compañías, pero es inevitable la mayor descentralización de los sistemas de información de mercadotecnia.

Fuente: Para más información, véase: Peter Nulty, "How Personal Computers Change Managers' Lives", *Fortune* 3 de septiembre de 1984, p. 38-48.

Tales sistemas de *procesamiento distribuido* son muy prometedores. Eliminan a los intermediarios que separan a los gerentes de la información necesaria y les permiten a estos últimos obtener información rápidamente y ajustarla a sus necesidades. A medida que aumenta el número de gerentes que desarrollan las habilidades necesarias para usar dichos sistemas y conforme los avances tecnológicos los hacen más económicos, aumentará el número de compañías que emplearán sistemas de información de mercadotecnia descentralizados.

■ *Resumen*

En la ejecución de sus responsabilidades de mercadotecnia, los gerentes necesitan muchísima información. A pesar de su creciente suministro de información, los gerentes a menudo carecen de la información suficiente del tipo correcto o tienen demasiada del tipo equivocado. Para superar estas deficiencias, muchas compañías están tomando medidas para mejorar sus sistemas de información de mercadotecnia.

Un sistema de información de mercadotecnia bien diseñado comienza y termina con el usuario. Primero, *evalúa las necesidades de información* al entrevistar a los gerentes de mercadotecnia y encuestar su ambiente de decisión para determinar qué información es deseable, necesaria y factible de obtener.

En seguida el SIM *desarrolla información* y ayuda a los gerentes a usarla con más eficacia. Los *registros internos* proporcionan información sobre ventas, costos, inventarios, flujos de efectivo y cuentas por cobrar y por pagar. Estos datos pueden obtenerse con rapidez y economía, pero a menudo se les debe adaptar a las decisiones de mercadotecnia. El sistema de *informes de mercadotecnia* les proporciona a los ejecutivos información diaria acerca de desarrollos en el ambiente externo de la mercadotecnia. El informe defensivo ayuda a evitar sorpresas amenazantes; el informe ofensivo ayuda a identificar oportunidades. El informe puede obtenerse de empleados de la compañía, consumidores, proveedores y distribuidores o el monitorear los informes publicados, conferencias, anuncios, acciones de la competencia y otras actividades en el medio.

La *investigación de mercados* implica recopilar información pertinente para un problema específico de mercadotecnia al que se enfrente la compañía. Cualquier mercadólogo necesita investigación de mercados, y más de tres cuartas partes de to-

das las compañías grandes tienen sus propios departamentos de investigación de mercados. La investigación de mercados implica un proceso de cuatro pasos. El primer paso consiste en que el gerente y el investigador definan cuidadosamente el problema y establezcan los objetivos de investigación. El objetivo puede ser exploratorio, descriptivo o causal. El segundo paso consiste en desarrollar el plan de investigación para recabar datos de fuentes primarias y secundarias. Para la recopilación de datos primarios es necesario escoger un enfoque de investigación (observación, encuestas, experimentos), escoger un método de contacto (por correo, por teléfono, personal), diseñar un plan de muestreo (unidad de muestreo, tamaño de la muestra y procedimiento de muestreo) y desarrollar instrumentos de investigación (cuestionarios, instrumentos mecánicos). El gerente de mercadotecnia deberá revisar cuidadosamente el plan de investigación escrito antes de aprobar el proyecto. El tercer paso consiste en la implantación del plan de investigación de mercadotecnia mediante la recopilación, procesamiento y análisis de la información. El cuarto paso consiste en interpretar los resultados y hacer un informe. El sistema analítico de mercadotecnia les ayuda a los gerentes de mercadotecnia a aplicar la información y proporciona procedimientos y modelos estadísticos avanzados para desarrollar resultados más rigurosos a partir de la información.

Por último, el sistema de información de mercadotecnia *distribuye información* recabada de fuentes internas, informes de mercadotecnia e investigación de mercados a los gerentes adecuados y en el momento oportuno.

Cada vez son más las compañías que descentralizan sus sistemas de información mediante redes de procesamiento distribuidas, que les permiten a los gerentes tener acceso directo a la información.

Preguntas de repaso

1. ¿Cuáles podrían ser algunas tareas de investigación para las áreas siguientes: decisiones de distribución, decisiones de producto, decisiones de publicidad, decisiones de ventas personales, decisiones de fijación de precio?

2. En varias comunidades de prueba en Estados Unidos, es posible explorar las compras de un consumidor en la caja registradora de una tienda de comestibles, transmitir comerciales dentro del hogar del consumidor mediante televisión por cable y determinar si cambió de la marca A a la marca B después de haber visto los comerciales. Los consumidores se presentan voluntariamente para intervenir en esta prueba.

   La ACLU afirma que esto es una invasión de la intimidad; los mercadólogos afirman que esto revolucionará el negocio de investigación de mercados. ¿Qué piensa usted?

3. ¿Qué diferencia hay entre un sistema de información de mercadotecnia y un sistema de informes de mercadotecnia?

4. ¿Cuál es el objetivo principal del sistema de investigación de mercados en Prentice-Hall?

5. Describa brevemente el significado del sistema analítico de mercadotecnia.

   ¿Cree usted que una tienda de ropa para hombres en una ciudad pequeña usaría este tipo de sistema? ¿Por qué?

6. Una vez que se han definido los objetivos y el problema de investigación, el investigador está listo para comenzar la encuesta formal a los consumidores. Comente esto.

7. ¿Qué tipo de investigación sería la más apropiada en las situaciones siguientes y por qué?
   a) Los cereales Post quieren investigar el efecto que tienen los niños en la compra de sus productos.
   b) La librería de la universidad donde estudia quiere recabar alguna información preliminar acerca de lo que los estudiantes piensan sobre la mercancía y servicio que proporciona.
   c) McDonald's está considerando abrir una nueva sucursal en un suburbio de crecimiento rápido.
   d) Gillette quiere someter a prueba el efecto de dos temas publicitarios para las ventas de su desodorante en barra con aroma de lima Right Guard en dos ciudades.

8. El presidente de una organización universitaria a la que usted pertenece le ha pedido que dirija un proyecto de investigación de mercados acerca de los motivos por los que disminuye el número de miembros. Explique cómo aplicaría los pasos del procedimiento de investigación de mercados en este proyecto.

9. Enumere algunos factores ambientales o internos de la compañía que requerirían más investigación de mercados por parte de una firma.

Bibliografía

1. Basado en el material encontrado en "The Jogging-Shoe Race Heats Up", *Business Week,* 9 de abril de 1979, p. 124-25; y "Converse: Trying a Full-Court Press in Athletic Shoes", *Business Week,* 7 de mayo de 1984, p. 52-56.
2. MARION HARPER, JR., "A New Profession to Aid Management", *Journal of Marketing,* enero de 1961, p. 1.
3. JOHN NEISBITT, *Megatrends: Ten New Directions Transforming Our Lives* (Nueva York: Warner Books, 1984).
4. NEISBITT, Megatrends, p. 16.
5. Esta definición está adaptada de "Marketing Information Systems: An Introductory Overview", en *Readings in Marketing Information Systems,* Samual V. Smith, Richard H. Brien y James E. Stafford, eds. (Boston: Houghton Mifflin, 1968), p. 7.
6. DONALD S. TULL y DEL I. HAWKINS, *Marketing Research: Measurement and Method,* (3a. ed.) (Nueva York: Mac-Millan, 1984), p. 46-73.
7. Véase "Business Is Turning Data Into a Potent Strategic Weapon", *Business Week,* 22 de agosto de 1983, p. 92.
8. DAVID B. MONTGOMERY y CHARLES B. WEINBURG, "Toward Strategic Intelligence Systems", *Journal of Marketing,* otoño de 1979, p. 41-52.
9. Ibid., p. 47.
10. DIK WARREN TWEDT, ed., *1978 Survey of Marketing Research* (Chicago: American Marketing Association, 1978).
11. Véase "How They Rank: 1983 Revenue Record of 35 Leading U.S. Research Companies", *Advertising Age,* 17 de mayo de 1984, p. M17. Véase también: JACK HONOMICHL, "First Worldwide Survey of Leading Researchers", *Advertising Age,* 18 de julio de 1983, p. 3.
12. Para una referencia excelentemente anotada de las principales fuentes secundarias de datos de negocios y de mercadotecnia, véase: THOMAS C. KINNEAR y JAMES R. TAYLOR, *Marketing Research: And Applied Approach* (Nueva York: McGraw-Hill, 1983), p. 146-56, 169-84.
13. Ibid., p. 150.

14. Para mayor información sobre investigación observacional, véase: Tull y Hawkins, *Marketing Research*, p. 325-33.
15. Para mayor información sobre investigación experimental, véase: Seymour Banks, *Experimentation in Marketing* (Nueva York: McGraw-Hill, 1965).
16. Bobby J. Calder, "Focus Groups and the Nature of Qualitative Marketing Research", *Journal of Marketing*, agosto de 1977, p. 353-64.
17. Para una visión general de los instrumentos mecánicos, véase: Roger D. Blackwell, James S. Hensel, Michael B. Phillips y Brian Sternthal, *Laboratory Equipment for Marketing Research* (Dubuque, IA: Kendall/Hunt, 1970), p. 7-8.
18. Véase: Paul E. Green y Donald S. Tull, *Research for Marketing Decisions*, 4. ed. (Englewood Cliffs, NJ: Prentice-Wall, 1978).
19. Para una revisión de los modelos de mercadotecnia, véase: Gary L. Lilien y Philip Kotler, *Marketing Decision Making: A Model Building Approach* (Nueva York: Harper & Row, 1983); véase también: John D. C. Little, "Decision Support Systems for Marketing Managers", *Journal of Marketing*, verano de 1979, p. 9-26.
20. Véase: Peter Nulty, "How Personal Computers Change Managers' Lives", *Fortune*, 3 de septiembre de 1984, p. 38-48.

CASO 1

SONY CORPORATION: WALKMAN/WATCHMAN

Sony introdujo el Walkman a fines de 1979. En 1980 embarcó 550 000 de estos aparatos a todo el mundo y para 1985 el producto tenía una gran aceptación y era muy imitado. Por lo menos 20 compañías entraron en el mercado con productos similares. El Walkman proporciona reproducción de alta calidad mediante audífonos muy livianos conectados a una pequeña grabadora de cintas que puede llevarse en el cinturón o colgada del cuello. Ahora, la gerencia de Sony debe determinar si el producto de tipo Walkman seguirá siendo popular y cómo deberá competir en su mercado. Un primer paso consiste en determinar quiénes son los compradores, por qué compran y cómo se usa el producto.

El Walkman lo creó un joven ingeniero por simple diversión. Más tarde se lo mostró al señor Akio Morita, presidente de Sony quien lo adoptó para uso personal y sirvió con entusiasmo como el líder del proyecto de desarrollo de producto, reduciendo a seis meses el tiempo entre la planeación del producto y su mercadotecnia en vez del plazo usual de uno a dos años. Se obtuvieron ideas de desarrollo y mercadotecnia del producto con estudiantes de bachillerato y de universidad, mientras éstos usaban y discutían el producto en una sala equipada y diseñada especialmente para la observación.

En Japón el Walkman prácticamente se vendió sólo después de presentaciones especiales para reporteros de periódicos y revistas. Muchos artículos aparecieron en revistas, pero pocos en periódicos. Se planearon eventos especiales para jóvenes, a quienes se alentaba a usar el Walkman mientras que se divertían con todo tipo de actividades en lugares públicos como esquiar, pasear en bicicleta, correr y practicar otros juegos.

En Estados Unidos el producto lo emplean las personas mientras trabajan, montan en bicicleta, esquían, manejan, se asolean en la playa, conversan y quieren apartarse de los sonidos del mundo. El uso del producto en lugares públicos era una forma de promoción en sí misma y ayudó a crear una demanda en espiral creciente que se difundió por todo el mundo, como había sucedido con el hula-hula veinte años antes.

La competencia dio lugar a imitaciones y a reducciones de precio. Los Walkman estereofónicos se venden en grandes almacenes al menudeo hasta en 39 dólares. Los productos de la competencia se venden hasta 40% más baratos. La respuesta de Sony a esta competencia intensa ha sido la de mantener sus precios principales, ampliar la línea y mejorar los productos. La línea expandida de Sony cuenta ahora con un reproductor estereofónico y radio estereofónico FM, una combinación de radio estereofónico AM/FM con audífonos ligeros y otros modelos.

Las habilidades innovadoras de Sony para tratar de mantenerse a la cabeza de sus competidores son evidentes en el nuevo Walkman estereofónico, es más pequeño, emplea audífonos de diseño nuevo y se vende a 100 dólares en comercios seleccionados. Es tan pequeño como la caja de plástico que contiene una cinta magnetofónica estándar ($\frac{3}{4}$'' × $2\frac{2}{3}$'' × $4\frac{1}{4}$'') y usa una batería AA. Cada audífono se ajusta a la oreja de lado, y la pequeña bocina queda frente al oído. Los audífonos no se resbalan por la cabeza, tienen mejor sonido que la mayoría de los audífonos, son cómodos y le permiten al usuario oír más de los sonidos del ambiente.

Al revisar sus esfuerzos de mercadotecnia para el Walkman en Estados Unidos, Sony está interesado por saber si el producto es o no una novedad, en cuyo caso la demanda podría agotarse demasiado rápido. Por otra parte, si el producto sirve uno o más usos o funciones básicos, el mercado podría ser lo bastante grande y abarcar varios segmentos, si existen oportunidades de segmento de mercado. En cualquier caso, Sony tendrá que decidir qué ventajas competitivas tiene y cómo aprovecharlas en búsqueda de utilidades, evitando la competencia de precio tanto como sea posible. Podría concentrarse en uno o dos modelos para todas las partes del mercado, o bien, ofrecer modelos diseñados especialmente para diferentes segmentos del mercado.

¿Qué grupos de compradores potenciales existen para el Walkman y qué puede hacer Sony para aumentar las ventas del producto a cada uno de estos grupos?

La más reciente innovación de Sony es el Watchman, un pequeño televisor en blanco y negro que se puede mantener en la mano o guardarse en el bolsillo del chaleco y cuyo precio se fijó en 200 dólares, pero que se ha anunciado hasta en 149 dólares. Su pantalla de dos pulgadas proporciona gran claridad y proporción de la imagen que supera a muchos televisores convencionales más grandes. Su brillantez y claridad pueden verse con facilidad durante un partido de futbol y las letras son fáciles de leer, Sony utiliza un tubo de rayos catódicos en miniatura, como la mayoría de los televisores. Tiene el tamaño de la palma de la mano (9½'' × 3'' × 6'') pesa 18 onzas y usa cuatro baterías AA o un adaptador de voltaje opcional y está equipado con una antena telescópica y una bolsa para transportarlo.

En la mercadotecnia del Watchman, Sony se enfrenta a los mismos problemas básicos de mercadotecnia que con el Walkman, pero en una fase distinta del ciclo de vida del producto. La similitud aparente de las características de mercadotecnia de los dos productos indica que tal vez deberían venderse a los consumidores de la misma manera.

¿Quienes son los compradores potenciales del Watchman? ¿Bajo qué circunstancias lo usarían? ¿Cual sería la mercadotecnia para el Watchman?

CASO 2

QUAKER OATS COMPANY: GATORADE

En 1983 la Quaker Oats Company compró de Stokley-Van Camp, Inc., la bebida número uno entre los atletas estadunidenses: Gatorade. La gerencia de Quaker consideraba que éste era un producto submercadeado con un potencial excelente. Se trataba de una marca bien conocida con un rendimiento de $5.7 millones sobre las ventas de alrededor de $85 millones y una tasa de crecimiento anual de aproximadamente 7%.

La gerencia de Quaker ve una oportunidad para extenderse más allá de su base actual de usuario concentrado. Espera aumentar las ventas particularmente en: 1) áreas fuera del "cinturón del sol"; 2) en periodos fuera de temporada; y 3) entre una sección más amplia de la población general. En la actualidad, 85% de las compras las hacen "grandes usuarios". Se está haciendo un esfuerzo para identificar con más claridad un rango amplio de situaciones donde se quiere aplacar la sed, especialmente aquéllas que abarcan mujeres y niños. La administración espera encontrar formas para obtener una porción para Gatorade en el mercado masivo de los refrescos.

Gatorade, una bebida no gaseosa, fue desarrollada por el doctor Robert Cade (un profesor de medicina) para que la empleara el equipo de futbol de la universidad de Florida con el propósito de combatir los efectos de deshidratación por la práctica del deporte bajo el sol de Florida. El equipo de futbol americano Green Bay Packers adoptó el producto por iniciativa de su entrenador. "El producto original sabía a acero y a agua de sal, y a uno le daban ganas de vomitar", según el doctor Cade.

Gatorade, una bebida turbia y con sabor a cítrico, se presentó en el mercado en 1967 y rápidamente se convirtió en la bebida de los campeones o de los futuros campeones. Se agregaron sabores artificiales, y se hicieron pruebas del producto mediante muestras que se les mandaban por correo a los equipos de atletismo y a los entrenadores en todo Estados Unidos. A raíz de estos esfuerzos, el producto tuvo un éxito inmediato. La mayoría de las ventas se realizaban con equipos deportivos. Pero Stokley continuó ampliando el mercado de Gatorade, dirigiéndose a los obreros de fábricas y a los trabajadores de construcciones y a "cualquier persona en un ambiente de alta temperatura". El

Gatorade en polvo, introducido en 1979, ha tenido éxito. Stokley manejó el producto astutamente, pero cree que todavía hay campo para el crecimiento, incluyendo el extranjero, a pesar de la opinión de un analista financiero de que Gatorade puede ser "un producto de la década de 1970".

El presidente de una compañía consultora en servicio de alimentación ve muchas oportunidades para que Quaker haga experimentación de mercadotecnia con Gatorade y posiblemente gane un punto de apoyo en los refrescos. El producto se vende en botellas de cuarto de galón, latas de 12 onzas y en polvo. Los paquetes de cartón asépticos podrían darle entrada a Gatorade en los mercados de bolsas de "lunch" y días de campo. Quaker tiene un notable equipo de administración y muchos negocios en el extranjero, especialmente en Europa y en Latinoamérica que harían posible la expansión hacia esas áreas, si los consumidores aceptan el producto.

Un año después de la adquisición del producto, Quaker lanzó un programa de mercadotecnia nuevo y agresivo para Gatorade. La campaña publicitaria posicionó el producto como un "alivio para la sed" y lo mostraba en situaciones de sed extrema. La campaña continuó durante los periodos de compra pico, a fines de primavera y de verano. En el programa de publicidad se incluyeron los juegos olímpicos. La campaña fue creada por AdCom, la subsidiaria de publicidad de Quaker. El presupuesto de publicidad para Gatorade se estima entre 15 y 20 millones de dólares al año.

El esfuerzo de mercadotecnia acrecentará la penetración del producto en el sudeste y en el sudoeste, donde se concentran 60% de sus ventas, mientras que volverá a introducir el producto en mercados fuera del "cinturón del sol" a través de un gran apoyo publicitario y de promoción. Gatorade continuará sus relaciones con equipos deportivos profesionales y universitarios, y con los principales eventos deportivos, incluyendo las carreras de automóviles NASCAR, la liga nacional de futbol, la asociación nacional de baloncesto y las grandes ligas de béisbol. Un patrocinio orientado a los jóvenes es el premio Gatorade Coach del año, en cooperación con la National Youth Sports Coaches Association.

¿Qué recomendación de mercadotecnia le daría a la gerencia de Quaker, suponiendo que es un nuevo practicante en administración a quien se le ha pedido su opinión?

tres

ANALISIS DE OPORTUNIDADES DE MERCADO

En la tercera parte de este libro se examina el mercado complicado y cambiante como la fuente de las principales oportunidades y retos de mercadotecnia de la compañía.

5
Ambiente de la mercadotecnia

Inventados por Levi Strauss a mediados del siglo XIX, los pantalones de mezclilla ásperos y confiables han sido desde hace mucho tiempo una institución en la vida estadunidense. Pero en la última década esta industria de mezclilla de 6 000 millones de dólares ha tenido una crisis y sus ventas se han estancado. Con el paso de los años, las compañías como Levi Strauss, Blue Bell (Wranglers) y V. F. Corporation (Lee's) podían contar con una población de crecimiento constante y un gran aumento en el número de gente joven (causado por la explosión demográfica) para proporcionar de 10 a 15% de incrementos anuales en las ventas. Las compañías se volvieron complacientes e introvertidas. Pero los incrementos de población se nivelaron y las personas nacidas durante la explosión demográfica están envejeciendo y saliendo del mercado de los pantalones de mezclilla o buscan nuevas características en los pantalones que compran. Debido a tendencias ambientales, los fabricantes de pantalones de mezclilla ahora deben pelear por porciones lucrativas de un mercado estancado, y muchos tienen grandes dificultades.

Levi Strauss es el ejemplo más evidente. Como el fabricante de ropas más grande del país, esta compañía de 2 500 millones de dólares ha dominado desde hace mucho la industria de los pantalones de mezclilla; a comienzos de la década de 1980, su porción de mercado era más del 20%. En la década de 1970, cuando la demanda de pantalones de mezclilla comenzó a bajar, Levi Strauss se aferró a su línea básica de producto de pantalón de mezclilla áspero para trabajo y deporte. Pero los gustos cambiaban rápidamente en el mercado más pequeño de los pantalones de mezclilla. A medida que la generación nacida durante la explosión demográfica llegaba a la edad madura, las preferencias en materia de pantalones de mezclilla se inclinaban hacia la comodidad, el estilo y la moda. Lo que había sido típicamente un mercado masivo homogéneo se volvió más fragmentado, con diferentes segmentos que buscaban distintas cosas en sus pantalones vaqueros.

Levi Strauss no logró adaptarse al ambiente de mercado que cambiaba rápidamente. Respondió con estrategias de mercadotecnia masiva al acrecentar sustancialmente su presupuesto de publicidad y vender a través de detallistas masivos como Sears y J. C. Penney. Estas tácticas no dieron resultados y las utilidades de la compañía disminuyeron mucho.

No todos los productores de pantalones de mezclilla cayeron víctimas del ambiente del mercado cambiante. La V. F. Corporation reaccionó exitosamente con una estrategia de mercadotecnia segmentada para su marca Lee's. Se dirigió a mujeres y a consumidores conscientes de la moda y desarrolló nuevos productos diseñados para satisfacer las necesidades especiales de estos segmentos más pequeños. V. F. fue recompensado por adaptarse rápidamente al mercado más discriminativo, con un aumento constante en las ventas. La porción de mercado de Lee's se elevó de 2.5% en 1980 hasta más de 11% en 1984, y sus ganancias sobre las acciones fueron en promedio de más de 27% durante el periodo.

Recientemente, Levi Strauss ha respondido desarrollando estrategias para alcanzar segmentos más pequeños de mercado con nuevas líneas que se ajustan mejor a las preferencias cambiantes del consumidor. Para 1984 había agregado más de 75 líneas nuevas, incluyendo la línea David Hunter (ropa de deporte clásica para hombre), la colección Perry Ellis (ropa de deporte informal para hombres, mujeres y niños), la línea Polo de Ralph Lauren (alta costura), una línea Railsback (vestidos de maternidad de pana y mezclilla), la línea Tourage SSE (ropa de moda para hombre), y muchas otras.

Sin embargo, varios analistas piensan que Levi esperó demasiado y está haciendo muy poco para ajustarse a las nuevas condiciones de mercado. Y la compañía está reduciendo costos y operaciones como preparación para tiempos difíciles prolongados.

Las tendencias a largo plazo están en contra de Levi Strauss y los otros fabricantes de pantalones de mezclilla. El éxito, incluso la supervivencia, requerirá que monitoreen el ambiente de mercado y que adapten su producto y sus estrategias de mercadotecnia para satisfacer las necesidades del consumidor en un ambiente de mercado de cambio rápido de los pantalones vaqueros.[1]

E videntemente, el éxito de la mercadotecnia depende del desarrollo y de una mezcla de mercadotecnia sólida (las variables controlables) adaptadas a las tendencias y desarrollos en el ambiente de la mercadotecnia (las variables incontrolables). El ambiente de la mercadotecnia representa el conjunto de fuerzas incontrolables a las que la compañía debe adaptar su mezcla de mercadotecnia.

El ambiente de mercadotecnia de una compañía se define de la manera siguiente:

El *ambiente de mercadotecnia de una compañía* está formado por los actores y las fuerzas que son externos a la función de administración de mercadotecnia de la firma, y que influyen sobre la capacidad de la gerencia de mercadotecnia para desarrollar y mantener transacciones exitosas con sus consumidores meta.

El ambiente de mercadotecnia cambiante, limitante e incierto tiene un gran efecto sobre la compañía. El ambiente de la mercadotecnia está en movimiento constante y ofrece todo el tiempo oportunidades y amenazas nuevas. En vez de cambiar de modo lento y pronosticable, el ambiente es capaz de producir grandes sorpresas y choques. ¿Qué compañía petrolera hubiera pronosticado en 1971 el final tan temprano de la energía barata? ¿Cuántos gerentes de alimentos Gerber pronosticaron el fin de la explosión demográfica? ¿Qué compañías automotrices pronosticaron el tremendo impacto que Ralph Nader y los consumidores tendrían sobre sus decisiones de negocios? Drucker ha denominado a esta época una *Age of Discontinuity*,[2] y Toffler la ha descrito como el *Future Shock*.[3]

Dado que *ambiente de la mercadotecnia = oportunidades y amenazas,* la firma debe usar su capacidad de investigación de mercados y sistema de informes de mercadotecnia para monitorear el ambiente cambiante. El ambiente de la mercadotecnia comprende un microambiente y un macroambiente. El **microambiente** está formado por los actores en el entorno inmediato de la compañía que afectan la habilidad de ésta para servir a sus consumidores. Es decir, la propia compañía, firmas de intermediarios, mercados de consumo, competidores y públicos. El **macroambiente** está formado por las fuerzas sociales más grandes que afectan a todos los actores en el microambiente de la compañía; es decir, las fuerzas demográficas, económicas, naturales, tecnológicas, políticas y culturales. Se examinará primero el microambiente y después del macroambiente de la compañía.

MICROAMBIENTE DE LA COMPAÑIA

El objetivo principal de una compañía es hacer transacciones lucrativas con sus mercados meta. La labor de la gerencia de mercadotecnia es formular ofertas atractivas para sus mercados meta. Sin embargo, en el éxito influirá el resto de la compañía, los intermediarios, competidores y diversos públicos. En la figura 5-1 se muestran estos actores en el microambiente de la compañía. Los gerentes de mercadotecnia no pueden concentrarse sencillamente en las necesidades del mercado meta; deben ser conscientes también de todos los actores en el microambiente en el cual opera la compañía. Se estudiará la compañía, proveedores, intermediarios, consumidores, competidores y públicos en ese orden. Se ilustrará el papel y el impacto de estos actores con el ejemplo de la compañía de bicicletas Schwinn de Chicago, una de las primeras empresas estadunidenses en ese ramo.

Compañía   La gerencia de mercadotecnia en Schwinn, a la hora de formular sus planes, debe tomar en cuenta los otros grupos en la compañía, como la gerencia superior, finanzas, investigación y desarrollo, compras, fabricación y contabilidad. Todos estos grupos constituyen un microambiente de la compañía para los planificadores de mercadotecnia (véase la figura 5-2).

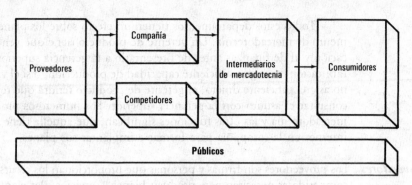

FIGURA 5-1
*Principales actores
en el microambiente
de la compañía*

FIGURA 5-1
*Principales actores
en el microambiente
de la compañía*

La gerencia superior de Schwinn está formada por el gerente general de la división de bicicletas, el comité ejecutivo, el director general, el presidente de la junta directiva y el consejo de administración. En estos niveles superiores de administración se establecen la misión, los objetivos, las estrategias generales y las políticas de la compañía. Los gerentes de mercadotecnia deben tomar decisiones dentro del contexto establecido por la gerencia superior. Además, sus propuestas de mercadotecnia deben contar con la aprobación de la gerencia superior para que puedan implantarse.

Los gerentes de mercadotecnia también deben trabajar en estrecha colaboración con los departamentos funcionales. El departamento de finanzas en Schwinn está interesado por la disponibilidad de fondos para ejecutar el plan de mercadotecnia, la asignación suficiente de estos fondos a diferentes productos y actividades de mercadotecnia, las tasas probables de rendimiento que se lograrán y el nivel de riesgo en el pronóstico de ventas y en el plan de mercadotecnia. El departamento de investigación y desarrollo se concentra en los problemas técnicos de diseñar bicicletas seguras y atractivas y desarrollar métodos eficientes para producirlas. El departamento de compras se ocupa de obtener suficientes proveedores para producir el número pronosticado de bicicletas. El departamento de fabricación es responsable por el trabajo y la capacidad de producción suficientes para alcanzar las metas de productividad. El departamento de contabilidad tiene que medir los ingreso y costos en marcha para ayudar al de mercadotecnia, y así saber en qué medida está alcanzando sus objetivos.

FIGURA 5-2
*Microambiente
de la compañía*

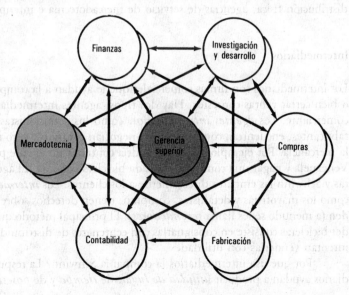

Todos estos departamentos tienen un efecto sobre los planes y acciones del departamento de mercadotecnia. Un gerente de producto tiene que venderle su plan al de fabricación y al de finanzas antes de presentarlo a la gerencia superior. Si el vicepresidente de fabricación no asigna suficiente capacidad de producción, o si el vicepresidente de finanzas no asigna suficiente dinero, el gerente de producto tendrá que revisar su meta de ventas o consultar el asunto con la gerencia superior. Los numerosos problemas potenciales entre mercadotecnia y las otras funciones significan, que aquélla tiene que negociar con grupos internos en la compañía para formar e implantar sus planes.

Proveedores

Los **proveedores** son firmas y personas que proporcionan los recursos que la compañía y sus competidores necesitan para producir bienes y servicios. Por ejemplo, Schwinn debe obtener acero, aluminio, llantas de hule, ruedas dentadas, sillines y otros materiales para producir bicicletas. Además, debe obtener trabajo, equipo, combustible, electricidad, computadoras y otros factores de producción. El departamento de compras de Schwinn decide cuáles recursos fabricar y cuáles comprar fuera de la compañía. Para decisiones "de compras", los agentes de la compañía deben desarrollar especificaciones, búsqueda de proveedores, calificar a éstos y escoger a los que ofrezcan la mejor mezcla de calidad, confiabilidad de entregas, crédito, garantías, y bajo costo.

Los desarrollos en el ambiente del proveedor pueden tener un impacto sustancial sobre las operaciones de mercadotecnia de la compañía. Los gerentes de mercadotecnia necesitan vigilar las tendencias de precio de sus consumos claves. El alza de los costos de suministros pueden obligar a aumentos de precio que reducirán el volumen pronosticado de ventas de la compañía. Los gerentes de mercadotecnia se preocupan igualmente por la disponibilidad de los recursos. La escasez, huelgas, y otros sucesos pueden interferir con el cumplimiento de las entregas a los clientes y pueden dar lugar a pérdida de ventas a corto plazo y lesionar la confianza del cliente a largo plazo. Muchas compañías prefieren comprar de múltiples fuentes para evitar una gran dependencia de un solo proveedor, que pudiera elevar precios arbitrariamente o limitar el abastecimiento. Los agentes de compras de la compañía están aprendiendo a "agasajar" a los proveedores para obtener un tratamiento favorable durante el tiempo de escasez. En otras palabras, el departamento de compras quizá tenga que "venderse" entre los proveedores.

Intermediarios de la mercadotecnia

Los **intermediarios de la mercadotecnia** son firmas que le ayudan a la compañía a promover, vender y distribuir sus bienes entre los consumidores. Se incluyen intermediarios, firmas de distribución física, agencias de servicio de mercadotecnia e intermediarios financieros.

Intermediarios

Los intermediarios son firmas comerciales que le ayudan a la compañía a encontrar clientes, o bien cerrar ventas con éstos. Hay dos tipos: agentes intermediarios e intermediarios del comerciante. Los *agentes intermediarios,* como los comisionistas y los representantes de fabricantes, encuentran consumidores o negocian contratos, pero no tienen derechos sobre la mercancía. Por ejemplo, Schwinn podría contratar un agente para contactar clientes en Venezuela y pagar una comisión por cada bicicleta vendida. El agente no posee las bicicletas y Schwinn las embarca directamente a los clientes. Los *intermediarios del comerciante,* como los mayoristas y detallistas, compran, tienen derechos sobre la mercancía y la revenden (a menudo se les llama *revendedores*). El principal método que usa Schwinn para vender bicicletas consiste en consignarlas con centenares de distribuidores independientes que intentan venderlas con utilidades.

¿Por qué usa intermediarios la compañía Schwinn? La respuesta es que los intermediarios ayudan a producir *utilidad de lugar,* de *tiempo* y de *posesión* para el consumidor a menor costo que la compañía misma. Los intermediarios crean utilidad de lugar al almacenar bicicletas donde los clientes están ubicados. Crean utilidad de tiempo al mostrar y al entregar bicicletas cuando los clientes las quieren. Crean utilidad de posesión al vender y transferir títulos de propiedad a los compradores. Schwinn tendría que financiar, establecer y operar un gran sistema de agencias distribuidoras a nivel nacional si quisiera crear su propia utilidad de lugar, tiempo y posesión. A la compañía le conviene más trabajar a través de un sistema de intermediarios independientes.

Los intermediarios ayudan a Schwinn a superar dos discrepancias entre la producción y las necesidades de los clientes. La primera es la *discrepancia en cantidad:* Schwinn produce más de un millón de bicicletas al año, pero cada ubicación de consumo sólo necesita un número limitado. La segunda es la *discrepancia en el surtido:* Schwinn sólo produce una marca de bicicleta, pero muchos clientes quieren examinar un surtido de marcas antes de tomar una decisión. Así, las discrepancias entre las capacidades del productor y las preferencias y requerimientos del mercado sustentan el uso que hace el productor de los intermediarios para llegar a sus mercados meta y servirlos con eficiencia.

Sin embargo, seleccionar intermediarios y trabajar con éstos no es una tarea fácil. El fabricante ya no se enfrenta a muchos intermediarios pequeños e independientes entre los cuales escoger, sino con organizaciones de intermediarios grandes y en crecimiento. Cada vez se venden más bicicletas a través de las grandes cadenas corporativas (como Sears y K mart) y grandes cadenas de mayoristas, detallistas y poseedores de franquicias. Estos grupos tienen un gran poder para dictar condiciones o sacar al fabricante de mercados de gran volumen. Los fabricantes deben trabajar duro para obtener "espacios de anaquel''. Además, tienen que escoger cuidadosamente sus canales, ya que trabajar con algunos canales excluye la posibilidad de trabajar con otros. Los fabricantes tienen que aprender a manejar sus canales bajo una fuerte competencia y un gran conflicto entre los mismos.

Firmas de distribución física

Las firmas de distribución física le ayudan a la compañía a almacenar y transportar bienes desde su origen hasta su destino. Los *almacenes* de depósito son firmas que almacenan y protegen mercancía antes de moverla al siguiente destino. Una compañía tiene que decidir cuánto espacio construir ella misma y cuánto rentar de las firmas de almacenes. Las *firmas transportistas* son los ferrocarriles, las empresas camioneras, de transporte aéreo, de navegación y otras que dan servicio especializado de transporte de mercancía. Una compañía debe decidir el medio más económico de embarque, atendiendo a consideraciones tales como precio, entrega, rapidez y seguridad.

Agencias de servicios de mercadotecnia

Las agencias de servicios de mercadotecnia (firmas de investigación de mercados, agencias de publicidad, firmas de medios publicitarios y firmas de asesoría en mercadotecnia) ayudan a la compañía a seleccionar mercados meta para sus productos y promoverlos dentro de los mercados más adecuados. En lo que toca a estos servicios la compañía confronta la decisión de "hacer o comprar''. Cuanto decide comprar, debe escoger cuidadosamente a quién contratar, ya que estas firmas varían en creatividad, calidad, servicio y precio. La compañía tiene que revisar periódicamente el rendimiento de estas firmas y considerar la conveniencia de prescindir de aquéllas que ya no tengan un rendimiento adecuado.

Intermediarios financieros

Los intermediarios financieros incluyen bancos, compañía de crédito, compañías aseguradoras y otras firmas que ayudan en las transacciones financieras o aseguran contra el riesgo

FIGURA 5-3
Tipos básicos de
mercados de consumo

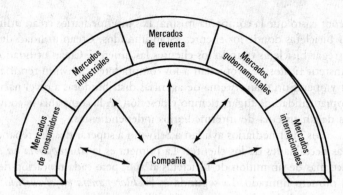

asociado con la compra y venta de bienes. La mayoría de las firmas y de los clientes dependen de intermediarios financieros para sus transacciones. El aumento del costo del crédito, las limitaciones de éste o ambas cosas pueden afectar gravemente el rendimiento en mercadotecnia de la compañía. Por esta razón, la compañía tiene que desarrollar estrechas relaciones con instituciones financieras importantes.

Clientes   La compañía necesita estudiar a fondo sus mercados de consumo. La compañía puede operar en cinco tipos de mercados. Estos se muestran en la figura 5-3 y se definen a continuación:

1. *Mercados de consumo:* individuos y familias que compran bienes y servicios para consumo personal.

2. *Mercados industriales:* organizaciones que compran bienes y servicios para su proceso de producción con el propósito de tener utilidades o lograr otros objetivos.

3. *Mercados de revendedores:* organizaciones que compran bienes y servicios con el propósito de revenderlos después y ganar utilidades.

4. *Mercados gubernamentales:* agencias gubernamentales que compran bienes y servicios con el fin de producir servicios públicos o transferir estos bienes y servicios entre otras personas que los necesiten.

5. *Mercados internacionales:* compradores en otros países, incluyendo consumidores, productores, revendedores y gobiernos extranjeros.

Schwinn vende bicicletas en todos estos mercados. Vende algunas bicicletas directamente a los clientes mediante sucursales o tiendas de la propia empresa. Vende bicicletas a productores que las usan en sus operaciones de entrega de mercancía o para recorrer la planta. Vende bicicletas a los mayoristas y detallistas quienes a su vez las revenden a los mercados de consumidor y de productor. Podría venderles bicicletas a las agencias gubernamentales. Y vende bicicletas a consumidores, productores, revendedores y gobiernos extranjeros. Cada tipo de mercado tiene características especiales que merecen un estudio cuidadoso por parte del vendedor.

Competidores   Todas las compañías se enfrentan a una gran diversidad de competidores. Supóngase que el vicepresidente de mercadotecnia de Schwinn quiere identificar los competidores de la compañía. La mejor manera para investigar esto es averiguar en qué forma toma la gente sus decisiones acerca de la compra de una bicicleta. El investigador puede entrevistar a Juan Arroyo, un alumno de primer año de la universidad que planea gastar con prudencia ciertos ingresos (véase la figura 5-4). Juan está considerando diversas posibilidades, inclu-

FIGURA 5-4 *Cuatro tipos básicos de competidores*

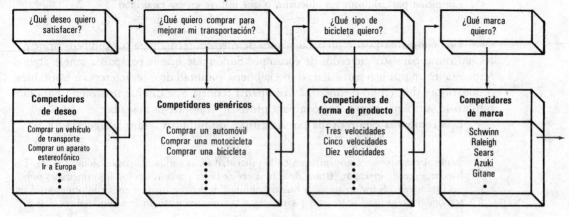

¿Qué deseo quiero satisfacer?	¿Qué quiero comprar para mejorar mi transportación?	¿Qué tipo de bicicleta quiero?	¿Qué marca quiero?
Competidores de deseo Comprar un vehículo de transporte Comprar un aparato estereofónico Ir a Europa	**Competidores genéricos** Comprar un automóvil Comprar una motocicleta Comprar una bicicleta	**Competidores de forma de producto** Tres velocidades Cinco velocidades Diez velocidades	**Competidores de marca** Schwinn Raleigh Sears Azuki Gitane

yendo comprarse un vehículo de transporte, un aparato estereofónico o un viaje a Europa. Estos son *competidores de deseos;* es decir, otros deseos inmediatos que el consumidor podría satisfacer. Supóngase que Juan decide que es mejor un medio de transporte. Entre las posibilidades se cuentan comprar un automóvil, una motocicleta o una bicicleta. Estos son *competidores genéricos;* es decir, otros medios básicos mediante los cuales el comprador puede satisfacer un deseo particular.

Si la compra de una bicicleta resulta ser la alternativa más atractiva, Juan pensará a continuación qué tipo de bicicleta comprar. Esto conduce a un conjunto de *competidores de forma de producto;* otras formas de producto que pueden satisfacer el deseo particular del comprador, que en este caso serían bicicletas de tres velocidades, cinco velocidades o diez. Juan puede decidir inicialmente comprar una bicicleta de diez velocidades, en cuyo caso querrá examinar varios *competidores de marca:* otras marcas que puedan satisfacer el mismo deseo. Como Raleigh, Sears, Azuki y Gitane.

Usando este método, el vicepresidente de mercadotecnia de Schwinn puede determinar cuáles competidores obstaculizan la venta de más bicicletas Schwinn. El gerente estudiará los cuatro tipos de competidores, y les dará más atención a los de marca, ya que éstos son los que compiten más activamente con la compañía. El grado de competencia entre fabricantes de marca en diferentes industrias fluctúa desde la cooperación tácita en un extremo, hasta la guerra de mercadotecnia en el otro.

Públicos   El ambiente de mercadotecnia de la compañía también incluye varios públicos. El público se define de la manera siguiente:

FIGURA 5-5
Tipos de públicos

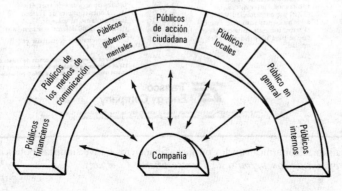

Un *público* es cualquier grupo que tiene un interés real o potencial en la capacidad de una organización para alcanzar sus objetivos, o que influye en esa capacidad.

Una compañía puede preparar planes de mercadotecnia para sus públicos principales, así como para sus mercados de consumo. Supóngase que la compañía quiere alguna respuesta de un público particular, como la buena voluntad de éste, referencias favorables, o donaciones de tiempo o dinero. La compañía tendría que diseñar una oferta para este público lo suficientemente atractiva para provocar la respuesta deseada.

Una compañía está rodeada por siete tipos de públicos (véase la figura 5-5):

1. *Públicos financieros*. Estos influyen en la capacidad de la compañía para obtener fondos. Los bancos, casas de inversión, firmas de corredores de bolsa y accionistas son los principales públicos financieros. Schwinn busca la buena voluntad de estos grupos al emitir informes anuales, responder preguntas financieras y satisfacer a la comunidad financiera con cuentas claras.

Transco se comunica con los públicos financieros e inversionistas potenciales.
Reproducida con permiso de Transco Energy Company.

2. *Públicos de los medios de comunicación.* Son organizaciones que transmiten noticias, artículos y opiniones editoriales; específicamente, periódicos, revistas y estaciones de radio y televisión. Schwinn está interesado por obtener más y mejor cobertura de medios.

3. *Públicos gubernamentales.* La gerencia debe tomar en cuenta a las empresas gubernamentales a la hora de formular planes de mercadotecnia. Los mercadólogos de Schwinn deben consultar con los abogados de la compañía acerca de posibles problemas sobre seguridad del producto, veracidad en publicidad, derechos de los distribuidores, etc. Schwinn debe considerar asociarse con otros fabricantes de bicicletas para lograr la promulgación de leyes más favorables.

4. *Públicos de acción ciudadana.* Las decisiones de mercadotecnia de una compañía pueden ser cuestionadas por organizaciones de consumidores, grupos ecologistas, grupos minoritarios y otros. Por ejemplo, los grupos de padres de familia están buscando que se obliguen a los fabricantes de bicicletas a dotarlas de mayor seguridad, ya que son el producto más peligroso de la nación. Schwinn tiene la oportunidad de convertirse en líder de la seguridad del diseño de su producto. El departamento de relaciones públicas le permitirá a la compañía estar en contacto con los grupos de consumidores.

5. *Públicos locales.* Toda compañía tiene contacto con públicos locales como los residentes del barrio y las organizaciones comunitarias. Las compañías grandes comúnmente nombran un funcionario de relaciones comunitarias que trata con la comunidad, asiste a reuniones, hace preguntas y contribuye a causas que valgan la pena.

6. *Público general.* Una compañía debe interesarse por la actitud del público general hacia sus productos y actividades. Aunque el público general no actúa de una manera organizada hacia la compañía, la imagen que tenga la compañía entre el público influye en sus negocios. Para lograr una sólida imagen de "ciudadanos corporativos", Schwinn hará que sus funcionarios participen en la recaudación de fondos comunitarios, hagan donativos considerables a obras de caridad y establezcan sistemas para atender las quejas del consumidor.

7. *Públicos internos.* Entre éstos se cuentan los obreros, oficinistas, voluntarios, gerentes y el consejo de administración. Las grandes compañías desarrollan boletines noticiosos y otras formas de comunicación para informar y motivar a sus públicos internos. Cuando los empleados están contentos con su compañía, esta actitud se transmite a los públicos externos.

MACROAMBIENTE DE LA COMPAÑIA

La compañía y sus proveedores, intermediarios de mercadotecnia, clientes, competidores y públicos operan en un macroambiente de fuerzas que configuran las oportunidades y le plantean amenazas a la compañía. Estas fuerzas representan "factores incontrolables", que la compañía debe vigilar y atender. El macroambiente está formado por las seis fuerzas principales que se muestran en la figura 5-6. En las secciones restantes de este capítulo se examinarán las tendencias y los desarrollos en cada componente del macroambiente y sus implicaciones para la mercadotecnia en el futuro.

FIGURA 5-6
Fuerzas principales en el macroambiente de la compañía

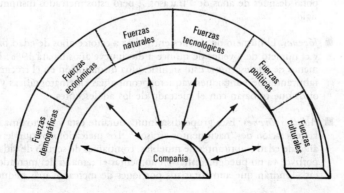

Ambiente demográfico

El ambiente demográfico es de gran interés para los mercadólogos porque los mercados están compuestos por seres humanos. Aquí se describen las tendencias demográficas más importantes.[4]

Cambio de la estructura cronológica de la población estadunidense

La tendencia demográfica más importante en Estados Unidos es la estructura cronológica cambiante de la población. La población de Estados Unidos está envejeciendo por dos razones. Primero, hay una disminución en la *tasa de natalidad*, por lo que hay menos gente joven para bajar el promedio cronológico de la población. Segundo, la *expectativa de vida* está aumentando, por lo que hay más gente de edad que hacen subir el promedio cronológico.

La población de Estados Unidos era de 234 millones en 1983 y se espera que llegue a 300 millones para el año 2020. Durante la época de la explosión demográfica que siguió hasta la Segunda Guerra Mundial y que subió hasta comienzos de la década de 1960, la tasa de natalidad anual alcanzó un pico de 4.3 millones. A la explosión demográfica siguió "una carestía de nacimientos", y para mediados de la década de 1970 la tasa de natalidad había caído a 3.2 millones. Esta disminución fue causada por familias más pequeñas resultado del deseo de mejorar el nivel de vida personal, el creciente deseo de las mujeres de trabajar fuera de casa y más conocimientos y tecnología sobre el control de la natalidad. Aunque se espera que el tamaño de las familias siga siendo pequeño, la tasa de natalidad subirá a un pico de 3.9 millones para fines de la década de 1980, a medida que la generación nacida durante la explosión demográfica pase por los años de crianza de niños y dé lugar a una segunda explosión demográfica no tan grande. La tasa de natalidad disminuirá otra vez en la década de 1990. La explosión demográfica creó un gran "saliente" en la distribución cronológica de Estados Unidos y a medida que la generación nacida en esa época envejece, hace subir el promedio cronológico.

El segundo factor que contribuye al envejecimiento general de la población es el aumento en el índice de longevidad. El índice promedio de longevidad es de 74 años (70 para los hombres y 78 para las mujeres), un aumento de 25 años desde 1900. El aumento del índice de longevidad y la disminución de la tasa de natalidad están produciendo una población envejecida. La edad media en Estados Unidos es ahora de 31 años y se espera que llegue a 36 para el año 2000 y a 42 para el año 2050.[5]

La estructura cronológica cambiante de la población dará lugar a diferentes tasas de crecimiento para diversos grupos cronológicos durante la década y estas diferencias tendrán un gran efecto sobre las estrategias de selección de mercados meta de los mercadólogos. A continuación se resumen las tendencias de crecimiento para seis grupos cronológicos.[6]

- *Niños.* Habrá 17% más de niños en edad preescolar en 1990 de los que había en 1980, pero el crecimiento de este grupo disminuirá en la década de 1990 a medida que la generación nacida durante la explosión demográfica termine con sus tareas de crear niños. Esto significa que los mercados de juguetes, ropas, muebles y alimentos para niños disfrutarán de un "auge" temporal después de años de "fracasos", pero estos mercados disminuirán otra vez para fines de siglo.

- *Jóvenes.* El número de jóvenes entre diez a catorce años de edad bajará 8% durante la década y el número de jóvenes de quince a diecinueve años bajará 19%. Por tanto, habrá 6 millones menos de adolescentes. Esto significa una disminución en el crecimiento de las ventas para los fabricantes de pantalones vaqueros, compañías cinematográficas y disqueras, universidades y otros que trabajan con el mercado de los adolescentes.

- *Adultos jóvenes.* Este grupo disminuirá durante ésta y la próxima década a medida que entre la generación de "nacimientos escasos". Los mercadólogos que le venden al grupo de 20 a 34 años de edad (fabricantes de muebles, compañías de seguro de vida, fabricantes de equipo deportivo) ya no pueden confiar en aumentar el tamaño del mercado para incrementar sus ventas. Tendrán que aumentar sus porciones de mercados más pequeños.

■ *Edad media temprana*. La generación nacida durante la explosión demográfica se moverá dentro del grupo comprendido entre los 35 hasta los 49 años de edad, creando grandes aumentos. Habrá incrementos de 41% en el grupo de 35 a 39 años, de 50% en el grupo de 40 a 44 años y de 26% en el grupo de 44 a 49 años. Este grupo constituye un mercado principal para casas grandes, automóviles nuevos, ropa, entretenimiento e inversiones.

■ *Edad media tardía*. El grupo cronológico de 50 a 64 años continuará bajando hasta fines de siglo; entonces comenzará a aumentar cuando entren a este grupo los nacidos durante la explosión demográfica. Este grupo es un mercado principal para restaurantes, viajes, ropas costosas y actividades recreativas.

■ *Jubilados*. El grupo mayor de 65 años aumentará en 20% durante la década y continuará creciendo a través de la década de 1990 y comienzos del próximo siglo. Para el año 2020 habrá dos veces más ancianos que adolescentes. Este grupo tiene una demanda de hogares y comunidades para jubilados, formas más tranquilas de recreación, empaques de artículos alimentarios de una sola porción y bienes y servicios médicos. En la actualidad los ancianos son más centrados, más activos y más orientados al uso del tiempo libre que el grupo comparable en las generaciones pasadas. Suelen gastar más dinero en ellos mismos y no se preocupan por dejarles mucho dinero a sus hijos.

Por lo tanto, la estructura cronológica cambiante de la población estadunidense tendrá un fuerte efecto en las decisiones futuras de mercadotecnia. En particular, la generación nacida durante la explosión demográfica continuará siendo una meta principal para los mercadólogos (véase el recuadro 5-1).

Familia estadunidense cambiante

El ideal estadunidense de una familia con dos hijos, dos automóviles y una casa en los suburbios ha perdido parte de su atractivo en Estados Unidos. Véanse las principales fuerzas que intervienen en esto:[7]

■ *Matrimonio tardío*. Aunque el 96% de todos los estadunidenses se casarán, la edad media de las parejas que contraen matrimonio por primera vez se ha estado elevando con el paso de los años y ahora es de 24.8 años para los hombres y 22.3 años para las mujeres. Para 1990 más de la mitad de las mujeres de edades comprendidas entre 20 a 24 años y un tercio de las que tienen entre 25 y 29 años no se habrán casado. Esto hará disminuir las ventas de anillos de compromiso, vestidos de novias y seguros de vida.

■ *Menos hijos*. Las parejas que no tienen hijos menores de 18 años integran actualmente el 47% de todas las familias. Los recién casados también retrasan más tiempo la crianza de niños. De aquellas familias que tienen hijos, el número medio de éstos es de 1.07, en comparación con 3.50 en 1955. Esto significa una demanda decreciente de alimentos, juguetes, ropas y otros bienes y servicios para niños.

■ *Tasa más alta de divorcio*. Estados Unidos tiene la tasa más alta de divorcios en el mundo, alrededor del 50% de todos los matrimonios terminan en divorcio. Esto ha creado más de un millón de familias con un solo progenitor y la necesidad de viviendas adicionales, aparatos eléctricos y otros productos para el hogar. Alrededor del 79% de los divorciados se vuelven a casar, lo que da lugar al fenómeno de la familia "combinada". En la actualidad alrededor del 69% de todos los hombres y el 63% de todas las mujeres están casados.

■ *Más madres que trabajan*. El porcentaje de madres con niños menores de 18 años y que tienen algún tipo de empleo ha crecido casi a más del doble desde 1960 hasta superar el 50%. Ya no se ve tan mal que la mujer trabaje y hay mayor número de oportunidades laborales, así como una nueva libertad que son el resultado de la aceptación del control de la natalidad. Las mujeres que trabajan constituyen un mercado para mejores ropas, servicios de guarderías, servicios de limpieza de casas y más comidas congeladas. El creciente número de mujeres que trabajan significa que son menos las que ven telenovelas y leen revistas domésticas para mujeres. Sus ingresos contribuyen en 40% al ingreso de la familia y tienen influencia en la compra de bienes y servicios de calidad superior. Los mercadólogos de llantas, automóviles, seguros y servi-

RECUADRO 5-1

EL "SALIENTE" DE LA EXPLOSION DEMOGRAFICA

Los integrantes de la generación nacida durante la explosión demográfica de 1945 a 1959. En la actualidad hay aproximadamente 56.6 millones de personas de 25 a 39 años de edad que integran 24.2% de la población estadunidense.

Estas personas tienen:

Dinero: ganan aproximadamente el 50% del ingreso personal en Estados Unidos.

Trabajos: estas personas integran 41.8% de la fuerza laboral civil en Estados Unidos.

Música: estas personas compraron durante el año pasado alrededor del 70% de los equipos estereofónicos.

Demandas: especialmente por artículos de primera clase que son símbolo de *estatus*. Pero no tienen tanta lealtad a la marca como sus padres.

Educación: la mitad de estas mujeres se graduaron en una universidad.

Gustos: compran grandes cantidades de hornos de microondas, muchas ollas express.

Vivienda: casi el 70% de los adultos que compraron casas en 1983 eran... usted ya lo adivinó.

Cultura: la cultura de los años 60 todavía vive hasta cierto grado en las metas del segmento cronológico comprendido entre los 30 y 40 años de edad, pero las personas más jóvenes tienen definitivamente mentalidad de la década de 1980.

Fuente: reproducida con permiso del artículo de *Advertising Age*, octubre 18 de 1984. Copyright © 1984 por Crain Communications, Inc.

cios de viajes dirigen cada vez más su publicidad hacia las mujeres que trabajan. Todo esto va acompañado por un cambio en los papeles y valores tradicionales de maridos y esposas, donde el hombre realiza más funciones domésticas, como hacer las compras y cuidar a los niños. Como resultado, los maridos se están convirtiendo más en un mercado meta para los fabricantes y detallistas de alimentos y aparatos para el hogar.[8]

Surgimiento de viviendas no familiares

El número de viviendas no familiares está aumentando. Este tipo de viviendas adoptan varias formas, cada una de las cuales constituyen un segmento diferente de mercado, con sus propias necesidades especiales:

■ *Viviendas de solteros.* Muchos adultos jóvenes dejan sus hogares y se cambian a departamentos. Otros adultos prefieren permanecer solteros. Otros más son divorciados o viudos que viven solos. En Estados Unidos hay más de 17 millones de personas que viven solas (22% de todas las viviendas). Para 1990, el 45% de todas las viviendas estarán ocupadas por una sola persona soltera o por familias con un solo progenitor. Estos son la categoría de crecimiento más rápido de quienes buscan viviendas en centros urbanos. El grupo SSVD (soltero, separado, viudo, divorciado) necesita departamentos más pequeños; aparatos eléctricos, muebles y artículos económicos y más pequeños; alimentos empacados en tamaños más reducidos. En cuanto a sus preferencias en materia de automóvil se diferencian en el hecho de que compran la mitad de todos los Mustang y otros carros pequeños especiales y sólo el 8% de los automóviles grandes.[9] Los solteros constituyen un mercado para diversos servicios que les permiten reunirse, como bares para solteros, excursiones y cruceros.

■ *Viviendas de dos personas que cohabitan.* Hay alrededor de dos millones de viviendas que habitan parejas sin estar casados y este número será el doble para 1990. Como este tipo de arreglo es más temporal, éste es un mercado para muebles y accesorios económicos o rentados.

■ *Viviendas de grupo.* Las viviendas de grupo constan de tres o más personas del mismo sexo o del sexo opuesto y que comparten los gastos viviendo juntos. Se incluyen aquí estudiantes universitarios y ciertos grupos seculares y religiosos que viven en comunidades.

Los mercadólogos deberán considerar las necesidades especiales de las viviendas no familiares, ya que éstas están creciendo con más rapidez que las viviendas familiares.

Cambios geográficos en la población

Los estadunidenses son un pueblo que se muda mucho, aproximadamente uno de cada cinco, o 42 millones de estadunidenses, se mudan cada año. Entre las principales tendencias para esto se encuentan las siguientes:

■ *Movimiento de personas a los estados del cinturón del sol.* Durante la próxima década el Oeste experimentará un crecimienro en su población de 17% y el Sur de 14%. El Sur y el Oeste tienen ahora 51% de la población estadunidense, en relación con 45% en 1970. Las ciudades más grandes del Norte, por otra parte, han perdido población entre 1970 y 1978 (Nueva York, 7.5%; Pittsburgh, 5.2%; Jersey City, 8.9%; y Newark, 5.2%). Estos cambios en la población regional interesan a los mercadólogos debido a las diferencias acentuadas en los patrones de gasto regional. Por ejemplo, los consumidores del Oeste gastarán relativamente menos en comida y relativamente más en automóviles que los consumidores del noreste. Este éxodo hacia los estados del cinturón del sol hará disminuir la demanda de ropas de invierno y equipo de calefacción y acrecentará la demanda de aire acondicionado. (La figura 5-7 muestra los cambios de porcentaje esperados en las poblaciones estatales durante esta década.)

■ *Movimiento de las áreas rurales a las urbanas.* La gente se ha estado desplazando durante más de un siglo de las áreas rurales a las urbanas. En 1980 el 70% de la población de la nación vivía en áreas rurales; en la actualidad, 75% viven en áreas urbanas. Las ciudades muestran un ritmo más rápido de vida, más transporte, ingresos más elevados y una mayor variedad de bienes y servicios de los que se encuentran en pueblos pequeños y áreas rurales. Las ciudades más

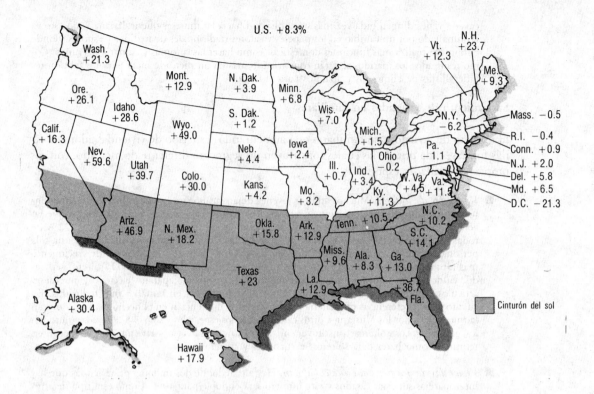

FIGURA 5-7 *Tasas de crecimiento de la población:* 1980-1990

Fuente: U.S. Deparment of Commerce, Bureau of Census.

grandes, como Nueva York, Chicago y San Francisco, dan cuenta de la mayoría de las ventas de abrigos de pieles, perfumes, equipajes y obras de arte; y estas ciudades apoyan la ópera, el ballet y otras formas de "cultura elevada". Sin embargo, recientemente ha habido un ligero desplazamiento de la población de regreso a los pueblos y áreas rurales.

■ *Movimiento de la ciudad a los suburbios.* Muchas personas viven lejos de sus lugares de trabajo, lo que se debe en gran parte al desarrollo de automóviles, supercarreteras y tránsito rápido por ferrocarril y autobús. Las ciudades han sido rodeadas por suburbios y éstos han sido rodeados por "exsuburbios". El U.S. Census Bureau ha creado una clasificación demográfica especial para las concentraciones urbanas que se conoce como MSA (Metropolitan Statistical Areas). Las MSA muy grandes (o supermetropolitanas) se denominan CMSA (Consolidated Metropolitan Statistical Areas), las cuales se dividen a su vez en PMSA (Primary Metropolitan Statistical Areas).[10] Estas MSA constituyen el mercado más importante de las compañías. Las compañías usan las MSA para investigar los mejores segmentos geográficos para sus productos, en la planeación de la estrategia de desenvolvimiento geográfico para productos nuevos, en la decisión acerca de dónde comprar tiempo o espacio publicitario, etc. Por ejemplo, la investigación de MSA muestra que los habitantes de Nueva Inglaterra fuman 29% más cigarrillos que el promedio nacional; los habitantes de Chicago consumen 22% más refrescos embotellados; los neoyorkinos usan 19% más artículos de papel. En la tabla 5-1 se enumeran los 50 mercados más importantes MSA.

Alrededor del 60% de la población total, o 39% de la población metropolitana, vive en suburbios. Los suburbios se caracterizan por una vida más espontánea y orientada al aire libre, mayor interacción entre los vecinos, ingresos más altos y familias más jóvenes. Estas familias compran camionetas, equipo para taller doméstico, muebles para jardín, herramientas y enseres de jardinería y equipo para cocinar al aire libre. Los detallistas han

TABLA 5-1
Los 50 mercados
principales en
Estados Unidos

		POBLACION **Julio 1, 1982**			
Rango	MSA	(millones)	Rango	MSA	(millones)
1	**Nueva York CMSA**	17 589	26	Portland CMSA	1 332
2	Los Angeles CMSA	11 930	27	Nueva Orleans MSA	1 300
3	Chicago CMSA	7 974	28	Columbus MSA	1 267
4	Filadelpia CMSA A	5 713	29	Buffalo CMSA	1 218
5	San Francisco CMSA	5 515	30	Norfolk MSA	1 201
6	Detroit/Ann Arbor CMSA	4 630	31	Indianapolis MSA	1 182
7	Boston/Lawrence CMSA	3 988	32	Sacramento MSA	1 165
8	Houston/Galveston CMSA	3 458	33	San Antonio MSA	1 135
9	Washington, D.C.	3 339	34	Providence CMSA	1 089
10	Dallas/Fort Worth CMSA	3 143	35	Hartford CMSA	1 021
11	Cleveland/Akron CMSA	2 808	36	Charlotte/Gastonia MSA	1 003
12	Miami CMSA	2 790	37	Rochester, N.Y. MSA	979
13	Pittsburgh CMSA	2 403	38	Salt Lake City/Ogden MSA	970
14	St. Louis CMSA	2 377	39	Louisville MSA	955
15	Atlanta MSA	2 243	40	Dayton/Springfield MSA	937
16	Baltimore MSA	2 218	41	Memphis MSA	924
17	Minneapolis/St. Paul MSA	2 194	42	Oklahoma City MSA	922
18	Seattle/Tacoma CMSA	2 178	43	Birmingham MSA	890
19	San Diego MSA	1 962	44	Greensboro MSA	869
20	Tampa MSA	1 721	45	Nashville MSA	865
21	Denver/Boulder CMSA	1 721	46	Albany/Schenectady MSA	833
22	Cincinnati/Hamilton CMSA	1 672	47	Honolulu MSA	782
23	Phoenix MSA	1 609	48	Richmond MSA	773
24	Milwaukee/Racine CMSA	1 572	49	Orlando MSA	762
25	Kansas City CMSA	1 454	50	Jacksonville MSA	756

Fuente: reproducida con permiso del número del 21 de mayo de 1984, de *Advertising Age.* Copyright © 1984 por Crain Communications, Inc.

reconocido el fenómeno de los suburbios al construir en éstos, sucursales de tiendas de departamentos y centros comerciales suburbanos.

Al mismo tiempo, los mercadólogos deberán reconocer una tendencia contraria para regresar al centro de las ciudades, especialmente en aquellas zonas metropolitanas donde la renovación urbana ha tenido éxito. Los adultos jóvenes y los adultos de más edad cuyos hijos se han independizado sienten el atractivo de las oportunidades superiores de orden cultural y recreativo y están menos interesados en la jardinería y en los largos desplazamientos hacia los suburbios. Esto ha dado lugar a un auge en la construcción de departamentos y de nuevas tiendas al menudeo dentro de la ciudad.

Población mejor educada con un número mayor de profesionales

En 1950, sólo la mitad de los adultos en Estados Unidos habían estudiado más allá del tercer año de secundaria. Para 1980, el 70% de los estadunidenses mayores de 24 años habían terminado el bachillerato superior. Para 1990, el porcentaje de estadunidenses mayores de 24 años que hayan terminado la universidad será de 20%.[11] El mayor número de personas educadas hará aumentar la demanda de productos de calidad, libros, revistas y viajes. Esto indica una disminución en el tiempo dedicado a la televisión, ya que los consumidores con educación universitaria ven menos televisión que la población en general.

En 1982, la fuerza laboral total estaba formada por 110 millones de personas. Entre 1980 y 1982 la proporción de profesionales se elevó de 42 a 52%, el número de obreros disminuyó de 38 a 31% el número de trabajadores de servicios subió de 12 a 14% y los agricultores disminuyeron de 8 a 3%. Hasta 1995 el mayor crecimiento se dará en las siguientes categorías ocupacionales: computadoras, ingeniería, ciencias, medicina, servicio social, compras, ventas, trabajos secretariales, construcción, refrigeración, servicios de salud, servicios personales y protección.[12]

Estas tendencias demográficas son muy confiables a corto plazo y a un plazo intermedio. Una compañía no tiene muchas excusas para haber sido sorprendida repentinamente por un desarrollo demográfico. La firma vigilante puede enumerar las principales tendencias demográficas, describir las implicaciones de éstas para la industria particular y clasificarlas desde muy positivas hasta muy negativas. Esto se ha hecho en la tabla 5-2 para tres industrias. Por ejemplo, en el caso de las líneas aéreas se espera que cada tendencia de la población tenga un impacto positivo en las ventas y las utilidades.

Ambiente económico Los mercados necesitan poder adquisitivo así como gente. El poder adquisitivo total está en función del ingreso actual, precios, ahorros y disponibilidad de crédito. Los mercadólogos deberán ser conscientes de las principales tendencias en el ingreso, ahorros y deuda reales y de los patrones cambiantes de gasto del consumidor.

Cambios en el ingreso real

Aunque el ingreso per cápita creció durante la última década, el ingreso real per cápita disminuyó en realidad. El ingreso real fue afectado por una tasa inflacionaria que superaba la tasa de crecimiento del ingreso monetario, una tasa de desempleo de entre 6 y 10% y un aumento en los impuestos. Estos desarrollos redujeron el *ingreso personal disponible*, que es la cantidad de dinero que le queda a la gente después de los impuestos. Además,

---

TABLA 5-2 *Impacto de la mezcla de población cambiante en tres industrias*

TENDENCIAS	LINEAS AEREAS	ROPAS	APARATOS ELECTRONICOS DE CONSUMO
La generación de la explosión demográfica madura	Muchos tendrán más dinero para viajar conforme se hagan mayores. ✔✔✔	Gastarán más en ropa a medida que envejecen; cambio de informal a calidad superior. ✔✔✔	Mayores ingresos permiten comprar estereofónicos, televisores y otros aparatos de mayor calidad. ✔✔
Más personas de edad	Tienen el tiempo para viajar, pero la inflación tal vez se los impida. ✔	Las personas de más edad gasta menos en ropa.	Poca demanda de este grupo; a menudo se ven obligados a contentarse con productos más antiguos.
Más mujeres que trabajan	Una segunda fuente de ingresos les permite a más mujeres hacer viajes; más mujeres solteras tienen dinero. ✔✔✔	Las profesionales necesitan más ropa y tienen el dinero para comprarla. ✔✔✔	Pueden comprar más mercancía de precio más alto. ✔✔
Unidades familiares más pequeñas	Más ingresos disponibles por miembro; más económico volar que manejar. ✔✔	Un cambio hacia mercancía de calidad más alta y margen más elevado. ✔✔	Más ingresos per cápita; el entretenimiento electrónico reemplaza las actividades familiares. ✔✔

✔✔✔ Muy positivo   ✔✔ Positivo   ✔ Medianamente positivo

Fuente: Chicago Tribune, abril 8, 1979, Sec. 5, p. 1. Copyright © 1979 por Standard & Poor's Corp., 345 Hudson St., Nueva York, N.Y. 10014.

muchas personas han experimentado una reducción del *ingreso discrecional,* que es la cantidad que les queda después de pagar por alimentación, ropas, vivienda, seguros y otras necesidades. Las reducciones en el ingreso discrecional perjudican a los vendedores de bienes y servicios discrecionales, como automóviles, aparatos eléctricos costosos y vacaciones.

Como respuesta a la disminución del ingreso real, muchos estadunidenses se volvieron más cautos en sus compras, compraban más marcas de tienda y menos marcas nacionales para ahorrar dinero. Muchas compañías introdujeron versiones económicas de sus recursos y recurrieron en su publicidad a mensajes centrados en el precio. Algunos consumidores decidieron posponer las compras de bienes duraderos, mientras que otros los compraban por temor a que los precios fueran de 10% mayores el próximo año. Muchas familias comenzaron a pensar que una casa grande, dos automóviles, viajes al extranjero y educación superior privada estaban fuera de su alcance.

Sin embargo, las proyecciones actuales indican que el ingreso real se elevará modestamente a una tasa anual de 1.5 a 2% a mediados de la década de 1990. Esto, principalmente será el resultado de una mayor riqueza en ciertos segmentos importantes.[13] La generación nacida durante la explosión demográfica entrará en la época de su vida cuando ganen más salarios y el número de familias encabezadas por parejas que trabajan aumentará mucho. El número de familias donde los dos cónyuges trabajan se ha triplicado desde 1950 y para 1990 representará más del 46% de todas las familias. Estos grupos más ricos exigirán mayor calidad y mejor servicio y también estarán en mejor posición de pagarlo. Estos consumidores comprarán más productos y servicios que ahorren tiempo, más viajes y entretenimiento, más productos para el desarrollo físico, más actividades culturales y más educación continua.

Los mercadólogos deberán prestarle atención a la distribución de los ingresos así como al ingreso medio. La distribución del ingreso en Estados Unidos todavía es muy desequilibrada. En la cúspide están los *consumidores de clase alta,* cuyos patrones de gasto no han sido afectados por los sucesos económicos actuales y que constituyen un gran mercado para artículos de lujo (Rolls Royces con un precio inicial de 100 000 dólares) y servicios (cruceros alrededor del mundo con un precio mínimo de 10 000 dólares). Existe una *clase media acomodada* que restringe un poco sus gastos, pero que es capaz de comprar ropas caras, antigüedades menores y un pequeño yate o una segunda casa. La *clase trabajadora* debe preocuparse mucho por las necesidades básicas de ropa, alimentos y vivienda y se esfuerzan muchos por ahorrar. Por último, los *pobres* (personas que viven de la seguridad social y muchos jubilados) tiene que contar sus centavos a la hora de comprar los artículos de consumo básico.

Los mercadólogos también tienen que tomar en cuenta las variaciones geográficas del ingreso. Una ciudad como Houston crece a un ritmo rápido, mientras que Detroit comienza a perder población. Los mercadólogos deben concentrar sus esfuerzos en las áreas de mayores oportunidades.

Ahorros bajos y deudas altas

Los patrones de ahorros y deudas también afectan los gastos del consumidor. El 84% de las unidades de gasto estadunidenses tienen algún tipo de activos líquidos, siendo el monto medio de 800 dólares. Los estadunidenses tienen ahorros en cuentas de banco, bonos y acciones, bienes raíces, seguros, fondos del mercado de valores y otros activos. Estos ahorros constituyen una fuente principal para el financiamiento de compras grandes.

Los consumidores pueden aumentar su poder adquisitivo mediante préstamos. El crédito al consumidor ha sido un factor que ha contribuido mucho al rápido crecimiento de la economía estadunidense, permitiéndole a la gente comprar más de lo que puede con sus ingresos y ahorros actuales, lo cual crea más puestos de trabajo y más ingresos y más demanda. En 1980, el crédito pendiente del consumidor (incluyendo hipotecas de casas), era de $1.4 billones (millones de millones) o 6 298 para cada hombre, mujer y niño en Estados Unidos. El costo de este crédito es alto y los consumidores gastan alrededor de 21 centavos de cada dólar que ganan para pagar las deudas existentes. Esto retrasa el crecimiento ulterior de los mercados de viviendas y de otros bienes duraderos que dependen mucho del crédito.

Cambios en los patrones del gasto de consumidor

En la tabla 5-3 se muestra la distribución porcentual de los gastos de consumo en categorías principales de bienes y servicio entre 1960 y 1980. La mayor parte del ingreso de la familia se usa en alimentos, vivienda, operaciones de la vivienda y transporte. Sin embargo, con el paso del tiempo las cuentas por alimentación, ropas y cuidado personal han estado disminuyendo, mientras que los gastos en vivienda, transporte, atención médica y actividades recreativas han estado aumentando. Ernst Engel, un estadístico alemán que estudió la forma cómo la gente cambia sus gastos conforme suben sus ingresos, observó algunos de estos cambios hace más de un siglo. Se dio cuenta que conforme aumentan los ingresos de una familia, *el porcentaje gastado en alimentación disminuye, el porcentaje gastado en vivienda y en cuidados familiares permanece constante, pero el porcentaje gastado en otras categorías (ropas, transporte, actividades recreativas, salud y educación) y los ahorros aumentan.* Las "leyes" de Engel han sido comprobadas, por lo general, en estudios subsecuentes del presupuesto.

Los cambios en variables económicas tan importantes como el ingreso monetario, el costo de la vida, las tasas de interés y los patrones de ahorros y préstamos tienen un impacto inmediato en el mercado. A las compañías que son particularmente sensibles a los ingresos les conviene invertir en pronósticos económicos complicados. Los negocios no tienen por qué desaparecer debido a una disminución en la actividad económica. Con la prevención adecuada, pueden tomar las medidas necesarias para reducir sus costos y sortear la tormenta económica.

Ambiente natural Durante la década de 1960 aumentó el interés público por el ambiente natural y la preocupación porque las actividades industriales de las naciones modernas no dañaran irreparablemente el entorno. Kenneth Boulding señaló que el planeta Tierra era como una nave espacial en peligro de quedarse sin combustible si no lograba reciclar sus materiales. Los Meadowses, en *The Limits to Growth*,[14] plantearon su preocupación por la insuficiencia de los productos naturales para mantener el crecimiento económico. Rachel Carson, en *Silent*

TABLA 5-3
Distribución porcentual de gastos de consumo, 1960, 1970, 1980

Gasto	1960	1970	1980
Alimentos, bebidas, tabaco	27.1	23.8	21.9
Vivienda	14.8	15.2	16.3
Operaciones domésticas	14.2	14.2	13.7
Transporte	13.1	12.6	14.5
Gastos de atención médica	7.2	8.1	9.9
Ropas, accesorios, joyería	9.9	9.0	7.4
Recreación	5.5	6.6	6.4
Negocios personales	4.4	5.1	5.4
Atención personal	1.6	1.8	1.4
Otros	3.3	3.7	3.2

Nota: The National Income and Product Accounts of the United States, 1929-1974 (Washington, D.C.: U.S. Bureau of Economic Analysis); y Survey of Current Business.

Spring,[15] señalaba el daño causado en el agua, la tierra y el aire por ciertos tipos de actividad industrial. Proliferaron los grupos de vigilancia como el Sierra Club y el Friends of the Earth y los legisladores interesados propusieron varias medidas para proteger el ambiente.

Los mercadólogos deberán ser conscientes de las amenazas y oportunidades asociadas con cuatro tendencias en el ambiente natural: escasez inminente, aumento del costo de la energía, mayores niveles de contaminación e intervención gubernamental en la administración de los recursos naturales

Escasez inminente de ciertas materias primas

Los materiales de la Tierra consisten en los infinitos, los renovables finitos y los no renovables finitos. Un *recurso infinito* como el aire, no plantea ningún nivel inmediato, aunque algunos grupos vean un peligro a largo plazo. Los grupos de ecologistas han pedido la aprobación de una ley que prohíba ciertos propulsores usados en las latas de aerosol debido al daño potencial que ocasionan en la capa de ozono de la atmósfera. El agua ya es un problema en algunas partes del mundo.

Los *recursos renovables finitos,* como bosques y alimentos, tienen que usarse sabiamente. Las compañías en la industria forestal están obligadas a reforestar el terreno con el fin de proteger la tierra y asegurar el abasto suficiente de madera para cubrir la demanda futura. El abastecimiento de alimentos puede ser un gran problema, ya que la gran cantidad de tierra cultivable es relativamente fija y las áreas urbanas constantemente están enguyendo las zonas cultivables.

Los *recursos no renovables finitos,* como petróleo, carbón y diversos minerales plantean un grave problema:

> ...actualmente parece que las cantidades de platino, oro, cinc, y plomo no son suficiente para satisfacer la demanda... la plata, el estaño y el uranio tal vez no se consigan ni siquiera a precios más altos para fines de este siglo. En el año 2050, varios minerales se habrán agotado si se continúa con el ritmo actual de consumo.[16]

Las implicaciones para la mercadotecnia son numerosas. Las firmas que usan materiales escasos se enfrentan con grandes aumentos en los costos, aun si los materiales son asequibles. Tal vez no sea fácil pasarles estos aumentos de costos a los consumidores. Las firmas dedicadas a la investigación y desarrollo y la exploración tienen una increíble oportunidad para desarrollar fuentes y materiales nuevos y valiosos.

Aumento en el costo de la energía

Un recurso no renovable finito, el petróleo, ha creado el problema más grave para el desarrollo económico futuro. Las principales economías industriales del mundo dependen mucho del petróleo, y hasta que no se encuentren formas económicas y eficaces para sustituir este energético, el petróleo continuará dominando la situación política y económica mundial. El alto precio del petróleo (desde 2.23 dólares por barril en 1970 hasta 34.00 dólares por barril en 1982) a creado una búsqueda de fuentes alternativas de energía. El carbón es popular otra vez y las compañías buscan medios prácticos para aprovechar la energía solar, la nuclear, la producida por el viento y otras formas. Sólo en el campo de la energía solar hay centenares de firmas que colocan productos de primera generación para aprovechar la energía solar en la calefacción de los hogares y en otros usos.[17] Otras firmas están investigando la forma de fabricar un automóvil eléctrico práctico y hay un premio potencial de miles de millones de dólares para la ganadora.

Aumento en los niveles de contaminación

Alguna actividad industrial dañará inevitablemente la calidad del ambiente natural. Considérese la eliminación de desechos químicos y nucleares, los niveles de mercurio peligrosos en el océano, la cantidad de DDT y otros contaminantes químicos en el suelo y en los alimentos y la acumulación de botellas, plásticos y otros materiales de empaque no biodegradables.

La preocupación del público significa una oportunidad de mercadotecnia para las compañías alertas. Crea un gran mercado para soluciones de control de la contaminación como depuradores y centro de reciclado. Conduce a una búsqueda de formas alternativas para producir y empacar bienes que no causen un daño ambiental.[18]

Fuerte intervención gubernamental en la administración de los recursos naturales

Diversas agencias gubernamentales desempeñan un papel activo en la protección ambiental. Irónicamente, sus esfuerzos con frecuencia son contrarios al intento de aumentar el número de empleos, como cuando se obliga a un negocio a comprar equipo costoso para el control de la contaminación en vez de un equipo de producción más avanzado. A veces, la conservación del ambiente tiene que ser más importante que el crecimiento económico.

La gerencia de mercadotecnia debe vigilar atentamente el ambiente natural tanto para obtener los recursos necesarios, como para evitar dañar el entorno. Los negocios pue-

Con Edison responde a la preocupación del consumidor por el alto costo de energía. *Cortesía de Consolidated Edison Co. of New York, inc.*

den esperar fuertes controles de grupos gubernamentales y de presión. En lugar de oponerse a todas las formas de reglamentación, los negocios deberían ayudar a desarrollar soluciones aceptables para los problemas de materias primas y de energías a los que se enfrenta la nación.

Ambiente tecnológico

La fuerza más dramática que configura el destino de los seres humanos es la tecnología. Esto ha dado lugar a maravillas tales como la penicilina, la cirugía de corazón abierto y la píldora de control natal. Ha liberado horrores tales como la bomba de hidrógeno, el gas neurotóxico, y la subametralladora. Ha dado lugar a ciertos avances tan dudosos como el automóvil, la televisión y el pan blanco. Nuestra actitud hacia la tecnología depende si estamos más impresionados con sus maravillas o con sus disparates.

Cualquier tecnología nueva es una fuerza para la "destrucción creativa". Los transistores perjudicaron las industrias de tubos al vacío, las fotocopias lesionaron el negocio del papel carbón, los automóviles fueron negativos para los ferrocarriles y la televisión perjudicó las salas cinematográficas. En vez de las industrias antiguas que se transformaban en las nuevas, en este caso las combatieron o las ignoraron y sus negocios declinaron.

El número de nuevas tecnologías que se descubran afecta la tasa de crecimiento económico. Por desgracia los descubrimientos tecnológicos no surgen siguiendo un ritmo previsible: la industria de los ferrocarriles dio lugar a una gran inversión y después hubo una carestía hasta que apareció la industria automotriz; la radio creó mucha inversión y entonces hubo una carestía hasta que apareció la televisión. En el tiempo comprendido entre grandes innovaciones, la economía puede estancarse.

Mientras tanto, las innovaciones pequeñas llenan el vacío. Es probable que el café deshidratado por congelación no haya hecho feliz a nadie y que los desodorantes antitranspirantes no hicieran a nadie más inteligente, pero sí crearon nuevos mercados y oportunidades.

Cada tecnología da lugar a grandes consecuencias a largo plazo que no siempre son previsibles. Por ejemplo, la píldora contraceptiva dio lugar a familias más pequeñas, a un mayor número de mujeres que trabajan y a ingresos excedentes más grandes; lo que dio lugar a mayores desembolsos en viajes de vacaciones, bienes duraderos y otras cosas.

El mercadólogo deberá vigilar las siguientes tendencias en la tecnología.

Mayor ritmo del cambio tecnológico

Muchos de los productos comunes hoy en día no existían apenas hace 100 años. Abraham Lincoln no conoció los automóviles, los aviones, los fonógrafos, los radios, ni la luz eléctrica. Woodrow Wilson no supo de la televisión, latas de aerosol, refrigeradores, máquinas para lavar platos, acondicionadores de aire, antibióticos ni computadoras electrónicas. Franklin Delano Roosevelt no conoció las fotocopias, detergentes sintéticos, grabadoras de sonido, píldoras de control de la natalidad ni satélites artificiales. Y John Kennedy no conoció las computadoras personales, los relojes digitales de pulsera, las videograbadoras ni los procesadores de palabras.

Alvin Toffler, en su libro *Future Shock,* ve un desarrollo más rápido en la invención, explotación y difusión de tecnologías nuevas.[19] Continuamente se crean ideas; el tiempo transcurrido entre la creación de éstas y su realización disminuye velozmente; y el tiempo transcurrido entre la introducción y la producción pico se acorta mucho. El 90% de todos los científicos que han enriquecido a toda la humanidad todavía vive y la tecnología se genera a sí misma.

El último libro de Toffler, *The Third Wave,* pronostica la aparición del *electronic cottage* como una nueva manera para organizar el trabajo y el juego en la sociedad.[20] El advenimiento de máquinas de escribir procesadoras de palabras, telecopiadoras, computadoras personales y conexiones de audio y de video hacen posible que muchas personas trabajen en casa en vez de trasladarse a oficinas ubicadas a 30 minutos o más de distancia. A la larga, la gente descubrirá que el costo de instalar y operar equipos de comunicaciones es más bajo que el costo del desplazamiento. La revolución de la vivienda electrónica reducirá la cantidad de contaminación provocada por automóviles, reunirá más a la familia como una unidad laboral y creará más oportunidades de entretenimiento dentro del hogar. Tendrá también un gran impacto en los patrones de consumo y los sistemas de mercadotecnia.

Oportunidades ilimitadas de innovación

Actualmente los científicos están trabajando en una asombrosa gama de nuevas tecnologías, que revolucionarán nuestros productos y procesos de producción. El trabajo más interesante se está realizando en biotecnología electrónica del estado sólido, robótica y ciencia de los materiales. Los científicos trabajan en los productos y servicios nuevos y prometedores que se enumeran en seguida:

Energía solar práctica	Transbordadores espaciales comerciales	Píldoras de la felicidad
Curas para el cáncer	Tratamientos para hígado y pulmón	Automóviles eléctricos
Control químico de la salud mental	Robots caseros que cocinan y limpian	Anestesia electrónica para dolor irresistible
Desalinación del agua de mar	Alimentos nutritivos, sabrosos y que no engorden	Anticonceptivos completamente seguros y eficaces

Además, los científicos especulan con productos fantásticos, como pequeños automóviles voladores, cinturones propulsores para una sola persona, televisión en tres dimensiones, colonias en el espacio y estirpes (o clonas) humanas. El reto en cada caso no sólo es técnico sino también comercial, es decir, desarrollar versiones prácticas y costeables de estos productos.

Altos presupuestos para investigación y desarrollo

Estados Unidos es el país que más gasta en investigación y desarrollo. En 1984 el gasto en este renglón superó los 97 mil millones de dólares y han estado aumentando con un promedio de 4.4% anual durante esta década.[22]

El gobierno federal suministró casi 50% de todos los fondos destinados a investigación y desarrollo. Casi 86% se destina a la investigación y desarrollo aplicada. El resto se gasta en investigación básica, casi la mitad se lleva a cabo en colegios superiores y universidades. La investigación gubernamental puede ser una fuente muy rica de ideas para productos y servicios nuevos (véase el recuadro 5-2).

Las cinco industrias que gastan más dinero en investigación y desarrollo son la aeronáutica y de cohetes, la de equipo eléctrico y comunicaciones, productos químicos y afines, maquinaria y vehículos de motor y otros tipos de transporte. Las industrias que gastan menos son las de productos madereros, muebles, textiles, ropa, y papel y productos similares. Las industrias en el rango superior gastan entre 5 y 10% de sus ventas en investigación y desarrollo y aquéllas en el rango más bajo gastan menos del 1%. La compañía media gasta alrededor de 2% de sus ingresos por ventas en investigación y desarrollo.

Un estudio mostró una correlación alta entre los desembolsos en investigación y desarrollo y la rentabilidad de la compañía. Seis compañías (Merck, AT&T, Dow, Eastman Kodak, IBM, y Lilly) tuvieron un promedio de 5.7% en su relación de desembolsos en in-

RECUADRO 5-2

NASA: UNA FUENTE IMPORTANTE DE TECNOLOGIA
PARA LOS NEGOCIOS

Desde 1958, la National Aeronautics Space Administration ha patrocinado investigaciones aeroespaciales por un valor de miles de millones de dólares, y estos estudios han inspirado miles de nuevos productos industriales y de consumo. En 1962 la NASA estableció el Technology Utilization Program para ayudar a transferir su tecnología aeroespacial a otras agencias gubernamentales a nivel estatal y federal, instituciones públicas y la industria privada. Nueve centros de aplicaciones NASA en todo el país, dotados de un personal de ingenieros y científicos, les proporcionan a los usuarios potenciales, información sobre la tecnología NASA existente y les ayudan a aplicarla. La NASA tiene varias publicaciones cuyo objetivo es acrecentar el uso de su tecnología. *Tech Briefs* proporciona información de inventos patrocinados por la NASA, mejoras o innovaciones realizados en trabajos para la NASA. Esta agencia también publica un resumen de todos los inventos con patente NASA disponibles para licencias y proporciona Technical Support Packages a todas las compañías que buscan información más específica.

La investigación aeroespacial de la NASA ha tenido un gran impacto en los productos industriales y de consumo. Por ejemplo, la necesidad de la NASA por sistemas espaciales pequeños y eficientes dio lugar a asombrosos avances en microcircuitos, lo cual revolucionó a su vez la electrónica industrial con productos nuevos que iban desde computadoras personales y juegos de video hasta aparatos eléctricos y sistemas médicos computarizados. NASA fue pionera en el desarrollo de satélites de comunicaciones, que ahora transmiten dos tercios de todo el tránsito internacional de comunicaciones. Esta tecnología de los satélites ha revolucionado los servicios de comunicaciones y de consumo. Véanse a continuación unas cuantas de las innumerables aplicaciones.

■ El proyecto Echo de la NASA requería materiales ligeros y excepcionalmente delgados e inspiró investigaciones que transformaron el negocio de metalización de plásticos a pequeña escala en una industria floreciente. Usando dicha tecnología, la Metalized Products Division of King-Seeley Thermos Company, fabrica ahora una gran línea de productos industriales y de consumo que van desde ''ropas aislantes hasta materiales para empacar alimentos congelados; desde cubiertas para paredes hasta cubiertas para aviones; desde calentadores para cama hasta cortinas para ventanas; desde etiquetas hasta envolturas para caramelos; desde mantas reflejantes hasta reflectores fotográficos''.

■ Los esfuerzos de la NASA por desarrollar alimentos sabrosos, nutritivos, de poco peso, empaquetados de manera compacta y no perecederos para los astronautas en el espacio exterior, han encontrado numerosas aplicaciones en el campo de los alimentos industriales y de consumo. Varias firmas comerciales de procesamiento de alimentos producen ahora comidas tipo astronauta para distribución pública; comidas deshidratadas y alimentos que pueden usarse para diferentes propósitos.

■ La necesidad de la NASA de una red de seguridad superfuerte para proteger al personal que trabaja a grandes alturas en las lanzaderas espaciales, condujo a la invención de una nueva fibra resistente al fuego y a los rayos ultravioleta. Una red relativamente pequeña hecha con esta fibra puede sostener un automóvil de tamaño medio. La fibra se usa ahora para hacer redes de pescar de más de una milla de largo que pesan hasta 60 toneladas y que cubren más de 86 acres. La fibra es de diámetro más pequeño y más densa que el cordón convencional de nylon, de modo que las nuevas redes ofrecen menos resistencia al agua, se hunden rápidamente, van más profundo y ofrecen 30% de ganancias en productividad.

■ Una máquina portátil de rayos X desarrollada por la NASA usa menos de 1% de la radiación que necesitan los dispositivos convencionales de rayos X. Aproximadamente del tamaño de un termo regular, la unidad proporciona imágenes instantáneas y es ideal para usarse en situaciones de emergencia en el campo, como para hacer exámenes de fracturas de los atletas. También puede usarse para la detección instantánea de defectos en el producto o para servicios de seguridad, como para examinar paquetes en las salas de recepción postal y en las entradas de los negocios.

■ Luces especiales de alta intensidad que la NASA desarrolló para simular el efecto de la luz solar sobre la nave espacial dio lugar a diversos tipos de linternas eléctricas para uso profesional y personal. Una de estas linternas pequeñas, que opera con una batería de automóvil o de bote de 12 volt, es 50 veces más brillante que los faros delanteros de un automóvil y proyecta un rayo de luz a una distancia mayor de una milla, como señal, que puede verse a más de 30 millas.

■ La bioingeniería y la investigación fisiológica para diseñar sistemas de enfriamiento para las ropas de los astronautas ha dado lugar a numerosos productos comerciales y de consumo: ropas de atletismo más frescas, ropas ligeras y resistentes al calor para los bomberos, atavíos de supervivencia para excursionistas y muchos otros.

■ Un esterilizador portátil de agua para purificar el líquido a bordo de las naves espaciales se ha convertido en un producto de consumo. Más pequeño que una cafetera, la unidad puede conectarse con una tubería. Esteriliza el agua del grifo y elimina sabores y olores desagradables. Otro modelo puede usarse en viajes o en excursiones.

■ Los sistemas médicos desarrollados para monitorear a los astronautas han dado lugar a un sistema portátil de monitoreo y tratamiento médico diseñado para usarse en emergencias en áreas remotas, donde las instalaciones especializadas pueden encontrarse muy lejos. La unidad del tamaño de un maletín incluye un monitor de signos vitales; un defibrilador; una pantalla que muestra el ritmo cardiaco, la presión sanguínea, el ritmo respiratorio y la temperatura; y un radio de diez canales capaz de transmitir los signos vitales hasta un médico distante y retransmitir instrucciones al lugar de la emergencia.

Fuente: basada en información encontrada en *Spinoff* (Washington, DC: U.S. Government Printing Office), varios números entre 1977 y 1983.

vestigación y desarrollo a ventas, y su rentabilidad promedio fue de 15.3% de las ventas. Otras seis compañías (Boeing, Chrysler, Goodyear, McDonnell-Douglas, Signal Companies y United Technologies) tuvieron un promedio de 3.5% en su relación entre desembolsos en investigación y desarrollo y ventas, y fueron mucho menos rentables.[23]

En la actualidad la mayoría de las investigaciones se hacen por equipos de laboratorio en vez de inventores solos como Thomas Edison, Samuel Morse o Alexander Graham Bell. Administrar a los científicos de una compañía es un gran reto. A éstos no les gusta que haya demasiado control en los costos. Con frecuencia están más interesados en resolver problemas científicos que en inventar productos vendibles. Las compañías están agregando personal de mercadotecnia a los equipos de investigación y desarrollo con la esperanza de lograr una orientación de mercadotecnia más fuerte.

Concentración en mejoramientos menores

Como resultado del alto costo del dinero, muchas compañías prefieren realizar mejoras menores del producto en vez de arriesgarse con grandes innovaciones. Hasta las compañías de innovación básica como DuPont, Bell Laboratories y Pfizer proceden con cautela. La mayoría de las compañías están dispuestas a invertir su dinero copiando los productos de la competencia y haciendo mejoras pequeñas en las características y en el estilo. Gran parte de la investigación es defensiva más que ofensiva.

Mayor reglamentación

A medida que los productos se vuelven más complicados, el público necesita tener garantías de la seguridad de éstos. Por eso, las agencias gubernamentales han ampliado su poder para investigar y prohibir productos potencialmente inseguros. La Federal Food and Drug Administration ha emitido reglamentaciones elaboradas sobre las pruebas de medicamentos nuevos, lo que ha dado lugar a: 1) costos de investigación industrial mucho más altos, 2) aumento del tiempo transcurrido entre la idea y su introducción desde cinco hasta alrededor de nueve años y 3) el traslado de gran parte de la investigación de medicamentos a países con menos reglamentaciones. Las reglamentaciones de salud y seguridad también han aumentado en las áreas de alimentos, automóviles, ropa, aparatos eléctricos y construcción. Los mercadólogos deben ser conscientes de estas reglamentaciones a la hora de proponer, desarrollar y lanzar productos nuevos.

El cambio tecnológico, enfrenta una oposición entre quienes lo ven como algo que amenaza la naturaleza, intimidad, sencillez e incluso la especie humana. Varios grupos se han opuesto a la construcción de plantas nucleares, edificios de muchos pisos e instalaciones recreativas en los parques nacionales. Han pedido la *evaluación tecnológica* de los adelantos en materia de tecnología antes de permitir su comercialización.

Los mercadólogos necesitan comprender el ambiente tecnológico cambiante y la manera como las tecnologías nuevas pueden servir las necesidades humanas. Tienen que trabajar estrechamente con el personal de investigación y desarrollo para alentar una investigación más orientada al mercado. Deben mantenerse atentos a los posibles aspectos negativos de cualquier innovación que pudieran ser dañinos para los usuarios y provocar desconfianza y oposición.

Ambiente político Los desarrollos en el ambiente político y legal tienen un gran impacto en las decisiones de mercadotecnia. Este ambiente está compuesto de *leyes, agencias gubernamentales* y *grupos de presión* que influyen en varias organizaciones e individuos en la sociedad, coartando su libertad de acción. A continuación se examinarán las principales tendencias políticas y sus implicaciones para la gerencia de mercadotecnia.

Legislación reguladora de los negocios

La legislación que afecta los negocios ha aumentado de manera constante con los años. Estas leyes se han promulgado por varias razones. *La primera consiste en proteger las compañías para que exista una competencia justa.* Todos los ejecutivos alaban la competencia, pero tratan de neutralizarla cuando los afecta.

Hasta hace poco, la IBM no se había mostrado demasiado agresiva en la industria de las computadoras debido a las preocupaciones antimonopólicas. Durante las décadas de 1960 y 1970 la compañía había combatido muchas demandas privadas de carácter antimonopólico y dos grandes intentos federales para disgregarla. Esto les permitió a los competidores sobrevivir lucrativamente e incluso enriquecerse junto al gigante de la industria. "Durante muchos años, el comportamiento de la IBM era muy fácil de predecir. Seguía vendiendo un producto por cuatro o cinco años y mantenía los precios estables hasta el final del ciclo... los competidores podían introducirse bajo el paraguas de precio de la IBM. Siempre y cuando sacaran productos inmediatamente después de la IBM, podían tener la seguridad de unos cuantos años de dinero fácil". Pero a fines de la década de 1970, debido a un clima reglamentario nacional más favorable y una competencia internacional más formidable, la IBM flexionó su fuerte músculo de mercadotecnia. Inundó el mercado con productos nuevos y con frecuentes reducciones profundas de precios en todos los segmentos principales del mercado. El resultado fue devastador. "Casi todos los grandes adversarios tradicionales de la compañía (Burroughs, Univac, NCR, Control Data, y Honeywell, conocidos por sus iniciales como el "Bunch"), renunciaron hace años a intentar vender computadoras de propósito general compitiendo con la IBM, y se refugiaron en nichos especializados. La incursión más reciente de Big Blue en el mercado de las computadoras personales ha ayudado a destruir a varios rivales en ese rincón tan codiciado del negocio". Debido al temor de un dominio total por parte de la IBM, los competidores están gritando muy fuerte. Acusan a la IBM de prácticas competitivas desleales, están presentando demandas antimonopólicas y presionan a las agencias federales para que intervengan y restauren el equipo competitivo en la industria.[24]

Por eso se han aprobado leyes para definir e impedir la competencia injusta. Estas leyes son sancionadas por la Federal Trade Commission y la Antitrust Division de la oficina del procurador general.

El segundo propósito de la reglamentación gubernamental consiste en proteger a los consumidores de prácticas comerciales injustas. Algunas firmas, si no hay nadie que las controle, adulterarán sus productos, dirán mentiras en su publicidad, engañarán con sus empaques y subirán mucho sus precios. Este tipo de prácticas están bien definidas y varios organismos se encargan de que se observen las leyes al respecto. Muchos gerentes se ponen a temblar cuando aparece una nueva ley de protección al consumidor y, sin embargo, varios han dicho que "el movimiento de defensa del consumidor puede ser lo mejor que haya ocurrido... en los últimos veinte años".[25]

El tercer propósito de la reglamentación gubernamental es proteger los intereses generales de la sociedad contra un comportamiento desenfrenado o voraz de los negocios. Es posible que el producto nacional bruto se eleve y la calidad de la vida disminuya. Muchas firmas no tienen que cargar con los costos sociales de su producción o de sus productos. Sus precios son más bajos y sus ventas son más altas que si tuvieran que cargar con estos costos sociales. A medida que el ambiente se deteriora; continuarán o aumentarán las leyes nuevas. Los ejecutivos tienen que vigilar estos desarrollos a la hora de planear sus productos y sus programas de mercadotecnia.

El ejecutivo de mercadotecnia necesita un conocimiento práctico de las principales leyes que protegen a la competencia, los consumidores y los intereses generales de la sociedad. Las principales leyes generales se enumeran en la tabla 5-4. Las leyes más antiguas tratan principalmente con la protección de la competencia y las últimas con la protección de los consumidores. Los ejecutivos de mercadotecnia deberán conocer estas leyes federales y en particular las interpretaciones de los tribunales. Y también deberán conocer las leyes estatales y locales que afecten su actividad local de mercadotecnia.[26]

TABLA 5-4
Hitos de la legislación estadunidense que afectan la mercadotecnia

Ley antimonopolio de Sherman (1890)
Prohíbe : a) "los monopolios o los intentos por monopolizar" y b) "contratos, combinaciones o conspiraciones para restringir el comercio" a nivel interestatal y en el extranjero.

Ley federal de alimentos y medicamentos (1906)
Prohíbe la fabricación, venta o transporte de alimentos y medicamentos adulterados o con etiquetas fraudulentas en el comercio interestatal. Reemplazada por la ley de alimentos, medicamentos y cosméticos de 1938;. modificada por la enmienda de aditivos alimenticios en 1958 y la enmienda Kefauver-Harris en 1962. La enmienda de 1962 trata con la prueba preliminar en cuanto a seguridad y eficacia de los medicamentos y el etiquetado de los mismos por nombre genérico.

Ley de inspección de la carne (1906)
Se ocupa del cumplimiento de las reglas sanitarias en los establecimientos empacadores de carne y de la inspección federal de todas las compañías que venden carne en el comercio interestatal.

Ley de la Federal Trade Commission (1914)
Establece la comisión, un grupo de especialistas con amplios poderes para investigar y emitir órdenes de cesación y desistimiento para hacer cumplir la sección 5, la cual declara que "son ilegales los métodos injustos de competencia en el comercio".

Ley Clayton (1914)
Complementa la ley Sherman al prohibir ciertas prácticas específicas (ciertos tipos de discriminación de precio, cláusulas y contratos de exclusividad, teneduría de acciones interempresariales y juntas directivas vinculadas) "donde el efecto... puede ser el de hacer disminuir sustancialmente la competencia o una tendencia a crear un monopolio en cualquier línea de comercio". Establece que los funcionarios corporativos transgresores podrían ser individualmente responsables; se exceptuó de esto a las organizaciones agrícolas y laborales.

Ley Robinson-Patman (1936)
Con ésta se enmendó la ley Clayton. Agrega la frase "lesionar, destruir o impedir la competencia". Define la discriminación de precio como ilegal (sujeta a ciertas defensas) y le proporciona a la FTC el derecho a fijar límites en descuentos de cantidad, a prohibir las bonificaciones por corretaje excepto a corredores independientes y a prohibir bonificaciones promocionales o prestación de servicios o instalaciones a menos que esto se ponga a disposición de todos "en condiciones proporcionalmente iguales".

TABLA 5-4 (Cont.)
*Hitos de la
legislación
estadunidense
que afectan la
mercadotecnia*

Ley Miller-Tydings (1937)
Enmendó la ley Sherman para eximir de acciones antimonopolio los convenios de comercio interestatal equitativo (fijación de precio). (La ley de McGuire de 1952 reestableció la legalidad de la cláusula de no firmantes.)

Ley Wheeler-Lea (1938)
Prohíbe los actos y prácticas engañosos e injustos, se perjudique o no a la competencia; pone bajo la jurisdicción de la FTC la publicidad de alimentos y medicamentos.

Ley contra la fusión (1950)
Enmendó la sección 7 de la ley Clayton al ampliar la autoridad para impedir las adquisiciones interempresariales, ya que éstas pueden tener un efecto muy nocivo en la competencia.

Ley sobre revelación de información automotriz (1958)
Prohíbe que los distribuidores de automóviles inflen el precio de fabricación de las nuevas unidades.

La ley de seguridad nacional de tránsito y vehículos de motor (1966)
Se ocupó de la creación de normas obligatorias de seguridad para automóviles y llantas.

Ley de empaque y etiquetado veraces (1966)
Estableció la reglamentación del empaque y el etiquetado de los artículos de consumo. Exigió a los fabricantes indicar en la etiqueta el contenido del producto, el nombre del fabricante y la cantidad de producto incluido. Permitió a las industrias la adopción voluntaria de normas generales de empaque.

Ley de protección al niño (1966)
Prohíbe la venta de juguetes y artículos peligrosos. Se enmendó en 1969 para incluir artículos que entrañan peligros de tipo eléctrico, mecánico o térmico.

Ley federal de etiquetado y publicidad de cigarrillos (1967)
Establece que las cajetillas de cigarrillos contengan la siguiente advertencia: ''Advertencia: el inspector general de sanidad ha señalado que el hábito de fumar es peligroso para la salud''.

Ley de veracidad en el otorgamiento de préstamos (1968)
Exige que los prestamistas especifiquen el costo verdadero de una transacción de crédito, vedando el uso de violencia real o potencial en la recaudación de los pagos; limita además el monto del embargo de bienes. Creó la National Commission on Consumer Finance.

Ley de política ambiental nacional (1969)
Establece una política nacional del ambiente y ordenó la creación del Council of Environmental Quality. El Reorganization Plan del 3 de noviembre de 1970 estableció la Environmental Protection Agency.

Ley de honestidad en los estados de cuenta de sujetos de crédito (1970)
Estableció que el estado de cuenta contenga tan sólo información pertinente, confiable y reciente; también estableció que esa información será confidencial, a menos que alguien con autoridad competente la solicite por un motivo justificado.

Ley de seguridad de los productos de consumo (1972)
Creó la Consumer Product Safety Commission y la facultó para fijar normas de seguridad de los productos de consumo y para imponer sanciones precisas en caso de transgresión.

Ley de fijación de precio de bienes de consumo (1975)
Prohibió usar los acuerdos de mantenimiento de precio entre los fabricantes y los distribuidores en el comercio interestatal.

Ley Magnuson-Moss de mejoramiento de la Warranty-Federal Trade Commission (1975)
Autorizó a la Federal Trade Commission a crear normas sobre las garantías del consumidor y estableció el acceso de éste a medios judiciales para lograr el resarcimiento. También amplió la autoridad de la Federal Trade Commission respecto a actos o prácticas engañosos o injustos.

Ley de igualdad de oportunidades en la obtención de crédito (1975)
Prohibió la discriminación de una transacción de crédito a causa del sexo, estado civil, raza, nacionalidad, religión, edad o el hecho de estar recibiendo ayuda de la asistencia pública.

Ley de protección de cobro justo de las deudas (1978)
Declaró ilegal presionar o violar los derechos de una persona, hacer afirmaciones falsas o aplicar métodos injustos para cobrar una deuda.

Ley de mejoramiento de la FTC (1980)
Le proporciona a la Cámara de Representantes y al Senado poder de veto sobre las reglamentaciones en el comercio de la FTC. Promulgada para limitar el poder de la FTC para reglamentar cuestiones de ''injusticia''.

Cambios en las medidas de las agencias gubernamentales para hacer cumplir las leyes

Para hacer cumplir las leyes, el Congreso de Estados Unidos estableció varias agencias reglamentarias federales: la Federal Trade Commission, la Food and Drug Administration, la Interstate Commerce Commission, la Federal Communications Commission, la Federal Power Commission, la Civil Aeronautics Board, la Consumer Products Safety Commission, la Environmental Protection Agency y la Office of Consumer Affairs. Estas agencias pueden tener un gran impacto en el rendimiento de mercadotecnia de una compañía. Considérese el ejemplo siguiente:

> En 1973 eran muy altas las ventas del automóvil Mazda de motor rotatorio. La gente estaba impresionada por su facilidad de manejo, costos bajos de reparación y menor contaminación ambiental. Entonces, la Environmental Protection Agency emitió un informe diciendo que el consumo de combustible del Mazda era de sólo 11 millas por galón en ciudad. Los ejecutivos de la compañía protestaron, afirmando 17 a 21 millas por galón. Sin embargo, la acusación se grabó en la mente del público y las ventas del Mazda disminuyeron 39% en los cinco primeros meses de 1974.

Las agencias gubernamentales muestran cierta prudencia a la hora de hacer cumplir las leyes. De cuando en cuando parecen ser excesivamente estrictas y caprichosas. Estas agencias están controladas por abogados y economistas que suelen carecer de un sentido práctico de la forma como funcionan los negocios y la mercadotecnia. En los últimos años la Federal Trade Commission ha agregado expertos de asesoría en mercadotecnia para lograr una mejor comprensión de los intrincados problemas. El grado de sanción parece haberse moderado bajo el gobierno del presidente Reagan, con una fuerte tendencia en contra de la reglamentación.[27]

Proliferación de grupos de interés público

El número y el poder de los grupos de interés público ha aumentado durante los últimos veinte años. El que ha tenido más éxito es el grupo Public Citizen de Ralph Nader, que vigila los intereses del consumidor. Nader convirtió el consumismo en una gran fuerza social, primero con su ataque exitoso contra los automóviles inseguros (que culminó con la aprobación de la ley de seguridad nacional de tránsito y vehículos automotores de 1962), y después mediante investigaciones del procesamiento de carnes (que dio lugar a la aprobación de la ley de carne sana de 1967), crédito al consumidor, reparaciones de automóviles, seguros y equipos de rayos X. Cientos de grupos parecidos (privados y gubernamentales), operan a nivel estatal y local. Otros grupos que los mercadólogos deben considerar son aquéllos que intentan proteger el ambiente (Sierra Club, Environmental Defense), los que defienden los derechos de la mujer, los negros, los ancianos, etc.

Nuevas leyes, una ejecución más activa y la proliferación de grupos de presión han restringido la libertad del mercadólogo. Este tiene que consultar sus planes con los departamentos legal y de relaciones públicas de la compañía. Las transacciones privadas de mercadotecnia se han vuelto del dominio público. Salancik y Upah lo expresan de la siguiente forma:

> Hay cierta evidencia de que el consumidor tal vez no sea rey ni siquiera reina. El consumidor no es nada más que una voz, una entre muchas. Considérese cómo fabrica sus automóviles la General Motors hoy en día. El gobierno de Estados Unidos diseña las características cruciales del motor; algunos gobiernos estatales vuelven a diseñar el sistema de escape; los proveedores que controlan los recursos materiales escasos dictan los tipos de materiales usados en la producción. En otros productos intervendrán otros grupos y organizaciones. Así, las compañías aseguradoras influyen directa o indirectamente el diseño de los detectores de humo; los grupos de científicos modifican el diseño de los productos

de aerosol; los grupos activistas minoritarios afectan el diseño de las muñecas al solicitar figuras representativas. Se espera también que el departamento legal acreciente su importancia en las compañías, para afectar no sólo el diseño del producto y la promoción, sino también las estrategias de mercadotecnia. Cuando menos, los gerentes de mercadotecnia pasarán menos tiempo en sus departamentos de investigación preguntando "¿qué quiere el consumidor?" y cada vez más tiempo con su personal legal y de producción preguntando "¿qué puede tener el consumidor?"[28]

Ambiente cultural

Los seres humanos crecen en una sociedad particular que da forma a sus creencias, valores y normas fundamentales. Absorben, casi inconscientemente, una visión del mundo que define su relación consigo mismos y con otros. Las características culturales siguientes pueden afectar la toma de decisiones en mercadotecnia.

Persistencia de los valores culturales centrales

Los seres humanos en una sociedad dada tienen muchas creencias y valores. Sus creencias y valores centrales tienen un alto grado de persistencia. Por ejemplo, la mayoría de los estadunidenses creen en el trabajo, en el matrimonio, en las obras de caridad y la honradez. Estas creencias configuran y moldean actitudes y conductas más específicas que se encuentran en la vida cotidiana. Esas creencias y valores básicos se pasan de padres a hijos y las refuerzan las principales instituciones sociales, como escuelas, iglesias, negocios y gobierno.

Las creencias y valores secundarios de los seres humanos son más susceptibles al cambio. La creencia en la institución del matrimonio es una creencia básica; la creencia de que los seres humanos deberían casarse jóvenes es una creencia secundaria. Los mercadólogos de la planeación familiar podrían argumentar más convincentemente que los seres humanos deberían casarse a mayor edad, en vez de decir que no deberían casarse en lo absoluto. Los mercadólogos tienen ciertas oportunidades para cambiar valores humanos secundarios, pero muy pocas para cambiar los valores centrales.

Subculturas

Cada sociedad contiene *subculturas,* es decir, grupos de seres humanos que comparten sistemas de valores que son el resultado de sus experiencias o circunstancias comunes en la vi-

Las mujeres que trabajan integran una subcultura con deseos y conducta de compra distintiva.
Cortesía de Hewlett-Packard.

da. Los miembros de la iglesia episcopal, los adolescentes y los ''Hell's Angels'' representan subculturas separadas cuyos miembros comparten creencias, preferencias y conductas comunes. Los mercadólogos pueden escoger subculturas como mercados meta, según el grado como esos grupos muestren diferentes necesidades y conducta de consumo.

Cambios en los valores culturales secundarios

Aunque los valores centrales son muy persistentes, se observan cambios culturales. Considérese el impacto de los Beatles, Elvis Presley, Michael Jackson y otros protagonistas culturales sobre el estilo de peinarse, el tipo de ropa y las normas sexuales de la gente joven. En la tabla 5-5 se enumeran en una versión irónica los recientes cambios culturales.

Los mercadólogos tienen un interés creado por anticiparse a los cambios culturales con el fin de detectar nuevas oportunidades o amenazas. Varias firmas ofrecen pronósticos del futuro a este respecto. Las series Monitor de la firma de investigación de mercados Yankelovich registra 41 valores culturales, como ''antigrandiosidad'', ''misticismo'', ''vivir en el presente'', ''tener menos posesiones'' y ''sensualidad'', que describen el porcentaje de la población que comparte la actitud, así como el porcentaje que muestran la tendencia contraria. Por ejemplo, el porcentaje de personas que se interesan por la buena condición física y el bienestar, ha crecido de modo constante con los años, especialmente en el grupo de los menores de 30 años, las mujeres jóvenes y el grupo de clase alta, y personas que viven en el Oeste de Estados Unidos. Los mercadólogos querrán atender esta tendencia con productos y mensajes apropiados.

Los principales valores culturales de una sociedad se expresan en la relación del ser humano consigo mismo, con los otros, con las instituciones, la sociedad, la naturaleza y el universo.

RELACION DEL SER HUMANO CONSIGO MISMO. Los seres humanos le conceden diferente importancia a la satisfacción personal o al servicio a los demás. Durante las décadas de 1960 y 1970, muchas personas se concentraban en la satisfacción personal. Algunos eran *buscadores de placer,* que buscaban diversión, el cambio y la evasión. Otros buscaban la *autorrealización* y se unían a organizaciones terapéuticas o religiosas.

TABLA 5-5 *Cuatro décadas de cambio cultural*

	1950s	1960s	1970s	1980s
Enfermedades de moda:	Ulceras	Gonorrea	Codo de tenista	Ulcera por decúbito
Drogas elegidas:	Alcohol	Mariguana	Cocaína	Alcohol
Símbolos sexuales:	Marilyn Monroe	Sofía Loren	Farrah Fawcett Majors	Bianca Jagger
Peligro, hombres trabajando:	Abogado	Granjero de comuna	Promotor de rock	Corredor de bolsa
Peligro, mujeres trabajando:	Ama de casa	Ejecutivo	Abogada	Granjera en comunidad
El cabello hoy:	Corte cepillo	Hasta la cintura	Cabello rizado	El punto calvo
El cabello mañana:	Cola de caballo	Hasta la cintura	Cabello rizado	El Mohawk
Usted era lo que comía:	Filete y papas	Granola y brotes	Sopa fría y crepas	Desayuno instantáneo y tocino artificial
Baile:	El Lindy	El Frug	El Hustle	El Slump
La familia:	La familia Suiza Robinson	La familia Manson,	La familia Osmond	La familia de probeta
Deportes:	Béisbol	Futbol	Correr	Flojera

Fuente: Octavio Diaz, ''Fickle Fads''. *Miami Herald,* octubre 8, 1978.

Las implicaciones para la mercadotecnia de una sociedad "egocentrista" son numerosas. Los seres humanos usan productos, marcas y servicios como un medio de expresión personal. Compran el "coche de sus sueños", "y las vacaciones que siempre soñaron". Pasan más tiempo dedicados a las actividades al aire libre (correr, jugar al tenis), en introspección, en artes y artesanías. La industria del ocio (campismo, botes, artes y orificios, deportes) tiene buenas oportunidades de crecimiento en una sociedad cuyos miembros buscan la realización personal.

RELACION DEL SER HUMANO CON LOS OTROS. Ultimamente, los observadores han notado un cambio desde una sociedad "egocentrista" hasta una sociedad altruista en la que los seres humanos querrán estar con los demás y servirlos. Una encuesta reciente de Doyle Dane Bernbach mostró una gran preocupación entre los adultos, acerca del aislamiento social y un fuerte deseo por el contacto humano.[29] Esto significa un gran futuro para los productos y servicios de "apoyo social" que estimulan la comunicación directa entre los seres humanos, como los clubes de salud, las vacaciones y los juegos. También indica un creciente mercado para los "sustitutivos sociales", todo aquello que le permite a la persona solitaria olvidar su soledad y creer que no se encuentra sola, como sucede con los juegos de video y las computadoras.

Los seres humanos, en su relación con otros, desean relaciones francas y sencillas, en vez de formales. Este deseo tiene diversas implicaciones para la mercadotecnia. La gente quiere que sus hogares parezcan más informales; que los empaques o envases proporcionen información más honesta; que los mensajes publicitarios sean más realistas; y que los vendedores sean más honestos y útiles.

RELACION DE LOS SERES HUMANOS CON LAS INSTITUCIONES. Los seres humanos tienen diferentes actitudes hacia las corporaciones, agencias gubernamentales, sindicatos, universidades y otras instituciones. La mayoría de la gente acepta estas instituciones, pero critican mucho a otras. En general, los seres humanos están dispuestos a trabajar para las instituciones principales y esperan que éstas ejecuten el trabajo de la sociedad. Sin embargo, hay una *disminución de la lealtad institucional*. La gente le da un poco menos a estas instituciones y confía menos en ellas. La moral del trabajo está erosionándose.

De aquí se deducen varias implicaciones para la mercadotecnia. Las compañías necesitan encontrar formas nuevas para ganarse la confianza del consumidor. Necesitan revisar sus mensajes publicitarios para verificar que sean honestos. Deben revisar sus diversas actividades para asegurar que se comporten como "buenos ciudadanos corporativos". Cada vez son más las compañías que recurren a las *auditorías sociales*[30] y a las *relaciones públicas*[31] para formarse una imagen positiva de cara a sus públicos.

RELACION DEL SER HUMANO CON LA SOCIEDAD. Los seres humanos también tienen diferentes actitudes hacia su sociedad, desde los patriotas que la defienden, hasta los reformadores que quieren cambiarla o los descontentos que quieren abandonarla. Hay una tendencia hacia *un menor patriotismo* y una actitud más crítica en lo que se refiere a la dirección que lleva el país. La orientación de los seres humanos hacia su sociedad tendrá influencia en sus patrones de consumo, el monto de sus ahorros y las actitudes hacia el mercado.

RELACION DEL SER HUMANO CON LA NATURALEZA. Las actitudes hacia la naturaleza no son iguales. Algunos se sienten subyugados por ella, otros están en armonía con ella y otros más intentan dominarla. La tendencia a largo plazo ha sido, que el ser humano tiene cada vez más control sobre la naturaleza mediante la tecnología y la creencia de que la naturaleza es generosa. Sin embargo, recientemente la gente se ha dado cuenta de la fragilidad de la naturaleza y los recursos finitos de la misma. Se reconoce que las actividades humanas pueden destruir o perjudicar la naturaleza.

El amor por la naturaleza ha hecho que aumenten las actividades deportivas como patinar en hielo, ir de campamento, los paseos en bote y la pesca. Los negocios han respondido con botas para patinar, equipos para tiendas de campaña y otros atavíos para entusiastas de la naturaleza. Los operadores de agencias de viajes están organizando más excursiones a áreas remotas. Los productores de alimentos han encontrado grandes mercados para los productos "naturistas" como los cereales y el helado natural y otros productos similares. Los comunicadores de mercadotecnia usan ahora ambientes naturales, atractivos para hacer publicidad a sus productos.

RELACION DEL SER HUMANO CON EL UNIVERSO. El hombre tiene diferentes concepciones del origen del universo y su lugar en él. La mayoría de los estadunidenses son monoteístas, aunque su convicción y sus prácticas religiosas hayan disminuido a través de los años. La asistencia a la iglesia a disminuido a ritmo constante, con la excepción de ciertos movimientos evangélicos que intentan hacer que la gente regrese a la religión organizada. Parte del impulso religioso no se ha perdido, sino que ha sido reencausado hacia un creciente interés por las religiones orientales, el misticismo y el ocultismo.

A medida que la gente pierde su orientación religiosa, intentan entonces disfrutar de la vida en la Tierra tanto como sea posible. Buscan bienes y experiencias que ofrezcan diversión y placer. Mientras tanto, las instituciones religiosas comienzan a recurrir al mercadólogo para que les ayude a reelaborar sus mensajes y puedan competir con las atracciones seculares de la sociedad moderna.

En resumen, los valores culturales muestran las siguientes tendencias a largo plazo:

"La sociedad del yo" ——————→	"La sociedad del nosotros"
Satisfacción pospuesta ——————→	Satisfacción inmediata
Trabajo duro ——————→	La vida fácil
Relaciones formales ——————→	Relaciones informales
Orientación religiosa ——————→	Orientación secular y mundana

■ Resumen

La compañía debe comenzar con el ambiente de mercadotecnia en su búsqueda de oportunidades y percepción de amenazas. El ambiente de mercadotecnia está formado por los actores y fuerzas que afectan la capacidad de la compañía para realizar transacciones eficaces con el mercado meta. El ambiente de mercadotecnia de la compañía puede dividirse en el microambiente y el macroambiente.

El microambiente consta de cinco componentes. El primero es el ambiente interno de la compañía (sus diversos departamentos y niveles de gerencia) en cuanto a la influencia que ejerce en la toma de decisiones de la gerencia de mercadotecnia. El segundo componente está formado por el canal de distribución que coopera para crear valor: los proveedores y los intermediarios de mercadotecnia (distribuidores, compañías de distribución física, agencias de servicios de mercadotecnia, intermediarios financieros). El tercer componente consta de los cinco tipos de mercados en los cuales la compañía puede vender: consumidores, productores, revendedores, gobierno y mercados internacionales. El cuarto componente

está formado por los tipos básicos de competidores a los que se enfrenta una compañía: competidores de deseos, genéricos, de forma de producto, de marca. El quinto componente está constituido por todos los públicos que tienen un interés real o potencial o un impacto en la habilidad de la organización para alcanzar sus objetivos: ambientes financieros, medios de comunicación, el gobierno, grupos de acción ciudadana y grupos locales, generales e internos. El macroambiente de la compañía está formado por las principales fuerzas que configuran las oportunidades y le plantean amenazas a la compañía: fuerzas demográficas, económicas, naturales, tecnológicas, políticas y culturales.

El ambiente demográfico muestra una estructura cronológica cambiante en la población de Estados Unidos, cambios en la familia estadunidense, un aumento de viviendas no familiares, desplazamientos geográficos de la población y una población mejor educada y con un número mayor de profesionales. El ambiente económico muestra cambios en el crecimiento de los ingresos reales, cambios en los patrones de ahorros y préstamos, y cambios en los patrones de desembolso del consumidor. El ambiente natural muestra escasez inminente de ciertas materias primas, aumento en los costos de la energía, mayor contaminación y más intervención gubernamental en la administración de los recursos naturales.

El ambiente tecnológico muestra un cambio tecnológico más acelerado, oportunidades ilimitadas de innovación, grandes presupuestos de investigación y desarrollo, concentración en mejoras menores más que en grandes descubrimientos y mayor reglamentación del cambio tecnológico. El ambiente político muestra una fuerte reglamentación de los negocios, una gran vigilancia de las agencias gubernamentales para hacer cumplir las leyes y el desarrollo de grupos de interés público. El ambiente cultural muestra tendencias a largo plazo hacia el altruismo, la gratificación inmediata, la vida fácil, relaciones informales y una orientación más secular.

■ *Preguntas de repaso*

1. Usted es vicepresidente de mercadotecnia de Walt Disney Productions. Dados los cambios que ocurren en los ambientes demográfico, económico, tecnológico y cultural ¿qué planes haría para asegurar el éxito de la compañía en la próxima década?

2. Una gran empresa de bebidas alcohólicas está considerando la introducción de un refresco para adultos que sea un sustituto socialmente aceptable del alcohol. ¿Qué factores culturales podrían influir en la decisión de producción y en la mezcla de mercadotecnia subsecuente?

3. Los estudios del estilo de vida dirigidos desde 1975 hasta 1979, mostraron una tendencia positiva en la actitud de que ''la preparación de la comida debe ser tan rápida como sea posible''. ¿Cómo afectará esto las ventas de verduras congeladas?

4. Describa el canal de distribución que Procter & Gamble podría usar en la comercialización de una nueva marca de detergente para ropa.

5. Compare los mercados de *consumo, industrial* y de *reventa* usando automóviles como ilustración.

6. Describa los cuatro tipos de competidores que debe conocer la persona que planee establecer una nueva pizería en una universidad.

7. ¿En qué se distinguen los *públicos* de los *consumidores*? Explique su respuesta usando un ejemplo.

8. En el año 2000, la gasolina vale 1 dólar por litro, el precio de las hamburguesas es de 13 dólares por kilogramo, el precio de una casa es de 200 000 dólares y la tasa anual de inflación ha sido de 10% durante los últimos diez años. Dada esta información económica ¿Cuál cree usted que sería el tamaño o el potencial del mercado para productos de lujo?

9. El ambiente político se ha vuelto cada vez más dinámico. ¿Cuál ha sido el efecto en la toma de decisiones de mercadotecnia a últimas fechas de las acciones de Ralph Nader, la FTC y las acciones del Congreso?

■ *Bibliografía*

1. Basado en la información que aparece en LAURA R. WALBERT, ''Apparel'', *Forbes,* 2 de enero de 1984, p. 217; ''Levi Strauss: A Touch of Fashion and a Dash of Humility'', *Business Week,* 24 de octubre de 1983, p. 85-86; ''A Kick in the Pants for Levi's'', *Business Week,* 11 de junio de 1984, p. 47-48, y RUTH STROUD, ''Tattered Levi Seeks Diversification'', *Advertising Age,* 25 de junio de 1984, p. 3.

2. PETER DRUCKER, *Age of Discontinuity* (Nueva York: Harper & Row, 1969).

3. Véase ALVIN TOFFLER, *Future Shock* (Nueva York: Bantam, 1970, p. 28.

4. Los datos estadísticos en este capítulo provienen del: *Statistical Abstract of the United States, 1984;* varias publicaciones del Bureau of Census; y otras publicaciones.

5. Véase ''The Greying of America'', *Newsweek,* 28 de febrero de 1977, p. 50-65; y DIANE HARRIS, ''USA Tomorrow: The Demographic Factor'', *Financial World,* 15 de septiembre de 1983, p. 16-20.

6. Véase ''The Year 2000: A Demographic Profile of Consumer Market'', *The Marketing News,* 25 de mayo de 1984, Sec. 1, p. 8-10; y HARRIS, ''USA Tomorrow'', p. 16, 18.

7. Para más lecturas, véase PAUL C. GLICK, ''How American Families Are Changing'', *American Demographics,* enero de 1984, p. 21-25.

8. Véase ELLEN GRAHAM, ''Advertisers Take Aim at a Neglected Market: The Working Woman'', *Wall Street Journal,* 5 de julio de 1977, p. 1.

9. Véase June Kronholz, "A Living-Alone Trend Affects Housing, Cars, and Other Industries", *Wall Street Journal*, 16 de noviembre de 1977, p. 1.

10. Antes de 1983, el Bureau of the Census clasificaba a los mercados usando clasificaciones SMSA (Standard Statistical Metropolitan Area). En junio de 1983 la oficina adoptó el concepto MSA (Metropolitan Statistical Area), que clasifica las áreas muy pobladas como MSA o PMSA (Primary Metropolitan Statistical Areas). Las MSA y PMSA se definen de la misma forma, con excepción de que las segundas también se conocen como componentes de "megalópolis" más grandes llamadas CMSA (Consolidated Metropolitan Statistical Areas). Las MSA y PMSA son áreas que constan de: 1) una ciudad con una población mínima de 50 000, o 2) una área urbanizada de cuando menos 50 000 con un área metropolitana de al menos 100 000.

11. "The Year 2000: A Demographic Profile", p. 10.

12. Para más lecturas, véase Bryant Robey y Cheryl Russell, "A Portrait of the American Worker", *American Demographics,* marzo de 1984, p. 17-21.

13. Véase William Lazer, "How Rising Affluence Will Reshape Markets", *American Demographics,* febrero de 1984, p. 17-20; y "USA Tomorrow", p. 19.

14. Donella H. Meadows, Dennis L. Meadows, Jorgen Randers y William W. Behrens III, *The Limits to Growth* (Nueva York: New American Library, 1972, 1972), p. 41.

15. Rachel Carson, *Silent Spring* (Boston: Houghton Mifflin, 1962).

16. *First Annual Report of the Council on Environmental Quality* (Washington, DC: Government Priting Office, 1970), p. 158.

17. Véase "The Coming Boom in Solar Energy", *Business Week,* 9 de octubre de 1978, p. 88-104.

18. Véase Karl E. Henion II, *Ecological Marketing* (Columbus, OH: Grid, 1976).

19. Toffler, *Future Shock*, p. 25-30.

20. Alvin Toffler, *The Third Wave* (Nueva York: Bantam, 1980).

21. Para una lista excelente y completa de los posibles productos del futuro, véase Dennis Gabor, *Innovations: Scientific, Technological, and Social* (Londres: Oxford University Press, 1970). Véase también Charles Panat, *Breakthroughs* (Boston: Houghton Mifflin, 1980); y "Technologies for the '80s", *Business Week,* 6 de julio de 1981, p. 48ff.

22. Véase M. F. Wolf, ed., "Perspectives", *Research Management,* septiembre-octubre de 1983, p. 2. Véase también "A Deepening Commitment to R&D", *Business Week,* 9 de julio de 1984, p. 64-78.

23. "Corporate Growth, R&D, and the Gap Between", *Technology Review,* marzo-abril de 1978, p. 39.

24. Véase Bro Uttal, "Is IBM Playing Too Rough?" *Fortune,* 10 de diciembre de 1984, p. 34-37; y "Personal Computers: IBM Will Keep Knocking Heads", *Business Week,* 10 de enero de 1985, p. 67.

25. Leo Greenland, "Advertisers Must Stop Conning Consumers", *Harvard Business Review,* julio-agosto de 1974, p. 18.

26. Para un resumen de desarrollos legales en mercadotecnia, véase Louis W. Stern y Thomas L. Eovaldi, *Legal Aspects of Marketing Strategy: Antitrust and Consumer Protection Issues* (Englewood Cliffs, NJ: Prentice-Hall, 1984).

27. Véase Edward Meadows, "Bold Departures in Antitrust", *Fortune,* 5 de octubre de 1981, p. 180-88.

28. Extractos de Gerald R. Salancik y Gregory D. Upah, "Directions for Interorganizational Marketing" (documento sin publicar, School of Commerce, University of Illinois. Champaing, agosto de 1978).

29. Véase Bill Abrams, "Middle Generation' Growing More Concerned with Selves", *Wall Street Journal,* 21 de enero de 1982, p. 25.

30. Véase Raymond A. Bauer y Dan H. Fenn, Jr., "What Is a Corporate Social Audit?" *Harvard Business Review,* enero-febrero de 1973, p. 37-48.

31. Leonard L. Berry y James S. Hensel, "Public Relations: Opportunities in the New Society", *Arizona Business,* agosto-septiembre de 1973, p. 14-21.

¿QUE TIPO DE HOMBRE LEE PLAYBOY?

Tanto el músico como el melómano (los lectores de PLAYBOY compran 28% del equipo estereofónico en Estados Unidos), uno y otro han decidido que una melodía es como una mujer bonita: compuesta de tonos, armonías y pausas. La mujer que lo acompaña aprecia su disciplina y no interfiere con su trabajo. Ella tiene el suyo propio. De todas formas, sabe que cuando ha terminado de tocar y cuando ha bajado la cubierta del piano, no dejará todo su talento en el teclado.

6

Mercados de consumo: influencia sobre la conducta del consumidor

La revista *Playboy* ha pasado de su aniversario número 30. Ha sido una institución nacional desde que la lanzó un joven y valiente editor llamado Hugh Hefner. Hefner mejoró la fórmula de "revistas de chicas al natural" al encapsular traseros y pechos entre las páginas de gran calidad de un Graham Greene y un Vladimir Nabokov. Los lectores del sexo masculino podían pensar que estaban comprando una revista literaria de clase alta en vez de desnudos. *Playboy* ponía a la venta un estilo de vida; el hombre joven hedonista, con buen éxito en mujeres, automóviles, equipo electrónico, alimentos y ropas. El éxito fue tan grande que Hefner usó las ganancias para construir un gran imperio formado por hoteles, clubes y otras empresas.

El crecimiento galopante de *Playboy* disminuyó en 1972. Entre ese año y 1975 la circulación de la revista disminuyó de 7.5 millones a unos cinco millones de copias, donde se estabilizó. Varios competidores hambrientos habían invadido el mercado de *Playboy* para sacar provecho de éste. La publicación más extremosa era *Hustler,* que presentaba una sexualidad vulgar y atraía a 1.5 millones de lectores, principalmente obreros. Pero el principal peligro para *Playboy* era la revista *Penthouse,* una publicación británica que se había introducido en Estados Unidos. *Penthouse* encarnaba a un héroe nuevo y tempestuoso en Bob Guccione, quien dijo que buscaba desbancar a *Playboy.* Tachaba a éste de ser un conejo viejo y cansado y hacía a *Penthouse* más sexualmente explícito que *Playboy. Penthouse* tenía mejores artículos periodísticos y revelaciones. Ofrecía márgenes más altos de utilidad para los distribuidores y conseguía espacio de exhibición junto a *Playboy,* mientras que los otros imitadores estaban siempre en un lugar menos visible. *Penthouse* logró aumentar su circulación hasta más de 4 millones de ejemplares en un periodo relativamente corto.

Playboy se encontró frente a un dilema. Si aumentaba el carácter sexual de la revista, perdería muchos anunciantes leales. Si seguía con la misma línea, perdería alguna circulación. Optó por mantener la línea de su fórmula antigua a pesar del hecho de que la imagen de *Playboy* era cada vez más difícil de relacionar con los nuevos intereses y estilos de vida que se desarrollaban en la década de 1970.

Desde mediados de la década de 1970 *Playboy* ha estado buscando una forma para renovar su antiguo liderazgo y atractivo en el mercado de las revistas masculinas. Una de las necesidades claves de *Playboy* es la habilidad para entender mejor a sus lectores. ¿Quién lee *Playboy*? ¿Quién lee las otras revistas y por qué?

En un año normal, alrededor de 30% de la población masculina leen uno o más ejemplares de *Playboy* y sólo el 16% compran uno o más ejemplares. La mayoría de los hombres no leen *Playboy* ni ninguna otra revista masculina. Los hombres que no leen son aquéllos con fuertes convicciones religiosas, fuertes orientaciones familiares o ciertas bases sociales o étnicas.

La edad también afecta a los lectores de *Playboy.* Cerca del 47% de los hombres menores de 25 años leen uno o más ejemplares de *Playboy* en un año; las cifras comparables son 40% de hombres entre 25 y 35, y 26 % de hombres mayores de 35. Otro factor es la clase social, ya que los lectores de *Playboy* son en su mayoría de clase media, en contraposición a los lectores de clase baja de las revistas masculinas más picantes. El estilo de vida es otro factor, ya que *Playboy* atrae a los hombres que ascienden en la escala social, que están mejor educados y que están interesados en las cosas buenas de la vida.

Los lectores de *Playboy* tienen una medida por encima del promedio en las siguientes características del estilo de vida: confianza en sí mismos, amantes de las fiestas, jugadores de póquer, interesados por los deportes y por el cuidado personal.

Playboy se enfrenta con algunas decisiones difíciles. ¿Deberá ser más explícito sexualmente, con el propósito de atraer a lectores más jóvenes y a más obreros, con el riesgo de enajenar a sus lectores más antiguos y perder a sus anunciantes corporativos más conservadores? ¿Deberá comenzar a "envejecer" a sus modelos femeninas y a sus artículos para que se ajusten mejor a los intereses de los lectores más maduros? La perspectiva demográfica muestra que los grupos cronológicos de crecimiento más rápido en la próxima década en Estados Unidos son los de 35 a 54 años y de 64 en adelante.

Si *Playboy* hace un cambio general de su imagen, ¿cuántos lectores nuevos obtendrá y cuántos lectores antiguos perderá? *Playboy* sabe que la clave reside en comprender los factores que influyen y motivan la conducta del consumidor.[1]

El ejemplo de *Playboy* realza la influencia que sobre el comportamiento de compra de una persona tiene la cultura, la clase social, el estilo de vida y otros factores. El comportamiento de compra nunca es sencillo, pero comprenderlo es esencial en la administración de mercadotecnia.

En este capítulo y en el siguiente se examinará la dinámica del mercado de consumo:

El *mercado de consumo* está formado por *todos los individuos y familias que compran o adquieren bienes y servicios para consumo personal.*

En 1983 el mercado de consumo en Estados Unidos estaba formado por 234 millones de personas y más de 2 billones (millones de millones) de dólares en consumo y desembolsos personales, el equivalente casi de 9 000 dólares para cada hombre, mujer y niño. Este segmento crece cada año en varios millones de personas y en más de 100 mil millones de dólares, lo que representa uno de los mercados de consumo más lucrativos del mundo.[2] En la figura 6.1 puede verse el consumo anual de alimentos de una familia formada por cuatro personas.

Los consumidores muestran una gran diversidad en edad, ingresos, nivel educativo, patrones de movilidad y gustos. Los mercadólogos han encontrado provechoso hacer una distinción entre los diferentes grupos de consumidores y desarrollar productos y servicios ajustados a las necesidades de éstos. Si un segmento de mercado es lo bastante grande, algunas compañías pueden establecer programas especiales de mercadotecnia para servir a este mercado. Véanse a continuación dos ejemplos de grupos de consumidores especiales:

Consumidores negros. Un grupo importante en Estados Unidos son los 26 millones de estadunidenses negros con un ingreso personal agregado de casi 100 mil millones de dólares. Los negros gastan proporcionalmente más que los blancos en ropa, cuidado personal, muebles, alcohol y tabaco; y proporcionalmente menos en atención médica, alimentos, transporte, educación y entretenimiento. Los negros se desplazan menos que los blancos para ir de compras y prefieren las tiendas de descuento o las que están en el vecindario. Los negros escuchan más la radio, aunque son menos propensos a escuchar FM. Algunas compañías tienen programas especiales de mercadotecnia para consumidores negros. Se anuncian en *Ebony* y *Jet,* emplean a negros en los comerciales y desarrollan productos distintivos (como cosméticos para negros), con empaques y mensajes especiales. Al mismo tiempo, estas compañías reconocen que el mercado de la gente negra contiene varios subsegmentos que pueden merecer diferentes enfoques de mercadotecnia.[3]

Consumidores ancianos. A medida que envejece la población de Estados Unidos, los "ancianos" (personas de 65 años o más), se están convirtiendo en un mercado muy atractivo. Durante mucho tiempo fue la meta de fabricantes de productos tales como laxantes, tónicos y productos dentales, pero ahora este grupo atrae la atención de otros mercadólogos. Se espera que el mercado de los ancianos crezca hasta llegar a más de 30 millones de consumidores durante la próxima década. Los ancianos están mejor económicamente. Sus ingresos medios per cápita, después de impuestos superan ahora al promedio nacional en más de 330 dólares y se ha calculado que el poder adquisitivo de los ancianos es hasta de 200 mil millones de dólares. Muchos mercadólogos comprenden ahora que los ancianos no son tan pobres ni débiles. Tienen algunas necesidades especiales, pero la mayoría son saludables y activos y tienen muchas de las mismas necesidades y deseos que los consumidores más jóvenes. El segmento "joven-viejo" (menor de 75 años) se identifica fuertemente con los grupos de "edad madura". Aunque compran proporcionalmente más productos relacionados con la salud, también ofrecen oportunidades atractivas para mercadólogos de otros productos y servicios cuyos mercados meta originales eran los segmentos más jóvenes. Por ejemplo, el hecho de que los ancianos tienen más tiempo libre y dinero los hace objetivos ideales para productos como viajes, entretenimiento, restaurantes y otras actividades recreativas. Su deseo de parecer tan jóvenes como se sienten, hace a los ancianos buenos candidatos para productos especialmente diseñados en áreas como cosméticos y artículos de cuidado personal, ropa, alimentos naturales y productos para mantener buena condición física. Los mercadólogos

FIGURA 6-1 *Consumo alimenticio anual de una familia estadunidense de cuatro personas* Foto cortesía de Du Pont Company.

también deben reconocer que los mercados de los ancianos no son homogéneos, sino que están formados por muchos segmentos diferentes con distintas peculiaridades demográficas, estilos de vida y otras características. A medida que el segmento de los ancianos continúa creciendo en tamaño y en poder adquisitivo; y a medida que los estereotipos de los ancianos comienzan a desvanecerse, aumentará el número de mercadólogos que desarrollen estrategias especiales para cultivar este mercado importante.[4]

Otros submercados de consumo (mujeres,[5] hispanos,[6] jóvenes,[7]) también pueden proporcionar atractivas oportunidades para programas de mercadotecnia.

Los 234 millones de consumidores estadunidenses compran una increíble variedad de bienes y servicios. A continuación se examinará la forma cómo los consumidores eligen entre estos productos.

MODELO DE LA CONDUCTA DEL CONSUMIDOR

En épocas pasadas, los mercadólogos podían comprender muy bien a los consumidores mediante la experiencia diaria de venderles mercancía. Pero el crecimiento del tamaño de las firmas y de los mercados ha alejado a muchas de las personas que toman decisiones de mercadotecnia del contacto directo con sus clientes. Los gerentes cada vez necesitan recurrir más a la investigación de los consumidores. En la actualidad gastan más dinero que nunca para estudiar a los consumidores y encontrar respuestas a las siguientes preguntas: ¿quién compra? ¿cómo compra? ¿cuándo compra? ¿en dónde compra? ¿por qué compra?

La pregunta central es ésta: ¿cómo responden los consumidores a diversos estímulos de mercadotecnia que la compañía podría usar? La compañía que comprenda en verdad cómo responderán los consumidores a diferentes características, precios y llamados publicitarios del producto, tiene una enorme ventaja sobre sus competidores. Por lo tanto, las empresas y los académicos han invertido mucha energía para investigar la relación entre los estímulos de mercadotecnia y la respuesta del consumidor. Su punto de partida es el modelo sencillo de estímulo-respuesta que se muestra en la figura 6-2. La figura muestra los estímulos de mercadotecnia y otro tipo que entran en la "caja negra" del consumidor y

FIGURA 6-2
*Modelo general de
la conducta del
consumidor*

que producen ciertas respuestas. Los mercadólogos deben averiguar qué hay en la caja negra del comprador.

Este modelo aparece en forma más detallada en la figura 6-3. A la izquierda, los estímulos de mercadotecnia que están formados por las cuatro letras p; producto, precio, plaza y promoción. Otros estímulos incluyen las principales fuerzas y sucesos en el ambiente del comprador; económicos, tecnológicos, políticos y culturales. Todos estos estímulos entran en la caja negra del comprador, donde se transforman en un conjunto de respuestas observables del comprador que pueden verse a la derecha; elección del producto, elección de la marca, elección del distribuidor, momento oportuno de la compra y cantidad de la misma.

La tarea del mercadólogo consiste en comprender cómo se transforman los estímulos en respuestas dentro de la caja negra del consumidor. La caja negra tiene dos componentes. Primero, las características del comprador influyen en la manera como éste percibe y reacciona a los estímulos. Segundo, el proceso mismo de decisión del comprador influye en los resultados. En este capítulo se examina el primer componente, la influencia de las características del comprador sobre la conducta de compra. En el capítulo siguiente se examina el segundo componente, la influencia del proceso de decisión del comprador.

PRINCIPALES FACTORES QUE INFLUYEN EN LA CONDUCTA DEL CONSUMIDOR

Los consumidores no toman decisiones en el vacío. Sus compras reciben un fuerte efecto de factores culturales, sociales, personales y psicológicos. Estos factores se muestran en la figura 6-4. En su mayor parte no están bajo el control del mercadólogo, pero éste debe tomarlos en cuenta. Se quiere examinar la influencia de cada factor sobre la conducta de un comprador. Estas características se ilustrarán para el caso de una consumidora hipotética llamada Beatriz Sánchez:

Beatriz Sánchez es una mujer casada y con un título universitario, que trabaja como gerente de marca en una compañía muy importante de bienes de consumo. Actualmente está interesada en encontrar una nueva actividad para su tiempo libre, que le permita olvidarse un poco de sus labores profesionales. Esta necesidad la ha impulsado a considerar la conveniencia de comprar una cámara fotográfica. Muchas características de su formación y personalidad influirán en la manera como examinará las cámaras fotográficas y en su elección de una marca determinada.

FIGURA 6-3
*Modelo detallado de
la conducta del
consumidor*

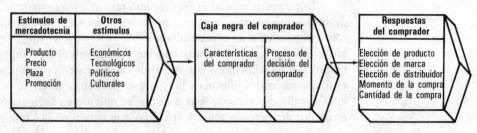

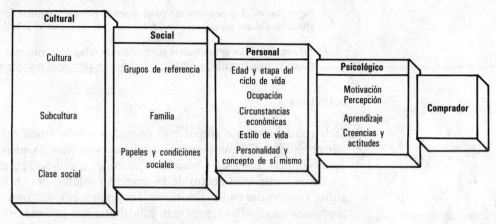

FIGURA 6-4 *Modelo detallado de los factores que influyen en la conducta*

Factores culturales Los factores culturales ejercen la influencia más amplia y profunda sobre la conducta del consumidor. A continuación se examinará el papel que desempeña la cultura y la subcultura, y la clase social del comprador.

Cultura

La cultura es la determinante fundamental de los deseos y conducta de una persona (véase el capítulo 5). Mientras que las criaturas inferiores están dominadas en gran parte por el instinto, el comportamiento humano es en gran parte un proceso de aprendizaje. El niño que crece en una sociedad aprende un conjunto básico de valores, percepciones, preferencias y conductas, a través de un proceso de socialización en el que interviene la familia y otras instituciones claves. Por consiguiente, un niño que crezca en Estados Unidos aprende o está expuesto a los siguientes valores: logro y éxito, actividad y participación, eficiencia y sentido práctico, progreso, comodidades materiales, individualismo, libertad, comodidades externas, humanitarismo y vigor juvenil.[8]

El interés de Beatriz Sánchez por las cámaras es el resultado de haber sido creada en una sociedad moderna, donde la tecnología de las cámaras fotográficas ha sido perfeccionada de forma extraordinaria y donde ha adquirido varios conocimientos y valores como consumidora. Beatriz sabe lo que son las cámaras. Sabe cómo leer instrucciones sobre la operación de cámaras y su sociedad ha aceptado la idea de que las mujeres sean fotógrafos. En otra cultura, como puede ser una tribu primitiva en la parte central de Australia, una cámara no significaría nada. Sería sencillamente una curiosidad. Los mercadólogos internacionales saben que las culturas se encuentran en diferentes etapas de desarrollo en lo que toca a la compra de cámaras fotográficas, y se concentran en aquéllas donde el interés está muy desarrollado.

Los mercadólogos siempre están intentando detectar cambios culturales con el propósito de imaginar nuevos productos que pudieran solicitarse. Véanse a continuación algunos de los temas principales de hoy en día:

1. *Tiempo libre.* La gente busca más tiempo libre para pasar en actividades como deportes , vacaciones y campismo. Para aumentar su tiempo libre, adoptan productos y servicios que ahorran tiempo como son los hornos de microondas, las máquinas automáticas para lavar platos y los restaurantes de comida rápida.

2. *Salud.* La gente se preocupa cada vez más por la salud. Dedican más tiempo a ejercicios como correr y levantar pesas, comen alimentos más naturales y ligeros y aprenden a relajarse.

3. *Vigor juvenil.* Las personas de edad quieren parecer y sentirse jóvenes. Gastan más dinero en ejercicios físicos, ropas juveniles, fórmulas para restaurar el cabello canoso y cirugía cosmética.

4. *Informalidad.* La gente quiere un estilo más relajado e informal. Escogen ropas más casuales, muebles más sencillos y entretenimiento con un toque más ligero.

Subcultura

Cada cultura contiene grupos más pequeños o **subculturas** que les proporcionan a sus miembros identificación y socialización más específicas. Pueden distinguirse cuatro tipos de subculturas. Los *grupos nacionales* como los irlandeses, polacos, italianos y puertorriqueños se encuentran dentro de las grandes comunidades en Estados Unidos y exhiben gustos y tendencias étnicas distintivas. Los *grupos religiosos* como los católicos, mormones, presbiterianos y judíos representan subculturas con preferencias y tabúes específicos. Los *grupos raciales* como los negros y los orientales tienen estilos y actitudes culturales distintivos. Las *áreas geográficas* como los estados del Sur, California y Nueva Inglaterra son subculturas distintivas con estilos de vida característicos.

El interés que pueda tener Beatriz Sánchez por diversos bienes reflejará su nacionalidad, religión, raza y procedencia geográfica. Estos factores influirán a su vez en sus preferencias en materia de alimentos, ropas, entretenimiento y metas profesionales. La subcultura a la que pertenece influirá, asimismo en su interés por las cámaras fotográficas. Las subculturas atribuyen diferente significado a la fotografía y esto repercutirá en el interés de Beatriz Sánchez y en la marca que elija.

Clase social

Prácticamente todas las sociedades humanas exhiben estratificación social. La estratificación puede afectar la forma de un sistema de clases donde los miembros de diferentes clases son educados para ciertos papeles y no pueden cambiar su pertenencia a otra clase. Con frecuencia, la estratificación adopta la forma de clases sociales.

> Las *clases sociales* son divisiones relativamente homogéneas y estables en una sociedad; están ordenadas jerárquicamente y sus miembros comparten valores, intereses y conductas similares.

Los científicos sociales han identificado las seis clases sociales que aparecen en la tabla 6-1.[9]

La clase social no está indicada por un solo factor como puede ser el ingreso, sino que se mide como una combinación de ocupación, ingreso, educación, salud y otras variables. Se clasifica a las personas por las posiciones inferiores o superiores que ocupen de acuerdo con su clase social. En Estados Unidos las fronteras entre clases sociales no son rígidas; la gente puede ascender a una clase social superior o bajar a una inferior. Los mercadólogos están interesados en la clase social, porque la gente dentro de una clase social dada suele exhibir una conducta similar, incluyendo la conducta de compra.

Las clases sociales muestran preferencias especiales por productos y marcas en áreas como ropa, muebles, actividad recreativa y automóviles (véase el recuadro 6-1). Algunos mercadólogos concentran sus esfuerzos en una clase social. Por ejemplo, ciertas tiendas atraen a clases sociales más altas; otras a las clases sociales más bajas. Baker, un fabricante de muebles finos y tradicionales, diseña muebles para consumidores de clase social elevada, mientras que Kroehler diseña la mayor parte de sus muebles para consumidores de clase social más baja. Las clases sociales también se diferencian en su exposición a los medios

1. **Alta (menos del 1%)**

La élite social descendiente de buena familia que vive de la riqueza heredada de sus padres y que tiene buen nombre. Hace donativos para obras de caridad, posee más de una residencia, envía a sus hijos a escuelas particulares, no se interesa por la ostentación. Son un buen mercado para joyas, antigüedades, casas y vacaciones. Suelen vestir de forma conservadora. Aunque es un grupo pequeño, sirve de referencia para otros, al grado de que sus decisiones de consumo son limitadas por las demás clases sociales.

2. **Alta mediana (alrededor del 2%).**

Son personas que han ganado elevados ingresos gracias a una habilidad excepcional en las profesiones o en los negocios. Suelen provenir de la clase media, y ser activos en asuntos sociales o cívicos. Buscan adquirir los símbolos de estatus para ellos mismos y para sus hijos, como casas costosas, buenas escuelas, yates, piscinas y automóviles. Aquí se incluyen los *nuevos ricos,* cuyos patrones de consumo están diseñados para impresionar a los que están debajo de ellos. La ambición de los integrantes de la clase alta mediana es ser aceptados en la clase alta, lo que más probablemente lograrán sus hijos.

3. **Media alta (12%).**

Los miembros de esta clase no poseen ni estatus familiar ni una desmedida riqueza. Les interesa principalmente la "carrera". Han obtenido posiciones como profesionales, hombres de negocios independientes y gerentes corporativos. Creen en la educación y quieren que sus hijos desarrollen habilidades profesionales o administrativas para que no bajen de clase. A los miembros de esta clase les gusta tratar de ideas y "alta cultura". Participan en actividades cívicas. Constituyen el mercado de calidad para buenas casas, ropa, muebles y aparatos eléctricos. Quieren tener una casa bonita, entretener a amigos y clientes.

4. **Media baja (30%).**

Se trata principalmente de oficinistas (empleados, propietarios de pequeños negocios), empleados del gobierno (bomberos, carteros) y obreros con buenos ingresos (plomeros, trabajadores de fábricas). A éstos les interesa la "respetabilidad". Muestran hábitos laborales concienzudos y respetan normas y estándares definidos por la cultura, incluyendo ir a la iglesia y obedecer la ley. La casa es importante y la mantienen arreglada y bonita. Compran muebles convencionales y hacen ellos mismos gran parte de las tareas domésticas. Prefieren ropa bonita y limpia, pero no de un gran diseñador.

5. **Baja mediana (35%).**

Forman el segmento social más grande, trabajadores de fábricas especializados y semiespecializados. Cuando buscan respetabilidad, su principal impulso es la seguridad, "proteger lo que tienen". El esposo obrero tiene una imagen completamente masculina de sí mismo, es un amante de los deportes, de la vida al aire libre, fuma mucho y bebe cerveza. La esposa obrera pasa la mayor parte de su tiempo en la casa cocinando, limpiando y cuidando a los niños. Para ella, su principal vocación es ser madre de sus hijos y tiene poco tiempo para organizaciones y actividad social.

6. **Baja inferior (20%).**

Este es el estrato más bajo de la sociedad y está formado por trabajadores con poca educación y no especializados. Con frecuencia están sin trabajo y reciben algún tipo de asistencia pública. Sus viviendas están por debajo de los estándares y comúnmente se encuentran en barriadas. Con frecuencia rechazan los estándares de moralidad y la conducta de la clase media. Compran más impulsivamente. A menudo no valoran la calidad, pagan mucho por productos, y compran a crédito. Son un mercado muy grande para alimentos, televisores y automóviles usados.

Fuente: Adaptada de James F. Engel, Roger D. Blackwell, and David T. Kollat, *Consumer Behavior,* 3a. ed. (New York, Holt, Rinehart & Winston, 1978), pp. 127-28.

de comunicación en masa, y los consumidores de clase social más alta tienen mayor exposición a revistas y periódicos. Cuando los consumidores de clase baja leen revistas, suelen escoger publicaciones románticas y cinematográficas. Las clases sociales difieren en sus preferencias por programas de televisión, donde los miembros de la clase social alta prefieren sucesos actuales y dramas realistas y los miembros de la clase social baja prefieren telenovelas y programas de concurso. También hay diferencias de lenguaje entre las clases sociales. El anunciante tiene que ser muy hábil para componer palabras y diálogos que tengan significado para la clase social meta.

Puede que Beatriz Sánchez provenga de una clase social alta. En este caso, es probable que su familia tuviera una cámara fotográfica costosa y ella fuera aficionada a la fotografía. El hecho de que Beatriz esté considerando la posibilidad de dedicarse a la fotografía profesional está en perfecta armonía con su extracción de clase social alta.

RECUADRO 6-1

COMO INFLUYE LA CLASE SOCIAL EN LA CONDUCTA DE COMPRA

¿Determina el dinero la clase social de una persona? De ninguna manera, como lo demuestra el primer ganador de un millón de dólares en la lotería de Michigan.

En 1973, Hermus Millsaps, un hombre de 53 años, saltó al estrado del centro cívico Lansig, el orgulloso poseedor de un billete de lotería de un millón de dólares que le daba derecho a cobrar veinte pagos anuales de 50 000 dólares. Ese boleto de la suerte le permitió renunciar a su trabajo de cortar tablas para embalajes en que ganaba 4.68 dólares por hora.

¿Qué hizo Hermus con su suerte inesperada? Se dedicó a mejorar su *bungalow* de una recámara, y con eso redujo su primer pago de 50 000 dólares a poco maś de $10 000 en menos de cuatro meses. Entre sus nuevas adquisiciones: planchas protectoras de aluminio en la parte inferior de la casa, contraventanas nuevas, una estufa de dos hornos, un pórtico, una nueva parrilla para el jardín y empanelado verde oscuro y luz indirecta en el sótano. También hay una póliza de seguro de vida por 100 000 dólares que requiere primas de $5 000 al año. Y también está la guitarra eléctrica y el amplificador de $1 000 que les permiten a Hermus y a su esposa de 47 años disfrutar de su nuevo tiempo libre cantando.

''Tengo que llevarla tranquila ahora'', le dijo a un reportero. ''De hecho, empecé gastando demasiado, pero por una buena razón, arreglar mi casa. Ese dinero realmente se va rápido''.

Para escapar de la multitud de gente que le pedía ayuda económica, Hermus se fue de vacaciones. Fue a la casa de su madre en Emory Gap, Tennessee. Como quería compartir con ella su riqueza, le compró ropa nueva, un equipo estereofónico y algunas flores.

Cuando se le preguntó si pensaba mudarse de casa, Hermus contestó: ''Podría haberme comprado una casa de ladrillos en Bloomfield Hills. . . o una casa tipo rancho en Grosse Pointe, pero en este lugar hemos sido felices y no tiene caso cambiarnos de barrio''. A pesar de que está muy contento con los mejoramientos en su hogar, no los considera como una indicación de felicidad. ''El dinero no lo es todo'', dice. ''Usted no puede comprar amor con él. Usted puede tener todo el dinero del mundo, pero si usted no tiene amor no habrá logrado nada''.

Fuente: ''First Lottery Millionaire Settles into Living'', *Detroit Free Press*, 8 de julio de 1973, p. A3.

Factores sociales   En la conducta del consumidor también repercuten los factores sociales, como los grupos de referencia del consumidor, la familia, y los papeles y situaciones sociales.

Grupos de referencia

La conducta de una persona está fuertemente influenciada por muchos grupos.

Los *grupos de referencia* de una persona son aquéllos que ejercen influencia directa (cara a cara) o indirecta en sus actitudes o conductas.

Los *grupos de pertenencia* son aquéllos que influyen directamente en el individuo. Son los grupos a los que la persona pertenece y con los que interactúa. Algunos son *grupos primarios* y en éstos hay una interacción bastante continua, como sucede con la familia, amigos, vecinos y compañeros de trabajo. Estos grupos suelen ser informales. Otros son *grupos secundarios* que muestran una tendencia más formal y tienen menos interacción continua. Incluyen organizaciones sociales como agrupaciones religiosas, profesionales y sindicales.

Las personas también reciben influencia de grupos a los cuales no pertenecen. Un *grupo de aspiración* es aquél al cual el individuo desea o aspira pertenecer. Por ejemplo, un adolescente que practique el futbol americano tal vez desee jugar algún día para los Dallas Cowboys, y se identifica con este grupo aunque no haya un contacto cara a cara. Un

RECUADRO 6-2

PLAN DE VENTAS EN FIESTAS HOGAREÑAS:
USO DE GRUPOS DE REFERENCIA PARA VENDER

Una forma cada vez más popular de ventas fuera de las tiendas es la de organizar fiestas en casa e invitar amigos y conocidos para que vean una demostración de la mercancía. Las compañías como Mary Kay Cosmetics y Tupperware Home Parties son maestras en esta modalidad de ventas y han disfrutado de gran crecimiento en ventas y utilidades. Véanse cómo funcionan las ventas en fiestas hogareñas.

Una "consultora de belleza" Mary Kay (de las cuales hay 46 000) les pedirá a diferentes vecinas que organicen pequeñas demostraciones de los artículos de belleza en sus hogares. La vecina invitará a sus amigas por unas cuantas horas de socialización informal con bebidas y bocadillos. Dentro de esta atmósfera propicia, la asesora de Mary Kay expondrá durante dos horas un plan de belleza e impartirá lecciones gratuitas de maquillaje a las asistentes, con la esperanza de que la mayoría de las invitadas comprarán algunos de los cosméticos demostrados. La anfitriona recibe una comisión de aproximadamente 15% sobre las ventas, más un descuento en sus compras personales. Aproximadamente el 60% de las invitadas compran algo, en parte por el deseo de causar buena impresión ante las otras mujeres.

Mary Kay vende cosméticos en demostraciones hogareñas. *Cortesía de Mary Kay Cosmetics, Inc., Dallas, Texas.*

Las ventas en fiestas hogareñas sirven para vender cosméticos, baterías de cocina, productos para el hogar, vestidos, zapatos y ropa interior. La firma Tupperware Home Parties, que acaba de cumplir 32 años de existencia, maneja 140 artículos diferentes, tiene 80 000 vendedores independientes y ventas anuales de aproximadamente 200 millones de dólares. Mary Kay Cosmetics, con 22 años en el mercado, usa un enfoque altamente motivacional, ya que recompensa a sus vendedoras por reclutar a nuevas asesoras (llamadas "descendencia") y premiando a las mejores vendedoras en la convención anual al nombrarlas Reinas de ventas personales con un Cadillac rosa prestado durante un año. Las actividades de Mary Kay dependen de su profunda comprensión de las mujeres estadunidenses de clase media y la manera cómo se influyen mutuamente en el proceso de compra.

Fuente: véase "The Mary Kay Way", *Newsweek,* 7 de mayo de 1979, p. 75; y David D. Seltz, "The Party-Plan Concept", en *Handbook of Innovative Marketing Techniques* (Reading, Mass.: Addison-Wesley, 1981), capítulo 1, pp. 3-11.

grupo disociativo es aquél cuyos valores o comportamiento rechaza un individuo. El mismo adolescente tal vez quiera evitar cualquier relación con el grupo del culto Hare Krishna.

Los mercadólogos intentan identificar los grupos de referencia del mercado meta, particularmente al que le venden. Los grupos de referencia influyen en una persona al menos de tres formas distintas. Ponen en contacto al individuo con nuevos comportamientos y estilos de vida. También influyen en las actitudes y en el concepto que de sí mismo tenga la persona ya por lo regular, él o ella, desea adaptarse. Y también crean presiones para que el individuo se conforme con sus normas y actitudes, con lo que afecta la elección de productos y marcas por parte del consumidor (véase el recuadro 6-2).

La importancia de la influencia de grupo varía entre productos y marcas. Bearden y Etzel indican que la influencia de grupo tendrá un efecto más fuerte en las elecciones de producto y de marca para compras llamativas.[10] Un producto o una marca pueden llamar la atención por dos razones. Primero, un producto puede ser llamativo porque el comprador es una de las pocas personas que lo posee. Los lujos son más conspicuos que los artículos básicos, ya que son menos las personas que los poseen. Segundo, una marca puede ser conspicua porque se consume en público donde otras personas puedan verla. La figura 6-5 indica la forma cómo la influencia de grupo podría afectar las elecciones de producto y marca para cuatro categorías de productos: lujos públicos, lujos privados, artículos básicos públicos y artículos básicos privados.

Una persona que considere la compra de un lujo público como un velero muy probablemente recibirá la influencia de otras personas. El velero será llamativo porque pocas personas tienen uno. La marca será llamativa porque el bote se usa en público. Así, tanto el producto como la marca serán conspicuas, y tanto la decisión de comprar el producto y qué marca adquirir, recibirá una influencia muy poderosa de la opinión de otras personas. En el otro extremo, las decisiones de producto y de marca para artículos privados básicos no son muy afectadas por las influencias de grupo, ya las demás personas no verán ni el producto ni la marca.

Los fabricantes de productos y de marcas donde la influencia del grupo sea fuerte, deben encontrar una manera para llegar a los líderes de opinión en los grupos de referencia pertinentes. Antiguamente, los vendedores pensaban que los *líderes de opinión* eran principalmente líderes sociales comunitarios a quien el mercado en masa imitaba debido a "atractivo esnob". Pero los líderes de opinión se encuentran en todos los estratos de la sociedad, con lo que una persona específica puede ser líder de opinión en ciertas áreas de producto y un seguidor en otras. El mercadólogo intenta llegar a los líderes de opinión al identificar ciertas características asociadas con el liderazgo de opinión, al determinar los medios de comunicación que llegan a los líderes de opinión y al dirigir mensajes a éstos.

FIGURA 6-5
Alcance de la influencia de grupo en la elección de producto y marca

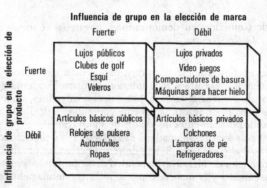

Nota: Adaptado de William O. Bearden and Michael J. Etzel, "Reference Group Influence on Product and Brand Purchase Decisions," *The Journal of Consumer Research*, 16 de septiembre de 1982, p. 185.

Si Beatriz Sánchez comprara una cámara, tanto el producto como la marca serán visibles para las otras personas que ella respeta. Y su decisión para comprar la cámara y su elección de marca tal vez reciban una gran influencia de algunos de sus grupos. Los amigos que pertenecen a un club de fotografía pueden influir sobre Beatriz para que compre una buena cámara. Mientras más coherente sea el grupo, más eficaz será su comunicación; mientras más importante sea el grupo, más influencia tendrá en la elección de producto y marca que haga Beatriz.

Familia

Los miembros de la familia del comprador pueden ejercer una gran influencia en la conducta de compra de éste. Pueden distinguirse dos familias en la vida del comprador. La *familia de orientación* está formada por los padres. De los padres una persona adquiere una orientación hacia la religión, la política y la economía y un sentido de ambición personal, autoestimación y amor. Incluso si el comprador ya no interactúa mucho con sus padres, la influencia de éstos en la conducta inconsciente del comprador puede ser muy importante. En los países donde los padres continúan viviendo con sus hijos su influencia puede ser crucial.

La *familia de procreación* (la esposa y los hijos del comprador) tiene una influencia más directa sobre la conducta de compra cotidiana. La familia es la organización de compras de consumo más importante en la sociedad y ha sido motivo de numerosas investigaciones.[11] Los mercadólogos están interesados por los papeles y la influencia relativa del esposo, la esposa y los hijos en la compra de una gran variedad de productos y servicios.

La intervención de los cónyuges varía mucho según la categoría de producto. La esposa ha sido tradicionalmente el principal agente de compras para la familia, en especial en las áreas de comestibles, ropa y artículos diversos. Esto está cambiando debido al aumento de esposas que trabajan y a la buena voluntad de los maridos para realizar más compras para la familia. Los mercadólogos de artículos básicos cometerían, por tanto, un error si continúan considerando a la mujer como la principal o la única compradora de sus productos.

En el caso de productos y servicios costosos, los dos cónyuges toman una decisión más o menos conjunta. El mercadólogo necesita determinar cuál miembro tiene normalmente la mayor influencia sobre la compra de un producto o servicio particular. El más dominante puede ser el marido, o la esposa, o tal vez ambos tengan la misma influencia. Los siguientes productos y servicios caen bajo cada categoría:

- *Marido dominante:* seguros de vida, automóviles, televisión.

- *Esposa dominante:* máquinas automáticas para lavar platos, alfombras, muebles que no sean para la sala, utensilios de cocina.

- *Igualdad:* muebles para la sala, vacaciones, vivienda, entretenimiento fuera de casa.

Asimismo, el predominio de un miembro de la familia varía para diferentes subdecisiones dentro de una categoría de producto. Davis descubrió que la decisión acerca de "cuándo comprar un automóvil" recibía la influencia principal del marido en 68% de los casos, de la esposa en 3% de los casos y a partes iguales en 29% de los casos.[12] Por otra parte, la decisión acerca de "qué color de automóvil comprar" recibía la influencia principal del marido en 25% de los casos, de la esposa en 25% de los casos y de ambos por igual en 50% de los casos. Una compañía de automóviles tomaría en cuenta estos diferentes papeles de decisión para diseñar y promover sus vehículos.

La tabla 6-2 muestra la influencia relativa de ambos cónyuges en otras varias categorías de producto. Por ejemplo, el marido domina a la hora de presentar la idea de

TABLA 6-2
Influencia relativa del marido (M) y de la esposa (E) en diferentes categorías de producto

	INICIACION		RECABACION DE INFORMACION		INFLUENCIA EN LA DECISION DE COMPRA	
	M	E	M	E	M	E
Llantas de automóviles	88	12	87	13	80	20
Seguros de vida	75	25	73	27	64	36
Secadora de ropa	67	33	45	55	47	53
Televisor a color	62	38	59	41	54	46
Vacaciones (por avión)	56	44	53	47	53	47
Cámaras (fotográficas)	46	54	53	47	50	50
Cafetera	27	73	36	64	36	64
Alfombra de pared a pared	18	82	28	72	40	60

Fuente: Purchase Influence: Measures of Husband/Wife Influence on Buying Decisions (New Canaan, CT: Haley, Overholser, and Associates, 1975), pp. 27-29.

comprar llantas para automóviles, recabar información de éstas y toma la decisión final. En contraste, la esposa domina al momento de presentar la idea de comprar alfombras, recabar información del producto y tomar la decisión final. Por tanto, los fabricantes de automóviles deben concentrar los programas de mercadotecnia principalmente en los maridos, mientras que los fabricantes de alfombras deben concentrar sus programas de mercadotecnia principalmente en las esposas. Las otras categorías de producto, como cámaras y vacaciones, son menos diferenciados en lo que toca a la influencia relativa de los dos cónyuges y puede que las comunicaciones de mercadotecnia tengan que dirigirse de distinta forma a diferentes etapas del proceso de compra.

En el caso de Beatriz Sánchez que compra una cámara fotográfica, su marido desempeñará un papel persuasor. Puede que éste tenga una opinión acerca del hecho de que su esposa compre una cámara y el tipo de cámara que pueda comprar. Al mismo tiempo, ella será la que decida, la compradora y la usuaria primaria.

Papeles y estatus (condición social)

Una persona participa en muchos grupos: familia, clubes, organizaciones. La posición de la persona en cada grupo puede definirse en términos de *papel* y *estatus*. Con sus padres, Beatriz Sánchez desempeña el papel de hija; con su familia desempeña el papel de esposa; en su compañía, desempeña el papel de gerente de marca. Un **papel** consiste en las actividades que se espera que una persona ejecute, según las personas que la rodean. Cada uno de los papeles de Beatriz influirá de alguna forma en su conducta de compra.

Cada papel presupone un **estatus** o condición, que es reflejo de la estimación que le confiere la sociedad. El papel de gerente de marca tiene más *estatus* en esta sociedad que el papel de hija. Como gerente de marca, Beatriz comprará el tipo de ropas que reflejen su papel y estatus.

A menudo la gente escoge productos para comunicar su estatus social. Así, los presidentes de compañías manejarán automóviles Mercedes y Cadillac, usarán trajes caros hechos a la medida y beberán Cutty Sark. Los mercadólogos están conscientes del potencial de los productos para convertirse en *símbolos de estatus*. Sin embargo, los símbolos de estatus varían no sólo para diferentes clases sociales, sino también geográficamente. Los símbolos de estatus que están de moda en Nueva York son poseer caballos, boletos de temporada para la ópera y un grado universitario de la Ivy League; los que están de moda en Chicago son la escultura en el hogar y un baño tipo jacuzi; y los que están de moda en

San Francisco son las plantas de sombra, los vinos hechos en casa, los medios recreativos y la participación en el sistema social.[13]

Factores personales

En las decisiones de un comprador influyen además las características personales externas, en especial la edad y la etapa del ciclo de vida del comprador, su ocupación, circunstancias económicas, estilo de vida y personalidad, y concepto de sí mismo.

Edad y ciclo de vida

El ser humano muestra un cambio en los bienes y servicios que adquiere durante su vida. En su infancia come alimentos para lactantes, sigue una dieta muy variada en la etapa de crecimiento y madurez, y se somete a un régimen especial en la vejez. Sus gustos en materia de ropas, muebles y actividades recreativas también están relacionados con la edad.

El consumo depende también de la etapa del *ciclo de vida familiar*. En la tabla 6-3 se enumeran nueve etapas del ciclo de vida familiar, junto con la situación financiera y los intereses típicos de cada grupo en lo tocante a productos. Los mercadólogos definen con frecuencia sus mercados meta en términos de la etapa del ciclo de vida, y desarrollan productos y planes de mercadotecnia apropiados para ellos.

TABLA 6-3
Panorama del ciclo de vida familiar y conducta de compra

ETAPA DEL CICLO DE VIDA FAMILIAR	COMPRAS O PATRON CONDUCTUAL
1. Etapa de soltería: jóvenes solteros que no viven con su familia	Pocos obstáculos económicos. Líderes de opinión en materia de modas. Orientados a la recreación. Compran: equipo básico de cocina, muebles básicos, automóviles, equipo para convivencia en grupo, vacaciones.
2. Parejas recién casadas: jóvenes, sin hijos	Gozan de una posición económica que no tendrán en los próximos años. Máximo porcentaje de compras y de adquisición de bienes duraderos. Compran automóviles, refrigeradores, estufas, mobiliario durable y de estilo actual, vacaciones.
3. Matrimonio categoría I: el hijo menor tiene menos de 6 años	Compras hogareñas en su punto más alto. Escasa liquidez. Descontentos con la situación económica y con los ahorros. Interés por nuevos productos. Les gustan los productos que se hacen publicidad. Compran: lavadoras, secadoras de ropa, televisores, alimentos para bebés, jarabes para la tos, vitaminas, muñecas, vagones, triciclos, pelotas.
4. Matrimonio categoría II: el hijo menor tiene 6 años o más	Mejor posición económica. Algunas esposas trabajan. La influencia de la publicidad es menor. Compran paquetes de gran tamaño, adquieren unidades múltiples. Compran gran variedad de comestibles, materiales de limpieza, bicicletas, lecciones de música, pianos.
5. Matrimonio categoría III: personas mayores con hijos que todavía dependen de ellas	Situación económica todavía mejor. Un mayor número de esposas trabajan. Algunos de los hijos tienen empleo. Gran influencia de la publicidad. Alto porcentaje de adquisición de bienes duraderos. Compran muebles nuevos de mejor gusto, viajan en automóvil, compran aparatos electrodomésticos no necesarios, botes, servicio dental, revistas.
6. Matrimonios categoría I: personas mayores, sin hijos que vivan con ellas, él cabeza de familia trabaja	La posesión de vivienda alcanza su pico. Completamente satisfechos con la posición económica y con los ahorros. Desean viajar, realizar actividades recreativas, ser autodidactas.

ETAPA DEL CICLO DE VIDA FAMILIAR	COMPRAS O PATRON CONDUCTUAL
	Hacen donativos y dan regalos. No les interesan los productos nuevos. Compran vacaciones, artículos de lujo, hacen reparaciones y mejoras en sus viviendas.
7. Matrimonios categoría II: personas mayores sin hijos que vivan con ellas, él cabeza de familia está retirado	Reducción drástica de sus ingresos. Pasan mucho tiempo en casa. Compran aparatos médicos, medicamentos que ayudan a mantener la salud, somníferos y laxantes.
8. Superviviente solitario, todavía en la fuerza laboral	Todavía recibe buenos ingresos, pero es probable que venda su casa.
9. Superviviente solitario, jubilado	Mismas necesidades médicas de otros grupos de jubilados. Reducción drástica de los ingresos. Necesidad especial de afecto, atención y seguridad.

Fuentes: William D. Wells y George Gubar, ''Life Cycle Concepts in Marketing Research'', *Journal of Marketing Research,* noviembre de 1966, pp. 355-63, P. 362. Véase también Patrick E. Murphy y William A. Staples, ''A Modernized Family Life Cycle'', *Journal of Consumer Research,* junio de 1979, pp. 12-22; y Janet Wagner y Sherman Hanna, ''The Effectiveness of Family Life Cycle Variables in Consumer Expenditure Research'', *Journal of Consumer Research,* diciembre de 1983, pp. 281-91.

En trabajos recientes se han determinado las *etapas psicológicas del ciclo de vida.* Los adultos experimentan ciertas *transiciones* o *transformaciones* durante la vida.[14] Así, Beatriz Sánchez puede dejar de ser una gerente de marca y una esposa satisfecha, para convertirse en una persona insatisfecha que busca una nueva manera para autorrealizarse. Puede que esto haya estimulado su fuerte interés por la fotografía. Los mercadólogos deben prestar atención al cambio de los intereses de consumo que podrían estar asociados con estas etapas de la vida.

Ocupación

La ocupación de una persona tiene influencia en los bienes y servicios adquiridos. Un obrero comprará ropas y zapatos de trabajo, loncheras y tiempo en el boliche. El presidente de una compañía comprará ropas caras, viajes en avión, acciones de un club campestre y un yate. Los mercadólogos intentan identificar los grupos ocupacionales que tienen un interés por encima del promedio hacia sus productos y servicios. Una compañía puede especializarse incluso en producir artículos que necesita un grupo ocupacional particular.

Circunstancias económicas

Las circunstancias económicas de una persona afectarán muchísimo la selección de productos. Las circunstancias económicas consisten en el *ingreso para el gasto* (su nivel, estabilidad y patrón temporal), *ahorros y activo* (incluyendo el porcentaje que es líquido), *capacidad de crédito* y *actitud ante el hecho de gastar o ahorrar.*

Beatriz Sánchez puede considerar la compra de una costosa cámara Nikon si tiene ingresos suficientes, ahorros o capacidad de crédito y si prefiere gastar en vez de ahorrar. Los mercadólogos de bienes estrechamente ligados al sueldo, vigilan las tendencias de los ingresos personales, los ahorros y las tasas de interés. Si los indicadores económicos señalan una recesión, los mercadólogos pueden tomar medidas para rediseñar, restablecer y fijarle nuevo precio a su producto; reducir la producción y el inventario; y hacer otras cosas para proteger su solvencia financiera.

Estilo de vida

Las personas que provienen de la misma subcultura, clase social e incluso ocupación, pueden tener estilos de vida muy distintos. Por ejemplo, Beatriz Sánchez puede escoger entre vivir como una excelente ama de casa, una mujer profesional o un espíritu libre. Ella desempeña diversos papeles, y su forma para reconciliarlos expresa su estilo de vida. Si decide convertirse en una fotógrafa profesional, esto tiene otras implicaciones para su estilo de vida, como es el hecho de trabajar en un horario extraño y viajar mucho.

El **estilo de vida** de una persona se refiere *a su patrón de vida en el mundo, expresado en sus actividades, intereses y opiniones.* El estilo de vida es un reflejo de la "persona entera" en interacción con su ambiente. El estilo de vida significa algo más que la clase social o la personalidad. Si sabemos a qué clase social pertenece alguien, podemos inferir varias cosas de la probable conducta de esa persona, pero no veremos a ésta como a un individuo. Si sabemos qué tipo de personalidad tiene alguien, podemos inferir varias características psicológicas distintivas de esa persona, pero no mucho de sus actividades, intereses y opiniones. El estilo de vida intenta ser un perfil del patrón global de la actividad de una persona y su interacción con el mundo.

La técnica de medir los estilos de vida se conoce como *psicografía.*[15] Implica medir las principales dimensiones que se muestran en la tabla 6-4. Las primeras tres se conocen como las dimensiones AIO (actividades, intereses, opiniones) y las variables se enumeran bajo cada dimensión. A los respondientes se les dan cuestionarios muy largos (a veces hasta de 25 páginas), en los que se les pregunta su grado de acuerdo o desacuerdo con enunciados como los siguientes:

■ Me gustaría convertirme en actor.

■ Disfruto mucho de asistir a los conciertos.

■ Normalmente me visto a la moda, no por comodidad.

■ Usualmente bebo un coctel antes de la cena.

Los datos se analizan entonces en una computadora para encontrar grupos con un estilo de vida distintivo. Usando este enfoque, la agencia publicitaria de Needham, Harper y Steers identificó diez tipos de vida, como "Scott, el profesional exitoso" y "Candice, el suburbano elegante".

Recientemente, Arnold Mitchell desarrolló la tipología VALS (valores y estilos de vida), que clasifica al público estadunidense en nueve grupos de estilo de vida.[16] Estos gru-

TABLA 6-4
Dimensiones del estilo de vida

ACTIVIDADES	INTERESES	OPINIONES	DEMOGRAFIA
Trabajo	Familia	De ellos mismos	Edad
Pasatiempos	Hogar	Temas sociales	Educación
Eventos sociales	Empleo	Políticas	Ingresos
Vacaciones	Comunidad	De negocios	Ocupación
Entretenimiento	Recreación	De economía	Tamaño de la familia
Pertenece a clubes	Modas	Educación	Residencia
Sociales	Alimentos	Productos	Geografía
Compras	Medios de comunicación	Futuro	Tamaño de la ciudad
Deportes	Logros	Cultura	Etapa en el ciclo de vida

Fuente: Joseph T. Plummer, "The Concept and Application of Life-Style Segmentation," *Journal of Marketing,* enero de 1974, p. 34.

pos se describen a continuación, junto con el porcentaje de la población estadunidense que le pertenece a cada uno.

■ *Sobrevivientes* (4%). Personas caracterizadas por la pobreza y poca educación, que han renunciado a la vida. Encuentran poca satisfacción en la existencia y se limitan a irla pasando. Suelen ser conservadores y "desalentados, deprimidos e introvertidos".

■ *Sustentadores* (7%). También están marcados por la pobreza, pero intentan progresar hacia una vida mejor. Son "iracundos, rebeldes y combativos", y desconfían profundamente del sistema. A pesar de su fuerte necesidad de estatus y aceptación de grupo, consideran que tienen menos estatus social.

■ *Pertenecientes* (33%). Son tradicionales, conformistas y orientados a la familia. Tienen una fuerte necesidad de aceptación y preferirían ser seguidores que líderes. Prefieren el *status quo* y tienden a llevar vidas felices y satisfechas.

■ *Competidores* (10%). Son personas "ambiciosas, competitivas y ostentosas", que intentan progresar emulando a las personas más ricas y exitosas. Suelen trabajar duro, son menos conservadores y tienen bastante éxito, pero están menos satisfechos con la vida.

■ *Realizadores* (23%). Son las personas "impulsoras y motivadas" que forman el sistema y que se encuentran en la cúspide. Trabajan duro, tienen éxito y confianza en sí mismos y suelen estar satisfechos con el sistema, consigo mismos y con sus logros.

■ *Inconformes* (5%). Se trata típicamente de gente joven en transición entre lo antiguo y lo nuevo. La vida les parece confusa, contradictoria e insegura; experimentan altibajos emocionales, viven intensamente y les gusta experimentar. Buscan y encuentran nuevos intereses y objetivos en la vida.

■ *Experimentadores* (7%). Buscan experiencias y emociones personales intensas. La acción y la interacción son las cosas importantes en sus vidas. Son política y socialmente liberales, son independientes y tienen confianza en sí mismos y están bastante felices con la vida. Aprecian la naturaleza y buscan significado espiritual en las cosas.

■ *Socialmente conscientes* (9%). Son personas empujadas por ideales sociales, por interés en temas y sucesos sociales como el consumismo, la conservación, la contaminación y la protección de la naturaleza. Suelen ser bien educados, "exitosos, con influencia y maduros"; son sofisticados y políticamente activos.

■ *Integrados* (2%). Personas maduras y equilibradas que tienen una perspectiva amplia y pueden encontrar soluciones a puntos de vista opuestos. Combinan las normas propias con las externas. Dirigen, cuando es necesario tomar una acción y tienen un estatus social alto, aunque no lo busquen.

Una persona puede progresar a través de varios de estos grupos del estilo de vida durante el curso de su existencia. En la preparación de una estrategia de mercadotecnia para un producto, el mercadólogo busca las relaciones entre el producto o la marca con los grupos de estilo de vida. Un fabricante de yogur puede descubrir que como los "experimentadores" aprecian más las cosas naturales, son por esto mayores usuarios del producto. El mercadólogo puede entonces orientar la marca más directamente a este grupo de estilo de vida.

El concepto del estilo de vida, cuando se usa cuidadosamente,[17] puede ayudarle al mercadólogo a obtener una comprensión de los valores cambiantes del consumidor y la forma cómo éstos afectan la conducta de compra. Boyd y Levy estipulan muy bien las implicaciones del concepto del estilo de vida:

La mercadotecnia es un proceso que consiste en proporcionar a los consumidores las partes de un mosaico potencial de las que ellos, como artistas de sus propios estilos de vida, puedan escoger para desarrollar la composición que, de momento, parezca la mejor. El mercadólogo que considera sus productos de esta manera, intentará comprender sus ambientes potenciales y sus relaciones con otras partes de los estilos de vida del consumidor y aumentar, por tanto, el número de combinaciones dentro del patrón.[18]

Personalidad y concepto de sí mismo (autoconcepto)

Cada persona tiene una personalidad distintiva que influirá en la conducta de compra. El término **personalidad** se refiere a *las características psicológicas distintivas de una persona que dan lugar a respuestas relativamente consistentes y permanentes a su propio ambiente*. La personalidad de un ser humano suele describirse en términos de rasgos como los siguientes:[19]

Seguridad en sí mismo	Ascendencia	Estabilidad emocional
Predominio	Sociabilidad	Logro
Autonomía	Defensa	Orden
Cambio	Afiliación	Adaptabilidad
Deferencia	Agresividad	

La personalidad puede ser una variable útil para analizar la conducta del consumidor, siempre que sea posible clasificar los tipos de personalidad, y si existen correlaciones poderosas entre ciertos tipos de personalidad y elecciones de productos o de marcas. Por ejemplo, una compañía cervecera puede descubrir que muchos bebedores asiduos de cerveza tienen una puntuación alta en sociabilidad y agresividad. Esto indica una posible imagen de marca para la cerveza y el tipo de personas que pueden describirse en la publicidad. Algunas compañías han logrado usar provechosamente la segmentación de la personalidad (véase el capítulo 10).

Muchos mercadólogos usan un concepto relacionado con la personalidad; el *concepto de sí mismo* de una persona (que se llama también autoimagen). Todos los seres humanos llevan consigo una complicada imagen mental de sí mismos. Por ejemplo, puede que Beatriz Sánchez se vea a ella misma como extrovertida, creativa y activa. Por lo tanto, preferirá una cámara que proyecte esas mismas cualidades. Si la publicidad de Nikon dice que ésta es una cámara para personas extrovertidas, creativas y activas; entonces su imagen de marca corresponderá a la imagen que de sí misma tiene Beatriz Sánchez. Los mercadólogos deben intentar desarrollar imágenes de marca que correspondan con la autoimagen del mercado meta.

La teoría, sin lugar a dudas, no es tan simple. ¿Qué sucede si el *concepto real de sí misma* de Beatriz (la forma como se considera a ella misma) difiere de su *concepto ideal de sí misma* (cómo le gustaría verse a sí misma) y del *concepto que de ella tienen otros* (cómo cree que la ven las demás personas? ¿Qué concepto intentará ella satisfacer con la elección de una cámara? Algunos mercadólogos creen que las elecciones de los compradores corresponderán más al concepto de sí mismo real; otros al concepto de sí mismo ideal; otros más al autoconcepto de otros. Como resultado, la teoría del concepto de sí mismo tiene un registro confuso de éxitos en la predicción de las respuestas del consumidor a las imágenes de marca.[20]

Factores psicológicos

Las elecciones de compra de una persona también reciben la influencia de cuatro factores psicológicos principales: motivación, percepción, aprendizaje, y creencias y actitudes. A continuación se examinará el papel de cada factor en el proceso de compra.

Motivación

Ya se vio que Beatriz Sánchez se interesó por comprar una cámara. ¿Por qué? ¿Qué busca ella en verdad? ¿Qué necesidades intenta satisfacer?

Este anuncio de Michelob hace un llamado a las personas de éxito. *Cortesía de Anheuser-Busch Companies, Inc.*

Una persona tiene muchas necesidades en cualquier momento. Algunas son *biógenas*. Son resultado de estados fisiológicos de tensión como hambre, sed, incomodidad. Otras necesidades son *psicógenas*. Resultado de los estados psicológicos de tensión como la necesidad de reconocimiento, estimación o pertenencia. La mayoría de estas necesidades no serán lo bastante intensas para motivar a la persona a actuar en un momento dado. Una necesidad se convierte en un motivo cuando alcanza un nivel adecuado de intensidad. Un **motivo** (o impulso) *es una necesidad lo suficientemente apremiante para incitar a la persona a buscar la satisfacción de esa necesidad.* La satisfacción de la necesidad reduce la tensión.

Los psicólogos han desarrollado teorías de la motivación humana: dos de las más populares, las teorías de Sigmund Freud y de Abraham Maslow, tienen implicaciones muy distintas para el análisis del consumidor y de la mercadotecnia.

TEORIA DE FREUD SOBRE LA MOTIVACION.   Freud supone que el ser humano es en gran parte inconsciente de las verdaderas fuerzas psicológicas que moldean su conducta. Considera que la persona reprime muchos impulsos durante su crecimiento. Estos impulsos nunca son eliminados por completo, ni tampoco se les puede controlar a la perfección; aparecen en los sueños, en errores del lenguaje, en comportamiento neurótico y obsesivo o en la psicosis, cuando el ego (yo) de la persona ya no puede equilibrar el poder impulsivo del id (ello) con el poder opresivo del superego (superyó).

Así, una persona no comprende por completo su fuente motivacional. Si Beatriz Sánchez quiere comprar una cámara costosa, quizá piense que su motivo consiste en desear un pasatiempo o una profesión. A un nivel más profundo, tal vez quiera comprar la cámara para impresionar a otras personas con su talento creativo. A un nivel aún más profundo, tal vez está comprando la cámara para sentirse joven e independiente otra vez.

Cuando Beatriz examine una cámara, no sólo reaccionará al funcionamiento del aparato, sino también a otros estímulos. El tamaño de la cámara, su forma, peso, material, color y estuche pueden provocar ciertas emociones. Una cámara de apariencia austera puede activar el deseo de independencia de Beatriz, que ella puede mejorar o evitar. En el diseño de una cámara, el fabricante deberá ser consciente del impacto de los elementos visuales y tangibles que provocan emociones en el consumidor, y que pueden estimular e inhibir la compra.

El principal exponente de la teoría freudiana de la motivación en mercadotecnia es Ernest Dichter, quien por más de veinte años se ha dedicado a intrepretar situaciones de compra y elecciones de productos, en términos de motivos inconscientes desconocidos. Dichter denomina su enfoque *investigación motivacional,* que consiste en recabar ''entrevistas profundas'' con unas cuantas docenas de consumidores para descubrir los motivos más profundos activados por el producto. El investigador usa varias ''técnicas proyectivas'' para sorprender al yo; técnicas como asociación de palabras, terminación de oraciones, interpretación de imágenes y desempeño de papeles.[21]

Los investigadores motivacionales han producido algunas hipótesis interesantes y a veces muy extrañas acerca de lo que puede ocurrir en la mente de un comprador, en lo que se refiere a ciertas compras. Han sugerido lo siguiente:

■ A los consumidores no les gustan las pasas porque se ven muy arrugadas, y parecen la piel de los ancianos.

■ Los hombres fuman cigarros como una versión adulta del hábito de chuparse los dedos. Prefieren que sus puros emitan un fuerte olor, con el fin de probar su masculinidad.

■ Las mujeres prefieren grasa vegetal a grasa de origen animal, porque la última despierta un sentimiento de culpabilidad hacia el sacrificio de animales.

■ Una mujer adopta una actitud muy seria mientras hornea un pastel, porque inconscientemente está realizando el acto simbólico de dar a luz. Le disgustan las harinas preparadas para pastel porque la vida fácil provoca un sentimiento de culpa.

TEORIA DE MASLOW SOBRE LA MOTIVACION.   Abraham Maslow buscaba explicar por qué ciertas necesidades impulsan al ser humano en un momento determinado.[22] ¿Por qué dedica mucho tiempo y energía una persona a la seguridad personal y otra a ganarse la estimación de sus semejantes? La respuesta es que las necesidades humanas están ordenadas en una jerarquía, desde la más apremiante hasta la menos urgente. La jerarquía de necesidades de Maslow puede verse en la figura 6-6.

En orden de importancia, éstas son necesidades *fisiológicas*, necesidades *de seguridad*, necesidades *sociales*, necesidades *de estima* y necesidades *de autorrealización*. La persona intentará satisfacer primero las necesidades más importantes. Cuando la persona tenga éxito en la satisfacción de una necesidad importante, ésta dejará de ser un motivador por un momento, y la persona estará motivada para satisfacer la necesidad que ocupe el siguiente lugar en importancia.

Por ejemplo, un hombre hambriento (necesidad 1) no tendrá ningún interés por los últimos acontecimientos en el mundo del arte (necesidad 5), ni tampoco en la forma como otros lo ven o si le tienen estima o no (necesidades 3 ó 4), ni tampoco por saber si el aire que respira es limpio (necesidad 2). Pero a medida que se satisface cada necesidad importante, la segunda necesidad en importancia entrará en juego.

FIGURA 6-6
Jerarquía de necesidades de Maslow

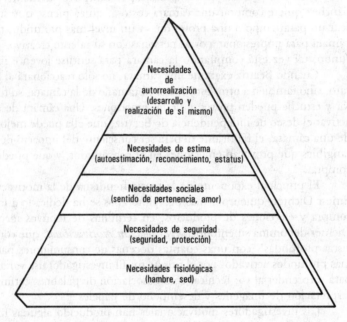

Necesidades de autorrealización (desarrollo y realización de sí mismo)

Necesidades de estima (autoestimación, reconocimiento, estatus)

Necesidades sociales (sentido de pertenencia, amor)

Necesidades de seguridad (seguridad, protección)

Necesidades fisiológicas (hambre, sed)

¿Qué luz arroja la teoría de Maslow sobre el interés de Beatriz Sánchez por comprar una cámara? Puede conjeturarse que Beatriz ha satisfecho sus necesidades fisiológicas, sociales y de seguridad, y que éstas ya no motivan su interés por las cámaras. Ese interés podría provenir de una poderosa necesidad de más estimación de otras personas, o tal vez de una necesidad de autorrealización. Ella quiere realizar su potencial como una persona creativa y expresarse mediante la fotografía.

Percepción

Una persona motivada está lista para actuar. La percepción que tenga de la situación influye en la manera como actúa. Dos personas en el mismo estado motivado y en la misma situación objetiva pueden actuar de un modo muy distinto, ya que perciben la situación de modo diferente. Para Beatriz Sánchez, un vendedor de cámaras que hablara muy rápido tal vez parecería agresivo y poco sincero. Pero para otro comprador el mismo vendedor podría parecer inteligente y servicial.

¿Por qué la gente tiene diferentes percepciones de la misma situación? Todos los seres humanos captan un estímulo mediante *sensaciones;* esto es, corrientes de información a través de los cinco sentidos: la vista, el oído, el olfato, el gusto y el tacto. Sin embargo, cada uno de nosotros capta, organiza e interpreta esta información sensorial de una manera individual. La **percepción** puede definirse como "el proceso mediante el cual el individuo selecciona, organiza e interpreta la información sensorial para crear una imagen significativa del mundo".[23]

La percepción no sólo depende del carácter de los estímulos físicos, sino también de la relación entre los estímulos y el campo circundante (la idea Gestalt) y de condiciones dentro del individuo. Los seres humanos pueden tener diferentes percepciones del mismo estímulo debido a tres procesos perceptuales: exposición selectiva, distorsión selectiva y retención selectiva.

EXPOSICION SELECTIVA. Los seres humanos están expuestos a una tremenda cantidad de estímulos cada día de su vida. Incluso si nos limitamos a los estímulos comerciales, la persona común puede estar expuesta a más de 1 500 anuncios por día. Es imposible que una persona preste atención a todos estos estímulos, por lo que la mayoría serán descartados. El verdadero reto consiste en explicar cuáles estímulos escogerá la gente.

1. Es más probable que los seres humanos observen estímulos que se relacionen con una necesidad actual. Beatriz Sánchez observará todo tipo de anuncios de cámaras, porque ella está motivada para comprar una; probablemente no observará anuncios de equipo estereofónico.

2. El ser humano tiende a advertir los estímulos que prevé. Es más probable que Beatriz Sánchez observe cámaras en la tienda de fotografía que una línea de radios que también se vendan en el mismo establecimiento, ya que ella no esperaba encontrar allí radios.

3. Es más probable que los seres humanos adviertan los estímulos cuya desviación sea mayor en relación con la magnitud normal de los mismos. Es más probable que Beatriz Sánchez repare en un anuncio que ofrezca 100 dólares de descuento en el precio de lista de una Nikon que otro que ofrezca 5 dólares de descuento.[24]

La exposición selectiva significa que los mercadólogos tienen que trabajar duro, especialmente para atraer la atención del consumidor. Su mensaje se perderá entre la mayoría de la gente que no busca ese producto en el mercado. Pero incluso quienes lo desean, no repararán en él si no sobresale del resto de los estímulos. Los anuncios tienen mayores probabilidades de atraer la atención si son agradables, o si usan cuatro colores cuando la mayoría de los anuncios son en blanco y negro o si son novedosos y proporcionan contraste.

DISTORSION SELECTIVA. Ni siquiera los estímulos que los consumidores perciben transmiten necesariamente el mensaje que desea el publicista. Cada persona intenta adaptar la información del exterior a sus opiniones. Por distorsión selectiva se entiende la tendencia de la gente a distorsionar la información para que coincida con significados personales. Puede que Beatriz Sánchez escuche al vendedor mencionar algunos puntos positivos y negativos de una marca de cámaras de la competencia. Como ella ya tiene cierta preferencia por la Nikon, es probable que distorsione los argumentos para sacar la conclusión de que la Nikon es la mejor cámara. Los seres humanos muestran una tendencia a interpretar la información en una forma que confirme sus ideas preconcebidas y que no las amenace.

RETENCION SELECTIVA. El ser humano olvidará mucho de lo que aprende. Tenderá a retener información que apoye sus actividades y creencias. Debido a la retención selectiva, es probable que Beatriz recuerde los puntos positivos de la Nikon y que olvide los puntos positivos de las demás cámaras. Ella recuerda los puntos positivos de la Nikon porque los "repasa" cada vez que piensa en comprar su cámara.

Estos tres factores perceptuales (exposición, distorsión y retención selectivas) significan que los mercadólogos tienen que trabajar duro para comunicar sus mensajes. Esto explica por qué usan tanta repetición y escenas impactantes para mandar mensajes a sus mercados. (Para una interesante aclaración sobre percepción, véase el recuadro 6-3.)

RECUADRO 6-3

PERCEPCION SUBCONSCIENTE: ¿SE PUEDE CONVENCER A LOS CONSUMIDORES SIN QUE SE DEN CUENTA?

En 1957 las palabras "Coma palomitas" y "Beba Coca-Cola" se proyectaron en la pantalla de una sala cinematográfica en Nueva Jersey cada cinco segundos durante un tricentésimo de segundo. Los investigadores informaron que aunque el público no reconoció estos mensajes a nivel consciente, los absorbieron a nivel inconsciente y compraron 58% más de palomitas de maíz y 18% más de Coca-Cola. De repente, las agencias de publicidad y los grupos de protección al consumidor se interesaron en este fenómeno que se denomina *percepción subliminal*. La gente expresaba sus temores del lavado de cerebro, y California y Canadá declararon ilegal este procedimiento. Sin embargo, la polémica perdió mucha de su fuerza cuando los científicos no lograron repetir estos resultados. Pero la cosa no terminó allí. En 1974, Wilson Bryan Key, en su obra *Subliminal Seduction*, afirmó que los editores y publicistas todavía seguían manipulando a los consumidores al ocultar mensajes en anuncios impresos, en revistas y en comerciales de televisión. En 1979, Melvin Ross dijo lo mismo.

Desde entonces, muchos psicólogos e investigadores del consumidor han estudiado la percepción subliminal. Ninguno ha sido capaz de demostrar que los mensajes subliminales tienen un efecto en la conducta del consumidor. Parece que la publicidad subliminal sencillamente no tiene el poder que sus críticos le atribuyen. Además, a la mayoría de los anunciantes les disgustaba la noción de una conspiración de la industria para manipular a los consumidores mediante mensajes "invisibles". En palabras de un ejecutivo de una agencia de publicidad: "Ya tenemos bastantes problemas para persuadir a los consumidores con una serie de anuncios de treinta segundos en toda la pantalla, ¿cómo podríamos hacerlo en 1/300 de segundo?"

Fuentes: Wilson Bryan Key, *Subliminal Seduction* (New York: NAL, 1974); Melvin H. Ross, "The Reappearance of Subliminal Persuasion", *Marketing Review*, octubre-noviembre de 1979, pp. 23ff; y Timothy E. Moore, "Subliminal Advertising: What You See Is What You Get", *Journal of Marketing*, primavera de 1982, pp. 38-47.

Aprendizaje

Cuando la gente actúa, aprende. El **aprendizaje** describe los *cambios en la conducta de un individuo que son el resultado de la experiencia*. La mayor parte de la conducta humana es aprendida.

Los teóricos del aprendizaje dicen que éste se produce mediante la interacción de impulsos, estímulos, sugerencias, respuestas y reforzamiento.

Ya se ha visto que Beatriz Sánchez tiene un impulso hacia la autorrealización. *El impulso* se define como una acción interna de gran fuerza debida a un estímulo. El impulso se convierte en un *motivo* cuando se dirige hacia un determinado *objeto-estímulo* que aminora al impulso, en este caso una cámara fotográfica. La respuesta de Beatriz a la idea de comprar cámara está condicionada por las *sugerencias ambientales*. Las *sugerencias* son estímulos menores que determinan cuándo, dónde y cómo responderá la persona. El hecho de ver cámaras en una vitrina, enterarse de bajas o precios especiales, o bien, ser alentada por el marido constituyen sugerencias capaces de influir en la *respuesta* de Beatriz al impulso de comprar una cámara.

Supóngase que Beatriz compra una cámara. Si la experiencia es *gratificante,* es probable que use la cámara más y más. Su respuesta a las cámaras será reforzada.

Más tarde quizá quiera comprar unos prismáticos. Observa varias marcas, incluyendo una de Nikon. Como ya sabe que Nikon hace buenas cámaras, Beatriz infiere que Nikon hace buenos prismáticos. Entonces se dice que ella *generaliza* su respuesta a estímulos similares.

La situación inversa de la generalización es la *discriminación*. Cuando Beatriz examina unos prismáticos hechos por Olympus, se da cuenta de que éstos son más ligeros y más compactos que los de Nikon. La discriminación significa que ella ha aprendido a reconocer diferencias en conjuntos de estímulos y que, en consecuencia, puede ajustar su respuesta.

La importancia práctica de la teoría del aprendizaje para los mercadólogos es que éstos pueden acrecentar la demanda de un producto al asociarlo con fuertes impulsos, al usar sugerencias motivacionales y al proporcionar reforzamiento positivo. Una compañía nueva puede entrar al mercado haciendo un llamado a los mismos impulsos que los competidores y al proporcionar configuraciones similares de sugerencias, ya que es más probable que los compradores transfieran su lealtad a marcas similares que a marcas muy distintas (generalización). O puede diseñar su marca para hacer un llamado a un grupo distinto de impulsos y ofrecer entonces unas sugerencias muy fuertes para cambiar (discriminación).

Creencias y actitudes

Mediante la acción y el aprendizaje, los seres humanos adquieren sus creencias y actitudes. Estas influyen a la vez en su conducta de compra.

Una **creencia** es *un pensamiento descriptivo que una persona tiene acerca de algo.* Puede que Beatriz Sánchez crea que una Nikon saca grandes fotografías, que es muy resistente al uso y que cuesta 550 dólares. Estas creencias se basan en conocimientos reales, en opiniones o en la fe. Tienen o no un elemento emocional. Por ejemplo, la creencia de Beatriz Sánchez de que una Nikon es pesada puede tener importancia en su decisión.

Por supuesto, los fabricantes están muy interesados en las creencias que los seres humanos tienen de productos y servicios específicos. Estas creencias forman las imágenes de producto y de marca, y la gente interactúa con base en sus creencias. Si algunas de las creencias son equivocadas e inhiben la compra, el fabricante seguramente querrá lanzar una campaña para corregir tales creencias.

Una **actitud** describe las *evaluaciones cognoscitivas duraderas de tipo positivo o negativo de una persona, sus sentimientos y las tendencias de acción hacia un objeto o idea.*[25] Los seres humanos tienen actitudes acerca de casi cualquier cosa: religión, política, ropa, música, alimentos, etc. Las actitudes crean en el hombre una inclinación a sentir atracción o aversión por las cosas, a acercarse a ellas o a alejarse. Así, Beatriz Sánchez puede tener actitudes tales como "comprar lo mejor", "los japoneses hacen los mejores productos del mundo" y "la creatividad y la expresión de sí mismo son dos de las cosas más importantes en la vida". Por tanto, la cámara Nikon es importante para Beatriz porque encaja bien en sus actitudes existentes. Una compañía podría beneficiarse mucho si investiga las diversas actitudes que los seres humanos podrían tener de su producto.

Las actitudes hacen que los seres humanos se comporten de una manera bastante congruente hacia objetos similares. La gente no tiene que interpretar todo nuevo, ni reaccionar ante una situación como si fuera la primera vez. Las actitudes economizan energía y pensamiento. Por esta misma razón, las actitudes son muy difíciles de cambiar. Las actitudes de una persona forman un patrón coherente, y para cambiar una habría que hacer ajustes difíciles en muchas otras.

Así, a una compañía le conviene hacer que sus productos encajen en las actitudes de la gente, en vez de intentar cambiarlas. Por supuesto, siempre hay excepciones en las que el gran costo que supone esa tentativa puede compensarse con los resultados.

Honda ingresó al mercado de motocicletas en Estados Unidos y tuvo que tomar una decisión muy importante. Podía vender sus unidades a un pequeño número de personas ya interesadas por las motocicletas, o bien, tratar de acrecentar ese segmento del mercado. Esto último era más costoso porque muchas personas tenían una actitud negativa ante este tipo de vehículos. Asociaban las motocicletas con chamarras nuevas de cuero, navajas de resorte y el crimen. Honda optó por arriesgarse y lanzó una gran campaña cuyo lema era éste: "Usted conocerá a la gente más agradable montada en una Honda." La campaña dio buenos resultados, y mucha gente adoptó una actitud nueva hacia las motocicletas.

Ahora podemos apreciar las numerosas fuerzas que actúan en la conducta del consumidor. La elección que haga la persona es el resultado de una complicada interacción de factores culturales, sociales, personales y psicológicos. El mercadólogo no puede influir en muchos de estos factores. Sin embargo, éstos son útiles para identificar a los compradores que puedan tener más interés por el producto. Otros factores son susceptibles a la influencia del mercadólogo e indican la manera de desarrollar el producto, el precio, la plaza y la promoción para atraer una respuesta más poderosa del consumidor.

■ Resumen

Es necesario comprender los mercados para poder desarrollar estrategias de mercadotecnia. El mercado de consumo compra bienes y servicios para el consumo personal. Es el mercado último para el cual se organizan las actividades económicas. El mercado de consumo está formado por muchos submercados, como los negros y los ancianos, que tal vez requieran programas especiales de mercadotecnia.

Los mercadólogos deben comprender la forma cómo los consumidores transforman los estímulos de mercadotecnia y de otro tipo en respuestas de compra. Las características del comprador y el proceso de decisión el mismo influyen en la conducta del consumo. Las características del comprador incluyen cuatro factores principales: cultural, social, personal y psicológico.

La *cultura* es determinante fundamental de los deseos y conducta de una persona. Incluye valores básicos, percepciones, preferencias y conductas que la persona aprende de la familia y de otras instituciones claves. Los mercadólogos intentan rastrear cambios culturales que pudieran indicar formas nuevas para servir a los consumidores. Las *subculturas* son "culturas dentro de culturas": grupos nacionales, religiosos, raciales y geográficos que tienen diferentes valores y estilos de vida. Las *clases sociales* son subculturas cuyos miembros tienen un prestigio social similar basado en patrones parecidos de ocupación, ingreso, educación, riqueza y otras variables. La gente con diferentes características culturales, subculturales y de clase social tienen diferentes preferencias de productos y de marcas. Puede que los mercadólogos quieran concentrar sus programas de mercadotecnia en las necesidades especiales de ciertos grupos.

Los factores *sociales* también influyen en la conducta del comprador. Los grupos de referencia de una persona (familia, amigos, organizaciones sociales y asociaciones profesionales) afectan fuertemente las elecciones de producto y de marca. La posición de la persona dentro de cada grupo puede definirse en términos del papel y condición social. Un comprador escoge productos y marcas que reflejen su propio papel y estatus.

La edad del comprador, la etapa del ciclo de vida, la ocupación, las circunstancias económicas, el estilo de vida, la personalidad y otras *características personales* influyen en las decisiones de compra de la persona. Los consumidores jóvenes tienen diferentes necesidades y deseos que los consumidores de mayor edad; las necesidades de las parejas jóvenes difieren de las que tienen los jubilados; los consumidores con ingresos más altos compran de modo distinto que aquéllos que tienen menos dinero para gastar. Los estilos de vida del consumidor (el patrón completo de acción e interacción en el mundo) también son influencias importantes en las elecciones de los compradores.

Por último, la conducta de compra del consumidor recibe la influencia de cuatro factores *psicológicos* principales: motivación, percepción, aprendizaje y actitudes. Cada uno de estos factores proporciona una perspectiva distinta para comprender el funcionamiento de la "caja negra" del comprador.

La conducta de compra de una persona es el resultado de la interacción compleja de todos estos factores culturales, sociales, personales y psicológicos. Los mercadólogos no pueden controlar muchos de tales factores, pero éstos son útiles para identificar y comprender a los consumidores, a quienes el mercadólogo intenta influenciar.

■ Preguntas de repaso

1. La vitivinícola Mondavi de California ha introducido un paquete de seis latas de Chablis, con planes futuros para introducir paquetes iguales de Rosé, Burgundy y otras variedades de vino. Con base en los conocimientos que

tenga de las variables culturales, sociales, personales y psicológicas que influyen sobre la conducta del consumidor, ¿qué factores serían positivos o negativos para el éxito de tal producto?

2. Usando anuncios de automóviles como ejemplo, muestre la forma cómo la publicidad de estos productos recalca uno o más factores que influyen en la conducta del consumidor.

3. En 1982 Seven-Up lanzó anuncios con el tema "chispeante y limpio sin cafeína". ¿Qué factores de la conducta del consumidor se consideraron para tomar la decisión de lanzar este anuncio?

4. Explique la influencia de características culturales (cultura, subcultura y clase social) sobre el patrocinio de las tiendas de departamentos.

5. ¿Qué características sociales tienen el mayor efecto en las compras de colecciones de discos por un individuo?

6. Con base en tendencias demográficas recientes, ¿hay alguna etapa del ciclo de vida de una familia que no se hayan incluido en la tabla 6-3? Explique las implicaciones para la mercadotecnia.

7. El *concepto de sí mismo* es sinónimo de *personalidad*. Explique esto.

8. ¿Qué nivel de la jerarquía de necesidades de Maslow intentan satisfacer los mercadólogos de los siguientes productos? a) detectores de humo, b) discos selectores telefónicos para larga distancia, c) Seagram's VO, d) seguros de vida y c) meditación trascendental.

9. Proporcione un ejemplo de la forma cómo un mercadólogo de bienes de consumo podría usar el VALS.

■ *Bibliografía*

1. Obtenido de varias fuentes.
2. *Statistical Abstract of the United States.*
3. Para más lecturas, véase: THOMAS S. ROBERTSON, JOAN ZIELINSKI y SCOTT WARD, *Consumer Behavior* (Glenview, IL: Scott, Foresman, 1984), p. 536-51. Véase también KEVIN A. WALL, "New Market: Among Blacks, the Haves Are Now Overtaking the Have-Nots", *Advertising Age,* 11 de febrero de 1974, p. 35-36; MARY JANE SCHLINGER y JOSEPH T. PLUMMER, "Advertising in Black and White", *Journal of Marketing Research,* mayo de 1972, p. 149-53; RAYMOND A. BAUER y SCOTT M. CUNNINGHAM, "The Negro Market", *Journal of Advertising Research,* abril 1970, pp. 3-12; y HERBERT ALLEN, "Product Appeal: No Class Barrier", *Advertising Age,* 18 de mayo de 1981, p. S4.
4. Véase DANIEL BURSTEIN, "Maturity Market: Exploring New Images", *Advertising Age,* 29 de agosto de 1983, p. M9; y CHARLES D. SCHEWE, "Research Dispels Myths about Elderly; Suggests Marketing Opportunities", *Marketing News,* 25 de mayo de 1984, sección 1, p. 12.
5. Véase RENA BARTOS, "What Every Marketer Should Know about Women", *Harvard Business Review,* mayo-junio de 1978, p. 73-85.
6. Véase "Marketing to Hispanics", *Advertising Age,* marzo 19, de 1984, p. M10.
7. Véase MELVIN HELITZER y CARL HEYEL, *The Youth Market* (Nueva York: Media Books, 1970), p. 58; y GEORGE W. SCHIELE, "How to Reach the Young Consumer", *Harvard Business Review,* marzo-abril de 1974, p. 77-86.
8. Véase LEON G. SCHIFFMAN y LESLIE LAZAR KANUK, *Consumer Behavior,* 2a. ed. (Englewood Cliffs, NJ: Prentice-Hall, 1983), p. 404-20.
9. Esta clasificación fue realizada originalmente por W. LLOYD WARNER y PAUL S. LUNDT en *The Social Life of a Modern Community* (New Haven, CT: Yale University Press, 1941). Para un resumen de las clasificaciones más recientes, véase RICHARD P. COLEMAN, "The Continuing

Significance of Social Class to Marketers", *Journal of Consumer Research,* diciembre de 1983, p. 265-80.
10. WILLIAM O. BEARDEN y MICHAEL J. ETZEL, "Reference Group Influence on Product and Brand Purchase Decisions", *Journal of Consumer Research,* septiembre de 1982, p. 185.
11. Véase HARRY L. DAVIS, "Decision Making within the Household", *Journal of Consumer Research,* marzo de 1976, pp. 241-60; HARRY L. DAVIS y BENNY P. RIGAUX, "Perception of Marital Roles in Decision Processes", *Journal of Consumer Research,* junio de 1974, pp. 51-60; y HARRY L. DAVIS, "Dimensions of Marital Roles in Consumer Decision Making", *Journal of Marketing Research,* mayo de 1970, pp. 168-77.
12. Véase DAVIS, "Dimensions of Marital Roles".
13. Véase "Across the Nation—Thumbnail Guide to Americans' Tastes", *U.S. News and World Report,* 14 de febrero de 1977, p. 39.
14. GAIL SHEEHY, *Passages: Predictable Crisis in Adult Life* (New York: Dutton, 1974); y ROGER GOULD, *Transformations* (Nueva York: Simon and Schuster, 1978).
15. Véase WILLIAM D. WELLS, "Psychographics: A Critical Review", *Journal of Marketing Research,* mayo de 1975, p. 196-213; y PETER W. BERNSTEIN, "Psychographics Is Still an Issue on Madison Avenue", *Fortune,* 16 de enero de 1978, pp. 78-84.
16. ARNOLD MITCHELL, *The Nine American Lifestyles* (Nueva York: Macmillan, 1983). Utilizado con autorización del autor y del editor.
17. Para más lecturas sobre los pros y los contras de usar el concepto de estilo de vida, véase SONIA YUSPEH, "Syndicated Values/Lifestyles Segmentation Schemes: Use Them as Descriptive Tools, Not to Select Targets", *Marketing News,* 25 de mayo de 1984, p. 1; y "SRI's Response to Yuspeh: Demographics Aren't Enough", *Marketing News,* 25 de mayo de 1984, p. 1.

18. Harper W. Boyd, Jr., y Sidney J. Levy, *Promotion: A Behavioral View* (Englewood Cliffs, NJ: Prentice-Hall, 1967), p. 38.

19. Véase Raymond L. Horton, "Some Relationships between Personality and Consumer Decision-Making", *Journal of Marketing Research*, mayo de 1979, pp. 244-45.

20. Para más lecturas, véase Edward L. Grubb y Harrison L. Grathwohl, "Consumer Self-Concept, Symbolism, and Market Behavior: A Theoretical Approach", *Journal of Marketing*, octubre de 1967, pp. 22-27; Ira J. Dolich, "Congruence Relationships between Self-Images and Product Brands", *Journal of Marketing Research*, febrero de 1969, pp. 40-47; E. Laird Landon , Jr., "The Differential Role of Self-Concept and Ideal Self-Concept in Consumer Purchase Behavior", *Journal of Consumer Research*, septiembre de 1974, pp. 44-51; y M. Joseph Sirgy, "Self-Concept in Consumer Behavior; A Critical Review", *Journal of Consumer Research*, diciembre de 1982, pp. 287-300.

21. Véase Ernest Ditcher, *Handbook of Consumer Motivations* (Nueva York: McGraw-Hill, 1964).

22. Abraham H. Maslow, *Motivation and Personality* (Nueva York: Harper & Row, 1954), pp. 80-106.

23. Bernard Berelson y Gary A. Steiner, *Human Behavior: An Inventory of Scientific Findings* (Nueva York: Harcourt Brace Jovanovich, 1964), p. 88.

24. Esta relación se conoce como ley de Weber y es una de las principales leyes en psicofísica. Véase el capítulo 10.

25. Véase David Krech, Richard S. Crutchfield y Egerton L. Ballachey, *Individual in Society* (Nueva York: McGraw-Hill, 1962), capítulo 2.

7
Mercados de consumo: procesos de decisión del comprador

Durante décadas la compañía AT&T ha monopolizado el mercado de los teléfonos residenciales: los consumidores no podían escoger más que los teléfonos que la compañía decidiera ofrecer. Pero a fines de la década de 1970, la Suprema Corte abrió el camino para la competencia, cuando dictaminó que los consumidores podían comprar y conectar sus propios teléfonos a las líneas de la AT&T. Y a comienzos de la década de 1980, la disolución de la AT&T y la aparición de teléfonos electrónicos económicos y de una sola pieza arrojó a la industria a un caos competitivo. De repente, la AT&T se encontró compitiendo con centenares de proveedores de teléfonos por una porción del mercado telefónico residencial de 1 500 millones de dólares. Durante los próximos años, la AT&T aprendió mucho sobre la conducta de compra del consumidor.

La AT&T y sus competidoras ofrecían cientos de modelos telefónicos nuevos, diseñados para satisfacer cualquier posible preferencia del consumidor. Por un lado, ofrecían teléfonos electrónicos de una pieza a precios de hasta 7 ó 10 dólares. En el otro extremo ofrecían teléfonos de lujo que se vendían por varios cientos de dólares: teléfonos decorativos en infinidad de estilos y colores y otros con características exóticas como memorias programables para marcaje automático, remarcaje del último número, operación inalámbrica, botones de pausa y de silencio, bocinas para conversaciones sin auricular.

A pesar de los grandes desembolsos en investigación y desarrollo en mercadotecnia, la industria se topó con el desastre. Durante 1983 y 1984, aumentaron mucho las ventas de teléfonos residenciales, pero las compañías perdieron cientos de millones de dólares. Para fines de 1984, más de la mitad de todos los proveedores de teléfonos estaban fuera del negocio. La AT&T lo hizo mejor que la mayoría, pero a pesar de tener una porción de mercado de 20% en 1984, la compañía obtuvo pocas ganancias en sus ventas de teléfonos. ¿En qué se equivocaron la AT&T y las otras firmas? En su prisa por apoderarse de una porción del mercado de crecimiento rápido, hicieron un catastrófico cálculo de los deseos del consumidor y del comportamiento de comprar teléfonos.

Por ejemplo, los proveedores de teléfonos pensaban que los consumidores preferirían comprar en vez de alquilar sus teléfonos, y pasaron por alto la necesidad de educar a los consumidores acerca de los beneficios de ser propietarios de un teléfono. Pero muchos consumidores todavía no sabían que podían ser dueños de sus aparatos telefónicos o que tenía más sentido, económicamente hablando, comprarlos en vez de alquilarlos. Más de 120 millones de viviendas en Estados Unidos aún alquilan sus teléfonos.

Muchos vendedores pensaban que los consumidores acudirían en gran número a comprar teléfonos económicos y de una sola pieza, y que el número de teléfonos por casa aumentaría dramáticamente. Aunque los consumidores sí compraron muchas unidades al comienzo, no les gustaban los diseños frágiles y los altos índices de averías. La demanda revirtió muy pronto a los teléfonos más tradicionales y confiables. Y el número medio de teléfonos por vivienda aumentó sólo de 1.7 en 1982 a 1.9 en 1984.

Los mercadólogos de teléfonos también pensaban que los consumidores comprarían aparatos de cualquier detallista, o incluso por catálogo o por pedido postal, si el precio era correcto. Pero resultó que los compradores preferían tratar con detallistas conocidos que los ayudaban a tomar decisiones de compra y respaldaban la venta. Una de las razones del éxito relativo de la AT&T, en este mercado turbulento, era su reconocimiento de que los consumidores regresarían a los teléfonos y los detallistas de calidad superior después de probar teléfonos más económicos de fuentes menos confiables. Así, la AT&T desarrolló una sólida cadena de detallistas. Además de sus 900 tiendas propias, vendía teléfonos de calidad a través de más de 10 000 establecimientos de menudeo, incluyendo Sears, Penny, K mart, Montgomery Ward, Target y Ace Hardware.

Sin embargo, la AT&T se equivocó en el otro extremo, pensó que los consumidores querían teléfonos de alto precio con características novedosas. AT&T ofrecía 215 modelos distintos con precios de hasta 350 dólares. Pero los consumidores aún preferían los teléfonos básicos y económicos de antes, en estilos y colores tradicionales y a precios más moderados, aparatos como los que habían estado rentando por años. Y los compradores no estaban muy interesados en aparatos exóticos con timbres y silbatos; de hecho, las nuevas funciones confundían a muchos consumidores. Para estos teléfonos complicados, necesitaban más asistencia técnica de la que podían encontrar en la mayoría de las tiendas al menudeo. La AT&T tiene ahora un programa de entrenamiento para capacitar a los vendedores detallistas en tiendas que no sean propiedad de la compañía, a demostrar los productos telefónicos y a contestar las preguntas de los clientes.

Después de la recesión moderada, el mercado telefónico residencial seguirá un crecimiento uniforme y a largo plazo. Muchos expertos estiman que la demanda se desplazará a teléfonos más complicados de alta tecnología, a medida que los consumidores se acostumbren a ellos. Pero el desplazamiento implicará cambios graduales en las actitudes del consumidor. Para retener su liderazgo en la industria telefónica más competitiva, la AT&T tendrá que desarrollar una comprensión más profunda de los consumidores y de su conducta de compra de teléfonos.[1]

L os mercadólogos tienen que ser extremadamente cuidadosos a la hora de analizar la conducta del consumidor. Con frecuencia, los consumidores rechazan lo que parece ser una oferta ganadora. Si no votan por un producto, éste pierde. La planta y el equipo nuevos podrían haberse construido también en arenas movedizas. Du Pont descubrió esto cuando perdió 100 millones de dólares en su material de cuero sintético Corfam. Lo mismo le pasó a la Ford cuando lanzó su famoso (y fracasado) Edsel, perdiendo 300 millones de dólares en el proceso.[2] Y esto también le aconteció a la Brown-Forman Distillers Corporation cuando los consumidores decidieron no probar su nueva bebida Frost 8/80, un whisky "blanco y seco", que se había pensado iba a ser un gran éxito.[3]

En el capítulo anterior se consideraron todas las influencias (culturales, sociales, personales y psicológicas) que afectan a los compradores. En este capítulo se verá la forma cómo los consumidores toman decisiones de compra. Se estudiarán los papeles de compra del consumidor y los tipos de decisiones a los cuales se enfrentan los consumidores, los principales pasos en el proceso de decisión del comprador y el proceso mediante el cual los consumidores tienen conocimiento de productos nuevos y los compran.

IDENTIFICACION DE LOS COMPRADORES Y EL PROCESO DE DECISION DE COMPRA

Una tarea central del mercadólogo es identificar correctamente a los compradores meta de un producto. El mercadólogo necesita saber qué personas intervienen en la decisión de compra y qué papel desempeña cada una.

Papeles de compra

Para muchos productos, es muy fácil identificar a la persona que toma la decisión. Los hombres normalmente eligen sus cigarros y las mujeres eligen sus pantimedias. Sin embargo, otros productos implican una unidad de toma de decisiones compuesta por más de una persona. Considérese la selección de un automóvil para la familia. La sugerencia de comprar un automóvil nuevo tal vez haya venido del hijo mayor. Un amigo podría aconsejarle a la familia sobre el tipo de carro por comprar. El marido podría escoger la marca. La esposa podría tener una opinión definida acerca del estilo del automóvil. El marido podría tomar la decisión final con la aprobación de la mujer. Puede que ésta terminara usando el automóvil más que su esposo.

Así, pueden distinguirse varios papeles que la gente podría representar en una decisión de compra:

Iniciador. El iniciador es la primera persona que recomienda o tiene la idea de comprar el producto o servicio particular.

Influenciador. Un influenciador es una persona cuyas opiniones o consejos tienen algún peso para tomar la decisión final.

Decisor. El decisor es la persona que determina en última instancia la decisión de compra o cualquier parte de ésta: comprar o no, qué comprar, cómo comprarlo o dónde comprarlo.

Comprador. El comprador es la persona que hace la compra.

Usuario. El usuario es la persona(s) que consume o usa el producto o servicio.

Una compañía necesita identificar estos papeles, ya que tienen implicaciones para diseñar el producto, determinar los mensajes publicitarios y asignar el presupuesto promocional. Si el marido decide la marca del automóvil, entonces la compañía automotriz dirigirá gran parte de su publicidad a los maridos. La compañía podría diseñar ciertas características del automóvil para complacer a la esposa y colocar algunos anuncios en los medios de comunicación que lleguen a las mujeres. El hecho de conocer a los principales participantes y los papeles que desempeñan ayuda al mercadólogo a afinar el programa de mercadotecnia.

Tipos de conducta en la decisión de compra

La toma de decisiones del consumidor varía con el tipo de decisión a tomar. Hay grandes diferencias entre comprar pasta de dientes, una raqueta de tenis, una cámara fotográfica costosa y un automóvil nuevo. Es probable que las decisiones más complicadas abarquen a más participantes en la compra y más deliberación del comprador. Howard y Sheth han señalado tres tipos de conducta de compra.[4]

Conducta de respuesta rutinaria

El tipo más sencillo de conducta de compra ocurre en la adquisición de artículos de bajo costo que se compran con frecuencia. Los compradores tienen muy pocas decisiones por hacer: conocen bien la clase de producto, conocen las principales marcas y tienen preferencias muy claras entre éstas. No siempre compran la misma marca debido a agotamiento de existencias, tratos especiales y un deseo de variedad. Pero en general los compradores no le asignan mucha reflexión, investigación o tiempo a la compra. Los bienes en esta clase suelen denominarse *artículos de baja participación.*

El mercadólogo tiene dos tareas. Primero, debe proporcionar satisfacción positiva a los clientes actuales mediante el mantenimiento de calidad, servicio y valor consistentes. Segundo, debe intentar también atraer a nuevos compradores al introducir características nuevas y al usar exhibidores de punto de venta, precios especiales y descuentos.

Solución limitada de problemas

La compra es más complicada cuando los compradores se enfrentan a una marca desconocida en una clase de producto conocida. Por ejemplo, a las personas que piensan comprar una nueva raqueta de tenis se les podría mostrar una nueva marca con un mango desalineado o una hecha de boro o de otro material nuevo. Pueden formular preguntas y examinar anuncios para saber más de la nueva marca. Esto se describe como una solución limitada de problemas, ya que los compradores están perfectamente conscientes de la clase del producto, pero no están familiarizados con todas las marcas ni con las características de éstas.

El mercadólogo reconoce que los consumidores están tratando de reducir el riesgo al recabar información. El mercadólogo debe diseñar un programa de comunicación que acrecentará la comprensión y la confianza en la marca de parte del comprador.

Solución amplia de problemas

La compra alcanza su máxima complejidad cuando los compradores se enfrentan a una clase de producto desconocida y no saben qué criterio seguir. Por ejemplo, un hombre puede interesarse en comprar por primera vez un radio transmisor-receptor de banda civil. Ha escuchado de marcas como Cobra, Panasonic y Midland, pero carece de conceptos claros de marca. Ni siquiera sabe qué atributos de clase de producto considerar en la elección de un aparato bueno. Se encuentra en un estado de solución amplia de problemas.

El mercadólogo de productos en esta clase debe comprender las actividades de recopilación de información y de evaluación de los compradores potenciales. El mercadólogo necesita facilitarle al comprador el aprendizaje de los atributos de la clase de producto, la importancia relativa de éstos y la alta posición de su marca en los atributos más importantes.

ETAPAS EN EL PROCESO DE DECISION DE COMPRA

Estamos listos ahora para examinar las etapas por las cuales pasa el comprador hasta llegar a una decisión de compra y al resultado. Se usará el modelo de la figura 7-1, que muestra al consumidor que pasa por cinco etapas: *reconocimiento del problema, búsqueda de información, evaluación de alternativas, decisión de compra* y *conducta posterior a la compra.* Este modelo hace hincapié en que el proceso de compra comienza mucho antes de la compra real y tiene consecuencias mucho después de la compra. Alienta al mercadólogo a concentrarse en el proceso completo de la compra, en vez de limitarse a la decisión de compra.[5]

Este modelo parece implicar que los consumidores pasan por las cinco etapas con cada compra que realizan, pero en compras más rutinarias, los consumidores se saltan o invierten el orden de estas etapas. Una mujer que compre su marca regular de pasta dentífrica reconocería la necesidad y pasaría de inmediato a la decisión de compra, saltándose la búsqueda y evaluación de información. Sin embargo, se usará el modelo de la figura 7-1 porque muestra la gama completa de consideraciones que surgen cuando un consumidor se enfrenta a una nueva situación de compra, especialmente una que implique una solución amplia de problemas.

Para ilustrar este modelo, nos referiremos de nueva cuenta a Beatriz Sánchez e intentaremos comprender cómo llegó a interesarse por comprar una cámara costosa y las etapas por las cuales pasó para tomar la decisión final.

Reconocimiento del problema

El proceso de compra comienza cuando el comprador reconoce un problema o necesidad. El comprador percibe una diferencia entre su estado real y un estado deseado. La necesidad puede activarse por estímulos internos o externos. En el primer caso, una de las necesidades normales de la persona (hambre, sed, sexo) alcanza un nivel de umbral y se convierte en un impulso. A partir de la experiencia previa, la persona ha aprendido cómo enfrentarse con este impulso, y está motivada hacia una clase de objetos que sabe darán satisfacción a su impulso.

Una necesidad también puede activarse por un estímulo externo. Beatriz Sánchez pasa por una panadería y la vista del pan recién horneado estimula su hambre; admira el automóvil nuevo de un vecino; mira en un comercial de televisión unas vacaciones en Jamaica. Todo esto puede conducirla a reconocer un problema o necesidad.

FIGURA 7-1
Proceso de decisión del comprador

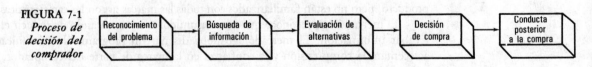

En esta etapa el mercadólogo necesita determinar las circunstancias que usualmente activan en el consumidor el reconocimiento de un problema. El mercadólogo debería investigar a los consumidores para descubrir: a) qué tipos de necesidades o problemas surgen, b) qué los hizo acercarse y c) cómo llegaron a este producto particular.

Beatriz Sánchez podría responder que sintió la necesidad de un nuevo pasatiempo. Esto sucedió cuando su temporada atareada en el trabajo disminuyó y comenzó a pensar en cámaras, después de platicar con un amigo acerca de fotografía. Al recabar tal información, el mercadólogo puede identificar los estímulos que con mayor frecuencia activan el interés por el tipo de producto y desarrollar programas de mercadotecnia que se aprovechen de estos estímulos.

Búsqueda de información

Un consumidor excitado puede o no buscar más información. Si el impulso del consumidor es fuerte y hay un objeto de gratificación bien definido a su alcance, es probable que el consumidor lo compre entonces. Si no, el consumidor puede sencillamente almacenar la necesidad en la memoria. Puede que el consumidor no emprenda ninguna investigación más, que investigue sólo un poco más, o que busque activamente la información que se relacione con esa necesidad.

De presuponer que el consumidor emprenda alguna búsqueda, hay una distinción entre dos niveles. El estado de búsqueda más ligero se denomina *atención intensificada*. Aquí, Beatriz Sánchez sencillamente se vuelve más receptiva a la información acerca de cámaras. Presta atención a los anuncios de cámaras, a las cámaras usadas por sus amigos y a conversaciones sobre cámaras.

También Beatriz Sánchez puede pasar a la *búsqueda activa de información,* donde buscará material de lectura, telefoneará a sus amigos y se dedicará a otras actividades de investigación para recabar información sobre el producto. El grado de búsqueda de información que emprenda dependerá de la fuerza de su deseo, la cantidad de información que tenga inicialmente, la facilidad para obtener información adicional, el valor que le otorgue a esa información adicional y la satisfacción que obtenga de su búsqueda. Normalmente, la actividad de búsqueda por parte del consumidor aumenta a medida que el consumidor pasa de situaciones de decisión que implican una solución limitada de problemas a aquéllas que implican una solución amplia del problema.

Son de gran interés para el mercadólogo las principales fuentes de información a las que el consumidor recurrirá y la influencia relativa que cada una tendrá sobre la decisión de compra. Las *fuentes de información para el consumidor* caen dentro de cuatro grupos:

■ *Fuentes personales:* familia, amigos, vecinos, conocidos

■ *Fuentes comerciales:* publicidad, vendedores, distribuidores, empaques, exhibidores

■ *Fuentes públicas:* medios de comunicación masiva, organizaciones de clasificación de consumidores

■ *Fuentes de la experiencia:* manejo, examen, uso del producto

La influencia relativa de estas fuentes de información varía con la categoría del producto y las características del comprador. Por lo general, el consumidor recibe la mayor exposición a la información acerca de un producto de fuentes comerciales; es decir, fuentes dominadas por el mercadólogo. Sin embargo, las exposiciones más eficaces tienden a provenir de fuentes personales. Cada tipo de fuente puede ejecutar una función diferente para influir en la decisión de compra. La información comercial normalmente ejecuta una función de *información* y las fuentes personales ejecutan una función de *legitimización* o *evaluación*. Por ejemplo, los médicos normalmente se enteran de medicinas nuevas a través de fuentes comerciales, pero recurren a otros médicos para evaluar la información.

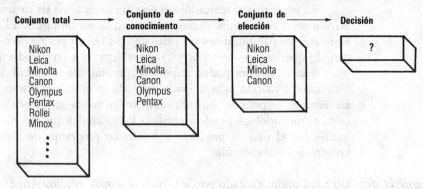

FIGURA 7-2
Pasos sucesivos que intervienen en la toma de decisión del consumidor

Conjunto total	Conjunto de conocimiento	Conjunto de elección	Decisión
Nikon Leica Minolta Canon Olympus Pentax Rollei Minox ⋮	Nikon Leica Minolta Canon Olympus Pentax	Nikon Leica Minolta Canon	?

Como resultado de la recopilación de información, el consumidor incrementa su conciencia de las marcas asequibles y de las características de éstas. Antes de buscar información, Beatriz Sánchez sólo conocía unas cuantas marcas de cámaras entre el *conjunto total* de cámaras disponibles que se muestran en la parte izquierda de la figura 7-2. Las marcas de cámaras que conocía constituían su *conjunto de conciencia.* La información entrante acrecentó su conjunto de conciencia, y la información ulterior la ayudó a eliminar ciertas marcas. Las marcas restantes que cumplían con sus criterios de compra constituían su *conjunto de elección.* Su decisión final se tomará de este conjunto, con base en el proceso de evaluación que use.[6]

Una compañía debe diseñar su mezcla de mercadotecnia para incluir su marca en el conjunto de conciencia y el conjunto de elección del consumidor. Si su marca no logra entrar en estos conjuntos, la firma habrá perdido su oportunidad de venderle al consumidor. La compañía también debe averiguar cuáles marcas permanecen en el conjunto de elecciones del consumidor, a fin de que conozca su competencia y pueda planear sus llamados publicitarios.

El mercadólogo debería identificar cuidadosamente la fuente de información del consumidor y la importancia de cada una de éstas. A los consumidores se les debería preguntar cómo oyeron hablar por primera vez de la marca, qué información recibieron y la importancia que le otorgaron a diferentes fuentes de información. Esta información es decisiva para la preparación de una comunicación eficaz con los mercados meta.

Evaluación de alternativas

Se ha visto la forma cómo el consumidor usa la información para llegar a un conjunto de elecciones finales de marca. Ahora la pregunta es ésta: ¿cómo escoge el consumidor entre las marcas alternativas en el conjunto de elección? El mercadólogo necesita saber cómo procesa información el consumidor para llegar a elecciones de marca. Por desgracia, no hay un proceso de evaluación único y sencillo que usen todos los consumidores, ni siquiera un mismo consumidor en todas las decisiones de compra. Existen varios procesos de evaluación de decisión.

Ciertos conceptos básicos ayudarán a explicar los procesos de evaluación del consumidor. Primero, se supondrá que cada consumidor ve un producto como un cúmulo de *atributos del producto.* Los siguientes atributos tienen interés para los compradores en algunas clases conocidas de productos:

■ *Cámaras:* calidad de la imagen, facilidad de uso, tamaño de la cámara, precio

■ *Hoteles:* ubicación, limpieza, atmósfera, costo

■ *Enjuague bucal:* color, eficacia, eliminación de gérmenes, precio, sabor

■ *Sostenes:* comodidad, ajuste, duración, precio, estilo

- **Lápiz labial:** color, envase, cremosidad, factor de prestigio, sabor

- **Llantas:** seguridad, vida de las estrías, calidad, precio

Aunque los atributos anteriores son de interés normal, habrá una variación entre los consumidores acerca de lo que consideran importante. Los consumidores prestarán más atención a aquellos atributos conectados con sus necesidades. El mercado para un producto a menudo puede segmentarse de acuerdo con los atributos que son de interés principal para diferentes grupos de consumidores.

Segundo, el consumidor asignará diferentes *valores estadísticos de importancia* a los atributos pertinentes. Puede hacerse una distinción entre la importancia de un atributo y su prominencia.[7] Los *atributos sobresalientes* son aquéllos que le vienen a la mente al consumidor cuando a él se le pide que piense en los atributos de un producto. El mercadólogo no debe sacar la conclusión de que éstos sean necesariamente los atributos más importantes. Algunos de ellos pueden ser sobresalientes, debido a que el consumidor acaba de ser expuesto a un mensaje comercial que los menciona o ha tenido un problema que los abarca, lo cual hace de estos atributos algo muy importante. Además, en la clase de los atributos no sobresalientes puede haber algunos que el consumidor olvidó, pero cuya importancia se reconocería cuando se les mencionara. Los mercadólogos deberían preocuparse más por la importancia del atributo que por la prominencia del mismo.

Tercero, es probable que el consumidor desarrolle un conjunto de *creencias de marca* acerca de la posición que detenta cada marca en cada atributo. El conjunto de creencias que se tenga sobre una marca particular se conoce como la *imagen de marca*. Las creencias del consumidor pueden estar en desacuerdo con los atributos verdaderos debido a su experiencia particular y al efecto de la percepción, distorsión y la retención selectivas.

Cuarto, se presume que el consumidor tiene una *función de utilidad* para cada atributo. La función de utilidad describe la forma cómo el consumidor espera que varíe la satisfacción del producto con niveles alternativos de cada atributo. Por ejemplo, Beatriz Sánchez podría esperar que su satisfacción con una cámara aumentara con una mejor calidad de la imagen; que fuera máxima con una cámara de peso medio en contraposición a una muy ligera o muy pesada; que fuera superior con una cámara de 35 mm que con una de 135 mm. Si se combinan los niveles de atributos donde las conveniencias son más elevadas, éstos integrarían la cámara ideal de Beatriz. La cámara también sería su cámara preferida si fuera asequible y costeable.

Quinto, el consumidor se forma actitudes (juicios, preferencias) acerca de las marcas alternativas mediante algún *procedimiento de evaluación*. Se ha descubierto que los consumidores aplican diferentes procedimientos de evaluación para hacer una elección entre objetos de atributos múltiples.[8]

Se ilustrarán estos conceptos con la situación de compra de Beatriz Sánchez. Supóngase que Beatriz ha reducido su conjunto de elecciones a cuatro cámaras (A, B, C, D). Presupóngase que está principalmente interesada en cuatro atributos: calidad de la imagen, facilidad de uso, tamaño de la cámara y precio. La tabla 7-1 muestra la forma cómo ella clasifica cada marca en cada atributo. Beatriz cree que la marca A (por ejemplo, Nikon) le dará una calidad de imagen de 10 sobre una escala de 10 puntos; es fácil de usar, 8; es de tamaño mediano, 6, y es bastante costosa, 4. De modo similar, ella tiene creencias acerca de la forma cómo las cámaras se clasifican en estos atributos. Al mercadólogo le gustaría ser capaz de pronosticar qué cámara comprará Beatriz.

Evidentemente, si una cámara se clasificaba mejor en todos los criterios, podría pronosticarse que Beatriz la escogería. Pero las marcas varían en cuanto a su atractivo. Si Beatriz quiere calidad de imagen por encima de todas las cosas, debería comprar A; si quiere la cámara más fácil de usar, compraría B; si desea el mejor tamaño de cámara, debería comprar C; si desea la cámara de precio más bajo, debería comprar D. Algunos compradores comprarán con base tan sólo en un atributo, y sus elecciones son fáciles de pronosticar.

TABLA 7-1
*Creencias de marca
de un consumidor
acerca de cámaras*

CAMARA	ATRIBUTO			
	Calidad de la imagen	Facilidad de uso	Tamaño de la cámara	Precio
A	10	8	6	4
B	8	9	8	3
C	6	8	10	5
D	4	3	7	8

Nota: el número 10 representa la puntuación más elevada deseable sobre ese atributo. En el caso del precio, un número elevado significa un costo bajo, lo cual hace a la cámara más deseable.

La mayoría de los compradores consideran varios atributos, pero le asignan una importancia distinta a cada uno. Si se saben los valores estadísticos de importancia que Beatriz les asigna a los cuatro atributos, se podría pronosticar su elección de una cámara con más confiabilidad.

Supóngase que Beatriz asigna 40% de la importancia a la calidad de imagen de la cámara, 30% a la facilidad de uso, 20% a su tamaño y 10% a su precio. Para encontrar el valor percibido de Beatriz para cada cámara, sus valores estadísticos se multiplican por sus creencias acerca de cada cámara. Esto conduce a los siguientes valores percibidos:

$$\text{Cámara A} = .4(10) + .3(8) + .2(6) + .1(4) = 8.0$$

$$\text{Cámara B} = .4(8) + .3(9) + .2(8) + .1(3) = 7.8$$

$$\text{Cámara C} = .4(6) + .3(8) + .2(10) + .1(5) = 7.3$$

$$\text{Cámara D} = .4(4) + .3(3) + .2(7) + .1(8) = 4.7$$

Se pronosticaría que Beatriz estaría a favor de la cámara A.

Este modelo se denomina el *modelo del valor de expectativa* de la elección del consumidor.[9] Es uno de varios modelos posibles que describen la forma cómo los consumidores evalúan alternativas. Se reconoce que los consumidores podrían evaluar un conjunto de alternativas de otras maneras, como las siguientes:[10]

1. Beatriz podría decidir que debería considerar sólo las cámaras que satisfagan un conjunto de niveles mínimos de atributos. Podría decidir que cualquier cámara que comprara tendría que ofrecer una calidad de imagen mayor de 7 *y* facilidad de uso mayor de 8. En este caso, se pronosticaría que escogería la cámara B porque sólo ésta satisface los requerimientos mínimos. (Esto se denomina el *modelo conjuntivo* de la elección del consumidor.)

2. Beatriz podría decidirse por una cámara que tuviera una calidad de imagen mayor de 7 *o* una facilidad de uso mayor de 8. En este caso, A y B permanecerían en el conjunto de evaluación. (A éste se le denomina el *modelo disyuntivo* de la elección del consumidor.)

Los mercadólogos deberían estudiar a los compradores para descubrir cómo evalúan éstos en verdad las alternativas a la marca. Supóngase que la mayoría de los compradores de cámaras forman sus preferencias usando el proceso de valor de expectativa. Al saber esto, el mercadólogo podría tomar medidas para influir en la decisión del comprador. Beatriz Sánchez se inclinaba por comprar la cámara A. El mercadólogo de la cámara C, por ejemplo, podría usar las siguientes estrategias para influir en personas como Beatriz:[11]

■ *Modificación de la cámara.* El mercadólogo podría volver a diseñar la cámara para que diera mejores imágenes u otras características que este comprador deseara. A esto se le denomina *reposicionamiento real.*

Reposicionamiento real: para tener una clasificación alta entre los consumidores, Minolta agregó el autoenfoque, control motorizado de la película y otras características deseables que no ofrecen otras cámaras de 35 mm. *Cortesía de Minolta Corporation.*

■ *Alteración de creencias acerca de la cámara.* El mercadólogo podría alterar las creencias de los compradores acerca de la posición que ocupa la cámara en los atributos claves. Esto es recomendable, especialmente si los compradores subestiman las cualidades de la cámara C. Esto no se recomienda si los compradores están evaluando con exactitud la cámara C; las afirmaciones exageradas provocarán insatisfacción en el consumidor y una mala fama. El intento de alterar las creencias acerca de la cámara se denomina *reposicionamiento psicológico.*

■ *Alteración de creencias acerca de las marcas de la competencia.* El mercadólogo podría intentar cambiar las creencias de los compradores acerca de la posición de las marcas competidoras en diferentes atributos. Esto puede tener sentido cuando los compradores creen que la marca de un competidor tiene más calidad de la que en verdad posee. A eso se le llama *reposicionamiento competitivo.*

■ *Encauzamiento de la atención hacia atributos descuidados.* El mercadólogo podría intentar dirigir la atención del comprador hacia los atributos descuidados. Si la cámara C ofrece una elección más amplia de lentes, el mercadólogo podría darle información al mercado sobre los beneficios de estos atributos.

FIGURA 7-3
*Pasos entre la
evaluación de
alternativas y
una decisión
de compra*

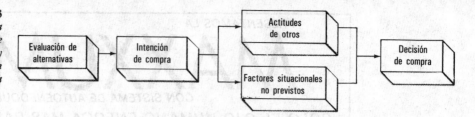

■ *Desplazamiento de los ideales del comprador.* El mercadólogo podría intentar persuadir a los compradores para que cambiaran sus niveles de ideales para uno o más atributos. El mercadólogo de la cámara C podría intentar convencer a los compradores de que las cámaras que proporcionan alta calidad de imagen son más difíciles de usar o que sólo un experto podría ver las diferencias en calidad.

Decisión de compra

En la etapa de evaluación, el consumidor clasifica las marcas en el conjunto de elección y se forma intenciones de compra. Normalmente el consumidor comprará la marca más preferida, pero dos factores pueden interponerse entre la intención de compra y la decisión de compra. Estos factores se muestran en la figura 7-3.[12]

El primero se refiere a las *actitudes de otras personas.* Supóngase que el marido de Beatriz Sánchez cree firmemente que ella debería comprar la cámara (D) para mantener bajos los gastos. Entonces, la *probabilidad de compra* para la cámara A de Beatriz se reducirá un tanto. El grado en el cual la actitud de otra persona reducirá la alternativa preferida de Beatriz depende de dos cosas: 1) la intensidad de la actitud negativa de la otra persona hacia la alternativa preferida de Beatriz y 2) la motivación de Beatriz para acatar los deseos de la otra persona.[13] Mientras más intensa sea la actitud negativa de la otra persona y mientras más cerca se encuentre ésta de Beatriz, más reducirá su intención de compra.

La intención de compra también recibe influencia de *factores situacionales no previstos.* El consumidor se forma una decisión de compra con base en factores, tales como los ingresos esperados de la familia, el precio esperado y los beneficios esperados del producto. Cuando el consumidor está a punto de actuar, pueden surgir factores situacionales no previstos que cambien la intención de compra. Beatriz Sánchez puede perder su empleo, alguna otra compra puede volverse más urgente o un amigo puede informarle que se desilusionó con esa cámara.

Así, las preferencias e incluso las intenciones de compra no son predictores completamente confiables de la elección de la compra real. Estos dirigen la conducta de compra, pero puede que no determinen por completo el resultado. La figura 7-4 muestra un resultado muy típico. En un estudio de cien personas que expresaron su intención de comprar la marca A de un electrodoméstico dentro de los doce meses siguientes, sólo cuarenta y cuatro terminaron comprando el aparato, y sólo treinta (ó 68%) compraron la marca A.

La decisión de un consumidor respecto a modificar, posponer o evitar una decisión de compra recibe una gran influencia del *riesgo percibido.* Muchas compras implican cier-

FIGURA 7-4
*Consecuencias de
las intenciones
de compra y las
decisiones de compra*

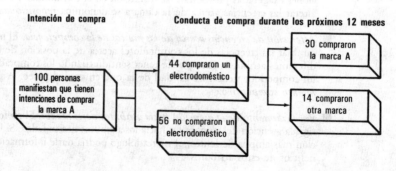

Intención de compra   Conducta de compra durante los próximos 12 meses

to *riesgo*.[14] Los consumidores no pueden estar seguros del resultado de la compra. Esto produce ansiedad. La cantidad de riesgo percibido varía con la cantidad de dinero en juego, la cantidad de incertidumbre del atributo y el nivel de confianza en sí mismo del consumidor.

Un consumidor desarrolla ciertas rutinas para reducir el riesgo, cómo pueden ser evitar la decisión, recopilar información entre los amigos y preferir los nombres de marca y las garantías nacionales. El mercadólogo debe comprender los factores que provocan una sensación de riesgo en los consumidores y proporcionar información y apoyo que reducirán el riesgo percibido.

Conducta posterior a la compra

Después de comprar el producto, el consumidor experimentará cierto nivel de satisfacción o de insatisfacción. El consumidor también se dedicará a acciones posteriores a la compra de interés para el mercadólogo. La labor del mercadólogo no termina cuando el producto se compra, sino que continúa dentro del periodo posterior a la compra.

Satisfacción posterior a la compra

¿Qué determina si el comprador está satisfecho o insatisfecho con una compra? La respuesta reside en la relación entre las *expectativas* del consumidor y el *rendimiento percibido* del producto.[15] Si el producto se equipara con las expectativas, el consumidor está satisfecho; si las supera, el consumidor está altamente satisfecho; si el producto se queda corto, el consumidor está insatisfecho.

Los consumidores fundamentan sus expectativas en los mensajes que reciben de los vendedores, amigos u otras fuentes de información. Si el vendedor exagera el rendimiento del producto, los consumidores experimentarán *expectativas no confirmadas,* que llevan a la insatisfacción. Mientras más grande sea el vacío entre las expectativas y el rendimiento, mayor será la insatisfacción del consumidor. Aquí interviene el estilo que tenga el consumidor de salir adelante. Algunos consumidores magnifican el vacío cuando el producto no es perfecto y están sumamente insatisfechos. Otros minimizan el vacío y están menos insatisfechos.[16]

Esta teoría sugiere que el vendedor debería hacer afirmaciones sobre el producto que representen fielmente el rendimiento probable del producto para que los compradores experimenten satisfacción. Algunos vendedores podrían incluso subestimar los niveles de rendimiento de modo que los consumidores experimenten una satisfacción más alta de la esperada con el producto.

Festinger y Bramel creen que la mayoría de las compras no rutinarias implicarán inevitablemente cierta incomodidad posterior a la compra:

> Cuando una persona escoge entre dos o más alternativas, la incomodidad o disonancia surgirán casi inevitablemente debido al conocimiento que tenga la persona sobre la decisión que ha tomado; tiene ciertas ventajas y también algunas desventajas. La disonancia surge casi después de cualquier decisión y, además, el individuo invariablemente tomará medidas para reducirla.[17]

Acciones posteriores a la compra

La satisfacción con el producto afectará la conducta subsecuente. Un consumidor satisfecho es más propenso a comprar el producto la próxima vez y les dirá cosas buenas sobre el producto a otras personas. Según los mercadólogos, "Un consumidor satisfecho es nuestra mejor publicidad".

Un consumidor insatisfecho responde de manera distinta. El consumidor insatisfecho intentará reducir la disonancia debido a un impulso del organismo humano "para establecer la armonía, consistencia o congruencia internas entre sus opiniones, conoci-

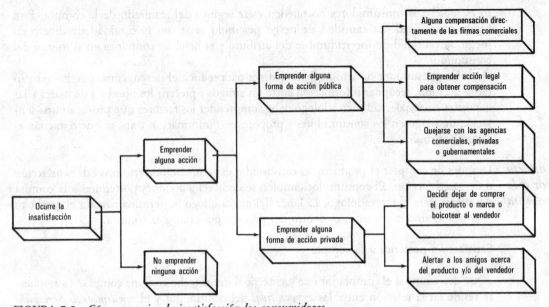

FIGURA 7-5 *Cómo manejan la insatisfacción los consumidores*

Fuente: Ralph L. Day y E. Laird Landon, Jr., "Toward a Theory of Consumer Complaining Behavior", in *Consumer and Industrial Buying Behavior,* ed. Arch G. Woodside, Jagdish N. Sheth, y Peter D. Bennett (Nueva York: Elsevier North-Holland, 1977), p. 432.

mientos y valores".[18] Los consumidores disonantes recurrirán a uno de dos cursos de acción. Pueden intentar reducir la disonancia al *abandonar* o *retornar* el producto, o pueden intentar reducir la disonancia al buscar información que pueda *confirmar* su valor elevado (o evitar información que pueda confirmar su valor bajo). En el caso de Beatriz Sánchez, puede devolver la cámara o puede buscar información que le haga sentirse mejor acerca de la cámara.

Los mercadólogos deberán ser conscientes de la forma cómo los consumidores manejan la insatisfacción. La figura 7-5 describe estas formas. Los consumidores tienen una elección entre emprender o no emprender alguna acción. Si actúan, pueden emprender una acción pública o privada. Las acciones públicas incluyen quejarse a la compañía, recurrir a un abogado o quejarse con otros grupos que pudieran ayudar al comprador a obtener satisfacción. También el comprador podría simplemente dejar de comprar el producto o dar malas referencias de éste a los amigos y a otras personas. En todos estos casos, el vendedor pierde algo.

Los mercadólogos pueden tomar medidas para minimizar la cantidad de insatisfacción posterior a la compra en el consumidor y ayudar a los consumidores a sentirse bien acerca de su compra. Las compañías automotrices pueden mandarles una carta a los nuevos propietarios de automóviles felicitándolos por haber escogido un carro bueno. Pueden colocar anuncios mostrando a consumidores satisfechos que manejan sus nuevos automóviles. Pueden solicitar sugerencias de los consumidores para mejoramientos y enumerar la ubicación de los servicios disponibles. Pueden redactar folletos de instrucciones que reduzcan la disonancia. Pueden mandarles a los propietarios una revista que contenga artículos que describan el placer de poseer el nuevo automóvil.

Se ha demostrado que las comunicaciones posteriores a la compra para los consumidores dan lugar a menos devoluciones de producto y a menos cancelaciones de pedidos.[19] Además, proporcionan buenos canales para quejas de los consumidores y permiten compensaciones rápidas para los problemas de los clientes. La atención cuidadosa a las insatisfacciones de los compradores anteriores puede ayudar a la compañía a detectar y corregir problemas,

RECUADRO 7-1

lo cual da lugar a una mayor satisfacción posterior a la compra para los compradores futuros (véase el recuadro 7-1).

Hay un paso más en la conducta posterior a la compra de los compradores que los vendedores deberían vigilar: es decir, qué hacen los compradores en última instancia con el producto. Las principales responsabilidades se muestran en la figura 7-6. Si los consumidores usan el producto para servir un nuevo propósito, esto le interesaría al vendedor por-

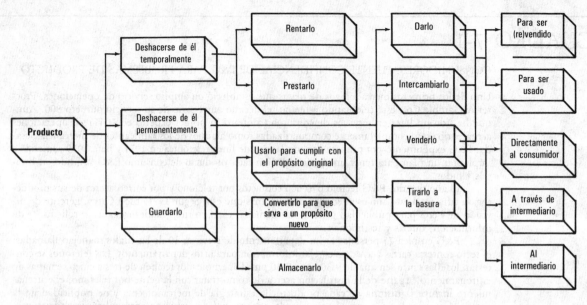

FIGURA 7-6 *Cómo usan o desechan los productos los consumidores*

Fuente: Jacob Jacoby, Carol K. Berning y Thomas F. Dietvorst, "What about Disposition?" *Journal of Marketing,* julio de 1977, p. 23.

que este propósito puede anunciarse. Si los consumidores almacenan el producto y lo usan poco o se deshacen de él, esto indica que el producto no es muy satisfactorio y que las recomendaciones verbales no serán muy fuertes. Tiene el mismo interés la forma cómo los consumidores se deshacen en última instancia del producto. Si lo venden o lo cambian, esto deprimirá las nuevas ventas del artículo. El vendedor necesita estudiar la forma cómo se usa el producto y se deshecha, en busca de indicios acerca de posibles problemas y oportunidades.

La compañía Coca-Cola alienta a los consumidores a expresar sus problemas y a formular preguntas usando su línea telefónica de urgencia de llamada por cobrar 1-800-GET COKE. *Cortesía de Coca-Cola Company.*

La comprensión de las necesidades y el poder adquisitivo del consumidor es la base de la mercadotecnia exitosa. Al comprender la manera en que los compradores pasan por el reconocimiento del problema, búsqueda de información, evaluación de alternativas, la decisión de compra y la conducta posterior a la compra, el mercadólogo puede escoger muchos indicios acerca de cómo satisfacer las necesidades del comprador. Al comprender a los diversos participantes en el proceso de compra y las influencias principales sobre la conducta de compra de éstos, el mercadólogo puede desarrollar un programa de mercadotecnia eficaz con el fin de sustentar una oferta atractiva para el mercado meta.

PROCESOS DE DECISION DEL COMPRADOR HACIA PRODUCTOS NUEVOS

Se han examinado las etapas por las cuales pasan los compradores cuando intentan satisfacer una necesidad. Los compradores pueden pasar con rapidez o lentitud por estas etapas y algunas de éstas incluso pueden invertirse.[20] Mucho depende de la naturaleza del comprador, del producto y de la situación de compra.

Ahora se considerará la forma cómo los compradores enfocan la compra de productos nuevos. Las compañías arriesgan millones de dólares cada año en el desarrollo y lanzamiento de productos nuevos. Están ansiosos por orientación proveniente de estudios de conducta de adopción de un nuevo producto por parte de los consumidores. Se han dirigido muchas investigaciones acerca de este tema, que se resumen a continuación.

Un **producto nuevo** se define como *un bien, servicio o idea que algunos consumidores potenciales perciben como algo nuevo.* Un producto nuevo puede haber estado en el mercado por algún tiempo, pero estamos interesados por la manera cómo los consumidores se enteran por primera vez de los productos y las decisiones que toman acerca de adoptarlos o no. El **proceso de adopción** se define como "el proceso mental mediante el cual un individuo pasa de la etapa en que oye hablar por primera vez de una innovación hasta la adopción final".[21] La **adopción** se define como *la decisión de un individuo de convertirse en usuario frecuente del producto.*

Ahora estamos preparados para examinar las principales generalizaciones sacadas de centenares de estudios acerca del modo como la gente acepta las ideas nuevas.

Etapas en el proceso de adopción

Se observa que los consumidores pasan por un cierto número de etapas en el proceso de adopción de un producto nuevo. Rogers identifica cinco:

1. *Conocimiento:* el consumidor se da cuenta de la innovación, pero carece de información acerca de ésta.

2. *Interés:* el consumidor es estimulado a buscar información acerca de la innovación.

3. *Evaluación:* el consumidor considera si tendría sentido probar la innovación.

4. *Prueba:* el consumidor prueba la innovación en pequeña escala para mejorar la estimación que tenga del valor de ésta.

5. *Adopción:* el consumidor decide hacer uso completo y regular de la innovación.

Esto indica que el innovador debería pensar acerca de cómo ayudar a los consumidores a pasar por estas etapas. Un fabricante de hornos de microondas puede descubrir que muchos consumidores están en la etapa de interés, pero no pasan a la etapa de prueba debido a la incertidumbre y a la gran inversión. Si estos mismos consumidores estuvieran dispuestos a usar un horno de microondas durante un periodo de prueba por una pequeña tarifa, el fabricante debería considerar ofrecer un plan de uso a prueba con opción para compra.

Los seres humanos se diferencian mucho en su disposición favorable para probar productos nuevos. Rogers define la *innovación* de una persona como "el grado de prontitud relativa, con el cual un individuo adopta ideas nuevas en relación con el de otros miembros de su sistema social". En cada área de producto, estas personas son aptas para ser "pioneros de consumo" y adoptadores tempranos. Algunas personas son las primeras en adoptar nuevas modas en ropa o nuevos electrodomésticos, como el horno de microondas. Otros individuos adoptan nuevos productos mucho tiempo después. Esto ha dado lugar a una clasificación de la gente en las categorías de adoptadores que se muestran en la figura 7-7.

El proceso de adopción se representa como una distribución normal cuando se traza sobre el tiempo. Después de un comienzo lento, un creciente número de personas adoptan la innovación; el número llega a un pico y entonces disminuye a medida que quedan menos no adoptadores. Los innovadores se definen como el primer 2.5% de los compradores que desean una nueva idea; los adoptadores tempranos son el siguiente 13.5% que aprueban la nueva idea; y así sucesivamente.

Rogers considera que los cinco grupos de adoptadores tienen diferentes valores. Los innovadores son *aventureros;* prueban ideas nuevas corriendo cierto riesgo. Los adoptadores tempranos están orientados por el *respeto;* son líderes de opinión en su comunidad y adoptan ideas nuevas temprana pero cuidadosamente. La mayoría temprana son *reflexivos;* adoptan nuevas ideas antes que la persona media, aunque raras veces son líderes. La mayoría tardía es *escéptica;* adoptan una innovación sólo después de que la mayoría de la gente la ha probado. Por último, los rezagados son *tradicionalistas;* son suspicaces de los cambios, se relacionan con otras personas tradicionalistas y adoptan la innovación sólo cuando ésta haya adquirido cierto valor de tradición.

Esta clasificación del adoptador indica que una firma innovadora debería investigar las características demográficas, psicográficas y de los medios de comunicación de los innovadores y los adoptadores tempranos, y debería dirigir comunicaciones específicamente a estas personas. La identificación de los adoptadores tempranos no siempre es fácil. Nadie ha demostrado la existencia de un factor general de la personalidad denominado disposición a la innovación. Los individuos tienden a ser innovadores en ciertas áreas y rezagados en otras. Podemos pensar en un hombre de negocios que se viste conservadoramente, pero que se deleita en probar artes culinarios desconocidos.

El problema de la firma consiste en identificar las características de aquellas personas que son propensas a ser adoptadoras tempranas en su área de producto. Por ejemplo, los

FIGURA 7-7
Categorización del adoptador con base en el tiempo relativo de adopción de innovaciones

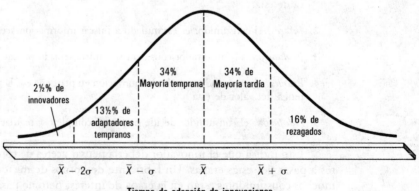

2½% de innovadores

13½% de adaptadores tempranos

34% Mayoría temprana

34% de Mayoría tardía

16% de rezagados

$\bar{X} - 2\sigma$ $\bar{X} - \sigma$ $\bar{X}$ $\bar{X} + \sigma$

Tiempo de adopción de innovaciones

Fuente: reproducida del Everett M. Rogers, Diffusion of Innovations (Nueva York: Free Press, 1962), p. 162.

estudios muestran que las amas de casa innovadoras son más gregarias y usualmente tienen un estatus social más alto que las amas de casa no innovadoras. Los innovadores en computadoras personales son de edad media, con un nivel elevado de ingresos y educación, y tienden a ser líderes de opinión, aunque muestran una tendencia a ser más racionales, más introvertidos y menos sociables.[22] Ciertas comunidades tienden a tener más personas que son adoptadoras tempranas. Rogers ofrecía las siguientes hipótesis acerca de los adoptadores iniciales:

> Los adoptadores relativamente más tempranos en un sistema social tienden a ser más jóvenes, poseen un estatus social más elevado, una posición financiera más favorable, operaciones más especializadas y un tipo distinto de habilidad mental que los adoptadores tardíos. Los adoptadores más tempranos utilizan fuentes de información que son más impersonales y cosmopolitas que los adoptadores tardíos, y que están en contacto más cercano con el origen de las ideas nuevas. Los adoptadores más tempranos utilizan un mayor número de diferentes fuentes de información que los adoptadores tardíos. Las relaciones sociales de los adoptadores tempranos son más cosmopolitas que los adoptadores tardíos, y los adoptadores tempranos tienen más liderazgo de opinión.[23]

Papel de la influencia personal

La influencia personal desempeña un papel importante en la adopción de productos nuevos. La influencia personal describe el efecto de declaraciones hechas por una persona sobre la actitud de otra o la probabilidad de compra. Según Katz y Lazarsfeld:

> Alrededor de la mitad de las mujeres en nuestra muestra informaron que recientemente habían cambiado de algún producto o marca al que estaban acostumbradas y que habían usado otro nuevo. El hecho de que un tercio de estos cambios implicaran influencias personales indica que también hay considerable tránsito en el consejo de mercadotecnia. Las mujeres se consultan entre sí para opiniones acerca de productos nuevos, acerca de la calidad de diferentes marcas, acerca de la forma de ahorrar, y cosas por el estilo.[24]

La influencia personal es más significativa en algunas situaciones y más para ciertas personas que para otras. La influencia personal es más importante en la etapa de evaluación del proceso de adopción que en otras etapas. Tiene más influencia sobre los adoptadores tardíos que sobre los tempranos. Y es más importante en situaciones riesgosas que en situaciones seguras.

Influencia de las características del producto sobre la tasa de adopción

Las características de la innovación afectan su tasa de adopción. Algunos productos pegan casi de la noche a la mañana (frisbees), mientras que a otros les lleva mucho tiempo para ser aceptados (automóviles de motor diesel). Cinco características son especialmente importantes en cuanto a su influencia sobre la tasa de adopción de una innovación. Se considerarán las características en relación con la tasa de adopción de las computadoras personales para uso en el hogar.

La primera característica es la *ventaja relativa* de la innovación: el grado en el cual parezca superior a los productos existentes. Mientras más grande sea la ventaja relativa percibida del uso de una calculadora personal, como en la preparación de declaraciones de impuestos sobre la renta y el mantenimiento de registros financieros, más pronto se adoptarán las computadoras personales.

La segunda característica es la *compatibilidad* de la innovación: el grado en el cual se equipare con los valores y experiencias de los individuos en la comunidad. Las computadoras personales, por ejemplo, son sumamente compatibles con los estilos de vida de los hogares de clase media alta.

La tercera característica es la *complejidad* de la innovación: el grado en el cual es relativamente difícil de entender o usar. Las computadoras personales son complicadas y, por tanto, necesitarán más tiempo para entrar en los hogares estadunidenses.

La cuarta característica es la *divisibilidad* de la innovación, el grado en el cual puede probarse en una base limitada. Según el grado como la gente pueda rentar computadoras personales con una opción de compra, la tasa de adopción del producto aumentará.

La quinta característica es la *comunicabilidad* de la innovación, el grado en el cual los resultados pueden observarse o describírseles a otras personas. Como las computadoras personales se prestan a la demostración y a la descripción, esto las ayudará a difundirse más rápido en el sistema social.

Otras características influyen en la tasa de adopción, como los costos iniciales, los costos en curso, el riesgo y la incertidumbre, la credibilidad científica y la aprobación social. El mercadólogo de un producto nuevo tiene que investigar todos estos factores y darles a los factores clave la atención máxima a la hora de desarrollar el producto nuevo y el programa de mercadotecnia.

■ *Resumen*

Antes de planear su estrategia de mercadotecnia, una compañía necesita identificar sus consumidores meta y los tipos de procesos de decisión por los que pasan. Aunque muchas decisiones de compra implican sólo a una persona que toma la decisión, otras decisiones pueden implicar a varios participantes que desempeñan papeles tales como iniciador, influenciador, decisor, comprador y usuario. La labor del mercadólogo consiste en identificar a los otros participantes en la compra, sus criterios de compra y su grado de influencia sobre el comprador. El programa de mercadotecnia debería estar diseñado para atraer y alcanzar a los otros participantes claves, así como al comprador.

El número de participantes en la compra y la cantidad de deliberación para comprar aumentan con la complejidad de la situación de compra. Howard y Sheth han distinguido tres tipos de conducta de decisión de compra: conducta de respuesta rutinaria, solución limitada de problema y solución amplia de problema.

Al adquirir algo, el comprador pasa por un proceso de decisión que consta de reconocimiento del problema, búsqueda de información, evaluación de alternativas, decisión de compra y conducta posterior a la compra. La labor del mercadólogo consiste en comprender la conducta del comprador en cada etapa y cuáles influencias están operando. Este conocimiento le permite al mercadólogo desarrollar un programa de mercadotecnia significativo y eficaz para el mercado meta.

En lo que toca a productos nuevos, los consumidores responden a tasas distintas, dependiendo de las características del consumidor y las características del producto. Los fabricantes tratan de atraer sobre los productos nuevos la atención de los adoptadores tempranos potenciales, particularmente aquéllos con características de líderes de opinión.

■ *Preguntas de repaso*

1. Un comprador se encuentra en la etapa de evaluación de alternativas del proceso de decisión de compra cuando considera la elección de un supermercado en el cual hacer compras "de rutina". ¿Qué factores cree que la mayoría de los consumidores considerarán "muy importantes" en su elección de un supermercado? (Enumere estos factores en orden de importancia.)

2. ¿Puede explicarse una compra "impulsiva" mediante el proceso de decisión del comprador que se describe en este capítulo?

3. ¿Cuáles son los resultados de la búsqueda de información?
4. Si a usted se le diera la tarea de desarrollar un modelo de

la conducta del consumidor, ¿qué variables y/o relaciones agregaría a las que se examinaron en este capítulo?
5. Aplique los cinco diferentes papeles en el proceso de decisión acerca de la universidad.
6. Explique cuál de las tres clases de situaciones de compra serían aplicables probablemente a la decisión de compra de: a) unas vacaciones en Europa, b) un cartón de seis botellas de cerveza, c) un traje nuevo y d) un museo para visitar.
7. Relacione las etapas del proceso de compra del consumidor con la última compra que haya hecho de un par de zapatos.
8. ¿Por qué se incluye la etapa de conducta posterior a la venta en el modelo del proceso de compra?

■ Bibliografía

1. Véase BRIAN O'REILLY, "Lessons from the Home Phone Wars", *Fortune,* 24 de diciembre de 1984, p. 83-86; y JULES ABEND, "Merchandising Home Telephones: Strategies for Grabbing More Market Share", *Stores,* junio de 1984, p. 55-60.
2. Véase la viñeta inicial en el capítulo 12.
3. FREDERICK C. KLEIN, "How a New Product Was Brougth to Market Only to Flop Miserably", *Wall Street Journal,* 5 de enero de 1973, p. 1, 19.
4. JOHN A. HOWARD y JAGDISH N. SHETH, *The Theory of Buyer Behavior* (Nueva York: Wiley, 1969), p. 27-28.
5. Los académicos de la mercadotecnia han desarrollado varios modelos del proceso de compra del consumidor. Los modelos más prominentes son los de HOWARD y SHETH, *The Theory of Buyer Behavior;* FRANCESCO M. NICOSTA. *Consumer Decision Processes* (Englewood Cliffs, NJ: Prentice-Hall, 1966); y JAMES F. ENGEL, ROGER D. BLACKWELL y DAVID T. KOLLAT, *Consumer Behavior,* 3a. ed. (Nueva York: Holt, Rinehart & Winston, 1978); y JAMES R. BETTMAN, *An Information Processing Theory of Consumer Choice* (Reading, MA: Addison-Wesley, 1979).
6. Véase CHEM L. NARAYANA y RON J. MARKIN, "Consumer Behavior and Product Performance: An Alternative Conceptualization", *Journal of Marketing,* octubre de 1975, p. 1-6. Estos diferentes conjuntos son una elaboración del concepto de un *conjunto evocado,* que fue propuesto originalmente por HOWARD y SHETH, *Theory of Buyer Behavior,* p. 26. Ellos definieron el *conjunto evocado* como el conjunto de marcas "que se convierten en alternativas en la decisión de la elección del comprador".
7. JAMES H. MYERS y MARK L. ALPERT, *"Semantic Confusion in Attitude Research: Salience vs. Importance vs. Determinance",* en *Advances in Consumer Research* (Proceedings of the Seventh Annual Conference of the Association of Consumer Research, octubre de 1976), IV, p. 106-10.
8. Véase PAUL E. GREEN y YORAM WIND, *Multiattribute Decisions in Marketing: A Measurement Approach* (Hinsdale, IL: Dryden Press, 1973), capítulo 2.
9. Este modelo fue desarrollado por MARTIN FISHBEIN en "Attitudes and Prediction of Behavior", en *Readings in Attitude Theory and Measurement,* Martin Fishbein, ed. (Nueva York: Wiley, 1967), p. 477-92. Para una revisión crítica del modelo, véase WILLIAM L. WILKIE y EDGAR A. PESSEMIER, "Issues in Marketing's Use of Multi-Attribute Attitude Models", *Journal of Marketing Research,* noviembre de 1973, p. 428-41.
10. Otros modelos se describen en GREEN y WIND, *Multiattribute Decisions in Marketing,* capítulo 2; PETER WRIGHT, "Consumer Choice Strategies: Simplifying vs. Optimi-
zing", *Journal of Marketing Research,* febrero de 1975, p. 60-67; y BETTMAN, *An Information Processing Theory of Consumer Choice.*
11. Véase HARPER W. BOYD, JR., MICHAEL L. RAY y EDWARD C. STRONG, "An Attitudinal Framework for Advertising Strategy", *Journal of Marketing,* abril de 1972, p. 27-33.
12. Véase JAGDISH N. SHETH, "An Investigation of Relationships among Evaluative Beliefs, Affect, Behavioral Intention, and Behavior", en *Consumer Behavior: Theory and Application,* John U. Farley, John A, Howard y L. Winston Ring, eds. (Boston: Allyn & Bacon, 1974), p. 89-114.
13. Véase FISHBEIN, "Attitudes and Prediction of Behavior".
14. Véase RAYMOND A. BAUER, "Consumer Behavior as Risk Taking", en *Risk Taking and Information Handling in Consumer Behavior,* Donald F. Cox, ed. (Boston: Division of Research, Harvard Business School, 1976); y JAMES W. TAYLOR, "The Role of Risk in Consumer Behavior", *Journal of Marketing,* abril de 1974, p. 54-60.
15. Véase JOHN E. SWAN y LINDA JONES COMBS, "Product Performance and Consumer Satisfaction: A New Concept", *Journal of Marketing,* abril de 1976, p. 25-33.
16. Véase ROLPH E. ANDERSON, "Consumer Dissatisfaction: The Effect of Disconfirmed Expectancy on Perceived Product Performance", *Journal of Marketing Research,* febrero de 1973, p. 39-44.
17. LEON FESTINGER y DANA BRAMEL, "The Reactions of Humans to Cognitive Dissonance", en *Experimental Foundations of Clinical Psychology,* Arthur J. Brachrach, ed. (Nueva York: Basic Books, 1962). p. 251-62.
18. LEON FESTINGER, *A Theory of Congnitive Dissonance* (Stanford, CA: Stanford University Press, 1957), p. 260.
19. Véase JAMES H. DONNELLY, JR., y JOHN M. IVANCEVICH, "Post-Purchase Reinforcement and Back-Out Behavior", *Journal of Marketing Research,* agosto de 1970, p. 399-400.
20. La siguiente exposición se apoya mucho en EVERETT M. ROGERS, Diffusion of Innovations (Nueva York: Free Press, 1962). Véase también THOMAS S. ROBERTSON, *Innovative Behavior and Communication* (Nueva York: Holt, Rinehart, & Winston, 1971).
21. ROGERS, *Diffusion of Innovations.*
22. MARY LEE DICKERSON y JAMES W. GENTRY, "Characteristics of Adopters and Non-Adopters of Home Computers", *Journal of Consumer Research,* septiembre de 1983, p. 225-35.
23. ROGER, Diffusion of Innovations, p. 192.
24. ELIHU KATZ y PAUL F. LAZARSFELD, *Personal Influence* (Nueva York: Free Press, 1955), p. 234.

8
Mercados organizacionales y conducta de compra organizacional

La Gulfstream Aerospace Corporation vende aviones de propulsión a chorro (*jets*) comerciales con precios de hasta 16 millones de dólares para compradores corporativos. La localización de los compradores potenciales no es un problema: son fáciles de identificar las organizaciones que pueden costear, tener y operar aviones comerciales de muchos millones de dólares. Los problemas más difíciles de la Gulfstream son llegar a quienes toman las decisiones claves, comprender la complejidad de sus motivaciones y sus procesos de decisión, averiguar qué factores serán importantes en sus decisiones y diseñar propuestas eficaces de mercadotecnia.

La Gulfstream Aerospace reconoce la importancia de los motivos *racionales* y de los factores *objetivos* en las decisiones de los compradores. Una compañía que compre un *jet* evaluará los de la Gulfstream en cosas tales como la calidad y el rendimiento, los precios y los costos de operación y el servicio. Y éstas pueden parecer las únicas cosas que dirigen la decisión de compra. Pero el hecho de tener un producto superior no es bastante para lograr la venta; Gulfstream Aerospace también debe prestar atención a los *factores humanos* más sutiles que afectan la elección de un avión de reacción.

"El proceso de compra lo puede iniciar el funcionario superior, un miembro de la junta directiva (que desee acrecentar la eficiencia o la seguridad), el jefe de pilotos de la compañía o mediante esfuerzos del vendedor como publicidad y visitas de ventas. El funcionario superior desempeñará un papel central para tomar la decisión de comprar el avión, pero recibirá una gran influencia del piloto de la compañía, el funcionario de finanzas y tal vez la misma junta directiva."

"Cada partícipe en el proceso de compra tiene papeles y necesidades sutiles. Por ejemplo, el vendedor que intente impresionar tanto al funcionario superior con programas de depreciación, como al piloto en jefe con estadísticas de pista mínima de despegue y aterrizaje, casi seguramente que no venderá un avión si pasa por alto los componentes psicológicos y emocionales de la decisión de compra. 'Para

el funcionario superior', observa un vendedor, 'usted necesita todas las cifras de apoyo, pero si no puede encontrar el espíritu de muchacho dentro del funcionario superior y animarlo con la belleza del nuevo avión, usted nunca venderá el equipo. Si vende la emoción, venderá el avión.'

"El piloto en jefe, como un experto en equipo, a menudo tiene poder de veto sobre las decisiones de compra y puede ser capaz de impedir la compra de una u otra marca de *jet* al expresar sencillamente una opinión negativa, por ejemplo, la baja capacidad del avión en malas condiciones meteorológicas. En este sentido, el piloto no sólo influye sobre la decisión, sino que también sirve como un 'cuidador' de información al aconsejarle a la gerencia acerca del equipo a seleccionar. Aunque el personal legal corporativo manejará el acuerdo de compra y el departamento de compras adquiera el avión, estos participantes pueden tener poco que decir acerca de la adquisición del avión y qué tipo. Los usuarios del avión (gerentes medios y superiores de la compañía compradora, clientes importantes y otros) tal vez tengan al menos un papel indirecto en la elección del equipo."

"La intervención de muchas personas en la decisión de compra crea una dinámica de grupo, que la compañía vendedora debe tomar en cuenta en su planeación de ventas. ¿Quiénes integran el grupo comprador? ¿Cómo interactúan los participantes? ¿Quién dominará y quién se someterá? ¿Qué prioridades tienen los individuos?"

En cierta forma, venderles aviones corporativos a los compradores organizacionales es como venderles automóviles y electrodomésticos a las familias. La Gulfstream Aerospace plantea las mismas preguntas que los mercadólogos de consumo. ¿Quiénes son los compradores y cuáles son sus necesidades? ¿Cómo toman los compradores sus decisiones de compra y qué factores influyen en estas decisiones? ¿Que programa de mercadotecnia será más eficaz? Pero las respuestas para estas preguntas suelen ser diferentes para el comprador organizacional. Así, la Gulfstream Aerospace se enfrenta a muchos de los mismos retos que los mercadólogos de consumo y a algunos más.[1]

De una manera u otra, la mayoría de las grandes compañías venden a otras organizaciones. Muchas compañías industriales venden *la mayor parte* de sus productos a otras organizaciones; compañías como Xerox, Du Pont y un sinnúmero de otras compañías grandes y pequeñas. Incluso las grandes compañías de productos de consumo hacen mercadotecnia organizacional. Por ejemplo, la General Mills fabrica muchos productos familiares para los consumidores finales: Cheerios, harina preparada para pastel Betty Crocker, harina Gold Medal, juegos Parker Brothers. Pero para vender estos productos a los consumidores finales, la General Mills debe venderlos primero a las organizaciones al mayoreo y al menudeo que sirven al mercado de consumo. General Mills también hace productos, como sustancias químicas especiales, que sólo se venden a otras compañías.

Las organizaciones constituyen un gran mercado. De hecho, los mercados industriales implican muchos más dólares y artículos que los mercados de consumo. La figura 8-1 muestra el gran volumen de transacciones necesarias para producir y vender un solo par de zapatos. Los comerciantes de cuero les venden a los curtidores, quienes a su vez les venden piel a los fabricantes de zapatos, quienes venden zapatos a los mayoristas, los cuales a su vez les venden zapatos a los minoristas, quienes por último se los venden a los consumidores. Cada partícipe de la cadena de producción y distribución compra también muchos otros bienes y servicios. Es fácil ver por qué hay más compras organizacionales que compras de consumo: se llevan a cabo muchos conjuntos de compras organizacionales por un conjunto de compras de consumo.

Las compañías que les venden a otras organizaciones deben esforzarse al máximo por comprender la conducta de compra organizacional y las necesidades, recursos, motivaciones y procesos de compra del comprador que configuran tal conducta. En este capítulo se explicará la naturaleza de los mercados organizacionales y se intentará comprender la manera cómo los compradores industriales toman decisiones de compra.

MERCADOS ORGANIZACIONALES

Tipos de mercados organizacionales
Se examinarán tres tipos de mercados organizacionales: el mercado industrial, el mercado de reventa y el mercado gubernamental.

Mercado industrial

El **mercado industrial** está formado por *todos los individuos y organizaciones que adquieren bienes y servicios que entran en la producción de productos y servicios que se venden, se rentan o se suministran a otros.* El mercado industrial incluye compradores de muchos

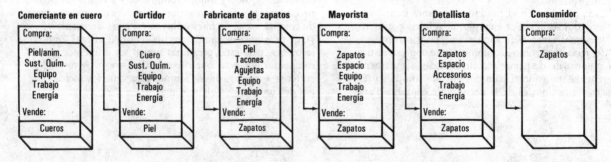

FIGURA 8-1 *Transacciones organizacionales que intervienen en la producción y distribución de un par de zapatos*

Usted no puede estar orgulloso de su compañía cuando no está orgulloso del automóvil de su compañía.

Después de todo, los carros en la flota de su compañía, reflejan la imagen de la misma.

Esto se debe a que más y más compañías están incluyendo el Buick Century en sus flotillas.

Sus conductores saben que se sentirán orgullosos del Century, con su forma aerodinámica, vestidura interior y los suntuosos accesorios, características por las cuales es famoso.

También sus contadores estarán orgullosos del Century. Cuesta un poco más que un carro común. Y aunque es realmente lujoso, es un carro muy eficiente en operación. De hecho, ofrece un impresionante EPA ㉕ MPG (millas por galón), 39 MPG estimativas en carretera.

Para una flotilla que sea atractiva tanto para propios como para extraños, comuníquese con su representante de flotas Buick.

Estará orgulloso de hacerlo.

Carro oficial de la XXIII Olimpiada, Los Ángeles 1984.

¿No preferiría tener un Buick?

Buick dirige su conocido lema ''¿No preferiría tener un Buick?'' al mercado industrial. *Cortesía de McCann-Erickson.*

tipos de industrias: manufacturera; construcción; transportación; comunicaciones; finanzas y seguros; servicios; agricultura; forestal; pesca; minería, y servicios públicos. El mercado industrial es *enorme*: Consta de más de 13 millones de organizaciones que compran más de 3 millones de millones de dólares en bienes y servicios al año. (Eso es más dinero del que la mayoría de nosotros puede imaginar; 3 millones de millones de billetes de un dólar colocados en fila le darían la vuelta completa al planeta ¡más de 11 000 veces!) Así, el mercado industrial es el mayor y más diverso de los mercados organizacionales.

Mercado de reventa

El **mercado de reventa** consta de *todos los individuos y organizaciones que adquieren bienes con el propósito de revenderlos o rentarlos a otros con una utilidad.* Donde las firmas en el mercado industrial producen utilidad de forma, los revendedores producen utilidad de tiempo, espacio y posesión. El mercado de reventa incluye más de 390 000 firmas mayoristas y 1 millón 800 mil firmas detallistas que se combinan para comprar más de 2 millones de millones de dólares de bienes y servicios al año. Los revendedores compran bienes para reventa y bienes y servicios para dirigir sus operaciones. En su papel como agentes de compra para sus propios clientes, los revendedores compran una gran variedad de bienes para reventa, de hecho, cualquier cosa producida excepto en los pocos casos de bienes que los productores les venden directamente a los consumidores.

Mercado gubernamental

El **mercado gubernamental** consta de *unidades gubernamentales (federales, estatales y locales) que compran o rentan bienes y servicios para desempeñar las principales funciones del gobierno*. En 1983, los gobiernos compraron alrededor de 690 mil millones de dólares en productos y servicios. El gobierno federal da cuenta de casi 40% de gasto total gubernamental en todos los niveles, lo cual lo convierte en el consumidor más grande de la nación. Las agencias gubernamentales federales, estatales y locales compran un rango sorprendente de productos y servicios. Compran bombarderos, esculturas, pizarrones, muebles, artículos de tocador, ropas, carros de bomberos, vehículos y combustible. En 1981, gastaron aproximadamente 175 mil millones de dólares para defensa, 170 mil millones de dólares para educación, 110 mil millones de dólares para seguridad social, 54 mil millones de dólares para recursos naturales, 50 mil millones de dólares para salud y hospitales, 45 mil millones de dólares para carreteras y sumas más pequeñas para servicios postales, investigación espacial y viviendas y renovación urbana. No es sorprendente que los gobiernos representen a tremendo mercado para cualquier productor o revendedor.

Características de los mercados organizacionales   De cierta manera, los mercados organizacionales son similares a los mercados de consumo: ambos implican personas que asumen papeles de compra y que toman decisiones de compra para satisfacer necesidades. Pero en muchas formas, los mercados organizacionales difieren de los mercados de consumo. Las principales diferencias se encuentran en la estructura de mercado y en las características de la demanda, la naturaleza de la unidad de compra y los tipos de decisiones y el proceso de decisión.

Estructura de mercado y características de la demanda

El mercadólogo organizacional normalmente trata con *compradores más grandes, pero mucho menos numerosos* que el mercadólogo de consumo. El destino de la compañía Goodyear en el mercado industrial depende de obtener pedidos de uno de entre unos cuantos fabricantes grandes de automóviles. Pero cuando Goodyear vende llantas de repuesto a los consumidores, su mercado potencial incluye a los propietarios de 105 millones de automóviles estadunidenses actualmente en uso. Incluso en mercados organizacionales populosos, unos cuantos compradores normalmente dan cuenta de la mayoría de las adquisiciones.

Los mercados organizacionales también están más *concentrados geográficamente* Más de la mitad de los compradores industriales de Estados Unidos están concentrados en siete estados: Nueva York, Pensilvania, Illinois, Ohio, Nueva Jersey y Michigan. Las industrias como las del petróleo, el hule y el acero tienen una concentración aún mayor. La mayoría de la producción agrícola proviene relativamente de unos pocos estados.

La demanda organizacional es una *demanda derivada:* proviene en última instancia de la demanda de bienes de consumo. La General Motors compra acero, porque los consumidores compran automóviles. Si la demanda de consumo de automóviles disminuye, lo mismo le sucederá a la demanda de acero y de todos los demás productos usados para fabricar automóviles. Los mercadólogos industriales a veces promueven sus productos directamente a los consumidores finales para generar más demanda industrial (véase el recuadro 8-1).

Muchos mercados organizacionales se caracterizan por una *demanda inelástica*. Los cambios de precio no afectan mucho a la demanda total para muchos productos industriales, especialmente en el corto plazo. Una disminución en el precio del cuero no hará que los fabricantes de zapatos compren mucho más, a no ser que esto dé lugar a precios más bajos del calzado con una mayor demanda de consumo.

RECUADRO 8-1

USTED NO PUEDE COMPRARLO, PERO VA A AMARLO

G. D. Searle & Co. está gastando casi un millón de dólares en publicidad de consumo para un producto que los consumidores no pueden comprar. La compañía Skokie, IL, está haciendo más esfuerzos de mercadotecnia para su producto NutraSweet, el sustituto del azúcar que ahora puede adquirirse en docenas de productos comerciales de alimentos y bebidas.

Se optó por la publicidad no convencional para "mejorar el factor de reconocimiento público del producto", dice Max Downham, vicepresidente de planeación y administración del grupo NutraSweet de Searle. "También queremos aumentar la publicidad que nuestros consumidores dirigen", agrega.

NutraSweet es el nombre de marca de Searle para aspartame, un edulcorante hecho con compuestos de proteínas. Searle, que espera generar ventas de 1000 millones de dólares para el producto en 1988, está sacando anuncios que dicen: "Le presentamos a NutraSweet. Usted no puede comprarlo pero va a amarlo". Ogilvy & Mather/Chicago es la agencia de publicidad. Los anuncios impresos también llevan un cupón que puede intercambiarse por goma de mascar endulzada con NutraSweet. Se hacen planes para distribuir muestras de productos.

Aspartame fue aprobado para alimentos secos en 1981 y a comienzos de julio la Food and Drug Administration aprobó su uso en refrescos embotellados. Los productores que ya están en el mercado con NutraSweet incluyen cereal Quaker Oats Halfsies, cocoa Swiss Miss Sugar Free, mezcla para té helado Lipton y gelatina baja en calorías D-Zerta. Hace dos semanas, Searle firmó un pacto para vender alrededor de 50 millones de dólares de NutraSweet anualmente para las bebidas de Coca-Cola.

"Nuestra meta publicitaria es lograr un nivel de reconocimiento del consumidor para NutraSweet de al menos 50%", dice Downham.

Fuente: "You Can't Buy it But You're Going to Love it", *Sales and Marketing Management*, 15 de agosto de 1983, p. 11-12.

Por último, los mercados organizacionales tienen más *fluctuación de la demanda*. La demanda para muchos bienes y servicios industriales tiende a ser más volátil que la demanda de bienes y servicios de consumo. Un pequeño incremento porcentual en la demanda de consumo puede causar grandes aumentos en la demanda industrial. Los economistas denominan a esto el *principio de aceleración*. A veces una elevación de sólo el 10% en la demanda de consumo puede originar hasta un incremento del 200% en la demanda industrial para el periodo siguiente.

Naturaleza de la unidad de compra

En comparación con las compras de consumo, una compra organizacional usualmente implica *más participantes en la compra y más compras organizacionales*. La compra organizacional la suelen hacer agentes de compras profesionalmente entrenados que pasan sus vidas laborales aprendiendo a comprar mejor. Mientras más complicada sea la compra, más probabilidades habrá de que intervengan varias personas en el proceso de toma de decisiones. Los comités de compras compuestos por expertos técnicos y alta gerencia, son comunes en la compra de bienes mayores. Esto significa que los mercadólogos organizacionales deben tener representantes de ventas bien entrenados para tratar con compradores bien entrenados.

Tipos de decisiones y el proceso de decisión

Los compradores organizacionales usualmente se enfrentan a decisiones de compra *más complicadas* que los compradores de consumo. Las compras a menudo implican grandes sumas de dinero, consideraciones técnicas y económicas complejas e interacciones complicadas entre muchas personas en muchos niveles de la organización del comprador. Como las compras son más complejas, puede que a los compradores organizacionales les lleve más tiempo para tomar sus decisiones. Una compañía que compre un sistema de computación complicado puede tardar muchos meses o más de un año para seleccionar a un proveedor.

El proceso de compras organizacionales tiende a ser *más formalizado* que el proceso de compras de consumo. Las grandes compras organizacionales comúnmente requieren especificaciones detalladas sobre el producto, solicitudes de compra por escrito, búsquedas rigurosas de proveedores y aprobación formal. El proceso de compra puede describirse en detalle en los manuales de política.

Por último, en el proceso de compra organizacional, el comprador y el vendedor con frecuencia *dependen mucho más* uno del otro. Los mercadólogos de consumo por lo general permanecen a cierta distancia de sus clientes. Pero los mercadólogos organizacionales pueden arremangarse las mangas y trabajar muy de cerca con sus clientes durante todas las etapas del proceso de compra: desde ayudar a los clientes a definir el problema, encontrar soluciones y realizar operaciones posteriores a la venta.

Otras características

Véanse a continuación algunas características de la compra organizacional:

- ■ *Compras directas*. Los compradores organizacionales a menudo compran directamente de los productores en vez de los intermediarios, especialmente para artículos que sean técnicamente complicados o costosos.

- ■ *Reciprocidad*. Los compradores organizacionales con frecuencia seleccionan proveedores que también les compran a ellos. Un ejemplo de esta reciprocidad sería un fabricante de papel que compra sustancias químicas necesarias de una compañía química que está comprando una considerable cantidad de su papel. La reciprocidad está prohibida por la Federal Trade Commission (Comisión Federal de Comercio) y por la división antimonopolio del Departamento de justicia si les cierra la puerta a los competidores de una manera injusta. Un comprador aún puede escoger un proveedor al que también le venda algo, pero el comprador deberá ser capaz de demostrar que está consiguiendo precios competitivos, calidad y servicio de ese proveedor.[2]

- ■ *Alquiler*. Los compradores organizacionales cada vez recurren más a la renta de equipo en vez de la compra directa. Esto sucede con computadoras, maquinaria para zapatos, equipo de empaquetado, equipo pesado para construcción, camiones de reparto, máquinas-herramienta y automóviles para la fuerza de ventas. El arrendador obtiene un cierto número de ventajas, como tener más capital disponible, obtener los productos más nuevos del vendedor, recibir mejor servicio y obtener algunas ventajas tributarias. El arrendador a menudo termina con un ingreso neto más grande y la oportunidad de vender a clientes, que tal vez no hubieran sido capaces de costear la compra directa.[3]

UN MODELO DE LA CONDUCTA DEL COMPRADOR ORGANIZACIONAL

Webster y Wind definen la **compra organizacional** como "el proceso de toma de decisiones mediante el cual las organizaciones formales establecen la necesidad para la compra de productos y servicios e identifican, evalúan y seleccionan entre marcas y proveedores alternativos".[4] Al intentar comprender la conducta del comprador organizacional, los mercadólogos deben encontrar respuestas para algunas preguntas difíciles. ¿Qué tipos de decisiones de compra toman los compradores organizacionales? ¿Cómo escogen entre varios proveedores? ¿Quién toma la decisión? ¿Cuál es el proceso de decisión de compras organizacionales? ¿Qué factores influyen en las decisiones de compra de los compradores organizacionales?

En el nivel más básico, los mercadólogos quieren saber cómo responderán los compradores organizacionales a diversos estímulos de mercadotecnia. En la figura 8-2 se muestra un modelo sencillo de la conducta del comprador organizacional.[5] La figura muestra que la mercadotecnia y otros estímulos influyen en la organización y producen ciertas respuestas en el comprador. Los estímulos de mercadotecnia consisten en las cuatro P: producto, precio, plaza y promoción. Los otros estímulos constan de las principales fuerzas en el ambiente de la organización: económicas, tecnológicas, políticas y culturales. Todos estos estímulos entran en la organización y se transforman en respuestas del comprador: elección del producto o servicio, elección del proveedor, cantidades del pedido, plazos y condiciones de entrega, condiciones de servicio y de pago. Para diseñar estrategias eficaces de mezcla de mercadotecnia, el mercadólogo debe comprender lo que sucede dentro de la organización para convertir los estímulos en respuestas de compra.

Dentro de la organización, la actividad de compra consta de dos componentes principales: el centro de compra (compuesto por todas las personas que intervienen en la decisión de compra) y el proceso de decisión de compra. La figura muestra que el centro de compra y el proceso de decisión de compra, y por ende la decisión de compra, reciben influencia de factores organizacionales internos, interpersonales e individuales, así como factores ambientales externos.

Se examinarán los diversos elementos de este modelo de la conducta del comprador organizacional. Por lo pronto, nos concentraremos en el mercado organizacional más grande e importante, el mercado industrial. Posteriormente, en este capítulo se considerarán las características especiales de la conducta de compra del revendedor y del gobierno.

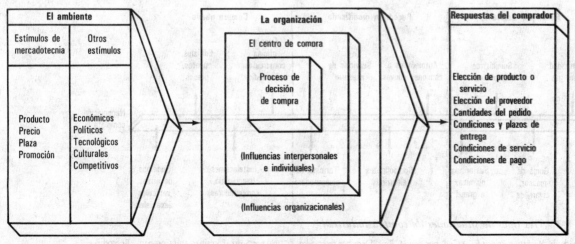

FIGURA 8-2 *Modelo de la conducta del comprador organizacional*

CONDUCTA DEL COMPRADOR INDUSTRIAL

Se examinarán cuatro preguntas acerca de la conducta del comprador industrial:

- ¿Qué decisiones de compra toman los compradores industriales?

- ¿Quién participa en el proceso de compra?

- ¿Cuáles son las principales influencias sobre los compradores?

- ¿Qué es el proceso de decisión de compras industriales?

¿Qué decisiones de compra toman los compradores industriales?

El comprador industrial se enfrenta a un conjunto completo de decisiones para realizar una compra. El número de decisiones depende del tipo de situación de compra. Robinson y otros distinguen tres tipos de situaciones de compra, que denominan *clases de compra*,[6] con base en la novedad de la adquisición, las cantidades y tipos de información necesaria y el número de nuevas elecciones de compra que el consumidor considere.

Principales tipos de situaciones de compra

En un extremo está la recompra directa, que es una decisión muy rutinaria; en el otro extremo está la tarea nueva, que puede requerir una investigación profunda; en medio está la recompra modificada, que requiere cierta investigación. (Para ejemplos, véase la figura 8-3.)

RECOMPRA DIRECTA. En una recompra directa, el comprador vuelve a hacer un pedido de algo sin ninguna modificación. El departamento de compras suele manejarla en un régimen rutinario. el comprador escoge entre los proveedores de su ''lista,'' con base en su satisfacción de compra en el pasado con los diversos proveedores. Los proveedores que están ''dentro'' hacen un esfuerzo para mantener la calidad del producto y servicio. Con frecuencia, proponen sistemas automáticos para repetir pedidos de modo que el agente de compras ahorrará tiempo para hacer pedidos nuevos. Los proveedores ''fuera'' intentan ofrecer algo nuevo o aprovecharse de la insatisfacción para que el comprador los considere. Los aspirantes a proveedores intentan poner el pie en la puerta con un pedido pequeño y después agrandar su ''porción de compra'' con el tiempo.

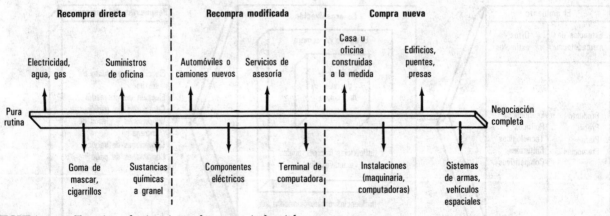

FIGURA 8-3 *Tres tipos de situaciones de compra industrial*

Fuente: tomada de *Marketing Principles*, 3a. ed. por Ben M. Enis. Derechos reservados © 1980 por Scott, Foresman and Company. Reproducida con autorización.

RECOMPRA MODIFICADA. En una recompra modificada, el comprador quiere modificar las especificaciones del producto, los precios, otras condiciones o sustituir a los proveedores. La recompra modificada, por lo general amplía el número de participantes en la decisión. Los proveedores admitidos se ponen nerviosos y tienen que esforzarse para proteger la cuenta. Los aspirantes a proveedores lo ven como una oportunidad para hacer una "mejor oferta" a fin de obtener algunos negocios nuevos.

TAREA NUEVA. La tarea nueva es la de una compañía que compra un producto o servicio por primera vez. Mientras más alto sea el costo o el riesgo, mayor será el número de participantes en la decisión y mayor será su búsqueda de información. En la situación de tarea nueva, el comprador debe obtener mucha información acerca de productos y proveedores alternativos. El comprador tiene que determinar especificaciones del producto, plazos de tiempo, condiciones y plazos de entrega, condiciones de servicio y de pago, cantidades de los pedidos, proveedores aceptables y el proveedor elegido. Diferentes participantes en la decisión influyen en cada decisión y el orden en que se toman las decisiones varía.

Esta situación no se presenta con frecuencia, pero es muy importante para los mercadólogos ya que conduce a situaciones de compra directa o modificada más tarde. La situación de tarea nueva es la mayor oportunidad y el mayor reto del mercadólogo. Este no sólo intenta alcanzar tantas influencias claves de compra como sea posible, sino que también proporciona información y asistencia.

El papel de la compra y venta de sistemas

La mayoría de los compradores prefieren comprar una solución completa para su problema, sin tomar todas las decisiones separadas que esto implica. Esto se denomina **compra de sistemas** y se originó en la práctica gubernamental de comprar grandes sistemas de armas y comunicaciones. En vez de comprar y ensamblar todos los componentes, el gobierno solicitaría ofertas de los principales contratistas quienes ensamblarían el paquete o sistema. El contratante ganador sería responsable por la licitación y montaje de los subcomponentes. El contratante principal proporcionaría así *una operación de llave en mano,* llamada así porque el comprador sencillamente tiene que accionar una llave para conseguir todas las cosas necesarias.

Los vendedores han reconocido cada vez más que a los compradores les gusta comprar de esta manera y han adoptado la práctica de **venta de sistemas** como una herramienta de mercadotecnia. La venta de sistemas tiene dos componentes. Primero, el proveedor vende un grupo de productos vinculados. Por ejemplo, el proveedor vende no sólo pegamento sino también aplicadores y secadores. Segundo, el proveedor vende un sistema de producción, control de inventario, distribución y otros servicios para satisfacer la necesidad del comprador por una operación de corrida uniforme. La venta de sistemas es una estrategia clave de mercadotecnia industrial para obtener y mantener cuentas.

¿Quién participa en el proceso de compra industrial?

¿Quién participa en las decisiones de compra para los cientos de miles de millones de dólares en valor de bienes y servicios que necesita el mercado industrial? Webster y Wind denominan a la unidad de toma de decisiones de una organización de compra el **centro de compra**, definido como "todos aquellos individuos y grupos que participan en el proceso de toma de decisiones de compra, que comparten algunas metas comunes y los riesgos que se deriven de la decisión".[7]

El centro de compra incluye a todos los miembros de la organización que desempeñan cualesquiera de los cinco papeles siguientes en el proceso de decisión de compra.[8]

■ *Usuarios.* Los usuarios son los miembros de la organización que usarán el producto o servicio. En muchos casos, los usuarios inician la propuesta de compra y ayudan a definir las especificaciones del producto.

■ *Influenciadores.* Los influenciadores son personas que afectan la decisión de compra. A menudo ayudan a definir especificaciones y también proporcionan información para evaluar elecciones. El personal técnico es particularmente importante como influenciador.

■ *Compradores.* Los compradores son personas con autoridad formal para seleccionar al proveedor y arreglar las condiciones de la compra. Los compradores pueden ayudar a configurar las especificaciones del producto, pero desempeñan su papel principal en la selección de vendedores y en las negociaciones. En compras más complicadas, los compradores podrían influir a funcionarios de alto nivel que intervienen en las negociaciones.

■ *Decisores.* Los decisores son personas que tienen poder formal o informal para seleccionar o aprobar a los proveedores finales. En las compras rutinarias, los compradores son a menudo los decisores, o al menos quienes aprueban.

■ *Cancerberos.* Los cancerberos son personas que controlan el flujo de información para otras personas. Por ejemplo, los agentes de compras con frecuencia tienen autoridad para impedir que los vendedores vean a los usuarios o a quienes toman la decisión. Otros cancerberos incluyen al personal técnico e incluso a las secretarias personales.

El centro de compras no es una unidad fija y formalmente identificada de la organización de compra; es un conjunto de papeles de compra asumidos por diferentes personas para distintas compras. Dentro de la organización, el tamaño y la composición del centro de compra variará para diferentes clases de productos y para diferentes situaciones de compra. Para algunas compras rutinarias, una persona (por ejemplo, un agente de compras) puede asumir todos los papeles del centro de compras y ser la única persona que intervenga en la decisión de compra. Para compras más complicadas, el centro de compras puede incluir a veinte o treinta personas de diferentes niveles y departamentos en la organización. Un estudio de las compras organizacionales mostró que la compra de equipo industrial típico implicaba a siete personas de tres niveles administrativos que representaban a cuatro departamentos distintos. Algunas compras de equipo implicaban hasta veintiocho personas de seis niveles administrativos y ocho departamentos distintos.[9]

El centro de compras usualmente incluye a algunos participantes obvios que formalmente participan en la decisión de compra: la decisión para comprar un avión a reacción corporativo probablemente implicará al piloto en jefe de la compañía, un agente de compras, algún personal legal, un miembro de la gerencia superior y otras personas a cargo formalmente de la decisión de compra. También puede implicar a participantes informales y menos obvios, algunos de los cuales tomarán o tendrán una fuerte influencia sobre la decisión de compra. Algunas veces hasta las personas en el centro de compras no conocen a todos los participantes en la compra. Por ejemplo, la decisión acerca de qué avión comprar la podrá tomar en realidad un miembro de la junta directiva de la corporación que esté interesado en volar y que sepa mucho sobre aviones. Esta persona puede ser un influenciador detrás del escenario que gobierne en última instancia la decisión.

Cada miembro del centro de compra tiene puntos de vista y objetivos únicos acerca de una decisión particular de compra. Algunos miembros tendrán más influencia que otros. Así, muchas decisiones de compras industriales son el resultado de interacciones complejas de participantes en el centro de compras que cambian constantemente.

El concepto de centro de compras representa un reto sustancial de mercadotecnia. El mercadólogo industrial tiene que averiguar: ¿quiénes son los principales participantes en la decisión? ¿En qué decisiones ejercen influencia? ¿Cuál es su grado relativo de influencia? Y ¿qué criterios de evaluación usa cada participante en la decisión? Considérese el ejemplo siguiente:

La American Hospital Supply Corporation les vende a los hospitales batas quirúrgicas desechables no tejidas. Trata de identificar al personal del hospital que participa en la decisión de compra. Los participantes en la decisión resultan ser: 1) el vicepresidente de compras, 2) el administrador de la sala de operaciones y 3) los cirujanos. Cada participante desempeña un papel distinto. El vicepresidente de compras analiza si el hospital debería comprar batas desechables o batas que puedan volverse a usar. Si los resultados favorecen las batas desechables, entonces el administrador de la sala de operaciones compara los productos y los precios de varios competidores y escoge uno. Este administrador considera la absorbencia de la bata, su calidad antiséptica, su diseño y costo, y normalmente compra la marca que satisfaga los requerimientos funcionales al costo más bajo. Por último, los cirujanos influyen retroactivamente en la decisión al informar de su satisfacción o insatisfacción con la marca particular.

Cuando un centro de compras incluye a muchos participantes, el mercadólogo industrial no tendrá el tiempo ni los recursos para llegar a todos ellos. Las compañías pequeñas se concentran en alcanzar las *influencias claves de compra*. Las compañías grandes van en pos de la *venta profunda de nivel múltiple* para llegar a tantos participantes en la decisión como sea posible. Sus vendedores virtualmente ''viven'' con el cliente cuando se trata de una cuenta principal con ventas recurrentes.

¿Cuáles son las principales influencias sobre los compradores industriales?

Los compradores industriales están sujetos a muchas influencias cuando toman sus decisiones de compra. Algunos mercadólogos presuponen que las influencias principales son económicas. Consideran que los compradores favorecen al proveedor que ofrezca el precio mínimo, el mejor producto o el mayor servicio. Esto sugiere que los mercadólogos industriales deberían concentrarse en ofrecer a los compradores fuertes beneficios económicos.

Otros mercadólogos consideran que los compradores responden a motivos personales cuando buscan favores, atención o reducción del riesgo. En un estudio de los compradores en diez grandes compañías se sacó la conclusión de que

. . .quienes toman las decisiones corporativas siguen siendo humanos después de entrar a la oficina. Responden a la ''imagen''; compran de compañías con las cuales se sienten ''cercanos''; favorecen a los proveedores que les muestran respeto y consideración personal y que hacen cosas ''para ellos''; a menudo ''reaccionan de modo exagerado'' a desatenciones reales o imaginarias y tienden a rechazar compañías que no logran responder o que se retrasan para presentar las ofertas solicitadas.[10]

Este punto de vista indica que los mercadólogos industriales deberían concentrarse principalmente en factores humanos y sociales en la situación de compra.

Los compradores industriales responden en realidad tanto a factores económicos como personales. Cuando hay una similitud sustancial en las ofertas de los proveedores, los compradores industriales tienen poco fundamento para una elección racional. Como pueden satisfacer las metas organizacionales con cualquier proveedor, los compradores pueden introducir factores personales. Cuando los productos competidores difieran sustancialmente, los compradores industriales son más responsables de su elección y prestan más atención a los factores económicos.

Webster y Wind han clasificado las diversas influencias sobre los compradores industriales en cuatro grupos principales: ambientales, organizacionales, interpersonales e individuales.[11] Estos grupos se enumeran en la figura 8-4 y se describen a continuación.

Factores ambientales

Los compradores industriales reciben una fuerte influencia de los factores en el ambiente económico actual y esperado (como el nivel de la demanda primaria), las perspectivas económicas y el costo del dinero. A medida que el nivel de inseguridad económica se eleva, los compradores industriales dejan de hacer nuevas inversiones en planta y equipo e intentan reducir sus inventarios. Los mercadólogos industriales pueden hacer muy poco para estimular las compras en este ambiente.

Un factor ambiental cada vez más importante es la escasez inminente de materiales claves. Las compañías están mostrando una mayor disposición para comprar y mantener grandes inventarios de materiales escasos. Desean firmar contratos a largo plazo para garantizar la recepción de estos materiales. Du Pont, Ford, Chrysler y varias otras compañías grandes han definido la *planeación de la oferta* como una responsabilidad principal de sus ejecutivos de compras.[12]

A los compradores industriales también les afecta los desarrollos tecnológicos, políticos y competitivos en el ambiente. El mercadólogo industrial tiene que monitorear los mismos factores, determinar cómo afectarán al comprador y tratar de convertir estos problemas en oportunidades.

Factores organizacionales

Cada organización de compra tiene sus propios objetivos, políticas, procedimientos, estructura organizacional y sistemas. El mercadólogo industrial tiene que conocer éstos tan bien como sea posible. Surgen interrogantes como éstas: ¿cuántas personas intervienen en la decisión de compra?, ¿quiénes son?, ¿cuáles son sus criterios de evaluación?, ¿cuáles son las políticas y restricciones de la compañía sobre los compradores?

El mercadólogo industrial debería ser consciente de las siguientes tendencias organizacionales en el área de compra:

■ *Mayor importancia del departamento de compras*. Con frecuencia, los departamentos de adquisiciones han ocupado una posición baja en la jerarquía administrativa, a pesar de que han sido responsables por administrar más de la mitad de los costos de la empresa. Sin embargo, la combinación reciente de inflación y escasez ha llevado a muchas compañías a aumentar la importancia de sus departamentos de compras. Varias corporaciones grandes han ascendido a los jefes de compras al rango de vicepresidentes. Caterpillar y algunas otras compañías han combinado varias funciones (como las de compras, control de inventario, producción, programación y tráfico) en una función de alto nivel denominada *administración de materiales*. Los gerentes de materiales de la "nueva onda" están construyendo activamente nuevas fuentes de abastecimientos. Muchas compañías están buscando talento superior, contratan maestros en administración de empresas y les ofrecen compensaciones superiores. Esto significa que los mercadólogos industriales deben ascender correspondientemente a su personal de ventas para igualar el calibre de los nuevos compradores.

■ *Compras centralizadas*. En las compañías multidivisionales, la mayoría de las compras las ejecutan divisiones separadas debido a sus necesidades diferentes. Pero a últimas fechas las empresas han intentado recentralizar algunas de las compras. Las oficinas centrales identifican los materiales comprados por diversas divisiones y consideran comprarlos centralmente. Esto le da

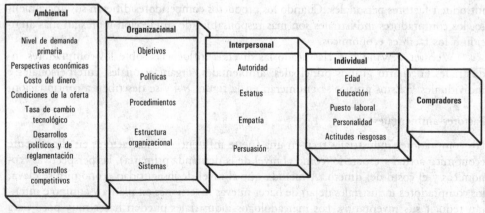

FIGURA 8-4 *Influencias principales sobre la conducta de compra industrial*

a la compañía más poder de compra. Las plantas individuales pueden comprar de otra fuente si pueden conseguir mejores condiciones, pero en general las compras centralizadas producen ahorros sustanciales para la empresa.[13] Para el mercadólogo industrial, este avance significa tratar con menos compradores pero de nivel superior. En vez de que las fuerzas de ventas regionales del vendedor traten con plantas separadas, el vendedor debe usar una fuerza de ventas de cuenta nacional para tratar con el comprador. La venta de cuenta nacional representa un reto y exige una fuerza de ventas sofisticada y un esfuerzo de planeación de mercadotecnia.

■ *Contratos a largo plazo*. Los compradores industriales están cada vez más interesados en conseguir contratos a largo plazo con los proveedores. Estos contratos requieren una negociación cuidadosa y los compradores agregan especialistas en negociaciones a su personal de asesoría. Los mercadólogos industriales, a su vez, tendrán que agregar negociadores especializados en su personal de asesoría.

■ *Evaluación del rendimiento de las compras*. Algunas compañías están estableciendo sistemas de incentivo para recompensar a los gerentes de compras por un rendimiento excepcionalmente bueno, de una forma muy parecida a como el personal de ventas recibe bonificaciones por un desempeño especialmente bueno en ventas. Estos sistemas harán que los gerentes de compras acrecienten su presión sobre los vendedores para las mejores condiciones.

Factores interpersonales

El centro de compra usualmente incluye a muchos participantes con diferentes estatus, autoridad, empatía y capacidad de persuasión. Cada uno influye en los otros, quienes a su vez influyen en él. En muchos casos, el mercadólogo industrial no sabrá qué tipos de dinámica de grupo ocurren durante el proceso de compra. Como señala Bonoma:

> Los gerentes no usan etiquetas que digan "persona encargada de tomar decisiones" o "persona sin importancia". Con frecuencia, los poderosos son invisibles, al menos para los representantes del vendedor.[14]

El participante en el centro de compras con el rango más elevado no siempre tiene la influencia interpersonal más grande. Los participantes tal vez hayan influido en la decisión de compra porque controlan las recompensas y los castigos, porque cuentan con la simpatía de todos, porque tienen conocimientos o destreza especiales en relación con la decisión de compra o porque están casados con la hija del presidente de la compañía.

Los factores interpersonales a menudo son muy sutiles. Donde sea posible, los mercadólogos industriales deben observar el proceso de toma de decisiones del comprador, comprender las personalidades y los factores interpersonales implicados y diseñar estrategias que tomen en cuenta estos factores.

Factores individuales

Cada participante en el proceso de decisión de compra trae consigo motivaciones personales, percepciones y preferencias. Estas no escapan a la influencia de la edad del participante, su educación, ingresos, identificación profesional, personalidad y actitudes hacia el riesgo. Los compradores muestran diferentes estímulos de compra. Algunos de los más jóvenes y mejor educados son entusiastas de las computadoras y realizan análisis rigurosos de las propuestas competitivas antes de escoger a un proveedor. Otros compradores son "muchachos duros" de la "vieja escuela" y derrotan a los vendedores:

> ...Un buen ejemplo de un comprador astuto es el vicepresidente a cargo de las compras de la gran cervecería de Nueva York, Rheingold's.... Usando el apalancamiento de cientos de millones de latas al año, al igual que muchos otros compradores, toma acción punitiva cuando una compañía baja de calidad o no entrega. "En un momento dado, American comenzó a hablar de un aumento de precios", recuerda él, "Continental mantuvo la boca cerrada.... American nunca llegó a subir el precio, pero de todas formas,

los castigué por andar hablando de eso''. Durante tres meses redujo el porcentaje de latas que le compraba a la compañía American.[15]

Los mercadólogos industriales deben conocer a sus clientes y adaptar sus tácticas a las influencias específicas de índole ambiental, organizacional, interpersonal e individual a la situación de compra.

¿Cómo toman los compradores industriales sus decisiones de compra?

Ahora se verá cómo avanzan los compradores industriales por el proceso de compras. Robinson y otros identifican ocho etapas del proceso de compra industrial y las denominan *fases de compra*.[16] Estas se enumeran en la tabla 8-1. La tabla muestra que los compradores que se enfrentan con la situación de compra nueva pasarán por todas las etapas del proceso de compra. Los compradores que hagan recompras modificadas o directas se saltarán algunas de las etapas. A continuación se examinarán estos pasos para la situación típica de compra nueva.

Reconocimiento del problema

El proceso de compra se inicia cuando alguien en la compañía reconoce un problema o necesidad que puede resolverse o satisfacerse mediante la adquisición de un bien o servicio. El reconocimiento de problemas puede ocurrir como resultado de estímulos internos o externos. Internamente, los sucesos más comunes que conducen al reconocimiento de problemas son los siguientes:

- La compañía decide lanzar un nuevo producto y necesita equipo y materiales nuevos para producir este artículo.

- Una máquina se descompone y es necesario sustituirla o conseguir piezas de repuesto.

- Algún material comprado resultó ser insatisfactorio y la compañía busca a otro proveedor.

- Un gerente de compras percibe una oportunidad para obtener mejores precios o calidad más alta.

Externamente, el comprador puede obtener algunas ideas nuevas en una exhibición comercial, o ver un anuncio, o recibir una llamada de un representante de ventas que ofrezca un producto mejor o un precio más bajo. Por tanto, los mercadólogos industriales pueden estimular el reconocimiento de problemas al desarrollar anuncios o telefonear a los prospectos.

TABLA 8-1
Etapas principales (fases de compra) del proceso de compras industriales en relación con las principales situaciones de compra (clases de compra)

ETAPAS DEL PROCESO DE COMPRA (FASES DE COMPRA)	SITUACIONES DE COMPRA (CLASES DE COMPRA)		
	Compra nueva	Recompra modificada	Recompra directa
1. Reconocimiento de problema	Sí	Quizá	No
2. Descripción general de la necesidad	Sí	Quizá	No
3. Especificación del producto	Sí	Sí	Sí
4. Búsqueda de proveedor	Sí	Quizá	No
5. Solicitud de propuesta	Sí	Quizá	No
6. Selección del proveedor	Sí	Quizá	No
7. Especificación rutinaria del pedido	Sí	Quizá	No
8. Revisión del rendimiento	Sí	Sí	Sí

Fuente: Adaptada de Patrick J. Robinson, Charles W. Faris y Yoram Wind, *Industrial Buying and Creative Marketing* (Boston: Allyn & Bacon, 1967), p. 14.

Descripción general de necesidades

Después de haber reconocido una necesidad, el comprador procede a determinar las características generales y la cantidad del artículo necesario. Para artículos estándar, éste no es un problema grave. Para artículos complicados, el comprador trabajará con otras personas (ingenieros, usuarios, consultores) para definir las características generales. Querrán clasificar la importancia de la confiabilidad, la durabilidad, el precio y otros atributos deseados en el artículo.

El mercadólogo industrial puede brindar asistencia a la compañía compradora en esta fase. Con frecuencia el comprador no está consciente del valor de las diferentes características del producto. Un mercadólogo alerta puede ayudar al comprador a definir las necesidades de la compañía.

Especificación del producto

La organización que compra procede ahora a desarrollar las especificaciones técnicas del artículo. Un equipo de ingenieros trabajará en el problema de un análisis de valor. El **análisis de valor,** que la General Electric ideó a fines de la década de 1940, es *un enfoque de la reducción de costos en el cual los componentes se estudian cuidadosamente para determinar si pueden rediseñarse, estandarizarse o fabricarse con métodos de producción más económicos.* El equipo examinará los componentes de alto costo de un producto dado: usualmente el 20% de las partes componentes dan cuenta del 80% de los costos. También buscarán componentes del producto que estén excesivamente diseñados y que, por tanto, duren más que el mismo producto. La tabla 8-2 enumera las principales preguntas planteadas en el análisis de valor. El equipo decidirá cuáles son las características óptimas del producto y, en consecuencia, las especificará. Las especificaciones rigurosamente escritas le permitirán al comprador rechazar mercancía que no cumpla con los estándares buscados.

Los vendedores también pueden usar el análisis de valor como una herramienta para irrumpir en una cuenta. Al demostrar una mejor manera para fabricar un objeto, los vendedores externos pueden convertir situaciones de recompra directa en situaciones nuevas en las cuales su compañía tenga buenas oportunidades de hacer negocio.

Búsqueda de proveedores

El comprador intenta identificar ahora a los vendedores más apropiados. El comprador puede examinar directorios comerciales, hacer una investigación por computadora o telefonear a otras compañías en busca de recomendaciones. A algunos vendedores no se les tomará en cuenta porque no serán lo suficientemente grandes para abastecer la cantidad

---

TABLA 8-2 *Preguntas formuladas en el análisis de valor*	1. ¿El uso del artículo contribuye a su valor? 2. ¿Su costo es proporcional a su utilidad? 3. ¿Necesita todas sus características? 4. ¿Hay algo mejor para el uso intentado? 5. ¿Puede hacerse una parte utilizable con un método de costo más bajo? 6. ¿Puede encontrarse un producto estándar que pueda usarse? 7. ¿Se hace el producto con el montaje apropiado, considerando las cantidades que se usan? 8. ¿El material, el trabajo, los costos indirectos y las utilidades totalizan su costo? 9. ¿Otro proveedor confiable lo proporcionará por menos? 10. ¿Lo compra alguien por menos?

Fuente: Albert W. Frey, *Marketing Handbook,* 2da. ed. (Nueva York: Ronald Press, 1965), sección 27, p. 21. Copyright © 1985. Reimpreso con autorización de John Wiley & Sons, Inc.

necesaria o porque tengan una mala reputación de entrega y servicio. El comprador terminará con una lista pequeña de proveedores calificados.

Mientras más nueva sea la compra, y mientras más costoso y complicado sea el artículo, mayor será el tiempo dedicado a la búsqueda y clasificación de proveedores. La tarea del proveedor es hacerse incluir en los directorios principales y ganarse una buena reputación en el lugar de mercado. Los representantes de ventas deberían vigilar a las compañías en el proceso de búsqueda de proveedores y verificar que se tome en cuenta a su firma.

Solicitud de propuestas

El comprador invitará ahora a los proveedores calificados a que presenten propuestas. Algunos proveedores sólo mandarán un catálogo o un representante de ventas. Cuando el artículo es complicado o costoso, el comprador necesitará propuestas por escrito y detalladas de cada proveedor potencial. El comprador revisará a los proveedores restantes cuando hagan sus presentaciones formales.

Por tanto, los mercadólogos industriales deben ser hábiles para investigar, redactar y presentar propuestas. Estas deberán ser documentos de mercadotecnia, no documentos técnicos. Sus presentaciones orales deben inspirar confianza. Deberán posicionar las capacidades y recursos de la compañía de modo que ésta sobresalga entre la competencia.

Selección del proveedor

En esta etapa los miembros del centro de compras revisarán las propuestas y llegarán a una selección del proveedor. Ejecutarán un *análisis del vendedor* para seleccionar proveedores. No sólo tomarán en cuenta la competencia técnica de los diversos proveedores, sino también la habilidad de éstos para entregar el artículo a tiempo y proporcionar los servicios necesarios. Con frecuencia, el centro de compras hará una lista de los atributos deseados del proveedor y la importancia relativa de los mismos. Para seleccionar un abastecedor de sustancias químicas, un centro de compras enumeró los atributos siguientes en orden de importancia:

1. Servicios de apoyo técnico
2. Prontitud de entrega
3. Respuesta rápida a las necesidades del cliente
4. Calidad del producto
5. Reputación del proveedor
6. Precio del producto

7. Línea completa de productos
8. Calidad de los representantes de ventas
9. Extensión de crédito
10. Relaciones personales
11. Catálogos y manuales

Los miembros del centro de compras clasificarán a los proveedores atendiendo a estos atributos e identificarán a los proveedores más atractivos. A menudo usan un modelo de evaluación del proveedor similar al que aparece en la tabla 8-3.

Lehmann y O'Shaughnessy descubrieron que la importancia de varios atributos del proveedor depende del tipo de situación de compra a la que se enfrente el comprador.[17] Clasificaron los criterios de elección de los compradores en cinco categorías: *criterios de rendimiento* (¿qué rendimiento tendrá el producto del proveedor?), *criterios económicos* (¿cuánto costará comprar y usar el producto?), *criterios integrativos* (¿está el proveedor orientado al cliente y es cooperativo?), *criterios adaptativos* (¿puede adaptarse el proveedor a las necesidades cambiantes del comprador?) y *criterios legalistas* (¿qué restricciones legales y políticas deben considerarse a la hora de comprar el producto?). Su estudio de

TABLA 8-3
*Un ejemplo de
análisis del
vendedor*

ATRIBUTOS	ESCALA DE CLASIFICACION				
	Inaceptable (0)	Malo (1)	Aceptable (2)	Bueno (3)	Excelente (4)
Capacidades técnicas y de producción					x
Fortaleza financiera			x		
Confiabilidad del producto					x
Confiabilidad de entregas			x		
Capacidad de servicio					x

$4 + 2 + 4 + 2 + 4 = 16$
Puntuación media:
$16/5 = 3.2$

Nota: Este vendedor se muestra fuerte, excepto en dos atributos. El agente de adquisiciones debe decidir qué tan importantes son las dos deventajas. El análisis podría hacerse de nuevo usando valores estadísticos de importancia para los cinco atributos.

Fuente: Adaptada de Richard Hill, Ralph Alexander y James Cross, *Industrial Marketing,* 4a. ed. (Homewood, IL.: Irwin, 1975), pp. 101-4.

220 gerentes de compras mostró que los criterios económicos eran más importantes en situaciones que implicaban compras rutinarias de productos estándar. Los criterios de rendimiento se volvían más importantes en las compras de productos no estándar y más complicados. Los criterios adaptativos eran importantes en casi cualquier tipo de compra, mientras que los criterios integrativos se clasificaban como menos importantes en la mayoría de las situaciones de compra.

Los compradores pueden intentar negociar con los proveedores preferidos en busca de mejores precios y condiciones antes de hacer la selección definitiva. Al final, puede que seleccionen a un solo abastecedor o a unos cuantos. Muchos compradores prefieren fuentes múltiples de abastecimiento, de modo que no dependerán por completo de un proveedor en caso de que algo salga mal y también porque podrán comparar los precios y el rendimiento de los diversos proveedores. Por lo regular, el comprador hará la mayor parte de su pedido con un proveedor, y partes menores con otros. Por ejemplo, un comprador que emplee tres abastecedores puede comprar 60% de la cantidad necesaria del proveedor principal y de 30 a 10% de los otros dos proveedores.

El proveedor principal hará un esfuerzo para proteger su posición principal, mientras que los otros intentarán ampliar su porción. Mientras tanto, los proveedores fuera intentarán poner un pie en la puerta al hacer una oferta de precio especialmente bueno y, por ende, intentarán convertirse en los proveedores más importantes.

Especificación rutinaria del pedido

El comprador escribe ahora el pedido final con el (los) proveedor(es) elegido(s), enumerando las especificaciones técnicas, a cantidad necesaria, el tiempo esperado de entrega, las políticas de devoluciones, garantías, etc. En el caso de artículos MRO (mantenimiento, reparación y operación), los compradores se acercan cada vez más a *contratos generales* en lugar de *pedidos de compra periódicos.* Pero el comprador tampoco quiere hacer menos pedidos en cantidades más grandes, porque esto significa un inventario mayor.

Un contrato general establece una relación a largo plazo donde el proveedor promete reabastecer al comprador dentro de las condiciones acordadas de precio durante un lapso específico de tiempo. El proveedor conserva las existencias; de aquí el calificativo ''plan de compra sin existencias''. La computadora del comprador imprime automáticamente o envía por teletipo un pedido al vendedor cuando se necesitan existencias. Los contratos generales conducen a más compras de una sola fuente y a la adquisición de más artículos de esa misma fuente. Esto vincula mucho al proveedor con el comprador y dificulta que los proveedores externos intervengan, a no ser que el comprador quede insatisfecho con los precios o el servicio del proveedor.[18]

Evaluación del rendimiento

En esta etapa el comprador revisa el rendimiento de los proveedores. El comprador puede contactar a los usuarios y pedirles que clasifiquen su satisfacción. La revisión del rendimiento puede hacer que el comprador continúe con el vendedor, modifique las condiciones o busque a otro. El trabajo del vendedor consiste en monitorear las mismas variables que use el comprador para asegurar que el vendedor proporcione la satisfacción esperada.

Se han descrito las etapas de compra que operarían en una situación de compra nueva. En la situación de recompra modificada o recompra directa, algunas etapas quedarán integradas o se omitirán. Cada etapa representa una disminución del número de elecciones del proveedor. Un vendedor intentaría convertirse en parte del proceso de compra del comprador en la etapa más temprana posible.

El modelo de ocho etapas proporciona una visión sencilla del proceso de decisión de compras industriales. El proceso real suele ser mucho más directo y mucho más complicado.[19] Cada organización compra según su propio estilo y cada situación de compra tiene requerimientos únicos. Pueden intervenir diferentes miembros del centro de compra en diferentes etapas del proceso. Aunque, por lo regular, ciertos pasos del proceso de compra ocurren, los compradores no siempre los siguen en el mismo orden y pueden agregar otros pasos. Con frecuencia, los compradores repiten ciertas etapas más de una vez.

El mercadólogo industrial necesita modelar individualmente cada proceso de compra de un cliente importante. La figura 8-5 muestra el modelo de un proceso de decisión de compra de una compañía para un pedestal de prueba de motores de automóvil. La figura muestra que esta decisión de compra implicaba a cinco personas de la compañía. También participaban dos proveedores y varias influencias externas de compra. Por último, trece diferentes sucesos condujeron a la colocación de un pedido con uno de los proveedores. Tal modelo puede ayudar al mercadólogo a localizar a las personas encargadas de tomar las decisiones claves y las influencias de compra y a diseñar un plan eficaz de mercadotecnia, para venderle y darle servicio.

CONDUCTA DE COMPRA DE LOS REVENDEDORES

En muchos sentidos, la conducta de compra del revendedor es similar a la conducta del comprador industrial. Las organizaciones de reventa (distribuidores) tienen centros de adquisiciones formados por un diverso número de participantes que interactúan para tomar una diversidad de decisiones de compra. Tienen un proceso de toma de decisiones que comienza con el reconocimiento del problema y termina con decisiones acerca de qué productos comprar, de cuáles proveedores y bajo qué condiciones. Los compradores están bajo la influencia de una gran diversidad de factores ambientales, organizacionales, interpersonales e individuales.

Pero hay algunas diferencias importantes entre la conducta de compra industrial y de reventa. Los revendedores difieren en cuanto a los tipos de decisiones de compra que hacen, acerca de quién interviene en la decisión de compra y cómo se toman esas decisiones.

¿Qué decisiones de compra toman los revendedores? Los revendedores sirven como agentes de adquisiciones para *sus* clientes, de modo que compran productos y marcas que en su concepto tendrán atractivo para sus clientes. Tienen que decidir qué surtido de productos manejar, de cuáles vendedores comprar y qué

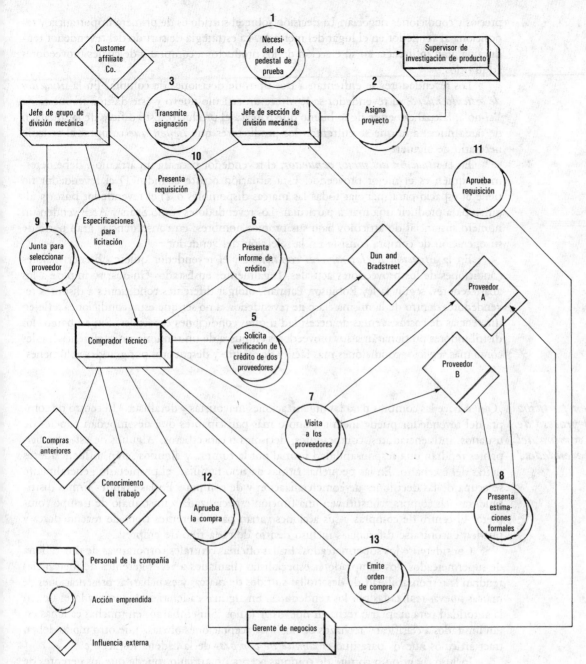

FIGURA 8-5 *Proceso de decisión de la compañía para la adquisición de un pedestal de prueba para motores de automóvil*

Fuente: Murray Harding, ''Who Really Makes the Purchasing Decision?'' *Industrial Marketing*, septiembre de 1966, p. 77.

The figure contains the following labeled elements:

- Customer affiliate Co.
- 1 — Necesidad de pedestal de prueba
- Supervisor de investigación de producto
- Jefe de grupo de división mecánica
- 3 — Transmite asignación
- Jefe de sección de división mecánica
- 2 — Asigna proyecto
- 10 — Presenta requisición
- 11 — Aprueba requisición
- 4 — Especificaciones para licitación
- 9 — Junta para seleccionar proveedor
- 6 — Presenta informe de crédito
- Dun and Bradstreet
- Proveedor A
- 5 — Solicita verificación de crédito de dos proveedores
- Comprador técnico
- Proveedor B
- Compras anteriores
- Conocimiento del trabajo
- 12 — Aprueba la compra
- 7 — Visita a los proveedores
- 8 — Presenta estimaciones formales
- 13 — Emite orden de compra
- Gerente de negocios

Legend:
- Personal de la compañía
- Acción emprendida
- Influencia externa

precios y condiciones negociar. La decisión sobre el surtido es de primera importancia y reposiciona al vendedor en el lugar del mercado. La estrategia de surtido del revendedor tendrá una gran influencia en su elección de los productos a comprar y de cuáles proveedores adquirirlos.

Los revendedores se enfrentan a tres tipos de decisiones de compra. En la *situación de artículo nuevo,* al revendedor se le ofrece un artículo nuevo y éste da una respuesta de "sí-no", la cual depende de lo bueno que parezca el producto. Esto difiere de la situación de tarea nueva a la que se enfrentan los productores que *tienen que* comprar el artículo necesario de alguien.

En la *situación del mejor vendedor,* el revendedor necesita un artículo y debe determinar quién es el mejor proveedor. Esta situación ocurre cuando: 1) el revendedor no tiene el espacio para manejar todas las marcas disponibles o 2) el revendedor busca a alguien para producir una marca particular. Los revendedores como Sears y A&P venden un número sustancial de artículos bajo sus propios nombres; en consecuencia, gran parte de su operación de compra consiste en la selección del vendedor.

En la *situación de las mejores condiciones,* el revendedor quiere obtener mejores condiciones de los proveedores actuales. Legalmente, en Estados Unidos, se impide a los abastecedores, según la ley Robinson-Patman, otorgar diferentes condiciones a distintos revendedores dentro de la misma clase de revendedor, a no ser que estas condiciones reflejen diferencias de costos, ventas de necesidad u otras condiciones especiales. Sin embargo, los distribuidores presionarán a sus proveedores en busca de un tratamiento preferencial, tales como más servicio, condiciones más fáciles de crédito y descuentos por grandes volúmenes.

¿Quién participa en el proceso de compra del revendedor?

¿Quién hace las compras para las organizaciones mayoristas y detallistas? El centro de compra del revendedor puede incluir a uno o más participantes que desempeñan papeles de usuarios, influenciadores, compradores, decisores o cancerberos. Algunos de estos participantes tendrán una responsabilidad formal por la compra y algunos serán influenciadores detrás del escenario. En las pequeñas firmas de tipo familiar, el propietario generalmente se ocupa de las decisiones de comercialización y de compras. En las grandes firmas distribuidoras, las compras constituyen una función especializada y un trabajo de tiempo completo. El centro de compras y sus acciones varían para diferentes tipos de revendedores y pueden encontrarse diferencias incluso dentro de cada tipo de empresa.

Considérense los supermercados. En las oficinas centrales corporativas de una cadena de supermercados, los compradores especialistas (llamados a veces gerentes de mercancía) tendrán la responsabilidad de desarrollar surtidos de marcas y escuchar las presentaciones de marcas nuevas realizadas por los vendedores. En algunas cadenas estos compradores tienen la autoridad para aceptar o rechazar nuevos artículos. Sin embargo, en muchas cadenas están limitados a clasificar "rechazos obvios" y "aceptaciones obvias"; de otro modo deben traer artículos nuevos para que el *comité de compras* de la cadena los acepte.

Incluso cuando un comité de compras acepta un artículo, puede que los gerentes de las tiendas en cadena no lo manejen. En palabras de un ejecutivo de una cadena de supermercados: "No importa lo que el representante de ventas venda ni lo que el comprador compre, la persona que tiene la mayor influencia sobre la venta final del nuevo artículo es el gerente de la tienda." En los supermercados independientes y en cadena de Estados Unidos, dos tercios de los artículos nuevos aceptados en el almacén se piden por decisión del propio gerente del establecimiento, y sólo un tercio representan distribución forzada.[20]

Así, los productores se enfrentan a un gran reto a la hora de intentar introducir nuevos artículos en las tiendas. Ofrecen a los supermercados de Estados Unidos entre 150 a 250 artículos nuevos cada semana, y el espacio de almacenamiento no permite aceptar más de 10% (véase el recuadro 8-2).

RECUADRO 8-2

LAS GRANDES GUERRAS DE LAS GALLETAS: BATALLA EN EL MERCADO DE REVENTA

La década de 1980 pasará a la historia de la mercadotecnia de los alimentos como los años de las grandes guerras de las galletas. Durante la década de 1970 y comienzos de la de 1980, la industria galletera de 2.5 miles de millones de dólares se adormiló, dominada por gigantes como Nabisco, United Biscuits (Keebler) y American Brands (Sunshine). Entonces, en 1982, la unidad Frito-Lay de PepsiCo comenzó a probar las galletas Grandma, una galleta más húmeda que sólo iba a ser la primera en una rápida sucesión de nuevas marcas "como hechas en casa" que iban a penetrar el mercado. Grandma capturó una porción del 15 al 20% en mercados de prueba y con esto comenzó la guerra.

Frito-Lay apoyó a Grandma con un presupuesto de publicidad de 70 millones de dólares (más de cinco veces el presupuesto publicitario para toda la industria en el año anterior) y alejó a los consumidores de otras marcas ofreciéndoles descuentos de precio y muestras gratuitas. Los productores establecidos contraatacaron. Nabisco intentó proteger su porción de mercado del 35 al 40% al subir su presupuesto publicitario de 8 a 30 millones de dólares y al rebajar sus precios. La compañía número dos, la Keebler, patrocinó concursos y aumentó su distribución. Sunshine acrecentó su publicidad desde menos de 500 mil dólares hasta más de 30 millones de dólares.

En 1983 la guerra se intensificó con otro gigante de la mercadotecnia, Procter & Gamble, que entró con su marca Duncan Hines, "crujientes en el exterior, suaves en el interior", apoyada por alrededor de 100 millones de dólares en publicidad. Y Nabisco siguió con su "casi hecha en casa" Almost Home. En el mercado de consumo, es probable que la guerra de los gigantes de las galletas (PepsiCo, P&G, Nabisco, American Brands y United Biscuits) dure varios años.

Pero la guerra también se desarrolla en un segundo frente, en el mercado de reventa, y muchos observadores creen que la batalla por el apoyo de los distribuidores decidirá quién gana la guerra. El principal objetivo es *espacio de anaquel* en más de 300 mil supermercados, almacenes y tiendas de abarrotes en toda la Unión Americana. Más espacio de anaquel significa más exposición al consumidor, lo cual da lugar a más ventas. Además de otorgar más espacio de anaquel, los detallistas pueden ayudar a favorecer un producto usando sus exhibidores, distribuyendo muestras y colocando anuncios donde aparezcan sus marcas.

El espacio de anaquel, el espacio de piso y el espacio publicitario son conveniencias inapreciables para los detallistas y cada fabricante de galletas tendrá que trabajar duro por su porción (P&G le pidió a Safeway 30% de su espacio de anaquel para galletas, pero sólo consiguió el 7.5%). Cada productor debe convencer a los detallistas de que su galleta merece más apoyo. Miles de representantes de ventas, armados con investigaciones sobre preferencias del consumidor y promesas de gigantescos programas de publicidad y promoción para sus productos, intentarán convencer a los detallistas de que si les dan apoyo a sus marcas tendrán mayores ventas y utilidades. Los detallistas escucharán ofertas de descuentos mercantiles, publicidad cooperativa, exhibidores atractivos, políticas liberales de devoluciones y un fuerte servicio.

La gran guerra de las galletas será larga y costosa para los fabricantes. Al final, los consumidores decidirán quiénes serán los ganadores. Pero el fabricante de galletas que "venda" mejor al mercado de reventa tendrá aliados poderosos.

Fuente: de información encontrada en Al Urbanski, "On With the $2.1 Billion Cookie War", *Sales and Marketing Management*, 6 de junio de 1983, p. 37-40; Ann M. Morrison, "Cookies Are Frito-Lay's Bag," *Fortune*, agosto 9 de 1982, p. 64-67; "Products of the Year," *Fortune*, 12 de diciembre de 1983, p. 76; y otras fuentes.

¿Cómo toman sus decisiones de compra los revendedores?

Para unos pocos artículos, los revendedores usan aproximadamente el mismo proceso de compra descrito para el comprador industrial. Para artículos estándar, los revendedores sencillamente vuelven a hacer pedidos de artículos cuando el inventario se agota. Los pedidos se hacen de los mismos proveedores, siempre y cuando sus condiciones, artículos y servicios sean satisfactorios. Los compradores intentarán renegociar precios si sus márgenes se erosionan debido a la elevación de los costos de operación. En muchas líneas al menudeo, el margen de utilidades es tan bajo (por ejemplo, 1 a 2% de las ventas en supermercados) que una disminución súbita de la demanda o una elevación de los costos de operación pondrá las utilidades en números rojos.

Los revendedores consideran muchos factores aparte de los costos a la hora de escoger productos y proveedores. Varios estudios han intentado clasificar los criterios de aceptación usados por los compradores, comités de compras y gerentes de tiendas. La A. C. Nielsen Company encuestó a gerentes para que clasificaran sobre una escala de tres puntos la importancia que tienen diferentes elementos para influir en su decisión de aceptar un nuevo artículo.[21] Los resultados fueron los siguientes

Evidencia de aceptación del consumidor	2.5
Publicidad / promoción	2.2
Artículos y descuentos de introducción	2.0
¿Por qué se desarrolló el artículo?	1.9
Recomendaciones de comercialización	1.8

Así, los vendedores tienen mejores oportunidades cuando pueden informar de una fuerte evidencia de aceptación por parte del consumidor, presentar un plan bien elaborado de publicidad y promoción de ventas, y proporcionarle fuertes incentivos financieros al detallista.[22]

Los revendedores mejoran sus habilidades de compra con el tiempo. Comienzan a dominar los principios del pronóstico de la demanda, selección de mercancía, control de existencias, asignación de espacio y exhibidores. Están aprendiendo a medir las utilidades por pie cúbico en vez de limitarse a las utilidades por producto. Cada vez usan más las computadoras para mantener cifras actuales de inventario, determinar cantidades económicas de pedidos, preparar pedidos y generar formas impresas de los dólares gastados en vendedores y productos.

Por tanto, los vendedores se topan con una actividad de compras cada vez más compleja de parte de los revendedores. Los vendedores necesitan comprender los requisitos cambiantes de los distribuidores y desarrollar ofertas atractivas competitivamente que ayuden a los revendedores a servir mejor sus clientes. La tabla 8-4 enumera varias herramientas de mercadotecnia que los vendedores usan para que su oferta a los distribuidores resulte más atractiva.

CONDUCTA DE COMPRA GUBERNAMENTAL

Las compras gubernamental e industrial son similares en muchos sentidos. Pero también hay diferencias que deben comprender las compañías que desean vender productos y ser-

---

TABLA 8-4
Herramientas de mercadotecnia del vendedor usadas con revendedores

Publicidad cooperativa, donde el vendedor acepta pagar una porción de los costos publicitarios del revendedor para el producto del vendedor.

Preetiquetación, donde el vendedor coloca una etiqueta en cada producto enumerando el precio de éste, el fabricante, tamaño, número de identificación y color; estas etiquetas ayudan al revendedor a hacer nuevos pedidos de mercancía a medida que la vende.

Compra sin existencias, donde el vendedor lleva inventario y le entrega artículos al revendedor con un corto aviso.

Sistemas automáticos de nuevos pedidos, donde el vendedor suministra formas y enlaces con computadora para hacer nuevos pedidos automáticos de mercancía por el revendedor.

Auxiliares de publicidad, como fotografías en brillo, libretos de transmisiones.

Precios especiales para promoción general de la tienda.

Privilegios de devolución e intercambio para el revendedor.

Descuentos para reducciones de precio de mercancía por parte del revendedor.

Patrocinio de demostraciones dentro de la tienda.

---

vicios al gobierno.[23] Para tener éxito en el mercado del gobierno, los vendedores deben localizar a las personas que toman las decisiones claves, identificar los factores que influyen en la conducta del comprador y comprender el proceso de la decisión de compra.

¿Quién participa en el proceso de compra gubernamental?

¿Quién es el que compra los 690 mil millones de dólares de bienes y servicios? Las organizaciones de compras gubernamentales se encuentran a nivel federal, estatal y local. El federal es el más grande y sus unidades de compra operan en los sectores civil y militar.

El establecimiento de *compras civiles federales* consta de siete categorías: departamentos (comercio), administración (General Services Administration), agencias (Federal Aviation Agency), juntas (Railroad Retirement Board), comisiones (Federal Communications Commission), la oficina ejecutiva (Bureau of the Budget) y diversas entidades (Tennessee Valley Authority). ''No hay un organismo federal único que haga los contratos de agencia para todas las necesidades gubernamentales y no hay un solo comprador en ninguna agencia que adquiera todas las necesidades de la agencia para cualquier conjunto dado de abastecimientos, equipo o servicio.''[24] Muchas agencias controlan un porcentaje sustancial de sus propias compras, en particular para productos industriales y equipo especializado. Al mismo tiempo, la General Services Administration desempeña un papel principal en la centralización de la compra de artículos de uso común en la sección civil (mobiliario y equipo de oficina, vehículos, combustible) y para estandarizar los procedimientos de compra para las otras agencias.

Las *compras militares federales* las realiza el departamento de la defensa, principalmente a través de la Defense Supply Agency y el ejército, la marina y la fuerza aérea. La Defense Supply Agency fue fundada en 1961 para comprar y distribuir suministros usados por todos los servicios militares en un esfuerzo por reducir la duplicación de costos. Opera seis centros de abastecimiento, que se especializan en construcción, electrónica, combustibles, apoyo de personal, suministros generales y equipo industrial. La tendencia se dirige a ''gerentes individuales'' para las principales clasificaciones de productos. Cada rama del servicio compra equipo y suministros de acuerdo con su propia misión; por ejemplo, el Army Department opera oficinas para adquirir su propio material, vehículos, suministros y servicios médicos y armas.

Las agencias de compra estatales y locales incluyen distritos escolares, departamentos de carreteras, hospitales, agencias de vivienda y muchas otras. Cada una tiene sus propios procedimientos de compra que los vendedores deben conocer a la perfección.

¿Cuáles son las principales influencias sobre los compradores gubernamentales?

Sobre los compradores gubernamentales inciden factores ambientales, organizacionales, interpersonales e individuales. Una cosa única acerca de las compras gubernamentales es que hay públicos externos que las monitorean cuidadosamente. Uno de esos vigilantes es el Congreso y algunos miembros del mismo han hecho carrera denunciando la extravagancia y el desperdicio gubernamental. Otro vigilante es la Bureau of the Budget (oficina del presupuesto), que vigila el gasto gubernamental y busca mejorar la eficiencia. Muchos grupos privados también vigilan a las agencias gubernamentales para controlar la manera en que gastan el dinero del público.

Dado que las decisiones de gasto están sujetas a la revisión del público, las organizaciones gubernamentales se enfrascan en muchísimo papeleo. Es necesario llenar formularios complicados y firmar para aprobar adquisiciones. El nivel de burocracia es elevado y los mercadólogos tienen que encontrar la manera de eludir tanto papeleo.

Los criterios no económicos están desempeñando un papel cada vez más importante en las compras del gobierno. A los compradores gubernamentales se les pide que favorezcan firmas y áreas deprimidas económicamente, firmas de pequeños negocios, y firmas que evitan la discriminación por la raza, el sexo o la edad. Los vendedores necesitan tener presente estos factores a la hora de decidir hacer negocios con el gobierno.

¿Cómo toman sus decisiones de compra los compradores gubernamentales?

Las prácticas de compra del gobierno a menudo les parece complejas y frustrantes a los proveedores. En una encuesta reciente, los proveedores registraron una variedad de quejas acerca de los procedimientos. Estas incluían excesivo papeleo, burocracia, reglamentaciones innecesarias, énfasis en las licitaciones más baratas, retrasos en la toma de decisiones, cambios frecuentes en el personal de adquisiciones y cambios excesivos de política.[25] Sin embargo, en poco tiempo se puede dominar todo lo referente al sistema estatal de adquisiciones. Por lo general, el gobierno proporciona información acerca de sus necesidades y procedimientos de compra. Con frecuencia, muestra el mismo deseo de atraer a nuevos proveedores que éstos en encontrar a nuevos clientes.

La Small Business Administration imprime un folleto titulado *U.S. Government Purchasing, Spécifications, and Sales Directory,* que enumera miles de artículos que con mayor frecuencia adquiere el gobierno y menciona las oficinas que adquieren la mayor parte de ellos. La Government Printing Office publica el *Commerce Business Daily,* que enumera las principales adquisiciones recientes de agencias civiles y de la defensa, así como los contratos otorgados que proporcionen pistas para los submercados de subcontratación. La General Services Administration opera los Business Service Centers en varias ciudades principales, cuyo personal proporciona una educación completa acerca de cómo las agencias gubernamentales hacen compras y los pasos que los proveedores deberían seguir. Varias revistas y asociaciones mercantiles proporcionan información acerca de la manera de establecer contacto con escuelas, hospitales, departamentos de carreteras y otras agencias gubernamentales.

Los procedimientos de compra del gobierno son de dos tipos: la *licitación abierta* y el *contrato negociado.* La compra por licitación abierta significa que la oficina gubernamental pide licitaciones de los proveedores calificados para artículos descritos cuidadosamente; por lo general, otorgando un contrato a la licitación más baja. El proveedor debe considerar si puede cumplir con las especificaciones y aceptar los términos. En el caso de artículos de consumo y estándar, como combustible o suministros escolares, las especificaciones no son un problema. Sin embargo, lo pueden ser para artículos que no son comunes. Por lo general, la oficina gubernamental está obligada a otorgar el contrato a la licitación más baja en un régimen donde el ganador se lo lleva todo. En algunos casos, se hacen excepciones por la superioridad de la reputación o el producto del proveedor para conceder contratos.

En las compras con contrato negociado, la agencia trabaja con una o más compañías y negocia un contrato con una de ellas que cubra el proyecto y las condiciones. Esto ocurre principalmente en conexión con proyectos complicados, aquéllos que impliquen grandes costos y riesgos de investigación y desarrollo o aquéllos para los cuales hay poca competencia eficaz. Los contratos pueden tener variaciones interminables, como *fijación de precios de costo de producción más margen de utilidad fija, fijación de precios fijos* y *precio fijo e incentivo* (el proveedor gana más si los costos se reducen). El contrato está abierto a revisión y renegociación si las utilidades del proveedor parecen excesivas.

Los contratos gubernamentales ganados por grandes compañías dan lugar a oportunidades sustanciales de subcontratación para las firmas pequeñas. Así, la actividad de adquisición del gobierno crea demanda derivada en el mercado del productor. Sin embargo, las firmas subcontratantes deben estar dispuestas a colocar bonos de rendimiento con el contratante principal, con lo cual asumen parte del riesgo.

Muchas compañías que le venden al gobierno no han estado orientadas a la mercadotecnia por diversas razones. El gasto gubernamental total se determina mediante funcionarios electos, más que por un esfuerzo de mercadotecnia para desarrollar este mercado. Las políticas de adquisiciones gubernamentales han recalcado el precio, lo cual ha llevado a los proveedores a invertir su esfuerzo en tecnología para reducir los costos. Cuando las características del producto se han especificado cuidadosamente, la diferenciación del producto no es un factor de mercadotecnia. Ni la publicidad, ni las ventas personales son de gran importancia para ganar contratos en una licitación abierta.

Muchas compañías están estableciendo ahora departamentos independientes de mercadotecnia para orientar los esfuerzos de mercadotecnia dirigidos al gobierno. J.I. Case, Eastman Kodak y Goodyear son ejemplos. Estas compañías quieren coordinar licitaciones y prepararlas más científicamente, proponer proyectos para satisfacer las necesidades gubernamentales en vez de limitarse a responder a las iniciativas gubernamentales, recabar información competitiva y preparar comunicaciones más sólidas para describir la competencia de la compañía.

■ Resumen

Las organizaciones constituyen un mercado muy grande. Hay tres tipos de mercados organizacionales: el mercado industrial, el mercado de revendedores o distribuidores y el mercado del gobierno.

En muchos sentidos, los mercados organizacionales son similares a los mercados de consumo, pero en otros sentidos el contraste es acentuado. Los mercados organizacionales por lo general tienen menos compradores pero más grandes, que están más concentrados geográficamente. La demanda organizacional es derivada, en gran parte inelástica y más fluctuante. Por lo regular, en la decisión de compra organizacional intervienen más compradores y los compradores organizacionales están mejor entrenados y son más profesionales que los compradores de consumo. Las decisiones de compra organizacionales son más complejas y el proceso de compra es más formalizado.

El *mercado industrial* consta de firmas e individuos que compran bienes y servicios con el fin de producir otros bienes y servicios para vender o rentar a otros. Los compradores industriales toman decisiones que varían con la situación de compra o la clase de compra. Hay tres tipos de clases de compras: recompras directas, recompras modificadas y compras nuevas. La unidad de toma de decisiones de una organización de compra (el centro de compra) consta de personas que desempeñan cualesquiera de entre cinco papeles: usuarios, influenciadores, compradores, decisores y cancerberos. El mercadólogo industrial necesita saber: ¿quienes son los participantes principales? ¿en qué decisiones ejercen influencia? ¿cuál es su grado relativo de influencia? y ¿qué criterios de evaluación usa cada participante? El mercadólogo industrial también necesita comprender las principales influencias ambientales, organizacionales, interpersonales e individuales que operan en el proceso de compras. El proceso de compras en sí consta de ocho etapas llamadas fases de compra: reconocimiento del problema, descripción general de la necesidad, especificación del

producto, búsqueda del proveedor, solicitud de propuestas, selección del proveedor, especificación rutinaria del pedido y revisión del rendimiento. A medida que los compradores industriales se vuelven más exigentes y refinados, los mercadólogos industriales deben actualizar y perfeccionar sus capacidades de mercadotecnia.

El *mercado de reventa (distribución)* consta de individuos y organizaciones que adquieren y revenden bienes producidos por otros. El revendedor tiene que decidir el surtido, los proveedores, los precios y las condiciones. Se enfrentan a tres tipos de situaciones de compra: artículos nuevos, vendedores nuevos y condiciones nuevas. En pequeñas organizaciones mayoristas y minoristas, las compras pueden estar a cargo de uno o de unos cuantos individuos; en las organizaciones grandes hay todo un departamento de compras. En una cadena moderna de supermercados, los principales participantes incluyen a los compradores de las oficinas centrales, comités de compras y gerentes de las tiendas. Con artículos nuevos, los compradores pasan por un proceso de compras similar al que siguen los compradores industriales; y con artículos estándar, el proceso de compra consta de rutinas para hacer nuevos pedidos y negociar contratos.

El *mercado del gobierno* es uno muy grande que compra anualmente 690 mil millones de dólares de productos y servicios para cuestiones de defensa, educación, bienestar público y otras necesidades del pueblo. Las prácticas de compra del gobierno son sumamente especializadas y especificadas, con licitaciones abiertas o contratos negociados que caracterizan la mayor parte de las compras. Los compradores gubernamentales operan bajo la mirada vigilante del Congreso, la oficina del presupuesto y varios grupos privados de vigilancia. Por lo tanto, tienden a necesitar más formularios, requieren más firmas y responden con más lentitud para hacer pedidos.

■ Preguntas de repaso

1. Se ha argumentado que un colegio de administración de empresas es un mercado industrial. ¿Qué características de un mercado industrial muestra la demanda para los estudiantes (es decir, productos industriales)?

2. ¿En cuáles de los tipos principales de situaciones de compra clasificaría lo siguiente? a) La compra de la United Airlines de un DC-10 adicional, b) la adquisición por parte de Caterpillar de partes de motores diesel, y c) la adquisición por parte de Pacific Power y Electric de paneles de energía solar.

3. ¿Cómo se diferencian los participantes en el proceso de compra del productor entre un pequeño taller de máquinas herramientas y la U. S. Steel Corporation?

4. Explique los principales factores ambientales que influirían en la adquisición de autobuses por parte de Greyhound.

5. Aplique las fases de compra a un agricultor que busca comprar un tractor grande.

6. El mercado gubernamental no es importante para la mayoría de los productos. Comente esto.

7. ¿Cómo se diferencian las influencias de compra sobre el comprador industrial de aquéllas que operan sobre el comprador industrial o el comprador de reventa?

8. Las compañías están buscando ejecutivos de compras "más capaces". ¿Qué habilidades debería tener un agente de compras moderno?

■ Bibliografía

1. El material citado se reproduce con permiso de *Harvard Business Review*. Extractos de "Major Sales: Who Really Does the Buying?" por THOMAS V. BONOMA (mayo-junio de 1982). Copyright © 1982 por el presidente y miembros del Harvard College; todos los derechos reservados.
2. Véase REED MOYER, "Reciprocity: Retrospect and Prospect", *Journal of Marketing*, octubre de 1970, p. 47-54.
3. Véase LEONARD J. BERRY y KENNETH E. MARICLE, "Consumption Without Ownership: Marketing Opportunity for Today and Tomorrow", *MSU Business Topics*, primavera de 1973, p. 33-41.
4. FREDERICK E. WEBSTER, JR. y YORAM WIND, *Organizational Buying Behavior* (Englewood Cliffs, NJ: Prentice-Hall, 1972), p. 2.
5. Para una explicación de otros modelos de la conducta del comprador organizacional, véase RAYMOND L. HORTON, *Buyer Behavior: A Decision-Making Approach* (Columbus, OH: Charles E. Merrill, 1984), capítulo 16.
6. PATRICK J. ROBINSON, CHARLES W. FARIS y YORAM WIND, *Industrial Buying Behavior and Creative Marketing* (Boston: Allyn & Bacon, 1967).
7. WEBSTER y WIND, *Organizational Buying Behavior*, p. 6. Para más lecturas acerca de centros de compra, véase BONOMA, "Major Sales: Who Really Does the Buying"; y WESLEY J. JOHNSON y THOMAS V. BONOMA, "Purchase Process for Capital Equipment and Services", *Industrial Marketing Management*, 10 (1981), p. 253-64.
8. WEBSTER y WIND, *Organizational Buying Behavior*, p. 78-80.
9. JOHNSTON y BONOMA, "Purchase Process", p. 258-59.
10. Véase MURRAY HARDING, "Who Really Makes the Purchasing Decisión", *Industrial Marketing*", septiembre de 1966, p. 76. Este punto de vista se desarrolla también en ERNEST DICHTER, "Industrial Buying Is Based on Same 'Only Human' Emotional Factors That Motivate Consumer Market's Housewife", *Industrial Marketing*, febrero de 1973, p. 14-16.
11. WEBSTER y WIND, *Organizational Buying Behavior*, p. 33-37.
12. Véase "The Purchasing Agent Gains More Clout", *Business Week*, 13 de enero de 1975, p. 62-63.
13. Ibid.
14. BONOMA, "Major Sales", p. 114.
15. WALTER GUZZARDI, JR., "The Fight for 9/10 of a Cent", *Fortune*, abril de 1961, p. 152.
16. ROBINSON, FARIS y WIND, *Industrial Buying*.
17. DONALD R. LEHMANN y JOHN O'SHAUGHNESSY, "Decision Criteria Used in Buying Different Categories of Products", *Journal of Purchasing and Materials Management*, primavera de 1982, p. 9-14.
18. Véase LEONARD GROENEVELD, "The Implications of Blanket Contracting for Industrial Purchasing and Marketing", *Journal of Purchasing*, noviembre de 1972, p. 51-58; y H. LEE MATHEWS, DAVID T. WILSON y KLAUS BACKHAUS, "Selling to the Computer Assisted Buyer", *Industrial Marketing Management*, 6, (1977), 307-15.
19. JOHNSTON y BONOMA, "Purchase Process", p. 261.
20. ROBERT W. MUELLER y FRANKLIN H. GRAF, "New Items in the Food Industry, Their Problems and Opportunities" (Special report to the Annual Convention of the Supermarket Institute, Cleveland, mayo 20, 1968), p. 2.
21. Ibid., p. 5.
22. Véase también DAVID B. MONTGOMERY, *New Product Distribution: An Analysis of Supermarket Buyer Decisions* (Cambridge, MA: Marketing Science Institute, marzo de 1973). Montgomery determinó las dos variables más importantes que representan la reputación de la compañía y la innovación percibida del producto.
23. Para más lecturas sobre similitudes y diferencias, véase JAGDISH N. SHETH, ROBERT F. WILLIAMS y RICHARD M. HILL, "Government and Business Buying: How Similar Are They?" *Journal of Purchasing and Materials Management*, invierno de 1983, p. 7-13.
24. STANLEY E. COHEN, "Looking in the U.S. Government Market", *Industrial Marketing*, septiembre de 1964, p. 129-38.
25. Véase "Out of the Maze", *Sales and Marketing Management*, abril 9 de 1979.

CASO 3

COMP-U-CARD INTERNATIONAL

Comp-U-Card fue adquirida en 1976 por Walter A. Forbes con la idea de que muy pronto los consumidores estarían comprando desde la sala de su casa, usando televisores conectados con sistemas de cable en dos direcciones para examinar la mercancía y pedirla de las fábricas. La idea era convertir a Comp-U-Card en la próxima Sears Roebuck al conectar en el sistema una computadora central que manejaría todos los surtidos de artículos y procesaría automáticamente la facturación y los pedidos. Pero los consumidores carecían del equipo necesario, e incluso con éste, posiblemente estaban poco inclinados a usarlo. El cambio está llevando más tiempo del que se suponía. Ahora se ofrece Comp-u-store, un enfoque mucho menos complicado. La compañía perdió casi 14 millones de dólares en sus primeros seis años y en 1983 mostró utilidades de 31 mil dólares. La compañía, que ofrece varios servicios, se considera como el club de compras más grande para buscadores de baratas en Estados Unidos.

El servicio Comp-u-store, que la Comp-U-Card promueve actualmente, se describe en los siguientes extractos de su material promocional, pero se omiten los nombres de marca.

Introducción del centro de compras electrónico

Permítame mostrarle lo fácil que es comprar con Comp-u-store. Supóngase que quiere comprar un XXX VCR modelo #2700. Vea cómo hacerlo:

■ Usted telefonea sin cargo a Comp-u-store, de 8 a.m. a 11 p.m., hora oficial del Este de Estados Unidos, lunes a viernes; 9 a.m. a 7 p.m., sábados; y 12 meridiano a 5 p.m., domingos.

■ Dígale al consultor de compras que a usted le gustaría saber el precio de una videograbadora XXX modelo #2700.

■ Usted recibirá el *precio más bajo disponible* (los precios de Comp-u-store se actualizan diariamente). Y ese es el *costo total, entregado en su casa*. No hay nada extra que pagar.

■ Usted puede cargar el artículo a su nueva SUPER CARD por teléfono (recuerde, su SUPER CARD tiene una línea de crédito instantánea).

■ O usted puede salir de compras. *Usted no tiene que comprar de Comp-u-store si no quiere*. Pero puede ahorrar tiempo y dinero preguntándole a Comp-u-store los precios más recientes y más bajos en todo el país.

Piense en Comp-u-store como su propio centro de compras electrónico donde sus dedos son los que caminan.

Aquí está el secreto de los precios bajos de Comp-u-store

Comp-u-store no es una tienda común. No tiene inventario (los proveedores lo hacen) de modo que no hay dinero inmovilizado en existencias. Tampoco tiene gastos de detallistas como elevados alquileres de los establecimientos o campañas de publicidad costosas.

Como Comp-u-store le proporciona un vínculo *directo* con los proveedores, usted podrá ahorrar en muchos casos hasta 40% (y a veces más) del precio de lista recomendado por el fabricante. (Eso incluye entrega. Recuerde, *el precio de Comp-u-store es el precio TOTAL, entregado en su hogar.*)

¡Compare *eso* con algunos márgenes de ganancia bruta al menudeo de 100%!

La diferencia de precio es para usted. Y puede ser sustancial. Consulte estos precios típicos de Comp-u-store (de junio de 1984) y vea cuánto dinero podrá usted ahorrar:

ARTICULO	PRECIO DE LISTA DEL FABRICANTE	PRECIO DE COMP-U-STORE*	USTED AHORRA	
Marca A VCR # HRD120	$ 750.00	$499.00	$251.00	33%
Marca B máquina de coser # 600	$1 099.00	$598.00	$501.00	46%
Marca C televisión a color de 19 pulg. # 91C510A	$ 399.00	$248.00	$151.00	38%
Marca D unidad de disco # VIC1541	$ 399.00	$234.00	$165.00	41%
Marca E juego de cubiertos 20 piezas	$ 200.00	$ 99.00	$101.00	51%

*Los cargos por pronta entrega y manejo son adicionales y varían según la ubicación. Sin embargo, su consultor de compras *siempre* le dará a usted los *costos completos de entrega* del artículo.

Por supuesto, Comp-u-store no *siempre* será capaz de ofrecerle a usted el precio más bajo en cada artículo. (Usted podría conseguir un mejor precio en una tienda que vaya a cerrar o que venda por debajo del costo). Pero en la mayoría de los casos, Comp-u-store le ahorrará mucho dinero. Una rápida verificación en su periódico local lo podrá confirmar.

Con Comp-u-store es como si usted fuera la única persona en la tienda

No importa qué tan avanzadas se vuelvan las compras, hay una cosa que nunca cambiará: la gente siempre querrá servicio bueno y personal.

Telefonee a Comp-u-store y hablará directamente con un consultor en compras, dedicado a darle completa satisfacción. No hay ningún otro cliente que se adelante. En vez de eso, usted tiene la atención completa del consultor . . . para darle a usted precios . . . para arreglar la entrega de su propio hogar. O, si lo prefiere, directamente a los hogares de sus amigos o socios de negocios.

Lo que es más, *usted recibirá el boletín privado de Comp-u-store*. En éste figuran las compras especiales en artículos de nombre de marca. Estos son precios sólo de tiempo limitado que no encontrará en ninguna otra parte.

Por una cuota anual de 25 dólares usted tiene acceso al servicio, que enumera alrededor de 60 000 productos de nombre de marca que pueden pedirse, pagarse con tarjeta de crédito y entregarse en la puerta de su casa, usualmente por United Parcel Service. La compañía tiene ahora unos 700 000 miembros que en 1983 compraron 20 millones de dólares de mercancía; se espera que esta cifra se duplique en 1984.

El reciente y rápido crecimiento se atribuye a los grandes esfuerzos de promoción del patrocinador Super Visa Credit Card, Columbus, Ohio, con base en el Bank One y Comp-U-Card. Se ha mandado publicidad postal directa a más de 22 millones de familias de clase media para ofrecer el servicio y tarjetas Visa gratuitas.

Se dispone de oportunidades de compras competitivas, incluyendo las siguientes (algunas solamente en unas pocas áreas):

■ Tiendas al menudeo

■ Tiendas de pedidos postales por catálogo

■ Pedidos de catálogo por teléfono

■ Pedidos de catálogo por correo

■ Pedidos telefónicos por computadora (Comp-u-store)

■ Aparatos de videodisco en tiendas para uso del público (Comp-U-Card test)

■ Pedidos por computadora en la tienda para uso del público (Electronistore por R. R. Donnelley)

■ Videotex (sólo texto)

■ Videotex (texto y gráficas)

La gerencia de Comp-U-Card tiene confianza en que las compras electrónicas son inminentes. Se presupone que la gente tiene conciencia del valor y no le gusta comprar en la localidad como los detallistas creen. Esta idea está sometiéndose a prueba al colocar "máquinas de compras" (kioscos equipados con videodiscos) en tiendas de artículos baratos y en farmacias en el Oeste medio y en el Sudeste de Estados Unidos. Los consumidores pueden obtener demostraciones de la mercancía que quieran, y usar el servicio de Comp-U-Card para verificar precios y colocar pedidos.

R. R. Donnelley and Sons, el impresor comercial más grande de Estados Unidos, está vendiendo el Electronistore, una terminal de la computadora de compras o un kiosco electrónico para detallistas con uso dentro de la tienda. Los productos se exhibirán a colores y la información se proporcionará mediante un sistema accionador de controles. El pago se aceptará por tarjeta de crédito y la mercancía se enviará a la dirección que el cliente indique. Las "máquinas de compra" son consideradas por los detallistas como una oportunidad para reducir costos y como un paso intermedio en el desarrollo de compras electrónicas mediante terminales en el hogar. Las compras electrónicas desde el hogar generarán ventas de alrededor de 7 mil millones de dólares al año para fines de la década de 1980, alrededor del 15% de los pedidos postales y los negocios por catálogo de 1984, según un estudio de Booz, Allen & Hamilton.

1. Evaluar, en una base cualitativa, el sistema de mercadotecnia telefónico con base en computadora de Comp-u-store desde el punto de vista de:
   a) Un comprador de consumo.
   b) Un detallista a quien se solicita participar.
   c) Un distribuidor a quien se solicita participar.
   d) Un fabricante a quien se solicita participar.

2. Evaluar, en una base cualitativa, la "máquina de compras" dentro de la tienda desde el punto de vista de:
   a) Un comprador de consumo.
   b) Un detallista a quien se le solicita que compre un sistema Electronistore.

CASO 4

LEVI STRAUSS & CO.

Levi Strauss & Co., ha ampliado su distribución hasta incluir J. C. Penney y Sears Roebuck, con lo cual ha reducido su alianza con cadenas de tiendas especializadas en pantalones de mezclilla, tiendas de modas que sólo manejan esa línea o tiendas de departamentos. Esta decisión obedece a una disminución sostenida en las industrias de ropa y detallistas, una disminución sustancial en las ganancias de la firma y la aparente madurez del mercado de los pantalones de mezclilla. A la gerencia le resultó difícil hacer el cambio y mantener en equilibrio los mejores intereses de sus antiguos clientes detallistas, sus otros nuevos (Sears y Penney) y los de la misma compañía. La firma se enfrenta ahora a los problemas de: 1) si ampliar o no su distribución para incluir tiendas de descuento y de rebajas, y 2) decidir qué otros cambios convendría o no hacer en sus esfuerzos de mercadotecnia para mejorar las utilidades sobre los pantalones vaqueros.

Muchos detallistas, fabricantes y analistas de valores creen que el negocio de los pantalones de mezclilla ha madurado finalmente. Las razones citadas son el envejecimiento de la población estadunidense y el interés declinante por diseños de pantalones de ese tipo. La gente compra ahora ropa más elegante y de alta costura; los pantalones informales están ganando aceptación; y los pantalones de tela fuerte se consideran como alternativa aceptable para la mezclilla. Los funcionarios de Levi

Strauss dijeron que no creían que la popularidad de los pantalones de mezclilla estuviera declinando. En vez de ello, creían que el mayor interés por la ropa elegante significaba que la gente estaba ampliando sus guardarropas y, por lo tanto, le creaban una oportunidad a la compañía, la más grande en la industria del vestido en Estados Unidos.

El plan de Levi de vender mediante distribuidores masivos había tenido un impacto sobre ciertos grupos interesados. Algunos de los antiguos detallistas de Levi quedaron muy sorprendidos por el cambio que produjo la mayor competencia. Las tiendas de especialidades independientes y en cadena cuyo negocio giraba en torno de Levi tuvieron reacciones encontradas. Las tiendas de departamentos quedaron muy molestas por el plan y muchas, incluyendo Macy's, dejaron de trabajar la línea.

El jefe de una gran cadena de especialidades en pantalones de mezclilla cree que el plan ayudó a Levi Strauss y a sus detallistas en áreas geográficas donde eran débiles. Otros temen la competencia de precio. Sears y Penney, especialmente el segundo, han estado promoviendo sus propias marcas de pantalones vaqueros en contra de Levi. No está claro si quieren tener existencias de pantalones Levi como instrumentos para acrecentar el tráfico en la tienda, constructores de imagen o contribuyentes directos a las utilidades. Los detallistas masivos de pantalones Levi hacen comparaciones de precios entre sus propias marcas y las de Levi en sus anuncios.

Se informó que los ejecutivos de Levi reconocieron su deuda para con sus clientes detallistas, pero dejaron en claro que el sentimiento no los hacía vacilar. La propuesta de ampliar la distribución se había discutido varias veces a lo largo de los años y la gerencia consideraba que era el momento oportuno para iniciarla. La compañía había experimentado malos años; la competencia en el mercado del pantalón de mezclilla era fuerte; la demanda de consumo se había debilitado, especialmente para diseños exclusivos y estilo vaquero; y la mayor distribución expondría los pantalones Levi a más consumidores potenciales, así como a mayores ventas para nuevos detallistas.

La gerencia de Levi está planeando incrementar su presupuesto de publicidad para ayudar al detallista. También está formulando criterios y normas para determinar qué tipo de artículos debería vender a través de Sears y Penney y si debería trasladar gran parte de su atención publicitaria a unos cuantos artículos de versión limitada en su línea, como el pantalón recto de mezclilla con bragueta de botones 501. El presupuesto total de publicidad ha aumentado en 13% y se informa que fueron destinados 35 millones de dólares a promoción en televisión de los pantalones 501, incluyendo desembolsos durante los juegos Olímpicos de 1984. Los competidores creen que Levi está gastando demasiado en publicidad por televisión y están buscando otras formas para mejorar las utilidades en los pantalones vaqueros. Murjani ha obtenido permiso para usar el nombre de marca de Coca-Cola en sus pantalones de diseño exclusivo y espera un significativo aumento de las ventas por haber usado ese nombre. En el pasado Levi hizo lo contrario, le dio permiso a un vendedor de zapatos para que usara la marca Levi.

Antes de eso, la subsidiaria canadiense de Levi había anunciado el 555, el pantalón de versión limitada de 30 000 a 50 000 pares. Estos pantalones cuestan al menudeo unos cuantos dólares más que los pantalones Levi no registrados de mejor venta. La distribución se lleva a cabo exclusivamente mediante una cadena de tiendas especializadas en ropa de mezclilla, Thrifty's Just Pants. El modelo 555 es un pantalón recto, con bragueta de botones y otros detalles que lo hacen similar a los pantalones de la fiebre del oro del año 1849. La marca registrada con los dos caballos de Levi aparece en un parche de cuero en el bolsillo trasero. Una pequeña placa de cobre lleva un número de serie de cinco dígitos, que se registra en los archivos de la compañía cuando el comprador retorna la tarjeta con franqueo pagado que le fue entregada en el momento de hacer la compra. Los compradores recibirán un certificado documentando su propiedad y una ficha para el 10% de descuento en la compra de otro artículo de Levi Strauss. El director de mercadotecnia de la subsidiaria cree que la idea de la ''versión limitada'' tendrá tanto éxito con prendas de vestir como lo ha tenido con libros, obras de arte y otros artículos coleccionables. Se cita al director de un museo, quien afirmó que el modelo 555 bien podría convertirse en una pieza de museo.

1. ¿Debería ampliar Levi Strauss su distribución de pantalones de mezclilla para incluir detallistas de tiendas de descuento y/o de rebajas? ¿Qué criterios deberían usarse para seleccionar detallistas adicionales?

2. ¿Qué otro uso podría hacer la compañía de la idea de los pantalones de versión limitada?

3. ¿Qué otros cambios en los esfuerzos de mercadotecnia de Levi recomienda usted?

cuatro

SELECCION DE MERCADOS META

En la cuarta parte de este libro se muestra la forma cómo las compañías exitosas evalúan y seleccionan segmentos de mercado con el fin de entrar en ellos y satisfacerlos.

Capítulo 9, MEDICION Y PRONOSTICO DE LA DEMANDA

Capítulo 10, SEGMENTACION, SELECCION DE MERCADOS Y POSICIONAMIENTO EN EL MERCADO

Esto nos conducirá a la quinta parte, ''Desarrollo de la mezcla de mercadotecnia'', donde se examinará la forma cómo las compañías desarrollan cada componente principal de la mezcla de mercadotecnia (producto, precio, plaza y promoción) para apoyar la posición que buscan en el mercado meta.

9
Medición y pronóstico
la demanda

En el mes de febrero de 1981, la RCA presentó oficialmente su producto de la década, el tocavideodiscos SelectaVisión, apoyado por grandes expectativas, 5 000 tiendas al menudeo y más de 22 millones de dólares en publicidad. La RCA afirmaba que sus investigaciones demostraron que alrededor de 2.4 millones de personas estaban listas para comprar, y pronosticó modestamente el primer año de ventas en 200 000 unidades. La compañía estableció instalaciones capaces de producir más de 500 000 unidades al año y pronosticó que vendería todas las que pudiera fabricar.

El reproductor de videodiscos es la contraparte visual del fonógrafo. El usuario puede conectar el aparato a un televisor, introducir un videodisco y ver una película reciente, un programa para niños, un evento cultural o un programa sobre cómo hacer algo, del tipo de información sobre atención para niños como el del Dr. Spock. El SelectaVisión se vendía inicialmente por 500 dólares, y el precio de los discos fluctuaba entre 15 y 30 dólares. Sin lugar a dudas, RCA tenía un producto ganador.

Pero para fines del primer año, RCA había vendido únicamente 65 000 unidades; para mediados de 1984, incluso después de una serie de drásticas reducciones de precio, había vendido un total de 500 000 unidades. En abril de 1984, la RCA anunció que se retiraría del mercado de los videodiscos y absorbió una pérdida tremenda de 580 millones de dólares.

¿En qué estaba equivocado el pronóstico de la RCA? En parte, el personal de la compañía cayó en el tipo de pensamiento de la ''mejor ratonera'',: quedaron atrapados dentro de sus propios sueños y pensaban que los consumidores estarían tan enamorados de su invento como ellos. Esto dio lugar a pronósticos demasiado optimistas y mantuvo a la RCA en el negocio de los videodiscos mucho después de que sus últimos pronósticos se agriaran. Segundo, la RCA basaba sus pronósticos en evaluaciones erróneas de las preferencias del consumidor. El videodisco sólo tenía capacidad de reproducción. Los propietarios no podían usarlo para grabar programas de televisión, ni para hacer películas de la familia. Pero el principal competidor del SelectaVisión, las grabadoras de cintas de video (VCR), sí ofrecían esas ventajas.

La RCA confiaba en que los consumidores adquirirían el SelectaVisión en vez de las VCR debido a los precios más bajos de las unidades y de los discos (en 1981, las VCR tenían un precio de entre 600 y 2 000 dólares y las cintas costaban de 50 a 70 dólares). Los pronósticos tecnológicos de la RCA indicaban que los costos de los aparatos VCR y de las cintas bajarían lentamente. Este fue el tercer error de pronóstico de la RCA: pronosticó incorrectamente los avances tecnológicos y las estrategias competitivas de mercadotecnia de las videograbadoras del futuro. Para 1984, los rápidos progresos en la tecnología habían hecho bajar los precios de las VCR hasta a menos de 500 dólares. Además, el repentino crecimiento del mercado de alquiler de videocintas tomó desprevenida a la RCA. La renta de videocintas muy pronto se volvió cosa común: los consumidores podían acudir a una tienda de alquiler de cintas, sacar una película favorita por 1 a 3 dólares, verla una vez y regresarla sin tener que comprarla. Esto hizo que los costos de software de las videograbadoras bajara más que el del tocavideodiscos.

Cuando los consumidores depositaron sus votos en el lugar del mercado, las VCR resultaron las ganadoras indiscutibles. Para 1984, los estadunidenses habían comprado más de 8 millones de VCR en comparación con 800 000 videodiscos.

Pronosticar el tamaño y el ritmo de crecimiento de un mercado nuevo siempre es peligroso. Para los videotocadiscos y otros productos tecnológicamente nuevos (computadoras personales, videograbadoras, videojuegos), el pronóstico es aún más complicado, ya que los consumidores no tienen experiencia en cuanto al uso del artículo. El pronosticador debe considerar las posibles reacciones del consumidor hacia el producto, las respuestas de los competidores, futuros avances tecnológicos, consecuencias ambientales y muchos otros factores. Como bien sabe la RCA y muchas otras compañías, los errores de pronóstico pueden ser muy costosos.[1]

Cuando una compañía como la RCA encuentra un mercado atractivo, debe estimar cuidadosamente su tamaño actual y su potencial futuro. La compañía puede perder mucho si sobrestima o subestima el mercado. En este capítulo se presentarán los principios y las herramientas para la medición y el pronóstico de la demanda de mercado. En el capítulo siguiente se verán los aspectos más cualitativos de los mercados, así como la manera de segmentar aún más los mercados y los segmentos más atractivos seleccionados.

El pronóstico y la medición de la demanda pueden hacerse en muchos niveles. La figura 9-1 muestra *noventa* tipos distintos de medición de la demanda. La demanda puede medirse para seis diferentes *niveles de producto* (artículo producto, forma del producto, línea de producto, ventas de la compañía, ventas industriales y ventas totales), cinco diferentes *niveles de espacio* (consumidor, territorio, región, país, el mundo) y tres diferentes *niveles temporales* (corto, mediano y largo plazos).

Cada tipo de medición de la demanda tiene un propósito específico. Así, una compañía podría hacer un pronóstico a corto plazo de la demanda total para un artículo producto particular, a fin de tener una base para pedir materias primas, planear la producción y programar el financiamiento a corto plazo. O bien, podría hacer un pronóstico a largo plazo de la demanda regional para su línea de producto principal para tener una base desde la cual considerar la expansión del mercado.

DEFINICION DEL MERCADO

La medición de la demanda del mercado requiere una comprensión clara del mercado afectado. El término *mercado* ha adquirido numerosos significados con el paso de los años.

1. En su significado original, un mercado es un *lugar físico* donde los compradores y los vendedores se reúnen para intercambiar bienes y servicios. Las ciudades medievales tenían plazas de mercado donde los vendedores llevaban sus productos y los compradores adquirían sus artículos. Hoy en día las transacciones ocurren en toda la ciudad en lo que se denominan áreas de compras en vez de mercados.

2. Para un economista, un mercado describe a todos los compradores y vendedores que hacen transacciones sobre un bien o servicio. Así, el mercado de los refrescos consta de los principales vendedores como Coca Cola, Pepsi Cola y Seven Up, y de todos los consumidores que compran refrescos embotellados. El economista está interesado en la *estructura, comportamiento y rendimiento* de cada mercado.

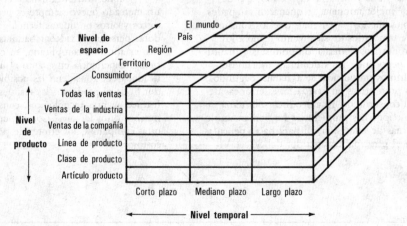

FIGURA 9-1
Noventa tipos de medición de la demanda
(6 + 5 + 3)

3. Para un mercadólogo, un mercado es *el conjunto de todos los compradores reales o poten-ciales de un producto*. Un *mercado* es el conjunto de compradores y una *industria* es el con-junto de vendedores. La mayoría de las cosas que un mercadólogo quiere saber acerca de un mercado se muestran en la figura 9-2.

Aquí se adoptará esta última definición de un mercado. Entonces, el tamaño de un mercado depende del número de compradores que pudieran existir para una oferta parti-cular de mercado. Las personas que están en el mercado tienen tres características: *interés, ingresos y acceso*.

Aplíquese esto al mercado de las motocicletas. No se tomarán en cuenta las compa-ñías que compran motocicletas; y nos concentraremos en el mercado de consumo. Primero debe estimarse el número de consumidores que tienen un *interés* potencial en poseer una motocicleta. Para hacer esto, se podría contactar a una muestra aleatoria de consumidores y plantearles la siguiente pregunta: "¿Tendría usted un fuerte interés en ser propietario de una motocicleta?" Si una persona de cada diez dice que sí, se puede presuponer que el 10% del mercado total de consumidores constituirían el mercado potencial para moto-

FIGURA 9-2
Lo que un mercadólogo quiere saber acerca de un mercado

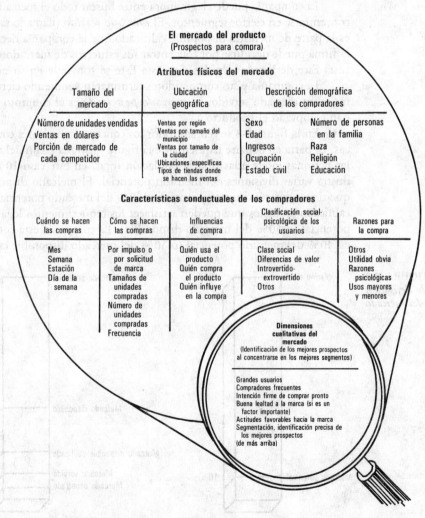

Fuente: Jack Z. Sissors, "What is a Market?" *Journal of Marketing.* 30, 3 (julio de 1966), p. 20.

cicletas. El *mercado potencial* es el conjunto de consumidores que profesan cierto nivel de interés por una oferta definida de mercado.

El interés del consumidor no es suficiente para definir un mercado. Los consumidores potenciales deben tener suficientes *ingresos* para pagar el producto. Deben ser capaces de responder positivamente la siguiente pregunta: "¿Puede usted costear la compra de una motocicleta?" Mientras más alto sea el precio, menor será el número de personas que puedan dar una respuesta positiva. El tamaño de un mercado está en función tanto del interés como de los ingresos.

Las *barreras de acceso* reducen aún más el tamaño de un mercado. Si las motocicletas no se distribuyen en una cierta área porque es muy costoso enviarlas hasta allí, los consumidores potenciales en esa área no están disponibles para los mercadólogos. El *mercado disponible* es el conjunto de consumidores que tienen interés, ingresos y acceso a una oferta de mercado particular.

Para algunas ofertas de mercado, la compañía debe restringir sus ventas a ciertos grupos. Un estado podría prohibir la venta de motocicletas a cualquier persona menor de 21 años de edad. Los adultos restantes constituyen el *mercado disponible calificado,* el conjunto de consumidores que tienen interés, ingresos, acceso y calificaciones para la oferta de mercado particular.

La compañía puede elegir ahora entre buscar todo el mercado disponible calificado o concentrarse en ciertos segmentos. El *mercado servido* (llamado también el *mercado meta*) es la parte de mercado disponible calificado que la compañía decide buscar. Por ejemplo, la firma puede decidirse por concentrar sus esfuerzos de mercadotecnia y distribución en la costa Este de Estados Unidos. La costa Este se convierte en su mercado servido.

La compañía y sus competidores terminarán vendiendo cierto número de motocicletas en su mercado servido. El *mercado penetrado* es el conjunto de consumidores que ya han comprado el producto.

En la figura 9-3 se reúnen todos los conceptos anteriores con algunas cifras hipotéticas. La barra en la parte izquierda de la figura ilustra la razón del mercado potencial (todas las personas interesadas) son la población total, en este caso 10%. La barra a la derecha ilustra varias divisiones del mercado potencial. El mercado disponible (aquellas personas que tienen interés, ingreso y acceso) es 40% del mercado potencial. El mercado disponible calificado (aquéllos que pueden satisfacer los requerimientos legales) es 20% del mercado potencial (o 50% del mercado disponible). La compañía está concentrando sus esfuerzos en 10% del mercado potencial (o 50% del mercado disponible calificado). Por último, la

FIGURA 9-3
Niveles de definición del mercado

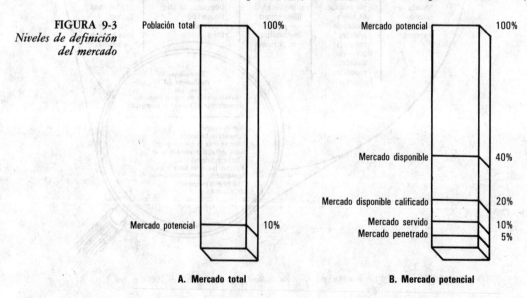

A. Mercado total   B. Mercado potencial

compañía y sus competidores han penetrado ya 5% del mercado potencial (o 50% del mercado servido).

Estas definiciones de mercado son una herramienta útil para la planeación de mercadotecnia. Si la compañía no está satisfecha con las ventas actuales, puede considerar un cierto número de acciones. Puede intentar atraer un mayor porcentaje de compradores de su mercado servido. Puede bajar las calificaciones de los compradores potenciales. Puede expandirse a otros mercados disponibles, como la costa Oeste. Puede bajar sus precios para ampliar el tamaño del mercado disponible. En última instancia, la compañía puede intentar ampliar el mercado potencial mediante una gran campaña de publicidad para atraer a los consumidores no interesados. Esto fue lo que hizo Honda con su exitosa campaña que llevaba el lema: "Usted encuentra a las personas más agradables sobre una Honda".

MEDICION DE LA DEMANDA ACTUAL DE MERCADO

Ahora se examinarán los métodos prácticos para estimar la demanda actual de mercado. A los ejecutivos de mercadotecnia les interesa estimar *la demanda total de mercado, la demanda de área de mercado y las ventas reales y las porciones de mercado.*

Estimación de la demanda total de mercado

La demanda total de mercado se define así:

> La *demanda total de mercado* para un producto es el volumen total que un grupo de consumidores definido compraría en un área geográfica definida, en un lapso de tiempo definido, en un ambiente de mercadotecnia definido, bajo un nivel y una mezcla de esfuerzo de mercadotecnia de la industria definidos.

Lo más importante que se debe comprender acerca de la demanda total de mercado es que no se trata de un número fijo, sino de una función de las condiciones específicas. Por ejemplo, una de estas condiciones es el nivel y la mezcla del esfuerzo de mercadotecnia de la industria y otra es el estado del ambiente. En la figura 9-4A se ilustra la dependencia que guarda la demanda total de mercado en cuanto a estas condiciones. El eje horizontal muestra diferentes niveles posibles de desembolso de mercadotecnia de la industria en un periodo determinado de tiempo. El eje vertical muestra el nivel resultante de la demanda. La curva representa el nivel estimado de la demanda de mercado asociado con diversos niveles de desembolso en mercadotecnia de la industria. Ocurrirían algunas ventas básicas (llamadas el *mínimo de mercado*), sin ningún desembolso que estimulará la demanda. Los mayores desembolsos en mercadotecnia producirían ventas en el mercado potencial.

La distancia entre el mínimo de mercado y el potencial de mercado muestra la *sensibilidad general de mercadotecnia de la demanda.* Puede pensarse en dos tipos extremos de mercado, el *expandible* y el *no expandible.* Un mercado expandible, como el mercado de raquetas, recibe en su tamaño total un gran efecto del nivel de desembolsos en mercadotecnia de la industria. En términos de la figura 9-4A, la distancia entre Q_0 y Q_1 es relativamente grande. Un mercado no expandible, como el de la ópera, no recibe un gran efecto del nivel de desembolsos en mercadotecnia; la distancia entre Q_0 y Q_1 es relativamente pequeña. Las organizaciones que venden en un mercado no expandible pueden dar por sentado el tamaño del mercado (el nivel de demanda *primaria*) y concentrar sus recursos de mercadotecnia en la obtención de una porción deseada de mercado (el nivel de *demanda selectiva*).

Ahora pueden derivarse los pronósticos del *mercado de la industria.* El pronóstico de mercado muestra el nivel de demanda de mercado que corresponde al nivel planeado del desembolso en mercadotecnia de la industria en el ambiente dado.

Si se presupone un ambiente de mercadotecnia diferente, será necesario volver a estimar la curva de la demanda del mercado. Por ejemplo, el mercado de motocicletas es más

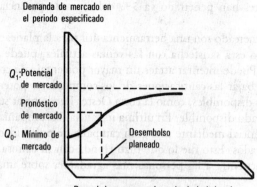

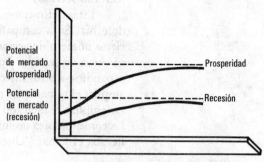

A. **Demanda de mercado como una función del desembolso en mercadotecnia de la industria (presupone un ambiente de mercadotecnia de prosperidad)**

B. **Demanda de mercado como una función de los desembolsos en mercadotecnia de la industria (bajo prosperidad en contraposición a recesión)**

FIGURA 9-4
Demanda de mercado

fuerte durante épocas de prosperidad que de receso. En la figura 9-4B se ilustra la dependencia de la demanda de mercado de su ambiente. El punto principal es que el mercadólogo debería definir cuidadosamente la situación para la que se está calculando la demanda de mercado.

Las compañías han desarrollado varios métodos prácticos para estimar la demanda total de mercado. Aquí se ilustrarán dos de éstos.

Supóngase que una compañía disquera quiere estimar las ventas anuales totales de discos. Una forma común para estimar esto es la siguiente:

$$Q = n \times q \times p \tag{9-1}$$

en donde

Q = demanda total del mercado
n = número de compradores en el mercado
q = cantidad comprada por un comprador medio al año
p = precio de una unidad media

Así, si hay 100 millones de compradores de discos cada año y el comprador medio adquiere seis discos al año y el precio medio es 5 dólares, entonces la demanda total de mercado para discos es de 3 mil millones de dólares (= 100 000 000 × 6 × $5).

Una variación de la ecuación (9.1) se conoce como el *método de la razón en cadena*. Este consiste en multiplicar un número base por diversos porcentajes de ajuste. Véase un ejemplo:

La marina de Estados Unidos quiere atraer 112 000 reclutas del sexo masculino cada año en las escuelas preparatorias estadunidenses. La cuestión es si ésta es una meta razonable en relación con el potencial de mercado. El potencial de mercado se ha estimado con el método siguiente:

Número total de varones graduados de preparatoria	10 000 000
Porcentaje que están calificados militarmente (no incapacitados en el orden físico, emocional o mental).	× .50
Porcentaje de los calificados que están interesados potencialmente en el servicio militar	× .15
Porcentaje de aquellos calificados e interesados en el servicio militar que consideran la marina como el servicio preferido	× .30

Esta cadena de cifras muestra que el potencial de mercado es de 225 000 reclutas. Como esto supera al número meta de reclutas buscados, la marina de Estados Unidos no deberá tener muchos problemas para satisfacer su meta si hace una labor razonable de mercadotecnia.

Estimación de la demanda de área de mercado

Las compañías se enfrentan al problema de seleccionar los mejores territorios y asignar óptimamente sus presupuestos de mercadotecnia entre esos territorios. Por tanto, necesitan estimar el potencial de mercado de diferentes territorios. Se dispone de dos métodos principales: el *método de composición del mercado*, usado principalmente por firmas de bienes industriales, y el *método de prueba de coeficiente de mercado,* usado principalmente por las firmas de artículos de consumo.

Método de composición del mercado

El método de composición del mercado requiere identificar a todos los compradores potenciales en cada mercado y estimar sus compras potenciales. Considérese el siguiente ejemplo:

Un fabricante de instrumentos para minería desarrolló un aparato para detectar pirita de hierro. Esta es un mineral de hierro que suele confundirse con el oro. Al detectarla, los mineros no perderán el tiempo excavando depósitos de pirita. El fabricante quiere fijar el precio del instrumento en 1 000 dólares. Considera que cada mina comprará uno o más instrumentos, dependiendo del tamaño de la mina. Su problema es determinar el potencial de mercado para este instrumento en cada estado minero y determinar si es conveniente contratar a un representante de ventas para que cubra ese estado. Colocaría un representante de ventas en cada estado que tenga un potencial de mercado de más de 300 000 dólares. Le gustaría empezar calculando el potencial de mercado en Colorado.

Para estimar el potencial de mercado en Colorado, el fabricante puede consultar la Standard Industrial Classification (SIC), desarrollada por la oficina del censo de Estados Unidos. La SIC clasifica industrias de acuerdo con el *producto elaborado* o la *operación ejecutada.* Todas las industrias caen dentro de las diez divisiones principales que se muestran en la columna 1 de la tabla 9-1. Cada grupo industrial principal tiene un código asignado de dos dígitos. La minería lleva los códigos 10 a 14. La minería de metales lleva el código número 10 (véase la columna 2). Dentro de la minería de metales hay otras divisiones en números de código SIC de tres dígitos (véase la columna 3). La categoría de metales de oro y plata tiene el número de código 104. Por último, los metales de oro y plata se subdividen en otros grupos, con números de código de cuatro dígitos (véase la columna 4). Así, el oro en veta tiene el número 1 042. Nuestro fabricante está interesado por minas que trabajan depósitos en veta y depósitos en placer (lavado).

A continuación, el fabricante puede recurrir al Census of Mining (Censo de minería) para determinar el número de establecimientos de minería de oro en cada estado, las ubicaciones de cada uno, el número de empleados, las ventas anuales y el valor neto. Usando los datos acerca de Colorado, prepara el estimado de potencial de mercado que se muestra en la tabla 9-2. La columna 1 clasifica las minas en tres grupos con base en el número de empleados. La columna 2 muestra el número de minas en cada grupo. La columna 3 muestra el número potencial de instrumentos que podrían comprar las minas en cada clase de tamaño. La columna 4 muestra el potencial unitario de mercado (la columna 2 multiplicada por la columna 3). Por último, la columna 5 muestra el potencial de mercado en dólares, ya que cada instrumento se vende por $1 000. Colorado tiene un potencial de mercado en dólares de $370 000, y en consecuencia deberá contratarse un representante de ventas para este estado.

TABLA 9-1
La Standard
Industrial
Classification (SIC)

(1) PRINCIPALES DIVISIONES EN LA SIC	(2) GRUPO DE INDUSTRIAS 2-DÍGITOS SIC	(3) SUBGRUPOS DE INDUSTRIAS 3-DÍGITOS SIC	(4) INDUSTRIAS ESPECÍFICAS 4-DÍGITOS SIC
01-09 Agricultura, silvicultura, pesca	10 Minería de metales	101 Minerales de hierro	
10-14 Minería	11 Minería de antracita	102 Minerales de cobre	
15-19 Construcción	12 Carbón bituminoso	103 Minerales de plomo y cinc	1 042 Veta de oro
20-39 Fabricación	13 Petróleo crudo y gas natural	104 Minerales de oro → y plata	1 043 Oro de lavado
40-49 Transportes, comunicaciones, electricidad, gas	14 Minerales no metálicos	105 Bauxita	1 044 Minerales de plata
50-59 Comercio al mayoreo y al menudeo		106 Minerales de ferroaleación	
60-67 Finanzas, seguros y bienes raíces		108 Servicios de minería de metales	
70-89 Servicios		109 Minerales diversos	
90-93 Gobierno			
99 Otros			

Fuente: The Standard Industrial Classification Manual (Washington, DC: U.S. Bureau of the Budget, 1967).

Método de prueba del coeficiente de mercado

Las compañías de bienes de consumo también tienen que estimar los potenciales de área de mercado. Considérese el ejemplo siguiente:

> Un fabricante de camisas estaba interesado por comenzar un sistema nacional de tiendas de franquicia para vender camisetas de manga corta. Cada tienda tendría una diversidad de tallas y colores e imprimiría un emblema elegido por el cliente en cada camiseta. El consumidor podría escoger entre cientos de emblemas. El fabricante estimaba que el potencial nacional total para las camisetas alcanzaría probablemente los 100 millones de dólares anuales. Establecería una franquicia en cada ciudad donde la tienda pudiera vender más de 60 000 dólares al año. Se anunciaría en el *Wall Street Journal* para atraer a distribuciones potenciales, examinar sus referencias comerciales y sus calificaciones y para estar seguro que la ciudad contará con el suficiente potencial de compras como para justificar una tienda.
>
> Recibió una solicitud de un graduado reciente de la universidad de Illinois en Champaign. Esta persona quería comprar una franquicia con algún dinero heredado. Había tomado algunos cursos en mercadotecnia y comercio en la universidad. El fabricante se preguntaba si una tienda en Champaign, Illinois, podría rendir en bruto suficientes ventas como recompensar tanto al tenedor de la franquicia como al fabricante.

El fabricante quiere evaluar el potencial de mercado para las ventas de camisetas en Champaign. Un método común consiste en identificar los factores de mercado que están correlacionados con el potencial de área de mercado y combinarlos en un índice con valor estadístico. Un ejemplo excelente de este método es el *índice del poder de compra,* publicado cada año por la revista *Sales and Marketing Management* en su *Survey of Buying Power* (Encuesta del poder de compra).[2] Esta encuesta estima el poder de compra para cada región, estado y área metropolitana de la nación. El índice de poder de compra se basa en tres factores: la porción del área del *ingreso personal disponible, las ventas al menudeo* y *la población* de la nación. El índice del poder de compra para un área específica se da por:

$$B_i = .5y_i + .3r_i + .2p_i$$

(9.2)

en donde

B_i = porcentaje del poder de compra nacional total en el área i

TABLA 9-2
*Método de
composición de
mercado usando SIC:
potencial de mercado
para el instrumento
en Colorado*

SIC	(1) NÚMERO DE EMPLEADOS	(2) NÚMERO DE MINAS	(3) NÚMERO POTENCIAL DE VENTAS DEL INSTRUMENTO POR CLASE DE TAMAÑO DE EMPLEADO	(4) POTENCIAL DEL MERCADO UNITARIO	(5) POTENCIAL DE MERCADO EN DÓLARES (A $1 000 POR INSTRUMENTO)
1 042	Abajo de 10	80	1	80	
(depósitos en venta)	10-50	50	2	100	
	Arriba de 50	20	4	80	
		150		260	$260 000
1 043	Abajo de 10	40	1	40	
(depósitos de	10-50	20	2	40	
lavado)	Arriba de 50	10	3	30	
		70		110	110 000
					$370 000

y_i = porcentaje del ingreso personal disponible nacional en el área i
r_i = porcentaje de las ventas al menudeo nacionales en el área i
P_i = porcentaje de la población nacional en el área i

Los tres coeficientes en la fórmula reflejan el valor estadístico relativo de los tres factores.

El fabricante busca Champaign, Illinois, y encuentra que este mercado tiene .0764% del ingreso personal disponible de la nación, .0900% de las ventas al menudeo de la nación y .0070% de la población de la nación. Por lo tanto, el índice de poder de compra para Champaign es:

$$B = .5(.0764) + .3(.0900) + .2(0770) = .0806$$

Es decir, Champaign podría responder por el .0806% de la demanda potencia total para la nación de camisetas. Como el potencial total nacional es 100 millones de dólares cada año, esto equivale a una venta de $80 600 (= $100 000 000 × .000806) en Champaign. Como una tienda exitosa vende más de $60 000 al año, el fabricante se inclina a venderle una franquicia a este solicitante. El fabricante necesita estar seguro de que otras compañías de camisetas no estén operando ya en el mercado de Champaign y vendiendo este volumen de camisetas.

El fabricante reconoce que los valores estadísticos usados en el índice de poder de compra son un tanto arbitrarios. Son aplicables, principalmente a bienes de consumo que no sean ni artículos básicos de bajo precio, ni bienes de lujo de precio elevado. Pueden asignarse otros valores estadísticos. Además, el fabricante querrá ajustar el potencial de mercado para tomar en cuenta factores adicionales, como la presencia de competidores en el mercado, costos de promoción local, factores de temporada e idiosincrasia del mercado local. Por ejemplo, Champaign es una ciudad universitaria con más de treinta mil estudiantes y esto podría hacerla todavía más atractiva.

*Estimación de
las ventas reales
y porciones de
mercado*

Además de estimar la demanda total y de área, una compañía querrá conocer las ventas reales de la industria que ocurren en su mercado. Esto significa que debe identificarse a sus competidores y estimar sus ventas.

La asociación del gremio de la industria a menudo congregará y publicará las ventas totales de la industria, aunque no enumerará por separado las ventas de cada compañía individual. De este modo, cada compañía puede evaluar su rendimiento en comparación con la industria en su totalidad. Supóngase que las ventas de la compañía aumentan 5%

al año y que las ventas de la industria aumentan 10%. De hecho esta compañía está perdiendo su posición relativa en la industria.

Otra manera para estimar las ventas consiste en comprar informes de una firma de investigación de mercados que haga auditoría de ventas totales y ventas de marca. Por ejemplo, la A. C. Nielsen Company hace auditorías de las ventas al menudeo de varias categorías de productos en supermercados y farmacias y les vende esta información a las compañías interesadas. Una firma puede obtener datos sobre las ventas totales por categorías de producto, así como ventas por marca. Puede comparar su rendimiento con el de la industria total o cualquier competidor particular para ver si está ganando o perdiendo su posición relativa.

PRONOSTICO PARA LA DEMANDA FUTURA

Después de haber considerado las formas para estimar la demanda actual, se examinará ahora la manera de pronosticar la demanda futura. Muy pocos productos o servicios se prestan a un pronóstico fácil. Estos casos generalmente implican un producto cuyo nivel absoluto o tendencia es muy constante y una situación donde no existen relaciones competitivas (empresas de servicio público) o estables (oligopolios puros). En la mayoría de los mercados, la demanda total y la demanda de la compañía no son estables y el buen pronóstico se convierte en un factor clave en el éxito de la compañía. El pronóstico deficiente puede conducir a inventarios extremadamente grandes, reducciones de precio costosas y ventas perdidas debido a falta de existencias. Mientras más inestable sea la demanda, más decisiva será la exactitud del pronóstico y más elaborado será el procedimiento del pronóstico.

Las compañías usan comúnmente un procedimiento de tres etapas para obtener un pronóstico de ventas. Primero hacen un *pronóstico económico,* después usan éste para hacer un *pronóstico industrial* y entonces usan este último para hacer un *pronóstico de las ventas de la compañía.* El pronóstico económico requiere de proyecciones de inflación, desempleo, tasas de interés, gasto y ahorros del consumidor, inversión de negocios, desembolsos gubernamentales, exportaciones netas, etc. El resultado es un pronóstico del producto nacional bruto, que se usa junto con otros indicadores para pronosticar las ventas de la industria. Entonces la compañía basa su pronóstico de ventas sobre la premisa de lograr una cierta porción de las ventas de la industria.

Hay varias técnicas específicas que las compañías usan para pronosticar sus ventas. Estas técnicas se enumeran en la tabla 9-3 y se describen en los párrafos siguientes.

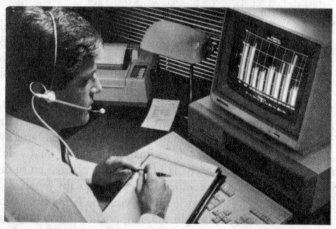

Uso de datos de ventas para propósitos de pronóstico. *Cortesía de Texas Instruments.*

TABLA 9-3
*Algunas técnicas
comunes de
pronóstico de ventas*

Encuesta de intenciones del consumidor	Análisis de series de tiempo
Compuesto de opiniones de la fuerza de ventas	Indicadores principales
Opinión experta	Análisis estadístico de la demanda
Método de prueba de mercado	

*Encuesta de las
intenciones del
comprador*

El **pronóstico** es el arte de anticiparse a lo que es probable que hagan los compradores bajo un conjunto dado de circunstancias. Esto indica que deberá hacerse una encuesta de los compradores. Las encuestas son especialmente valiosas si los compradores tienen intenciones claramente formuladas, si las llevarán a cabo y si se las describirán a los entrevistadores.

Para los *principales artículos de consumo duraderos,* varias organizaciones de investigación dirigen encuestas periódicas de las intenciones de compra. Estas organizaciones plantean preguntas como las siguientes:

¿Tiene usted intenciones de comprar un automóvil dentro de los próximos seis meses?

.00	.10	.20	.30	.40	.50	.60	.70	.80	.90	1.00
Ninguna posibilidad		Ligera posibilidad		Bastantes posibilidades		Buenas posibilidades		Grandes posibilidades		Seguramente

---

Esto se denomina *escala de probabilidad de compra.* Además, las diversas encuestas hacen preguntas acerca de las finanzas personales presentes y futuras del consumidor y las expectativas acerca de la economía. Las diversas piezas de información se combinan en una *medición de la opinión del consumidor* (Survey Research Center de la Universidad de Michigan) o una *medición de la confianza del consumidor* (Sindlinger and Company). Los productores de bienes duraderos de consumo están suscritos a estos índices en busca de ayuda para adelantarse a los grandes cambios en las intenciones de compra del consumidor tal que puedan ajustar en consecuencia sus planes de producción y de mercadotecnia.[3]

Para las *compras industriales,* varias agencias dirigen encuestas de intenciones acerca de la planta, el equipo y los materiales. Las dos encuestas más conocidas son las del U.S. Departament of Commerce y la de McGraw-Hill. La mayoría de las estimaciones se han encontrado dentro del 10% de los resultados reales.

*Compuesto de
opiniones de la
fuerza de venta*

Cuando no es práctico entrevistar a los compradores, la compañía puede pedir estimados a sus representantes de ventas. Un ejemplo es la Pennwalt Corporation:[4]

> En agosto se le proporciona al personal de ventas de campo tarjetas tabuladoras para preparar sus pronósticos de ventas para el año entrante. Se preparan tarjetas individuales para cada producto vendido a cada cliente principal, mostrando la cantidad embarcada al consumidor en los seis meses anteriores. Cada tarjeta también proporciona espacio en el cual los vendedores de campo informan de sus pronósticos para el año venidero. También se les suministran tarjetas tabuladas a aquellos clientes a quienes no se les vendió nada durante los seis meses anteriores, pero que sí lo hicieron en el año anterior; y por último, se proporcionan tarjetas en blanco para presentarles pronósticos de ventas a los nuevos clientes. Los vendedores llenan sus pronósticos (con base en los precios actuales) usando el juicio informado; en algunas divisiones, están en una posición para justificar sus pronósticos obteniendo estimaciones de compra de sus consumidores.

Pocas compañías usan las estimaciones de su fuerza de ventas sin ciertos ajustes. Los representantes de ventas son observadores prejuiciados. Por naturaleza pueden ser optimistas o pesimistas, o puede que vayan de un extremo a otro debido a fracasos o éxitos recientes en sus ventas. Además, con frecuencia no son conscientes de los grandes desarrollos económicos o desconocen si los planes de mercadotecnia de su compañía tendrán influencia en las ventas futuras en sus territorios. Es posible que subestimen la demanda, de modo que la compañía establecerá una cuota de ventas baja.[5] Puede que no tengan el tiempo para preparar estimados cuidadosos o que no lo consideren importante.

De presuponer que estos prejuicios puedan contrarrestarse, pueden obtenerse varios beneficios al hacer intervenir a la fuerza de ventas en el pronóstico. Es posible que los representantes de ventas tengan un mejor discernimiento de las tendencias de desarrollo que ningún otro grupo. Mediante la participación en el proceso de pronóstico, los representantes de ventas pueden tener una mayor confianza en sus cuotas y más incentivos para alcanzarlas. Asimismo, un procedimiento de pronóstico del "fundamento mismo" proporciona estimaciones divididas por producto, territorio, consumidor y representante.

Opinión experta   Las compañías también pueden obtener pronósticos recurriendo a expertos. Los expertos incluyen distribuidores, mayoristas, proveedores, consultores en mercadotecnia y asociaciones del ramo. Así, las compañías automotrices hacen encuestas periódicas de sus distribuidores en busca de sus pronósticos de la demanda a corto plazo. Sin embargo, los pronósticos de los distribuidores están sujetos a las mismas ventajas y desventajas de los estimados de la fuerza de ventas.

Muchas compañías compran pronósticos económicos e industriales de firmas bien conocidas como Data Resources, Wharton Econometric y Chase Econometric. Estos especialistas en pronósticos están en una mejor posición que la compañía para preparar pronósticos económicos, ya que tienen más datos disponibles y más experiencia en tal actividad.

Ocasionalmente, las compañías organizarán un pequeño grupo de expertos para hacer un tipo particular de pronóstico. Se reúne a los expertos y se les pide que intercambien opiniones y hagan un estimado de grupo (método de discusión de grupo). O bien, se les puede pedir que suministren sus estimados individualmente para que el analista los combine en uno solo (combinación de estimados individuales). O pueden suministrarle estimados y premisas individuales a un analista de la compañía quien los estudiará y revisará y los hará pasar por otras vueltas de estimación (método Delphi).[6]

Método de la prueba de mercado

Cuando los compradores no planean sus compras cuidadosamente o cuando son erráticos para llevar a la práctica sus intenciones, o cuando los expertos no son buenos pronosticadores, es deseable una prueba directa del mercado. Una prueba directa del mercado es especialmente conveniente para el pronóstico de las ventas de un producto nuevo o un producto establecido en un canal de distribución o en un territorio nuevo. (La prueba de mercado se examina en el capítulo 12).

Análisis de series de tiempo

Muchas firmas preparan sus pronósticos con base en las ventas del pasado. La premisa es que los datos del pasado capturan relaciones causales que pueden descubrirse mediante el análisis estadístico. Estas relaciones causales pueden usarse para pronosticar las ventas. Una serie de tiempo de las ventas pasadas de un producto (Y) puede separarse en cuatro componentes principales.

El primer componente, *tendencia (T)*, es el patrón a largo plazo y fundamental del crecimiento o disminución de las ventas que es el resultado de desarrollos básicos en la población, formación de capital y tecnología. Se encuentra al ajustar una línea recta o curva, a través de las ventas pasadas.

El segundo componente, el *ciclo (C)*, captura el movimiento a plazo medio y en forma de onda de las ventas, que es el resultado de cambios en la actividad económica y competitiva general. El componente cíclico puede ser útil para pronóstico a mediano plazo. Sin embargo, las fluctuaciones cíclicas son difíciles de pronosticar porque no ocurren en un régimen regular.

El tercer componente, la *temporada (S)*, se refiere a un patrón congruente de movimientos de ventas durante el año. El término ''temporada'' describe cualquier patrón de ventas recurrente por hora, semana, mes o trimestre. El componente de temporada puede estar relacionado con factores del clima, vacaciones, costumbres del gremio. El patrón por temporada proporciona una norma para pronosticar ventas a corto plazo.

El cuarto componente, los *sucesos erráticos (E)*, incluye huelgas, nevadas, modas pasajeras, disturbios callejeros, amenazas de guerra y otros desequilibrios. Estos componentes erráticos son por definición impredecibles y deberían eliminarse de los datos pasados para ver el comportamiento más normal de las ventas.

El análisis de series de tiempo consiste en descomponer la serie original de ventas (Y) en los componentes T, C, S y E. Después, estos componentes se vuelven a combinar para producir el pronóstico de ventas. Véase un ejemplo:

Una compañía de seguros vendió 12 000 pólizas de seguros de vida ordinarios este año. Le gustaría pronosticar las ventas de diciembre del año próximo. La tendencia a largo plazo muestra una tasa de crecimiento de las ventas de 5% por año. Esto indica ventas en el año entrante de 12 600 (= 12 000 × 1.05). Sin embargo, se espera una recesión comercial el año próximo y esto hará probablemente que las ventas alcancen tan sólo el

90% de las ventas esperadas ajustadas por tendencia. Más probablemente, las ventas el año próximo serán de 11 340 (= 12 000 × .90). Si las ventas fueran las mismas cada mes, las ventas mensuales serían de 945 (= 11 340/12). Sin embargo, diciembre es un mes por encima del promedio para ventas de pólizas de seguros, con un índice de temporada que permanece en 1.30. Por tanto, las ventas de diciembre pueden ser hasta de 1 228.5 (= 945 × 1.3). No se esperan sucesos erráticos, como huelgas o nuevas reglamentaciones de seguros. En consecuencia, el mejor estimado de las nuevas ventas de pólizas para el próximo mes de diciembre es 1 228.5.

Indicadores principales

Muchas compañías intentan pronosticar sus ventas al encontrar uno o más *indicadores principales;* es decir, otras series de tiempo que cambian en la misma dirección, pero con antelación a las ventas de la compañía. Por ejemplo, una compañía de plomería podría descubrir que sus ventas se retrasan, en relación con el índice de iniciación de casas nuevas en alrededor de cuatro meses. El índice de iniciación de casas podría ser entonces un indicador principal útil. El National Bureau of Economic Research ha identificado doce de los mejores indicadores principales y los valores de éstos se publican mensualmente en la *Survey of Current Business.*[7]

Análisis estadístico de la demanda

El análisis de series de tiempo trata las ventas pasadas y futuras como una función del tiempo, más que cualesquiera factores reales de la demanda. Numerosos factores reales afectan las ventas de cualquier producto. El **análisis estadístico de la demanda** es *un conjunto de procedimientos estadísticos diseñados para descubrir los factores reales más importantes que afectan las ventas y su influencia relativa.* Los factores analizados más comúnmente son precios, ingresos, población y promoción.

El análisis estadístico de la demanda consiste en expresar las ventas (Q) como una variable dependiente e intentar explicar las ventas como una función del número de variables independientes de la demanda X_1, X_2, ..., X_n; es decir,

$$Q = f(X_1, X_2, \dots X_n) \qquad (9.3)$$

Usando una técnica llamada análisis de regresión múltiple, pueden ajustarse estadísticamente varias formas de ecuaciones a los datos en búsqueda de los mejores factores de pronósticos y la mejor ecuación.[8]

Por ejemplo, una compañía de refrescos embotellados descubrió que las ventas per cápita de refrescos por estado se explicaban muy bien mediante.[9]

$$Q = -145.5 + 6.46X_1 - 2.37X_2 \qquad (9.4)$$

en donde

$X_1 = $ *temperatura anual media del estado (Farenheit)*
$X_2 = $ *ingreso anual per cápita en el estado (en cientos)*

Por ejemplo, Nueva Jersey tiene una temperatura media anual de 54 y un ingreso per cápita anual de 24 (en cientos). Usando la ecuación (9.4), el consumo de refrescos embotellados per cápita en Nueva Jersey se pronosticaría así:

$$Q = -145.5 + 6.46(54) - 2.37(24) = 146.6$$

El consumo per cápita real fue de 143. Según el grado como esta ecuación pronostique en otros estados, servirá como una herramienta útil de pronóstico. La gerencia de mercadotecnia pronosticaría la temperatura media del año próximo y el ingreso per cápita para cada estado, y usaría la ecuación (9.4) para pronosticar las ventas del año próximo.

■ Resumen

Para llevar a cabo sus responsabilidades, los gerentes de mercadotecnia necesitan mediciones del tamaño del mercado actual y futuro. Un *mercado* se define como el conjunto de consumidores actuales y potenciales de una oferta de mercado. Estar en el mercado significa tener interés, ingresos y acceso a la oferta de mercado. La tarea del mercadólogo consiste en distinguir entre varios niveles del mercado motivo de investigación, como el potencial de mercado, el mercado disponible, el mercado disponible calificado, el mercado servido y el mercado penetrado.

Una tarea es estimar la demanda actual. La demanda total puede estimarse mediante el método de la razón en cadena, que implica multiplicar un número base por porcentajes sucesivos. La demanda del área de mercado puede estimarse por el método de la estimación de composición de mercado o el método de prueba de coeficiente de mercado. Las ventas reales de la industria requieren la identificación de los competidores importantes y el uso de algún método para estimar las ventas de cada uno. Por último, las compañías están interesadas en estimar las porciones de mercado de los competidores para juzgar el rendimiento relativo de éstos.

Para estimar la demanda futura, la compañía puede usar siete posibles métodos de pronóstico: encuestas de intenciones de los compradores, compuesto de opiniones de la fuerza de ventas, opinión de expertos, pruebas de mercado, análisis de series de tiempo, indicadores principales y análisis estadístico de la demanda.

Estos métodos varían en cuanto a su carácter apropiado al propósito del pronóstico, el tipo de producto y la disponibilidad y confiabilidad de los datos.

■ Preguntas de repaso

1. El mercado de equipo electrónico para entretenimiento en el hogar ha crecido muchísimo en los últimos años. ¿Qué efecto cree que haya tenido esto sobre la demanda de discos LP?

2. Las ventas de ropas Izod-Lacoste con el emblema del lagarto fueron de 15 millones de dólares en 1969. Para 1981 las ventas fueron de aproximadamente $450 millones. ¿Cómo podía saber Lacoste en 1969 qué alcance de crecimiento anticipar a la hora de pronosticar las ventas para un plan estratégico a largo plazo que cubriera de 10 a 15 años?

3. Usted es el gerente de mercadotecnia de la firma de camas para gatos Cat's Pride y observa que después de años de ventas relativamente estables, las ventas de este artículo han aumentado en 50% durante el último año. ¿Cómo pronosticaría las ventas para el año entrante?

4. Describa la diferencia entre el *mercado potencial, el mercado disponible, el mercado meta* y *el mercado penetrado* para un Rolls Royce Silver Spirit.

5. Enumere algunos mercados expandibles y no expandibles. ¿Puede pensar en cualesquiera mercados que se hayan considerado previamente no expandibles, pero que se han expandido? ¿Cúal fue la causa de la inesperada expansión?

6. Explique dos técnicas de pronóstico de mercado y de ventas que Wilson podría usar para una nueva línea de raquetas de tenis.

7. Relacione los conceptos de potencial de mercado y demanda de la compañía con la cerveza Miller Lite.

8. ¿Cuáles son los dos métodos principales para estimar la demanda actual de la compañía? ¿Cuál cree que debería usar un fabricante de ropa?

■ Bibliografía

1. Basado en ''RCA's Slipped Disc'', *Fortune*, 30 de abril de 1984, pp. 7-8; ''RCA's Biggest Gamble Ever'', *Business Week*, 9 de marzo de 1981, pp. 79-80; ''The Anatomy of RCA's Videodisc Failure'', *Business Week*, 23 de abril de 1984, pp. 89-90; y ''Sales of RCA Videodisc System Fail to Live Up to Expectations'', *Chicago Tribune*, 15 de enero de 1982.

2. Para mayor información acerca de esta encuesta, véase ''Putting the Four to Work'', *Sales and Marketing Management*, 28 de octubre de 1974, pp. 13ff; para otros

ejemplos de cómo las compañías utilizan los índices del poder de compra, véase RICHARD KERN, "Sharper Planning Puts Marketers Ahead of Chance", *Sales and Marketing Management*, 25 de julio de 1983, pp. A7-A14.

3. Véase "How Good Are Consumer Pollsters?" *Business Week*, 9 de noviembre, pp. 108-10.

4. Adaptado de *Forecasting Sales*, Business Policy Study No. 106 (Nueva York: National Conference Board, 1963).

5. No obstante, véase JACOB GONIK, "Tie Salesmen's Bonuses to Their Forecasts", *Harvard Business Review*, mayo-junio de 1978, pp. 116-23.

6. Véase KIP D. CASSINO, "Delphi Method: A Practical 'Crystal Ball' for Researchers", *Marketing News*, 6 de enero de 1984, sección 2, pp. 10-11.

7. GEOFFREY H. MOORE y JULIUS SHISKIN, *Indictors of Business Expansions and Contractions* (Nueva York: Columbia University Press, Occasional Paper 103, 1967).

8. Véase GILBERT A. CHURCHILL, *Marketing Research: Methodological Foundations* (Hinsdale, Il: Dryden Press, 1983), capítulo 15.

9. Véase "The DuPort Company", en *Marketing Research: Text and Cases* (3a. ed.), Harper W. Boyd, Jr., Ralph Westfall y Stanley Stasch, eds. (Homewood, IL: Irwin, 1977), pp. 498-500.

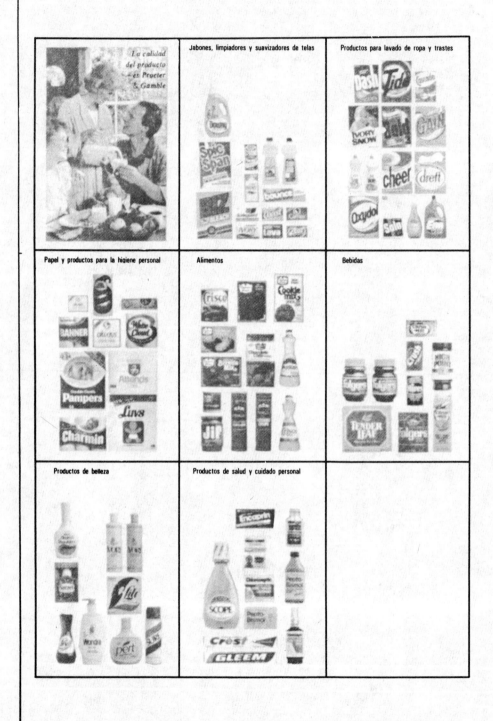

10

Segmentación, selección de mercados y posicionamiento en el mercado

Procter & Gamble fabrica diez marcas distintas de detergente para ropa: Tide, Cheer, Gain, Dash, Bold 3, Dreft, Ivory Snow, Oxydol, Era y Solo. También vende siete marcas de jabón para manos (Zest, Coast, Ivory, Safeguard, Camay, Lava y Kirk's Castile), tres champús (Prell, Head & Shoulders y Pert), tres detergentes líquidos para trastes (Joy, Ivory y Dawn), y dos marcas de pasta dentífrica (Crest y Gleam), desodorantes (Secret y Sure), Café (Folger's y High Point), aceite para cocinar (Crisco y Puritan), suavizador de telas (Downy y Bounce), limpiador para pisos (Spic & Span y Mr. Clean) y pañales desechables (Pampers y Luvs). Así, las marcas de P&G compiten unas con otras en los supermercados. ¿Pero por qué introduciría P&G varias marcas en una categoría en vez de concentrar sus recursos en una sola marca principal?

La respuesta reside en el hecho de que diferentes personas quieren diferentes combinaciones de beneficios del producto que compran. Tómese como ejemplo los detergentes para ropa. La gente usa detergentes para limpiar la ropa. Pero también quieren otras cosas de sus detergentes, cosas como economía, poder de blanqueado, suavizante de telas, olor fresco, firmeza o suavidad y mucha espuma. Todos queremos *algunos* de cada uno de estos beneficios de los detergentes, pero puede que le asignemos prioridades distintas a cada uno. Para algunas personas, el poder de limpieza y de blanqueado es más importante; para otras, la suavidad de la tela es lo más importante; otras más quieren un detergente suave con una fragancia fresca. Así, hay grupos (o segmentos) de compradores de detergentes para ropa y cada segmento busca una combinación especial de beneficios.

Procter & Gamble ha identificado al menos diez segmentos importantes de detergente para ropa y ha desarrollado una marca distinta destinada a satisfacer las necesidades especiales de cada segmento. Las diez marcas de Procter & Gamble están posicionadas para diferentes segmentos de la manera siguiente:

- *Tide* es el detergente de "acción extra" para todo propósito, para trabajos de lavandería sumamente pesados. Es un detergente para familias: "saca la mugre en la que se meten los niños. Cuando Tide entra, la mugre sale".

- *Cheer* está formulado especialmente para usarse en agua fría templada o caliente. Es "genial" en toda temperatura.

- *Gain* fue originalmente el detergente de "enzimas" de P&G, pero fue reposicionado como el detergente con una fragancia prolongada: "para ropa tan limpia que estalla en frescura".

- *Dash* es el detergente en polvo concentrado con "tres poderosos disolventes de la mugre". También hace menos espuma, por lo cual no obstruirá "las máquinas lavadoras modernas".

- *Bold 3* originalmente "pulverizaba la mugre". Ahora es un detergente con suavizante de tela. "Limpia, suaviza y controla la estática".

- *Ivory Snow* "Tiene una pureza de noventa y nueve más cuarenta y cuatro centésimas". Es el "jabón suave y adecuado para pañales y ropas del bebé".

- *Dreft* está formulado también para pañales y ropa de bebé, y contiene bórax, el suavizante natural.

- *Oxydol* contiene blanqueador. Es para "blancura luminosa, un detergente con poder completo y que respeta el color".

- *Era* es el detergente líquido concentrado de P&G. Contiene proteínas para limpiar las manchas.

- *Solo* está posicionado como un detergente líquido para trabajo pesado con un suavizante de tela. "La conveniencia de un detergente líquido más un suavizante que no se adhiere".

Al segmentar el mercado y al tener varias marcas distintas de detergentes, P&G tiene una oferta atractiva para los consumidores en todos los grupos importantes de preferencias. Todas las marcas P&G combinadas poseen más de 50% del mercado de detergentes para ropa, mucho más de lo que cualquier marca podría tener por sí sola.

Las organizaciones que venden a los mercados industrial y de consumo, reconocen que no pueden tener atractivo para todos los compradores en esos mercados, o al menos no de la misma forma para todos los compradores. Estos son demasiado numerosos, están muy diseminados y varían mucho en sus necesidades y hábitos de compra. Diferentes compañías estarán en mejores posiciones para servir a segmentos particulares del mercado. Cada compañía tiene que identificar las partes más atractivas del mercado, a las que pueda servir con eficiencia.

Los vendedores no siempre han practicado esta filosofía. Su pensamiento ha pasado por tres etapas:

■ *Mercadotecnia masiva.* En la mercadotecnia masiva, el vendedor produce, distribuye y promueve en masa un producto para todos los compradores. En un momento dado la Coca-Cola producía sólo un refresco para todo el mercado, con la esperanza de que tendría atractivo para todos. El argumento a favor de la mercadotecnia masiva es que deberá conducir a los costos y los precios más bajos, y creará el mayor potencial de mercado.

■ *Mercadotecnia de producto diferenciado.* Aquí el vendedor produce dos o más productos que tienen diferentes características, estilos, calidad, tamaños, etc. Hoy en día la Coca-Cola produce varios refrescos embotellados en diferentes tamaños y envases. Estos están diseñados para ofrecerles variedad a los compradores en vez de atraer a diferentes segmentos del mercado.

■ *Mercadotecnia de selección de mercado meta.* Aquí el vendedor hace una distinción entre segmentos de mercado, selecciona uno o más de estos segmentos y desarrolla mezclas de producto y de mercadotecnia ajustadas a cada segmento. Por ejemplo, la Coca-Cola desarrolló el Tab para satisfacer las necesidades de los consumidores preocupados por la dieta.

Las compañías modernas se están alejando de las mercadotecnias masiva y de producto diferenciado, y se están acercando más a la de selección de mercado meta. Esta última les ayuda a los vendedores a identificar mejor las oportunidades de mercadotecnia. Los vendedores pueden desarrollar el producto correcto para cada mercado meta. Pueden ajustar sus precios, sus canales de distribución y su publicidad para llegar al mercado meta con eficiencia. En vez de dispersar sus esfuerzos de mercadotecnia (enfoque de "escopeta") pueden concentrarse en los compradores que tienen mayor interés de comprar (enfoque del "rifle").

La mercadotecnia de selección de mercado meta requiere tres pasos principales (figura 10-1). El primero es la **segmentación del mercado,** que consiste en dividir un mercado en grupos distintos de compradores que pudieran necesitar productos o mezclas de mercadotecnia diferentes. La compañía identifica distintas maneras para segmentar el mercado y desarrolla perfiles de los segmentos de mercado resultantes. El segundo paso es la **selección de mercado meta,** que consiste en evaluar el atractivo de cada segmento y seleccionar uno o más de los segmentos de mercado para entrar. El tercer paso es el **posicionamiento en el mercado,** la formulación de un posicionamiento competitivo para el producto y una

FIGURA 10-1 *Pasos en la segmentación, selección y posicionamiento en el mercado*

Segmentación de mercado

1. Identificar bases para segmentar el mercado
2. Desarrollar perfiles de los segmentos resultantes

Selección de mercado meta

3. Desarrollar mediciones del atractivo del segmento
4. Seleccionar los segmentos meta

Posicionamiento en el mercado

5. Desarrollar posicionamiento para cada segmento meta
6. Desarrollar mezcla de mercadotecnia c/segm. meta

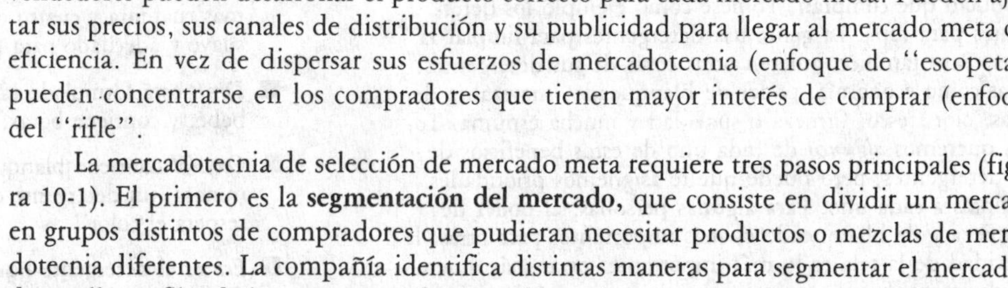

mezcla de mercadotecnia detallada. En este capítulo se describirán los principios de la segmentación, selección y posicionamiento en el mercado.

SEGMENTACION DEL MERCADO

El mercado está formado por compradores y éstos difieren en uno o más aspectos. Pueden diferir en sus deseos, recursos, ubicaciones geográficas, actitudes y prácticas de venta. Cualquiera de estas variables puede usarse para segmentar un mercado.

Enfoque general de la segmentación de un mercado

La figura 10-2A muestra un mercado de seis compradores. Cada comprador es potencialmente un mercado separado, debido a necesidades y deseos únicos. Idealmente, un vendedor podría diseñar un programa de mercadotecnia independiente para cada comprador. Por ejemplo, los productores de armazones de naves aéreas, como Boeing y McDonnell-Douglas, se enfrentan a unos cuantos compradores y los tratan como mercados separados. En la figura 10-2B se ilustra el último grado de segmentación del mercado.

Para la mayoría de los vendedores, no tendría caso hacer sus productos a la medida de cada comprador específico. En vez de ello, el vendedor identifica clases amplias de compradores que difieran en sus requerimientos de producto o en sus respuestas de mercadotecnia. Por ejemplo, el vendedor puede descubrir que los grupos de ingreso difieren en sus deseos. En la figura 10-2C, se usa un número (1, 2 o 3) para identificar la clase de ingreso de cada comprador. Se trazan líneas en torno de los compradores en la misma clase de ingresos. La segmentación por ingresos da lugar a tres segmentos, donde el más numeroso es el segmento de la clase de ingreso 1.

Por otra parte, puede que el vendedor encuentre diferencias pronunciadas entre compradores jóvenes y viejos. En la figura 10-2D se usa una letra (*a* o *b*) para indicar la edad de cada comprador. La segmentación por clase cronológica da lugar a dos segmentos, cada uno con tres compradores.

Ahora el ingreso y la edad pueden contar mucho para influir en la conducta del comprador hacia el producto. En este caso, el mercado puede dividirse en cinco segmentos: 1*a*, 1*b*, 2*b*, 3*a*, y 3*b*. La figura 10-2E muestra que el segmento 1*a* contiene dos compradores y que los otros segmentos contienen uno.

El uso de más características para segmentar el mercado le da al vendedor mayor precisión, pero al precio de multiplicar el número de segmentos y hacer menos densas las poblaciones en cada uno.

FIGURA 10-2
Diferentes segmentaciones de un mercado

A. Ninguna segmentación de mercado   **B. Segmentación completa de mercado**

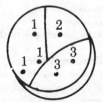

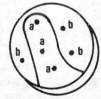

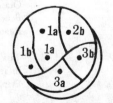

C. Segmentación de mercado por clases de ingreso 1, 2 y 3   **D. Segmentación de mercado por clases cronológicas a y b**   **E. Segmentación de mercado por clase de ingreso/edad**

Bases para la segmentación de los mercados de consumo

No hay una forma única que sirva para segmentar cualquier mercado. Un mercadólogo tiene que intentar diferentes variables de segmentación, aisladamente o en combinación, con la esperanza de encontrar una forma exacta para considerar la estructura del mercado. Aquí se examinarán las principales variables geográficas, demográficas, psicográficas y de la conducta que se usan en la segmentación de los mercados de consumo (véase la tabla 10-1).

TABLA 10-1
Principales variables de segmentación para mercados de consumo

VARIABLE	DIVISIONES TIPICAS
Geográfica	
Región	Pacífico, región montañosa, región central del noroeste, región central del sudeste, región central del noreste, región central del sudeste, región del Atlántico sur, región del Atlántico medio, Nueva Inglaterra.
Tamaño del municipio	A, B, C, D
Tamaño de la ciudad o de SMA	Menos de 5 000, 5 000-20 000; 20 000-50 000; 50 000-100 000; 100 000-250 000; 250 000-500 000; 500 000-1 000 000; 1 000 000-4 000 000; 4 000 000 o más de
Densidad	Urbana, suburbana, rural
Clima	Nórdico, austral
Demográfica	
Edad	Menos de 6, 6-11, 12-19, 20-34, 35-49, 50-64, 65 +
Sexo	Hombre, mujer
Tamaño de la familia	1-2, 3-4, 5 +
Ciclo de vida de la familia	Jóvenes, solteros; jóvenes, casados, sin hijos; jóvenes, casados, hijo más pequeño de 6 años; jóvenes, casados, hijo más pequeño de 6 años o mayor; personas mayores, casados, con hijos; personas mayores, casados, sin hijos menores de 18; personas mayores, solteras; otras.
Ingresos	Menores de $2 500; $2 500-$5 000; $5 000-$7 500; $7 500-$10 000; $10 000-$15 000; $15 000-$20 000; $20 000-$30 000; $30 000-$50 000; $50 000 y mayores
Ocupación	Profesionales y técnicos; gerentes, directivos y propietarios; oficinistas, vendedores; artesanos, supervisores, operadores; agricultores; pensionados; estudiantes; amas de casa; desempleados.
Educación	Primaria o escolaridad más baja; algunos años de enseñanza media; grado en una escuela de enseñanza media; algunos años de universidad; licenciatura
Religión	Católico, protestante, judío, otros
Raza	Blanco, negro, oriental, hispano
Nacionalidad	Estadunidense, inglés, francés, alemán, escandinavo, italiano, latinoamericano, del Oriente Medio, japonés
Psicográfica	
Clase social	Baja inferior, baja superior, media baja, media alta, alta baja, alta
Estilo de vida	Conservadores, exitosos, integrados
Personalidad	Impulsivos, gregarios, autoritarios, ambiciosos
De la conducta	
Ocasión de compra	Ocasión regular, ocasión especial
Beneficios buscados	Calidad, servicio, economía
Estatus del usuario	No usuario, exusuario, usuario potencial, usuario por primera vez, usuario regular
Tasa de uso	Usuario pequeño, mediano y grande
Estatus de lealtad	Ninguno, medio, fuerte, absoluto
Etapa de disposición	Sin conocimientos, con conocimiento, informado, interesado, deseoso, con intención de comprar
Actitud hacia el producto	Entusiasta, positivo, indiferente, negativo, hostil

Segmentación geográfica

La **segmentación geográfica** es la división del mercado en diferentes unidades geográficas como naciones, estados, regiones, municipios, ciudades o barrios. La compañía decide operar en una o en unas cuantas áreas geográficas, o bien, operar en todas pero prestándole atención a variaciones en las necesidades y preferencias geográficas. Por ejemplo, el café molido Maxwell House de General Foods se vende a escala nacional en Estados Unidos, pero tiene sabor regional. Los habitantes del Oeste prefieren café más fuerte que la gente en el Este.

Algunas compañías llegan a subdividir las ciudades más grandes en áreas geográficas más pequeñas. La R. J. Reynolds Company ha subdividido Chicago en tres submercados distintos.[1] En el área de la Ribera Norte, Reynolds promueve sus marcas bajas en alquitrán ya que los residentes tienen mejor educación y están más interesados por la salud. En el área sudeste de los obreros, Reynolds promueve Winston porque esta área es conservadora. En el área sur de los negros, Reynolds promueve el alto contenido de menta de Salem, usando mucho la prensa y los tablones de anuncios de la gente negra.

Segmentación demográfica

La **segmentación demográfica** consiste en dividir el mercado en grupos con base en variables demográficas como la edad, el sexo, el tamaño de la familia, el ciclo de vida familiar, ingresos, ocupación, educación, religión, raza y nacionalidad. Las variables demográficas son la forma más popular para distinguir entre grupos de consumidores. Una razón es que los deseos, las preferencias y las tasas de uso, con frecuencia están muy asociados con variables demográficas. Otra es que las variables demográficas son más fáciles de medir que la mayoría de los otros tipos de variables. Aun cuando el mercado meta se describe en términos no demográficos (por ejemplo, un tipo de personalidad), es necesario el vínculo de regreso a las características demográficas con el fin de saber el tamaño del mercado meta y cómo alcanzarlo con eficiencia.

Aquí se ilustrará la forma cómo se han aplicado ciertas variables demográficas a la segmentación del mercado.

EDAD Y ETAPA DEL CICLO DE VIDA. Los deseos y las capacidades del consumidor cambian con la edad. Algunas compañías ofrecen diferentes productos o usan distintos enfoques de mercadotecnia para diferentes segmentos de edad y ciclo de vida. Por ejemplo, Richardson-Vicks ofrece cuatro variaciones de sus vitaminas Life Stage, cada una formulada para las necesidades especiales de segmentos cronológicos específicos: las pastillas masticables Children's Formula para niños de 4 a 12 años; Teens Formula para adolescentes, y dos versiones adultas (Men's Formula y Women's Formula). Johnson & Johnson desarrolló el champú Affinity para mujeres de 40 años para contrarrestar los cambios en el cabello debidos a la edad.

Sin embargo, la edad y el ciclo de vida pueden ser variables engañosas. Por ejemplo, la Ford Motor Company usó la edad de los consumidores en el desarrollo de su mercado meta para su automóvil Mustang inicial; el vehículo estaba diseñado para atraer a personas jóvenes que querían un auto deportivo económico. Pero la Ford descubrió que todos los grupos cronológicos compraban el automóvil. Comprendió entonces que su mercado meta no eran los consumidores físicamente jóvenes, sino los psicológicamente jóvenes.

SEXO. Desde hace mucho tiempo se ha venido aplicando la segmentación por el sexo en ropas, peluquerías, cosméticos y revistas. Ocasionalmente otros mercadólogos observarán una oportunidad para la segmentación por el sexo. El mercado de los cigarrillos es un ejemplo excelente. La mayoría de las marcas de cigarrillos las fuman hombres y mujeres por igual. Sin embargo, las marcas femeninas como Eve y Virginia Slims han ido ganando terreno acompañadas por un sabor apropiado, una buena envoltura y sugerencias publicitarias para reforzar la imagen femenina. Actualmente es improbable ver a hombres fumando Eve, así como ver a mujeres fumando Marlboro. Otra industria que está comenzando a reconocer el potencial de la segmentación por el sexo es la automotriz. Antiguamente, se diseñaban automóviles que tuvieran atractivo para los miembros de la familia de ambos sexos. Sin embargo, al aumentar el número de mujeres que trabajan y son propietarias de automóviles, algunos fabricantes están estudiando la oportunidad de diseñar automóviles especialmente para las mujeres.

INGRESOS. La segmentación por ingresos es otra práctica muy antigua en categorías de productos y servicios como los automóviles, botes, ropas, cosméticos y viajes. Otras industrias reconocen ocasionalmente sus posibilidades. Por ejemplo, Suntory, la compañía de licores

Un ejemplo de segmentación por el sexo; "Secret está hecho para la mujer".
Cortesía de la compañía Procter & Gamble.

japonesa, introdujo un whisky escocés que se vende a 75 dólares a fin de atraer bebedores que quieren lo mejor.

Al mismo tiempo, los ingresos no siempre pueden pronosticar a los consumidores para un producto dado. Se podría pensar que los trabajadores manuales comprarían Chevrolets y los gerentes comprarían Cadillacs. Sin embargo, muchos gerentes compran Chevrolets (a menudo como un segundo automóvil) y algunos trabajadores manuales compran Cadillacs (como los plomeros y carpinteros muy bien pagados). Los trabajadores manuales se contaban entre los primeros compradores de televisores a color; les resultaba más económico adquirir estos aparatos que salir al cine y al restaurante.

Coleman hizo una distinción entre los segmentos "no privilegiados" y los "segmentos sobreprivilegiados" de *cada* clase social.[2] Los automóviles más económicos no los compra la gente realmente pobre, sino aquellos que "se consideran pobres en relación con sus aspiraciones de estatus y con sus necesidades por un cierto nivel de ropas, muebles y vivienda que no podrían costear si compraran un automóvil más costoso". Por otra parte, los segmentos sobreprivilegiados de cada clase social tienden a comprar los automóviles de precio medio y los costosos.

SEGMENTACION DEMOGRAFICA MULTIVARIABLE. Muchas compañías segmentarán un mercado al combinar dos o más variables demográficas. El Hogar Charles para ciegos (nombre supuesto) atiende las necesidades de las personas ciegas en cuanto a cuidados médicos, asesoramiento psicológico y entrenamiento vocacional. Sin embargo, no es capaz de servir a todos los ciegos debido a sus instalaciones limitadas. Una segmentación múltiple de las personas ciegas se muestra en la figura 10-3, donde éstas se distinguen por edad, sexo e ingresos. El Hogar Charles ha escogido servir a hombres de bajos ingresos en edad laboral. Cree que puede hacer su mejor labor con este grupo.

Segmentación psicográfica

En la **segmentación psicográfica,** los compradores se dividen en diferentes grupos con base en la clase social, el estilo de vida o las características de la personalidad. Las personas dentro de un mismo grupo cronológico pueden mostrar perfiles psicológicos muy diferentes.

CLASE SOCIAL. En el capítulo 6 se describieron las seis clases sociales en Estados Unidos y se mostró que la clase social tiene una fuerte influencia sobre las preferencias en materia de automóviles, ropa, muebles para el hogar, actividades recreativas, hábitos de lectura y tiendas al menudeo. Muchas compañías diseñan productos o servicios para clases sociales específicas, incorporando características que tienen atractivo para la clase social meta.

ESTILO DE VIDA. En el capítulo 6 se vio que el interés de la gente por diversos bienes recibe una gran influencia de sus estilos de vida y que los bienes que consumen expresan sus esti-

FIGURA 10-3
Segmentación de personas ciegas por tres variables demográficas

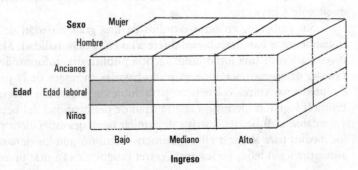

los de vida. Los mercadólogos de diversos productos y marcas están segmentando cada vez más sus mercados de acuerdo con los estilos de vida del consumidor. Por ejemplo, un fabricante de pantalones de mezclilla para hombre querrá diseñar pantalones para un grupo específico de estilo de vida de hombres: el "individuo dinámico y de éxito", el "buscador de placer", el "hombre casero tradicional", el "obrero amante de la vida al aire libre", el "líder en los negocios" o el "tradicionalista exitoso".[3] Cada grupo requerirá diferentes diseños y precios de pantalones, textos publicitarios y tiendas. A no ser que la compañía clarifique el grupo principal de estilo de vida al que se dirige, es posible que sus pantalones no tengan atractivo para ningún grupo de estilo de vida de hombres en particular.

Algunos investigadores han identificado estilos de vida que son específicos de un producto. Ruth Ziff identificó los siguientes estilos de vida de producto que son específicos para usuarios de medicamentos (el porcentaje de cada uno se muestra entre paréntesis):[4]

■ *Realistas* (35%) no son fatalistas en materia de salud, ni tampoco se preocupan mucho con la protección o los gérmenes. Consideran los remedios positivamente, quieren algo que sea conveniente y que funcione y no perciben la necesidad de una medicina recomendada por el médico.

■ *Buscadores de autoridad* (31%) están orientados hacia el médico y las recetas, tampoco son fatalistas ni estoicos acerca de la salud, pero prefieren estampar la autoridad en lo que toman.

■ *Escépticos* (23%) se preocupan poco por la salud, son menos propensos a recurrir a medicamentos y son muy escépticos de los remedios para el resfriado.

■ *Hipocondríacos* (11%) se preocupan muchísimo por la salud, se consideran a sí mismos como propensos a cualquier germen que ande por allí y suelen tomar medicinas al primer síntoma. No buscan fuerza en lo que toman, pero necesitan la opinión de alguna autoridad para sentirse seguros.

La mercadotecnia de una firma farmacéutica será más efectiva con hipocondríacos y menos con escépticos. Si cada grupo de estilo de vida muestra distintas características demográficas y preferencias por los medios, las compañías farmacéuticas pueden hacer una mejor labor en la selección del mercado meta.

PERSONALIDAD. Los mercadólogos han usado también variables de la personalidad para segmentar mercados. Les dan a sus productos *personalidades de marca* que corresponden a las *personalidades del consumidor*. A fines de la década de 1950, los Ford y los Chevrolet se promovían como si tuvieran distintas personalidades. Se pensaba que los compradores de Ford eran "independientes, impulsivos, masculinos, alertas al cambio y seguros de sí mismos, mientras que los propietarios de Chevrolet eran conservadores, ahorrativos, conscientes del prestigio, menos masculinos y con una tendencia a evitar los extremos".[5] Evans investigó si esto era verdad al someter a los propietarios de Ford y de Chevrolet a la prueba de preferencias personales de Edwards, que mide la necesidad de logro, predominio, cambio, agresión, etc. A excepción de puntuaciones ligeramente más altas en predominio, las personalidades de los propietarios de Ford no eran significativamente distintas que las de dueños de Chevy.

Sin embargo, en otros estudios de una gran variedad de productos y marcas ocasionalmente se han descubierto diferencias en la personalidad. Shirley Young, directora de investigación de una importante agencia publicitaria, informó del desarrollo de estrategias exitosas de segmentación de mercado basadas en rasgos de la personalidad, en categorías de productos como cosméticos para mujeres, cigarrillos, seguros y licores.[6] Ackoff y Emshoff lograron identificar cuatro tipos de personalidad del bebedor (véase la tabla 10-2) y ayudaron a Anheuser-Busch a desarrollar mensajes específicos y patrones de exposición a los medios para llegar a ellos.[7] Burnett descubrió que los donantes de sangre tienen una autoestimación baja, no les gusta correr riesgos y están más preocupados por su salud; los

	TIPO DE BEBEDOR	**TIPO DE PERSONALIDAD**	**PATRON DE INGESTION**
TABLA 10-2 *Segmentación por personalidad del bebedor*	Bebedor social	Se deja llevar por sus necesidades, especialmente por las de logro, e intenta manipular a los demás para obtener lo que quiere. Siente el deseo de progresar. Generalmente es una persona joven.	Bebedor controlado que a veces ingiere demasiado licor o se emborracha, pero que rara vez se convierte en alcohólico. Toma licor sobre todo los fines de semana, en las vacaciones, casi siempre en reuniones sociales con sus amigos. Para él la ingestión de licor es un medio de ganar aceptación social.
	Bebedor condescendiente	Es sensible a las exigencias de los demás y se adapta a las necesidades de ellos, aun a costa de sus propias aspiraciones. Generalmente es una persona de edad madura.	Bebedor controlado que rara vez toma demasiado o se emborracha. Bebe sobre todo al finalizar la jornada laboral, por lo general con sus amigos íntimos. Para él la ingestión de licor es un premio a los sacrificios hechos en favor de los demás.
	Bebedor excesivo	Es sensible a las necesidades ajenas. Con frecuencia se culpa a sí mismo por su fracaso.	Bebe en exceso, especialmente cuando tiene la presión de lograr éxito. En ocasiones no sabe controlar la ingestión de alcohol y suele tomar demasiado licor, emborracharse e incluso convertirse en alcohólico. La bebida constituye para él un medio de evadirse.
	Bebedor indulgente	Generalmente es insensible a los demás y atribuye su fracaso a la falta de sensibilidad de la gente.	A semejanza del tipo anterior, bebe en exceso, con frecuencia se pone alegre o se emborracha, convirtiéndose a veces en alcohólico. Para él la bebida es un medio de evadirse.

Fuente: adaptada de Russell L. Ackoff y James R. Emshoff, ''Advertising Research at Anheuser-Busch, Inc. (1968-1974)'', *Sloan Management Review, 16, 3* (primavera de 1975), pp. 1-15.

no donantes tienden a ser lo contrario en todas estas dimensiones.[8] Esto indica que las agencias sociales deberían usar diferentes enfoques de mercadotecnia para retener a los donantes actuales y atraer a otros nuevos.

Segmentación por la conducta

En la **segmentación por la conducta,** los compradores se dividen en grupos con base en sus conocimientos, actitud, uso o respuesta a un producto. Muchos mercadólogos creen que las variables de la conducta son el mejor punto de partida para construir segmentos de mercado.

OCASIONES. Los compradores pueden distinguirse de acuerdo con las ocasiones cuando tienen la idea, cuando hacen una compra o cuando usan un producto. Por ejemplo, los viajes aéreos se activan en ocasiones relacionadas con los negocios, vacaciones o la familia. Una línea aérea puede especializarse en servir a las personas para las cuales una de estas ocasiones es dominante. Así, las líneas fletadoras sirven a personas cuyas vacaciones incluyen viajar a algún lugar.

La segmentación por ocasión puede ayudar a las firmas a acrecentar el uso del producto. Por ejemplo, el jugo de naranja se consume más comúnmente en el desayuno. Una compañía de jugo de naranja puede intentar promoverlo en la comida o en la cena. Ciertos días de fiesta (por ejemplo, el día de la madre o del padre) se promovieron principalmente para aumentar las ventas de dulces y flores. La compañía de caramelos Curtis promovía la costumbre de regalar dulces en la víspera de *Halloween*, donde cada hogar regalaba dulces a los niños que tocaban a la puerta.

BENEFICIOS BUSCADOS. Una forma poderosa de segmentación consiste en clasificar a los compradores de acuerdo con los diferentes beneficios que buscan del producto. Yankelovich aplicó la segmentación por beneficios a la compra de relojes de pulsera. Descubrió que "aproximadamente 23% de los compradores buscaban el precio más bajo, otro 46% buscaba la durabilidad y la calidad general del producto y el 31% compraban relojes como símbolos de una ocasión importante".[9] Las compañías relojeras mejor conocidas en la época se concentraban casi exclusivamente en el tercer segmento al producir relojes costosos, al recalcar el prestigio y al vender en joyerías. La U.S. Time Company decidió concentrarse en los primeros dos segmentos al crear relojes Timex y venderlos a través de establecimien-

Segmentación por ocasión: Hallmark anuncia regalos para el día del padre.
Cortesía de Hallmark Cards, Inc.

tos de venta masiva. Usando esta estrategia de segmentación, la U.S. Time se convirtió en la compañía relojera más grande del mundo.

La segmentación requiere la determinación de los principales beneficios que la gente busca en la clase de producto, los tipos de personas que buscan cada beneficio y las marcas principales que suministran cada beneficio. Una de las segmentaciones por beneficios más exitosa es la que informa Haley, quien estudió el mercado de la pasta dentífrica (véase la tabla 10-3). La investigación de Haley descubrió cuatro segmentos de beneficios: aquéllos que buscan beneficios de economía, protección, belleza y de sabor. Cada grupo buscador de beneficios tenía características demográficas, conductuales y psicográficas particulares. Por ejemplo, los que buscaban prevenir las caries tenían familias numerosas, eran grandes usuarios de dentífricos y eran conservadores. Cada segmento también favorecía ciertas marcas. Una compañía de pasta dentífrica puede usar estos resultados para clarificar sobre qué segmento de beneficio tiene atractivo, las características de éste y las principales marcas competidoras. La compañía también puede buscar un nuevo beneficio y lanzar una marca que suministre este beneficio.[10]

ESTATUS DEL USUARIO. Muchos mercados pueden segmentarse en no usuarios, exusuarios, usuarios potenciales, usuarios por primera vez y usuarios regulares de un producto. Las compañías con una porción elevada de mercado están interesadas particularmente por atraer usuarios potenciales, mientras que las firmas más pequeñas sólo intentarán atraer a usuarios regulares a su marca. Los usuarios potenciales y los regulares requieren diferentes tipos de llamados de mercadotecnia.

Las agencias de mercadotecnia social dan una gran atención al estatus del usuario. Las agencias de rehabilitación de toxicómanos patrocinan programas de rehabilitación para ayudar a los usuarios regulares a dejar el hábito. Organizan conferencias dictadas por exusuarios para desalentar a la gente joven a probar las drogas.

TASA DE USO. Los mercados también pueden segmentarse en grupos de usuarios grandes, medianos y pequeños (lo cual se denomina segmentación por volumen). Los grandes usuarios suelen ser un pequeño porcentaje del mercado, pero dan cuenta de un elevado porcentaje del consumo total. En la figura 10-4 se muestran algunos datos sobre las tasas de uso para productos de consumo popular. Usando la cerveza como ejemplo, la gráfica muestra que 68% de los entrevistados no bebe cerveza. El 32% restante, compuesto por los que sí beben se dividió en dos grupos. El 16% inferior eran usuarios ligeros y sólo daban cuenta del 12% del consumo total de cerveza. La mitad de los grandes bebedores era responsable de 88% del consumo total, más de siete veces el consumo del grupo anterior.

TABLA 10-3 *Segmentación por beneficio del mercado de la pasta dentífrica*	SEGMENTOS DE BENEFICIO	DEMOGRAFIA	CONDUCTA	PSICOGRAFIA	MARCAS FAVORECIDAS
	Economía (precio bajo)	Hombres	Grandes usuarios	Gran autonomía, orientados a los valores	Marcas en barata
	Salud (prevención de la caries)	Familias numerosas	Grandes usuarios	Hipocondríacos, conservadores	Crest
	Estética (dientes brillantes)	Adolescentes, adultos jóvenes	Fumadores	Gran sociabilidad, activos	Aqua-Fresh, Ultra Brite
	Sabor (bueno)	Niños	Amantes de la menta	Gran preocupación por la propia persona, hedonistas	Colgate, Aim

Fuente: adaptada de Russell J. Haley, ''Benefit Segmentation: A Decision Oriented Research Tool'', *Journal of Marketing,* julio de 1963, pp. 30-35.

FIGURA 10-4
Concentración de compras anuales en diversas categorías de producto

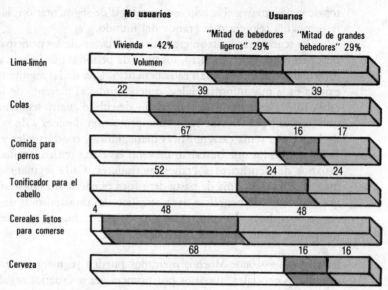

| | **No usuarios** | **Usuarios** | |
| | Vivienda – 42% | "Mitad de bebedores ligeros" 29% | "Mitad de grandes bebedores" 29% |

Lima-limón — Volumen

Colas — 22 | 39 | 39

Comida para perros — 67 | 16 | 17

Tonificador para el cabello — 52 | 24 | 24

Cereales listos para comerse — 4 | 48 | 48

Cerveza — 68 | 16 | 16

Fuente: Dik Warren Twedt, ''How Important to Marketing Strategy Is the 'Heavy User'?'' *Journal of Marketing,* enero de 1974, p. 72.

En forma evidente, una compañía cervecera preferiría atraer a un usuario grande que a varios usuarios pequeños. La mayoría de las firmas cerveceras persiguen al gran bebedor, usando lemas publicitarios como el de la Schaefer's: ''Una cerveza para el que toma más de una''.

Los grandes usuarios de un producto a menudo tienen hábitos comunes de tipo demográfico y psicográfico, así como una misma preferencia por los medios de comunicación. En el caso de los grandes bebedores de cerveza, su perfil muestra que hay más de ellos en la clase trabajadora, en comparación con bebedores pequeños y que caen entre las edades de 25 y 50 (en vez de entre 25 y más de 50), miran televisión más de tres y media horas al día (en vez de menos de dos horas) y prefieren los programas deportivos.[11] Los perfiles como éste ayudan al mercadólogo a desarrollar estrategias de precio, mensaje y medios.

Las agencias de mercadotecnia social suelen enfrentarse a un dilema del gran usuario. Una agencia de planificación familiar normalmente escogería como mercados meta a familias que tienen el mayor número de hijos, pero estas familias también son las renuentes a los mensajes de control de la natalidad. El National Safety Council (Consejo Nacional de Seguridad) tendría como mercado meta a los conductores descuidados, pero estos mismos son los más resistentes a los llamados de conducir con precaución. Las agencias deben decidir si se concentran en unos cuantos transgresores grandes de alta resistencia o en muchos transgresores pequeños con menos resistencia.

ESTADO DE LEALTAD. Un mercado también puede segmentarse por patrones de lealtad del consumidor. Los consumidores pueden ser leales a la marca (Tide), las tiendas (Sears) y las compañías (Ford). Aquí se trata de lealtad a la marca. Supóngase que hay cinco marcas: A, B, C, D y E. Los compradores pueden dividirse en cuatro grupos de acuerdo con su nivel relativo de lealtad:[12]

■ *Compradores muy fieles.* Consumidores que compran una marca todo el tiempo. Así, un patrón de compras de A, A, A, A, A, A representa un consumidor con lealtad completa a la marca A.

■ *Compradores de lealtad compartida.* Consumidores que son leales a dos o tres marcas. El patrón de compra A, A, B, B, A, B, representa a un consumidor con una lealtad dividida entre A y B.

■ *Compradores de lealtad cambiante.* Consumidores cuya preferencia se desplaza de una marca a otra. El patrón de compra A, A, A, B, B, B, indicaría a un consumidor cuya fidelidad de marca se desplaza de A a B.

■ *Compradores sin preferencia alguna.* Consumidores que no muestran lealtad a ninguna marca. El patrón de compra A, C, E, B, D, B, indicaría a un consumidor sin lealtad que es *afecto a las rebajas* (compra la marca que esté de oferta) o *afecto a la variedad* (quiere algo diferente).

Cada mercado está compuesto por un diferente número de los cuatro tipos de compradores. Un mercado leal a la marca es aquél con un alto porcentaje de compradores que son muy fieles a la marca; los mercados de la pasta dentífrica y de la cerveza parecen tener una lealtad a la marca bastante elevada. Las compañías que venden en un mercado leal a la marca tienen grandes dificultades para obtener una mayor porción del mercado y las firmas que intentan entrar a tal mercado tienen también graves problemas.

Una compañía puede aprender mucho si analiza los patrones de lealtad en su mercado. Deberá estudiar las características de sus propios consumidores que muestren ser muy fieles a la marca. Colgate sabe que los consumidores más fieles de su marca son más de clase media, tienen familias numerosas y son más conscientes de la salud. Esto define con precisión el mercado meta para Colgate.

Al estudiar a sus consumidores de lealtad compartida, la compañía puede definir cuáles marcas compiten más con la suya. Si muchos consumidores de Colgate también compran Crest, Colgate puede intentar mejorar su posicionamiento en relación con la Crest, posiblemente usando publicidad comparativa directa.

Al estudiar a los consumidores que se están alejando de su marca, la compañía puede descubrir sus debilidades de mercadotecnia. En cuanto a los consumidores que no son leales, la compañía los puede atraer al promover su marca con descuentos.

La compañía deberá estar consciente de que los que puedan parecer patrones de compra de lealtad a la marca pueden reflejar *hábito, indiferencia, un precio bajo o la escasez* de otras marcas. El concepto de lealtad a la marca tiene cierta ambigüedad y debe utilizarse con cuidado.

ETAPA DE DISPOSICION DEL COMPRADOR. En cualquier momento dado, la gente está en diferentes etapas de disposición para adquirir un producto. Algunas personas no lo conocen, otras sí; algunas carecen de información, otras están interesadas, algunas están deseosas y algunas tienen la intención de comprarlo. Las cifras relativas tienen una gran importancia para diseñar el programa de mercadotecnia. Supóngase que una agencia de salud quiere que las mujeres se sometan a una prueba Pap anual para detectar el cáncer cervical. Al comienzo, la mayoría de las mujeres no conocen la prueba Pap. El esfuerzo de mercadotecnia se dirigirá hacia una campaña publicitaria con mensajes sencillos. De tener éxito, la publicidad debería dramatizar entonces los beneficios de la prueba Pap y los riesgos de no someterse a ella, con el fin de hacer que un mayor número de mujeres la desee. Deberá haber instalaciones listas para atender al gran número de mujeres que puedan estar motivadas para someterse al examen. Por lo general, el programa de mercadotecnia debe ajustarse a la distribución cambiante de la disposición del comprador.

ACTITUD. A las personas que componen un mercado se les puede clasificar según su grado de entusiasmo por el producto. Pueden distinguirse cinco clases de actitud: entusiasta, positiva, indiferente, negativa y hostil. Los trabajadores de puerta en puerta de una campaña política usan la actitud del votante para determinar cuánto tiempo pasar con éste. Les dan las gracias a los votantes entusiastas y les recuerdan votar; no desperdician el tiempo intentando cambiar las actitudes de votantes hostiles o negativos. Refuerzan a aquéllos que están positivamente dispuestos e intentan ganar el voto de los indiferentes. Según el grado como las actitudes estén correlacionadas con los indicadores demográficos, la organización podrá incrementar su eficiencia para llegar a los mejores prospectos.[13]

Bases para la segmentación de mercados industriales

Los mercados industriales pueden segmentarse con muchas de las mismas variables usadas en la segmentación del mercado de consumo. Los compradores industriales pueden segmentarse geográficamente y por diversas variables de la conducta: beneficios buscados, estatus del usuario, tasa de uso, condición de lealtad, etapa de disposición y actitudes.

Una forma común para segmentar los mercados industriales es por medio de los *usuarios finales*. Diferentes usuarios finales a menudo buscan distintos beneficios y se les puede alcanzar con diferentes mezclas de mercadotecnia. Considérese el mercado de los transistores:

El mercado de los transistores consta de tres submercados: militar, industrial y comercial.

El comprador militar les confiere gran importancia a la calidad y la disponibilidad del producto. Las firmas que le venden transistores al mercado militar deben realizar una considerable inversión en investigación y desarrollo, usar representantes de ventas que conozcan los procedimientos de las compras militares y especializarse en productos de línea limitada.

Los compradores industriales, como los fabricantes de computadoras, buscan alta calidad y buen servicio. El precio no es decisivo a no ser que sea exorbitante. En este mercado, los fabricantes de transistores hacen una modesta inversión en investigación y desarrollo, usan representantes de ventas que tengan conocimientos técnicos sobre el producto y ofrecen una línea amplia.

Los compradores comerciales, como los fabricantes de radios de bolsillo, compran sus componentes principalmente en cuanto al precio y la entrega. Los fabricantes de transistores que le venden a este mercado necesitan poco o ningún esfuerzo de investigación y desarrollo, usan representantes de ventas agresivos que no son técnicos y ofrecen las líneas más comunes que pueden producirse en masa.

El *tamaño del cliente* es otra variable de segmentación industrial. Muchas compañías establecen sistemas separados para tratar con consumidores grandes y pequeños. Por ejemplo, Steelcase, un gran fabricante de muebles de oficina, divide a sus consumidores en dos grupos:

■ *Cuentas principales*. Cuentas como IBM, Prudential y Standard Oil las manejan gerentes nacionales de cuenta que trabajan con los gerentes de distrito de campo.

■ *Cuentas menores*. De estas cuentas se encarga el personal de ventas de campo que trabaja con concesionarios que venden productos Steelcase.

Las compañías industriales definen típicamente sus oportunidades de mercado meta al aplicar varias variables de segmentación. Esto se ilustra en la figura 10-5 para una compañía de aluminio:[14]

La compañía de aluminio emprendió primero la *macrosegmentación*, que consta de tres pasos.[15] Se preguntó a qué mercado de usuario final servir: automotriz, residencial o de envases de bebidas. Al escoger el mercado residencial, determinó la aplicación más atractiva del producto: material semiterminado, componentes de edificios o casas remolque de aluminio. Al decidir concentrarse en los componentes del edificio, consideró enseguida el mejor tamaño del consumidor a servir y escogió a los grandes.

La segunda etapa consistió en la *microsegmentación* dentro del mercado de componentes de edificios del consumidor grande. La compañía dividió a los consumidores en tres grupos: aquéllos que compraban con base en el precio, el servicio y la calidad. Como la compañía de aluminio tenía un perfil elevado de servicio, decidió concentrarse en el segmento motivado por el servicio.

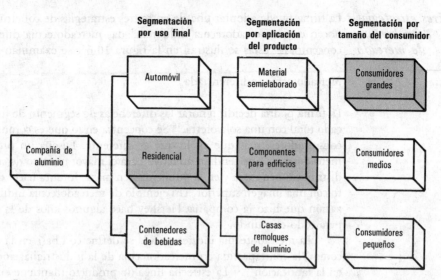

FIGURA 10-5
Segmentación de tres pasos del mercado de aluminio

| Segmentación por uso final | Segmentación por aplicación del producto | Segmentación por tamaño del consumidor |

Compañía de aluminio

Automóvil — Material semielaborado — Consumidores grandes

Residencial — Componentes para edificios — Consumidores medios

Contenedores de bebidas — Casas remolques de aluminio — Consumidores pequeños

Fuente: basada en un ejemplo en E. Raymond Corey, ''Key Options in Market Selection and Product Planning'', *Harvard Business Review*, septiembre-octubre de 1975, pp. 119-28. Copyright © 1975 por el presidente y miembros del Harvard College; todos los derechos reservados.

Requerimientos para la segmentación eficaz

Evidentemente, hay muchas otras formas para segmentar un mercado. Sin embargo, no todas las segmentaciones son eficaces. Por ejemplo, los compradores de sal de mesa podrían dividirse en consumidores rubios y trigueños. Pero el color del cabello no tiene ninguna importancia para la compra de sal. Además, si todos los compradores de sal adquieren la misma cantidad cada mes, si creen que toda la sal es igual y si quieren pagar el mismo precio, este mercado sería mínimamente segmentable desde el punto de vista de la mercadotecnia.

Para ser útil, los segmentos de mercado deben exhibir las siguientes características:

■ *Mensurabilidad,* el grado en el cual pueda medirse el tamaño y el poder adquisitivo de los segmentos. Ciertas variables de segmentación son difíciles de medir. Una ilustración sería el tamaño de los segmentos de fumadores adolescentes, que fuman principalmente para rebelarse contra sus padres.

■ *Accesibilidad,* el grado en el cual se pueda alcanzar y servir eficazmente a los segmentos. Supóngase que una compañía de perfumes descubre que los grandes usuarios de su marca son mujeres solteras que salen por la noche y frecuentan bares. A no ser que este grupo viva o compre en ciertos lugares y sea expuesto a ciertos medios de comunicación, será difícil ubicarlo.

■ *Sustanciabilidad,* el grado en el cual los segmentos sean lo bastante grandes o lucrativos. Un segmento debería ser el grupo homogéneo más grande posible que valiese la pena buscar con un programa específico de mercadotecnia. Por ejemplo, a un fabricante de automóviles no le convendría desarrollar automoviles para personas cuya altura fuese menor de 1.22 metros.

■ *Accionamiento,* el grado en el cual sea posible formular programas eficaces para atraer y servir a los segmentos. Por ejemplo, una aerolínea pequeña identificó siete segmentos de mercado, pero su personal era demasiado reducido para desarrollar diferentes programas de mercadotecnia para cada segmento.

SELECCION DEL MERCADO META

La segmentación de mercadotecnia revela las oportunidades de segmento de mercado a las que se enfrenta la firma. Esta tiene que decidir: 1) cuántos segmentos cubrir y 2) cómo identificar a los mejores segmentos. A continuación se considerarán estas decisiones.

Tres estrategias de cobertura de mercado

La firma puede adoptar una de entre tres estrategias de cobertura de mercado, que se conocen como mercadotecnia indiferenciada, mercadotecnia diferenciada y mercadotecnia concentrada. Estas se ilustran en la figura 10-6 y se examinan a continuación.

Mercadotecnia indiferenciada

La firma podría decidir ignorar las diferencias de segmento de mercado y perseguir el mercado total con una sola oferta.[16] Se concentra en lo que es común en las necesidades de los consumidores, más que en lo que es diferente. Diseña un producto y un programa de mercadotecnia que tendrán atractivo para el mayor número de consumidores. Confía en la distribución en masa y en la publicidad en masa. Intenta hacer que la gente vea el producto con una imagen superior. Un ejemplo de mercadotecnia indiferenciada es la comercialización que hizo la compañía Hershey hace algunos años de la misma barra de chocolate para todo el mundo.

La mercadotecnia indiferenciada se define con base en la economía de costos. Se ve como "la contrapartida en mercadotecnia de la industrialización y la producción en masa en la fabricación".[17] La estrecha línea de producto mantiene en un nivel bajo la producción, el inventario y los costos de transporte. El programa de publicidad indiferenciada mantiene bajos los costos publicitarios. La ausencia de investigación y planeación de mercadotecnia de segmento disminuye los costos de investigación de mercados y administración de producto.

Sin embargo, un creciente número de mercadólogos han expresado grandes dudas acerca de esta estrategia. Gardner y Levy, aunque reconocían que "algunas marcas tienen

FIGURA 10-6
Tres estrategias alternativas de cobertura de mercado

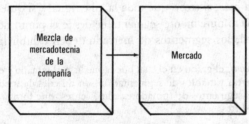

A. Mercadotecnia indiferenciada

B. Mercadotecnia diferenciada

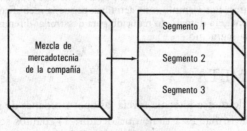

C. Mercadotecnia concentrada

reputaciones hábilmente construidas de ser adecuadas para una gran diversidad de gente'', observaban:

> En la mayoría de las áreas los agrupamientos de audiencias diferirán, tan sólo porque hay desviacionistas que se niegan a consumir de la misma manera que la demás gente.... No es fácil que una marca tenga atractivo para gente estable de clase media baja y al mismo tiempo sea interesante para compradores de clase media alta alambicados e intelectuales... Raras veces es posible que un producto o marca signifique todo para toda la gente.[18]

La firma que practique la mercadotecnia indiferenciada típicamente desarrolla una oferta dirigida a los segmentos más grandes en el mercado. Cuando varias firmas hacen esto, el resultado es una intensa competencia por los segmentos más grandes y una insatisfacción para los más pequeños. Así, la industria automotriz estadunidense se dedicó a producir durante mucho tiempo sólo automóviles grandes. El resultado es que los segmentos más grandes pueden ser menos lucrativos porque atraen una competencia desproporcionalmente fuerte. Kuehn y Day denominan a esto la "falacia de la mayoría".[19] El reconocimiento de esta falacia ha dado lugar a que las firmas estén más interesadas en los segmentos más pequeños del mercado.

Mercadotecnia diferenciada

Aquí la firma decide operar en diversos segmentos del mercado y diseña ofertas específicas para cada uno. La General Motors intenta producir un automóvil para cualquier "bolsillo, propósito y personalidad". Al ofrecer variaciones de producto y de mercadotecnia, espera obtener mayores ventas y una posición más profunda dentro de cada segmento del mercado. Espera que el logro de una posición profunda en varios segmentos fortalecerá la identificación global de los consumidores de la compañía con la categoría de producto. Además, espera una mayor repetición de las compras, ya que la oferta de las firmas corresponde al deseo de los consumidores y no al contrario.

Un creciente número de firmas han adoptado la mercadotecnia diferenciada. Véase un ejemplo excelente:[20]

> Edison Brothers opera novecientas zapaterías que se dividen en cuatro diferentes categorías de cadenas, cada una de las cuales tiene atractivo para un segmento de mercado diferente. Chandler's vende zapatos de elevado precio. Baker's vende zapatos de precios moderados. Burt's vende zapatos para compradores ahorrativos y Wild Pair está orientada a los consumidores que quieren zapatos muy estilizados. Dentro de un área de tres manzanas de la calle State en Chicago se encuentran Burt's, Chandler's y Baker's. El hecho de que las tiendas estén juntas no las afecta porque están dirigidas a diferentes segmentos del mercado de zapatos para mujeres. Esta estrategia ha hecho de Edison Brothers el mayorista más importante del país en lo que toca a zapatos para mujer.

La mercadotecnia diferenciada típicamente crea más ventas totales que la mercadotecnia indiferenciada. "Por lo común, puede demostrarse que las ventas totales pueden aumentarse con una línea de producto más diversificada vendida a través de canales más diversificados".[21] Sin embargo, también aumenta los costos de hacer negocios. Es probable que los costos siguientes sean más elevados:

- ■ *Costos de modificación del producto.* La modificación de un producto para que satisfaga diferentes requerimientos de segmento de mercado usualmente implica ciertos costos de investigación y desarrollo, ingeniería o herramientas especiales.

- ■ *Costos de producción.* Usualmente es más costoso producir, por ejemplo, diez unidades de diez diferentes productos que cien unidades de un mismo producto. Esto es así, en especial mientras más largo sea el tiempo de preparación de la producción para cada producto, y mientras más pequeño sea el volumen de ventas para cada artículo. Por otra parte, si cada modelo se vende en un volumen suficientemente grande, los costos más elevados del tiempo de preparación pueden ser bastante pequeños por unidad.

■ *Costos administrativos.* La compañía tiene que desarrollar planes separados de mercadotecnia para los segmentos separados del mercado. Esto requiere actividades extra de investigación de mercados, pronóstico, análisis de ventas, planeación de promoción y administración de canal.

■ *Costos de inventario.* Generalmente es más costoso administrar inventarios de productos diferenciados que un inventario de un mismo artículo. Los costos extra surgen debido a que deben mantenerse más registros y deben hacerse más auditorías. Además, cada producto debe manejarse a un nivel que refleje la demanda básica más un factor de seguridad para cubrir variaciones inesperadas en la demanda. La suma de las existencias de seguridad para diversos productos puede exceder las existencias de seguridad requeridas para un producto.

■ *Costos de promoción.* La mercadotecnia diferenciada implica intentar alcanzar diferentes segmentos del mercado con distinta publicidad. Esto conduce a tasas de uso más bajas de los medios de comunicación individuales y a la pérdida de descuentos por cantidad. Además, como cada segmento puede requerir una planeación independiente de publicidad creativa, los costos de promoción aumentan.

Como la mercadotecnia diferenciada da lugar a ventas y costos más elevados, nada puede decirse con antelación acerca de la rentabilidad de esta estrategia. Algunas firmas descubren que han *sobresegmentado* su mercado y que ofrecen demasiadas marcas. Les gustaría manejar menos marcas, cada una de las cuales atrajera a un grupo más amplio de consumidores. Denominada ''contrasegmentación'' o ''ampliación de la base'', buscan un mayor volumen para cada marca.[22] Por ejemplo, Johnson & Johnson amplió su mercado meta para su champú para niños con el fin de incluir a los adultos. Y Beecham lanzó su pasta dentífrica AquaFresh para atraer dos segmentos de beneficio, aquellas personas que buscan un aliento fresco y las que quieren protección contra las caries.

Mercadotecnia concentrada

Muchas firmas ven una tercera posibilidad que es especialmente atractiva cuando los recursos de la firma son limitados. En vez de perseguir una porción pequeña de un mercado grande, la firma persigue una porción grande de uno o unos cuantos submercados.

Pueden citarse varios ejemplos de mercadotecnia concentrada. Hewlett-Packard se concentró en el mercado de las calculadoras de alto precio. Richard D. Irwin en el mercado de textos de economía y negocios y Saab en el mercado de los automóviles deportivos de lujo (véase el recuadro 10-1). A través de la mercadotecnia concentrada, la firma logra una posición fuerte de mercado en los segmentos que sirve, debido a su mayor conocimiento de las necesidades de los segmentos y la reputación especial que adquiere. Además, disfruta de muchas economías de operación debido a la especialización en producción, distribución y promoción. Si el segmento se escoge bien, la firma puede ganar una tasa elevada de rendimiento sobre su inversión.

Al mismo tiempo, la mercadotecnia concentrada implica riesgos más altos que lo normal. El segmento particular de mercado puede agriarse; por ejemplo, cuando las mujeres jóvenes dejaron de comprar de repente ropa deportiva, esto hizo que las ganancias de Bobbie Brooks se pusieran en números rojos. O puede que un competidor decida entrar al mismo segmento. Por estas razones, muchas compañías prefieren diversificarse en varios segmentos de mercado.

Elección de una estrategia de cobertura de mercado

Es necesario considerar los siguientes factores a la hora de escoger una estrategia de cobertura de mercado:[23]

RECUADRO 10-1

SAAB ENCUENTRA UN NICHO DE MERCADO

¿Hay lugar para un pez pequeño al lado de los gigantes de la industria automotriz? Saab piensa que sí. Y miles de consumidores están de acuerdo. Saab no tiene miedo de competir en un mercado dominado por gigantes como GM y Toyota, ya que ha escogido competir en sus propios términos. Usando una estrategia concentrada de cobertura de mercado, Saab ha encontrado un nicho confortable en el mercado de los automóviles.

Durante la Segunda Guerra Mundial, Saab fabricaba aviones caza. Después del conflicto, la compañía dirigió a sus ingenieros aeroespaciales para que diseñaran un automóvil pequeño, económico, fácil de manejar y respondieron con un vehículo que tenía muchas de las cosas que los pilotos quieren en los aviones: diseño aerodinámico, comodidad para el conductor, controles precisos y características avanzadas de seguridad. El primer Saab tenía características sorprendentemente avanzadas, muchas de las cuales no aparecerían en otros automóviles por otros veinte años: un motor transversal con tracción delantera, frenos de disco en las cuatro ruedas, transmisión de engranaje de cremallera y piñón, suspensión independiente y ventilación de corriente completa.

Hasta fines de la década de 1970, Saab era un "juguete sueco de hojalata" de precio moderado con ventas anuales en Estados Unidos de alrededor de 10 000 unidades. Saab se hizo conocido como un "automóvil de ingenieros" y la mayoría de quienes lo compraban eran ingenieros, profesores universitarios y amantes de las carreras. Entonces, a fines de la década de 1970, los ejecutivos de Saab buscaron una estrategia de segmentación que ampliara las ventas y las utilidades. Tenían dos opciones principales en el mercado de los autos compactos: el gran segmento económico o el pequeño segmento de lujo. Los principales fabricantes estadunidenses y japoneses de automóviles estaban atacando agresivamente el segmento económico y la gerencia de Saab estimaba que tendría que vender 250 000 unidades al año en ese segmento para obtener utilidades. Saab no contaba ni con la capacidad de producción, ni con el sistema de distribución necesario para competir en un mercado tan vasto, de modo que la gerencia optó por concentrarse en el segmento de automóviles de lujo y deportivos, donde podía vender menos autos pero tener muchas más utilidades en cada uno.

El segmento de automóviles de lujo y deportivos es pequeño, pero potencialmente lucrativo y mucho menos competitivo que otros segmentos. Y es un segmento que estallará durante esta década. Está formado por consumidores de elevados ingresos entre las edades de 25 y 44 años; el grupo cronológico de crecimiento más rápido. Para 1990, este grupo dará cuenta de más de 45% de todas las viviendas. Como serán los más ricos, con 62% del grupo de edades comprendidas entre 35 y 44, formados por familias con doble ingreso. Los compradores en este segmento demandan mucho (gran calidad, rendimiento, servicio, comodidad), pero pueden pagar por lo que obtienen, y están dispuestos a hacerlo.

El segmento de autos deportivos y de lujo es particularmente atractivo para Saab. Las posibilidades de la compañía se ajustan muy bien a las necesidades del mercado. Este segmento es pequeño y demanda rendimiento y calidad. Saab tiene una capacidad pequeña, se precia de la calidad de su proceso de producción y tiene una sólida reputación de ingeniería avanzada. Los compradores ricos en este segmento pueden costear el tipo de automóvil que Saab fabrica mejor.

Así que a comienzos de 1979 la compañía introdujo su nueva línea Saab 900 Turbo (con un precio de 20 000 dólares) como el "automóvil más inteligente jamás construido", y seleccionó consumidores meta que estuvieran "dispuestos a pagar más por un auto distintivo con más rendimiento, lujo, estilo e imagen". Sustentó su posición con otras cosas que buscaban los compradores en este segmento. Los compradores ricos querían comodidades materiales y el Saab 900 Turbo tiene aire acondicionado, frenos de disco de potencia, reproductora de cintas AM/FM estéreo, instrumentos completos, dirección hidráulica, vidrios polarizados, equipo para desempañar los vidrios, asientos eléctricamente calentados y muchas otras características como equipo estándar. Los compradores de autos deportivos quieren información sobre el rendimiento, en la sala de exhibición. Saab distribuye un libro de cincuenta páginas titulado *Características de ingeniería,* que explica cualquier aspecto del vehículo. Los compradores ricos quieren servicio, y los vendedores tienen que presentarle a cada comprador de un Saab al gerente de servicio, mientras que a los distribuidores se les dan incentivos para asegurar que cada Saab esté bien "preparado", antes de la entrega. Los compradores reciben pequeños cuestionarios por correo después de recibir el vehículo, en los cuales se les pregunta sobre las ventas del distribuidor y la calidad del servicio.

¿Cómo funcionó la nueva estrategia de mercadotecnia? Saab parece haber dado en el blanco. El comprador medio de cada nuevo Saab es hombre, de 30 a 40 años de edad y bien educado (40%

han asistido a la universidad). Son gerentes y profesionales con ingresos medios entre 50 000 y 80 000 dólares. Y son leales: más 75% planean comprar otro Saab cuando sea el momento. Desde que comenzó la nueva estrategia de segmentación, las ventas han aumentado de manera constante. Para 1983, la firma vendía más de 25 000 Saabs al año en Estados Unidos y la demanda superaba a la oferta (algunos distribuidores rematalaban los Saabs a quien pagara más). El incremento de 42% en las ventas de Saab en 1983 fue el mejor en la industria.

Esta historia de Saab tiene un final feliz: muestra cómo una compañía con menos recursos puede tener éxito lucrativamente contra competidores más grandes al concentrarse en un segmento pequeño y de gran calidad. La estrategia competitiva de Saab la resume uno de los ejecutivos de la compañía con las siguientes palabras: "GM está en el negocio de vender millones de hamburguesas. Nosotros nos limitamos a vender unos cuantos filetes aquí y allá".

Fuente: basado en información encontrada en Bernie Whalen, " 'Tiny' Saab Drives Up Profits with Market-Niche Strategy, Repositioning", *Marketing News,* 16 de marzo de 1984, sección 1, p. 14-16. Usado con permiso de *Marketing News,* publicado por la American Marketing Association. Véase también "SAAB Hitches Star to Yuppie Market", *Business Week,* 19 de noviembre de 1984, p. 62.

■ *Recursos de la compañía.* Cuando los recursos de la firma son limitados, la mercadotecnia concentrada es la más adecuada.

■ *Homogeneidad del producto.* La mercadotecnia indiferenciada es más adecuada para productos homogéneos como el jugo de toronja o el acero. Los productos que sean capaces de variación de diseño, como las cámaras y los automóviles, son más apropiados para diferenciación o concentración.

■ *Etapa del producto en el ciclo de vida.* Cuando una firma introduce un producto nuevo, es práctico lanzar sólo una versión y la mercadotecnia indiferenciada o la concentrada tienen más sentido. En la etapa madura del ciclo de vida del producto, la mercadotecnia diferenciada comienza a tener más sentido.

■ *Homogeneidad del mercado.* Si los compradores tienen los mismos gustos, si compran las mismas cantidades por periodo y si reaccionan de la misma manera a los estímulos de mercadotecnia, es apropiada una estrategia de mercadotecnia indiferenciada.

■ *Estrategias competitivas de mercadotecnia.* Cuando los competidores practican la segmentación activa, la mercadotecnia indiferenciada puede ser un suicidio. Por otra parte, cuando los competidores practican la mercadotecnia indiferenciada, una firma puede ganar al dedicarse a la mercadotecnia diferenciada o concentrada.

Identificación de segmentos atractivos de mercado

Supóngase que la firma aplica los criterios anteriores para escoger una estrategia de cobertura de mercado y se decide por la mercadotecnia concentrada. Ahora debe identificar el segmento más atractivo para ingresar. Considérese la siguiente situación:

Un exitoso fabricante de equipo para quitar la nieve busca un producto nuevo. La gerencia revisa varias oportunidades y tiene la idea de producir vehículos pequeños para recoger la nieve. La gerencia reconoce que podría fabricar cualquiera de entre tres tipos de productos: de gasolina, diesel o eléctricos. Y puede diseñar un vehículo para cualquiera de tres mercados: consumo, industrial o militar. Las nueve opciones de producto/mercado se muestran en la figura 10-7. Presupóngase que la compañía quiere concentrarse inicialmente en un solo segmento y la gerencia tiene que decidir en cuál.

La compañía necesita recabar datos sobre los nueve segmentos de mercado: específicamente, ventas actuales en dólares, tasas del crecimiento proyectado de las ventas, márgenes de utilidades estimados, intensidad competitiva, requerimientos del canal de mercado, etc. El mejor segmento tendría grandes ventas actuales, una tasa elevada de crecimiento, un alto margen de utilidades, competencia débil y requerimientos sencillos del canal de mercadotecnia. Usualmente, ningún segmento será excelente en todas estas dimensiones y será necesario hacer trueques.

FIGURA 10-7
*Rejilla de
producto/mercado
para vehículos
quitanieves*

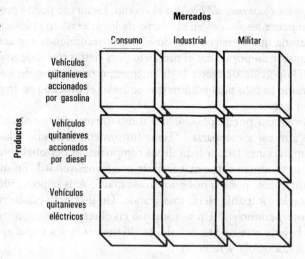

Después de que la compañía haya identificado los segmentos más objetivamente atractivos, debe preguntarse cuáles segmentos se ajustan mejor a su poder de negocios. Por ejemplo, el mercado militar puede ser sumamente atractivo, pero puede que la compañía no haya tenido experiencia vendiéndole al ejército. Por otra parte, puede ser muy capaz cuando se trata de venderle al mercado de consumo. Así, la firma busca un segmento que sea atractivo por sí solo y para el cual tenga las mejores posibilidades de éxito según sus capacidades. Quiere seleccionar los segmentos en los cuales tenga la mayor ventaja estratégica.

POSICIONAMIENTO EN EL MERCADO

Una vez que una compañía haya decidido en cuáles segmentos del mercado entrar, debe decidir qué ''posiciones'' quiere ocupar en esos segmentos. La **posición** de un producto es la forma como los *consumidores lo definen* de acuerdo con atributos importantes: el lugar que el producto ocupa en la mente del consumidor, en relación con los productos de la competencia. Así, Tide está posicionado como un detergente familiar para todo propósito; Era, como un detergente líquido concentrado; Cheer, como el detergente para cualquier temperatura. Datsun y Toyota están posicionados de acuerdo con la economía; Mercedes y Cadillac, de acuerdo con el lujo.[24]

Los consumidores están saturados con información acerca de productos y servicios. No pueden reevaluar los productos cada vez que toman una decisión de compra. Para simplificar la toma de decisiones de compra, organizan los productos en categorías: ''posicionan'' en sus mentes productos, servicios y compañías. La posición de un producto es un conjunto complejo de percepciones, impresiones y sentimientos que los consumidores tienen acerca del producto en comparación con los productos de la competencia. Los consumidores posicionan productos ya sea con o sin la ayuda de los mercadólogos. Pero los mercadólogos no quieren dejar el posicionamiento de sus productos a la casualidad. Planean posicionamientos que les darán a sus productos la mayor ventaja competitiva en mercados meta seleccionados y diseñan mezclas de mercadotecnia para establecer las posiciones planeadas.

El mercadólogo puede seguir varias estrategias de posicionamiento.[25] Puede posicionar su producto de acuerdo con *atributos del producto* específicos (Datsun anuncia su bajo precio; Saab, sus atributos técnicos y de rendimiento). Alternativamente, los productos pueden posicionarse según las necesidades que satisfacen o los *beneficios* que ofrezcan (Crest reduce las caries; Aim tiene buen sabor). O los productos pueden posicionarse de acuerdo con las *ocasiones de uso*. En el verano, Gatorade puede posicionarse como una bebida para reponer los fluidos en el cuerpo de los atletas; en el invierno, puede posicionarse como la bebida que conviene cuando el doctor recomienda tomar muchos líquidos. Otro enfoque consiste en posicionar el producto para ciertas clases de *usuarios*. Johnson & Johnson mejoró la porción de mercado de su champú para niños de 3 a 14% al reposicionar el champú anunciándolo para adultos que se lavan el cabello con frecuencia y que necesitan un champú suave.

Un producto puede posicionarse directamente *en contra de un competidor*. En su campaña ''atrévase a comparar''. Texas Instruments les pidió a los consumidores que hicieran comparaciones lado a lado de su computadora personal con la IBM PC. Intentaba posicionar su producto como más fácil de usar y más versátil. En su famosa campaña ''Somos el número dos, por eso nos esforzamos más'', Avis se posicionó exitosamente en comparación con la compañía Hertz más grande. Un producto también puede posicionarse *lejos de los competidores*: 7-Up se convirtió en el refresco número tres cuando se posicionó como una bebida que no era de cola, la alternativa fresca y que apaga la sed en comparación con la Coca-Cola y la Pepsi.

Por último, el producto puede posicionarse con respecto a diferentes *clases de productos*. Por ejemplo, algunas margarinas se posicionan en comparación con la mantequilla, otras, en comparación con los aceites para cocinar. El jabón para manos Camay está posicionado con aceites para baño más que con jabones. Los mercadólogos a menudo usan una combinación de estas estrategias de posicionamiento. Así, el champú Affinity de Johnson & Johnson está posicionado como acondicionador de cabello para mujeres mayores de 40 (clase de producto y usuario). El bicarbonato de sodio Arm & Hammer se ha posicionado exitosamente como un desodorante para refrigeradores o eliminadores de basura (clase de producto y situación de uso).

Para planear una posición para un producto actual o nuevo, la compañía debe emprender primero un análisis competitivo para identificar las posiciones existentes de sus propios productos y los de la competencia. Supóngase que el fabricante de vehículos para quitar la nieve averigua que los compradores de esos vehículos en su segmento meta están interesados principalmente en dos atributos: tamaño y velocidad. A los consumidores potenciales y a los distribuidores se les puede preguntar en dónde ven los vehículos quitanieves de la competencia a lo largo de estas dimensiones. Los resultados se muestran en el *mapa de posicionamiento de producto* que aparece en la figura 10-8. El competidor A aparece como productor de vehículos pequeños y rápidos; el competidor B, como fabricante de vehículos de tamaño medio y velocidad media; el C, con vehículos de tamaño pequeño a medio y lentos; el D, con vehículos grandes y lentos. Las áreas de los círculos son proporcionales a las ventas de los competidores.[26]

Dadas las posiciones del competidor, ¿qué posición debería buscar la compañía? Tiene dos elecciones. Una es posicionarse junto a uno de los competidores existentes y pelear por una porción del mercado. La gerencia podría hacer esto si cree que: 1) puede fabricar un vehículo mejor, 2) el mercado es suficientemente grande para dos competidores, 3) la compañía tiene más recursos que el competidor o 4) esta posición es la más congruente con las posibilidades de la firma.

La otra elección es desarrollar un vehículo quitanieves que no se ofrezca actualmente en este mercado, como uno grande y rápido (véase el cuadrante noroeste vacío en la figura 10-8). La compañía ganaría a aquellos clientes que buscan este tipo de vehículo, ya que los competidores no lo están ofreciendo. Pero antes de tomar esta decisión, la gerencia tiene que estar segura de que: 1) es técnicamente factible fabricar un vehículo grande y rápido, 2) es económicamente factible fabricar un vehículo grande y rápido al nivel de precio planeado y 3) un número suficiente de compradores prefiere un vehículo grande y rápido. Si todas las respuestas son positivas, la compañía habrá descubierto un ''agujero'' en el mercado y deberá moverse para llenarlo.

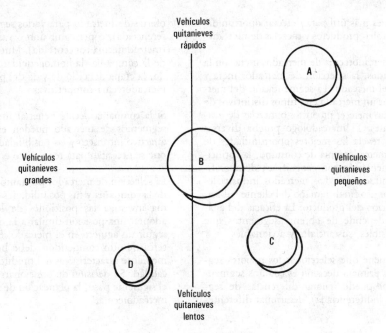

FIGURA 10-8
Un mapa de posicionamiento de producto que muestra las ofertas percibidas de cuatro competidores

Vehículos quitanieves rápidos

A

Vehículos quitanieves grandes

B

Vehículos quitanieves pequeños

C

D

Vehículos quitanieves lentos

Sin embargo, supóngase que la gerencia decide que hay más potencial de utilidades y menos riesgo para fabricar un vehículo quitanieves pequeño y rápido para competir con el productor A. En este caso, estudiará el vehículo de A y buscará una forma para diferenciar su oferta a los ojos de los compradores potenciales. Puede desarrollar su posicionamiento competitivo sobre características del producto, estilo, calidad, precio y otras dimensiones.

Una vez que la gerencia escoja su estrategia de posicionamiento, puede abocarse a la tarea de desarrollar su mezcla de mercadotecnia pormenorizada. Si la firma se decide por el posicionamiento de alto precio y alta calidad en este segmento de mercado, debe desarrollar superioridad en cuanto a las características y la calidad del producto, buscar detallistas que tengan una excelente reputación de servicio, desarrollar publicidad que atraiga a los compradores ricos, limitar la promoción de ventas a presentaciones de buen gusto, etc.

Las decisiones de posicionamiento de la compañía determinan a quiénes tendrá como competidores. Al establecer su estrategia de posicionamiento, la compañía debería evaluar sus ventajas y desventajas competitivas en relación con las de los competidores potenciales y seleccionar una posición en la cual pueda obtener una fuerte ventaja competitiva. En el capítulo 20 se examinarán más a fondo las estrategias de mercadotecnia competitivas.

■ *Resumen*

Los vendedores pueden adoptar tres métodos para penetrar en un mercado. La *mercadotecnia masiva* es la decisión de producir en masa y distribuir en masa un producto e intentar atraer a todo tipo de compradores. La *diferenciación de producto* es la decisión de producir dos o más ofertas de mercado diferenciadas en estilo, características, calidad, tamaño, etc., diseñadas para ofrecer variedad al mercado y distinguir los productos del vendedor de los de la competencia. La *selección de mercado meta* es la decisión para distinguir los diferentes grupos que integran un mercado y desarrollar productos apropiados y mezclas de mercadotecnia para mercados meta seleccionados. Los vendedores hoy en día se están alejando de la mercadotecnia masiva y de la diferenciación de producto, y se están acercando hacia la mercadotecnia de mercado meta, debido a que esta última es más útil para detectar oportunidades de mercado y desarrollar productos y mezclas de mercadotecnia más eficaces.

Los pasos claves en la mercadotecnia de mercados meta son la segmentación de mercados, la selección de mercados meta y el posicionamiento en el mercado. La segmentación del mercado es el acto de dividir un mercado en grupos distintivos de compradores que pudieran merecer productos o mezclas de mercadotecnia independientes. El mercadólogo prueba diversas variables para ver cuál revela las mejores oportunidades de segmentación. Para la mercadotecnia de consumo, las principales variables de segmentación son geográficas, demográficas, psicográficas y conductuales. Los mercados industriales pueden segmentarse por uso final, tamaño del cliente, ubicación geográfica y aplicación del producto. La eficacia del análisis de segmentación depende de obtener segmentos que sean mensurables, accesibles, sustanciales y accionables.

Después, el vendedor tiene que seleccionar los mejores segmentos de mercado. La primera decisión es cuántos segmentos cubrir. El vendedor puede ignorar diferencias de segmentos (mercadotecnia indiferenciada), desarrollar diferentes ofertas de mercado para varios segmentos (mercadotecnia diferenciada), o perseguir uno o varios segmentos de mercado (mercadotecnia concentrada). Mucho depende de los recursos de la compañía, la homogeneidad del producto y del mercado, la etapa del ciclo de vida del producto y las estrategias de mercadotecnia competitivas.

Si la compañía decide penetrar un segmento, ¿cuál será? Los segmentos de mercado pueden evaluarse en función de su atractivo intrínseco y las posibilidades y recursos de la empresa que se necesitan para tener éxito en ese segmento de mercado.

La selección de mercado, por tanto, define a los competidores de la compañía y sus posibilidades de posicionamiento. La firma investiga las posiciones de los competidores y decide adoptar una posición similar a la de algún competidor o perseguir un agujero en el mercado. Si la compañía se posiciona cerca de otro competidor, debe buscar mayor diferenciación mediante características del producto y diferencias en precio y calidad. Su decisión de posicionarse le permitirá entonces dar el siguiente paso, la planeación de los detalles de la mezcla de mercadotecnia.

■ *Preguntas de repaso*

1. Cuando se presentó el Cadillac Cimarron, los funcionarios de la Cadillac dijeron que incluso si vendían todas las unidades, considerarían el Cimarron como un desastre, si sólo se había vendido a clientes tradicionales. El director de mercadotecnia de la compañía dijo: ''Nuestros vendedores les dirán a algunos compradores: 'Este automóvil no es para usted.' '' Explique este método de ventas en términos de segmentación del mercado.

   ¿Cuáles son las tres etapas por las que atraviesan los vendedores en su enfoque de mercado? Relaciónelas con la Ford Motor Company.

3. Una vez terminado el proceso de segmentación, la organización debería comenzar a desarrollar los factores de la mezcla de mercadotecnia. Comente esto.

4. Aparte de la edad y el sexo, ¿qué otras variables de segmentación demográfica usa la industria cervecera? Explique. Asimismo, identifique los principales segmentos de beneficios en el mercado cervecero.

5. Si usted fuera director de una compañía de transporte masivo ¿cómo usaría los beneficios de la segmentación para atraer a los viajeros potenciales?

6. Mencione ejemplos específicos de mercadólogos que tuvieron éxito al segmentar sus mercados en base a precios bajos, alta calidad y servicio.

7. La cadena Wendy's International de hamburguesas ¿cumple los requisitos de segmentación eficiente? ¿por qué?

8. El mejor método para orientar las opiniones de mercadotecnia es el de mercados diferenciados. Coméntelo.

9. Si un fabricante de trajes considerara añadir una nueva línea de faldas femeninas para vestidos informales ¿cómo efectuaría la segmentación del mercado y cumpliría los objetivos del proceso de mercadotecnia?

■ *Bibliografía*

1. Véase ''R.J. Reynolds Stops a Slide in Market Share'', *Business Week,* 26 de enero de 1976, p. 92.

2. RICHARD P. COLEMAN, ''The Significance of Social Stratification in Selling'', en *Marketing: A Maturing Discipli-*

ne, Martin L. Bell, ed. (Chicago: American Marketing Association, 1961), pp. 171-84.

3. JOSEPH T. PLUMMER, "Life Style Patterns: New Constraint for Mass Communications Research", *Journal of Broadcasting,* invierno de 1971-72, pp. 79-89.

4. RUTH ZIFF, "Psychographics for Market Segmentation", *Journal of Advertising Research,* abril de 1971, pp. 3-9.

5. Citado en FRANKLIN B. EVANS, "Psychological and Objective Factors in the Prediction of Brand Choice; Ford versus Chevrolet", *Journal of Business,* octubre de 1959, pp. 340-69.

6. SHIRLEY YOUNG, "The Dynamics of Measuring Unchange", en *Attitude Research in Transition,* Russell I. Haley, ed. (Chicago: American Marketing Association, 1972), pp. 61-82.

7. RUSSELL L. ACKOFF y JAMES R. EMSHOFF, "Advertising Research at Anheuser-Busch, Inc. (1968-74)", *Sloan Management Review,* primavera de 1975, pp. 1-15.

8. JOHN J. BURNETT, "Psychographic and Demographic Characteristics of Blood Donors", *Journal of Consumer Research,* junio de 1981, pp. 62-66.

9. Véase DANIEL YANKELOVICH, "New Criteria for Market Segmentation", *Harvard Business Review,* marzo-abril de 1964, pp. 83-90, aquí p. 85.

10. Para más lecturas sobre la segmentación por beneficios, véase RUSSELL I. HALEY, "Benefit Segmentation: Backwards and Forwards", *Journal of Advertising Research,* febrero-marzo de 1984, pp. 19-25.

11. FRANK M. BASS, DOUGLAS J. TIGERT y RONALD T. LONSDALE, "Market Segmentation: Group versus Individual Behavior", *Journal of Marketing Research,* agosto de 1968, p. 276.

12. Esta clasificación se adaptó de GEORGE H. BROWN, "Brand Loyalty—Fact or Fiction?" *Advertising Age,* junio de 1952-enero de 1953, una serie.

13. Para más lecturas sobre variables de segmentación de consumo, véase RONALD FRANK, WILLIAM MASSEY y YORAM WIND, *Marketing Segmentation* (Englewood Cliffs, NJ: Prentice-Hall, 1972); y YORAM WIND, "Issues and Advances in Segmentation Research", *Journal of Marketing Research,* agosto de 1978, pp. 317-37.

14. La ilustración se tomó de E. RAYMOND COREY, "Key Options in Market Selection and Product Planning", *Har-*

15. Wind y Cardozo indican que la segmentación industrial deberá primero ir precedida por el desarrollo de macrosegmentos y después por los microsegmentos. Véase YORAM WIND y RICHARD CARDOZO, "Industrial Market Segmentation", *Industrial Marketing Management,* 3(1974), 153-66.

16. Véase WENDELL R. SMITH, "Product Differentiation and Market Segmentation as Alternative Marketing Strategies", *Journal of Marketing,* julio de 1956, pp. 3-8; y ALAN A. ROBERTS, "Applying the Strategy of Market Segmentation", *Business Horizons,* otoño de 1961, pp. 65-72.

17. SMITH, "Product Differentiation", p. 4.

18. BURLEIGH GARDNER y SIDNEY LEVY, "The Product and the Brand", *Harvard Business Review,* marzo-abril de 1955, p. 37.

19. ALFRED A. KUEHN y RALPH L. DAY, "Strategy of Product Quality", *Harvard Business Review,* noviembre-diciembre de 1962, pp. 101-2.

20. NATALIE MCKELVY, "Shoes Make Edison Brothers a Big Name", *Chicago Tribune,* 23 de febrero de 1979, sección 5, p. 9.

21. ROBERTS, "Applying the Strategy of Market Segmentation", p. 66.

22. ALAN J. RESNIK, PETER B. B. TURNEY y J. BARRY MASON, "Marketers Turn to 'Countersegmentation' ", *Harvard Business Review,* septiembre-octubre de 1979, pp. 100-6.

23. R. WILLIAM KOTRBA, "The Strategy Selection Chart", *Journal of Marketing,* julio de 1966, pp. 22-25.

24. Para más lecturas acerca del posicionamiento, véase YORUM WIND, "New Twists for Some Old Tricks", *The Wharton Magazine,* primavera de 1980, pp. 34-39; y DAVID A. AAKER y J. GARY SHANSBY, "Positioning Your Product", *Business Horizons,* mayo-junio de 1982, pp. 56-62.

25. Véase WIND, "New Twists", p. 36; y AAKER y SHANSBY, "Positioning Your Product", pp. 57-58.

26. Estos mapas deben interpretarse con cuidado. No todos los consumidores comparten las mismas percepciones. El mapa muestra las percepciones medias. También deberá prestarse atención a la dispersión de las percepciones.

CASO 5

RCA: VIDEOCASETERAS REPRODUCTORAS

RCA, un líder en aparatos electrónicos de consumo y equipo de entretenimiento para el hogar, tiene una posición principal en la venta de hardware y cintas pregrabadas para videocaseteras grabadoras (VCR). La compañía se enfrenta a la disyuntiva de si debería vender una videocasetera reproductora (VCP), además de su línea VCR (grabadoras). La compañía General Electric, así como firmas japonesas y coreanas, planean vender VCPs en Estados Unidos hasta por 200 dólares.

La VCR es uno de los más grandes éxitos en aparatos electrónicos de los últimos años. Casi 20% de todos los hogares estadunidenses ahora tienen una y el número aumenta rápidamente. Pero parece ser que hay algunos compradores potenciales que no desean el complicado equipo de grabación que viene con la VCR estándar. El mercado de "sólo reproductoras" consta de: 1) hogares que no tienen ningún interés en grabar, 2) hogares VCR donde se quiere un segundo aparato sólo para reproducir, 3) el mercado minorista de renta y venta de equipo y cintas para usarse una noche y 4) el mercado industrial para propósitos de entrenamiento y otros.

Un gran problema para los consumidores es la asequibilidad de formatos incompatibles, de los cuales los principales son VHS y Beta. RCA usa el formato VHS. La BetaMax de Sony, una vez el líder, parece estar perdiendo terreno. Ahora, Kodak y otros están sacando otro formato más, con su nueva cinta menos ancha que tiene 8 mm en comparación con la convencional de 12.7 mm. Este es un esfuerzo para desarrollar un sistema con una cámara, que será más adecuado para películas caseras que se pasen en una pantalla de televisión.

El mercado de un aparato consta de aquellos que creen que las máquinas de grabación y reproducción tienen más funciones que las necesarias. Aquí también se incluyen a aquellos que creen que la VCR es demasiado costosa, aun cuando la diferencia de precio sobre la VCP sea hasta de 150 dólares.

El mercado de un segundo aparato podría ser enorme, según el gerente de producto de VCR de la General Electric. Razonando por analogía, indica que como el 50% de las familias que poseen una televisión a colores tienen al menos un segundo receptor, la compra de VCP seguiría los mismos patrones. Visualiza unidades VCP menos costosas conectadas a televisores en el dormitorio o en el cuarto de los niños, además de la máquina de grabación y reproducción VCR que ya esté en la casa.

Las compañías de renta constituyen un mercado natural. En la actualidad montan sus VCRs en soportes para que los usuarios no puedan dañar los aparatos en un intento por grabar. Los establecimientos de renta compran tan sólo 5% de los VCRs vendidos, pero esto está creciendo rápidamente. Si continúan las tarifas actuales por una noche, de 10 dólares o menos, esto daría lugar a un margen de utilidades más elevado con la renta de la VCP de menor costo. "Ochenta por ciento de nuestros clientes no quieren las fanfarrias. Sólo quieren la unidad de reproducción", dice William E. Mapes, presidente de National Video, Inc., una cadena de renta y venta de videos con base en Portland, Oregon. La cadena planea tener unidades japonesas de reproducción solamente, que se venden por 200 dólares o menos disponibles en sus tiendas a principios de 1985.

El mercado comercial e industrial está dominado por los reproductores de videodisco del tipo láser de Magnavox y Pioneer debido a la mayor fidelidad y a las características de congelamiento de la imagen, a pesar de su precio considerablemente más elevado. Sin embargo, pueden haber usos comerciales e industriales marginales para una VCP que use tecnología menos complicada y que tenga rendimiento de calidad inferior o menos características.

El tocavideodiscos SelectaVision de RCA, que usa el CED o la tecnología de lengüeta y ranura, tiene una aceptación limitada en el mercado industrial en comparación con las reproductoras de tipo láser. En el mercado de consumo, los tocavideodiscos SelectaVision de RCA no cumplieron con las expectativas de venta de la compañía, lo cual hizo que se les retirara del mercado, y la producción cesó después de vender más de 500 000 unidades e invertir más de 580 millones de dólares. El aparato se vendía por unos 400 dólares.

A raíz del anuncio de que la RCA descontinuaba este producto, el precio bajó y las unidades podían comprarse hasta por 99 dólares al menudeo. La compañía estipuló que continuaría produciendo videodiscos por tal vez tres años; alrededor de 10.9 millones de discos se había producido previamente. Entre las razones dadas por los analistas para las ventas malas del tocavideodiscos de la RCA, se contaban las siguientes: 1) precio elevado en relación con sus características y funciones y 2) escasez de software. Si la RCA hubiese continuado produciendo su tocavideodiscos, habría tenido que competir con la nueva videograbadora (VCP).

Las fuentes industriales dicen que para obtener ventas, el precio de la VCP probablemente tendrá que colocarse al menos en 200 dólares menos que las VCRs, que ahora se venden hasta en $350. Los productos de marcas privadas y la BetaMax de Sony se han promovido agresivamente con base en su precio bajo. Sin embargo, las comparaciones de precio son difíciles de hacer debido a la amplia gama de características disponibles y la reputación y servicio del fabricante y/o del distribuidor del producto. La experiencia con el tocavideodiscos ha hecho que la RCA sea cautelosa acerca de entrar al mercado VCP. Cuando los competidores anunciaron sus planes VCP, RCA dijo que no tenía planes para entrar.

Un observador indicaba que "Al final, puede resultar bueno que la RCA tuviera la idea correcta (máquinas sólo reproductoras), pero el producto equivocado (tocavideodiscos). Y al introducir una línea VCP, la RCA reduciría las ventas de VCR".

¿Debería la RCA vender una VCP además de su línea existente de VCR? De ser así, ¿qué recomienda acerca de un plan de mercadotecnia para las reproductoras VCR y el papel de la RCA en software?

CASO 6

COMPAÑIA CERVECERA HENRY F. ORTLIEB

Recientemente, un hombre amable y bien vestido entró a un restaurante una tarde y pidió una botella de cerveza Ortlieb, una marca local. "Lo siento", dijo la mesera. "No tenemos Ortlieb".

"Entonces, déme una botella de cerveza de abedul", replicó Joseph Ortlieb, propietario de la compañía cervecera Henry F. Ortlieb, una pequeña empresa que ha estado produciendo cerveza en Filadelfia desde 1869. El señor Ortlieb dice que cuando llegó la cena, se tragó su orgullo y pidió "una Miller".

Como este incidente indica, la vida es a veces frustrante para una cervecería pequeña, en especial cuando los competidores nacionales gigantescos, como Anheuser-Busch Inc. y Miller Brewing Co., y las grandes cervecerías regionales se han establecido exitosamente en su propio patio trasero. Y los desengaños fluctúan desde no poder comprar una botella de su propia cerveza. Incluyen complicaciones mucho más serias, como la pérdida de clientes que se van tras campañas publicitarias nacionales y regionales vistosas y bien financiadas.

"Cuando usted es una hormiga en una batalla de elefantes", dice un pequeño cervecero, "a usted lo van a pisotear". "Los años están contados para las plantas pequeñas", dice otro, J. M. Magenau, Jr., quien cerró su achacosa cervecería Erie, Pa., en marzo, después de decidir que no podía igualar los costosos programas publicitarios de las grandes compañías.

Fermento en la industria

Joe Ortlieb está de acuerdo en que "no tenemos tantos dólares como las compañías gigantescas". Pero es mejor pelear que dejar de funcionar. Y él va a hacer esto con cierto éxito. La cervecería de Henry F. Ortlieb regresó a la rentabilidad el año pasado después de tener pérdidas desde 1973 hasta 1976. Y en mayo de este año la producción total de la compañía se elevó mucho, hasta 44 000 barriles en comparación con 31 300 el año anterior. El señor Ortlieb, un hombre de 49 años, está sumamente feliz por esa cifra. "Más cerveza, creo yo, de la que nunca hemos producido antes", afirma.

Pero nadie puede negar que éstos no son tiempos muy buenos para los pequeños fabricantes de cerveza. Desde 1960, han desaparecido alrededor de 125 de ellos. Hoy en día, aunque todavía hay 45 compañías cerveceras en Estados Unidos, la industria es controlada por un puñado de gigantes.

En 1960, la producción total de los cinco líderes en ese momento representaba alrededor de 33% de todos los embarques de cerveza en Estados Unidos. Para 1968, esa cifra había aumentado en alrededor de 47% y para el año pasado, la cifra para las cinco firmas más importantes se había elevado a más de 70%. Algunos analistas creen que la batalla por el predominio tal vez se dé ahora entre las dos grandes (Anheuser-Busch y la unidad cervecera Miller de Phillip Morris, Inc.), a medida que golpean con fuerza con campañas de publicidad nacional, nuevos productos y mayor capacidad.

A qué se enfrenta Ortlieb

En esta área, Ortlieb se enfrenta a la competencia de cuatro de las cinco marcas nacionales principales. Además, Ortlieb pelea por los corazones y las gargantas de los habitantes de Filadelfia con dos de las cervecerías regionales más grandes del país: F. & M. Schaefer Corp., con ventas principales en Filadelfia, y C. Schmidt & Sons, Inc. Otras dos firmas (Carling National Breweries, Inc., y Genesee Brewing Co.) también son fuertes aquí.

La pequeña firma de Henry F. Ortlieb está en el fondo del barril. "Ortlieb es suficientemente pequeña en volumen, ya que no aparece en ninguna de nuestras gráficas", dice un distribuidor importante de cerveza local.

De todas formas, Joe Ortlieb dice que "las cosas parecen buenas para nosotros". Sus ventas de 331 000 barriles el año pasado pueden parecer diminutas en comparación con el total de ventas nacionales de 36.6 millones de Anheuser-Busch, pero representan un aumento de 2.7% para Ortlieb. Y en los primeros cinco meses de este año, la producción total de Ortlieb se elevó a 164 000 barriles, un aumento de 25.8% desde el año anterior.

En realidad, el señor Ortlieb, nieto del fundador Trupert Ortlieb, se ha movido con confianza desde que se convirtió en el único propietario de la compañía dos años antes. El señor Ortlieb, que tiene el puesto de presidente, ha organizado un nuevo equipo administrativo, incluyendo un maestro cervecero reclutado de las cervecerías Rheingold, y un nuevo gerente de ventas de Schmidt & Sons, la otra crevecería más grande de Filadelfia. También ha comenzado a modernizar y a ampliar su vieja planta, cuya sección más moderna se construyó en 1948.

"Disposición para correr riesgos"

Aparte de eso, el señor Ortlieb ha iniciado una modesta campaña publicitaria para recordar a los habitantes de Filadelfia que su cervecería todavía está a flote. Ha computarizado las operaciones financieras de la compañía y ha agregado un producto nuevo, la cerveza espesa y amarga McSorley's.

"Joe parece dispuesto a correr riesgos", dice Ross Heuer, editor de *Brewers Digest,* una revista del ramo. "Hay probablemente una docena de pequeñas cervecerías que resisten (la tendencia), y Ortlieb es uno de los ejemplos principales".

Un factor que le permite resistir a Ortlieb son los seguidores leales en esta área, al menos entre antiguos bebedores. Charlie Lawn, un taxista de 55 años de Filadelfia, dice que ha estado bebiendo Ortlieb por 30 años y no intenta cambiar. Un distribuidor de cerveza, asegura que en los barrios obreros de Filadelfia "hay depósitos donde Ortlieb es tan fuerte que nadie más puede vender".

El señor Ortlieb dice que "la gente es sorprendente. La lealtad a la marca que han desarrollado es notable". Tradicionalmente, Ortlieb ha sido un fuerte vendedor dentro de la "sombra de la chimenea", dice. Su publicidad, agrega, se aprovecha de que "somos una cervecería local que espera apoyo local".

Joe Ortlieb interviene mucho en su campaña publicitaria. Aparece en sus propios comerciales de radio y televisión, y en un comercial de televisión, reconociendo que Ortlieb puede ser un nombre difícil de recordar, alentó a la gente a pedir la "cerveza de Joe". El señor Heuer, el editor de *Brewers Digest,* califica la publicidad de Ortlieb como "muy imaginativa", y agrega que "el público sabe que él es un presidente que trabaja, no es un hombre en su torre de marfil".

El señor Ortlieb gastó 250 000 dólares en publicidad el año pasado. Este año gastará alrededor de 25% menos, dice, reconociendo que no puede competir con "la tremenda publicidad que se hacen las cervecerías nacionales", como Anheuser-Busch (cuya marca principal es Budweiser) y Miller. Su publicidad "inunda" al consumidor, dice él.

Como resultado de esa publicidad, los distribuidores y detallistas de cerveza dicen aquí que los bebedores jóvenes prefieren las marcas nacionales o regionales en vez de la Ortlieb local. Los consumidores regulares tienden a ser "los bebedores viejos que han estado tomando Ortlieb por 30 años", dice Carmen Schick, gerente de un distribuidor local.

Por tanto, al creer que el bebedor antiguo es más consciente del precio, Ortlieb vende al menudeo una caja de su cerveza enlatada estándar por alrededor de $5.75, lo cual es un precio menor que las principales marcas nacionales en $1.20 a $1.40 por caja. Al mismo tiempo, Ortlieb está dirigiendo su campaña publicitaria a un "grupo más joven", los hombres en edades comprendidas entre 20 y 40 años, quienes beben más cerveza, dice Haven Babb, un ejecutivo de cuenta en Schaefer Advertising, Inc., una agencia de Filadelfia que maneja la publicidad de Ortlieb.

En cuanto al bebedor menor de 25 años, el señor Ortlieb lo ve como "inconstante", que salta de una marca muy promovida a otra. Sin embargo, la pequeña cervecería no está olvidando tampoco ese mercado. En el otoño pasado adquirió la marca de gran prestigio de cerveza espesa y amarga McSorley's. "Creemos que esto nos llevará al mercado de los jóvenes", dice el señor Ortlieb. Planea hacer pruebas de mercado con McSorley's a lo largo de la ribera sur de Jersey porque "Allí hay muchos muchachos durante el verano".

La batalla con Schaefer

A pesar de la lealtad local, la campaña publicitaria y la intervención personal del señor Ortlieb, la porción de mercado de la empresa había disminuido con el paso de los años. Joseph Farrell, gerente de ventas de la compañía, dice que la porción de la firma de ventas de cerveza en el condado de Filadelfia se ha desplomado a alrededor de 11% desde un estimado de 15 a 16% hace cinco años. Ha caído todavía más en las regiones suburbanas, declinando hasta aproximadamente 2% en un condado cercano, agrega. Además, aunque las ventas totales de cerveza de la compañía se elevaron el año pasado, su marca Ortlieb de apoyo principal, en la ruina por varios años, se deslizó otro 13% hasta 152 587 barriles, dice Farrell.

Pero el gerente de ventas insiste en que la principal marca de Ortlieb reaccionará este año. Una razón es que Ortlieb espera obtener negocios de Schaefer, la cervecería regional con base en Nueva York que es la número 1 en el mercado de Filadelfia. Farrell cree que Schaefer, un enemigo antiguo que invadió el territorio de Ortlieb a mediados de la década de 1960, está compitiendo agresivamente como lo hizo antes.

El contraste entre las dos compañías no podría ser más acentuado. Las dos cervecerías de Schaefer produjeron 4.6 millones de barriles de cerveza el año pasado, 14 veces más que Ortlieb en una sola planta. Schaefer considera su planta del valle Lehigh, unas 60 millas al noroeste de aquí, como "la más eficiente" en el Este.

La pequeña cervecería Ortlieb, en realidad un conjunto de viejos edificios de ladrillo que se remontan al siglo XIX, está en una sección industrial deteriorada de Filadelfia. La capacidad anual de la planta es de 500 000 barriles y hasta hace poco sólo podía operar al 70% de su capacidad.

De todas formas, la gente de Ortlieb afirma que su planta vieja produce mejor cerveza. En Schaefer, William J. Schoen, presidente, dice que Ortlieb hace un "producto bueno", pero que las dos compañías producen diferentes tipos de cerveza.

Engalanando la planta

El señor Ortlieb ha estado engalanando su planta desde que se la compró a sus familiares en 1976. Los toneles de madera anticuados, que se usaban para cultivar levadura (una planta que causa fermentación), se han sustituido por tanques de metal brillantes. En la cervecería, "hemos comenzado a automatizarnos", dice Joseph Johnston, el maestro cervecero que vino de Rheingold. La producción cervecera ha aumentado, dice Ortlieb, y "desperdiciamos menos agua".

Los funcionarios de Ortlieb informan que la compañía ha gastado 800 000 dólares en proyectos de capital en los dos últimos años y puede gastar un millón adicional este año. "Ahora estamos haciendo planes para un programa de cinco años, de todos los departamentos, para acrecentar la capacidad al menos 25% ", dice Johnston.

Agrega que el señor Ortlieb frecuentemente participa en las sesiones diarias de prueba, en las cuales el maestro cervecero y sus ayudantes prueban la cerveza que se ha envejecido de seis a ocho semanas. Si la claridad, aroma y sabor se consideran satisfactorios, la cerveza se envasa al día siguiente. "Catar cerveza es un arte", dice el señor Ortlieb, tomando un sorbo de una de sus marcas.

Describe la principal marca Ortlieb en el sentido de que tiene "más sabor y más cuerpo" y como una cerveza más maltosa y pesada con un color ligeramente más oscuro que las marcas nacionales principales. "Decidimos darle a nuestra cerveza un carácter distinto de Bud o Schlitz", explica, aunque la tendencia de la industria es alejarse de las cervezas pesadas.

¿Es esta diferencia una ventaja para Ortlieb? "No estoy muy seguro", dice Ortlieb. "A veces pienso que nos podría ayudar. A veces pienso que podría perjudicarnos".

Cerveza baja en calorías

Consciente de que las grandes cervecerías han comercializado exitosamente cervezas bajas en calorías, Ortlieb tiene su propia cerveza clara "en la mesa de proyectos", dice el funcionario, agregando que podría introducirse este año. El señor Ortlieb dice que antes intentó desarrollar una cerveza con un contenido extremadamente bajo en calorías (alrededor de una caloría por onza en comparación con las cervezas regulares que tienen más o menos doce por onza). Pero la cerveza experimental tenía un sabor "terrible" y "no me atrevería a venderla", afirma.

Joe Ortlieb sabe lo que sus consumidores quieren. Como visita a menudo las tabernas locales, "su investigación de mercados se hace principalmente de primera mano", dice Heuer, el editor de *Brewers Digest.* Cuando su compañía hace algo que a sus consumidores les agrada o les desagrada, Joe Ortlieb "lo escuchará directamente del parroquiano en el bar", agrega Heuer.

El señor Ortlieb es un ejecutivo en mangas de camisa que ha trabajado en la cervecería desde que iba a la universidad, comenzando en el almacén, donde cargaba camiones. Estudió administración en la Universidad Buckness en Lewisburg, Filadelfia, y técnicas cerveceras en la United States Brewers Academy en Mount Vernon, Nueva York. Como jefe de la compañía, ha impresionado a sus subordinados como un trabajador infatigable que a menudo se pasa los sábados en la planta.

Y ésa es la imagen que está intentando comunicar al público, dice el señor Babb, director de publicidad. "El le pide a usted que pruebe su producto porque ha dedicado su vida entera a la cervecería", dice el señor Babb.

El señor Ortlieb está convencido de que su esfuerzo no será en vano, a pesar de la desaparición de muchas otras cervecerías pequeñas. Bromeando, el señor Ortlieb dice que si desaparecen bastantes cervecerías, "algún día seré el número 10 entre las cervecerías más grandes de la nación".

Fuente: John L. Moore, "Squeezed by Nationals, A Local Brewery Keeps Its Head above Water", *Wall Street Journal,* 10 de julio de 1978. Reproducida con permiso de *The Wall Street Journal,* © Derechos reservados Dow Jones & Company, Inc., 1978.

1. ¿Tiene la compañía Ortlieb un nicho en el mercado? De ser así, ¿cuál es y qué sucede con éste?

2. ¿Qué podría hacer Ortlieb para mejorar sus esfuerzos de *mercadotecnia?*

3. ¿Qué podría hacer Ortlieb para mejorar sus esfuerzos de *administración?*

4. Evalúe la investigación de mercados y el sistema de información de mercadotecnia de Ortlieb.

5. ¿Cómo debería reaccionar Ortlieb a una propuesta de que se uniera a un grupo de pequeñas cervecerías no competitivas que le permitiría usar nombres de marcas comunes y selectas en cerveza fabricada localmente para permitir publicidad conjunta, o al menos un mayor reconocimiento para los nombres de marcas usados conjuntamente?

cinco

DESARROLLO DE LA MEZCLA DE MERCADOTECNIA

En la quinta parte de este libro se describen las principales decisiones que toman las compañías en lo que toca a cada herramienta de la mezcla de mercadotecnia: producto, precio, plaza y promoción.

11
Diseño de productos: productos, marcas, empaque y servicios

Revlon vende cada año más de mil millones de dólares en cosméticos, artículos de tocador y fragancias para los consumidores en todo el mundo. Sus numerosos perfumes de éxito se combinan para hacer de Revlon el número uno en el segmento de precio popular del mercado de 300 mil millones de dólares turbulento y sumamente fragmentado de los perfumes. En un sentido estricto, los perfumes de Revlon no son más que mezclas cuidadosamente formuladas de aceites naturales y sustancias químicas sintéticas que producen aromas agradables. Pero Revlon sabe que cuando vende perfume, vende mucho más que líquidos aromáticos, vende lo que las fragancias harán por las mujeres que lo usan.

Por supuesto, la fragancia de un perfume contribuye a su éxito o fracaso. Los mercadólogos de perfumes están de acuerdo en que si no hay aroma, no hay ventas. Los perfumes se componen de ''notas''. Hay una nota alta, la primera fragancia que llega al olfato. Esta nota alta muy pronto da paso a notas más sutiles, medias y bajas, que pueden durar horas. En un perfume promedio, hay entre 80 y 90 ingredientes diferentes naturales y sintéticos que producen la composición final. La mayoría de los aromas nuevos son desarrollados por ''perfumistas'' de élite (expertos muy bien pagados que combinan ingredientes para producir fragancias únicas y atractivas) en una de aproximadamente 50 ''casas de fragancias'' selectas.

Los perfumes se embarcan desde las casas de fragancia en toneles de aceite grande y feos que no concuerdan con los sueños que producen. Puede que un perfume de 150 dólares la onza no cueste más de 3 dólares producirlo, pero para los consumidores de perfume el producto vale mucho más que unos cuantos dólares de ingredientes tangibles y un aroma agradable. En palabras de un experto en fragancias de la industria: ''¿es la fragancia realmente un producto o es su atractivo duradero porque es la esencia de la pasión dentro de los genes y los sentidos de cada ser humano?''

Muchas cosas aparte de los ingredientes y la esencia contribuyen a la fascinación de un perfume. De hecho, cuando Revlon diseña un perfume nuevo, el aroma puede ser el último elemento desarrollado. Revlon investiga primero las actitudes y los sentimientos de las mujeres acerca de sí mismas y sus relaciones con otras personas. Desarrolla y pone a prueba nuevos conceptos de perfumes que se ajusten mejor a los valores, deseos y estilos de vida cambiantes de las mujeres. Cuando Revlon encuentra un nuevo concepto prometedor, crea un aroma que se ajuste al concepto.

La investigación de mercados de Revlon a comienzos de la década de 1970 mostró que las mujeres se sentían más competitivas con los hombres y que se esforzaban por establecer identidades individuales. Para la nueva mujer de la década de 1970, Revlon creó Charlie, el primero de los perfumes de ''estilo de vida''. Miles de mujeres lo adoptaron como una declaración de independencia y muy pronto se convirtió en el perfume de mayor venta en el mundo. Charlie estableció una nueva tendencia en el mercado de fragancias e inició una oleada de productos imitativos que contribuyen al sólido crecimiento de la industria durante la década de 1970.

A fines de la década de 1970, la investigación de Revlon indicó un cambio en las actitudes de las mujeres: ''... las mujeres habían establecido su proposición de igualdad, que Charlie había señalado. Ahora, las mujeres estaban ansiosas por una expresión de feminidad. Estaban dispuestas a volver a expresarse a sí mismas personalmente''. Revlon alejó sutilmente a Charlie de su posición de ''estilo de vida'' y lo acercó a una de ''feminidad y romance''. También lanzó con éxito un nuevo perfume, Jontue, posicionado con un tema de romance.

El nombre de un perfume es un atributo importante del producto. Revlon usa nombres como Charlie, Fleurs de Jontue, Ciara y Scoundrel para crear imágenes que apoyen el posicionamiento de cada perfume. Los competidores ofrecen perfumes con nombres evocativos como Opium, Joy, White Linen, Paloma Picasso, LeJardin, Youth Dew y L'Air du Temps, los cuales sugieren que el perfume hará más que tan sólo proporcionar un agradable aroma. El perfume Ruffles de Oscar de la Renta *comenzó* como un nombre, escogido porque evocaba imágenes de capricho, juventud, glamour y feminidad, todas ellas adecuadas al mercado meta de mujeres jóvenes y con estilo. Más tarde se escogió un aroma que acompañara el nombre de Ruffles y el posicionamiento del producto.

Revlon también debe empacar cuidadosamente sus perfumes. Para los consumidores, la botella y el empaque constituyen el símbolo más tangible del perfume y su imagen. Las botellas deben ser cómodas y fáciles de manipular y deben ser vistosas en los escaparates. Aún más importante, deben tener un estilo que apoye el concepto y la imagen del perfume.

Así, cuando una mujer compra un perfume, adquiere muchísimo más que una mezcla de fluidos aromáticos. La imagen y la personalidad del perfume, sus promesas, su aroma, su nombre y empaque, la compañía que lo fabrica, la tienda que lo vende; todo esto se convierte en parte de todo el perfume en cuanto a producto. Cuando Revlon vende perfumes, vende más que el mero producto tangible, vende estilo de vida, expresión de la propia personalidad y exclusividad; logro, éxito y estatus; femineidad, romance, pasión y fantasía; recuerdos, esperanzas y sueños.[1]

Evidentemente, el perfume es algo más cuando Revlon lo vende. El éxito excepcional de esta compañía en el mundo violento de las fragancias se basa en el desarrollo de un concepto de producto innovador. El desarrollo de un concepto eficaz de producto es el primer paso en la planeación de la mezcla de mercadotecnia.

El capítulo comienza con la interrogante: ¿qué es un producto? Resulta que un ''producto'' es un concepto complicado que debe definirse cuidadosamente. Después se verán las formas para clasificar el gran número de productos que se encuentran en los mercados industrial y de consumo, como la expectativa de encontrar vínculos entre las estrategias apropiadas de mercadotecnia y los tipos de productos. A continuación se reconocerá que cada producto puede convertirse en una marca, lo cual implica diversas decisiones. El producto también puede empacarse y etiquetarse y se pueden ofrecer varios servicios más. Por último, se pasará de decisiones de productos individuales a decisiones que la firma debe tomar al desarrollar sus líneas de producto y sus mezclas de producto.

¿QUE ES UN PRODUCTO?

Una raqueta de tenis Wilson, un corte de pelo Vidal Sasoon, un concierto de los Rollings Stones, unas vacaciones en el Club Mediterráneo, un camión de plataforma de dos toneladas, esquíes Head y un servicio de contestación telefónica son productos. Un producto se define de la manera siguiente:

> Un *producto* es cualquier cosa que pueda ofrecerse a la atención de un mercado para su adquisición, uso o consumo, y que además pueda satisfacer un deseo o una necesidad. Abarca objetos físicos, servicios, personas, lugares, organizaciones e ideas.

También debe definirse la unidad de producto:

> Una *unidad de producto* es aquélla que se distingue de las demás por su tamaño, precio, aspecto u otro atributo. Así, un artículo se denomina a veces a la unidad de mantenimiento de existencias o variante del producto.[2]

Producto básico, real y aumentado

En el desarrollo de un producto el planificador necesita pensar acerca del producto en tres niveles. El nivel fundamental es el de *producto básico,* que contesta a la pregunta: ¿qué cosa está realmente comprando el cliente? Cada artículo es en realidad un servicio que resuelve problemas. Una mujer que compra un lápiz labial no está sencillamente adquiriendo un color para los labios. Charles Revson, de Revlon, Inc., reconoció esto desde un principio: "en la fábrica hacemos cosméticos, en la tienda vendemos la esperanza". Theodore Levitt señalaba que "los agentes de adquisiciones no compran taladros de un cuarto de pulgada, sino agujeros de un cuarto de pulgada". Y el supervendedor Elmer Wheeler diría: "Lo que hay que vender no es la carne asada, sino el calor y el ruido al asarse". Los mercadólogos deben descubrir las necesidades escondidas bajo cada producto y vender *beneficios,* no *cualidades.* El producto básico ocupa el centro del producto total, como puede verse en la figura 11.1.

El planificador del producto tiene que convertir el producto básico es un *producto tangible.* Perfumes, computadoras, seminarios educativos y candidatos políticos son productos tangibles. Los productos tangibles pueden tener hasta cinco características: *nivel de calidad, características, estilo, nombre de marca y empaque.*

Por último, el planificador debe ofrecer servicios y beneficios adicionales los cuales constituyen un *producto aumentado.* El éxito de la IBM se debe al aumento hábil de su producto tangible, la computadora. Mientras sus competidores estaban muy ocupados vendiéndoles a los compradores cualidades de computadoras, IBM reconoció que los consumidores estaban más interesados por soluciones, no hardware. Los consumidores querían instrucción, programas preparados, servicios de programación, reparaciones rápidas y garantías. IBM vendía un sistema, no tan sólo una computadora.

El aumento del producto hace que el mercadólogo analice el *sistema total de consumo* del comprador: "La manera como el consumidor ejecuta la tarea total de lo que trata de obtener cuando usa el producto".[3] De este modo, el mercadólogo reconocerá muchas oportunidades para aumentar su oferta de una forma competitivamente eficaz. Según Levitt:

La *nueva* competencia no se da entre lo que las compañías producen en sus fábricas, sino entre lo que le añaden al producto mediante el empaque, servicio, publicidad, asesoría al cliente, financiamiento, sistema de distribución y entrega, almacenamiento de existencias y otros aspectos que el público aprecia.[4]

Por tanto, definido en sentido general, un producto es más que un conjunto sencillo de atributos tangibles. De hecho, algunos productos (un corte de pelo o un examen médi-

FIGURA 11-1
Tres niveles del producto

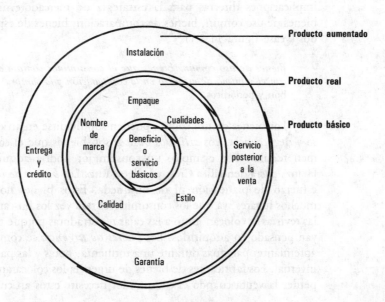

co) no tienen características tangibles. Los consumidores perciben los productos como conjuntos complejos de beneficios que satisfacen sus necesidades. En el momento de desarrollar productos, los mercadólogos deben identificar primero las necesidades básicas del consumidor que el producto satisfará. Deben diseñar el producto tangible y buscar formas para aumentar el producto a fin de crear el conjunto de beneficios que satisfarán mejor los deseos de los clientes.

CLASIFICACIONES DE LOS PRODUCTOS

En la búsqueda de estrategias de mercadotecnia para productos individuales, los mercadólogos han desarrollado varias clasificaciones de productos con base en las características de los mismos.

Bienes duraderos, bienes no duraderos y servicios

Los productos pueden clasificarse en tres grupos, según su durabilidad o tangibilidad:[5]

Bienes no duraderos. Los bienes no duraderos son bienes tangibles que se consumen normalmente en uno o unos cuantos usos. Los ejemplos incluyen cerveza, sopa y sal. Como estos bienes se consumen rápido y se compran con frecuencia, la estrategia apropiada es hacerlos asequibles en muchas ubicaciones, cobrar sólo un pequeño margen de ganancia bruta y hacerse mucha publicidad para inducir al consumidor a probarlos y a tener preferencia por ellos.

Bienes duraderos. Los bienes duraderos son bienes tangibles que normalmente sobreviven muchos usos. Los ejemplos incluyen refrigeradores, máquinas, herramientas y ropa. Los productos duraderos normalmente requieren más ventas personales y servicio; requieren un margen más elevado y más garantías del vendedor.

Servicios. Los servicios son actividades, beneficios o satisfacciones que se ofrecen en venta. Los ejemplos incluyen cortes de pelo y reparaciones. Los servicios son intangibles, inseparables, variables y perecederos. Como resultado, requieren normalmente más control de calidad, credibilidad del proveedor y adaptabilidad. (Debido a la reciente importancia de los servicios en la sociedad, la mercadotecnia de los mismos se examinará en el capítulo 23.)

Clasificación de los bienes de consumo

Los bienes de consumo son aquéllos que los consumidores finales adquieren para consumo personal. Los mercadólogos usualmente clasifican esos bienes con base en los *hábitos de compra del consumidor,* ya que la forma como los consumidores compran productos tiene implicaciones directas para la estrategia de mercadotecnia. Se puede distinguir entre bienes de uso común, bienes de comparación, bienes de especialidades y bienes no buscados (véase figura 11.2A).[6]

Bienes de uso común. Bienes que el consumidor compra con frecuencia, inmediatamente y con el mínimo de esfuerzo en la comparación y la compra. Los ejemplos incluyen tabaco, jabón y periódicos.

Los bienes de uso común pueden subdividirse en artículos básicos, bienes de impulso y de urgencia. Los *artículos básicos* son bienes que el consumidor compra en un régimen regular. Por ejemplo, un consumidor podría adquirir regularmente salsa catsup Heinz, pasta dentrífica Crest y galletas Ritz. Los *bienes de impulso* se compran sin ningún esfuerzo de planeación ni de búsqueda. Estos bienes normalmente son asequibles en muchos lugares, ya que los consumidores rara vez los buscan. Así, las barras de caramelo y las revistas se colocan junto a las cajas registradoras porque tal vez los consumidores no hayan pensado en adquirirlos. Los *bienes de urgencia* se compran cuando una necesidad es apremiante: paraguas durante una tormenta, botas y las palas durante la primera ventisca invernal. Los fabricantes de bienes de urgencia los colocarán en muchas tiendas para evitar perder la venta cuando el consumidor necesite estos artículos.

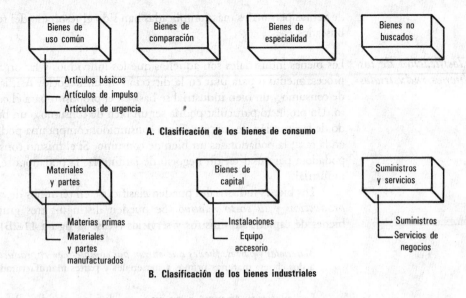

FIGURA 11-2
Clasificación de los bienes industriales y de consumo

Bienes de uso común
- Artículos básicos
- Artículos de impulso
- Artículos de urgencia

Bienes de comparación

Bienes de especialidad

Bienes no buscados

A. Clasificación de los bienes de consumo

Materiales y partes
- Materias primas
- Materiales y partes manufacturados

Bienes de capital
- Instalaciones
- Equipo accesorio

Suministros y servicios
- Suministros
- Servicios de negocios

B. Clasificación de los bienes industriales

Bienes de comparación. Bienes que el consumidor, durante el proceso de selección y compra, compara característicamente de acuerdo con la idoneidad, calidad, precio y estilo. Los ejemplos incluyen muebles, ropa, automóviles usados y electrodomésticos grandes.

Los bienes de comparación pueden dividirse en homogéneos y heterogéneos. El consumidor ve en los primeros cierta afinidad de calidad, pero grandes diferencias en cuanto al precio, y esto justifica la comparación entre ellos. El vendedor tiene que "regatear" con el comprador. Pero en la compra de ropa, muebles y bienes más heterogéneos, las características del producto con frecuencia son más importantes para el consumidor que el precio. Si el comprador quiere un traje fino, es probable que el corte, el ajuste y la apariencia sean más importantes que las pequeñas diferencias de precio. El vendedor de productos heterogéneos debe tener, por tanto, un gran surtido para satisfacer los gustos individuales y debe tener un personal de ventas bien entrenado que les proporcione información y consejo a los clientes.

Bienes de especialidad. Bienes con características o identificación de marca muy especiales; están destinados a un grupo selecto de compradores a quienes no les importa mucho el precio. Los ejemplos incluyen marcas y tipos específicos de artículos de lujo, automóviles elegantes, componentes de aparatos de alta fidelidad, equipo fotográfico y trajes para hombre.

Un Mercedes, por ejemplo, es uno de esos bienes ya que los compradores están dispuestos a recorrer grandes distancias para comprarlo. En las adquisiciones de bienes de especialidad el consumidor no hace comparaciones necesariamente; sólo dedica más tiempo para buscar a los distribuidores que venden el artículo deseado. Los distribuidores no necesitan ubicaciones convenientes; sin embargo, deben dársela a conocer a los clientes potenciales.[6]

Bienes no buscados. Bienes que el consumidor conoce o desconoce, pero que no piensa normalmente adquirir. Los productos nuevos como los detectores de humo y los procesadores de alimentos son artículos no buscados hasta que el consumidor se hace consciente de ellos a través de la publicidad. Los ejemplos clásicos de bienes conocidos, pero no buscados son seguros de vida, lotes de cementerio, lápidas y enciclopedias.

Por su misma naturaleza, los bienes no buscados requieren de un gran esfuerzo de mercadotecnia en la forma de publicidad y ventas personales. Algunas de las técnicas de ventas personales más complicadas han sido el resultado del reto de vender artículos no buscados.

Los bienes industriales son aquéllos que los individuos y las organizaciones compran para procesamiento o para usar en la dirección de un negocio. Así, la distinción entre un bien de consumo y un bien industrial se basa en el propósito para el cual se adquiere el producto. Un producto particular podría ser un bien de consumo o un bien industrial, dependiendo de la situación de compra. Si un consumidor compra una podadora de césped para usar en la casa, la podadora es un bien de consumo. Si el mismo consumidor compra la misma podadora para usar en un negocio de jardinería, la podadora se clasificará como un bien industrial.

Los bienes industriales pueden clasificarse en términos de *cómo entran al proceso de producción y su costo relativo.* Se pueden distinguir tres grupos: materiales y partes, bienes de capital, suministros y servicios (véase la figura 11-2B).

Materiales y partes. Bienes que entran por completo en el producto del fabricante. Pertenecen a dos clases: materias primas y materiales y partes manufacturados.

Las *materias primas,* a su vez, se dividen en dos clases principales: *productos agrícolas* (trigo, algodón, ganado, frutas y vegetales) y *productos naturales* (pescado, madera, petróleo crudo, mineral de hierro). Cada uno se comercializa de forma distinta.

Los *productos agrícolas* los suministran pequeños productores que los venden a su vez a intermediarios que proporcionan servicios de montaje, clasificación, almacenamiento, transporte y venta. Los productos agrícolas son un tanto regulables a largo plazo, pero no a corto plazo. Se trata de bienes perecederos, y el hecho de que se cosechen sólo en determinadas estaciones ha dado lugar a métodos especiales de mercadotecnia. Su carácter básico da lugar a relativamente poca actividad de publicidad y promoción, con algunas excepciones. De cuando en cuando, los productores lanzarán campañas para promover el consumo de sus artículos, como papas, ciruelas o leche. Y algunos incluso les ponen marcas a sus artículos, como naranjas Sunkist y plátanos Chiquita.

Los *productos naturales* tienen una oferta sumamente limitada. Por lo común ocupan mucho espacio y tienen un valor unitario muy bajo y requieren transporte costoso para moverlos del productor al usuario. Cada día aumenta el número de productores de grandes volúmenes que tienden a vendérselos directamente a los usuarios industriales. Como los usuarios dependen de estos materiales, son comunes los contratos de suministros a largo plazo. La homogeneidad de los materiales naturales limita la cantidad de actividad de creación de demanda. En la selección de proveedores se atiende principalmente al precio y a la confiabilidad de cada uno.

Los *materiales y partes fabricados incluyen materiales componentes* (hierro, hilaza, alambres) y *partes componentes* (pequeños motores, llantas, hierro fundido). Los *materiales componentes* usualmente se procesan más; por ejemplo, el hierro en bruto se convierte en acero y el hilo en tela. La naturaleza estandarizada de los materiales componentes normalmente significa que el precio y la confiabilidad del proveedor son los factores más importantes de la compra. Las *partes componentes* entran por completo en el producto terminado sin ningún cambio de forma, como cuando los motores pequeños se arman en las aspiradoras y las llantas se agregan a los automóviles. La mayoría de los materiales y partes fabricados se venden directamente a los usuarios industriales, y los pedidos suelen hacerse con un año o más de antelación. El precio y el servicio son las principales consideraciones de mercadotecnia, y la marca y la publicidad tienden a ser menos importantes.

Bienes de capital. Bienes que entran parcialmente en el producto elaborado. Incluyen dos grupos: instalaciones y equipo accesorio.

Las *instalaciones* constan de *edificios* (fábricas, oficinas) y *equipo fijo* (generadores, prensas de taladro, computadoras, elevadores). Las instalaciones son compras principales. Por lo común se adquieren directamente del productor, y la venta típica suele ir precedida de un largo periodo de negociaciones. Los productores usan una fuerza de ventas de excelente calidad, que con frecuencia incluye ingenieros en ventas. Los productores tienen que estar dispuestos a diseñar de acuerdo con las especificaciones y a suministrar servicio posterior a la venta. La publicidad se usa, pero es menos importante que las ventas personales.

El *equipo accesorio* incluye *equipo y herramientas portátiles de fábrica* (herramientas manuales, montacargas) y *equipo de oficina* (máquinas de escribir, escritorios). Estos tipos de equipo no se convierten en parte del producto elaborado. Sencillamente ayudan en el proceso de producción. Tienen una vida más corta que las instalaciones, pero una vida más larga que los suministros de operación. Aunque algunos fabricantes de equipo accesorio venden directamente, muchos usan a menudo intermediarios, ya que el mercado se encuentra geográficamente disperso, los compradores son numerosos y los pedidos son pequeños. La calidad, las características, el precio y el servicio son consideraciones principales en la selección del proveedor. La fuerza de ventas tiende a ser más importante que la publicidad, aunque esta última puede usarse con eficiencia.

Suministros y servicios. Artículos que no entran para nada en el producto elaborado.

Los suministros son de dos tipos: *suministros de operación* (lubricantes, carbón papel para escribir, lápices) y *artículos de mantenimiento y reparación* (pintura, clavos, escobas). Los suministros son el equivalente de los bienes de consumo de uso común en el ámbito industrial, porque suelen comprarse con un mínimo de esfuerzo de recompra directa. Normalmente se venden a través de intermediarios debido al gran número de consumidores, la dispersión geográfica de éstos y el valor unitario bajo estos bienes. El precio y el servicio son consideraciones importantes porque los proveedores están muy estandarizados y la preferencia de marca no es muy alta.

Los *servicios a los negocios* incluyen *servicios de mantenimiento y reparación* (limpieza de ventanas, reparación de máquinas de escribir) y *servicios de asesoría en negocios* (legal, consultoría en administración, publicidad). Los servicios de mantenimiento y reparación suelen suministrarse bajo contrato. Los servicios de mantenimiento los suelen proporcionar pequeños productores, y los servicios de reparación suelen darlos los fabricantes del equipo original. Los servicios de asesoría de negocios son normalmente situaciones de compra nueva, y el comprador industrial escogerá al proveedor con base en la reputación y en el personal del mismo.

Así, se ve que las características de un producto tendrán una gran influencia en la estrategia de mercadotecnia. Al mismo tiempo, la estrategia de mercadotecnia dependerá también de factores tales como la etapa del producto en el ciclo de vida, el número de competidores, el grado de segmentación del mercado y las condiciones de la economía.

DECISIONES RELATIVAS A LA MARCA

Los consumidores perciben una marca como una parte intrínseca del producto, y la marca puede agregarle valor a un producto. Por ejemplo, la mayoría de los consumidores percibirían una botella de Chanel Número 5 como un perfume costoso y de alta calidad. Pero el mismo perfume presentado en un frasco sin marca se consideraría como de calidad inferior, aun cuando la fragancia fuese idéntica. Así, las decisiones sobre la marca son un aspecto importante de la estrategia del producto.

Primero, es necesario familiarizarnos con el lenguaje de las marcas. Véanse algunas definiciones claves:[7]

Marca: Un nombre, término, signo, símbolo o diseño, o una combinación de éstos, cuya finalidad es identificar los bienes y servicios de un vendedor o grupo de vendedores y distinguirlos de los competidores.

Nombre de marca: La parte de una marca que puede vocalizarse, la parte pronunciable. Los ejemplos son Avon, Chevrolet, Disneyland, American Express y UCLA.

Logo de la marca: La parte de una marca que puede reconocerse pero que no es pronunciable, como un símbolo, diseño o color o letras distintivas. Los ejemplos son el conejito de Playboy y el león de la Metro-Goldwyn-Mayer.

Marca registrada: Una marca o parte de una marca que tiene protección legal porque es propiedad exclusiva. Una marca registrada protege los derechos exclusivos del vendedor a usar el nombre o el logo de la marca.

Derechos de autor: El derecho legal exclusivo para reproducir, publicar y vender la forma y el contenido de una obra literaria, musical o artística.

La adopción de una marca le plantea decisiones retadoras al mercadólogo. Las decisiones claves se muestran en la figura 11-3 y se examinan a continuación.

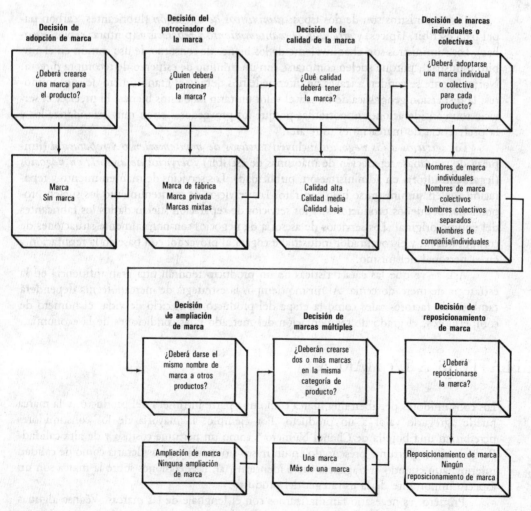

FIGURA 11-3 *Una visión general de las decisiones de adopción de marca*

Decisión de adopción de marca

La compañía debe decidir primero si debería ponerle un nombre de marca a su producto. Antiguamente, la mayoría de los productos no tenían marca. Los productores y los intermediarios vendían sus productos directamente de barriles, recipientes y cajas sin ninguna identificación del proveedor. Los primeros casos de adopción de marca se dieron en los esfuerzos de los gremios medievales para hacer que los artesanos pusieran marcas registradas en sus productos para protegerse a sí mismos y a los consumidores contra la calidad inferior. En las bellas artes la adopción de marcas comenzó con los artistas que decidieron firmar sus obras.

En Estados Unidos los primeros promotores de las marcas fueron los fabricantes de medicinas de patente. El verdadero crecimiento ocurrió después de la Guerra Civil con el desarrollo de las firmas nacionales de publicidad nacionales. Algunas de esas primeras marcas todavía sobreviven, como la Borden's Condensed Milk, Quaker Oats, Vaseline e Ivory Soap.

El uso de las marcas ha crecido tanto que hoy en día casi todo tiene marca. La sal se empaca en recipientes que identifican al fabricante, las naranjas traen impreso el nombre del agricultor, las nueces y los rollos de papel están empacados en celofán y llevan la etiqueta del distribuidor, los componentes de los automóviles (llantas, filtros, radios) tienen nombres de marca distintos que los del fabricante. Hasta los pollos tienen éxito con una marca comercial.[8]

Frank Perdue Farms en Salisbury, Maryland, ha convertido un producto de granja básico en un producto de marca. Muchos consumidores en la costa oriental de Estados Unidos exigen pollos Perdue. Frank Perdue gasta aproximadamente 1 millón de dólares al año en comerciales de radio y televisión, donde anuncia las cualidades de sus pollos. Su lema es: ''Se necesita un hombre duro para hacer un pollo tierno'', y ofrece la garantía de la devolución del dinero al consumidor insatisfecho.

Recientemente ha habido un retorno a prescindir de la marca en ciertos bienes de consumo básico y en medicamentos. Estos ''bienes genéricos'' están empacados si identificación de fabricante (véase recuadro 11-1). La intención de estos artículos es abatir el costo para el consumidor al ahorrarse el empaque y la publicidad. Así, hoy en día aún subsiste la interrogante de si usar marcas o no.

RECUADRO 11-1

GENERICOS: EL CRECIMIENTO DE PRODUCTOS SIN MARCA Y SIN ADORNOS

En 1978, los productos ''genéricos'' comenzaron a aparecer en los anaqueles de las farmacias y supermercados estadunidenses y las ventas de estos artículos crecieron rápidamente a costa de las marcas nacionales y de almacén. Los artículos genéricos son versiones sin marca, con un empaque muy sencillo y menos costoso que productos comunes que se compran en los supermercados, como espaguetis, toallas de papel y duraznos en lata. Ofrecen calidad estándar o inferior a precios de hasta 30 o 40% más bajos que las marcas nacionales y 20% más bajos que las marcas privadas. El precio más bajo es posible debido a ingredientes de calidad más baja, empaques y etiquetas de costo más bajo y costos mínimos de publicidad y promoción.

Los artículos genéricos tomaron a los fabricantes por sorpresa. Para 1982, casi el 80% de todos los supermercados vendían artículos genéricos y los consumidores podían comprar estos productos sin marca en tres de cada cuatro categorías de productos. Las ventas de genéricos alcanzaron 2 600 millones de dólares y dieron cuenta de más del 11% de las ventas unitarias en los supermercados.

El ahorro de precio que ofrecen los artículos genéricos tiene un fuerte atractivo para los consumidores, especialmente en épocas económicas difíciles. Y ciertos tipos de consumidores se sienten más atraídos por los artículos genéricos que otros. Los perfiles demográficos de los compradores genéricos revelan familias numerosas, ingresos medios o superiores, niveles educativos más altos y una edad comprendida entre los 35 y los 45 años. También se ha descubierto que los compradores de artículos genéricos son menos leales a la marca y más innovadores.

Cuatro de cada cinco consumidores creen que los precios más bajos de los genéricos son el resultado de menores costos de publicidad y empaque. Aunque sólo uno de cada cinco consumidores cree que los genéricos cuestan menos, debido a la calidad inferior; la calidad del producto sigue siendo una consideración importante en las decisiones de compra de los consumidores. Los genéricos han penetrado más en categorías de productos donde los consumidores se preocupan menos por la calidad, o donde perciben poca diferencia en calidad entre los artículos genéricos y las marcas nacionales. Las categorías como productos de papel, alimentos congelados, crema de cacahuate, vegetales enlatados, bolsas de plástico, pañales desechables y comida para perro han sido especialmente vulnerables a los genéricos. Los artículos genéricos han tenido menos éxito en categorías como artículos de salud y de belleza, donde los consumidores están menos dispuestos a cambiar la calidad por el precio.

Queda por ver hasta dónde penetrarán los genéricos en la cesta del mercado del comprador estadunidense, pero parece que esos productos llegaron a su pico en 1982. Desde ese año, la porción unitaria de mercado para los genéricos ha disminuido en alrededor de 9%. Esta disminución en la porción ha sido el resultado, en parte, de una mejor economía: los consumidores tienen ahora más ingresos excedentes que cuando los genéricos irrumpieron a fines de la década de 1970 y comienzos de la de 1980, y la menor inflación ha ayudado a mantener bajos los precios de marcas nacionales y privadas.

La disminución de los genéricos también ha sido el resultado de mejores estrategias de mercadotecnia desarrolladas por fabricantes de nombre de marca, para contrarrestar la amenaza de los productos genéricos. Estos mercadólogos han respondido haciendo hincapié en la identificación de la marca y en la calidad. Por ejemplo, al percibir la amenaza de los alimentos genéricos para animales en 1982, la Ralston-Purina aumentó su calidad en vez de reducir su precio y seleccionó como mercado meta a los propietarios de mascotas que se identificaban fuertemente con sus animales y que se preocupaban mucho por la calidad. Kraft contrarrestó la amenaza de los genéricos al usar publicidad que mostraba pruebas de sabor en donde los niños preferían el sabor de los macarrones y del queso Kraft en vez de las marcas genéricas.

Otra estrategia consiste en reducir costos y pasarles los ahorros a los consumidores en la forma de precios más bajos y mayor valor. También el fabricante de nombre de marca puede introducir productos de calidad inferior y de precio inferior que compitan más directamente con los artículos genéricos. Procter & Gamble, por ejemplo, introdujo su línea de productos de papel Banner. Aunque esta línea ofrecía menos calidad que otras marcas de la misma compañía, cuando se comparaba con los genéricos ofrecía mayor calidad y un precio competitivo.

Los mercadólogos de nombre de marca deben convencer a los consumidores de que la calidad más alta y consistente de su producto vale el costo extra. Los productos de marca que proporcionan una diferencia sustancial en calidad no estarán amenazados por los genéricos. Los más amenazados son marcas nacionales débiles y marcas privadas de precio más bajo que ofrecen poca calidad adicional. ¿Por qué pagar de 20 a 40% más por un artículo con marca cuando su calidad no es muy diferente que la de su primo genérico?

Fuentes: "Generic Groceries Keep Adding Market Share", *Marketing News,* 23 de febrero de 1979, p. 16; "Buyers Mix Generics, Quality", *Advertising Age,* 20 de agosto de 1979, p. 3; Martha R. McEnally y John M. Hawes, "The Market for Generic Brand Grocery Products: A Review and Extension", *Journal of Marketing,* invierno de 1984, p. 75-83; y Jill Andresky Fraser, "Marketing Generics Getting Back to Brands", *Madison Avenue,* febrero de 1984, p. 52-58.

Esto plantea las siguientes preguntas: ¿Por qué tener marcas en primer lugar? ¿Quién se beneficia? ¿Cómo se benefician? ¿A qué costo? Es necesario considerar las marcas desde los puntos de vista del comprador, del vendedor y de la sociedad.

Punto de vista del comprador

Algunos compradores ven las marcas como un dispositivo que usan los vendedores para elevar sus precios. Pero la mayoría de los consumidores quieren marcas porque éstas proporcionan un cierto número de beneficios.

Los nombres de marca le dan cierta información al comprador sobre la calidad del producto. Suponga que un consumidor va a comprar un televisor y ve varios modelos diferentes, ninguno de los cuales tiene nombre de marca. Poca cosa podría decir el comprador acerca de la calidad y la confiabilidad de los diferentes aparatos. Sin embargo, si tuvieran nombres como Zenith, Sony, Sears y Sanyo, evocarían diferentes imágenes de la probable calidad y confiabilidad. En la Unión Soviética, donde los televisores se producen en diferentes fábricas y no llevan marca, los consumidores buscan marcas de identificación que indiquen en qué fábrica fueron producidos, porque éstas tienen diferentes reputaciones en cuanto a su confiabilidad. Los consumidores soviéticos les darían la bienvenida a las marcas como indicadoras de calidad.

Los nombres de marca también acrecientan la eficiencia del comprador. Imagínese al ama de casa que va a un supermercado y encuentra miles de productos sin marca. Probablemente querrá tocar, oler o probar muchos de los artículos para estar segura de su calidad. Si el ama de casa le pidiera a otro miembro de la familia que hiciera las compras, tendría que comunicarle la calidad deseada de cada producto. Es mucho más eficiente comunicar los nombres de marca en las descripciones generales del producto.

Por último, los nombres de marca llaman la atención de los consumidores hacia productos nuevos que podrían beneficiarlos. Se convierten en la base sobre la cual puede construirse toda una historia acerca de las cualidades distintivas del artículo.

Punto de vista del vendedor

¿Pero por qué recurren los vendedores a las marcas cuando éstas claramente implican un costo (empaque, etiqueta, protección legal) y un riesgo si el producto resulta insatisfactorio para el usuario? La cuestión es: las marcas le dan al vendedor varias ventajas.

1. El nombre de marca le facilita al vendedor la tarea de procesar pedidos y sondear problemas. Así, Anheuser-Busch recibe un pedido de cien cartones de la cerveza de ocho onzas Michelob en vez de un pedido de "alguna de sus mejores cervezas". Además, al vendedor le resulta más fácil rastrear el pedido si éste se embarca al lugar equivocado o averiguar por qué no tenía efervescencia la cerveza, si los consumidores se quejan.

2. El nombre de marca y la marca registrada del vendedor proporcionan protección legal para las características únicas del producto, que de otro modo serían copiadas por la competencia.

3. La adopción de una marca le da al vendedor la oportunidad de atraerse a un conjunto de consumidores leales y lucrativos. La lealtad a la marca le da al vendedor cierta protección de la competencia y un mayor control en la planeación de su mezcla de mercadotecnia.

4. Las marcas le ayudan al vendedor a segmentar mercados. En vez de que P&G venda un detergente sencillo, puede ofrecer diez marcas de detergentes, cada una formulada de una manera un tanto distinta y dirigida a segmentos que busquen beneficios específicos.

5. Las marcas buenas ayudan a construir la imagen corporativa. Al llevar el nombre de la compañía, ayudan a anunciar la calidad y el tamaño de la firma.

Punto de vista de la sociedad

¿Benefician las marcas a la sociedad en su conjunto? ¿Cuántas marcas son necesarias o deseables en categorías particulares de productos? Quienes están a favor de las marcas ofrecen los siguientes argumentos:

1. Las marcas dan lugar a una calidad más alta y consistente del producto. Una marca es una promesa de que los consumidores recibirán ciertas satisfacciones. El vendedor no puede manipular indebidamente la calidad de la marca ni ser descuidado acerca del control de calidad, ya que los consumidores tienen ciertas expectativas. Debido también a las marcas, a algunos vendedores les resulta ventajoso concentrarse en el extremo de alta calidad del mercado.

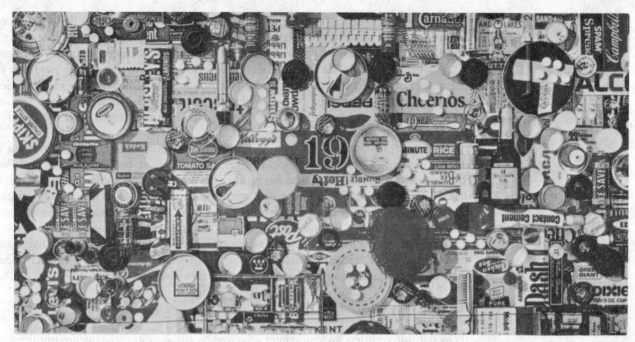

Las marcas conocidas le proporcionan al consumidor información y reconocimiento. *Cortesía de University of North Carolina Media Center.*

2. Las marcas acrecientan la tasa e innovación en la sociedad. La marca les da a los productores un incentivo para buscar nuevas características que pudieran protegerse de los competidores imitadores. La adopción de marcas da lugar a una mayor variedad de productos y de elección para el consumidor.

3. Las marcas acrecientan la eficiencia del comprador, ya que proporcionan mucha más información acerca de los productos y en dónde encontrarlos.

Hay quienes piensan que la adopción de marcas se exagera. Sus críticas incluyen las siguientes:

1. Las marcas dan lugar a una diferenciación falsa innecesaria de los productos, especialmente en categorías homogéneas de productos.

2. Las marcas dan lugar a precios más elevados para el consumidor, ya que requieren de mucha publicidad, empaques y otros costos que se les pasan en última instancia a los consumidores.

3. Las marcas incrementan la conciencia del estatus de las personas que compran ciertas marcas para "impresionar" a otras.

En resumen, la adopción de marcas claramente le agrega un valor neto a los consumidores y a la sociedad, y también pueden exagerarse en algunas categorías y conducir a costos más elevados. En el capítulo 24 se examinarán los temas sociales que plantea la adopción de marcas.

Decisión de patrocinadores de marca

Al decidir ponerle marca a un artículo, el fabricante tiene tres opciones en lo que toca al patrocinio de la marca. El producto puede lanzarse como una *marca de fabricante* (llamada también marca nacional). O el fabricante puede venderles el producto a intermediarios, quienes le ponen entonces una *marca privada* (llamada también marca de intermediario, de distribuidor o de comerciante). O el fabricante puede hacer algunos productos bajo su propio nombre de marca y algunos que se venden bajo marcas privadas. Kellog's, International Harvester e IBM producen prácticamente todos sus artículos bajo sus propias nombres de marca. Warwick Electronics tiene prácticamente toda su producción bajo distintos nombres de distribuidores. Whirlpool produce tanto bajo su propio nombre, como bajo los nombres de distribuidores.

Las marcas de fábrica tienden a dominar el mercado estadunidense. Considérense marcas tan bien conocidas como sopas Campbell's y salsa catsup Heinz. Aunque la mayoría de los fabricantes crean sus propios nombres de marca, algunos ''rentan'' nombres de marca bien conocidos al pagar derechos por el uso del apelativo (véase recuadro 11-2).

RECUADRO 11-2

AUTORIZACION DE NOMBRES DE MARCA EN UN REGIMEN DE REGALIAS

Un fabricante o detallista puede tardar años y gastar millones de dólares para desarrollar una preferencia del consumidor por su marca. La alternativa consiste en ''rentar'' nombres que ya tienen magia para los consumidores. Los nombres o símbolos creados antes por otros fabricantes, los nombres de celebridades bien conocidas, personajes literarios y cinematográficos, cualesquiera de éstos, a cambios de una tarifa, le proporcionan al producto de un fabricante un nombre de marca instantáneo y comprobado.

La autorización de nombre y personaje se ha convertido en un gran negocio en los últimos años. Los fabricantes pagan hasta casi 1 000 millones de dólares al año por el derecho de usar nombres y personajes populares en sus productos, y estos últimos generan casi 20 mil millones de dólares cada año en ventas al menudeo.

Los vendedores de ropa y accesorios son los más grandes usuarios de esta forma de promoción. Los productores y los detallistas pagan regalías considerables por adornar sus productos con los nombres de modistos tan famosos como Bill Blass, Calvin Klein, Pierre Cardin, Gucci y Halston, quienes autorizan sus nombres o iniciales para artículos que van desde blusas hasta corbatas y ropa blanca hasta maletas. Tales arreglos pueden ser costosos: en 1981 Pierre Cardin recibió 50 millones de dólares en regalías sobre productos que generaron alrededor de mil millones de dólares en ventas al mayoreo para 540 autorizaciones. A últimas fechas, las etiquetas del diseñador se han vuelto tan comunes que muchos detallistas las están descartando en favor de sus propias marcas privadas, con el fin de recuperar exclusividad, libertad para fijar precios y márgenes de utilidad más elevados.

Los vendedores de juguetes, juegos, alimentos y otros productos para niños, también usan mucho la autorización de nombres y personajes. La lista de personajes vinculada con ropas, juguetes, artículos escolares, ropa blanca, muñecas, loncheras, cereales y otros artículos para niños es casi interminable: desde personajes clásicos de Disney, Peanuts y Flintstones hasta E.T., Gremlins y los héroes de Star Wars. Desde la venerable Raggedy Ann y Andy hasta Pac Man, los Smurfs, los Shirt Tales y Cabbage Patch.

Los nombres o personajes autorizados pueden agregar distinción y familiaridad inmediata a un producto nuevo, colocándolo aparte de los productos de la competencia. Los consumidores que dudan entre dos productos similares, muy probablemente escogerán el que tenga un nombre familiar. De hecho, los consumidores a menudo buscan productos que lleven sus nombres o personajes favoritos.

Esta práctica se está volviendo cada vez más común. Hasta Harley-Davidson, el fabricante de motocicletas, la ha emprendido. Durante los últimos 80 años, el nombre de Harley-Davidson ha desarrollado una imagen distintiva: algunas personas hasta se la tatúan en el cuerpo. Y Harley-Davidson está autorizando ahora su nombre para productos de consumo. Un fabricante de juguetes está comercializando ahora el triciclo Harley-Davidson Big Wheel, y la Harley-Davidson está abierta a otros productos que satisfagan estándares apropiados de calidad y buen gusto: artículos que van desde chocolates hasta agua de colonia.

Fuentes: Basado en diversas fuentes, incluyendo Kevin Higgins, ''Marketers Embrace Licensing to Move Products Off Shelves'', *Advertising Age,* 15 de octubre de 1982, p. 1ff; ''Why Designer Labels Are Fading'', *Business Week,* 21 de febrero de 1983, p. 70-75; y Carol Cain, ''Licensed Characters Can Get Soggy Sales Fast'', *Advertising Age,* 27 de septiembre de 1984, p. 34-36.

Sin embargo, a últimas fechas, los grandes mayoristas y distribuidores han desarrollado sus propias marcas. Las llantas con etiquetas privadas de Sears y J. C,. Penney son tan bien conocidas hoy en día como las marcas de fábrica de Goodyear, Goodrich y Firestone. Sears ha creado varios nombres (baterías Diehard, herramientas Craftsman, electrodomésticos Kenmore) que gozan de marca e incluso de insistencia en la marca; más de 90% de los productos de Sears se venden bajo sus propias etiquetas. A&P ha creado diferentes etiquetas privadas para sus productos enlatados, y éstos son responsables de más de 25% de sus ventas. Cada vez hay más tiendas departamentales, supermercados, estaciones de servicio, fabricantes de ropa, farmacias y distribuidores de electrodomésticos que lanzan etiquetas privadas.

¿Por qué se preocupan los intermediarios por patrocinar sus propias marcas? Tienen que localizar a proveedores calificados que pueden suministrar calidad consistente. Tienen que pedir grandes cantidades e inmovilizar su capital y sus inventarios. Tienen que gastar dinero para promover su etiqueta privada; Sears gastó 631 millones de dólares en publicidad, en 1983. Tiene que arriesgarse a que si su producto de etiqueta privada no es bueno, el consumidor desarrollará una actitud negativa hacia sus demás artículos.

A pesar de estas desventajas potenciales, los intermediarios desarrollan marcas privadas porque éstas pueden ser lucrativas. Los intermediarios a menudo pueden localizar a fabricantes con exceso de capacidad que producirán la marca a un costo más bajo. Otros costos, como la publicidad y la distribución física, también pueden ser bajos. Esto significa que el poseedor de una marca privada puede ofrecer un precio más bajo y obtener con frecuencia un margen de utilidades más elevado.

Las marcas privadas también les dan a los intermediarios productos exclusivos que no pueden comprar de los competidores y que les permiten construir mayor tránsito de tienda y lealtad. Por ejemplo, si K mart promueve exitosamente las cámaras Canon, otras tiendas que también venden productos Canon se beneficiarán. Además, si K mart abandona la marca Canon, pierde el beneficio de su promoción anterior para Canon. Pero si K mart promueve su marca privada de cámaras Focal, K mart es el único que se beneficia de esta promoción. Y la lealtad del consumidor a la marca Focal se convierte en lealtad a K mart.

A la competencia entre marcas de fabricantes y de intermediarios se le denomina *la batalla de las marcas*. En esta confrontación, los intermediarios tienen muchas ventajas. El espacio de anaquel al menudeo es escaso y muchos fabricantes, especialmente los más nuevos y más pequeños, no pueden introducir productos para distribuirlos bajo su propio nombre. Los intermediarios se preocupan especialmente por mantener la calidad de sus marcas, con lo cual acrecientan la confianza del consumidor. Muchos compradores saben que la marca de etiqueta privada a menudo la produce uno de los grandes fabricantes de todas formas.

Las marcas de los intermediarios muchas veces tienen un precio más bajo que las marcas de los fabricantes, lo cual atrae a los compradores preocupados por su presupuesto, especialmente en épocas de inflación. Los intermediarios exhiben sus propias marcas en lugares preferentes y cuidan su almacenamiento. Como resultado, el antiguo predominio de las marcas de los fabricantes está debilitándose. Algunos analistas de mercadotecnia pronostican que las marcas de los intermediarios derrotarán a la larga a todas las marcas, excepto las de los fabricantes más fuertes.

Los fabricantes de marcas nacionales están muy frustrados. Gastan mucho dinero en publicidad y promoción dirigidas al consumidor para mantener una fuerte preferencia por la marca. Su precio tiene que ser un tanto más elevado para cubrir esta promoción. Al mismo tiempo, los distribuidores en masa ejercen considerable presión sobre ellos para que destinen una mayor parte de su dinero promocional para descuentos y tratos comerciales, si quieren un espacio adecuado de anaquel. Otros fabricantes comienzan a darse por vencidos; tienen menos dinero para gastar en promoción de consumo y su liderazgo de marca comienza a desvanecerse. Este es el dilema del fabricante de marca nacional.[9]

Decisión de calidad de marca

Al crear una marca, el fabricante tiene que escoger un nivel de calidad y otros atributos que apoyen la posición de la marca en el mercado meta. La calidad es una de las principales herramientas de posicionamiento del mercadólogo. La *calidad* representa la *capacidad estimada de la marca para cumplir con sus funciones.* La calidad es un término sumario para la durabilidad, confiabilidad, precisión, facilidad de operación y reparaciones y otros atributos valiosos del producto. Algunos de estos atributos pueden medirse objetivamente. Desde el punto de vista de la mercadotecnia, la calidad debería medirse en términos de percepciones de los compradores.

La mayoría de las marcas se establecen inicialmente en uno de cuatro niveles de calidad: baja, media, alta y superior. En un estudio los investigadores descubrieron que la rentabilidad se elevaba con la calidad de la marca.[10] La curva en la figura 11-4A indica que una compañía debería intentar proporcionar alta calidad. La calidad superior acrecienta la rentabilidad sólo muy poco por encima de la calidad alta, mientras que la calidad inferior lesiona sustancialmente la rentabilidad. Al mismo tiempo, si todos los competidores tienen calidad alta, esta estrategia sería menos eficaz. La calidad debe elegirse teniendo presente un segmento de mercado meta.

Una firma también debe decidir cómo administrar la calidad de la marca con el paso del tiempo. En la figura 11-4B se ilustran tres estrategias. La primera, donde el fabricante invierte en investigación y desarrollo continuos para mejorar el producto, usualmente se produce el rendimiento más alto y mayor porción de mercado. Procter & Gamble es una de las compañías que más practican la estrategia de mejoramiento del producto, la cual, combinada con la calidad inicial alta del producto, ayuda a explicar su posición de liderazgo en muchos mercados. La segunda estrategia consiste en mantener la calidad del producto. Muchas compañías no alteran su calidad después de su formulación inicial a no ser que ocurran fallas evidentes u oportunidades. La tercera estrategia es reducir la calidad del producto con el paso del tiempo. Algunas compañías reducen la calidad para compensar la evaluación de los costos, con la esperanza de que los compradores no noten ninguna diferencia. Otras adulteran sus productos deliberadamente para aumentar sus utilidades actuales, aunque esto suele ser dañino para la rentabilidad a largo plazo.

El tema de la calidad comienza a despertar un fuerte interés entre los consumidores y las compañías. Los consumidores estadunidenses han quedado impresionados con la calidad de los automóviles y aparatos electrónicos japoneses y con los automóviles, ropa y comida europeos. Muchos consumidores prefieren la ropa durable y que permanezca más tiempo

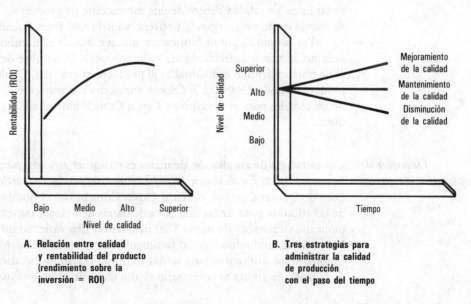

FIGURA 11-4
Estrategias y rentabilidad de calidad de marca

A. Relación entre calidad y rentabilidad del producto (rendimiento sobre la inversión = ROI)

B. Tres estrategias para administrar la calidad de producción con el paso del tiempo

de moda, a la indumentaria que pronto se vuelve anacrónica. Muestran más interés por alimentos frescos y nutritivos, artículos de alta gastronomía y quesos, y están menos interesados en los refrescos embotellados, dulces y comidas ya preparadas. Varias compañías están respondiendo a esta actitud ante la calidad, pero todavía queda mucho por hacer.[11]

Decisión de marcas individuales o colectivas

Los fabricantes que ponen marca a su producto se encuentran frente a más opciones. Es posible distinguir al menos cuatro estrategias de nombre de marca.

1. *Nombres individuales de marca.* Esta política la sigue Procter & Gamble (Tide, Bold, Dash, Cheer, Gain, Oxydol, Solo) y Genesco,Inc. (Jarman, Mademoiselle, Johnson & Murphy y Cover Girl).

2. *Nombre colectivo para todos los productos.* Esta es la política de Heinz y General Electric.

3. *Nombres colectivos por línea para todos los productos.* Esta es la política de Sears (Kenmore para electrodomésticos, Kerrybrook para ropa de mujer y Homart para instalaciones domésticas de gran envergadura.

4. *Nombres de marca de compañía combinados con nombres individuales de productos.* Esta es la política de Kellogg's (Rice Krispies de Kellogg's y All Brand de Kellogg's).

¿Cuáles son las ventajas de una estrategia de nombre individual de marca? Una ventaja principal es que la compañía no vincula su reputación a la aceptación de un producto. Si el producto fracasa, no compromete el nombre del fabricante.

También hay algunas ventajas en usar un nombre común para todos los artículos. El costo de introducir el producto será menor, ya que no hay necesidad de investigación de ''nombre'', ni de grandes desembolsos publicitarios para crear reconocimiento y preferencia por el nombre de marca. Además, las ventas serán más fuertes si el nombre del fabricante es bueno. Así, Campbell's introduce nuevas sopas bajo su nombre de marca con gran sencillez y reconocimiento instantáneo.

Cuando una firma produce productos muy diferentes, puede que no sea apropiado usar un nombre colectivo común. Swift & Company desarrolló nombres colectivos por línea de producto para su jamón (Premium) y fertilizantes (Vigoro). Cuando Mead Johnson creó un complemento dietético para *ganar* peso, acuñó un nuevo nombre colectivo, Nutriment, para evitar la confusión con su marca colectiva de productos para *adelgazar,* Metrecal. Con frecuencia, las compañías inventarán diferentes nombres colectivos de marca para distintas líneas de calidad dentro de una misma clase de productos. Así, A&P vende un grupo de marcas de primera, segunda y tercera calidad: Ann Page, Sultana e Iona, respectivamente.

Por último, algunos fabricantes quieren asociar el nombre de su compañía con un nombre de marca individual para cada producto. El nombre de la compañía legitimiza y el nombre individual individualiza al producto nuevo. Así, Quaker Oats con el nombre de producto *Quaker Oats Cap'n Crunch* aprovecha la reputación de la compañía en el campo de los cereales para el desayuno y Cap'n Crunch individualiza y representa el nuevo producto.

Decisión de ampliación de marca

Una **estrategia de ampliación de marca** es cualquier *esfuerzo para usar un nombre de marca exitoso con el fin de lanzar modificaciones del producto o artículos nuevos.* Después del éxito de Quaker Oats con el cereal Cap'n Crunch, usó el nombre de marca y el personaje de la caricatura para lanzar una línea de barras de helado, camisetas y otros productos. Armour usó su nombre de marca Dial para lanzar una variedad de productos nuevos que no hubiesen obtenido distribución fácilmente sin la fuerza del nombre Dial. La Honda Motor Company usó su nombre para lanzar su nueva podadora eléctrica de pasto. La ampliación de la marca le ahorra al empresario el alto costo de promover nuevos nombres y crear una

Del Monte vincula todos sus productos usando una marca colectiva; General Mills usa nombres de marca´ individuales para sus diferentes productos: Betty Crocker, Nature Valley, Bisquick, Yoplait, Gorton's, Gold Medal y muchos otros. *Fotos cortesía de Del Monte Corporation y General Mills. Inc.*

identificación inmediata del nuevo producto. Pero si éste no satisface las expectativas del público, será negativa su actitud frente a otros artículos que lleven la misma marca.[12]

Decisión de marcas múltiples

La estrategia de marcas múltiples consiste en que el vendedor desarrolle dos o más marcas en la misma categoría de producto. El pionero en esta práctica de mercadotecnia fue Procter & Gamble cuando introdujo el detergente Cheer para que compitiera con su marca de gran éxito, Tide. Aunque las ventas de Tide disminuyeron un tanto, las ventas combinadas de Tide y Cheer fueron más elevadas. P&G produce ahora diez marcas de detergentes.

Los fabricantes adoptan estrategias de multimarca por diversas razones. Primero, pueden ganar más espacio de anaquel, con lo cual acrecientan la dependencia del detallista de sus marcas. Segundo, pocos consumidores son tan leales a una marca como para no probar otra. La única manera para atrapar a los que cambian de marca es ofrecerles varias marcas. Tercero, la creación de nuevas marcas provoca emoción y mejora la eficiencia dentro de la organización del fabricante. Los gerentes en P&G y en General Motors compiten incesantemente entre sí para alcanzar un nivel óptimo de eficiencia. Cuarto, una estrategia de marcas múltiples posiciona los diferentes beneficios y mensajes, y cada marca puede atraer a un grupo específico de consumidores.[13]

Decisión de reposicionamiento de marca

No importa qué tan bien se posicione una marca en un mercado, puede que la compañía tenga que reposicionarla después. Un competidor puede haber lanzado una marca junto a la marca de la compañía y reducir así la porción de mercado de ésta. O es posible que cambien las preferencias del consumidor, dejando la marca de la firma con menos demanda. Los mercadólogos deberían considerar reposicionar las marcas existentes antes de introducir otras nuevas. De este modo pueden aprovechar el reconocimiento de la marca existente y la lealtad del consumidor creada por esfuerzos anteriores de mercadotecnia.

Para el reposicionamiento puede ser necesario cambiar tanto el producto como su imagen. P&G reposicionó el detergente Bold al agregarle un ingrediente para suavizar tela. O una marca puede reposicionarse al cambiar sólo la imagen del producto. El jabón Ivory se reposicionó sin una reformulación desde un ''jabón para niños'' hasta un ''jabón natural'' para adultos que quieren tener una apariencia saludable en la piel. Kraft reposicionó Velveeta desde un ''queso para cocinar'' hasta un queso para bocadillos ''de buen sabor, natural y nutritivo'', el producto permaneció igual pero Kraft usó nuevos llamados publicitarios para cambiar las percepciones que tenían los consumidores de Velveeta. Cuando se reposiciona una marca, el mercadólogo debe tener cuidado de no confundir a los usuarios leales a la marca. Cuando se cambió la posición de Velveeta, Kraft se aseguró de que la nueva posición del producto era compatible con la antigua. Así, retuvo sus consumidores leales mientras intentaba atraer a otros nuevos.[14]

Selección de un nombre de marca

El nombre de marca no deberá ser una idea nueva y casual. Stern observa que un buen nombre de marca:

> . . .puede ahorrar miles de dólares durante la vida del producto porque tiene su propio significado, describe las ventajas del producto, se reconoce instantáneamente y sirve para diferenciar significativamente el producto de los de la competencia. . . cabría agregar que a menudo se gastan millones de dólares para desarrollar un producto y ayudarlo durante su primer año de vida pública. Esto es mucho dinero para arriesgar en el desarrollo de un nombre de marca casual y en pruebas.[15]

La mayoría de las grandes compañías de mercadotecnia han desarrollado un proceso de selección formal de nombre de marca. En un estudio de grandes compañías de productos de consumo se descubrió que el proceso de selección típico incluye seis pasos.[16] Primero, la compañía identifica objetivos o criterios para el nombre de marca. La selección de un nombre de marca comienza con una revisión cuidadosa del producto y sus beneficios, el mercado meta y las estrategias propuestas de mercadotecnia. Segundo, la compañía genera una lista de nombres de marca potenciales. Un experto recomienda que esta lista inicial debería tener al menos 100 nombres y puede contener hasta 800.[17] Tercero, los nombres se clasifican hasta seleccionar de 10 a 20, que son los más apropiados para pruebas más profundas. A menudo la firma asigna un equipo a la tarea de generar y clasificar nombres de marca potenciales. Este equipo puede incluir gerentes de producto y otras personas de mercadotecnia de la compañía, personal de agencias de publicidad y consultores externos de nombre de marca.

Cuarto, la compañía obtiene reacciones de los consumidores a los nombres de marca restantes. Puede dirigir encuestas o entrevistas de grupo de enfoque para descubrir cuáles nombres proyectan mejor el concepto deseado del producto y cuáles son más fáciles de comprender, recordar y vincular. Quinto, la firma dirige una investigación de marca registrada para asegurar que cada nombre de marca restante pueda registrarse y obtener protección legal. Por último, la compañía selecciona uno de los nombres que han sobrevivido como el nombre de marca final para el producto.

Es difícil encontrar el mejor nombre de marca. Entre las cualidades deseables para un nombre de marca se encuentran las siguientes: 1) *Deberá indicar algo acerca de los beneficios y cualidades del producto.* Ejemplos: Beautyrest, Craftsman, Sunkist, Spic y Span, Firebird. 2) *Deberá ser fácil de pronunciar, reconocer y recordar.* Los nombres cortos ayudan. Ejemplos: Tide, Crest, Puffs. Pero los nombres largos a veces son eficaces. Ejemplos: ''¡Vaya!, tu cabello tiene un aroma excelente.'' Champú, Better Business Bureau. 3) *Deberá ser distintivo.* Ejemplos: Mustang, Kodak, Exxon. 4) *Deberá traducirse fácilmente a un idioma extranjero.* Antes de gastarse 100 millones de dólares para cambiar su nombre a Exxon, la Standard Oil de Nueva Jersey puso a prueba el nombre en 54 idiomas en más de 150 mercados extranjeros. Descubrió que el nombre Enco se refería a un motor ahogado cuando se pronunciaba fonéticamente en el Japón.[18] 5) *Deberá ser posible registrarlo y obtener protección legal.* Por ejemplo, el nombre deberá ser original, no puede registrarse si invade los nombres de marca existentes.

Una vez escogido, el nombre de marca debe protegerse. Muchas firmas se esfuerzan por desarrollar un nombre de marca original que a la larga se identificará con la categoría del producto. Los nombres de marca como Frigidaire, Kleenex, Levis's, Jello, Scotch Tape y Fiberglass han tenido éxito de este modo. Sin embargo, su mismo éxito puede amenazar los derechos exclusivos del nombre. Celofán y trigo desmenuzado son ahora nombres del dominio público.

DECISIONES DE EMPAQUE

Muchos productos físicos han de empacarse para ponerlos en el mercado. El empaque puede desempeñar un papel menor (como en el caso de equipo barato) o un papel de primera importancia (cosméticos). Algunos empaques (como la botella de Coca-Cola y la bolsa de té L'eggs) son famosos en todo el mundo. Muchos mercadólogos han denominado al empaque (paquete) con una quinta P, junto con precio, plaza, producto y promoción. Sin embargo, la mayoría de los mercadólogos tratan el empaque como un elemento de la estrategia del producto.

El **empaque** se define como *las actividades que consisten en diseñar y producir el recipiente o la envoltura de un producto.* El recipiente o la envoltura se llama empaque. El empaque puede incluir hasta tres niveles de material. El *empaque primario* es el envase inmediato del producto. El frasco de la loción Old Spice es el empaque primario. El *empaque secundario* se refiere al material que protege al empaque primario y que se desecha cuando se va a usar el artículo. La caja de cartón que contiene el frasco de loción para después de afeitarse es un empaque secundario y proporciona protección extra y oportunidades de promoción. El *empaque de embarque* se refiere al empaque necesario para el almacenamiento, identificación o transporte. Una caja de cartón corrugado que contenga seis docenas de loción Old Spice es un empaque de embarque. Por último, la *etiqueta* es parte del empaque y consta de información impresa que aparece sobre o con el empaque que describe el producto.

Tradicionalmente, el empaque se ha considerado como una decisión incidental de mercadotecnia. Las decisiones sobre el empaque se basaban principalmente en consideraciones de costo y producción; la función principal del empaque era contener y proteger el producto. Sin embargo, a últimas fechas numerosos factores han contribuido al mayor uso del empaque como una herramienta importante de mercadotecnia.

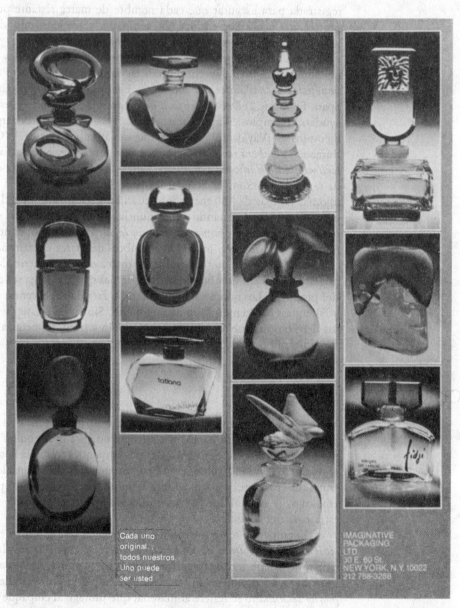

El empaque es una parte esencial del producto en la comercialización de perfumes. *Cortesía de Imaginative Packaging Ltd.*

■ *Autoservicio.* El aumento del autoservicio significa que el empaque debe desempeñar ahora muchas tareas de ventas. Los empaques deben atraer a los consumidores, describir los beneficios del producto, inspirar confianza y hacer una impresión global favorable. Por ejemplo, un comprador típico en un supermercado está expuesto a más de 14 000 productos en una misma visita al establecimiento y la investigación ha demostrado que las decisiones dentro de la tienda son responsables de dos terceras partes de cada dólar gastado.[19] Así, el empaque debe ser el último paso importante del mercadólogo en su intento por obtener ventas.

■ *Poder adquisitivo del consumidor.* La elevación del poder adquisitivo del consumidor significa que los compradores están dispuestos a pagar un poco más por la conveniencia, presentación, confiabilidad y prestigio de los mejores empaques.

■ *Imagen de la compañía y de la marca.* Las empresas comienzan a admitir la fuerza de empaques bien diseñados que le facilitan al consumidor el reconocimiento instantáneo de la compañía o de la marca. Cualquier persona que compre una película para cámara fotográfica reconoce el empaque color amarillo de Kodak.

■ *Oportunidad de innovación.* Los empaques innovadores pueden proporcionarles enormes beneficios a los productores. La innovación de Uneeda Biscuit en 1899, consistente en un empaque que conservaba fresco el producto (cartón, envoltura interna de papel, envoltura externa de papel), ayudó a prolongar la vida de almacén de las galletas en forma más satisfactoria que las cajas antiguas, cajones o barriles. Cuando Kraft empacó sus latas de queso procesado, logró alargar la vida de almacenamiento del producto y al mismo tiempo logró fama de confiabilidad. Hoy en día, Kraft está probando un envase especial (recipiente de latón y plástico) para sustituir las latas. Las primeras compañías que embotellaron sus refrescos en latas y sus vaporizadores en recipientes de aerosol lograron atraer a gran parte del público con esta novedad. En la actualidad los fabricantes de vino empiezan a experimentar con formas de empaque novedosos, como cartones con determinado número de botellas y latas de tapa muy original.

Se requieren varias decisiones para poder desarrollar un buen empaque destinado a un producto nuevo. La primera tarea consiste en establecer el *concepto del empaque*. El concepto del empaque es una definición de lo que el empaque debería básicamente *ser* o *hacer* por el producto particular. ¿Deberían ser las principales funciones del empaque las de ofrecer protección superior para el producto, introducir un método original de distribución automática, indicar ciertas cualidades acerca del producto o la compañía o alguna otra cosa?

> General Foods desarrolló un nuevo alimento para perros que se parece a frituras de carne. La gerencia determinó que su aspecto singular y agradable exigía una gran visibilidad. Esta característica se definió como el concepto básico del empaque, de modo que la gerencia estudió varias opciones desde el punto de vista. A la larga las fue excluyendo hasta escoger una bandeja con una película que la cubre.[20]

Deben tomarse decisiones sobre elementos específicos del empaque: tamaño, color, forma, materiales, texto y nombre de marca. Estos diversos elementos deben estar armonizados para elevar al máximo el valor para los consumidores y apoyar la posición del producto y la estrategia de mercadotecnia. El empaque debe ser congruente con la publicidad del producto, su precio, distribución y otras estrategias de mercadotecnia.

Las compañías usualmente consideran varios diseños alternativos del empaque para un producto nuevo. Para seleccionar el empaque más eficaz, la firma debe someter estos diseños alternativos a varias pruebas. Las *pruebas de ingeniería* se dirigen para asegurar que el empaque soporte las condiciones normales; las *pruebas visuales* para asegurar que el texto sea legible y que haya armonía entre los colores; las *pruebas del distribuidor* para asegurar que el empaque sea fácil de manejar y atractivo; las *pruebas del consumidor* para garantizar una respuesta favorable del consumidor.

A pesar de estas precauciones, el empaque presenta ocasionalmente fallas graves:

> Sizzl-Spray, una lata a presión de salsa para barbacoa creada por Heublein, . . . tenía un defecto capaz de arruinar el empaque y que por fortuna fue descubierto en las pruebas de

mercado. . . . ''Creíamos tener una lata buena; sólo que afortunadamente antes de lanzarla al mercado hicimos pruebas en tiendas de Texas y California. Descubrimos que apenas empezaban a calentarse explotaban. Todavía no las distribuíamos a nivel nacional, por lo cual sólo perdimos 150 000 dólares y no un par de millones''.[21]

Después de seleccionar e introducir el empaque, la compañía debe reevaluarlo con regularidad para verificar que siga siendo eficaz frente a los cambios en las preferencias del consumidor y los avances tecnológicos. Antiguamente, el diseño de un empaque podía durar unos quince años antes de necesitar modificaciones. En el ambiente de cambio rápido de hoy en día, la mayoría de las firmas deben reevaluar sus empaques cada dos o tres años.[22] Para mantener un empaque actualizado, sólo se necesitan modificaciones pequeñas pero regulares; cambios tan sutiles que la mayoría de los consumidores no los advierten. Pero algunos cambios en el empaque implican decisiones complejas, acciones drásticas y costo y riesgo elevados (véase recuadro 11-3).

RECUADRO 11-3

ADIOS A LA LATA DE CAMPBELL'S

Durante los últimos 87 años, la venerable compañía de sopas Campbell ha comercializado miles de millones de latas de sopa adornadas con su etiqueta distintiva blanca y roja, y su medallón dorado. Pero hará cosa de un año que la gerencia de la firma llegó a la conclusión de que había llegado finalmente el momento de descartar la lata como demasiado costosa, demasiado desordenada y demasiado inconveniente en esta época de hornos de microondas de acción rápida. Desde entonces, la firma se ha dedicado a una investigación de muchos millones de dólares para encontrar un nuevo envase.

Para empezar, la Campbell comenzará el próximo invierno a hacer pruebas de mercadotecnia con porciones individuales de sopa en una sopera de plástico sellado, que puede colocarse dentro de un horno de microondas para producir sopa caliente al instante, sin ninguna lata que abrir ni platos que lavar. La compañía también quiere incorporar en su diseño la ''imagen de sopa caliente'' que el tazón comunica, dice Frank Terwilliger, director de empaques de Campbell. Pero hasta el momento, la Campbell no ha encontrado un diseño de tazón con un color y una forma que verdaderamente le guste.

Prototipo del nuevo empaque de Campbell. *Fotos cortesía de The Campbell Soup Company.*

Los premios en la búsqueda son gigantescos, dado el 80% de porción de mercado de sopas que detenta esta compañía. (Es también el tercer fabricante de lata más grande de la nación, después de la American Can Co. y el Continental Group.) A fin de encontrar sustituto permanente para la lata, los investigadores de Campbell están experimentando con cierto número de diferentes envases y dirigiendo una gran investigación de mercados. "Estamos investigando constantemente a los consumidores", dice Herbert Baum, vicepresidente de mercadotecnia de Campbell. "Nos sentamos en sus casas con ellos. Hablamos con ellos en los supermercados".

En este punto, los diseñadores de Campbell están trabajando con un surtido de bolsas y cajas de plástico, todas las cuales contienen 284 gramos de una sopa "de primera clase", una con un caldo más claro y con ingredientes de mayor calidad que los de lata. La propaganda de ventas, tanto de los tazones de plástico como del sucesor eventual de la lata, será la conveniencia: "Caliéntela y cómala" y "Microlista", se cuentan entre los lemas que se están considerando para los nuevos tazones.

Los analistas de Wall Street aclaman el movimiento de Campbell. "Es muy difícil abrir una lata de sopa o una lata de cualquier otra cosa", dice John C. Maxwell de Lehman Brothers, quien piensa que el nuevo empaque podría ayudar a elevar el consumo global de sopas. George Novello de E. F. Hutton dice que el cambio tendrá un impacto positivo en las ganancias de la compañía; el precio de los metales se ha elevado más rápido que el precio de los plásticos y el cambio reduciría los costos de empaque de Campbell hasta 15%. Pero alcanzar esa meta llevará mucho tiempo y mucho dinero. Los funcionarios de la compañía estiman que la mera renovación de las instalaciones de producción podría costar 100 millones de dólares o más. Así, la firma estima que pasarán al menos cinco años para que su lata de sopa desaparezca.

Fuente: "Canning Campbell's Can", *Newsweek*, 9 de abril de 1984, p. 84.

El costo sigue siendo una consideración importante de empaque. El desarrollo de un empaque eficaz para un producto nuevo puede costar unos cuantos cientos de miles de dólares y llevar de unos pocos meses a un año. La conversión a un nuevo empaque puede costar millones y la implantación de un nuevo diseño de empaque puede llevar varios años. Los mercadólogos deben sopesar los costos del empaque en comparación con las percepciones del consumidor del valor agregado por el empaque y en comparación con el papel del empaque para ayudar a lograr los objetivos de mercadotecnia. Para tomar decisiones de empaque, la compañía también debe prestar atención a la creciente preocupación social acerca del empaque y tomar decisiones que sirvan a los intereses de la sociedad, así como a los objetivos inmediatos del consumidor y de la compañía (véase recuadro 11-4).

DECISIONES DE ETIQUETADO

Las compañías también pueden diseñar etiquetas para sus productos, las cuales pueden ir desde un marbete sencillo unido al artículo o un diseño gráfico elaborado que sea parte del empaque. La etiqueta puede llevar únicamente el nombre de marca o una gran cantidad de información. Incluso si los vendedores prefieren una etiqueta simple, es posible que la ley requiera información adicional.

La etiqueta cumple diversas funciones y el fabricante tiene que decidir cuáles usar. En el nivel más elemental, la etiqueta *identifica* el producto o marca, como el nombre Sunkist estampado en las naranjas. La etiqueta también podría *graduar* el producto. Así, los duraznos se clasifican como A, B y C en algunas etiquetas. La etiqueta podría *describir* varias cosas acerca del producto: quién lo hizo, dónde se fabricó, cuándo, su contenido, cómo usarlo. Por último, la etiqueta podría *promover* el producto mediante una gráfica atractiva. Algunos autores de mercadotecnia hacen una distinción entre etiquetas de identificación, de graduación, descriptivas y promocionales.

Las etiquetas de marcas bien conocidas pierden actualidad al cabo de unos años y necesitan actualizarse. La etiqueta del jabón Ivory ha sido rediseñada dieciocho veces desde 1890, con cambios graduales en el tipo de letra y en el texto. Por otra parte, la etiqueta del

RECUADRO 11-4

EMPAQUES Y POLITICA PUBLICA

Cada día el empaque atrae más la atención del público. Los mercadólogos deberán atender los siguientes temas cuando tomen sus decisiones de empaque.

1. *Empaque y etiquetado veraces.* Al público le preocupa que el empaque y la etiqueta pudieran ser falsos y engañosos. La Federal Trade Commission Act de 1914 (Ley de la Comisión Federal de Comercio) declaró que las etiquetas o empaques falsos, engañosos o falaces serán considerados como una forma de competencia desleal. A los consumidores también les inquieta la gran heterogeneidad de tamaños y formas del empaque, pues dificultan la comparación de los precios. El Congreso de Estados Unidos aprobó la Ley de Veracidad en el Empaque y el Etiquetado en 1967, en la que se imponen requisitos de empaquetado, se recomienda la adopción de normas voluntarias en toda la industria y se autoriza a las entidades federales a establecer reglamentos específicos en ciertas industrias. La Food and Drug Administration (Administración de Alimentos y Medicamentos) ha obligado a los fabricantes de alimentos procesados a incluir etiquetas nutricionales, donde se señale con toda claridad la cantidad de proteínas, grasa, hidratos de carbono y calorías que contiene el producto, así como el contenido de vitaminas y minerales con el porcentaje de la ración dietética recomendada. Los miembros del movimiento a favor del consumidor (consumeristas) están luchando para establecer la obligatoriedad de la fecha de fabricación (que señale cuándo se empacó el producto), el etiquetado de gradación (para clasificar el nivel de calidad de determinados bienes de consumo) y el etiquetado de porcentajes (que indique el porcentaje de los ingredientes más importantes).

2. *Costo excesivo.* Los críticos han señalado que el empaque resulta excesivo muchas veces, quejándose de que aumentan los precios. Señalan la existencia de un empaque "desechable" y sostienen que esto lo paga el consumidor. Afirman también que el empaque cuesta a veces más que el contenido: por ejemplo, el humectante Evian tiene cinco onzas de agua manantial dentro de un atomizador y se vende a 5.50 dólares. Los mercadólogos replican diciendo que los críticos no comprenden todas las funciones del empaque y que las empresas también quieren mantener bajos los costos de empaque.

3. *Recursos escasos.* La creciente escasez de papel, aluminio y otros materiales plantea la interrogante de si la industria debería esforzarse más por reducir el empaque. Por ejemplo, el aumento de envases de vidrio no retornables ha dado lugar a una producción de vidrio diecisiete veces mayor a la que había cuando se usaban envases retornables. La botella desechable es también un desperdicio de energía, que no debe permitirse en esta época en que los energéticos son tan costosos. Algunos estados de la Unión Americana han aprobado leyes que prohíben o que gravan con impuestos especiales los envases no retornables.

4. *Contaminación.* El 40% de los desperdicios sólidos en Estados Unidos está constituido por los empaques. Abundan los frascos rotos y las latas dobladas que ensucian la ciudad y el campo. Todo esto acrecienta el grave problema de la eliminación de los desperdicios, y esto representa un gran consumo de energía y trabajo para la población.

Estos aspectos cuestionables del empaque han movilizado el interés del público por las nuevas leyes relacionadas con el empaque. Los mercadólogos deben compartir por igual esa preocupación y deben intentar diseñar empaques ecológicos para sus productos.

refresco Orange Crush fue modificada mucho cuando las etiquetas de marcas rivales comenzaron a presentar imágenes de fruta fresca y a captar con esto más mercado. Orange Crush creó una etiqueta con símbolos nuevos para sugerir frescura y colores más intensos y vivos.

Las etiquetas han dado lugar desde hace mucho tiempo a preocupaciones de índole legal. Las etiquetas pueden engañar al consumidor, no describir los ingredientes importantes o no incluir advertencias de seguridad. Como resultado, hay varias leyes federales y estatales que reglamentan el uso de etiquetas, la más preeminente es la Fair Packaging and Labeling Act of 1966. En las prácticas de etiquetado ha influido a últimas fechas el *precio unitario* (estipular el precio por unidad de medida estándar), la *fecha de caducidad* (estipular la vida de almacén del producto) y el *contenido nutricional* (estipular los valores nutricionales del producto). Las empresas deben cerciorarse de que sus etiquetas contengan toda la información requerida antes de lanzar productos nuevos.

DECISIONES DE SERVICIO AL CLIENTE

El servicio al cliente es otro elemento de la estrategia de producto. La oferta que una compañía hace al mercado comúnmente incluye ciertos servicios. El componente de servicio puede ser una parte pequeña o grande de la oferta total. De hecho, la oferta puede fluctuar desde un bien puro, por un lado, hasta un servicio puro, por el otro.

Para un *bien tangible puro* como el jabón, la pasta dentífrica o la sal, no hay ningún servicio que acompañe al producto. Un *bien tangible con servicios acompañantes* consiste en un producto tangible con uno o más servicios que acrecientan su atractivo para el consumidor. Por ejemplo, un fabricante de automóviles vende una unidad con una garantía, instrucción para mantenimiento y operación, entrega y crédito. Una oferta puede consistir en *un servicio principal con bienes y servicios menores acompañantes.* Por ejemplo, los pasajeros de líneas aéreas compran servicio de transporte: llegan a sus destinos sin ninguna cosa tangible que puedan mostrar por su desembolso. Pero el viaje incluye algunos tangibles, como comida y bebidas y una revista de la línea aérea. Por último, una oferta podría consistir principalmente en un *servicio puro.* Los ejemplos incluyen psicoterapia y peluquería. El psicoanalista da un servicio puro, donde los únicos elementos tangibles son una oficina y un diván.

Así, el producto de la compañía puede ser un bien o un servicio y podrían incluirse servicios adicionales. Aquí nos concentraremos en los servicios al cliente que acompañan la oferta principal. Los servicios se examinarán más a fondo en el capítulo 23. El mercadólogo enfrenta tres decisiones en lo que toca a los servicios al cliente: 1) ¿Qué servicios deberían incluirse en la mezcla de servicios para el cliente? 2) ¿Qué nivel de servicio debería ofrecerse? 3) ¿Cómo deberían proporcionarse los servicios?

Decisión de la mezcla de servicios

El mercadólogo necesita encuestar a los consumidores para identificar los principales servicios que podrían ofrecerse y la importancia relativa de los mismos. Por ejemplo, los consumidores canadienses de equipo industrial clasificaron trece elementos en el siguiente orden de importancia: 1) confiabilidad de entrega, 2) pronta cotización de precios, 3) asesoría técnica, 4) descuentos, 5) servicio posterior a la venta, 6) representación de ventas, 7) facilidad de contacto, 8) garantía de reposición, 9) amplia gama de artículos, 10) diseño de patrones, 11) crédito, 12) instalaciones y servicios de prueba y 13) instalaciones y servicios de maquinaria.[23] Estas clasificaciones revelan que el vendedor debería al menos igualar a la competencia en prontitud de entrega, pronta cotización de precios, asesoría técnica y otros servicios que los consumidores consideran de gran importancia.

Pero la cuestión acerca de cuáles servicios ofrecer es más sutil. Un servicio puede ser sumamente importante para los consumidores y, no obstante, esto no determinará la elección del proveedor si todos los proveedores ofrecen el mismo servicio al mismo nivel. Considérese el siguiente ejemplo:

La compañía Monsanto estaba tratando de mejorar la mezcla de servicios al cliente. Se les pidió a los consumidores que clasificaran a Monsanto, Du Pont y Union Carbide en varios atributos. Los consumidores coincidieron en que estas tres compañías ofrecen gran seguridad de entrega y que tenían buenos representantes de ventas. Sin embargo, también coincidieron en que ninguna prestaba un servicio técnico adecuado. Monsanto dirigió un estudio para evaluar la importancia que la asesoría técnica tenía entre los clientes de sustancias químicas y descubrió que le concedían mucho valor. A raíz de ese estudio, Monsanto contrató y entrenó a más técnicos, lanzando después una campaña en la que aparecía como líder en el servicio técnico. Con esto logró una ventaja en la mente de quienes buscan este tipo de servicio.

Decisión de nivel de servicio

Los consumidores no sólo quieren ciertos servicios, sino que también los desean en cierta cantidad y de la calidad correcta. Si los clientes de un banco tienen que hacer largas colas y ser atendidos por cajeras poco amables, es muy probable que cambien de banco.

Las compañías tienen la obligación de evaluar la calidad de su servicio y la de la competencia en relación con las exigencias del público. La firma puede descubrir deficiencias en el servicio mediante varios dispositivos: *compras por comparación, encuestas periódicas entre los consumidores, cajas de sugerencias* y *sistemas de manejo de quejas.* La tarea no consiste en *minimizar* la conducta de quejarse, sino *maximizar* la oportunidad del cliente para quejarse de modo que la firma pueda saber qué calidad de servicio da y que los consumidores desilusionados puedan encontrar satisfacción.

Un dispositivo útil es encuestar periódicamente a los consumidores para descubrir lo que éstos piensan acerca de cada servicio. La figura 11-5A muestra cómo clasificaron los clientes a catorce elementos del departamento de servicio de un distribuidor de automóviles, según la importancia y rendimiento. La importancia se clasificó en una escala de cuatro puntos de "extremadamente importante", "importante", "ligeramente importante" y "no importante". El desempeño del distribuidor se clasificó en una escala de cuatro puntos de "excelente", "bueno", "regular" y "malo". Por ejemplo, "Trabajo hecho bien por primera vez", recibió puntuaciones medias de 3.83 y 2.63, lo cual indica que los clientes pensaban que era sumamente importante, pero que no se ejecutaba muy bien.

Las puntuaciones de los catorce elementos se muestran en la figura 11-5B. La figura está dividida en cuatro secciones. El cuadrante A muestra elementos de servicio importantes que no se realizan en los niveles deseados; éstos incluyen los elementos 1,2 y 9. El distribuidor debería concentrarse en mejorar el rendimiento del departamento de servicio en estos elementos. El cuadrante B muestra los elementos importantes del servicio donde el departamento se desempeña bien; su tarea aquí es mantener el rendimiento elevado. El cuadrante C muestra elementos menores del servicio que se suministran de una manera mediocre, pero que no necesitan atención porque no son muy importantes. El cuadrante D muestra que un elemento menor del servicio, "Emitir avisos de mantenimiento", se ejecuta de una manera excelente, un caso de posible "superabundancia". La medición de los elementos del servicio de acuerdo con su importancia y desempeño les dice a los mercadólogos en dónde concentrar sus esfuerzos.

Decisión de la forma del servicio

Los mercadólogos deben decidir también las formas en que ofrecerán los diversos servicios. La primera pregunta es: ¿cómo se fijará el precio de cada elemento del servicio? Por ejemplo, considérese lo que Zenith debería ofrecer en servicios de reparaciones de sus televisores. Zenith tiene tres opciones. Podría ofrecer servicio de reparación gratuito por un año con la venta de un receptor. Podría vender un contrato de servicio. O podría decidir no ofrecer servicio de reparaciones a ningún precio, dejando esto en manos de técnicos especialistas.

Otra pregunta es: ¿cómo se suministrará el servicio? Zenith podría proporcionar servicios de reparación de diversas formas. Podría contratar y entrenar a su propio personal y

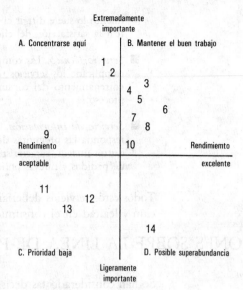

Número del atributo	Descripción del atributo	Puntuación media de importancia	Puntuación media de rendimiento
1	Trabajo bien hecho por primera vez	3.83	2.63
2	Acción rápida con las quejas	3.63	2.73
3	Trabajo de garantía rápido	3.60	3.15
4	Capaz de hacer cualquier trabajo necesario	3.56	3.00
5	Servicio disponible cuando se necesite	3.41	3.05
6	Servicio amable y cortés	3.41	3.29
7	Automóvil listo para cuando se prometió	3.38	3.03
8	Ejecuta sólo el trabajo necesario	3.37	3.11
9	Precios bajos del servicio	3.29	2.00
10	Limpieza después de trabajo de servicio	3.27	3.02
11	Cerca de casa	2.52	2.25
12	Cerca del trabajo	2.43	2.49
13	Autobuses de cortesía y automóviles para renta	2.37	2.35
14	Manda avisos de mantenimiento	2.05	3.33

a) Puntuaciones obtenidas de una escala de cuatro puntos de "extremadamente importante", "importante", "ligeramente importante" y "no importante".

b) Puntuaciones obtenidas de una escala de cuatro puntos de "excelente", "buena", "aceptable" y "mala". También se proporcionó una categoría de "ninguna base para juzgar".

FIGURA 11-5 *Clasificaciones de importancia y de rendimiento para el departamento de servicio de un distribuidor de automóviles*

Fuente: John A. Martilla y John C. James, "Importance-Performance Analysis", *Journal of Marketing*, enero de 1977, pp. 77-79.

ubicarlo a lo largo y ancho del país. Podría hacer arreglos con distribuidores y mayoristas para que éstos proporcionaran los servicios de reparaciones. O podría dejar esto a cargo de compañías independientes que proporcionen dicho servicio.

Para cada servicio, existen varias opciones. La decisión de la firma depende de las preferencias del consumidor, así como de las estrategias de los competidores.

Departamento de servicio al cliente
Dada la importancia del servicio a los clientes como una herramienta competitiva, muchas compañías han establecido departamentos grandes de servicio al cliente para manejar los siguientes servicios:[24]

■ *Quejas y ajustes*. Hay procedimientos establecidos para manejar quejas. Whirlpool, por ejemplo, ha establecido líneas de urgencia para facilitar las quejas del público. Al mantener estadísticas sobre los tipos de quejas, el departamento de servicio al cliente puede presionar en busca de los cambios deseados en el diseño del producto, el control de calidad, las ventas de alta presión, etc. Es menos costoso preservar la buena voluntad de los clientes existentes que atraer a otros nuevos o recuperar a los perdidos.

■ *Servicio de crédito*. Las compañías pueden ofrecerles a los clientes un cierto número de opciones de crédito, incluyendo contratos de créditos a plazos, crédito abierto, préstamos y opciones de arrendamiento. Los costos de extender crédito por lo común se cubren muy bien con las utilidades brutas de las ventas adicionales y el costo reducido de los desembolsos de mercadotecnia para destruir la idea que tienen los consumidores de que no pueden costear la compra.

■ *Servicio de mantenimiento*. Las compañías bien administradas tienen un departamento de refacciones y servicio que es eficaz, rápido y de costo razonable. Aunque el servicio de mantenimiento lo suele dirigir el departamento de producción, el de mercadotecnia debería monitorear la satisfacción del cliente con este servicio.

■ *Servicio técnico.* Las compañías les pueden proporcionar a los clientes que compran equipo complicado los servicios técnicos necesarios como trabajo de diseño a la medida, instalación, entrenamiento del consumidor, investigación de aplicaciones e investigación de mejoras al proceso.

■ *Servicio de información.* Las compañías pueden establecer una unidad de información que responda las preguntas de los clientes y distribuidores y proporcione información sobre productos nuevos, características, procesos, cambios esperados del precio, estatus de acumulación de pedidos y nuevas políticas de la compañía.

Todos estos servicios deberían coordinarse y usarse como herramientas para crear satisfacción y lealtad en el consumidor.[25]

DECISIONES SOBRE LA LINEA DE PRODUCTO

Se han considerado las decisiones de estrategia de producto (adopción de marca, empaques y servicios) al nivel del producto individual. Pero la estrategia de producto también requiere desarrollar una línea de productos, que se define de la manera siguiente:

> Una *línea de productos* es un grupo de artículos estrechamente relacionados entre sí, ya sea porque funcionan de una manera similar, se venden a los mismos grupos de consumidores, se comercializan a través de un mismo tipo de canales o caen dentro de determinada gama de precios.

Así la General Motors produce una línea de automóviles y Revlon produce una línea de cosméticos.

Cada línea de productos necesita una estrategia de mercadotecnia. La mayoría de las firmas asignan una persona específica para manejar cada línea de producto. Esta persona se enfrenta con cierto número de decisiones difíciles sobre la extensión de la línea de productos, la modernización y las características de la línea de productos.

Decisión de extender la línea de productos

Los gerentes de línea de productos tienen que decidir la extensión de la misma. La línea es demasiado corta si el gerente puede acrecentar las utilidades al agregar artículos; la línea es demasiado larga si el gerente puede incrementar las utilidades excluyendo artículos.

En la cuestión sobre la extensión de la línea de productos influyen los objetivos de la compañía. Las firmas que desean posicionarse como compañías de línea completa o que buscan una alta porción de mercado y un gran crecimiento de mercado tendrán líneas más extensas. Se preocupan menos cuando algunos artículos no contribuyen a las utilidades. Las empresas que desean ante todo gran rentabilidad optarán por líneas menos extensas de artículos que reditúen buenas ganancias.

Las líneas de producto tienden a aumentar con el paso del tiempo.[26] La capacidad de fabricación en exceso pondrá presión sobre el gerente de línea de producto para que desarrolle nuevos artículos. La fuerza de ventas y los distribuidores también pondrán presión en el gerente para una línea de productos más completa que satisfaga a los consumidores. El gerente de línea de producto querrá agregar artículos a la línea de productos en busca de mayores ventas y utilidades.

Pero conforme se agregan artículos, surgen varios costos: de diseño e ingeniería, de mantenimiento de inventario, de alteración de fabricación, de procesamiento de pedidos, de transporte y de promoción para introducir nuevos artículos. En su oportunidad alguien manda hacer alto a la línea de productos en multiplicación. La alta gerencia puede congelar las cosas debido a insuficiencia de fondos o de capacidad de fabricación. O el contralor puede cuestionar la rentabilidad de la línea y solicitar un estudio. El estudio probablemente mostrará un gran número de artículos que pierden dinero y éstos se eliminarán de la línea en un gran esfuerzo por acrecentar la rentabilidad. Se repetirá muchas veces un patrón de crecimiento indisciplinado de la línea de productos seguido por eliminaciones masivas.

Una compañía puede incrementar sistemáticamente la extensión de su línea de productos de dos maneras: alargándola o llenándola.

Decisión de ampliar la línea de productos

Cada línea de productos abarca una gama determinada de la serie global de artículos que ofrece la industria en su conjunto. Por ejemplo, los automóviles BMW están situados en el rango de precio medio-alto del mercado automotriz. La **ampliación de la línea** de producto ocurre cuando una compañía *aumenta su línea de productos más allá de su rango actual*. La compañía puede ampliar su línea hacia arriba, hacia abajo o en ambas direcciones.

AMPLIACION HACIA ABAJO. Muchas compañías sitúan su línea de productos inicialmente en el extremo superior del mercado y después la prolongan hacia abajo. Beech Aircraft ha producido históricamente aviones privados costosos, pero recientemente agregó aviones menos caros para enfrentar una amenaza de Piper, que comenzó a producir aviones más grandes.

Una compañía puede ampliar hacia abajo su línea de productos debido a una diversidad de razones. Puede ser atacada en el extremo superior y contraatacar al invadir el extremo inferior. Puede descubrir que en el extremo inferior ocurre un crecimiento más rápido. Puede que la firma haya entrado inicialmente en el extremo superior para establecer una imagen de calidad e intente moverse hacia abajo. La compañía puede agregar un producto de extremo inferior para llenar un hueco de mercado que de otro modo atraería a un nuevo competidor.

Al hacer una ampliación hacia abajo, la compañía se enfrenta con ciertos riesgos. El nuevo artículo de extremo inferior podría ''canibalizar'' los artículos de extremo superior, dejando a la compañía en peores condiciones. Considérese lo siguiente:[27]

> Ford introdujo el automóvil Falcon de tamaño pequeño en 1959 para atraer a compradores de automóviles económicos. Pero muchos de sus compradores eran aquéllos que hubieran comprado el Ford de tamaño estándar. En realidad, Ford redujo su propio margen de utilidades al no lograr diseñar su automóvil para un segmento verdaderamente distinto que los compradores leales de la Ford.

O puede que el artículo de extremo bajo provoque que los competidores contraataquen al moverse dentro del extremo superior. También que los distribuidores de la firma no estén deseosos o no sean capaces de manejar los productos de extremo inferior.

Uno de los grandes errores de cálculo de varias compañías estadunidenses ha sido su renuencia a llenar huecos en el extremo inferior de sus mercados. General Motors se resistía a construir automóviles más pequeños; Xerox no quería hacer fotocopiadoras más pequeñas; y Harley Davidson se rehusaba a fabricar motocicletas de menor tamaño. En todos estos casos, las compañías japonesas encontraron una gran abertura y se colaron velozmente y con éxito.

AMPLIACION HACIA ARRIBA. Las compañías que se encuentran en el extremo inferior del mercado tal vez quieran entrar al extremo superior. Pueden sentirse atraídas por una tasa más rápida de crecimiento o por márgenes más elevados en el extremo superior, o bien puede que sencillamente deseen posicionarse como fabricantes de línea completa.

Una decisión de ampliación hacia arriba puede ser riesgosa. Los competidores del extremo superior no sólo están bien atrincherados, sino que pueden contraatacar al entrar en el nivel inferior del mercado. Los posibles clientes tal vez no crean que el recién llegado pueda fabricar productos de calidad. Por último, los representantes de ventas y los distribuidores de la firma tal vez carezcan del talento y del entrenamiento para servir al extremo superior del mercado.

AMPLIACION EN AMBAS DIRECCIONES. Las compañías situadas en el rango medio del mercado pueden decidir ampliar sus líneas en ambas direcciones. La estrategia de Texas Instruments en el mercado de las calculadoras de bolsillo ilustra esto. Antes de que Texas Instruments (TI) entrara en este mercado estaba dominado principalmente por Bowmar en el extremo de precio bajo/calidad baja y por Hewlett-Packard en el extremo de precio/calidad alta (véase figura 11.6) TI introdujo sus primeras calculadoras en el extremo del mercado de precio medio/calidad media. Gradualmente agregó más máquinas en cada extremo. Ofrecía calculadoras mejores al mismo o incluso a un precio más bajo que Bowmar, con lo cual lo destruyó a la larga; diseñó calculadoras de alta calidad que se vendían a precios más bajos que las calculadoras de Hewlett-Packard, con lo cual se apropió de una buena porción de las ventas de HP en el extremo superior. Esta ampliación en dos direcciones le dio a TI liderazgo en el mercado de las calculadoras de bolsillo.

Decisión de completar la línea de productos

Una línea de productos también puede ampliarse al agregar más artículos dentro de la gama actual de la línea. Hay varios motivos para **completar la línea de productos**: lograr más utilidades, intentar satisfacer a los distribuidores que se quejan por ventas perdidas debido a la falta de artículos en la línea, utilizar la capacidad ociosa de producción, ser la compañía líder de línea completa y llenar huecos para mantener fuera a la competencia.

Se exagera al completar la línea si da lugar a canibalismo y a confusión entre los consumidores. La compañía necesita diferenciar cada artículo en la mente del consumidor. Cada artículo deberá poseer una *diferencia apenas observable*. Según la ley de Weber, los consumidores están más acordes con las diferencias relativas que con las absolutas.[28] Percibirán la diferencia entre tableros de 60 y 90 cm. de largo y tableros de 6 y 9 metros de largo, pero no entre tableros de 8.7 y 9 metros de largo. La compañía deberá asegurarse de que el nuevo producto tenga una diferencia observable.

FIGURA 11-6
Ampliación en ambas direcciones de la línea de producto en el mercado de las calculadoras de bolsillo

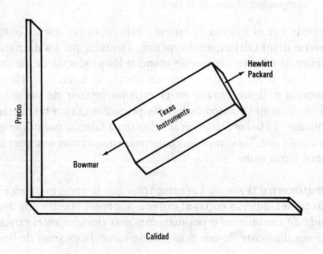

Decisión de modernizar la línea de productos	En algunos casos, la extensión de la línea de productos es adecuada, pero la línea necesita modernizarse. Por ejemplo, una compañía de máquinas y herramientas puede tener una apariencia de los años de 1920 y perder frente a las líneas más estilizadas de sus competidores.
	La cuestión en la **modernización de la línea de productos** es si debe reacondicionarse la línea poco a poco o de una sola vez. Un enfoque gradual le permite a la firma ver cómo acogen los consumidores y los distribuidores al nuevo estilo antes de cambiar la línea completa. La modernización gradual usa menos corriente de efectivo de la compañía. Una desventaja principal de la modernización gradual es que les permite a los competidores ver cambios y comenzar a rediseñar sus propias líneas.
Decisión acerca de la presentación de la línea de productos	El gerente de la línea de productos selecciona típicamente uno o varios artículos para distinguirla. Esta es la **presentación de la línea de productos**. A veces, los gerentes presentan modelos promocionales en el extremo inferior de la línea para que sirvan como "acrecentadores de tráficos". Así, Sears anunciará una máquina de coser especial de precio bajo para atraer gente. Y Rolls Royce anunciará un modelo económico que se vende por sólo 49 000 dólares (a diferencia del modelo de extremo superior que se vende por 108 000 dólares) para atraer gente a sus salas de exhibición. En cuanto los clientes llegan, los vendedores intentarán convencerlos de que compren en el extremo superior de la línea.
	En otras ocasiones, los gerentes presentarán un artículo de extremo superior para darle "clase" a la línea de producto. Stetson promueve un sombrero para hombre que se vende por 150 dólares, que pocas personas compran, pero que actúa como un "buque insignia" para promover la línea completa.

DECISIONES SOBRE LA MEZCLA DE PRODUCTOS

Una organización con varias líneas de producto tiene una mezcla de productos. La mezcla de productos se define de la manera siguiente:[29]

> Una mezcla de productos (llamada también *surtido de productos*) es el conjunto de todas las líneas de productos y de artículos que una compañía le ofrece en venta al público consumidor.

La mezcla de productos de Avon consta de cuatro líneas principales de productos: cosméticos, joyería, modas y artículos para el hogar. Cada línea de producto consta de varias sublíneas. Por ejemplo, los cosméticos se dividen en lápiz labial, colorete, polvo, etc. Cada línea y sublínea tiene muchos artículos individuales. En su conjunto, la mezcla de productos de Avon incluye 1 300 artículos. Un supermercado grande maneja hasta 14 000 artículos; un almacén K mart típico tiene 15 000 artículos y la General Electric fabrica hasta 250 000 artículos.

En la mezcla de productos de una compañía se encuentra cierta longitud, anchura, profundidad y congruencia. Estos conceptos se ilustran en la tabla 11.1 con relación a los productos de consumo de Procter & Gamble.

La *anchura* de la mezcla de productos de Procter & Gamble se refiere a cuántas diferentes líneas de productos tiene la compañía. La tabla 11.1 muestra una anchura de mezcla de productos de seis líneas. (De hecho, P&G produce muchas líneas adicionales, incluyendo enjuagues bucales, papel higiénico y otros.)

La *longitud* de la mezcla de productos de P&G se refiere al número total de artículos que tiene la firma. En la tabla 11.1, son 32. También se puede calcular la longitud media de una línea en P&G al dividir la longitud total (en este caso 32) entre el número de líneas (aquí 6), o 5.3. La línea de productos media de P&G como se representa en la tabla 11.1 consta de 5.3 marcas.

← ——————————————— Anchura de mezcla de productos ——————————————— →

DETERGENTES	PASTA DENTÍFRICA	BARRA DE JABÓN	DESODORANTES	PAÑALES DESECHABLES	CAFÉ
Ivory Snow	Gleem	Ivory	Secret	Pampers	Folger's
Dreft	Crest	Camay	Sure	Luvs	Instant Folger's
Tide		Lava			High Point Instant
Joy		Kirk's			Folger's Flacked
Cheer		Zest			Coffee
Oxydol		Safeguard			
Dash		Coast			
Cascade					
Ivory Liquid					
Gain					
Dawn					
Era					
Bold 3					
Liquid Tide					
Solo					

Longitud de la línea de productos (indicado a la izquierda con flecha vertical)

La *profundidad* de la mezcla de productos de P&G se refiere a cuántas variantes se ofrecen de cada producto en la línea. Así, si Crest viene en tres tamaños y dos formulaciones (regular y mentolada), Crest tiene una profundidad de seis. Al contar el número de variantes dentro de cada marca, puede calcularse la profundidad media de la mezcla de productos de P&G.

La *congruencia* de la mezcla de productos se refiere a qué tan estrechamente relacionadas están las líneas de productos en su uso final, requerimientos de producción, canales de distribución o en alguna otra forma. Las líneas de productos de P&G son congruentes en cuanto a que son bienes de consumo que pasan por los mismos canales de distribución. Las líneas son menos congruentes en cuanto a que desempeñan diferentes funciones para los compradores.

Estas cuatro dimensiones de la mezcla de productos ayudan a definir la estrategia de producto de una compañía. Esta puede aumentar su negocio en cuatro formas. La primera es agregar nuevas líneas de productos, con lo cual amplía su mezcla de productos. De este modo, sus nuevas líneas se aprovechan de la reputación de la firma en sus otras líneas. O la empresa puede ampliar sus líneas existentes para convertirse en una compañía de línea más completa. También puede agregar más variantes de productos para cada artículo y profundizar así su mezcla de productos. Por último, la firma puede intentar alcanzar mayor o menor congruencia de su línea de productos, dependiendo de si quiere adquirir una fuerte reputación en un solo campo o participar en varios.

Por tanto, se ve que la estrategia de productos es un tema multidimensional y complicado que requiere de decisiones sobre mezcla de productos, línea de productos, adopción de marcas, empaque y servicios. Estas decisiones deben tomarse no sólo con un conocimiento completo de los deseos del consumidor y las estrategias de la competencia, sino también con mayor atención a la creciente política gubernamental que afectan las decisiones de productos (véase recuadro 11.5).[30]

RECUADRO 11-5

DECISIONES SOBRE EL PRODUCTO Y POLITICA GUBERNAMENTAL

Los gerentes de mercadotecnia deben tener presentes las leyes y normas oficiales a la hora de tomar decisiones acerca de su producto. Las principales áreas de interés del producto son las siguientes:

Adiciones y supresiones de producto. Las decisiones de agregar líneas de productos, en especial mediante adquisiciones, pueden quedar prohibidas de acuerdo con la Ley Kafauver-Celler promulgada en 1950, si su efecto representa una amenaza para la competencia. Las decisiones de eliminar productos viejos deben tomarse a sabiendas de que la firma tiene una obligación legal, tácita o explícita, con sus distribuidores, proveedores y clientes a quienes puede afectar la supresión.

Protección de la patente. La firma debe respetar las leyes estadunidenses relativas a las patentes en el desarrollo de sus nuevos productos. La firma no puede diseñar un producto que sea "ilegalmente similar" al producto establecido de otra empresa. Un ejemplo es la demanda que la Polaroid presentó contra la Kodak para impedir que ésta comercializara su nueva cámara de fotos instantáneas, alegando que infringía la patente de la cámara instantánea de Polaroid.

Calidad y seguridad del producto. Los fabricantes de alimentos, medicamentos, cosméticos y ciertas fibras deben cumplir las leyes que norman la calidad y seguridad de tales artículos. La Ley Federal de Medicamentos, Alimentos y Cosméticos protege a los consumidores estadunidenses contra comestibles, medicinas y cosméticos contaminados o poco seguros. En varias leyes se establece la inspección de las condiciones sanitarias en las industrias que procesan carnes y aves de corral. Se han promulgado leyes tendientes a reglamentar la fabricación de telas, sustancias químicas, automóviles, juguetes, medicamentos y venenos. La Ley de Seguridad de Productos de Consumo de 1972 estableció una comisión de vigilancia de los productos de consumo, autorizándola para prohibir o confiscar los artículos nocivos e imponer graves sanciones a quienes violan la ley. Si el consumidor recibe daño por un producto mal diseñado, puede demandar al fabricante o al distribuidor. Las demandas basadas en la responsabilidad legal del producto son actualmente más de un millón de dólares al año. Esto ha hecho que aumente en forma notable el retiro de productos. La General Motors gastó 3.5 millones de dólares en estampillas postales sólo cuando tuvo que notificar a 6.5 millones de propietarios de automóviles los defectos en el montaje de los motores.

Garantías del producto. Muchos fabricantes ofrecen garantías por escrito para convencer a los consumidores de la calidad de sus productos. Sin embargo, estas garantías están sujetas a ciertas limitaciones y se redactan en un lenguaje que el consumidor común no puede entender. Con frecuencia se entera demasiado tarde de que no tiene derecho a los servicios, reparaciones y reposición de piezas que parecen estar incluidas en la garantía. Para proteger a los consumidores, el Congreso de Estados Unidos aprobó en 1975 la Ley de Mejoramiento Magnuson-Moss de la Warranty- Federal Trade Commission. En esta ley se estipula que las garantías deben cumplir con ciertas normas mínimas, entre las cuales se cuenta el servicio de reparación "dentro de un lapso razonable de tiempo y sin costo alguno" o sustituir el producto o reintegrar el importe completo si el artículo no funciona bien "después de un número razonable de intentos" de reparación. En caso contrario, la compañía deberá explicarle al cliente que le está ofreciendo una garantía limitada. Esta ley ha obligado a varios fabricantes a descartar la garantía total y a ofrecer garantías limitadas, pero otros han abandonado por completo este instrumento de mercadotecnia.

Fuentes: Howard C. Sorenson, "Products Liability: The Consumer's Revolt", *Best Review*, septiembre de 1974, p. 48; "Managing the Product Recall", *Business Week*, enero de 1975, p. 46-48; Roger A. Kerin y Michael Harvey, "Contingency Planning for Product Recall", *MSU Business Topics*, verano de 1975, p. 5-12; y "The Guesswork on Warranties", *Business Week*, 14 de julio de 1975, p. 51.

■ *Resumen*

El producto es un concepto complejo que debe definirse con cuidado. La estrategia del producto requiere tomar decisiones sobre los elementos, las líneas y las mezclas de productos.

Cada artículo que se ofrezca a los consumidores puede examinarse en tres niveles. El *producto básico* es el servicio esencial que el comprador está realmente adquiriendo. El *producto tangible* comprende las características, estilo, calidad, nombre de marca y empaque del artículo que se pone en venta. El *producto aumentado* es el producto tangible más los diversos servicios que lo acompañen, como garantía, instalación, mantenimiento y servicio y entrega gratuita.

Se han propuesto varios criterios para clasificar los productos. Por ejemplo, todos los productos pueden clasificarse de acuerdo con su durabilidad (bienes no duraderos, bienes duraderos y servicios). Los bienes de consumo suelen clasificarse de acuerdo con los hábitos de compra del consumidor (bienes de uso común, bienes de comparación, de especialidad y bienes no buscados). Los bienes industriales se clasifican por el modo como entran en el proceso de producción (materiales y partes, bienes de capital, y suministros y servicios).

Las compañías tienen que desarrollar políticas de marca para los elementos de los productos de sus líneas. Deben decidir si adoptan una marca o no, si ponen marcas de fábrica o privadas, qué calidad deberán imprimirle a la marca, si usarán nombres colectivos de marca o individuales, si extenderán el nombre de marca a productos nuevos, si sacarán varias marcas competidoras y si reposicionarán cualquiera de las marcas.

Los productos físicos requieren decisiones de empaque relacionadas con la protección, ahorro, comodidad y promoción. Los mercadólogos tienen que desarrollar un concepto del empaque y ponerlo a prueba funcional y psicológicamente para estar seguros de que logre los objetivos deseados y sea compatible con la política pública.

Los productos físicos también requieren etiquetas para identificación y gradación, descripción y promoción del producto.

Las leyes estadunidenses obligan a los vendedores a presentar cierta información mínima sobre el producto en la etiqueta para informar y proteger a los consumidores.

Las compañías tienen que desarrollar los servicios al cliente que el consumidor desee y que sean eficaces contra la competencia. La firma tiene que tomar una decisión acerca de cuáles son los servicios más importantes para ofrecer, el nivel en el que debería proporcionarse cada uno y la forma de cada servicio. La *mezcla de servicios* puede coordinarse desde un departamento de servicio al cliente que maneje quejas y ajustes, crédito, mantenimiento, servicio técnico e información para el consumidor. La mayoría de las compañías no producen un solo producto, sino una línea de productos. Una *línea de productos* es un grupo de productos relacionados en cuanto a función, necesidades de compra del consumidor o canales de distribución. Cada línea de productos requiere de una estrategia del producto. La *extensión de línea* plantea la interrogante de si una línea debería ampliarse hacia abajo, hacia arriba o en ambas direcciones. *Completar la línea* plantea la pregunta de si deberían agregarse artículos dentro del rango actual de la línea. La *modernización de la línea* plantea la pregunta de si la línea necesita una nueva apariencia y si esta nueva imagen deberá instalarse gradualmente o de una sola vez. La *presentación de la línea* plantea la interrogante acerca de cuáles artículos presentar para promover la línea.

La *mezcla de productos* describe el conjunto de líneas de productos y de artículos que una empresa ofrece a los consumidores. Cabe decir que la mezcla posee cierta anchura, longitud, profundidad y congruencia. Las cuatro dimensiones de la mezcla de productos son las herramientas para desarrollar la estrategia del producto de la compañía.

■ *Preguntas de repaso*

1. ¿En qué clasificación de productos de consumo irá un televisor Sony a color (bienes de uso común, bienes de comparación, bienes de especialidad o bienes no buscados)?

2 En algunos ambientes publicitarios ha comenzado a hablarse de la "personalidad de la compra", o sea, lo que la gente siente por una marca y no lo que ésta hace. Timex quiere cambiar su personalidad de marca sustituyendo el carácter utilitario por otro. ¿Qué recomendaría y qué medidas debería tomar Timex para lograr ese cambio?

3. Aplique los conceptos de mezcla de productos, línea de productos y elementos del producto a la General Motors.

4. Explique el concepto de producto básico, tangible y aumentado para su marca favorita de perfume o de loción para después de afeitarse.

5. ¿En cuántas tiendas al menudeo debe distribuirse cada tipo de bienes de consumo (uso común, de comparación, de especialidad y no buscados) en determinada zona geográfica? Explique por qué.

6. Los bienes industriales siempre se convierten en parte del producto terminado. Haga un comentario.

7. ¿Quién se beneficia usando nombres de marca? Explique brevemente.

8. Dos de los cambios de nombre de marca más costosos y de los que se ha hablado más en los últimos años han sido Enco (Esso) a Exxon y Bank Americard a Visa. ¿Por qué piensa que las compañías gastaron tanto?

9. Describa algunas de las decisiones de servicio que los siguientes mercadólogos deben tomar: a) tiendas de ropa para mujer, b) una asociación de ahorros y préstamos y c) una tienda de artículos deportivos.

■ Bibliografía

1. Basada en información encontrada en Bess Gallanis, "New Strategies Revive the Rose's Fading Bloom," *Advertising Age,* febrero 27, 1984, pp. M9-M11; Annette Green, "Passion Fits the Product Mix," *Advertising Age,* febrero 27, 1984, p. M12; "What Lies Behind the Sweet Smell of Success," *Business Week,* febrero 27, 1984, pp. 139-143; y otras fuentes.

2. Véase *Marketing Definitions: A Glossary of Marketing Terms,* compiled by the Committee on Definitions of the American Marketing Association (Chicago: American Marketing Association, 1960).

3. Véase HARPER W. BOYD, JR., y SIDNEY J. LEVY, "New Dimensions in Consumer Analysis." *Harvard Business Review,* noviembre-diciembre 1963, pp. 129-40.

4. THEODORE LEVITT, *The Marketing Mode* (New York: McGraw-Hill, 1969), p. 2.

5. Las tres definiciones pueden encontrarse en *Marketing Definitions.*

6. Las primeras tres definiciones pueden encontrarse en *Marketing Definitions.* Se puede encontrar más información de esta clasificación de bienes en RICHARD H. HOLTON, "The Distinction between Convenience Goods, Shopping Goods, y Specialty Goods," *Journal of Marketing,* julio de 1958, p. 53-56: y GORDON E. MIRACLE, "Product Characteristics y Marketing Strategy," *Journal of Marketing,* enero de 1965, p. 18-24.

7. Las primeras cuatro definiciones pueden encontrarse en *Marketing Definitions.*

8. Véase BILL PAUL, 'It Isn't Chicken Freed to Put Your Brand on 78 Million Birds," *Wall Street Journal,* mayo 13, 1974, p. 1.

9. Véase E. B. WEISS, "Private Label?" *Advertising Age,* septiembre 30, 1974, pp. 27ff; y FRANCES DUNNE, "Private Labels Are No Secret Anymore," *Advertising Age,* julio 25, 1983, p. M30.

10. SIDNEY SCHOEFFLER, ROBERT D. BUZZELL, y DONALD F. HEANY, "Impact of Strategic Planning on Profit Performance," *Harvard Business Review,* marzo-abril 1974, pp. 137-45.

11. "Research Suggests Consumers Will Increasingly Seek Quality," *Wall Street Journal,* octubre 15, 1981, p. 1.

12. Véase THEODORE R. GAMBLE, "Brand Extension." en *Plotting Marketing Strategy,* Lee Adler, ed. (New York: Simon & Schuster, 1976), pp. 170-71. For several more recent examples, see "Name Game," *Time,* agosto 31, 1981, pp. 41-42.

13. Véase ROBERT W. YOUNG, "Multibrand Entries," en Adler, *Plotting Marketing Strategy,* pp. 143-64.

14. Véase BESS GALLANIS, "Positioning Old Products in New Niches," *Advertising Age,* mayo 3, 1984, p. M50; y "Marketers Should Consider Restaging Old Brands Before Launching New Ones," *Advertising Age,* diciembre 10, 1982, p. 5.

15. WALTER STERN, "A Good Name Could Mean a Brand of Fame," *Advertising Age,* enero 17, 1983, pp. M53-M54.

16. JAMES U. McNEAL y LINDA M. ZERIN, "Brand Name Selection for Consumer Products," *MSU Business Topics,* Spring 1981, pp. 35-39.

17. STERN, "A Good Name," p. M53.

18. Ibid., p. M53.

19. CHARLES A. MOLDENHAUER, "Packaging Designers Must Be Cognizant of Right Cues If the Consumer Base Is to Expand," *Marketing News,* marzo 30, 1984, p. 14: y ELLIOT C. YOUNG, "Judging a Package by Its Cover," *Madison Avenue,* agosto 1983, p. 17.

20. "General Foods—Post Division (B)," Case M-102, Harvard Business School 1964.

21. "Product Tryouts: Sales Tests in Selected Cities Help Trim Risks of National Marketing," *Wall Street Journal,* agosto 10, 1962, p. 1.

22. MOLDENHAUER, "Packaging Designers," p. 14.

23. PETER G. BANTING, "Customer Service in Industrial Marketing: A Comparative Study," *European Journal of Marketing,* 10, No. 3 (1976), 140.

24. Véase RALPH S. ALEXANDER y THOMAS L. BERG, *Dynamic Management in Marketing* (Homewood, IL: Irwin, 1965), pp. 419-28.

25. Para más ejemplos sobre la manera cómo las compañías han usado el servicio al cliente como una herramienta de mercadotecnia, véase "Making Service a Potent Marketing Tool." *Business Week,* junio 11, 1984, pp. 164-70.

26. Véase BENSON P. SHAPIRO, *Industrial Product Policy: Managing the Existing Product Line* (Cambridge, MA: Marketing Science Institute, septiémbre 1977), pp. 9-10.

27. MARK HANAN, *Market Segmentation* (New York: American Management Association, 1968), pp. 24-26.

28. Véase STEUART HENDERSON BRITT, "How Weber's Law Can Be Applied to Marketing," *Business Horizons,* febrero 1975, pp. 21-29.

29. Esta definición puede encontrarse en *Marketing Definitions.*

30. Para más sobre la confiabilidad del producto, véase "Unsafe Products: The Great Debate over Blame and Punishment," *Business Week,* abril 30, 1984, pp. 96-104.

12

Diseño de productos: estrategias relativas al desarrollo de nuevos productos y al ciclo de vida del producto

Uno de los fracasos más costosos en la historia del lanzamiento de productos nuevos fue el automóvil Edsel de la Ford, que apareció en 1957. A comienzos de la década de 1950 la Ford Motor Company comenzó a sentir la necesidad de agregar un nuevo automóvil a su línea de productos. En esa época, Fords y Chevrolets tenían cada uno 25% del mercado automotriz. Pero había una diferencia. Cuando los propietarios de un Chevrolet se volvían más ricos, subían a la clase de Pontiac-Buick-Oldsmobile. Los propietarios de un Ford, cuando ascendían a automóviles de precio más alto, también estaban a favor de los Pontiacs, Buicks y Oldsmobiles. No les atraía el Mercury de la Ford ni podían costear el elegante Lincoln.

La Ford necesitaba desarrollar un automóvil atractivo de precio intermedio para los propietarios de un Ford o Chevrolet que ascendían económicamente. La investigación de mercado de la Ford reveló que la creciente clase media compraría mejores automóviles. Ford se dedicó a estudiar las características demográficas, los deseos y las preferencias de los propietarios de automóviles y se abocó a diseñar un vehículo que tuviera atractivo para estos consumidores. El diseño se mantuvo en completo secreto, aunque la Ford anunció sus propósitos para despertar el interés del público por un automóvil nuevo y único. Ford decidió, a un costo muy elevado, establecer un sistema de distribución independiente para Edsel, el cual se vendería mediante una cadena exclusiva de distribuidores. La compañía también estudió más de 6 000 posibles nombres para el nuevo automóvil, incluyendo varios creados por la poetisa Marianne Moore, como Bullet Cloisonne, Mongoose Civique y Andante Con Motor. Pasando por alto todos estos nombres, el automóvil fue bautizado con Edsel en honor del único hijo de Henry Ford.

La Ford lanzó el Edsel con bombo y platillo el 4 de septiembre de 1957. Ese día se compraron o se hicieron pedidos por 6 500 automóviles. Edsel triunfó ese día, pero nada más. Aunque más de dos millones de personas acudieron a ver el automóvil en las salas de exhibición, muy pocas lo compraron.

En enero de 1958 se descontinuó la cadena de distribuidores exclusivos y la Ford creó una nueva división de Mercury-Edsel-Lincoln. En noviembre de 1959, la Ford dejó de producir los Edsel.

¿Por qué fracasó el Edsel? Primero, para muchos consumidores el automóvil no era atractivo. La parte delantera tenía líneas verticales y la parte trasera, líneas horizontales, lo cual parecía indicar que dos equipos de diseñadores habían trabajado en los extremos opuestos del vehículo. Además, la parrilla delantera tenía un aspecto peculiar y se convirtió en el centro de muchas bromas freudianas. Segundo, la Ford anunció el Edsel como un nuevo tipo de automóvil. Sin embargo, los consumidores no lo veían de este modo; les parecía como cualquier otro automóvil de precio medio. Ford se metió en problemas por prometer demasiado. Tercero, con la prisa que tenía la Ford por producir el vehículo, se descuidó el control de calidad y muchos Edsel eran "cacharros". Algunos propietarios y periodistas hablaban mal del automóvil.

El momento para lanzar el Edsel tampoco era el adecuado. Ford introdujo el automóvil en 1957, justo cuando la economía comenzaba a caer en una gran recesión. La gente quería automóviles más económicos y recurrían al Volkswagen o al Rambler de la American Motors. Hubo una fuerte reacción negativa hacia los automóviles de relumbrón como el Edsel.

Sin embargo, la investigación previa no descubrió absolutamente nada sobre estos cambios en la economía y en las preferencias del consumidor. El Edsel fue la víctima de mala planeación y un momento inoportuno, y esto le costó a la Ford 350 millones de dólares.[1]

Una compañía debe saber bien cómo desarrollar productos nuevos. También debe saber cómo administrarlos en función de los cambios de gustos, tecnologías y competencia. Todos los productos parecen pasar por un ciclo de vida: nacen, se desarrollan a través de diversas fases y eventualmente mueren, cuando aparecen productos más jóvenes que satisfacen mejor las necesidades del consumidor.

La figura 12-2 muestra el curso hipotético de las ventas y las utilidades de un producto desde su aparición hasta su desaparición. El ciclo de vida del producto comienza cuando la compañía encuentra y desarrolla una idea para un producto nuevo. Durante el desarrollo del producto, la firma acumula costos de inversión crecientes. Después de que la compañía lanza el producto, las ventas pasan por un periodo de introducción, después por un periodo de crecimiento lento, seguido por la madurez y la decadencia final. Mientras tanto, las utilidades pasan de negativas a positivas, llegan a un pico en las etapas de crecimiento y de madurez, y por fin disminuyen.

El ciclo de vida del producto les presenta a las compañías dos grandes retos. Primero, como todos los productos eventualmente decaen, la firma debe desarrollar un proceso para encontrar nuevos productos que sustituyan a los que envejecen (el problema del *desarrollo de productos nuevos*). Segundo, la firma debe comprender cómo envejecen sus productos y adaptar sus estrategias de mercadotecnia para los productos a medida que éstos pasan por diferentes etapas del ciclo de vida (el problema de las *estrategias del ciclo de vida del producto*). Algunas compañías ponen todas sus energías en el desarrollo de productos nuevos, a veces en detrimento de los productos existentes bien administrados. Otras firmas se concentran en la administración de los productos presentes y no son capaces de desarrollar productos nuevos para el futuro. Las empresas deben buscar un equilibrio entre estos dos extremos.

Se examinará primero el problema de encontrar y desarrollar productos nuevos y después se verá el problema de administrarlos con éxito a lo largo de sus ciclos de vida.

ESTRATEGIA DE DESARROLLO DE PRODUCTOS NUEVOS

Dada la rapidez de los cambios en gustos, tecnología y competencia, una compañía no puede depender sólo de sus productos existentes. Los consumidores quieren y esperan pro-

FIGURA 12-1
Ventas y utilidades durante la vida del producto desde su aparición hasta su desaparición

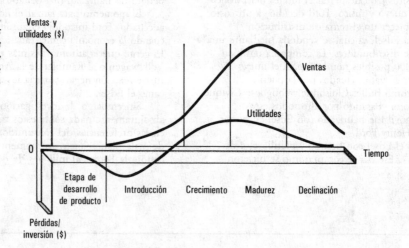

ductos nuevos y mejorados. La competencia hará todo lo que pueda para proporcionarlos. Toda compañía necesita un programa de desarrollo de productos nuevos.

Una empresa puede obtener productos nuevos de dos maneras. Una es mediante *adquisición*, al comprar una compañía completa, una patente o un permiso para producir el producto de alguien más. La otra forma es mediante el *desarrollo de producto nuevo*, al establecer su propio departamento de investigación y desarrollo.

Aquí nos concentraremos en el desarrollo de producto nuevo: *productos originales, mejoramientos del producto, modificaciones del producto* y *marcas nuevas,* que la firma desarrolla mediante sus propios esfuerzos de investigación y desarrollo. También se verá el tema de si el consumidor considera que el artículo es ''nuevo'', aunque esto no será de primera importancia.

La innovación puede ser muy riesgosa. La Ford perdió aproximadamente 350 millones de dólares con el Edsel; la RCA perdió la cifra de 580 millones de dólares en su videotocadiscos SelectaVision; la aventura de Xerox en las computadoras fue un desastre; y el avión francés Concorde nunca recuperará su inversión. Véase a continuación una lista de varios productos empacados de consumo, lanzados por empresas de renombre, que fracasaron en el mercado:

- Sopa Red Kettle (Campbell)
- Sopa Knorr (Best)
- Pasta dentífrica Cue (Colgate)
- Salsas catsup de sabores (Hunt)
- Pañales Babyscott (Scott)
- Colonia para hombre Nine Flags (Gillette)
- Detergente en pastillas Vim (Lever)
- Cereal Post de frutas secas (General Foods)
- Cerveza Gablinger's (Rheingold)
- Analgésico Resolve (Bristol-Myers)
- Desodorante Mennen E (Mennen)

En un estudio se descubrió que la tasa de fracasos de productos nuevos era de 40% para artículos de consumo; 20% para bienes industriales y 18% para servicios.[2] En un estudio reciente de 700 firmas industriales y de consumo dirigido por Booz, Allen & Hamilton, se encontró que el porcentaje global de éxito para los productos nuevos era de sólo 65% (véase recuadro 12-1 para un resumen de otros resultados).

¿Por qué fracasan tantos productos? Hay varias razones. A veces, un ejecutivo de alto nivel hace valer su idea favorita a pesar de resultados negativos en la investigación de mercados. En otras ocasiones la idea es buena, pero se subestima el tamaño del mercado. También es posible que el producto no se haya diseñado tan bien como debiera. O ha sido posicionado incorrectamente en el mercado, la publicidad no ha sido eficaz o el precio es demasiado alto. A veces los costos de desarrollo de producto son más elevados de lo esperado o los competidores contraatacan con más vigor de lo esperado.

El desarrollo exitoso de un producto puede ser todavía más difícil de lograr en el futuro por las razones siguientes:

- *Escasez de ideas para productos nuevos.* Algunos científicos piensan que hay una escasez de tecnologías nuevas importantes de la magnitud de los automóviles, televisores, computadoras, xerografía y drogas milagrosas.

RECUADRO 12-1

EL ULTIMO ESTUDIO DE BOOZ, ALLEN & HAMILTON SOBRE LA ACTIVIDAD DE ADMINISTRACION DE PRODUCTO NUEVO

La firma consultora internacional de administración y tecnología de Booz, Allen & Hamilton distribuyó en 1982 un estudio actualizado de la actividad de administración de producto nuevo. El estudio consistía en una encuesta por correo de 700 consumidores y compañías industriales y largas entrevistas con 150 ejecutivos de producto nuevo. Véanse aquí algunos de sus resultados claves:

■ La gerencia informó de una tasa media de éxito en productos nuevos de 65%

■ Las compañías fueron capaces de desarrollar un producto exitoso de cada siete que investigaron, lo cual es un mejoramiento sustancial sobre la tasa de 1968 de una de cada 58 ideas.

■ Sólo el 10% de los productos nuevos eran ''nuevos para el mundo'' sólo el 20% eran ''líneas de productos nuevos'', pero estos artículos de elevado riesgo representaban 60% de los productos nuevos ''más exitosos''.

■ El gasto de producto nuevo se ha vuelto más eficiente, ya que las entradas exitosas fueron responsables de 54% de los desembolsos totales de productos nuevos, una alza de 30% en relación con 1968.

■ Las compañías con producto nuevo exitoso no gastan más en investigación y desarrollo, como un porcentaje de las ventas, que las que no tienen éxito.

■ El número medio de nuevos productos lanzados entre 1976 y 1981 fue de cinco; se espera que esta cifra sea el doble durante los próximos cinco años.

■ Los gerentes esperan que los productos nuevos aumenten el crecimiento de las ventas de la compañía en un tercio durante los próximos cinco años, mientras que la porción de las utilidades totales de la firma generadas por productos nuevos se espera que sea de 40%.

Fuente: New Products Management for the 1980s (Nueva York: Booz, Allen & Hamilton, 1982).

■ *Mercados fragmentados.* La competencia fuerte está dando lugar a mercados cada vez más fragmentados. Las compañías tienen que dirigir los productos nuevos a segmentos de mercado cada vez más pequeños en vez del mercado masivo, significando menores ventas y utilidades para cada producto.

■ *Crecientes restricciones sociales y gubernamentales.* Los productos nuevos tienen que satisfacer cada vez más los criterios gubernamentales, como los de seguridad para el consumidor y la compatibilidad ecológica. Los requerimientos gubernamentales han reducido la tasa de innovación en la industria farmacéutica y han complicado las decisiones sobre diseño de producto y publicidad en áreas tales como el equipo industrial, sustancias químicas, automóviles y juguetes.

■ *Precio alto del proceso de desarrollo de producto nuevo.* Descubrir, desarrollar y lanzar productos nuevos puede ser muy costoso y sus precios se elevarán constantemente debido a la inflación en los costos de fabricación, medios publicitarios y distribución.

■ *Escasez de capital.* Muchas compañías no pueden costear ni reunir los fondos necesarios para el desarrollo de producto nuevo. Recalcan la modificación e imitación del producto en vez de la verdadera innovación.

■ *Vida más corta de productos exitosos.* Cuando un producto nuevo tiene éxito, los rivales lo imitan rápido que el nuevo producto tendrá como destino una vida feliz y muy corta. Alberto-Culver tenía tanta prisa por seguir a P&G en el mercado del champú que inventó un nombre y filmó un comercial de televisión antes de haber desarrollado su propio producto.

1. *Gerentes de producto.* Muchas compañías dejan el desarrollo de productos nuevos a sus gerentes de producto. En la práctica, este sistema tiene varios errores. Los gerentes de producto por lo general están demasiado ocupados administrando sus líneas de producto y se ocupan muy poco de los productos nuevos, mientras no se trate de modificaciones o extensiones de marca; también carecen de las habilidades y conocimientos específicos que se necesitan para el desarrollo de productos nuevos.

2. *Gerentes de productos nuevos.* La General Foods y la Johnson & Johnson tienen gerentes de productos nuevos que son responsables ante los gerentes de grupo. Este puesto profesionaliza la función de producto nuevo; por otra parte, los gerentes de productos nuevos tienden a pensar en términos de modificaciones de producto y extensiones de línea limitados a su mercado de producto.

3. *Comités de producto nuevo.* Muchas compañías tienen un comité administrativo de alto nivel que se encarga de revisar las propuestas de productos nuevos. Está formado por representantes de mercadotecnia, fabricación, finanzas, ingeniería y otros departamentos. Su función no es tanto el desarrollo ni la coordinación, sino la revisión y aprobación de los planes para productos nuevos.

4. *Departamentos de producto nuevo.* Las compañías grandes a menudo establecen un departamento de producto nuevo, encabezado por un gerente que tiene autoridad sustancial y acceso a la gerencia superior. Las principales responsabilidades del departamento incluyen generar y clasificar (tamizar) nuevas ideas, dirigir y coordinar el trabajo de investigación y desarrollo y ejecutar pruebas de campo y labor anterior a la comercialización.

5. *Equipos de aventura de producto nuevo.* Dow, Monsanto, Westinghouse y General Mills asignan el trabajo principal de desarrollo de producto nuevo a equipos de empresa. Un *equipo de empresa* es un grupo formado por personal de varios departamentos de operaciones encargado de crear un producto o negocio específico.

Fuentes: Esta lista se basa en información encontrada en *Organization for New-Product Development* (Nueva York: Conference Board, 1966), y David S. Hopkins, *Options in New-Product Organization* (Nueva York: Conference Board, 1974).

Así, las compañías se enfrentan a un dilema: deben desarrollar productos nuevos, pero las probabilidades de éxito son pocas. Las firmas pueden minimizar este dilema mediante una planeación más fuerte y sistemática. Primero, pueden diseñar *arreglos organizacionales* eficaces para formar y manejar los productos nuevos. Los arreglos más comunes se describen en la tabla 12-1. Después pueden establecer un *proceso sistemático del producto nuevo* para encontrar y cultivar nuevos productos. Los pasos principales en el proceso de desarrollo se muestran en la figura 12-2 y se describen a continuación.

Generación de ideas

El desarrollo de un producto nuevo comienza con la búsqueda de nuevas ideas. Una compañía original tiene que generar muchas ideas para encontrar algunas que sean buenas. Booz, Allen & Hamilton resumieron esto en la forma de una curva de declinación para las ideas sobre productos nuevos que muestra cuántas ideas originales sobreviven en cada etapa del proceso de desarrollo (véase figura 12-3). En 1968 se necesitaron cincuenta y ocho ideas de producto nuevo para producir un solo producto bueno. El último estudio muestra que

FIGURA 12-2
Etapas principales en el desarrollo de producto nuevo

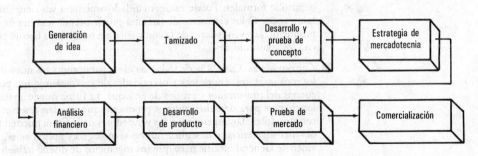

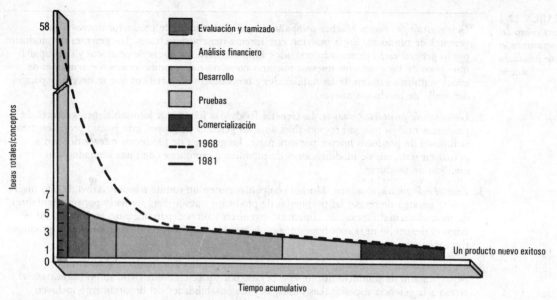

FIGURA 12-3 *Curva de declinación de ideas para producto nuevo*

Nota: New Products Management for the 1980s (Nueva York: Booz, Allen & Hamilton, 1982).

las compañías son capaces ahora de convertir una idea de cada siete en un producto nuevo de éxito. Booz, Allen & Hamilton sacaron la conclusión de que muchas compañías hacen clasificaciones previas y planifican con más eficacia e invierten dinero sólo en las mejores ideas, en vez de usar un enfoque de escopeta.

La búsqueda de ideas para productos nuevos deberá ser sistemática en vez de casual. De otro modo la firma encontrará un gran número de ideas, la mayoría de las cuales no serán apropiadas para este tipo de negocio. Una compañía gastó más de un millón de dólares en la investigación y desarrollo de un producto nuevo, sólo para que la alta gerencia se negara a dar su aprobación final porque no quería entrar en ese tipo de negocio.

La alta gerencia puede evitar este error al definir cuidadosamente su estrategia de desarrollo de producto nuevo. Deberá estipular qué productos y mercados recalcar. Deberá estipular qué quiere lograr la firma con los nuevos productos, si se trata del objetivo de tener un flujo elevado de efectivo, predominio en la porción del mercado o alguna otra meta. Deberá estipular el esfuerzo relativo que ha de dedicarse al desarrollo de productos originales, modificar los productos existentes e imitar los productos de la competencia.

Para generar una corriente continua de ideas para productos nuevos, la compañía debe cultivar activamente muchas fuentes de ideas. Las principales fuentes de ideas incluyen las siguientes:

■ *Fuentes internas.* En un estudio se descubrió que más del 55% de todas las ideas nuevas se dan dentro de la misma compañía.[3] Esta puede encontrar nuevas ideas mediante investigación y desarrollo formales. Puede escoger cuidadosamente a sus científicos, ingenieros y personal de fabricación. O los ejecutivos de la firma pueden tener sesiones de ideación súbita para nuevos productos. Los vendedores de la compañía son otra buena fuente porque tienen contacto diario con los consumidores.

■ *Consumidores.* Casi 28% de todas las ideas para productos nuevos provienen de un análisis de los consumidores. Los deseos y necesidades de los consumidores pueden vigilarse mediante encuestas del consumidor y grupos de enfoque. La firma puede analizar las preguntas y quejas de los clientes para descubrir nuevos productos que puedan resolver mejor los problemas de los consumidores. Los ingenieros o los vendedores de la firma pueden reunirse con los clientes para obtener sugerencias o descubrir nuevas tecnologías y aplicaciones. La división de productos de video de General Electric hace que sus ingenieros de diseño hablen directamente con los consumidores finales para obtener ideas en nuevos artículos electrónicos para el hogar. La National Steel tiene un centro de aplicaciones del producto, donde los ingenieros de la firma trabajan con los clientes automotrices para descubrir necesidades específicas del consumidor que pudieran requerir de nuevos productos o aplicaciones.[4] Por último, los consumidores a menudo crean nuevos productos por su propia cuenta para resolver sus problemas y las compañías pueden beneficiarse al encontrar estos productos y comercializarlos. Pillsbury obtiene nuevas recetas prometedoras mediante su concurso anual de pastelería, Bake-Off: una de las cuatro líneas de harina preparadas para pastel Pillsbury y algunas variaciones de otras han sido el resultado directo de las recetas ganadoras en ese concurso. El Installed User Program de la IBM encuentra y adquiere programas de software desarrollados por el usuario para sus computadoras medianas y grandes, alrededor de una tercera parte de todo el software que la IBM alquila para estas computadoras lo desarrollan usuarios externos.[5]

■ *Competidores.* Alrededor de 27% de todas las ideas para productos nuevos provienen de análisis de productos de la competencia. Las compañías compran regularmente productos nuevos de la competencia, los desarman para ver cómo funcionan, analizan su rendimiento en el mercado y deciden si la firma debería responder con un nuevo producto propio. La compañía también puede vigilar los anuncios de los competidores y otros medios de comunicación para obtener indicios acerca de sus intereses sobre productos nuevos.

■ *Distribuidores y proveedores.* Los revendedores están más cerca del mercado y pueden suministrar información acerca de los problemas de los consumidores y las posibilidades de los productos nuevos. Los proveedores pueden informarle a la compañía acerca de nuevos conceptos, técnicas y materiales que puede usar para desarrollar productos nuevos.

■ *Otras fuentes.* Otras fuentes de ideas incluyen revistas especializadas, exhibiciones y seminarios; agencias gubernamentales; consultores de productos nuevos; agencias de publicidad; firmas de investigación de mercados; laboratorios comerciales y universitarios e inventores (véase figura 12-2).

RECUADRO 12-2

NUEVAS IDEAS SALVAJES: DEJENLAS VENIR

No hay escasez de ideas salvajes. Burt Shulman, quien trabaja para la IBM, ha inventado cierto número de cosas en su tiempo libre: un artefacto que aleja el humo de la nariz de la persona que usa pistolas para soldar; un radio con reloj despertador que percibe cuándo va a llover o a nevar y que despierta a la persona antes de lo usual; una pequeña máquina que mejora la circulación sanguínea de los ejecutivos sedentarios al moverles continuamete los pies de arriba a abajo; un dispositivo que les permite a los automovilistas respirar aire fresco cuando quedan atrapados en embotellamientos de tránsito; pinzas electrónicas para la remoción permanente del vello enterrado en lo profundo de la piel; una máquina que se ata a la espalda de quienes practican jogging para ayudarles a correr 32 kilómetros por hora. Por desgracia, ninguno de estos inventos ha alcanzado éxito comercial.

Ocasionalmente una idea original da muy buenos resultados. Tómese el caso de las lentes de contacto para pollos. Robert Garrison los inventó mientras trabajaba con el dueño de una granja enorme en Oregon. Había más de 470.8 millones de pollos en 1978 y en las granjas grandes había más de diez mil en cada una. La crianza de pollos destinados a producir huevos es un próspero negocio, y resulta sumamente útil un aparato que impida a las gallinas picotearse unas a otras, pues a veces mueren por las heridas; gracias a ese aparato pueden concentrarse en comer y poner huevos. La cresta y la forma como el animal pone la cabeza es la señal para empezar el picoteo. Si se le impide ver la cresta de las demás, se aminora muchísimo el canibalismo entre las gallinas. Cuando se les ponen lentes de contacto, su visibilidad se reduce a 24 centímetros, con lo cual no logran percibir la cresta de los otros animales. Las lentes resuelven además el problema consistente en que a las más sumisas les cuesta mucho trabajo llegar al comedero. Como las granjas de pollos ya han dedicado elevadas sumas para quitarles el pico a sus aves de corral y evitar así el canibalismo, el dinero destinado a las lentes de contacto a la larga representa un ahorro considerable, ya que además el hecho de quitarles el pico les produce a los animales un verdadero trauma.

¿Quién puede saber lo que vendrá después? ¿Un contraceptivo en el alimento de los gatos para mantener baja la población de estos animales? No se ría. La Carnation Company de Los Angeles está trabajando en esto.

Fuente: "Burt Shulman" se describe en Richard Severs "...or Jogger Huff Puffig: It's a Gas", *Chicago Tribune*, 7 de enero de 1979. "Contact lenses for chickens" está adaptado de Darral G. Clarke. "Optical Distorsion, Inc." en *Problems in Marketing*, ed. Steven H. Star y otros (Nueva York: McGraw Hill, 1977), pp. 530-550.

Tamizado de ideas

La generación de ideas tiene como propósito crear un gran número de ellas. La finalidad de las etapas subsiguientes es *reducir* el número de ideas. El primer paso es el *tamizado* de ideas.

En la etapa de tamizado, la compañía debe evitar dos tipos de errores. Un error de EXCLUSION ocurre cuando la firma descarta una idea que es buena. Algunas firmas se estremecen cuando piensan en algunas de las ideas que han descartado:

Xerox vio la promesa novedosa de la máquina copiadora Chester Carlson; IBM y Eastman Kodak no la vieron en lo absoluto. RCA logró prever la oportunidad innovadora de la radio; la Victor Talking Machine Company no la vio. Henry Ford reconoció el futuro del automóvil; pero sólo la General Motors comprendió la necesidad de segmentar el mercado automotriz en categorías de precio y rendimiento, con un modelo para cada clasificación. Marshall Field comprendió las posibilidades únicas de desarrollo de mercado de las compras a plazos; Endicott Johnson no las comprendió, denominándolas "el sistema más vil inventado hasta la fecha para crear problemas". Y así ha sido.[6]

Si una compañía comete demasiado errores de EXCLUSION, sus estándares son demasiado conservadores.

Un error de SEGUIR ADELANTE ocurre cuando la compañía permite que una idea mala pase a desarrollo y a comercialización. Esto da lugar a productos que pierden dinero o que producen utilidades decepcionantes.

El propósito de la clasificación es detectar y descartar ideas malas tan pronto como sea posible. Los costos de desarrollo del producto se elevan sustancialmente en cada etapa sucesiva. Cuando los productos llegan a las etapas superiores, la gerencia a menudo cree que ha invertido tanto en desarrollo que el producto debería lanzarse para recuperar parte de la inversión. Pero esto es dejar que el dinero bueno persiga al malo y la verdadera solución no es permitir que las ideas malas lleguen tan lejos.

La mayoría de las compañías exigen que sus ejecutivos escriban ideas para productos nuevos en un formato estándar que un comité de producto nuevo podrá revisar. Describen el producto, el mercado meta y la competencia y hacen algunas estimaciones aproximadas del tamaño del mercado, precio del producto, tiempo y costos de desarrollo, costos de fabricación y tasa de rendimiento.

Incluso si la idea parece buena, surge esta pregunta: ¿Es apropiada para la compañía particular? ¿Engrana bien con los objetivos, estrategias y recursos de la empresa? La tabla 12-2 muestra un tipo común de forma de clasificación para esta pregunta. La primera columna enumera los factores requeridos para el lanzamiento exitoso de un producto en el mercado. En la columna siguiente, la gerencia asigna valores estadísticos a estos factores para indicar su importancia relativa. Así, la gerencia cree que la competencia de mercadotecnia es muy importante (.20) y que la competencia en compras y abastecimientos es de menor importancia (.05).

La tarea siguiente consiste en evaluar la capacidad de la firma en cada factor sobre una escala de .0 a 1.0. Aquí la gerencia cree que su capacidad de mercadotecnia es muy alta (.9) y que su capacidad de ubicación e instalaciones es baja (.3). El paso final es multiplicar la

TABLA 12-2 *Dispositivo de clasificación de idea de producto*

REQUERIMIENTOS PARA EL EXITO DEL PRODUCTO	(A) VALOR ESTADISTICO RELATIVO	(B) NIVEL DE LA COMPAÑIA											CLASIFI-CACIONES (A × B)
		.0	.1	.2	.3	.4	.5	.6	.7	.8	.9	1.0	
Personalidad y buena voluntad de la compañía	.20							✓					.120
Mercadotecnia	.20										✓		.180
Investigación y desarrollo	.20								✓				.140
Personal	.15							✓					.090
Finanzas	.10										✓		.090
Producción	.05									✓			.040
Ubicación e instalaciones	.05				✓								.015
Compras y suministros	.05										✓		.045
Total	1.00												.720*

Adaptada de Barry M. Richman, "A Rating Scale for Product Innovation", *Business Horizons*, verano de 1962, pp. 37-44.
* Escala de clasificación: .00-.40 mala; 41-.75 aceptable; .76-1.00 buena. Tasa de aceptación mínima actual: .70.

importancia de cada factor de éxito por el nivel de capacidad de la firma para obtener una clasificación global de la capacidad para lanzar este nuevo producto con éxito. Así, si la mercadotecnia es un factor importante del éxito y esta compañía tiene un departamento de mercadotecnia muy bueno, esto aumentará la clasificación global de la idea para el producto. En el ejemplo, la idea del producto tuvo una puntuación de .72, que la coloca en el extremo superior del nivel de una "idea aceptable".[7]

La lista de verificación promueve una evaluación más sistemática de la idea para el producto y una base para la discusión, no está destinada a tomar la decisión en vez de la administración.[8]

Desarrollo y prueba de conceptos

Las ideas que sobreviven deben desarrollarse ahora en conceptos del producto. Es importante hacer una distinción entre una idea, un concepto y una imagen del producto. La *idea del producto* es aquélla que la compañía podrá ofrecerle al mercado. El *concepto de producto* es una versión elaborada de la idea expresada en términos de consumo significativos. Una *imagen del producto* es la percepción particular que los consumidores adquieren de un producto real o potencial.

Desarrollo de conceptos

Supóngase que un fabricante de automóviles descubre cómo diseñar un automóvil eléctrico que pueda tener una velocidad de 80 kilómetros por hora y que pueda recorrer hasta 160 kilómetros sin necesidad de recargarlo. El fabricante estima que los costos de operación del automóvil eléctrico serán aproximadamente la mitad que los de un coche convencional.

Esta es una idea del producto. Sin embargo, los consumidores no van a comprar una idea del producto; ellos compran un concepto del producto. La labor del mercadólogo consiste en desarrollar esta idea hasta convertirla en algunos conceptos alternativos del producto, evaluar el atractivo de éstos para los consumidores y escoger el mejor.

Entre los conceptos del producto que podrían crearse para el automóvil eléctrico están los siguientes:

■ *Concepto 1.* Un subcompacto económico diseñado para ser el segundo automóvil de una familia que el ama de casa usará para trayectos cortos y para hacer las compras. Es el vehículo ideal para transportar comestibles y niños y es un mercado fácil de penetrar.

- *Concepto 2.* Un automóvil de precio medio y tamaño intermedio diseñado como un automóvil familiar para todo propósito.

- *Concepto 3.* Un automóvil deportivo de precio medio, compacto, que atraería principalmente a los jóvenes.

- *Concepto 4.* Un automóvil subcompacto y económico que tuviera atractivo para los ciudadanos responsables que quieren transporte básico, economía de combustible y baja contaminación.

Pruebas del concepto

Estos conceptos deben someterse a prueba usando un grupo apropiado de consumidores meta. Los conceptos pueden presentarse de forma simbólica o física. En esta etapa es suficiente una descripción verbal o gráfica, aunque mientras más concreto y físico sea el estímulo, mayor será la confiabilidad de la prueba de conceptos. A los consumidores se les presenta una versión elaborada de cada concepto. Véase el concepto 1:

> Un automóvil de gran rendimiento, cuya conducción es un placer, movido por energía eléctrica, subcompacto y con cuatro asientos. Adecuado para hacer las compras y visitar a los amigos. Su operación cuesta la mitad que un automóvil semejante de gasolina. Alcanza una velocidad de 80 kilómetros por hora, sin que necesite recargarse por 160 kilómetros. Su precio es 8 000 dólares.

Los consumidores deben contestar las preguntas que aparecen en la tabla 12-3. Las respuestas ayudarán a la compañía a determinar cuál concepto tiene el mayor atractivo. Por ejemplo, la última pregunta en la tabla 12-3 viene después de la *intención de comprar* del consumidor y dice así: ''¿Compraría usted este producto *con toda seguridad, probablemente, probablemente no, definitivamente no?*'' Supóngase que 10% de los consumidores dicen que ''con toda seguridad'' y otro 5% dice ''probablemente''. La compañía proyectaría estas cifras al tamaño correspondiente de la población de este grupo meta para estimar el volumen de ventas. Aún entonces, la estimación es aproximada porque la gente no siempre cumple sus intenciones.[9]

Desarrollo de estrategia de mercadotecnia

Supóngase que el primer concepto enumerado en la lista para el automóvil eléctrico es el que mejor se desempeña en las pruebas. El paso siguiente requiere desarrollar una estrategia de mercadotecnia preliminar para introducir este automóvil en el mercado.

La formulación de la estrategia de mercadotecnia consta de tres partes. La primera describe el tamaño, la estructura y el comportamiento del mercado meta, el posicionamiento y las ventas planeadas del producto, la porción del mercado y las metas de utilidades buscadas en los primeros años. Así:

> El mercado meta está constituido por las familias que necesitan un segundo automóvil para hacer compras y visitar a las amistades. El automóvil será posicionado como un vehículo económico,

TABLA 12-3
Preguntas principales en una prueba de concepto para un automóvil eléctrico

1. ¿Es claro para usted el concepto de un automóvil eléctrico?
2. ¿Qué considera como beneficios distintivos de un automóvil eléctrico en comparación con uno convencional?
3. ¿Considera creíbles las afirmaciones acerca del rendimiento del automóvil eléctrico?
4. ¿Le dará satisfacción un automóvil eléctrico a una necesidad verdadera?
5. ¿Qué mejoras puede recomendar en diversas características del automóvil eléctrico?
6. ¿Quién intervendría en una posible decisión de compra y quién usaría el automóvil?
7. ¿Cuál cree que debería ser el precio del automóvil eléctrico?
8. ¿Preferiría un automóvil eléctrico a uno convencional? ¿Para qué usos?
9. ¿Compraría un automóvil eléctrico? (Definitivamente sí, probablemente, probablemente no, definitivamente no.)

cuyo mantenimiento no cuesta mucho, y cómo un automóvil que le da más placer al conductor que los que se usan actualmente. La firma se propondrá vender 500 000 unidades en el primer año, con una pérdida que no pase de los 3 millones de dólares. En el segundo año proyecta alcanzar 700 000, que darán utilidades de 5 millones de dólares.

La segunda parte de la formulación de estrategia de mercadotecnia describe el precio planeado del producto, la estrategia de distribución y el presupuesto de mercadotecnia para el primer año:

El automóvil eléctrico se ofrecerá en tres colores y entre el equipo opcional figurarán las siguientes características: aire acondicionado y dirección hidráulica. El precio al menudeo será de 6 000 dólares, con 15% de descuento del precio de lista para los distribuidores. Los que logren vender más de 10 unidades al mes obtendrán un descuento adicional de 5% en cada unidad que vendan en ese mes. El presupuesto de publicidad, que asciende a 6 millones de dólares se dividirá en dos partes: una destinada a la publicidad nacional y otra a la local. En el mensaje publicitario se destacarán la economía y el placer que da conducir el automóvil. En el primer año se gastarán 100 000 dólares en la investigación de mercados para saber quiénes están comprando y evaluar su grado de satisfaccción.

La tercera parte de la formulación de la estrategia de mercadotecnia describe las ventas planeadas a largo plazo y las metas de utilidades que se pretende alcanzar con la mezcla de mercadotecnia.

La compañía se propone captar con el tiempo 6% del mercado total de los automóviles y obtener un rendimiento sobre la inversión de 15% después de impuestos. A fin de conseguir su objetivo, el producto tendrá inicialmente una calidad excelente y luego será perfeccionado mediante la investigación tecnológica. El precio se aumentará en el segundo y tercero años si la competencia lo permite. El presupuesto total de publicidad se incrementará cada año 10% aproximadamente. El presupuesto destinado a la investigación de mercadotecnia se reducirá en 60 000 dólares por año, después del primer año.

Análisis financiero   Una vez que la gerencia ha tomado una decisión sobre el concepto del producto y sobre la estrategia de mercadotecnia, podrá evaluar el atractivo financiero de la respuesta. La gerencia debe revisar las proyecciones de ventas, costos y utilidades para determinar si satisfacen los objetivos de la compañía. En caso positivo, el producto podrá pasar a la etapa de desarrollo.

Estimación de las ventas

La gerencia necesita estimar si las ventas serán lo suficientemente elevadas para que le proporcionen utilidades satisfactorias a la firma. La administración deberá examinar el historial de ventas de productos similares y encuestar la opinión del mercado. También preparará estimados de ventas mínimas y máximas para conocer el alcance del riesgo.

Los métodos de pronóstico de ventas se describieron en el capítulo 9. Al pronosticar las ventas de un producto, mucho depende de si se trata de un producto comprado una vez, uno comprado de cuando en cuando o uno que se compra con frecuencia.

La figura 12-4A ilustra las ventas en el ciclo de vida del producto que cabe esperar para artículos que se adquieren una sola vez. Las ventas se elevan al comienzo, tienen un pico y más tarde se acercan a cero cuando se agota el número de consumidores potenciales. Si siguen entrando compradores nuevos al mercado, la curva no llegará a bajar a cero.

Los productos que se compran de cuando en cuando como automóviles, tostadores y equipo industrial exhiben ciclos de reemplazo, dictados por su desgaste físico o su obsolecencia asociada con cambios en los estilos de vida, características y gustos.[10] El pronóstico de ventas para esta categoría de productos requiere estimar por separado las ventas de primera vez y las ventas de reemplazo (véase figura 12-4B).

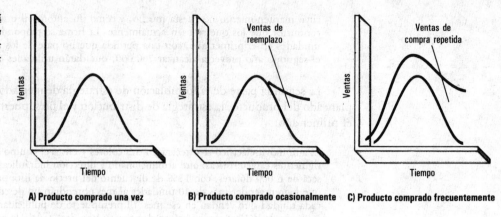

FIGURA 12-4
Ventas del ciclo de vida del producto para tres tipos de productos

Ventas de reemplazo

Ventas de compra repetida

A) Producto comprado una vez   **B) Producto comprado ocasionalmente**   **C) Producto comprado frecuentemente**

Los productos comprados con frecuencia, como los bienes no duraderos, de consumo e industriales, han producido ventas de ciclo de vida semejantes a las de la figura 12-4C. El número de quienes compran por primera vez aumenta inicialmente y después disminuye, a medida que quedan menos (de presuponer una población fija). Las compras repetidas ocurren pronto, siempre y cuando el producto satisfaga a cierta fracción de la gente que se convierten en compradores constantes. La curva de las ventas eventualmente se estabiliza y representa un nivel de volumen constante de compras repetidas; para este momento el producto ya no pertenece a la clase de productos nuevos.

Estimación de costos y utilidades

Después de preparar el pronóstico de ventas, la gerencia puede estimar los costos y utilidades esperadas de esta aventura. Los departamentos de investigación y desarrollo, fabricación, contabilidad y finanzas estiman los costos. En el análisis se incluyen los costos de la mercadotecnia planeada. Se calcula el atractivo financiero de la propuesta usando técnicas como el análisis de equilibrio, del periodo de pago y de riesgo y rendimiento, todos los cuales se describen en libros de texto estándar sobre finanzas.

Desarrollo del producto

Si el concepto de producto pasa la prueba del análisis financiero, el departamento de investigación y desarrollo o el de ingeniería se encargarán de convertirlo en un producto físico. Hasta ese momento no era nada más que una descripción verbal, un esbozo o un modelo sumamente rudimentario. Este paso requiere de un gran salto en la inversión, que impide el crecimiento de los costos de evaluación de la idea en los cuales se incurrió en las etapas más tempranas. Esta etapa mostrará si la idea del producto puede traducirse en un artículo factible técnica y comercialmente. En caso negativo, la inversión acumulada de la compañía se perderá a excepción de cualquier información útil obtenida en el proceso.

El departamento de investigación y desarrollo creará una o más versiones físicas del concepto de producto. Espera encontrar un prototipo que satisfaga los criterios siguientes: 1. debe poseer los atributos esenciales que figuran en la formulación del concepto de producto; 2. el prototipo da un rendimiento seguro bajo condiciones y uso normales; 3. el prototipo puede fabricarse sin rebasar los costos asignados a su producción.

El desarrollo de un prototipo exitoso puede llevar días, semanas, meses o incluso años. El prototipo debe incorporar las características funcionales requeridas y también mostrar las características psicológicas que se desean de él. El automóvil eléctrico, por ejemplo, debe impresionar al público por su seguridad a toda prueba y por estar bien armado. La gerencia debe conocer los criterios con los que se llega a esa convicción. Los clientes

Diseño prototipo para un nuevo automóvil de la General Motors. *Cortesía de General Motors Corporation.*

acostumbran golpear la puerta para escuchar el "impacto". Si el automóvil no tiene puertas con un sonido macizo, pensarán que el vehículo no está bien construido.

Cuando los prototipos están listos, se les debe someter a prueba. Las *pruebas funcionales* se dirigen en condiciones reales y de laboratorio para asegurar que el producto dé un rendimiento seguro y satisfactorio. El nuevo automóvil debe funcionar bien; las llantas no se desprenderán; debe dar vuelta en las curvas sin volcarse. Las *pruebas del consumidor* consisten en pedirles a éstos que conduzcan el automóvil y que evalúen tanto la unidad como sus atributos. (Para un ejemplo real del desarrollo y pruebas del producto, véase el recuadro 12-3.)

RECUADRO 12-3

BRUNSWICK SE SOMETE AL PROCESO DE DESARROLLO Y PRUEBA DE PRODUCTOS

Al finalizar la Segunda Guerra Mundial, la Brunswick Corporation, una de las compañías líder en el mercado de equipo para boliche y billar, empezó a buscar un área de productos nuevos. Deseaba usar su experiencia en la fabricación de grandes objetos de madera. Finalmente se decidió por el mercado de mobiliario escolar.

Con el fin de averiguar las necesidades de ese mercado, la Brunswick entrevistó a trescientos educadores. Muchos de éstos expresaron su insatisfacción con los muebles tan pesados del aula típica. La firma decidió crear una línea de mobiliario ligero y portátil. Este tipo de muebles serviría para la enseñanza en equipo, el aprendizaje en grupos pequeños y el empleo de la televisión en las aulas.

La etapa inicial en el desarrollo de productos nuevos fue hacer bosquejos del mobiliario. Se les pidió a los educadores y a los administradores escolares que dieran su opinión. A algunos educadores los pupitres les parecieron frágiles, y otros pusieron en tela de juicio sus ventajas ortopédicas. Dichas opiniones dieron lugar a una revisión de los bosquejos. Y después Brunswick produjo una serie de prototipos hechos a mano, a fin de probarlos en sus oficinas.

Y de este modo se seleccionó el prototipo definitivo; se fabricó un número reducido de pupitres destinados a pruebas ulteriores. Educadores y alumnos los probaron para ver cómo los usaban y si los pupitres soportarían el maltrato. Se colocó a los niños en un salón y se les fotografió mientras usaban los pupitres, con supervisión y sin ésta. Por otra parte, se construyeron aulas modelo en las cuales se usó la línea de muebles de Brunswick. Estas aulas sirvieron como lugar de observación del uso de los pupitres, y a la vez como sala de exhibición para que los educadores conocieran el mobiliario.

Y cuando la Brunswick determinó que los muebles satisfacían las necesidades de los educadores y que resistían los malos tratos, introdujo su línea de pupitres en la convención anual de la National Education Association. Antes de que ésta terminara, ya había vendido toda su capacidad de producción del primer año.

Sin embargo, no terminó allí el desarrollo y la prueba del producto. Al recibir los informes referentes al uso en el campo, el pupitre fue modificado para atender problemas imprevistos. Por ejemplo, en California se puso de moda que los estudiantes de enseñanza media arrancasen los brazos de los pupitres. Para impedir eso, fue necesario volver a diseñar el pupitre.

Hubo otra clase de datos que motivaron una modificación ulterior. Muchos cambios tendientes a abatir los costos se iniciaron en el proceso de fabricación. Al pupitre de madera sucedieron los de fibra de vidrio, con lo cual el precio de cada uno descendió de 18 a 5 dólares.

Pruebas de mercado

Si el producto pasa con éxito las pruebas funcionales y de consumo, el paso siguiente son las pruebas de mercado.

Las *pruebas de mercado* constituyen la etapa donde el producto y el programa de mercadotecnia se introducen en situaciones de mercado más realistas.

Las pruebas de mercado le permiten al mercadólogo obtener experiencia con la comercialización del producto, para descubrir problemas potenciales y averiguar dónde se necesita más información antes de hacer el enorme gasto de la introducción completa. El propósito básico de las pruebas de mercado es poner a prueba al producto mismo en situaciones reales de mercado. Pero las pruebas de mercado también le permiten a la compañía poner a prueba el programa completo de mercadotecnia para el producto: estrategia de posicionamiento del producto, publicidad, distribución, fijación de precios, marcas y empaques y niveles de presupuesto. La firma usa las pruebas de mercado para averiguar cómo reaccionarán los consumidores y los distribuidores al manejo, uso y recompra del producto. Los resultados de las pruebas de mercado pueden usarse para hacer pronósticos más confiables de ventas y utilidades.

El número necesario de pruebas de mercado varía con cada producto nuevo. Los costos de las pruebas de mercado pueden ser enormes y además llevan tiempo, durante el cual la competencia puede tomar ventaja. Cuando los costos de desarrollar e introducir el producto son bajos o cuando la gerencia ya está confiada en que el nuevo producto tendrá éxito, la firma puede hacer muy pocas pruebas de mercado o ninguna. Por ejemplo, tal vez no se necesiten pruebas para modificaciones menores de productos actuales o imitaciones de productos exitosos de la competencia. Cuando la introducción del producto nuevo requiera de una gran inversión, o cuando la gerencia esté insegura del producto o del programa de mercadotecnia, el artículo probablemente necesitará de muchas pruebas de mercado. De hecho, algunos productos y programas de mercadotecnia se someten a prueba, después se retiran, se modifican y se vuelven a probar muchas veces durante un periodo de varios años antes de que se introduzcan finalmente. Los costos de tales pruebas de mercado son elevados, pero a menudo resultan insignificantes en comparación con los costos de cometer un gran error (véase recuadro 12-4).

Así, si se hacen pruebas o no, y la cantidad de las mismas, depende del costo de la inversión y del riesgo de introducir el producto, por un lado, y de los costos de las pruebas y las presiones de tiempo, por el otro. Los métodos de prueba de mercado varían con el tipo de producto y la situación de mercado y cada método tiene ventajas y desventajas. La tabla 12-4 describe los principales enfoques de las pruebas de mercado.

RECUADRO 12-4

LAS PRUEBAS DE MERCADO SALVAN UN PRODUCTO: DREAM WHIP

Después de realizar pruebas exhaustivas y pruebas de uso doméstico, la General Foods llegó a la conclusión de que estaba lista para someter su Dream Whip (un nuevo tipo de crema chantilly) a varias pruebas de mercado para ver cómo la comprarían muchos consumidores en condiciones reales de mercado. Escogió cinco localidades: Indianapolis, Huntington, Louisville, Columbus y Cincinnati, pues este número de ciudades le permitía probar distintas mezclas de mercadotecnia y presupuestos. Aún más, cabía la posibilidad de que una o dos ciudades arrojasen resultados atípicos a causa de las condiciones climatológicas, maniobras de la competencia y factores afines.

Dream Whip fue introducido en octubre y la respuesta fue sumamente positiva. Pero al siguiente junio comenzó a acumularse el inventario. Comenzaron a llegar cartas de los consumidores acerca de los defectos de producto. Los investigadores de la empresa analizaron las quejas y descubrieron que la temperatura causaba un serio problema en el batido. La gerencia decidió posponer el lanzamiento a nivel nacional. Realizó, en cambio, otras pruebas de mercado en Boston, Detroit y Pittsburgh durante los meses de invierno, a fin de reunir más datos sobre la actitud del público y reducir los inventarios. Mientras tanto, el departamento de investigación y desarrollo se dio a la búsqueda de una solución; la encontró al cabo de un año y tuvo que modificar la fórmula. La nueva fórmula de Dream Whip tuvo éxito en los mercados de prueba en época de verano. Y finalmente el nuevo producto estuvo listo para su introducción a nivel nacional. El gasto de las pruebas de mercado fue insignificante en comparación con las enormes pérdidas que la compañía habría sufrido de haberlo lanzado en el mercado nacional sin realizarlas antes.

TABLA 12-4
Métodos de prueba de mercado

Bienes empacados de consumo

Mercados de prueba estándar. En los mercados de prueba estándar se somete a revisión el producto de consumo nuevo en una situación que se parece a la que enfrentará en un lanzamiento a gran escala. La compañía localiza un pequeño número de ciudades de prueba representativas, en las cuales la fuerza de ventas de la firma intenta vender el producto a los detallistas y obtener buen espacio de anaquel y otro tipo de apoyo. La firma inicia una campaña total de publicidad y promoción en estos mercados similar a la que usaría en mercadotecnia nacional. La compañía usa auditorías de tienda o almacén, encuestas de consumidor y de distribuidor y otras medidas para estimar el desempeño del producto. Los resultados se usan para pronosticar las ventas y las utilidades nacionales, para descubrir problemas potenciales del producto y para perfeccionar el programa de mercadotecnia.

Las pruebas estándares de mercado tienen sus desventajas. Primero, necesitan mucho tiempo, usualmente de uno a tres años. Si resulta que la prueba era innecesaria, la compañía perderá muchos meses de ventas y utilidades. Segundo, los mercados de prueba estándar extensos pueden costar millones de dólares. Por último, los mercados de prueba estándar les dan a los competidores una visión del producto nuevo de la firma, mucho antes de que éste se lance a escala nacional. Muchos competidores comprarán y analizarán el producto. También averiguarán los resultados del mercado de prueba de la firma y pueden tener tiempo para desarrollar estrategias defensivas. Si las pruebas se prolongan mucho tiempo, los productos competidores tal vez desbanquen al producto de la compañía del mercado. Además, los competidores con frecuencia intentan distorsionar los resultados del mercado de prueba al recortar sus precios en las ciudades de prueba, al acrecentar su publicidad y promoción o incluso comprando el producto que se somete a prueba. A pesar de estas desventajas, los mercados de prueba estándar son el enfoque más usado cuando se necesita someter a prueba grandes mercados. Proporcionan un caudal de información sobre el rendimiento del producto y de la mercadotecnia bajo condiciones reales de mercado.

Mercados de prueba controlados. Varias firmas de investigación han arreglado un panel controlado de tiendas que han acordado manejar productos nuevos a cambio de una tarifa. La compañía con el producto nuevo especifica el número de tiendas y las ubicaciones geográficas que desea. La firma de investigación entrega el producto a las tiendas que participan y controla la ubicación del anaquel, el número de exhibidores y promociones de punto de venta y la fijación de precios de acuerdo con planes específicos. Los resultados de ventas se rastrean para determinar el impacto que estos factores tienen sobre la demanda.

Las compañías de mercadotecnia de prueba, como Behavior-Scan, usan información de exploradores electrónicos en cajas registradoras para rastrear los resultados de pruebas de mercado. La compañía mantiene un panel de alrededor de 2 500 compradores en ocho ciudades pequeñas cuidadosamente seleccionadas. Estos consumidores compran en tiendas de cooperativas y muestran tarjetas de identificación a la hora de adquirir algo. La información detallada de los exploradores electrónicos sobre las compras de cada consumidor se alimenta a una computadora central, donde se combina con la información demográfica del consumidor y se informa diariamente. Así, la Behavior-Scan puede proporcionar informes al minuto sobre las ventas totales de nuevos productos sometidos a prueba. Y cómo los exploradores registran las compras específicas de compradores individuales, el sistema también puede proporcionar información sobre compras repetidas y la forma cómo diferentes tipos de consumidores reaccionan al producto nuevo y varios elementos del programa de mercadotecnia.

Los mercados de prueba controlados llevan menos tiempo que los mercados de prueba estándar (de seis meses a un año) y usualmente cuestan menos (una prueba Behavior-Scan de un año podría costar de 200 000 a 600 000 dólares). Sin embargo, algunas compañías están preocupadas porque el número limitado de ciudades pequeñas y consumidores usados por los servicios de investigación, tal vez no sean representativos de sus mercados de productos o sus consumidores meta. Y, como sucede con los mercados de prueba estándar, los mercados de prueba controlados les permiten a los competidores observar el nuevo producto de la compañía.

Mercados de prueba simulados. Aquí se somete a prueba a los productos nuevos en un ambiente de compras simulado. La compañía o la firma de investigación les enseña una muestra de consumidores, anuncios y promociones para una variedad de productos, incluyendo el producto nuevo que se somete a prueba. A los consumidores se les da una pequeña cantidad de dinero y se les invita a ir a una tienda, donde pueden usar el dinero para comprar artículos o quedarse con el dinero. La firma observa cuántos consumidores compran el producto nuevo y las marcas de la competencia. Esto proporciona una medición de ensayo y la efectividad del comercial en comparación con los de la competencia. A los consumidores se les pregunta entonces las razones de su compra o no compra. Algunas semanas después se les entrevista por teléfono para determinar las actitudes hacia el producto, el uso, la satisfacción y las intenciones de volverlo a comprar. Se usan sofisticados modelos de computadora para proyectar las ventas nacionales a partir de los resultados de mercado de prueba simulado.

Los mercados de prueba simulados superan algunas de las desventajas de los mercados de prueba estándar y controlados. Usualmente cuestan mucho menos (35 000 a 75 000 dólares) y pueden realizarse en ocho semanas. Y el producto nuevo se mantiene fuera de los ojos de la competencia. Sin embargo, muchos mercadólogos no creen que las pruebas de mercado simuladas sean tan exactas, ni tan confiables como las pruebas en el mundo real.

Investigación de onda de ventas. Aquí una muestra de consumidores prueban el producto nuevo en sus casas sin ningún costo. Se les vuelve a ofrecer el producto o marcas competitivas hasta tres o cinco veces (ondas de ventas) a un costo reducido, y la firma anota cuántos consumidores seleccionan otra vez el producto y su nivel informado de satisfacción. La investigación de onda de ventas puede hacerse a muy bajo costo y en privado, y permite recabar información profunda sobre las reacciones del consumidor al producto nuevo. Las desventajas son el tamaño pequeño de las muestras y las dificultades para generalizar los resultados a grupos más grandes de consumidores.

Bienes industriales durables

Pruebas de uso del producto. El fabricante selecciona un pequeño grupo de consumidores potenciales que están de acuerdo con usar el producto por un periodo limitado. El personal técnico del fabricante observa la forma como los consumidores usan el producto. Eso le informa al fabricante acerca de los requisitos de entrenamiento y servicio del cliente. Después de la prueba, se le pide al consumidor que exprese la intención de compra y otras reacciones.

Exhibiciones comerciales. Las exhibiciones comerciales atraen a un elevado número de consumidores que examinan los productos nuevos en unos cuantos días. El fabricante puede ver cuánto interés muestran los compradores por el nuevo producto, cómo reaccionan a las diversas características y condiciones, y cuántos expresan intenciones de compra o cuántos hacen un pedido.

Salas de exhibición para distribuidores y detallistas. El nuevo producto industrial puede someterse a prueba en salas de exhibición para distribuidores y detallistas, donde puede estar junto a los demás productos del fabricante y posiblemente junto a los de la competencia. Este método produce información sobre preferencias y precios en la atmósfera normal de ventas para el producto.

Mercadotecnia controlada o de prueba. Algunos fabricantes producirán una oferta limitada del producto y se lo darán a la fuerza de ventas para que lo venda en un número limitado de áreas geográficas a las que se dará apoyo promocional, catálogos impresos, etc.

Fuentes: Para más sobre pruebas de productos de consumo, véase Edward M. Tauber, "Forecasting Sales Prior to Test Market", *Journal of Marketing,* enero de 1977, pp. 80-84; Jeremy Main, "Help and Hype in the New-Product Game", *Fortune,* 7 de febrero de 1983, pp. 60-64; "To Test or Not To Test Is Seldom the Question", *Advertising Age,* 20 de febrero de 1984, pp. M10ss; "Product Hopes Tied to Cities with Right Stuff", *Advertising Age,* 20 de febrero de 1984, pp. M10ss; y Eleanor Johnson Tracy, "Testing Time for Test Markets", *Fortune,* 29 de octubre de 1984, pp. 75-76. Para más sobre pruebas de productos industriales, véase Morgan B. McDonald, Jr., *Appraising the Market for New Industrial Products* (Nueva York: Conference Board, 1967), cap. 2.

Comercialización

Presumiblemente, las pruebas de mercado le suministran a la gerencia suficiente información para tomar una decisión final acerca de lanzar o no un producto nuevo. Si la compañía determina iniciar la comercialización, le esperan grandes gastos. Tendrá que construir o alquilar una planta de fabricación a gran escala. Y puede que tenga que gastar, en el caso de un nuevo producto empacado, entre 10 y 100 millones de dólares para publicidad y promoción de ventas tan sólo durante el primer año.

A la hora de lanzar un producto nuevo, la compañía debe tomar cuatro decisiones.

Cuándo (momento oportuno)

La primera decisión es si se trata del momento oportuno para introducir el producto nuevo. Si el automóvil eléctrico canibaliza los otros modelos de la firma, conviene retrasar su lanzamiento.[11] Pero si el vehículo eléctrico puede perfeccionarse aún más, es probable que la compañía decida lanzarlo el año próximo. O si la economía está deprimida, es factible que la compañía decida esperar.

Dónde (estrategia geográfica)

La compañía debe decidir si lanzará el producto nuevo en una *sola localidad, en una región, en varias regiones, en el mercado nacional o en el mercado internacional.* Pocas firmas tienen la confianza, capacidad y capital para lanzar un producto nuevo en una distribución nacional. Fomentarán un *desenvolvimiento planeado de mercado* con el tiempo. Las compañías pequeñas, en particular, seleccionarán una ciudad atractiva y pondrán en marcha una campaña relámpago para entrar al mercado. Entrarán en otras ciudades una por una. Las firmas grandes lanzarán su producto en una región completa y después se moverán a la región siguiente. Las firmas con cadenas de distribución nacional, como las compañías automotrices, lanzarán sus nuevos modelos en el mercado nacional a no ser que haya escasez de producción.

A quién (prospectos de mercado meta)

Dentro de los mercados de crecimiento gradual, la firma debe dirigir su promoción y distribución a los mejores grupos de prospectos. Presumiblemente, la firma ya ha perfilado los prospectos principales con base en pruebas de mercado preliminares. Los prospectos principales para un nuevo producto de consumo tendrán idealmente cuatro características:[12] 1 serán adoptadores tempranos, 2. serán grandes usuarios, 3. serán líderes de opinión y hablarán favorablemente acerca del producto, 4. se les podrá alcanzar a un costo bajo.

Cómo (estrategia introductoria de mercadotecnia)

La compañía debe desarrollar un plan de acción para introducir el nuevo producto en los mercados de crecimiento gradual. Debe asignar el presupuesto de mercadotecnia entre los elementos de la mezcla de mercadotecnia y hacer una secuencia de las diversas actividades. Así, el lanzamiento del automóvil eléctrico puede ir precedido por una campaña de publicidad antes de que llegue a las salas de exhibición y después por ofertas de regalos para atraer gente a esas exhibiciones. La compañía debe preparar un plan separado de mercadotecnia para cada mercado nuevo. Los planes de mercadotecnia deberán orientarse por los resultados en la teoría de la conducta de adopción del consumidor que se vio en el capítulo 7.

ESTRATEGIAS RELATIVAS AL CICLO DE VIDA DEL PRODUCTO

Después de lanzar el producto nuevo, la gerencia quiere que disfrute de una vida larga y feliz. Aunque no tiene ninguna ilusión de que el producto se venderá para siempre, la gerencia quiere ganar utilidades razonables para cubrir todos los esfuerzos y el riesgo que implica. La gerencia espera que las ventas serán altas y duraderas. Es consciente de que cada producto exhibirá un ciclo de vida, aunque la forma y la duración exactas no pueden conocerse fácilmente con antelación.

El ciclo típico de la vida de un producto es una curva en forma de S (figura 12-5A) y se caracteriza por cuatro etapas distintivas:

1. La *introducción* es un periodo de crecimiento lento de las ventas a medida que se introduce el producto en el mercado. Las utilidades son inexistentes en esta etapa debido a los grandes gastos de lanzamiento del producto.

2. El *crecimiento* es un periodo de aceptación rápida del mercado y de utilidades crecientes.

3. La *madurez* es un periodo de disminución en el crecimiento de las ventas debido a que el producto ha logrado ser aceptado por la mayoría de los compradores potenciales. Las utilidades se estabilizan o disminuyen debido a una elevación de los gastos de mercadotecnia necesarios para defender al producto de la competencia.

4. La *declinación* es el periodo cuando las ventas muestran un fuerte deterioro y en que merman mucho las ganancias.

No todos los productos exhiben una curva del ciclo de vida del producto en forma de S. Cox estudió las historias de ventas de 754 medicamentos y descubrió seis diferentes patrones del ciclo de vida del producto.[13] Una forma típica era un patrón de "ciclo-reciclo" (figura 12-5B). El segundo impulso de ventas proviene de un empuje promocional en la etapa de declinación. Otro patrón común son las curvas ascendentes en sucesión (figura 12-5C), que constan de una sucesión de ciclos de vida basados en el descubrimiento de nuevas características del producto, nuevos usos o nuevos usuarios. Por ejemplo, las ventas de nylon muestran un patrón ascendente en sucesión debido a la profusión de usos (paracaídas, calcetería, camisas, alfombras) que se han descubierto con el tiempo.

El concepto del ciclo de vida del producto puede describir una clase de productos (automóviles de gasolina), una forma del producto (automóviles convertibles) o una marca (Mustang). El concepto de ciclo de vida del producto tiene un grado diferente de aplicación en cada caso.

Las *clases de productos* tienen los ciclos de vida más largos. Las ventas de muchas clases de productos permanecen en la etapa de madurez por un tiempo indefinido, ya que es-

FIGURA 12-5 *Tres patrones del ciclo de vida del producto*

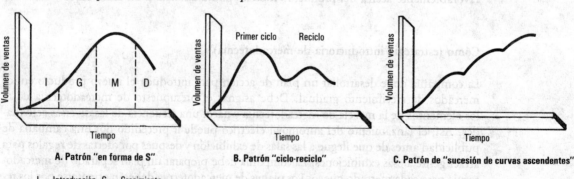

A. Patrón "en forma de S"

B. Patrón "ciclo-reciclo"

C. Patrón de "sucesión de curvas ascendentes"

I = Introducción, G = Crecimiento,
M = Madurez, D = Declinación

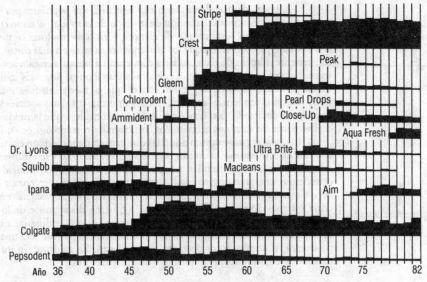

FIGURA 12-6 *Ciclos de vida del producto para marcas seleccionadas de pasta dentífricas desde 1936 hasta 1982*

Fuente: "Life Beyond the Life Cycle," *The Nielsen Researcher*, número 1, 1984, p. 3.

RECUADRO 12-5

CICLOS DE LOS ESTILOS, LA MODA Y LAS MODAS PASAJERAS

En los mercados donde el estilo y la moda ejercen profunda influencia, se dan ciclos de ventas que los mercadólogos deben conocer y pronosticar.

Un *estilo* es un modo básico y característico de expresión que se observa en un campo de la actividad humana. Por ejemplo, los estilos aparecen en los hogares (coloniales, rústicos, modernistas), en la ropa (formal, extravagante, informal), en el arte (surrealista, abstracto). Una vez inventado un estilo, dura generaciones y muestra ciclos en los cuales predomina y decae.

La *moda* es un estilo popular o actualmente aceptado en determinado ámbito. Así, los pantalones de mezclilla (jeans) son una moda de vestir en el mundo moderno y el Break-Dance es un baile de moda. Las modas pasan por cuatro etapas. En la *etapa de identificación,* algunos consumidores sienten interés por algo nuevo que los distinga del resto de la gente. Puede tratarse de un producto hecho por pedido o elaborado en pequeñas cantidades por algún fabricante. En la *etapa de imitación,* otros consumidores desean seguir a los líderes de la moda y empiezan a interesarse por el producto; otros fabricantes comienzan a producirlo en grandes cantidades. En la *etapa de masas,* la moda ya ha alcanzado gran popularidad y los fabricantes están en condiciones de elaborarlo en cantidades masivas. Por último, en la *etapa de declinación,* el público comienza a preferir otras modas que van atrayendo su atención.

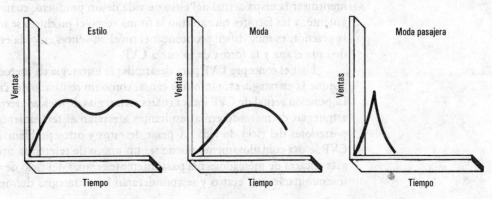

Capítulo 12   Diseño de productos: estrategias relativas al desarrollo de nuevos productos   **339**

Así, las modas tienden a crecer con lentitud, son populares por un tiempo y declinan lentamente. Es difícil pronosticar la duración de un ciclo de la moda. Wasson cree que las modas terminan porque representan un compromiso de compra y los consumidores comienzan a buscar atributos ausentes. Por ejemplo, a medida que los automóviles se vuelven más cortos, son menos cómodos y entonces un creciente número de consumidores comienzan a buscar automóviles más largos. Además, demasiados consumidores adoptan la moda, con lo cual alejan a otros. Reynolds indica que la duración de un ciclo de moda particular depende del grado con el que la moda satisfaga una necesidad genuina, sea consistente con otras tendencias sociales, satisfaga normas y valores sociales y no se tope con límites tecnológicos en su desarrollo. Sin embargo, Robinson considera que la moda vive ciclos inexorables independientemente de cambios económicos, funcionales o tecnológicos en la sociedad.

Las *modas pasajeras* son aquéllas que captan de inmediato el interés del público, son adoptadas con mucho entusiasmo, alcanzan pronto su nivel máximo y se esfuman muy rápidamente. Su ciclo de adaptación es breve, y tienden a lograr aceptación en grupos reducidos. A menudo tiene un aspecto novedoso o una gran originalidad, como cuando la gente comienza a comprarse mascotas extravagantes o a correr con el torso desnudo por las calles. Las modas pasajeras encuentran una excelente acogida entre quienes desean emociones fuertes, o quieren distinguirse de los demás o desean tener algo de qué hablar. Este tipo de moda no dura mucho, ya que ordinariamente no satisfacen una necesidad fuerte ni la satisfacen bien. No es fácil pronosticar si una cosa será una moda pasajera ni cuánto tiempo durará, si unos cuantos días, semanas o meses. En su duración influirá la atención que le den los medios de comunicación, lo mismo que otros factores.

Fuentes: Chester R. Wasson, ''How Predictable Are Fashion and Other Product Life Cycles?'' *Journal of Marketing,* julio de 1968, pp. 36-43; William H. Reynolds, ''Cars and Clothing: Understanding Fashion Trends,'' *Journal of Marketing,* julio de 1968, pp. 44-49; y Dwight W. Robinson, ''Style Changes: Cyclical, Inexorable and Foreseeable,'' *Harvard Business Review,* noviembre-diciembre de 1975, pp. 121-131. Véase también George B. Sproles, ''Analyzing Fashion Life Cycles—Principles and Perspectives,'' ''*Journal of Marketing,* Fall 1981, pp. 116-24.

tán muy relacionados con la población (automóviles, perfumes, refrigeradores y acero). Las *formas de los productos,* por otra parte, tienden a exhibir las historias estándar de ciclo de vida con más fidelidad que las clases de productos. Las formas de productos como el ''teléfono digital'' y los ''desodorantes a base de crema'' pasan por una historia regular de introducción, crecimiento rápido, madurez y declinación. En cuanto a las *marcas,* una historia de ventas de la marca puede ser errática debido a cambios en los ataques y contraataques competitivos. Los ciclos de vida de diversas marcas de pasta dentífrica se muestran en la figura 12.6.

El concepto de ciclo de vida del producto (CVP) también puede aplicarse a lo que se conoce como estilos, modas y modas pasajeras. Sus características especiales del estilo de vida se describen en la figura 12.5.

Los mercadólogos pueden usar el concepto de CVP como una estructura conceptual útil para describir la dinámica del producto mercado. Sin embargo, la aplicación del concepto CVP como una herramienta para desarrollar estrategias de mercadotecnia presenta algunos problemas prácticos.[14] Por ejemplo, los gerentes pueden tener dificultades para identificar la etapa actual del ciclo de vida de un producto, cuando se mueve a la etapa siguiente, y los factores que afectan la forma como el producto se moverá por esas etapas. En la práctica, es muy difícil pronosticar el nivel de ventas en cada etapa del CVP, la duración de cada etapa y la forma de la curva CVP.

Usar el concepto CVP para desarrollar la estrategia de mercadotecnia puede ser difícil porque la estrategia es, tanto una causa, como un resultado del ciclo de vida del producto. La posición actual de CVP indica cuáles estrategias de mercadotecnia serán más eficaces y las estrategias de mercadotecnia resultantes afectarán el rendimiento del producto en etapas posteriores del ciclo de vida. A pesar de estos y otros problemas, cuando el concepto de CVP se usa cuidadosamente puede ser un marco de referencia útil para desarrollar estrategias eficaces de mercadotecnia para diferentes etapas del ciclo de vida del producto. Ahora se examinarán esas etapas y se considerarán las estrategias de mercadotecnia apropiadas.

Etapa de introducción

La **etapa de introducción** comienza cuando el producto nuevo se distribuye por primera vez y se pone a la venta. La introducción lleva tiempo y es probable que el crecimiento de las ventas sea lento. Los productos bien conocidos como el café instantáneo, jugo de naranja congelado y la crema en polvo para café, se demoraron muchos años antes de entrar a una etapa de crecimiento rápido. Buzzell identifica cuatro causas del crecimiento lento en muchos productos alimenticios: 1. retrasos en la expansión de la capacidad productiva, 2. problemas técnicos (solución de los errores), 3. retrasos para hacer llegar el producto al público, especialmente para la obtención de distribución adecuada mediante tiendas al menudeo, 4. resistencia del consumidor para cambiar los patrones establecidos de conducta.[15] En el caso de productos nuevos costosos, el crecimiento de las ventas se ve retrasado por factores adicionales, como el pequeño número de compradores que puede adoptar y costear el nuevo producto.

En esta etapa, las utilidades son negativas o bajas debido a las ventas bajas y a grandes gastos de distribución y promoción. Se necesita mucho dinero para atraer distribuidores. Los desembolsos promocionales están en su proporción más alta con las ventas ''debido a la necesidad de un nivel elevado de esfuerzo promocional para informar a los consumidores potenciales sobre el producto nuevo y desconocido, inducir a que el público pruebe el producto y asegurar la distribución en las tiendas al menudeo.[16]

Sólo hay unos cuantos competidores que producen versiones básicas del producto, ya que el mercado no está listo para las variaciones. La firma concentra sus ventas en aquellos compradores que están más dispuestos a comprar, por lo general los grupos de ingresos más elevados. Los precios tienden a estar en el lado elevado porque ''los costos son elevados debido a tasas de producción relativamente bajas, problemas tecnológicos en la producción que tal vez no se domina completamente y se requieren márgenes elevados para apoyar los grandes desembolsos promocionales que son necesarios para lograr el crecimiento''.[17]

Etapa de crecimiento

Si el producto nuevo es bien acogido en el mercado, las ventas comenzarán a elevarse sustancialmente. Los adoptadores iniciales continuarán comprando y los consumidores convencionales imitarán su ejemplo, especialmente si escuchan comentarios favorables. Nuevos competidores entrarán al mercado atraídos por las oportunidades para producción y utilidades a gran escala. Introducirán nuevas características del producto y esto ampliará el mercado. El mayor número de competidores conduce a un incremento en el número de distribuidores y las ventas aumentarán.

Los precios permanecen donde están o bajan sólo ligeramente a ir aumentando muy rápido la demanda. Las compañías mantienen sus desembolsos promocionales en el mismo nivel o en uno ligeramente más elevado para enfrentar la competencia y continuar educando al mercado. Las ventas se elevan mucho más rápido, causando una disminución en la razón de promoción y ventas.

Las utilidades aumentan durante esta **etapa de crecimiento** a medida que los gastos de promoción se reparten entre un gran volumen de ventas y, a medida que los costos unitarios de fabricación disminuyen, debido al efecto de la ''curva de la experiencia'' (véase capítulo 13). La firma usa varias estrategias para sustentar el crecimiento rápido del mercado tanto como sea posible:

- La firma mejora la calidad del producto y agrega características y modelos nuevos.

- Entra en nuevos segmentos del mercado.

- Entra en nuevos canales de distribución.

- Modifica un poco la publicidad para que el público no sólo conozca el producto, sino que también lo compre.

- Baja los precios en el momento oportuno para atraer más clientes.

La firma que persiga estas estrategias de expansión del mercado mejorará su posición competitiva. Pero esto se da a un costo adicional. La firma en la etapa de crecimiento se enfrenta a un trueque entre la porción elevada del mercado y las utilidades elevadas actuales. Al gastar mucho dinero en el mejoramiento, promoción y distribución del producto, puede capturar una posición dominante; pero pierde las utilidades actuales máximas con la esperanza de compensar éstas en la etapa siguiente.

Etapa de madurez   En algún punto la tasa de crecimiento de las ventas del producto se reducirán y entrará a una etapa de madurez relativa. Esta **etapa de madurez** normalmente dura más que las etapas anteriores y le plantea retos formidables a la gerencia de mercadotecnia. *La mayoría de los productos están en la etapa de madurez del ciclo de vida y, por tanto, la gerencia de mercadotecnia trata principalmente con el producto maduro.*

La disminución en la tasa de crecimiento de las ventas crea sobrecapacidad en la industria. Esta sobrecapacidad da lugar a una competencia intensificada. Los competidores recurren con más frecuencia a rebajas y descuentos en el precio. Acrecientan su publicidad, sus intercambios mercantiles y sus transacciones con los consumidores. Aumentan sus presupuestos de investigación y desarrollo para encontrar mejores versiones del producto. Estos pasos significan cierta erosión de las utilidades. Algunos de los competidores más débiles comienzan a darse por vencidos. La industria estará formada eventualmente por competidores bien atrincherados cuyo impulso fundamental es lograr una ventaja competitiva.

El gerente de producto no deberá limitarse a defender sencillamente el artículo. La mejor defensa es el ataque. El, o ella, deberá considerar estrategias de mercado, de producto y de modificación de la mezcla de mercadotecnia.

Modificación del mercado

Aquí el gerente intenta acrecentar el consumo del producto existente. Busca *nuevos usuarios* y *segmentos de mercado*; también busca formas para estimular el *mayor uso* entre los consumidores actuales. Puede que el gerente quiera *reposicionar* la marca para que tenga atractivo para un segmento más grande o de crecimiento más rápido.

Modificación del producto

El gerente del producto también puede modificar las características del mismo (como la *calidad, las características o el estilo del producto*) para atraer nuevos usuarios y dar lugar a un mayor uso.

Una estrategia de *mejoramiento de la calidad* está dirigida a incrementar el rendimiento funcional del producto: su durabilidad, confiabilidad, velocidad, sabor. Esta estrategia es eficaz según el grado como la calidad pueda mejorarse, según el grado como los consumidores crean en la afirmación de una mejor calidad y si hay un número suficiente de compradores que quieran calidad superior.

Una estrategia de *mejoramiento de características* está dirigida a agregar características nuevas que amplíen la versatilidad, seguridad o conveniencia del producto. El mejoramiento de las características ha sido una estrategia útil de los fabricantes japoneses de relojes, calculadoras y máquinas copiadoras. Por ejemplo, Sony sigue agregando características nuevas a su línea Walkman de reproductoras estéreo en miniatura. Stewart describe cinco ventajas del mejoramiento de características:[18]

1. Acrecientan la imagen de una compañía en cuanto a su carácter progresivo y su liderazgo.

2. Pueden adaptarse o descartarse rápidamente y a menudo pueden ser opcionales a un costo muy bajo.

Sony sigue agregando nuevas características a su línea Walkman. *Cortesía de Sony Corporation of America.*

3. Pueden ganar la lealtad de ciertos segmentos del mercado.

4. Pueden darle a la compañía publicidad gratuita.

5. Generan entusiasmo en la fuerza de ventas y en los distribuidores.

Una estrategia de *mejoramiento del estilo* está dirigida a acrecentar el atractivo estético del producto. Así, los fabricantes de automóviles vuelven a diseñar sus modelos periódicamente para atraer compradores que quieren una nueva apariencia.

Modificación de la mezcla de mercadotecnia

El gerente de producto también deberá intentar estimular las ventas al modificar uno o más elementos de la mezcla de mercadotecnia. Los precios pueden bajarse para atraer nuevos clientes y arrebatarle algunos a la competencia. Puede buscarse una campaña de publicidad eficaz. Puede usarse la promoción de ventas acometedora: descuentos mercantiles, cupones de rebaja, obsequios y concursos. La compañía puede moverse a canales de mercado de volumen más elevado, particularmente los de tipo masivo, si estos canales están creciendo. La firma les puede ofrecer a los compradores servicios nuevos o mejorados.

Etapa de declinación

La venta de casi todas las variedades y marcas acaba por mermar a la larga. La disminución de las ventas puede ser lenta, como en el caso de cereal de avena; o rápida, como en el caso del automóvil Edsel. Las ventas pueden ser nulas o bajar a un nivel cero y continuar durante muchos años en ese nivel. Esta es la **etapa de declinación.**

Las ventas declinan por diversas razones, incluyendo avances tecnológicos, cambios en los gustos de los consumidores y mayor competencia nacional y extranjera. Todo esto conduce a una sobrecapacidad, mayores reducciones de precios y erosión de las utilidades.

A medida que bajan las utilidades, algunas firmas se retiran del mercado. Las que permanecen pueden reducir el número de sus ofertas de productos. Pueden abandonar los segmentos más pequeños del mercado y los canales secundarios de distribución. Es posible que reduzcan el presupuesto de promoción y que bajen aún más sus precios.

Mantener un producto débil puede ser muy costoso para la firma. El costo no es tan sólo el monto de costos indirectos no cubiertos o pérdidas financieras. La contabilidad financiera no puede transmitir adecuadamente todos los costos ocultos: el producto débil puede consumir una cantidad desproporcionada de tiempo de la gerencia; a menudo requiere de ajustes frecuentes de precio e inventario; por lo general implica corridas cortas de producción a pesar de costos elevados de puesta en marcha; requiere atención de la publicidad y la fuerza de ventas que daría mejores resultados si se destinara a hacer más lucrativos a los productos ''saludables''; su inadecuación puede hacer que los clientes comiencen a dudar del éxito de la firma en otras actividades. El costo más grande se puede encontrar en el futuro. Al no ser eliminados en el momento oportuno, los productos débiles retrasan la búsqueda agresiva de productos sustitutos; crean una mezcla desproporcionada de artículos, centrada en los "éxitos del pasado" y con poco que ofrecer mañana; por lo demás, merman la rentabilidad actual y debilitan las posibilidades de crecimiento futuro de la compañía.

Por estas razones, las compañías, deben prestar mayor atención a los productos que pasan por la etapa de envejecimiento. La primera tarea consiste en identificar los productos en etapa de declinación al revisar periódicamente las ventas, porciones de mercado, costos y tendencias de utilidades en cada uno de los productos.[19] Para cada producto en declinación, la gerencia debe decidir si conviene *mantenerlo, segarlo o terminarlo.* Puede que la gerencia decida mantener su marca con la esperanza de que los competidores abandonarán la industria. Por ejemplo, Procter & Gamble permaneció en el negocio decreciente de los jabones líquidos mientras otros se retiraban y logró buenas utilidades. También puede ser que la gerencia decida segar el producto, lo que significa reducir varios costos (planta y equipo, mantenimiento, investigación y desarrollo, publicidad, fuerza de ventas) y esperar que las ventas permanezcan estables por un tiempo. Si tiene éxito, la siega acrecentará las utilidades de la compañía en el corto plazo. O bien, puede que la gerencia decida eliminar el producto de la línea. Vendérselo a otra firma o sencillamente detener su producción. Si la compañía planea encontrar un comprador, no querrá debilitar el producto mediante la siega.

Las compañías grandes con frecuencia se deshacen de marcas que ya no cumplen con sus objetivos financieros, aunque estas marcas pudieran ser lucrativas para una firma más pequeña. Véase un caso:[20]

Bristol-Myers comercializó la pasta dentífrica Ipana hasta 1968 cuando sus ventas cayeron a un nivel bajo. Bristol-Myers vendió la marca a comienzos de 1969 a dos hombres de negocios de Minnesota. Estos modificaron los ingredientes y empacaron el producto en tubos de Ipana. Sin ninguna promoción, continuaron abasteciendo a los detallistas y las ventas llegaron a 250 000 dólares en los primeros siete meses de operación.

Las características claves de cada etapa del ciclo de vida del producto se resumen en la tabla 12-5. La tabla también enumera las respuestas de mercadotecnia dadas por las compañías en cada etapa.[21]

TABLA 12-5 *Ciclo de vida del producto: características y respuestas*

	INTRODUCCION	CRECIMIENTO	MADUREZ	DECLINACION
Características				
Ventas	Bajas	Crecimiento rápido	Crecimiento lento	En descenso
Utilidades	Insignificantes	Niveles máximos	Declinación	Bajas o cero
Flujo de efectivo	Negativo	Moderado	Alto	Bajo
Clientes	Innovadores	Mercado masivo	Mercado masivo	Rezagados
Competidores	Pocos	En crecimiento	Muchos rivales	Número decreciente
Respuestas				
Tipo de estrategia	Mercado en expansión	Penetración en el mercado	Defensa de la participación	Productividad
Gastos de mercadotecnia	Altos	Altas (% en disminución)	En descenso	Bajas
Enfasis en mercadotecnia	Conocimiento del producto	Preferencia de marca	Lealtad a la marca	Selectivo
Distribución	Irregular	Intensiva	Intensiva	Selectivo
Precio	Alto	Menor	Mínimo	En aumento
Producto	Básico	Mejorado	Diferenciado	Racionalizado

Fuente: Peter Doyle, "The Realities of the Product Life Cycle," *Quarterly Review of Marketing,* verano de 1976, p. 5.

■ Resumen

Las organizaciones reconocen cada vez más la necesidad y las ventajas de desarrollar nuevos productos y servicios. Sus ofertas actuales tienen periodos de vida que se acortan y deben ser reemplazadas por productos nuevos.

Sin embargo, los productos nuevos pueden fracasar. Los riesgos de innovación son tan grandes como las recompensas. La clave de la innovación exitosa reside en desarrollar mejores arreglos organizacionales para manejar las ideas de productos nuevos y crear métodos eficientes de investigación y decisión en cada etapa del proceso de desarrollo del producto nuevo.

El proceso de desarrollo de producto nuevo consta de ocho etapas: generación de la idea, tamizado (selección) de la idea, desarrollo y prueba del concepto, desarrollo de estrategia de mercadotecnia, análisis financiero, desarrollo de producto, pruebas de mercado y comercialización. El propósito de cada etapa es decidir si la idea deberá desarrollarse más o descartarse. La compañía quiere minimizar las posibilidades de que las malas ideas sigan adelante y que las buenas sean rechazadas. Cada producto comercializado exhibe un ciclo de vida caracterizado por un conjunto cambiante de problemas y oportunidades. La historia de ventas del producto típico sigue una curva en forma de S compuesta de cuatro etapas. La *etapa de introducción* se caracteriza por el crecimiento lento y utilidades mínimas mientras el producto comienza a llegar a los canales de distribución. Si tiene éxito, el producto entra a una *etapa de crecimiento* caracterizada por crecimiento rápido de las ventas y mayores utilidades. Durante esta etapa la compañía intenta mejorar el producto, entrar en nuevos segmentos del mercado y canales de distribución y reduce sus precios ligeramente. Después viene una *etapa de madurez*, en la cual el crecimiento de las ventas disminuye y las utilidades se estabilizan. La compañía busca estrategias innovadoras para renovar el crecimiento de las ventas, incluyendo modificaciones de mercado, producto y mezcla de mercadotecnia. Por último, el producto entra a una *etapa de declinación*, en la cual las ventas y las utilidades disminuyen.

La tarea de la compañía durante esta etapa es identificar el producto declinante y decidir si debe mantenerlo, segarlo o descartarlo. En el último caso, el producto puede venderse a otra firma o liquidarse por completo.

■ Preguntas de repaso

1. Polaroid, líder reconocido en tecnología fotográfica, introdujo un sistema de películas instantáneas, Polavisión, con fuertes gastos de promoción entre distribuidores y público que repesentaban una fuerte inversión. Perdió 60 millones de dólares en los primeros dos años después de la introducción sin obtener jamás una gran aceptación. ¿Por qué cree usted que fracasó Polavisión, dado el exitoso récord anterior de Polaroid en productos nuevos?

2. El principio orientador en la etapa de generación de idea es limitar el número de ideas de productos nuevos que se propongan. Comente esto.

3. ¿En qué etapa del proceso de desarrollo de producto nuevo se entra por primera vez en contacto con el consumidor? Explique brevemente.

4. ¿Qué tipo de pruebas de mercado recomendaría para los productos nuevos siguientes? (a) producto para el cuidado del cabello Clairol, (b) línea de camiones de la American Motors y (c) maletas de plástico de Samsonite.

5. Explique el papel y la importancia de los desembolsos promocionales en cada etapa de ciclo de vida del producto.

6. ¿Cuál de las estrategias explicadas en la etapa de madurez utilizaron las siguientes compañías? (a) bicarbonato de sosa Arm & Hammer, (b) seguros State Farm y (c) Ford Mustang.

7. No hay nada que la gerencia pueda hacer una vez que un producto llega a la etapa de declinación. Comente esto.

■ Bibliografía

1. William H. Reynolds, "The Edsel Ten Years Later", *Business Horizons*, Fall 1967, pp. 39-46; y John Brooks

The Fate of the Edsel and Other Business Adventures (New York: Hayes and Row, 1963).

2. David S. Hopkins y Earl L. Bailey, "New Product Pressures", *Conference Board Record*, junio 1971, pp. 16-24.

3. Véase Leigh Lawton y A. Parasuraman, "So You Want Your New Product Planning to Be Productive", *Business Horizons*, diciembre de 1980, pp. 29-34.

4. Véase "Listening to the Voice of the Marketplace", *Business Week*, 21 de febrero de 1983, p. 90ff.

5. Véase Eric von Hipple, "Get New Products from Consumers", *Harvard Business Review*, marzo-abril de 1982, pp. 117-22.

6. Mark Hanan, "Corporate Growth through Venture Management", *Harvard Business Review*, enero-febrero de 1969, p. 44.

7. Pueden encontrarse perfeccionamientos de esta técnica en John T. O'Meara, Jr., "Selecting Profitable Products", *Harvard Business Review*, enero-febrero de 1961, pp. 83-89; y John S. Harris, "New Product Profile Chart", *Chemical and Engineering News"*, abril de 1969, pp. 110-18.

8. Para más sobre clasificación de ideas, véase Tom W. White, "Use Variety of Internal, External Sources to Gather and Screen New Product Ideas", *Marketing News*, 16 de septiembre de 1983, Sec. 2, p. 12.

9. Para más sobre pruebas de concepto, véase William L. Moore, "Concept Testing", *Journal of Business Research*, 10 (1982), pp. 279-94; y David A. Schwartz, "Consept Testing Can Be Improved—and Here's How", *Marketing News*, 6 de enero de 1984, pp. 22-23.

10. Las expectativas de vida física (en años) de algunos electrodomésticos de gran tamaño son: congelador, 20.4; refrigerador, 15.2; cocina eléctrica, 12.1; televisor a color, 12.0, y máquina lavaplatos automática, 10.8. Véase M. D. Ruffin y K. J. Tippett, "Service Life Expectancy of Household Appliances: New Estimates from the USDA", *Home Economics Research Journal*, 3 (1975), 159-70.

11. Véase Roger A. Kerin, Michael G. Harvey y James T. Rothe, "Cannibalism and New Product Development", *Business Horizons*, octubre de 1978, pp. 25-31.

12. Philip Kotler y Gerald Zaltman, "Targeting Prospects for a New Product", *Journal of Advertising Research*, febrero de 1976, pp. 7-20.

13. William E. Cox, Jr., "Product Life Cycles as Marketing Models", *Journal of Business*, octubre de 1967, pp. 375-84. Véase también John E. Swan y David R. Rink, "Fitting Market Strategy to Varying Product Life Cycles", *Business Horizons*, enero-febrero de 1982, pp. 72-76.

14. Véase George S. Day, "The Product Life Cycle: Analysis and Applications Issues", *Journal of Marketing*, otoño de 1981, pp. 60-67.

15. Robert D. Buzzell, "Competitive Behavior and the Product Life Cycle", en *New Ideas for Successful Marketing*, John S. Wright y Jac L. Goldstucker, eds. (Chicago: American Marketing Association, 1966), pp. 46-68, aquí p. 51

16. Ibid., p. 51.

17. Ibid., p. 52.

18. John B. Stewart, "Functional Features in Product Strategy", *Harvard Business Review*, marzo-abril de 1959, pp. 65-78.

19. Se usan varios sistemas. Véase Philip Kotler, "Phasing Out Weak Products", *Harvard Business Review*, marzo-abril de 1965, pp. 107-18; y Paul W. Hamelman y Edward Mazze, "Improving Product Abandonment Decisions", *Journal of Marketing*, abril de 1972, pp. 20-26.

20. "Abandoned Trademark Turns a Tidy Profit for Two Minnesotans", *Wall Street Journal*, 27 de octubre de 1969, p. 1.

21. Más lecturas sobre el concepto del ciclo de vida del producto, véase Theodore Levitt, "Exploit the Product Life Cycle", *Harvard Business Review*, noviembre-diciembre de 1965, pp. 81-94; Nariman K. Dhalla y Sonia Yuspeh, "Forget the Product Life Cycle Concept!" *Harvard Business Review*, enero-febrero de 1976, pp. 102-12; y la sección especial de artículos sobre el precio de vida del producto en la edición del otoño de 1981 de *Journal of Marketing*.

CASO 7

HANES CORPORATION: TRANSICION DE L'EGGS A LIBROS PARA NIÑOS

El éxito extraordinario de las pantimedias L'eggs animó a Hanes a lanzar otros productos valiéndose de las ideas de mercadotecnia aplicadas en el caso de L'eggs, con la esperanza de duplicar sus utilidades. Por ejemplo, el artículo siguiente examina la incursión de Hanes en los cosméticos. En otro esfuerzo por ampliar la mezcla de producto de Hanes, el director de mercadotecnia para productos nuevos está trabajando en un plan para comercializar libros de bolsillo de alta calidad para niños bajo el nombre Starbooks. Ha organizado una junta de su personal para conseguir ideas y proporcionar una oportunidad de entrenamiento.

Estos libros estarán destinados a lectores preescolares, niños que comienzan a leer y lectores de hasta 12 años de edad y el precio al menudeo será de 0.60 a 1.69 dólares. Los derechos de concesión de 200 títulos se comprarán a varios editores. Los libros para niños se venden a través de librerías y tiendas departamentales, por correo directo, clubes de lectores y otros canales detallistas; los supermercados y las farmacias representan 6% de las ventas totales. Milwaukee, Rochester, Nueva York, Kansas City y Salt Lake City se considerarán posibles mercados de prueba, si se decide continuar.

Entre las razones que tuvo el director de mercadotecnia para concentrar sus esfuerzos en los libros infantiles figuran las siguientes:

El gran mercado que existe de 600 millones de dólares anuales.

Muchos competidores con pequeñas porciones de mercado. Probablemente los más conocidos sean los Golden Books de la Western Publishing Company.

Ausencia de esfuerzos agresivos de mercadotecnia.

Tendencia a comprar todo en una tienda, lo cual favorece a los supermercados y a las grandes cadenas de farmacias.

Supermercados y farmacias que ya venden libros para niños.

Los libros para niños tienen un porcentaje de utilidades más alto que la mayoría de los artículos en los supermercados.

El plan de mercadotecnia de L'eggs parece adaptarse a los libros infantiles, al menos en parte. La red de distribución directa de L'eggs ya estaba organizada.

Pocos días antes de la junta, se supo que un nuevo plan de mercadotecnia para Golden Books iba a ser lanzado por la Western Publishing Company, con sede en Racine. Esta firma era una subsidiaria de Mattel, Inc., el famoso fabricante de juguetes y juegos. La Western Publishing no había sido innovadora ni agresiva en el pasado y el director de mercadotecnia no creía que el nuevo plan cambiaría mucho la situación competitiva.

¿Qué recomendaciones le haría al director de mercadotecnia?

Apéndice: Un gigante de las medias salta de L'eggs a Faces

La Hanes Corporation sobrevivió por 57 años como un productor de ropa no muy notable hasta 1971, cuando lanzó L'eggs, pantimedias para mujer. El producto aumentó rápidamente las ventas de la compañía y las ganancias hicieron de Hanes la fuerza dominante en el mercado de medias de 1 200 millones de dólares. Esta semana, confiando en la experiencia de mercadotecnia y distribución que obtuvo con L'eggs, Hanes comenzará una incursión dentro de un mercado que es completamente nuevo para la empresa, el negocio de cosméticos de 1 600 millones de dólares.

En unos 700 supermercados y 300 farmacias y tiendas de descuento en Kansas City y en Cincinnati, florecerán los exhibidores con una línea de 80 artículos de cosméticos Hanes, llamados L'aura.[1] Si la prueba tiene éxito, Hanes probablemente introducirá la línea en otros mercados para comienzos del año próximo. Hanes espera que la línea de cosméticos le dará a la firma el mismo grado de empuje que consiguió con L'eggs en 1971. Los ingresos en ese año fueron de 176 millones de dólares; llegaron a 372 millones de dólares el año pasado. Y las ganancias han aumentado más de cinco veces desde 1971, para llegar a 18.6 millones de dólares en el año pasado.

La nueva empresa lleva a Hanes a un segmento de mercado competitivo y feroz. Pero el segmento que ha escogido (ventas en supermercados y farmacias de descuento) es uno que los gigantes del negocio de los cosméticos, como Revlon, Avon Products y Cheseborough-Pond's no han penetrado todavía en grado significativo. Hasta el momento dos marcas han dominado ese mercado: Maybelline (un producto de Schering-Plough Corp.) y Cover Girl (un producto de Noxell Corp.).

Hanes piensa que una estrategia de mercadotecnia y distribución tomada de su línea L'eggs le conseguirá una porción sustancial del mercado. Entre los elementos claves de esa estrategia se cuentan los siguientes:

Los cosméticos se venderán con exhibidores abiertos, lo cual tendrá atractivo para el comprador por impulso.

Los exhibidores los construye la Howard Display, Inc., de Nueva York, la misma que creó el exhibidor de L'eggs ganador de un premio. Y Hanes colocará los exhibidores junto a las cajas registradoras, como lo hizo en el caso de L'eggs.

El empaque será distintivo y se destacará de entre otros productos de cosméticos en los anaqueles, así como el empaque de L'eggs lo distinguía de la competencia. Cada artículo de cosmético se empacará en una caja color vino tinto con pequeñas ventanillas de plástico; los competidores en los supermercados suelen usar empaques de plástico en burbuja.

El nombre *L'aura* se cambió por L'erin a petición de Richardson-Mervell Co., que ya lo usaba.

La propia fuerza de ventas de Hanes mantendrá los exhibidores en la forma apropiada y abastecerá las existencias. Al saltarse a los intermediarios y al servir a los detallistas directamente de este modo resultó ser un elemento principal en el éxito de L'eggs y Hanes piensa repetir este enfoque con L'aura.

Pero hasta que Hanes inicie un ataque relámpago de publicidad impresa y por televisión para la nueva línea en Kansas City y en Cincinnati para fines de agosto, la compañía tiene mucho cuidado a la hora de hablar sobre su producto nuevo. El presidente Robert E. Elberson se ha limitado a decir: "Esta es una de las pocas veces que una compañía ha lanzado una línea completa de cosméticos de una sola vez. Usualmente se lanzan uno o dos productos y después se hacen extensiones de línea".

Detrás de la precaución se encuentra la desilusión de Hanes con un esfuerzo anterior para transferir el concepto de mercadotecnia de L'eggs a la venta de calcetines y ropa interior para hombre. Ese esfuerzo, que comenzó hace dos años, no ha pasado más allá de las pruebas iniciales de mercado en una media docena de ciudades, y aunque Hanes no ha abandonado la línea de producto, no se espera que ésta pase al mercado nacional en poco tiempo. Hanes se topó con el problema de que la competencia de marcas bien conocidas como Fruit of the Loom estaban muy bien atrincheradas. Y con el fin de manejar una gama completa de colores y tamaños, la compañía tuvo que usar exhibidores mucho más grandes que los que necesitaba para L'eggs y L'aura.

Cada exhibidor de L'aura ocupa 4 pies cuadrados, que es demasiado para los supermercados atestados de hoy en día, a no ser que tengan utilidades seguras. Pero Harry P. Knabb, gerente de adquisiciones y desarrollo de empaque para la división de L'eggs New Ventures, dice que las tiendas en los dos mercados de prueba están cooperando y "los indicios tempranos son favorables". Larry Day, director de comercialización general de la Great Atlantic & Pacific Tea Co. en el área de Kansas City agrega: "Todas nuestras 30 tiendas en esa área manejarán la línea. Los productos tienen un empaque atractivo y yo soy optimista". Los detallistas del mercado de prueba conseguirán un margen de ganancia bruta de 40% en los cosméticos.

Competencia dura

Probablemente le costará mucho a Hanes establecer una imagen para su nueva línea y tomar una tajada de la competencia. Cuando comenzó a vender L'eggs en 1971, el liderazgo en el mercado de las medias estaba ausente: centenares de compañías vendían 600 marcas diferentes de medias y pantimedias y los consumidores generalmente veían estos productos como muy parecidos. El producto de Hanes, con su contenedor original en forma de huevo, se destacaba con facilidad y captaba la atención del consumidor.

Sin embargo, los cosméticos ya tienen líderes de mercado imaginativos que trabajan duro para mantener la lealtad del consumidor. "Hanes tendrá que convencer al consumidor de que sus productos son diferentes", dice Frank LeCates, un analista de la Donaldson, Lufkin & Jenrette Securities Corp., "y para hacer esto tendrá que empujar su producto con mucha publicidad costosa". Hanes, que se mantiene discreto acerca de la mercadotecnia de prueba de su nueva línea, mantiene en secreto sus planes de gastos publicitarios para sus nuevos cosméticos. Pero la compañía no es indolente cuando se trata de gastos publicitarios. El año pasado su presupuesto de publicidad fue de más de 27.1 millones de dólares, un poco menos de los $29.7 gastados por Revlon, una firma casi tres veces más grande.

CASO 8

COMPAÑIAS DE SOPAS CAMPBELL

La compañía de sopas Campbell, una firma de productos alimenticios grande y diversificada, ha estado vendiendo sopas enlatadas con el emblema familiar blanco y rojo por casi 100 años y ahora detenta más del 80% del mercado estadunidense, con las marcas de etiqueta privada de H. J. Heinz ocupando un distante segundo lugar con 10%. Al reconocer que los cambios ambientales y competitivos pueden causar una disminución en el tamaño del mercado de la sopa enlatada y la porción que tiene la firma de ese mercado, la nueva gerencia de Campbell con mentalidad de mercadotecnia está buscando agresivamente nuevas oportunidades de mercado y nuevos enfoques para sus antiguas líneas de productos. El negocio de la sopa tiene un interés especial para la compañía debido a su importancia actual e histórica.

Los cambios en los estilos de vida y otros cambios ambientales significativos, así como cambios internos en la empresa, presentan amenazas y oportunidades. La firma se enfrenta con el problema de cómo acrecentar el consumo de sopa preparada y su porción del mercado en un ambiente sumamente distinto a el que nació y se desarrolló durante mucho tiempo. Es deseable hacer una modificación completa de la mercadotecnia de sopas de la Campbell.

El problema a corto plazo es hacer que la sopa enlatada parezca más atractiva. La compañía se ha descrito a sí misma recientemente como la compañía "del bienestar" y anuncia sus productos como promotores de buena salud. En una campaña de publicidad se presentaba la sopa como un seguro de vida. "La sopa es buena para usted" también había sido parte de la publicidad de la firma. Los esfuerzos de la Campbell para aumentar el consumo de sopa incluían promoverla para diferentes ocasiones, como para el desayuno; otros usos eran para hacer salsas y para cocina creativa, como era la mezcla de dos o más sopas. Se creó la sopa abundante en carne y lista para comerse, dirigida a quienes quieren que la sopa sea una comida completa. La mayor parte de las sopas de Campbell son condensadas y deben diluirse.

También es importante ahora, debido al tiempo de desarrollo requerido, la introducción de nuevos empaques para sopas a fin de aumentar el atractivo de éstas. Entre los productos que se están desarrollando figuran sopas para hornos de microondas. El concepto que se está estudiando es un tazón de plástico moldeado por inyección que contiene 269 gramos (9.5 onzas) de sopa de pollo con tallarines de huevo. Es un producto con una cubierta de plástico que se quita para calentarlo por tres minutos. El contenedor de plástico puede volverse a usar si la persona quiere guardar un poco de sopa para otra ocasión. Esta será la primera sopa de microondas y se dice que representará un gran avance en materia de empaque. También se está considerando el mercado de la sopa seca instantánea, en el cual Lipton es el líder y la compañía no tiene una posición actualmente.

La gerencia de Campbell cree que el futuro de los alimentos empacados reside en contenedores más atractivos y convenientes como plásticos, cajas asépticas y recipientes para hornos de microondas. Está buscando nuevos empaques adecuados y un plan para introducirlos por fases junto a la sopa enlatada familiar.

El director de investigación de mercados de la compañía dice: "La lata ya no es tan práctica como solía". En las encuestas de preferencias del consumidor, agrega, la sopa enlatada "está siendo derrotada". (*Wall Street Journal*, 28 de marzo de 1984). La misma fuente cita al director de empaques que dice lo siguiente: "En realidad, todo el mundo está contento con la lata. No queremos estropearla al cambiar esa buena imagen". Ofrecer un fiasco en vez de la lata sería desastroso.

Una objeción principal contra la lata de sopa es la dificultad de usar el abridor, mezclar la sopa con agua si está condensada, calentarla y lavar los platos.

Las objeciones fundamentales en la salud provienen de gente joven que creen que se usan ingredientes y preservativos artificiales. También creen que el proceso de cocción y las latas no preservan los nutrientes. De la misma naturaleza es la objeción de que el contenido de sal en las sopas enlatadas es demasiado alto para la buena salud. Esta opinión es privativa de personas y grupos de defensa del consumidor en varios grupos cronológicos y de interés, particularmente los ancianos, quienes representan un mercado creciente y que generalmente prefieren comidas más ligeras, incluyendo la sopa.

Una tercera objeción de importancia contra las sopas enlatadas proviene del segmento de rápido crecimiento de los hogares estadunidenses, que ahora es casi de 40%, y usan hornos de microondas, que no están diseñados para recipientes de metal.

La ventaja notable de la lata ha sido la de una vida más larga de anaquel, pero esta comienza a ser derrotada por avances tecnológicos que hacen al plástico impermeable al oxígeno. Una segunda ventaja es que la lata rígida proteje mejor su contenido de cualquier daño físico que casi cualquier otra forma de empaque.

La amenaza tecnológica contra la lata, que en realidad es una lata de acero con plancha de estaño, no es inmediata. La tecnología mejorada de las latas está eliminando gradualmente los peligros potenciales a la salud asociados con el plomo en el proceso antiguo de soldadura. Se hacen esfuerzos para crear latas más ligeras y menos costosas. En vista de los cambios rápidos en la tecnología del empaque, los principales procesadores de alimentos, con una gran inversión en la tecnología existente y enfrentados a nuevos sistemas de empaque tremendamente costosos, tienden a postergar cualquier movimiento principal en ese sentido. La respuesta a la cuestión básica de qué, dónde, cuándo y cómo cambiar el empaque de la posibilidad técnica, la solidez económica y la aceptación del mercado, y de éstas la aceptación del mercado viene primero.

Se piensa generalmente que el metal y el vidrio son las mejores barreras contra el oxígeno para el empaque. También se reconoce que el atractivo económico de plástico justificará los compromisos en variables tales como vida de anaquel, especialmente cuando los productos llevan una fecha. Las estimaciones actuales son que la lata de plástico, que se parecerá mucho a la lata de metal, tendrá un tercio del peso de ésta y requerirá la mitad de energía para su producción. Se espera que sea el futuro caballito de batalla de la industria de los alimentos empacados.

Un analista ve el desarrollo a largo plazo a partir de las latas hasta empaques semirígidos, como los envases asépticos que se usan para jugos de frutas y leche, y después a empaques flexibles como películas y saquitos, como los envases flexibles sellados al vacío de los productos A la carte de Kraft. Su uso actual en mercados de alto precio es tan sólo el comienzo. Con el tiempo reducirán mucho el uso de latas. Pero "La lata seguirá en uso por mucho tiempo". según un ejecutivo de la compañía. A la larga, el empaque alternativo podría capturar hasta 80% o más del mercado de la sopa enlatada. Hay grandes riesgos a la hora de ajustarse al cambio cuando la incertidumbre es elevada acerca de capacidades tecnológicas, consideraciones económicas y aceptación en el mercado.

1. Describa las actividades y las circunstancias que intervienen en la preparación y el consumo de sopa, considerando cada una de las diferentes formas disponibles en el mercado, incluyendo sopa "para comenzar". ¿Cuáles son los problemas y oportunidades de cada una desde el punto de vista del consumidor?

2. ¿Qué recomienda para acrecentar el consumo de sopa preparada y enlatada y la porción de mercado de Campbell? ¿O de sopas en nuevas formas de empaque?

13

Fijación de precios de los productos: consideraciones y enfoques

La Easy Rider Motor Company fabrica un vehículo recreativo, *un camper,* llamado el Free Spirit, que se vende a través de distribuidores exclusivos a un precio de lista de 12 mil dólares. Los distribuidores han estado presionando a la compañía para que se agregue un segundo vehículo recreativo a su línea, de precio mayor. Como respuesta, la empresa ha diseñado el High Rise, y está a punto de establecer su precio para distribuidores y clientes. Véanse los hechos principales:

1. La compañía tiene suficiente capacidad para producir hasta quinientas unidades por año. Cualquier cantidad superior a ésta requeriría invertir en nueva capacidad de la planta.

2. Los costos de producción del High Rise se estiman en 500 mil dólares. Los costos directos se estiman en 10 mil dólares por unidad.

3. Hay un gran competidor que fabrica un vehículo recreativo de alta calidad cuyo precio de lista es de 14 mil dólares. El competidor les carga a sus distribuidores 11 mil 200 dólares, un descuento de distribuidor del 20% sobre el precio de lista. La compañía estima que el margen de utilidades del competidor es aproximadamente 1 400 dólares por unidad. El competidor vende alrededor de 600 unidades por año.

4. A la compañía le gustaría que el High Rise se vendiera al menudeo al menos en 2 mil 200 dólares más que el Free Spirit.

5. La compañía mostró el High Rise en la última exposición comercial y más de dos terceras partes de los visitantes informaron que el High Rise parecía mejor diseñado que el modelo de la competencia.

Con esta información, ¿qué descuento al distribuidor y qué precio de lista debería fijar la Easy Rider Motor Company para el High Rise?

Si la compañía está orientada a los costos, podría comenzar con el costo de fabricación por unidad que es de 10 mil dólares y agregar un margen de ganancia que considere correcto. Si la empresa quiere 1 400 dólares de utilidades netas por unidad, les debería cargar 11 mil 400 a los distribuidores y fijarle un precio de lista para las utilidades que quieran. Este enfoque pasa por alto el precio del competidor y el valor que los consumidores perciben en el High Rise.

Un enfoque orientado al mercado comenzaría con las percepciones que tengan los compradores del valor del High Rise. Por ejemplo, si las pruebas de mercado indican que los compradores potenciales piensan que el High Rise vale al menos 500 dólares más que el *camper* del competidor, entonces la firma podría considerar un precio de lista de 14 mil 500 dólares. Podría ofrecerles a las distribuidores un descuento de 22% para motivarlos a vender a mejor precio que los modelos de la competencia, lo cual significa que los distribuidores pagarían 11 mil 310 dólares y la compañía tendría utilidades brutas de 1 310 dólares por unidad.

La compañía también querría considerar otras elecciones de fijación de precio. Al High Rise se le podría asignar el mismo precio del competidor de 14 mil dólares, de modo que las firmas pelearían por la porción del mercado en un terreno que no fuera el precio. O la firma podría fijar el precio del High Rise por debajo del precio del competidor en un esfuerzo por obtener una mayor porción del mercado. Sin embargo, esto perjudica el deseo de fijar el precio del High Rise al menos en 2 mil 200 dólares más que el Free Spirit; asimismo, esto conduciría a un volumen de pedidos superior a la capacidad de la compañía, lo cual requeriría de una mayor inversión. Por otra parte, puede que la firma quisiera fijar el precio del High Rise en 15 mil dólares para indicar una calidad Cadillac (denominada de precio de prestigio). Incluso aquí, podría establecer el precio en 14 mil 999 dólares para que pareciera que se encuentra en el rango de 14 mil (lo cual se denomina fijación de precio impar).

El problema de fijación de precio de la Easy Rider Motor Company es todavía más complicado. La firma puede producir el High Rise con características opcionales (mejor calefacción, luces, camas, etc.) y tendría que elaborar una estructura de precios para las diferentes opciones. El precio también dependerá del monto del presupuesto planeado de promoción que marcará una diferencia en la habilidad de la compañía para convencer al mercado de pagar un precio alto. El High Rise podría absorber algunas de las ventas del Free Spirit, según lo cerca que estén sus precios. O, por otra parte, el High Rise podría acrecentar la venta del Free Spirit, ya que los distribuidores serían capaces de atraer más tráfico con la línea de producto más grande.[1]

Todas las organizaciones lucrativas y muchas no lucrativas se enfrentan a la tarea de establecer un precio para sus productos o servicios. El precio tiene varios nombres:

El precio se encuentra presente en todas partes. Usted paga *renta* por su departamento, *colegiatura* por su educación y *honorarios* para el médico o el dentista. Las compañías aéreas, las ferroviarias, los taxis y autobuses cobran un *pasaje;* los servicios públicos cobran una *tarifa;* y el banco cobra *interés* por el dinero que presta. Si quiere manejar su automóvil en una autopista, tiene que pagar el *peaje,* y la compañía que asegura su automóvil cobra una *póliza.* El conferenciante invitado cobra *honorarios* profesionales para hablarnos de los funcionarios gubernamentales que aceptan *sobornos* por ayudar a quienes defraudan las *cuotas* que cobra una asociación comercial. Los clubes o asociaciones a los cuales pertenece imponen una *aportación* especial para pagar gastos. A veces el abogado pide un *anticipo* por sus servicios. El "precio" de un ejecutivo es su *sueldo,* el de un vendedor puede ser una *comisión* y el de un tabajador es un *salario.* Por último, aunque los economistas estarían en desacuerdo, muchos pensamos que los *impuestos sobre la renta* son el precio que pagamos por el privilegio de ganar dinero.[2]

¿Cómo se establecen los precios? Históricamente, vendedores y compradores han establecido los precios negociando entre sí. Los vendedores pedían un precio más alto del que esperaban recibir, y los compradores ofrecían menos de lo que esperaban pagar. Mediante el regateo, llegaban a un precio aceptable para ambos.

Establecer un precio para todos los compradores es una idea relativamente moderna. Se generalizó gracias al desarrollo de un comercio minorista a gran escala a fines del siglo XIX. F. W. Woolworth, Tiffany and Co., John Wanamaker, J. L. Hudson y otros anunciaban una "política estricta de un solo precio" debido a que manejaban muchos artículos y supervisaban a muchos empleados.

Históricamente, el precio ha operado como el determinante principal de la elección que hace el comprador. Esto todavía es aplicable en las naciones pobres, entre grupos de bajos ingresos y con los bienes de consumo. Sin embargo, factores ajenos al precio han cobrado relativamente mayor importancia en esa preferencia durante las últimas décadas.

El precio es el único elemento en la mezcla de mercadotecnia que produce ingresos; los otros elementos representan costos. Sin embargo, muchas compañías no manejan bien la fijación de precios. Los errores más comunes son: la fijación de precios está demasiado orientada a los costos; el precio no se revisa con frecuencia para aprovechar los cambios del mercado; el precio se establece independientemente del resto de la mezcla de mercadotecnia, en vez de ser un elemento intrínseco de la estrategia de posicionamiento de mercado; y el precio no es lo suficientemente variado para diferentes artículos de producto y segmentos de mercado.

En este capítulo y en el siguiente se examinará el problema de la fijación de precios. En este capítulo se verán los factores que los mercadólogos deben considerar al establecer precios y se examinarán los enfoques generales de la fijación de precios. En el capítulo siguiente se estudiarán las estrategias de fijación de precios para producto nuevo, fijación de precios para mezcla de productos, iniciación y respuesta a los cambios de precios y ajuste de los precios tomando en cuenta factores del comprador y situacionales.

FACTORES A CONSIDERAR EN LA FIJACION DE PRECIOS

En las decisiones de fijación de precios de la compañía influye cierto número de factores internos de la firma y consideraciones ambientales externas. Estos factores pueden verse en la figura 13.1. Los *factores internos* comprenden los objetivos de mercadotecnia de la compañía, la estrategia de mezcla de mercadotecnia, los costos y la organización. Los *factores externos* incluyen la naturaleza del mercado y de la demanda la competencia y otros factores ambientales.

Factores internos que afectan las decisiones de fijación de precios

Objetivos de mercadotecnia

Antes de establecer el precio, la compañía debe establecer el objetivo que persigue con el producto en particular. Si la firma ha seleccionado cuidadosamente su mercado meta y su posicionamiento en el mercado, entonces su estrategia de mezcla de mercadotecnia, incluyendo el precio, será bastante directa. Por ejemplo, si la Easy Rider Motor Company quiere producir un *camper* de lujo para el segmento de consumidores ricos, esto implica cobrar un precio elevado. Así, la estrategia de fijación de precios está determinada en gran parte por la decisión previa sobre el posicionamiento en el mercado.

Asimismo, la compañía debe perseguir objetivos adicionales. Mientras más clara sea una firma acerca de sus objetivos, más fácil le será establecer precios. Ejemplos de objetivos comunes son supervivencia, maximización de las utilidades actuales, maximización de la porción del mercado y liderazgo en calidad del producto.

SUPERVIVENCIA. Las compañías establecen la supervivencia como su objetivo principal si están plagadas de sobrecapacidad, competencia intensa o cambios en los deseos del consumidor. Para mantener la planta en marcha y el movimiento de los inventarios, las firmas deben establecer un precio bajo, con la esperanza de que el mercado sea sensible al precio. Las utilidades son menos importantes que la supervivencia. Ultimamente, las compañías con problemas como Chrysler y la International Harvester han recurrido a programas de grandes reducciones de precio con el fin de sobrevivir. Siempre que sus precios cubran los costos variables y algunos costos fijos, podrán seguir en el negocio por un tiempo.

MAXIMIZACION DE LAS UTILIDADES ACTUALES. Muchas compañías quieren establecer un precio que maximizará las utilidades actuales. Estiman la demanda y los costos asociados con precios alternativos y escogen el precio que producirá el máximo de utilidades, flujo de efectivo o tasa de rendimiento sobre la inversión. En todos los casos, la compañía hace hincapié en el rendimiento financiero actual en vez del rendimiento a largo plazo.

FIGURA 13-1
Factores que afectan las decisiones sobre el precio

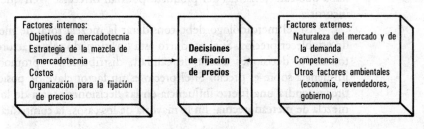

LIDERAZGO DE PORCION DE MERCADO. Otras compañías quieren conseguir la porción dominante del mercado. Creen que la firma que posea la porción de mercado más grande disfrutará de los costos más bajos y de las utilidades más altas a largo plazo. Van en pos del liderazgo de porción de mercado al fijar precios tan bajos como sea posible. Una variación de este objetivo es perseguir una ganancia específica de porción de mercado. Supóngase que la firma quiere acrecentar su porción de mercado de 10 a 15% en un año. Buscará el precio y el programa de mercadotecnia que lograrán esto.

LIDERAZGO DE CALIDAD DE PRODUCTO. Una firma podría establecer el objetivo de ser el líder de calidad de producto en el mercado. Esto requiere normalmente cobrar un precio alto para cubrir la calidad elevada del producto y el alto costo de investigación y desarrollo. Michelin, el fabricante de llantas, es un ejemplo claro de una firma que persigue liderazgo de calidad de producto. Continúa introduciendo nuevas características en sus llantas de más larga durabilidad y sus precios son de primera calidad.

OTROS OBJETIVOS. La firma podría usar el precio para lograr otros objetivos más específicos. Puede establecer precios bajos para impedir que la competencia entre al mercado, o bien establecer precios al nivel de los competidores para estabilizar el mercado. Los precios pueden fijarse con el propósito de mantener la lealtad y el apoyo de los revendedores, o para evitar la intervención gubernamental. Los precios pueden reducirse temporalmente para crear interés por un producto o atraer más clientes a una tienda al menudeo. A un producto se le puede asignar un precio para ayudar en las ventas de otros artículos de la línea de la compañía. Así, la fijación de precios puede desempeñar un papel importante para ayudar a lograr los objetivos de la compañía en muchos niveles.

Estrategia de mezcla de mercadotecnia

El precio es sólo una de las herramientas de la mezcla de mercadotecnia que la compañía usa para lograr sus objetivos de mercadotecnia. Las decisiones de precio deben coordinarse con decisiones sobre diseño del producto, distribución y promoción para integrar un programa de mercadotecnia congruente y eficaz. Las decisiones tomadas para otras variables de la mezcla de mercadotecnia pueden afectar las decisiones de precio. Por ejemplo, los productores que usan muchos revendedores y que esperan que éstos apoyen y promuevan sus productos tal vez tengan que integrar márgenes más grandes de reventa en sus precios. La decisión de desarrollar una posición de alta calidad significará que el vendedor debe cobrar un precio más alto para cubrir costos más elevados.

Con frecuencia la firma toma su decisión de precio que quiere cobrar por el producto y después basa otras decisiones de la mezcla de mercadotecnia. Por ejemplo, Ford descubrió a través de la investigación que existía un segmento de mercado para un automóvil deportivo costeable y diseñó el Mustang para que se vendiera dentro de la escala de precio que ese segmento deseaba pagar. De modo similar, la IBM diseñó la PC Jr., para que se vendiera a un precio competitivo con otras computadoras personales de precio moderado. En ambos casos, el precio era un factor clave en el posicionamiento del producto que definía el mercado, la competencia y el diseño del producto. El precio propuesto determinaba qué características del producto podrían ofrecerse y en qué costos de producción se incurriría.

Así, el mercadólogo debe considerar la mezcla total de mercadotecnia al momento de establecer precios. Si el producto está posicionado sobre factores distintos al precio, entonces las decisiones acerca de calidad, distribución y promoción tendrán una fuerte influencia sobre el precio. Si el precio es un factor clave de posicionamiento, entonces el precio tendrá una fuerte influencia en las decisiones acerca de los demás elementos de la mezcla de mercadotecnia. En la mayoría de los casos, la compañía considerará todas las de-

Volkswagen posiciona su automóvil sobre el precio y la economía: Jaguar posiciona su automóvil sobre la calidad, el rendimiento y otros factores ajenos al precio: su precio agrega prestigio. *Cortesía de Volkswagen of America y Jaguar Cars Inc.*

cisiones aunadas de la mezcla de mercadotecnia cuando desarrolle el programa de mercadotecnia.

Costos

Los costos establecen el nivel mínimo para el precio que la compañía puede establecer para sus productos. La firma quiere cobrar un precio que cubra todos sus costos para producir, distribuir y vender el producto, incluyendo una tasa justa de rendimiento por su esfuerzo y riesgo. La compañía debe vigilar cuidadosamente sus costos. Si a la compañía le cuesta más que a los competidores producir y vender un producto comparable, tendrá que cobrar un precio más alto que la competencia o tener menos utilidades, lo cual la colocará en una desventaja competitiva.

TIPOS DE COSTOS. Los costos de una compañía son de dos tipos, fijos y variables. Los *costos fijos* (conocidos también como gastos indirectos) son costos que no varían con la producción o los ingresos por ventas. Así, una compañía debe pagar facturas mensuales de alquiler, calefacción, intereses y salarios de los ejecutivos, cualquiera que sea el nivel de producción total. Los costos fijos siempre existen independientemente del nivel de productividad.

Los *costos variables* varían directamente con el nivel de producción. Cada calculadora de bolsillo producida por Texas Instruments (TI) implica un costo de plástico, alambres, empaques, etc. Estos costos tienden a ser constantes por unidad producida. Se les denomina variables porque su total varía con el número de unidades producidas.

Los *costos totales* son la suma de los costos fijos y variables para cualquier nivel dado de producción. La gerencia quiere fijar un precio que cubra al menos los costos totales de producción en un nivel dado de producción.

COMPORTAMIENTO DE LOS COSTOS EN DIFERENTES NIVELES DE PRODUCCION POR PERIODO. Para fijar precios de modo inteligente, la gerencia necesita saber cómo varían sus costos con diferentes niveles de producción.

Primero, tómese el caso donde la TI ha construido una planta de tamaño fijo para producir 1 000 calculadoras de bolsillo al día. La figura 13-2A muestra el comportamiento típico en forma de U de la curva de costo medio a corto plazo (CMCP). El costo por unidad es alto si se producen pocas unidades por día. A medida que la producción se acerca a las 1 000 unidades por día, el costo medio baja. La razón es que los costos fijos están repartidos en más unidades, donde cada una tiene un costo fijo más pequeño. La TI puede intentar producir más de 1 000 unidades por día, pero a costos crecientes. El costo medio aumenta después de 1 000 unidades porque la planta se vuelve ineficiente: los trabajadores tienen que esperar por las máquinas, éstas se descomponen con más frecuencia y los obreros se estorban unos a otros.

Si la TI creyera que podría vender 2 000 unidades al día, consideraría la construcción de una planta más grande. La planta usaría maquinaria y arreglos laborales más eficientes y el costo unitario de producir 2 000 unidades al día sería menor que el de 1 000. Esto se muestra en la curva del costo medio a largo plazo (véase figura 13-2B). De hecho, una planta de 3 000 unidades de capacidad sería incluso más eficiente, según la figura 13-2B. Pero una planta con una producción diaria de 4 000 unidades sería menos eficiente debido a crecientes derroches de escala: hay demasiados trabajadores para dirigir, el papeleo retrasa las cosas, etc. La figura 13-2B indica que una planta con una producción diaria de 3 000 unidades es el tamaño óptimo para construir si la demanda es lo bastante fuerte para apoyar este nivel de producción.

COMPORTAMIENTO DE LOS COSTOS COMO UNA FUNCION DE LA PRODUCCION ACUMULADA. Supóngase que la TI dirige una planta que produce 3 000 calculadoras de bolsillo al día. A medida que la TI obtiene experiencia en producir calculadoras de bolsillo, aprende a hacerlo mejor. Los obreros aprenden formas más rápidas para hacer el trabajo y se familiarizan más con su equipo. Con la práctica, el trabajo se organiza mejor y se encuentra mejor equipo y mejores procesos de producción. Con un volumen más elevado, la firma se vuelve más eficiente y realiza economías de escala. El resultado es que los costos medios tienden a caer

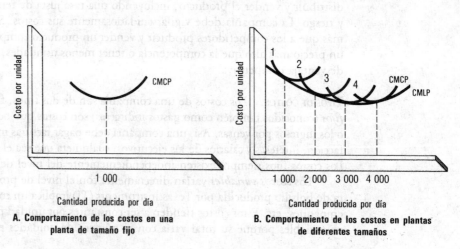

FIGURA 13-2
Costo por unidad en diferentes niveles de producción por periodo

A. Comportamiento de los costos en una planta de tamaño fijo

B. Comportamiento de los costos en plantas de diferentes tamaños con una mayor experiencia de producción. Esto puede verse en la figura 13-3.[3] Así, el costo medio de producir las primeras 100 mil calculadoras es de 10 dólares por aparato. Cuando la compañía ha producido las primeras 200 mil calculadoras, el costo medio ha bajado a 9 dólares. Después de que su experiencia acumulada de producción es doble, o sea hasta 400 mil, el costo medio es 8 dólares. Esta disminución en el costo medio con la experiencia acumulada de producción se denomina la *curva de la experiencia* (llamada a veces *curva de aprendizaje*).[4]

Si existe una curva de la experiencia con pendiente descendente, esto es sumamente significativo para la compañía. No sólo bajará el costo unitario de producción de la compañía, sino que bajará más rápido si la firma fabrica y vende más durante un periodo dado. Pero el mercado tiene que permanecer listo para comprar la mayor producción. Y para aprovechar la curva de la experiencia, la TI debe obtener una porción de mercado más grande, antes, en el ciclo de vida del producto. Esto señala la siguiente estrategia de fijación de precios. La TI deberá fijar un precio bajo a sus calculadoras; sus ventas aumentarán entonces, y sus costos disminuirán al obtener más experiencia, y así puede bajar sus precios aún más. Esta lógica la usa la TI en su fijación de precios. Fija sus precios con gran perspicacia, obtiene la mejor parte del mercado y encuentra que sus costos continúan bajando.[5]

Consideraciones organizacionales

La gerencia debe decidir quién es responsable dentro de la organización para fijar precios. Las compañías manejan la fijación de precios de diversas maneras. En las firmas pequeñas, la gerencia suele fijar los precios en vez del departamento de mercadotecnia o el de ventas. En las empresas grandes, la fijación de precios la suelen manejar los gerentes divisionales o de línea de producto. En los mercados industriales, se les debe permitir a los vendedores negociar con los clientes dentro de ciertas escalas de precio. Aun aquí, la gerencia general establece los objetivos y las políticas de fijación de precios y a menudo aprueba los precios propuestos por la gerencia de nivel inferior o por los vendedores.[6] En las industrias donde la fijación de precios es un factor clave (firmas aeroespaciales, ferroviarias, petroleras), las empresas a menudo crearán un departamento de fijación de precios para establecer precios o ayudar a otras instancias a determinarlos. Este departamento es responsable ante el de mercadotecnia o la gerencia general. Otros que ejercen influencia sobre la fijación de precios son los gerentes de ventas, de producción, de finanzas y contadores.

FIGURA 13-3
Costo por unidad como una función de la producción acumulada: La curva de la experiencia

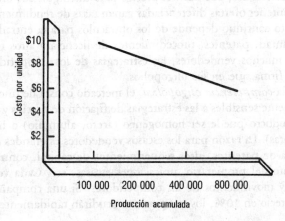

Mercado y demanda

Los costos establecen el nivel mínimo para los precios, el mercado y la demanda establecen el precio máximo. Tanto los compradores de consumo como los industriales equilibran el precio de un producto o servicio en comparación con los beneficios de poseerlo. Así, antes de fijar precios, el mercadólogo debe comprender la relación entre precio y demanda para su producto.

En esta sección se examinará la forma cómo varía la relación entre el precio y la demanda para diferentes tipos de mercado, y la manera cómo la percepción que el comprador tiene del precio afecta la decisión de fijación de precios. Después se verán los métodos para medir la relación entre precio y demanda.

FIJACION DE PRECIOS EN DIFERENTES TIPOS DE MERCADOS.   La libertad de la fijación de precios del vendedor varía con diferentes tipos de mercado. Los economistas hacen una distinción en cuatro tipos de mercados, cada uno de los cuales representa un diferente reto de fijación de precios.

En *competencia pura,* el mercado consta de muchos compradores y vendedores que comercian en una mercancía homogénea como trigo, cobre o valores financieros. Ningún comprador o vendedor aislado tiene gran influencia en el precio de mercado actual. Un vendedor no puede cobrar más que el precio actual, ya que los compradores pueden obtener tanto como necesiten a este precio. Ni tampoco los vendedores cobrarían menos que el precio de mercado porque pueden vender todo lo que quieren al precio de mercado. Si el precio y las utilidades se elevan, pueden entrar fácilmente nuevos vendedores en el mercado. Los mercados competitivos puros se caracterizan por alta movilidad de recursos y gran información entre compradores y vendedores. En estos mercados, los compradores y los vendedores son aceptadores de precios en vez de hacedores de precios. Si los vendedores no pueden establecer características diferenciales en su oferta, no pueden vender sus bienes por nada más que el precio de mercado. Los vendedores en estos mercados no dedican mucho tiempo a la estrategia de mercadotecnia, ya que el papel de la investigación de mercados, desarrollo de producto, fijación de precios, publicidad y promoción de ventas es mínimo, siempre y cuando el mercado permanezca puramente competitivo.

Bajo la *competencia monopolista,* el mercado consta de muchos compradores y vendedores que hacen transacciones dentro de una escala de precios en vez de un solo precio de mercado. La razón para la escala de precios es que los vendedores son capaces de diferenciar sus ofertas para los compradores. El producto físico o los servicios integrantes pueden variarse en calidad, características o estilo. Los compradores ven diferentes ofertas y pagarán diferentes cantidades. Los vendedores intentan desarrollar ofertas diferenciadas para cada segmento de clientes y usan libremente la adopción de marcas, la publicidad y las ventas personales; además del precio, para distinguir sus ofertas. Los vendedores que pueden mantener ofertas diferenciadas ganan tasas de rendimiento por encima del promedio. Su éxito continuo depende de los obstáculos para la entrada, como la publicidad, la buena voluntad, patentes, procedimientos de licencia y altos requerimientos de capital. Como hay muchos vendedores, las estrategias de los competidores tienen menos efecto sobre cada firma que en los oligopolios.

Bajo la *competencia oligopólica,* el mercado consta de unos cuantos vendedores que son sumamente sensibles a las estrategias de fijación de precios y de mercadotecnia de cada uno. El producto puede ser homogéneo (acero, aluminio) o heterogéneo (automóviles, computadoras). La razón para los escasos vendedores es grandes obstáculos para la entrada en la forma de patentes, altos requerimientos de capital, control sobre materias primas, conocimiento del propietario, ubicaciones escasas, etc. Cada vendedor está alerta de las estrategias y movimientos de los competidores. Si una compañía acerera reduce radicalmente su precio en 10%, los compradores acudirán rápidamente a ella. Los otros fabricantes de acero tendrán que responder al disminuir sus precios o acrecentar sus servicios. Un oligopolista nunca está seguro de que ganará algo permanente mediante una reducción de precio. Por otra parte, si el oligopolista elevara su precio, puede que los competidores no lo sigan. El oligopolista tendría que retractarse de su aumento de precio o arriesgarse a perder clientes a los competidores. Los oligopolistas, al desarrollar sus estrategias de fijación de precios y de mercadotecnia, deben prestar atención a la conducta de los competidores como a la conducta de los clientes. En el ejemplo de Easy Rider se vio que esta compañía tuvo que tomar en cuenta a su principal competidor para decidir qué precio cobrar por su vehículo recreativo.

Un *monopolio puro* consta de un vendedor. El vendedor puede se. un monopolio gubernamental (servicio postal), un monopolio privado reglamentado (una compañía de energía eléctrica) o un monopolio privado no reglamentado (Dupont, cuando lanzó el nylon). La fijación de precios se maneja de modo distinto en cada caso. Un monopolio gubernamental puede perseguir una variedad de objetivos de fijación de precios. Podría es-

Un reloj económico da la hora, pero muchos consumidores pagarán mucho más por intangibles. *Cortesía de North American Watch Corp.*

tablecer un precio por debajo del costo, ya que el producto es importante para los compradores y éstos tal vez no puedan pagar el costo total. O el precio podría establecerse para cubrir los costos o producir buenos ingresos, o incluso bastante alto, para desalentar el consumo. En un monopolio reglamentado, el gobierno permite que la compañía establezca tasas que producirán un "rendimiento justo", uno que le permitirá a la compañía mantener y ampliar su planta como sea necesario. Los monopolios no reglamentados están en libertad de establecer precios en lo que el mercado pueda soportar. Sin embargo, no siempre cobran el precio total debido a varias razones: temor a la reglamentación gubernamental, deseo de no atraer a la competencia, o de penetrar en el mercado más rápidamente con un precio bajo.

PERCEPCIONES DEL CONSUMIDOR EN EL PRECIO Y EL VALOR.   En última instancia, el consumidor decidirá si el precio de un producto es correcto. Cuando se fijan precios, la compañía debe considerar las percepciones que tenga el consumidor del precio y la manera cómo éstas afectan las decisiones de compra. Nagle hace hincapié en que las decisiones de precio, al igual que otras decisiones de la mezcla de mercadotecnia, deben estar orientadas al comprador:

> . . . la fijación de precios requiere de algo más que experiencia técnica. Requiere de juicio creativo y de un gran conocimiento de las motivaciones de los compradores . . . la clave para la fijación de precios exitosa es la misma que conduce a la eficacia en otras funciones de mercadotecnia: un conocimiento creativo de quiénes son los compradores, por qué compran y cómo toman sus decisiones de compra. El reconocimiento de que los compradores difieren en estas dimensiones es tan importante para la fijación de precios eficaz, como para la eficacia en la promoción, distribución o desarrollo de producto.[7]

Cuando los consumidores compran un producto, intercambian un valor (el precio) para obtener otro valor (los beneficios de tener o usar el producto). La fijación de precios eficaz y orientada al comprador implica comprender qué valor les dan los consumidores a los beneficios que reciben del producto y un precio congruente con este valor. Los beneficios pueden ser tangibles o intangibles. Cuando un consumidor compra una comida en un restaurante de moda, es fácil calcular el valor de los ingredientes de la comida. Pero es muy difícil, incluso para el consumidor, medir el valor de otros satisfactores como el sabor, un ambiente agradable, una atmósfera tranquila, conversación y estatus. Y todos estos valores variarán según el tipo de consumidores y las diferentes situaciones (véase figura 13-1). Así, a la compañía le será difícil medir el valor que los consumidores le asignarán a su producto. Pero el consumidor usa consciente o inconscientemente estos valores para evaluar el precio de un producto. Si el consumidor percibe que el precio es mayor que el valor del producto, el consumidor no comprará dicho producto.

Los mercadólogos deben tratar de analizar las motivaciones del consumidor para comprar el producto y establecer el precio de acuerdo con las percepciones que tenga el consumidor del valor del producto. Así como los consumidores varían en los valores que asignan a diferentes características del producto, los mercadólogos a menudo varían sus estrategias de fijación de precios para diferentes segmentos. Ofrecen diferentes combinaciones de características del producto a distintos precios. Por ejemplo, los fabricantes de pantalones de mezclilla pueden ofrecer un precio más bajo y mayor resistencia para aquellos consumidores que valoran la utilidad y la durabilidad, y diseño exclusivo y precio más elevado para los clientes que valoran la moda y el estatus.

La fijación de precios orientada al comprador significa que el mercadólogo no puede diseñar un producto y un programa de mercadotecnia y establecer después el precio. La fijación de precios eficaz comienza con la comprensión de las necesidades del consumidor y las percepciones del precio. Este último debe considerarse junto con otras variables de la mezcla de mercadotecnia, antes de crear el programa de mercadotecnia.

RECUADRO 13-1

¿QUE VALE UNA HAMBURGUESA?

¿Cualquier hamburguesa vale 4 dólares? La respuesta parece depender de con cuál consumidor habla usted y qué quieren éstos de sus hamburguesas. La mayoría de la gente no pagará más de medio dólar, tal vez dólar y medio por una Bic Mac o una Whopper con queso. Pero hay un creciente segmento de consumidores que parecen casi dispuestos a pagar hasta 3.50 o 4 dólares por una nueva clase de hamburguesa, las hamburguesas gourmet, que se sirven en restaurantes con nombres como Chili's, Fuddruckers, Flakey Jake's o J. J. Muggs.

La hamburguesa gourmet de Fuddruckers. *Cortesía de Fuddruckers, Inc.*

¿Por qué puede valer 4 dólares una hamburguesa para algunos consumidores? Las hamburguesas probablemente *son* mejores, más grandes y mejor cocinadas que una orden de carne fresca de res. Pero no sólo son las hamburguesas las que atraen a los consumidores. Los establecimientos de hamburguesas caras ofrecen varios beneficios menos tangibles que algunos consumidores valoran mucho. Tienen mesas y sillas en vez de bancas de plástico; venden cerveza, vino y cocteles; algunos incluso tienen meseros.

El costo medio de una hamburguesa, papas fritas y una bebida en Chili's es alrededor de 6 dólares, comparado con unos 2.50 dólares en un restaurante convencional de comida rápida. Pero cuando agrega todos los valores (de la hamburguesa, las comodidades y el ambiente), el precio de una hamburguesa gourmet en Chili's les parece más razonable a algunos clientes que los precios más bajos que pagarían en McDonald's o en Burger King.

Entonces, ¿pagaría cuatro dólares por una hamburguesa? Se soprendería al saber cuánta gente lo haría. Actualmente hay unos 100 restaurantes de hamburguesas de lujo con más de 100 millones de dólares en ventas. E incluso los analistas conservadores estiman que el mercado aumentará hasta más de 3 mil restaurantes que venderán de 2 a 3 mil millones de dólares al año. Algunos estiman que habrá un mercado de 8 mil millones de dólares para hamburguesas de 4 dólares.

Fuente: Basado en información de Roger Neal, "Fancyburgers", *Forbes*, 18 de junio de 1984, p. 92.

ANALISIS DE LA RELACION ENTRE EL PRECIO Y LA DEMANDA. Cada precio que la firma pudiera cobrar, conducirá a un nivel diferente de la demanda. La relación entre el precio cobrado y el nivel resultante de la demanda se capta en la conocida *curva de la demanda* que se muestra en la figura 13-4A. La curva de la demanda muestra el número de unidades que el mercado comprará en un periodo determinado a precios alternativos que podría cobrar durante el periodo. Normalmente, la demanda y el precio tienen una relación inversa, es

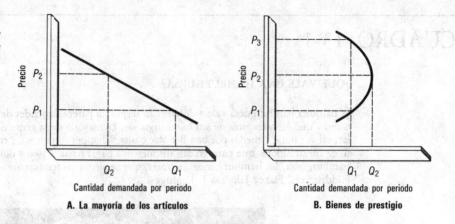

FIGURA 13-4
Dos curvas hipotéticas de la demanda

A. La mayoría de los artículos

Precio · P_2 · P_1

Q_2 · Q_1

Cantidad demandada por periodo

B. Bienes de prestigio

Precio · P_3 · P_2 · P_1

Q_1 · Q_2

Cantidad demandada por periodo

decir, mientras más alto sea el precio, más baja será la demanda (y a la inversa). Así, la firma vendería menos si elevara su precio de P_1 a P_2. Presumiblemente, los consumidores con presupuestos limitados que se enfrentan con productos alternativos comprarán menos del producto con precio demasiado alto.

La mayoría de las curvas de la demanda tienen una pendiente descendente en una línea recta o curva. En el caso de los bienes de prestigio, la curva de la demanda tiene a veces una pendiente positiva, como en la figura 13-4B. Una compañía de perfumes descubrió que al elevar su precio de P_1 a P_2, vendía más perfume en vez de menos. Los consumidores interpretaban el alto precio en el sentido de que significaba un perfume mejor o más deseable. Sin embargo, si se cobra un precio demasiado alto (P_3), el nivel de la demanda será menor que en P_2.

La mayoría de las compañías intentan una *estimación de las curvas de la demanda*. En la investigación de la curva de la demanda, el investigador debería hacer explícitas las premisas acerca de la competencia. No hay problema cuando un monopolista vende al mercado. La curva de la demanda muestra la demanda total del mercado resultante de diferentes precios. Si la compañía se enfrenta a la competencia, hay dos formas para estimar la demanda. Una consiste en presuponer que los precios de los competidores permanecen constantes independientemente del precio cobrado por la compañía. La otra es presuponer que los competidores cobran un precio diferente para cada precio que la compañía escoge. Se supondrá lo primero y se diferirá la cuestión de los precios de los competidores.

Para medir una curva de la demanda es necesario variar el precio. Pessemier creó un método de laboratorio para determinar cuántas unidades de un producto comprará la gente en diferentes precios posibles.[8] Wyner y otros estimaron la demanda para teléfonos residenciales al encuestar a los consumidores y obtener sus reacciones a diversos precios en situaciones de compra simuladas.[9] Bennett y Wilkinson usaron un método dentro de la tienda para estimar la curva de la demanda: variaron sistemáticamente los precios de varios productos vendidos en una tienda de descuento. La figura 13-5 muestra la curva de la demanda estimada para el aceite Quaker State Motor. La demanda se eleva a medida que el precio baja de 73 a 38 centavos de dólar, entonces baja entre 38 y 32 centavos de dólar, posiblemente debido a gente que cree que el aceite es demasiado barato y puede dañar el automóvil.

Al medir la relación entre el precio y la demanda, el investigador de mercados no debe permitir que varíen otros factores que afectan la demanda. Si Quaker State elevó su presupuesto de publicidad cuando disminuyó su precio, no sabríamos cuánto de la mayor demanda se debía al precio más bajo y cuánto a la mayor publicidad. Surge el mismo poblema si ocurren unas vacaciones de fin de semana cuando se establece el precio más bajo, ya que durante las vacaciones hay más viajes y se compra más aceite para motor.

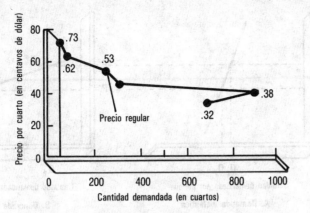

FIGURA 13-5
*Curva de la demanda
para Quaker
State Motor Oil*

Fuente: Sidney Bennett y J. B. Wilkinson. "Price-Quantity Relationships and Price Elasticity Under In-Store Experimentation", *Journal of Business Research*, enero de 1974, p. 30-34.

Los economistas muestran el impacto de factores ajenos al precio sobre la demanda mediante desplazamientos de la curva de la demanda, en vez de movimientos a lo largo de la misma. Supóngase que la curva inicial de la demanda es D_1 en la figura 13-6. El vendedor cobra P y vende Q_1 unidades. Ahora supóngase que la economía mejora de repente, o que el vendedor aumenta al doble su presupuesto de publicidad. La demanda más alta generada se refleja mediante un desplazamiento ascendente de la curva de la demanda de D_1 a D_2. Sin cambiar el precio P, la demanda del vendedor es ahora Q_2.

ELASTICIDAD DE PRECIO DE LA DEMANDA. La *elasticidad de precio* la deben determinar los mercadólogos: ¿en qué grado responderá la demanda a un cambio de precio? Considérense las dos curvas de la demanda de la figura 13-7. En la figura 13-7A, un aumento de precio de P_1 a P_2 conduce a una disminución relativamente pequeña en la demanda de Q_1 a Q_2. En la figura 13-7B el mismo aumento de precio conduce a una disminución sustancial en la demanda de Q'_1 a Q'_2. Si la demanda casi no varía con un pequeño cambio en el precio, se dice que la demanda es inelástica. Si la demanda cambia considerablemente, se dice que la demanda es elástica. La elasticidad de precio de la demanda se da mediante la siguiente fórmula:

$$\text{Elasticidad de precio de la demanda} = \frac{\%\ \text{de cambio en la cantidad demandada}}{\%\ \text{de cambio en el precio}}$$

FIGURA 13-6
*Efectos de la promoción
y otras variables ajenas
al precio sobre la
demanda
ilustrados mediante
desplazamientos de
la curva de la demanda*

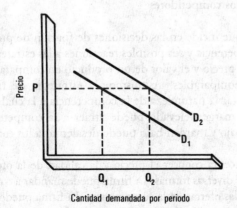

FIGURA 13-7
*Demanda elástica
e inelástica*

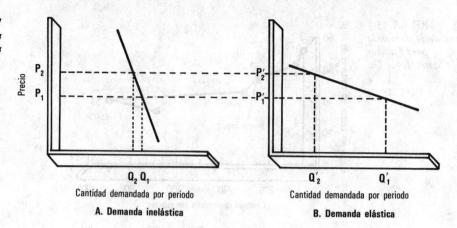

Cantidad demandada por periodo

A. Demanda inelástica

Cantidad demandada por periodo

B. Demanda elástica

Supóngase que la demanda cae 10% cuando un vendedor eleva su precio 2%. Por tanto, la elasticidad de precio de la demanda es —5 (el signo negativo confirma la relación inversa entre el precio y la demanda). Si la demanda cae 2% con un aumento de 2% en el precio, entonces la elasticidad es —1. En este caso, el ingreso total del vendedor permanece igual: el vendedor vende menos artículos pero a un precio más alto que preserva los mismos ingresos totales. Si la demanda cae el 1% cuando el precio aumenta 2%, entonces la elasticidad es —½. Mientras menos elástica sea la demanda, más le convendrá al vendedor elevar el precio.

¿Qué determina la elasticidad de precio de la demanda? Es probable que la demanda sea menos elástica bajo las siguientes condiciones: 1) hay pocos o ningún sustituto o competidor; 2) los compradores realmente no se dan cuenta del precio más alto; 3) los compradores son lentos para cambiar sus hábitos de compra y su búsqueda de precios más bajos; 4) los compradores piensan que los precios más elevados están justificados por mejoramientos en la calidad, inflación normal, etcétera.

Si la demanda es elástica en vez de inelástica, los vendedores considerarán bajar los precios. Un precio más bajo producirá más ingresos totales. Esto tiene sentido siempre y cuando los costos de producir y vender más no aumenten desproporcionadamente.

Se ha informado de varios estudios sobre la elasticidad de precio. Por ejemplo, la elasticidad de precio de las viviendas es—0.5; refrigeradores, —1.07 a —2.06; automóviles, —0.6 a —1.1; cereal, —1.4 a —1.7; y gasolina, alrededor de 0.[10] Las elasticidades cambiarán con el paso del tiempo y bajo diferentes condiciones económicas, y por tanto deben volver a estimarse cada vez.

Precios y ofertas de los competidores

Otro factor externo que incide en las decisiones de fijación de precios de la compañía son los precios de la competencia y sus posibles reacciones a las estrategias de la firma. Los consumidores evalúan el precio y el valor de un producto en comparación con los precios y valores de productos equiparables. Asimismo, la estrategia de fijación de precios de la compañía puede afectar la naturaleza de la competencia a la cual se enfrente: una estrategia de precio alto y margen elevado puede atraer a la competencia, mientras que una estrategia de precio bajo y margen bajo puede desalentar a los competidores o sacarlos del mercado.

La compañía necesita conocer el precio y la calidad de la oferta de cada competidor. Esto puede hacerse de diversas formas. La firma puede mandar a compradores para que vean el precio y comparen las ofertas de la competencia. La firma puede adquirir listas de precios, de los competidores y comprar su producto y desarmarlo. La firma puede preguntar a los compradores cómo perciben el precio y la calidad de la oferta de cada competidor.

Una vez que la firma conozca los precios y las ofertas de los competidores, podrá usarlos como un punto de orientación para su fijación de precios. Si la oferta de la compañía se similar a la de un gran competidor, la firma tendrá que establecer un precio cercano al competidor o perder ventas. Si la oferta de la firma es inferior, no será capaz de cobrar tanto como el competidor. Si la oferta de la firma es superior, podrá cobrar más que el competidor. Sin embargo, la firma debe estar consciente de que los competidores podrían cambiar sus precios como respuesta al precio de la firma. Básicamente, la firma usará el precio para posicionar su oferta en relación con los competidores.

Otros factores externos

A la hora de fijar precios, la compañía también debe considerar otros factores en su ambiente externo. Por ejemplo las *condiciones económicas* pueden tener consecuencias profundas sobre la eficacia de diferentes estrategias de fijación de precios. Los factores económicos como la inflación, el auge o la recesión, así como las tasas de interés inciden en las decisiones de fijación de precio porque afectan tanto a los costos de producción como a las percepciones que tienen los consumidores del precio y el valor del equipo.

La compañía debe considerar qué consecuencias tendrán sus precios sobre otros factores en su ambiente. ¿Cómo reaccionarán los *revendedores* a varios precios? La compañía debería establecer precios que permitan a los revendedores obtener utilidades razonables, alienten su apoyo y los ayuden a vender el producto con eficacia. El *gobierno* es otra influencia externa importante sobre las decisiones de fijación de precios. Los mercadólogos necesitan conocer las leyes que afectan el precio y asegurar que sus políticas de fijación de precio sean defendibles. En el recuadro 13-2 se resumen las principales leyes que afectan el precio.

RECUADRO 13-2

DECISIONES DE PRECIOS Y POLITICA GUBERNAMENTAL

Las empresas deben conocer las leyes si quieren fijar los precios de sus productos sin tener problemas de tipo legal. Deben evitar las siguientes prácticas.

Arreglos de precios. Las empresas deben establecer sus precios sin intercambiar puntos de vista con los competidores, ya que de lo contrario caerían en sospecha de conspiración. Este tipo de arreglos es ilegal; el gobierno no los acepta bajo ningún concepto. Las únicas excepciones las constituyen los casos en los cuales los acuerdos se realizan con la supervisión de un organismo estatal, como sucede con muchos convenios de la industria lechera, la industria del transporte y las cooperativas de frutas y verduras.

Mantenimiento del precio de reventa. Un fabricante no puede obligar a los distribuidores a cobrar un precio específico al menudeo por su producto. Sin embargo, el vendedor puede proponer a los detallistas un precio recomendado por el fabricante. El fabricante no puede negarse a venderle a un distribuidor que toma decisiones independientes en materia de precios, ni castigar al distribuidor retardándole envíos o negándole descuentos por concepto de publicidad. Sin embargo, el fabricante puede negarse a vender su producto por otros motivos, supuestamente ajenos a los criterios con que el distribuidor establezca sus precios.

Discriminación de precios. La Ley Robinson-Patman procura garantizar que las empresas ofrezcan el mismo precio en determinado sector de comercio. Por ejemplo, todo detallista tiene el derecho de vender la mercancía a cierto precio sin importar si se trata de Sears o de una tienda de bicicletas. Sin embargo, se admite la discriminación de precios si la firma logra demostrar que sus costos varían cuando vende a diversos distribuidores; por ejemplo, deberá probar que le cuesta menos vender un gran volumen de bicicletas a Sears que vender unas cuantas a un distribuidor local. También se admite cuando la compañía fabrica varias versiones de diferente calidad para distintos distribuidores. Está obligada a demostrar que esas diferencias existen en verdad y que las diferencias de precio son proporcionales. Estas últimas también pueden usarse para "afrontar la competencia de buena fe", con tal que la firma esté tratando de luchar con las mismas armas que sus rivales y que la discriminación de precios sea una medida temporal, bien localizada y no de carácter agresivo, sino defensivo.

Fijación de precios mínimos. A un vendedor no se le permite vender por debajo de los costos con la intención de destruir a la competencia. Tanto los mayoristas como los detallistas en más de la mitad de Estados Unidos, están sometidos a leyes que estipulan un porcentaje mínimo de incremento sobre el costo de sus mercancías más el transporte. Estas leyes reciben el nombre de prohibición de prácticas mercantiles injustas y su objetivo es proteger a los pequeños comerciantes contra las grandes corporaciones que están en condiciones de vender por debajo de sus costos para atraer más clientes.

Incremento de precio. Las compañías pueden aumentar su precio hasta cualquier nivel, menos en época de control de precios. La principal excepción a la libertad para fijar precios la encontramos en los servicios públicos. Como éstos poseen un poder monopólico, sus tarifas están sujetas a control en beneficio de la comunidad. El gobierno estadunidense se ha valido de su influencia para desalentar, de vez en cuando, los niveles máximos de precios de las principales industrias en periodos de escasez o de inflación.

Precios engañosos. Esta táctica es más común en la venta de bienes de consumo que en los bienes industriales pues en el primer caso el consumidor dispone de menos información y experiencia en adquisiciones. En 1958, la ley de revelación de información automotriz estableció que los fabricantes de autos colocasen en el parabrisas una declaración del precio al menudeo recomendado por el fabricante, los precios del equipo opcional y los gastos de transporte del distribuidor. En el mismo año la Federal Trade Commission publicó sus normas contra precios engañosos, en las cuales prohibía a las empresas anunciar una rebaja a menos que ésta representase un ahorro respecto al precio habitual al menudeo; tampoco podían anunciar precios de "fábrica" o "baratas" si esto no era cierto. También les prohibió anunciar precios de valor semejante en bienes con defectos y otros tipos de estrategias parecidas.

ENFOQUES GENERALES DE LA FIJACION DE PRECIOS

El precio que la compañía cobra estará entre un punto que sea demasiado bajo para generar utilidades y uno que sea demasiado elevado para producir demanda. La figura 13-8 resume las principales consideraciones en el establecimiento de precios. El costo de producción establece el precio mínimo; las percepciones que tengan los consumidores del valor del producto establecen el precio máximo. La compañía debe considerar los precios de los competidores y otros factores internos y externos para encontrar el mejor precio entre estos dos extremos.

Las compañías resuelven el problema de la fijación de precios seleccionando un enfoque general que incluya una o más de estas tres consideraciones. Se examinarán los si-

FIGURA 13-8
Principales consideraciones en la fijación de precios

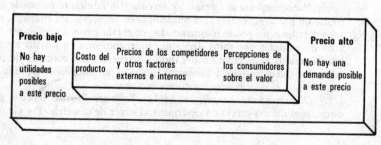

Precio bajo	Costo del producto	Precios de los competidores y otros factores externos e internos	Percepciones de los consumidores sobre el valor	Precio alto
No hay utilidades posibles a este precio				No hay una demanda posible a este precio

guientes enfoques: el enfoque basado en el costo (fijación de precios a partir de costo más utilidades, análisis de punto de equilibrio y fijación de precios a partir de las utilidades meta), el enfoque basado en el comprador (fijación de precios a partir del valor percibido) y el enfoque basado en la competencia (fijación de precios de nivel actual y fijación de precios por propuesta sellada).

Fijación de precios basada en el costo

Fijación de precios a partir de costo más utilidades

El método más sencillo consiste en agregar una cantidad estándar al costo del producto. Así, un distribuidor de electrodomésticos comprará al fabricante un tostador de pan por 20 dólares y lo venderá en 30 dólares, lo cual equivale a 50% de incremento respecto al costo. La ganancia bruta del distribuidor es 10 dólares. Si los costos de operación de la tienda equivalen a 8 dólares por tostador vendido, el margen de utilidad será de 2 dólares.[11]

También es probable que el fabricante al establecer el precio del tostador haya usado el método de costo más utilidades. Si el costo estándar de producción fue de 16 dólares, podría haber agregado 25% y fijar 20 dólares como precios para los distribuidores. Las compañías constructoras hacen propuestas para obras al estimar el costo total del proyecto y añaden un margen estándar de utilidad. Los abogados y otros profesionales suelen incluir en sus honorarios una cantidad adicional por concepto de gastos. Algunos vendedores dicen a sus clientes que les cobrarán el costo de producción más un incremento; por ejemplo, las compañías aeroespaciales venden al gobierno sus aparatos con este tipo de contratos.

Los márgenes de ganancia bruta varían considerablemente para diferentes bienes. Los márgenes comunes (sobre el precio, no sobre los costos) en las tiendas de departamentos son 20% para tabaco, 28% para cámaras, 34% para libros, 41% para vestidos, 46% para joyería de fantasía y 50% para sombreros de mujer.[12] En la industria de los detallistas de comestibles, el café, la leche enlatada y el azúcar suelen tener pequeños márgenes de ganancia, mientras que los alimentos congelados, jaleas y algunos productos enlatados tienen márgenes elevados. Se encuentra muchísima dispersión en torno a los medios. Por ejemplo, dentro de la categoría de alimentos congelados, los márgenes de ganancia bruta sobre precios al menudeo fluctúan desde 13% hasta 53%.[13] Preston descubrió que la variación en los márgenes de ganancia bruta reflejaba diferencias en los costos unitarios, ventas, movimiento de personal y marcas de fabricante en comparación con marcas privadas, pero quedaba mucha sin explicar.[14]

¿Será lógico el uso de márgenes estándares de ganancia bruta para establecer precios? Generalmente, no. Cualquier método de fijación de precios que ignore la demanda y la competencia actuales no tiene probabilidades de conducir al precio óptimo. El cementerio de los detallistas está lleno de comerciantes que insistieron en usar márgenes estándar frente a la competencia que había recurrido a un sistema de descuentos de precios.

No obstante, la fijación de precios por margen de ganancia bruta sigue siendo un método popular por diversas razones. Primero, los vendedores tienen más seguridad de los costos que de la demanda. Al vincular el precio con el costo, los vendedores simplifican su propia tarea de fijación de precios; no tienen que hacer ajustes frecuentes a medida que la demanda cambia. Segundo, cuando todas las firmas en la industria usan este método de fijación de precios, los precios tienden a ser similares. Por tanto, la competencia de precios se maximiza, lo cual no sucedería si las firmas prestaran atención a variaciones de la demanda cuando establecieran precios. Tercero, mucha gente cree que la fijación de precios a partir del costo de producción más el margen de utilidad fija, es más justo tanto para los compradores como para los vendedores. Los vendedores no se aprovechan de los compradores cuando la demanda de estos últimos aumenta, pero los vendedores obtienen un rendimiento adecuado de su inversión.

Análisis del punto de equilibrio y fijación de precios a partir de las utilidades meta

Otro enfoque de la fijación de precios orientado a los costos es la *fijación de precios a partir de las utilidades meta*. La firma intenta determinar el precio que producirá las utilidades que se buscan. La General Motors usa este sistema al ponerles un precio a sus vehículos para obtener 15 a 20% de utilidades sobre su inversión. Este método también lo aplican las compañías de servicio público, que están obligadas a conseguir un rendimiento justo sobre su inversión.

La fijación de precios meta usa el concepto de una *gráfica de punto de equilibrio,* la cual muestra el costo y el ingreso totales esperados en diferentes volúmenes de ventas. La figura 13-9 muestra una gráfica hipotética de este tipo. Los costos fijos son 6 millones de dólares independientemente del volumen de ventas. Los costos variables se superponen a los costos fijos y se elevan con el volumen. La curva de los ingresos totales comienza en cero y se eleva con cada unidad vendida. La pendiente de la curva de los ingresos totales refleja el precio. Aquí el precio es 15 dólares (por ejemplo, los ingresos de la compañía son de 12 millones de dólares sobre 800 mil unidades o 15 dólares por unidad).

En 15 dólares la firma debe vender al menos 600 mil unidades para alcanzar el punto de equilibrio; es decir, para que los ingresos totales cubran los costos totales. Si la empresa busca unas utilidades meta de 2 millones de dólares, debe vender al menos 800 mil unidades a un precio de 15 dólares cada una. Si la firma desea cobrar un precio más alto, por ejemplo 20 dólares, no necesitará vender tantas unidades para lograr sus utilidades meta. Sin embargo, puede que el mercado no compre ni siquiera este volumen más bajo al precio más alto: mucho depende de la elasticidad de precio de la demanda. Esto no se muestra en la gráfica del punto de equilibrio. Este método de fijación de precios requiere que la firma considere diversos precios, la consecuencia de éstos sobre el volumen necesario para pasar el punto de equilibrio y alcanzar las utilidades meta y la probabilidad de que esto suceda con cada precio posible

Fijación de precios basada en el comprador

Un creciente número de compañías están basando sus precios en el *valor percibido* del producto. En este caso, la clave para la fijación de precios es la percepción que tengan los compradores del valor, no el costo del producto para el vendedor. Usan variables ajenas al precio en la mezcla de mercadotecnia para crear en la mente del comprador el valor percibido. El precio se establece para crear el valor percibido.

Considérense los diversos precios que distintos restaurantes cobran por artículos idénticos. Un cliente que quiere una taza de café y una rebanada de pay de manzana

FIGURA 13-9
Gráfica del punto de equilibrio para determinar el precio meta

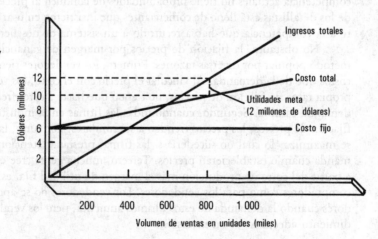

puede pagar $1.25 en la fuente de sodas de una farmacia, $1.50 en un restaurante de tipo familiar, $1.75 en la cafetería de un hotel, $3.00 por servicio en la habitación de un hotel y $4.00 en un restaurante elegante. Cada restaurante sucesivo puede cobrar más debido al valor agregado por el ambiente.

La compañía que aplique la fijación de precios de valor percibido debe establecerlo en las mentes de los compradores de las diferentes ofertas competitivas. En el ejemplo anterior, se les podría preguntar a los consumidores cuánto pagarían por el mismo café y el mismo pay en ambientes distintos. A veces se les podría preguntar a los consumidores cuánto pagarían por cada beneficio agregado a la oferta. El recuadro 13-3 muestra la forma cómo Caterpillar usa el valor de diferentes beneficios para establecer precios en su equipo de construcción.

Si el vendedor cobra más que el valor reconocido por el comprador, las ventas serán inferiores con relación a lo que podrían ser. Muchas empresas establecen un precio demasiado alto y sus productos se venden poco. Otras empresas venden demasiado barato. Estos productos se venden extremadamente bien, pero producen menos ingresos de los que se obtendrían si el precio se elevara al nivel del valor percibido.[15]

Fijación de precios basada en la competencia

Fijación de precios a partir del nivel actual de precios

En la *fijación de precios a partir del nivel actual de precios,* la firma se basa principalmente en los precios de la competencia, prestando menos atención a sus costos o a la demanda. La empresa tiene tres opciones: fijar el precio al mismo nivel, a un nivel superior o a uno inferior que el que rige entre sus competidores principales. En las industrias oligopólicas que venden un bien de consumo como acero, papel o fertilizantes, las firmas

---

RECUADRO 13-3

COMO USA CATERPILLAR LA FIJACION DE PRECIOS A PARTIR DEL VALOR PERCIBIDO

La empresa Caterpillar usa el valor percibido para establecer precios en su equipo de construcción. Puede ponerle un precio de 24 mil dólares a un tractor aunque uno similar de la competencia tenga un precio de 20 mil dólares. ¡Y Caterpillar venderá más que el competidor! Cuando un cliente potencial le pregunta a un distribuidor por qué debe pagar 4 mil dólares más por el tractor, obtiene la siguiente respuesta:

$20 000 es el precio del tractor si éste equivale totalmente al tractor de la competencia
  3 000 es el incremento del precio por mayor durabilidad
  2 000 es el incremento del precio por mayor seguridad
  2 000 es el incremento del precio por mejor servicio
  1 000 es el precio por una garantía más larga de partes
_____
$28 000 es el precio que cubre el paquete de valor
  4 000 es el descuento
_____
$24 000 es el precio final

Los clientes se sorprenden al descubrir que, aunque deben pagar 4 mil dólares más del precio normal por un tractor Caterpillar, en realidad están consiguiendo un descuento de 4 mil dólares. Casi siempre terminan por adquirirlo, pues están convencidos de que les costará menos operarlo durante sus años de servicio.

---

normalmente cobran el mismo precio. Las firmas más pequeñas "siguen al líder". Cambian sus precios cuando el líder de mercado hace lo, mismo, no cuando cambian sus propios costos o su demanda. Algunas compañías pueden cobrar un sobreprecio pequeño o conceden un ligero descuento, pero sin que desaparezca la diferencia. Así, los distribuidores de gasolina suelen cobrar unos centavos de dólar menos que las grandes compañías petroleras, sin permitir que la diferencia aumente ni disminuya.

La fijación de precios a partir del nivel de precios es muy popular. Cuando la elasticidad de la demanda es difícil de medir, las firmas piensan que el precio actual refleja la sabiduría colectiva de la industria respecto al precio que aporte un rendimiento equitativo. También piensan que si se ajustan a él, el precio actual mantendrá la armonía de la industria.

Fijación de precios por propuesta sellada

La fijación de precios basada en la competencia también domina cuando las firmas hacen propuestas para trabajos. La firma basa su precio en las expectativas sobre los precios de los competidores más que sobre una relación rígida con los costos o la demanda de la firma. La empresa quiere conseguir el contrato, y esto requiere de precios más bajos que las demás compañías.

Sin embargo, la firma no puede establecer su precio por debajo de cierto nivel. No puede establecer precios por debajo de los costos sin empeorar su posición. Por otra parte, mientras más alto establezca su precio por encima de sus costos, menos probabilidades tendrá de obtener el contrato.

El efecto neto de las dos tendencias opuestas puede describirse en términos de las *utilidades esperadas* de la propuesta particular (véase tabla 13-1). Supóngase que una propuesta de 9 mil 500 dólares produciría grandes probabilidades de obtener el contrato, por ejemplo 0.81, pero sólo unas utilidades bajas, por ejemplo 100 dólares. Por tanto, las utilidades esperadas con esta propuesta son $81. Si la firma propone 11 mil dólares, sus utilidades serían 1 600 dólares, pero se reducirán sus probabilidades de obtener el contrato, por ejemplo a 0.01. Las utilidades esperadas serían solamente de 16 dólares. Un criterio lógico de propuesta sería ofrecer el precio que maximizaría las utilidades esperadas. Según la tabla 13-1, la mejor propuesta sería 10 mil dólares, para la cual las utilidades esperadas serían de 216 dólares.

Usando las utilidades esperadas como un criterio para establecer precios, tiene sentido para la empresa grande que hace muchas propuestas. Al jugar a los pares, la firma logrará utilidades máximas a largo plazo. La empresa que hace propuestas sólo de vez en cuando, o que necesita mucho un contrato determinado, no tendrá ventajas en usar el criterio de las utilidades esperadas. El criterio, por ejemplo, no distingue entre unas utilidades de 1 000 dólares con una probabilidad de 0.10 y unas utilidades de 125 dólares con una probabilidad de 0.80. Sin embargo, la firma que quiera mantener en marcha la producción preferiría el segundo contrato en vez del primero.

TABLA 13-1
Efecto de diferentes propuestas sobre las utilidades esperadas

PROPUESTA DE LA COMPAÑIA	UTILIDADES DE LA COMPAÑIA	PROBABILIDAD DE GANAR CON ESTA PROPUESTA (SUPUESTA)	UTILIDADES ESPERADAS
$ 9 500	$ 100	.81	$ 81
10 000	600	.36	216
10 500	1 100	.09	99
11 000	1 600	.01	16

■ Resumen

A pesar del papel, cada vez más importante, de factores ajenos al precio en el proceso moderno de la mercadotecnia, el precio sigue siendo un elemento importante en la mezcla de mercadotecnia. Muchos factores internos y externos inciden en las decisiones de fijación de precios de las compañías. Los factores internos incluyen los objetivos de mercadotecnia de la empresa, la estrategia de la mezcla de mercadotecnia, los costos y la organización para la fijación de precios.

La estrategia de fijación de precios está determinada en gran parte por el mercado meta y los objetivos de posicionamiento de la firma. Los objetivos comunes de la fijación de precios incluyen supervivencia, maximización de las utilidades actuales, liderazgo de porción de mercado y liderazgo de calidad de producto.

El precio es sólo una de las herramientas de mercadotecnia que la firma usa para lograr sus objetivos, y las decisiones de fijación de precios afectan y a su vez son afectadas por decisiones sobre diseño del producto, distribución y promoción. Las decisiones de precio deben coordinarse cuidadosamente con las otras decisiones de la mezcla de mercadotecnia al momento de elaborar el programa de mercadotecnia.

Los costos establecen el precio mínimo para la empresa: el precio debe cubrir todos los costos de producción y venta del producto, más una tasa justa de rendimiento. La empresa debe analizar la forma cómo varían los costos en diferentes niveles de producción y con diferentes niveles de experiencia de producción acumulada.

La gerencia debe decidir quién es responsable dentro de la organización para establecer el precio. En las compañías grandes, cierta autoridad sobre la fijación de precios puede delegarse a los gerentes de nivel inferior y a los vendedores, pero la gerencia general usualmente establece las políticas de fijación de precios y aprueba los precios propuestos. Los gerentes de producción, finanzas y contabilidad también influyen en la fijación de precios.

Los factores externos que influyen en las decisiones de fijación de precios incluyen la naturaleza del mercado y de la demanda, los precios y ofertas de los competidores y otros factores externos como la economía, las necesidades de los revendedores y las acciones del gobierno. La latitud de la fijación de precios del vendedor varía con diferentes tipos de mercados. La fijación de precios es especialmente retadora en los mercados caracterizados por competencia monopolística o por el oligopolio.

En última instancia, el consumidor es quien decide si la empresa ha establecido el precio correcto. El consumidor sopesa el precio en comparación con los valores percibidos de usar el producto: si el precio excede la suma de valores, los consumidores no comprarán el producto. Los consumidores difieren en los valores que asignan a diferentes características del producto, y los mercadólogos a menudo varían sus estrategias de fijación de precios para diferentes segmentos de precio. Al evaluar el mercado y la demanda, la compañía estima la curva de la demanda, que muestra la probable cantidad comprada por periodo en niveles alternativos de precio. Mientras más inelástica sea la demanda, más alto podrá establecer su precio la compañía. La demanda y las percepciones que tengan los consumidores del valor establecen el tope para los precios.

Los consumidores evalúan el precio de un producto en comparación con los precios de los productos de la competencia. La empresa debe conocer el precio y la calidad de las ofertas de los competidores y usarlos como un punto de orientación para su propia fijación de precios.

La empresa puede seleccionar una o más combinaciones de tres enfoques generales de la fijación de precios: el enfoque basado en los costos (fijación de precios a partir del costo más utilidades o análisis del punto de equilibrio y a partir de las utilidades meta), el enfoque basado en el comprador (valor percibido) y el enfoque basado en la competencia (fijación de precios a partir del nivel actual de precios o por propuesta sellada).

■ Preguntas de repaso

1. ¿Cuáles son los factores que tienden a influir sobre el establecimiento de precios en cada uno de los cuatro tipos de mercados que se examinaron en este capítulo?

2. Si la elasticidad de precio de la demanda del producto A es −5 y la elasticidad del grupo B es −2, ¿cuál perdería menos por un aumento de precio?

3. Si tuviera la oportunidad de abrir un negocio de lavado de automóviles, donde los costos fijos anuales fueran de 100 mil dólares, los costos variables de $0.50 por carro lavado y si determinara que un precio "competitivo" sería de $1.50 por automóvil, ¿invertiría en este negocio?

4. Al fijar precios, es esencial establecer sólo objetivos de mercado meta. Comente esta aseveración.

5. Relacione los factores esenciales para desarrollar políticas de fijación de precios y restricciones para la decisión de Adidas de establecer precios para una nueva línea de zapatos.

6. ¿Cuáles son los principales tipos de estrategias de fijación de precios orientadas al costo? Proporcione un ejemplo de una compañía para cada uno.

7. Si una empresa tiene que responder con exactitud a los cambios de precios, debe comprender a fondo a sus competidores. Comente esto.

8. ¿Cuáles son las prácticas y métodos reglamentados por quienes dictan las políticas gubernamentales?

■ *Bibliografía*

1. Este ejemplo está adaptado de uno que aparece en DAVID J. SCHWARTZ, *Marketin Today: A Basic Approach* (3a. ed.) (New York: Harcourt Brace Jovanovich, 1981), pp. 270-73.

2. Ibid., p. 271.

3. La producción acumulada se traza sobre una escala semilogarítmica, de modo que las distancias iguales representan el mismo incremento de porcentaje en la producción.

4. Para más sobre curvas de la experiencia, véase GEORGE S. DAY y DAVID B. MONTGOMERY, "Diagnosing the Experience Curve", *Journal of Marketing,* primavera de 1983, pp. 44-58.

5. Véase "Selling Business and Theory of Economics", *Business Week,* 8 de septiembre de 1973, pp. 86-88; y ALAN R. BECKENSTEIN y H. LANDIS GABEL, "Experience Curve Pricing Strategy: The Next Target of Antitrust?" *Business Horizons,* septiembre-octubre de 1982, pp. 71-77.

6. Véase P. RONALD STEPHENSON, WILLIAM L. CRON y GARY L. FRAZIER, "Delegating Pricing Authority to the Sales Force: The Effects on Sales and Profit Performance", *Journal of Marketing,* primavera de 1979, pp. 21-28.

7. THOMAS NAGLE, "Pricing as Creative Marketing", *Business Horizons,* julio-agosto de 1981, p. 19.

8. EDGAR A. PESSEMIER, "An Experimental Method for Estimating Demand", *Journal of Business,* octubre de 1980, pp. 373-83.

9. GORDAN A. WYNER, LOIS H. BENEDETTI y BART M. TRAPP, "Measuring Quantity and Mix of Product Demand", *Journal of Marketing,* invierno de 1984, pp. 101-9.

10. ARNOLD C. HARBERGER, *The Demand for Durable Goods* (Chicago: University of Chicago Press, 1960), pp. 3-14; y SCOTT A. NESLIN y ROBERT W. SHOEMAKER, "Using a Natural Experiment to Estimate Price Elasticity: The 1974 Sugar Shortage and the Ready-to-Eat Cereal Market", *Journal of Marketing,* invierno de 1983, pp. 44-57.

11. La aritmética de los márgenes brutos de ganancia y de los incrementos se examina en el apéndice 1, "Marketing Arithmetic".

12. *Departmental Merchandising and Operating Results of 1965* (New York: National Retail Merchants Association, 1965).

13. Véase LEE E. PRESTON, *Profits, Competition, and Rules of Thumb in Retail Food Pricing* (Berkeley: University of California Institute of Business and Economic Research, 1963), p. 31.

14. Ibid., pp. 29-40.

15. Véase DANIEL A. NIMER, "Pricing the Profitable Sale Has a Lot to Do with Perception", *Sales Management,* 19 de mayo de 1975, pp. 13-14. Algo más acerca de fijación de precios basada en valor se encuentra en BENSON P. SHAPIRO y BARBARA B. JACKSON, "Industrial Pricing to Meet Customer Needs", *Harvard Business Review,* noviembre-diciembre de 1978, pp. 119-27; y JOHN L. FORBIS y NITIN T. MEHTA. "Value-Based Strategies for Industrial Products", *Business Horizons,* mayo-junio de 1981, pp. 32-42.

14
Fijación de precio de los productos: estrategias

Heublein, Inc., produce Smirnoff, la marca líder en vodka, con 23% del mercado estadunidense. En la década de 1960, Smirnoff fue atacada por otra marca, Wolfschmidt, que valía un dólar menos por botella y que afirmaba tener la misma calidad. Heublein vio un verdadero peligro en el hecho que los consumidores cambiaran a Wolfschmidt. Heublein consideró las siguientes estrategias de contraataque:

1. Bajar el precio de Smirnoff en un dólar para mantener su porción del mercado.

2. Mantener el precio de Smirnoff, pero aumentar los gastos de publicidad y promoción.

3. Mantener el precio de Smirnoff y dejar que disminuyera su porción del mercado.

Estas tres estrategias conducirían a una disminución de las utilidades. Parecía que Heublein se enfrentaba a una situación en la cual no podía ganar.

En este punto se les ocurrió una cuarta estrategia a los mercadólogos de Heublein, que era brillante. ¡Elevaron el precio de Smirnoff en un dólar! Lanzaron una nueva marca, la Relska, para competir con Wolfschmidt. Y lanzaron otra marca, Popov, a un precio más bajo que la Wolfschmidt. Esta estrategia de fijación de precios de línea de producto posicionó a Smirnoff como la marca de élite y a Wolfschmidt como una marca corriente. Las hábiles maniobras de Heublein dieron lugar a un aumento sustancial en sus utilidades totales.

La ironía es que las tres marcas de Heublein se parecen mucho en su sabor y en su costo de fabricación. Heublein ha aprendido a vender sustancialmente el mismo producto en diferentes precios al crear conceptos eficaces para cada uno.

En este capítulo se examinará la dinámica de la fijación de precios. Las firmas no establecen un solo precio, sino una estructura de fijación de precios que cubre diferentes artículos en su línea. Esta estructura de fijación de precios cambia con el tiempo a medida que los productos se mueven por ciclos de vida. La compañía ajusta los precios de los productos para reflejar cambios en los costos, en la demanda, y para explicar variaciones de los compradores y de situaciones. A medida que cambia el ambiente competitivo, la compañía considera conveniente en algunas ocasiones iniciar cambios de precios y en otras responder a los mismos. En este capítulo se examinarán las principales estrategias de fijación de precios de que dispone la gerencia. Se verán *las estrategias de fijación de precio de productos nuevos* para productos en la etapa de introducción del ciclo de vida del producto; *estrategias de fijación de precio de mezcla de productos* para los relacionados en la mezcla de productos; *estrategias de ajuste de precios* que responden a diferencias en los consumidores y situaciones cambiantes; y *estrategias para iniciar y responder a los cambios de precio.*

ESTRATEGIAS DE FIJACION DE PRECIO PARA PRODUCTOS NUEVOS

Las estrategias de fijación de precio usualmente cambian a medida que el producto pasa por el ciclo de vida. La etapa de introducción es especialmente retadora. Cabe distinguir entre fijación de precio de una innovación genuina del producto que está protegido por una patente y fijación de precio de un producto que imita a otros existentes.

Fijación de precios de un producto innovador   Las compañías que lanzan un producto innovador protegido por una patente pueden escoger entre fijación de precios por tamizado del mercado y fijación de precios por penetración de mercado.

Fijación de precios por tamizado del mercado

Muchas empresas que inventan productos nuevos protegidos por patentes establecen precios inicialmente elevados para "tamizar" el mercado. Du Pont usa mucho el tamizado del mercado. En el caso de sus nuevos descubrimientos (celofán, nylon), estima el precio más elevado que pueda cobrar dados los beneficios de su nuevo producto en comparación con los sustitutos asequibles. Du Pont establece un precio que permite a algunos segmentos del mercado adoptar el nuevo material. Después de que las ventas iniciales disminuyen, baja el precio para atraer a los consumidores pertenecientes al estrato sensible a los precios. De este modo, Du Pont capta una cantidad máxima de ingresos de los diversos segmentos del mercado. Polaroid también practica el tamizado del mercado: primero lanza una versión costosa de una nueva cámara y gradualmente introduce modelos más sencillos y de menor precio para atraer nuevos segmentos.

El tamizado del mercado da buenos resultados en las siguientes circunstancias: 1) cuando un número suficiente de compradores constituye una demanda alta, 2) cuando los costos de producción de un volumen pequeño no son mayores que los que supondría prescindir de la ventaja del tamizado del mercado, 3) cuando el precio alto inicial no atrae a más competidores, 4) cuando el elevado precio esta apoyando la imagen de un producto superior.

Fijación de precios por penetración de mercado

Otras compañías asignan un precio relativamente bajo a sus productos innovadores, con la esperanza de atraer un gran número de compradores y captar una gran porción del mercado. La Texas Instruments (TI) aplica este sistema: construye una planta muy amplia, establece el menor precio posible, obtiene una gran porción del mercado, logra reducir los costos y cuando éstos disminuyen rebaja aún más sus precios.

Las condiciones siguientes favorecen el establecimiento de un precio bajo:[1] 1) el mercado es sumamente sensible a los precios, y un precio bajo estimula más crecimiento del mercado, 2) los costos de producción y distribución caen con una experiencia acumulada de producción, y 3) un precio bajo desalienta la competencia real y potencial.

Fijación de precios de un producto nuevo imitativo

Una compañía que planee desarrollar un producto nuevo imitativo se enfrenta con un problema de posicionamiento del producto. Debe decidir dónde posicionar el producto en calidad y precio. La figura 14-1 muestra nueve posibles estrategias de calidad de precio. Si el líder actual del mercado cae dentro de la casilla 1 al producir el artículo con un incremento y al cobrar un precio más elevado, la firma de reciente ingreso al mercado quizás prefiera usar cualquier otra estrategia. Podría diseñar un producto de alta calidad y establecer un precio medio (casilla 2), diseñar un producto de calidad regular y fijar un precio normal (casilla 5) y así sucesivamente. La empresa de reciente ingreso debe tomar en cuenta el tamaño y la tasa de crecimiento del mercado en cada casilla y los competidores.

ESTRATEGIAS DE FIJACION DE PRECIOS POR MEZCLA DE PRODUCTOS

La lógica de establecer un precio para un producto tiene que modificarse cuando este último es parte de una mezcla de productos. En este caso, la firma busca un grupo de precios que maximicen las utilidades sobre la mezcla total del producto. La fijación de precios es difícil porque los diversos productos tienen interrelaciones de costo y demanda que están sujetas a diferentes grados de competencia. Se distinguen cuatro situaciones.

Fijación de precios por línea de producto

Las compañías desarrollan normalmente líneas de productos en vez de productos aislados. Por ejemplo, Panasonic ofrece cinco cámaras sonoras de video a colores, que van desde una sencilla que pesa 5.1 kilogramos hasta una más complicada que pesa 2.9 kilogramos y que incluye enfoque automático, control de luminosidad y dos lentes zoom. Cada cámara su-

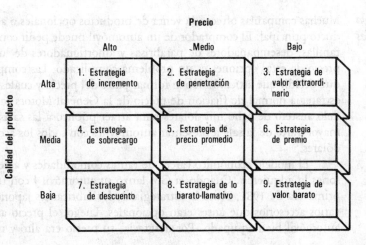

Figura 14-1
Nueve estrategias de mezcla de mercadotecnia sobre calidad/precio

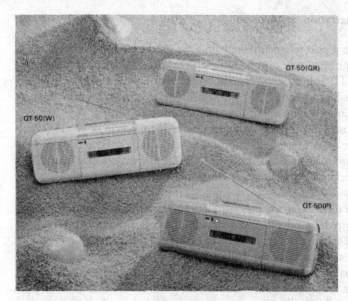

Fijación de precios de línea de producto: Estas tres grabadoras y radios estereofónicos se venden por 99.95, 129.95 y 399.95 dólares, respectivamente. *Cortesía de Sharp Electronics Corp.*

cesiva en la línea ofrece características adicionales. La gerencia debe decidir los intervalos de precio que existirán entre las diversas cámaras.

En los intervalos de precio deberán tomarse en cuenta las diferencias de costos entre las cámaras, las evaluaciones de los consumidores sobre las diferentes características y los precios de la competencia. Si la diferencia de precio entre dos cámaras sucesivas es pequeña, los consumidores comprarán la cámara más avanzada y esto aumentará las utilidades de la firma si la diferencia de costo es más pequeña que la diferencia de precio. Si la diferencia de precio es grande, los consumidores comprarán las cámaras menos avanzadas.

En muchos giros de comercio, los vendedores usan puntos de precio bien establecidos para los productos de su línea. Así, las tiendas de ropa para hombre venden trajes en tres niveles de precios: 150, 220 y 310 dólares. Los consumidores asociarán con los tres "puntos" de precio los trajes de baja calidad, de calidad regular y de buena calidad. Incluso si los tres precios se elevan moderadamente, los hombres normalmente comprarán trajes en su punto de precio preferido. La tarea del vendedor es establecer diferencias de calidad percibida que apoyen las diferencias de precio.

Fijación de precios a productos opcionales

Muchas compañías ofrecen la venta de productos opcionales o accesorios junto con su producto principal. El comprador de un automóvil puede pedir controles eléctricos de las ventanillas, desempañadores de parabrisas y amortiguadores de luminosidad. La fijación de precio de estas opciones es un problema complicado. Las compañías automotrices tienen que decidir qué artículos deben formar parte del precio y cuáles ofrecer como opciones. La estrategia normal de fijación de precio de la General Motors consiste en anunciar un modelo austero de ocho mil dólares para atraer público a las salas de exhibición y dedica la mayor parte de la sala a presentar automóviles con todos los accesorios de 10 mil o 12 mil dólares.

El modelo económico carece de tantas comodidades y accesorios que muy pocas personas lo adquieren. Cuando la GM lanzó su automóvil J con transmisión delantera en la primavera de 1981, imitó la estrategia de los fabricantes japoneses e incluyó en el precio varios accesorios que antes eran opcionales. Luego, el precio anunciado representaba un automóvil bien equipado. Por desgracia, su precio era alto y muchos lo rechazaron.

| **Fijación de precios a productos cautivos** | Las firmas en ciertas industrias fabrican productos que deben usarse con los productos principales. Los ejemplos de productos cautivos son navajas de rasurar y películas para cámaras fotográficas. Los fabricantes de los productos principales (rasuradoras y cámaras) con frecuencia los venden baratos e imponen grandes márgenes de ganancia a los productos cautivos. Así, Kodak vende baratas sus cámaras porque hace dinero vendiendo películas. Los fabricantes de cámaras que no venden la película tienen que venderlas caras para obtener las mismas utilidades generales. |

| **Fijación de precios a los productos accesorios** | En la producción de carnes procesadas, derivados del petróleo y otras sustancias químicas, a menudo hay productos secundarios. Si éstos carecen de valor y si su eliminación acarrea grandes costos, esto afectará el precio del producto principal. El fabricante buscará un mercado para esos productos secundarios y muchas veces aceptará cualquier precio que supere al costo de almacenarlos y distribuirlos. Esto le permitirá al vendedor reducir el precio del producto principal y hacerlo así más competitivo. |

ESTRATEGIAS DE AJUSTE DE PRECIOS

Las compañías ajustan sus precios básicos para tomar en cuenta diferencias del consumidor y factores situacionales cambiantes. Se examinarán las siguientes estrategias de ajuste: fijación de precios por descuentos y descuentos por bonificación, fijación de precios discriminativa, fijación de precios psicológica, fijación de precios promocional y fijación de precios geográfica.

| **Fijación de precios por descuentos y descuentos por bonificación** | La mayoría de las compañías ajustarán su precio básico para recompensar a los consumidores por ciertas acciones, como el pronto pago de las facturas, compras en gran volumen y compras fuera de temporada. Estos ajustes de precio, llamados descuentos y descuentos por bonificación, se describen enseguida. |

Descuentos por pronto pago

Es una reducción de precio para los compradores que pagan pronto. Un ejemplo típico es una factura que debe pagarse en un plazo de 30 días con descuento de 2% al cliente si la liquida en 10 días. A veces, el descuento se les concede a todos los que cumplen con estas condiciones. Tales descuentos son la norma en muchas industrias y tienen el propósito de mejorar la liquidez del vendedor y reducir los gastos de cobro de créditos y de las cuentas incobrables.

Descuentos por cantidad

Un descuento por cantidad es una reducción de precio para quienes compran grandes volúmenes. Un ejemplo típico es "10 dólares por unidad en menos de 100 unidades; nueve dólares por unidad para 100 o más unidades". Los descuentos por cantidad deben ofrecerse a todos los consumidores y no deben exceder el ahorro que representa para la firma la venta de grandes cantidades. Estos ahorros incluyen disminución en los gastos de venta, inventario y transporte. Pueden ofrecerse en un régimen no acumulativo (en cada pedido hecho) o en uno acumulativo (sobre el número de unidades pedidas durante un periodo dado). Los descuenos les proporcionan un incentivo a los consumidores para comprar más a un vendedor que a diversas fuentes.

Descuentos funcionales

Los descuentos funcionales (llamados también descuentos comerciales) son los que ofrecen los fabricantes a los integrantes de los canales de distribución que cumplen determinadas funciones, entre las que se cuentan vender, almacenar y llevar registros. Los fabricantes pueden ofrecer diferentes descuentos funcionales a distintos canales de distribución atendiendo a los diversos servicios que preste cada uno, pero los fabricantes deben ofrecer los mismos descuentos funcionales a los que forman cada canal.

Descuentos por temporada

Un descuento por temporada es una reducción de precio para los compradores que adquieren mercancías o servicios fuera de temporada. Los descuentos por temporada le permiten al vendedor mantener una producción constante durante el año. Los fabricantes de esquíes ofrecerán descuentos por temporada a los detallistas en primavera y verano para alentar pedidos anticipados. Los hoteles, moteles y líneas aéreas ofrecerán descuentos por temporada en sus periodos de ventas más bajas.

Descuentos por bonificación

Los descuentos por bonificación son otro tipo de reducciones de precio. Por ejemplo, los *descuentos por trueque* son rebajas que se otorgan por entregar un artículo viejo a la compra de uno nuevo. Estos son muy comunes en la industria automotriz y también se encuentran en otras categorías de bienes duraderos. Los *descuentos promocionales* son pagos o rebajas para recompensar a los distribuidores por participar en programas de publicidad y apoyo de ventas.

Fijación de precios discriminativa

Las compañías a menudo modifican sus precios básicos para tomar en cuenta las diferencias en consumidores, productos y ubicaciones. En la *fijación de precios discriminativa*, la compañía vende un producto o servicio a dos o más precios que no reflejan una diferencia proporcional en los costos. La fijación de precios discriminativa adopta varias formas:

1. *Con base en el cliente*. Aquí diferentes clientes pagan diferentes cantidades por el mismo producto o servicio. Los museos cobrarán una tarifa más baja a estudiantes y ancianos.

2. *Con base en la forma del producto*. En este caso diferentes versiones del producto reciben precios distintos que no son proporcionales a sus diferencias de costos. La corporación SCM vende su plancha de Proctor-Silex a 54.95 dólares, que es cinco dólares más cara que la plancha que le sigue. El modelo superior tiene una luz que se enciende cuando la plancha está lista para usarse. Sin embargo, la característica extra cuesta menos de un dólar fabricarla.

3. *Con base en el lugar*. En este caso, se dan precios distintos a diferentes ubicaciones, aunque el costo de ofrecer cada una sea el mismo. Un teatro varía los precios de sus asientos debido a preferencias de la audiencia por ciertas ubicaciones.

4. *Con base en el tiempo*. Aquí los precios varían por temporada, por día o incluso por hora. Los precios que los servicios públicos cobran a sus usuarios comerciales dependen de la hora del día, si es un día laboral o uno festivo.

Para que funcione la discriminación de precios, deben darse ciertas condiciones.[2] Primero, el mercado debe ser segmentable y los segmentos deben mostrar diferentes intensidades de la demanda. Segundo, los miembros del segmento que paguen el precio más bajo no podrán vender la mercancía al segmento que pague el precio más alto. Tercero, los competidores no podrán vender a un precio menor en el segmento en que la firma ha puesto una tarifa alta. Cuarto, el costo de segmentar y vigilar el mercado no rebasará los ingresos adicionales conseguidos con la discriminación de precios. Quinto, la aplicación del método no deberá crear malestar entre el público ni rechazo. Sexto, no se considerará ilegal la forma particular de discriminación de precios.

Con la derogación de leyes que ocurre actualmente en ciertas industrias, como las líneas aéreas y el transporte por autobús, las compañías han aumentado el uso de fijación de precios discriminativa. Considérese la discriminación de precios introducida por las líneas aéreas:

Los pasajeros de un avión que vaya de Raleigh a Los Angeles pueden pagar hasta trece diferentes tarifas por el mismo trayecto de ida y vuelta. Aquéllos que investigan cuidadosamente se benefician de la intensa competencia entre diferentes compañías que cubren esa ruta. Las trece tarifas son: primera clase, 1092 dólares; primera clase nocturna, 956 dólares; primera clase para jóvenes, 819 dólares; segunda clase, 910 dólares; segunda clase nocturna, 637 dólares; segunda clase para jóvenes, 683 dólares; tarifa para excursiones en grupo, 637 dólares; jóvenes con padres, 368 dólares; Superahorro por 60 días, 619 dólares; Superahorro por 14 días, 519 dólares; plan familiar, 860 dólares para primer dependiente, 208 dólares para dependientes adicionales; personal militar, 341 dólares; y Visit USA (para extranjeros que viajan dentro de Estados Unidos), 473 dólares.

Fijación de precios psicológica

El precio comunica algo acerca del producto. Por ejemplo, muchos consumidores usan el precio como un indicador de la calidad. Una botella de perfume de 100 dólares puede contener sólo tres dólares de esencia, pero la gente prefiere pagar 100 dólares porque esto indica singularidad. Los vendedores deberían considerar la psicología de los precios y no tan sólo la economía.

Hasta las pequeñas diferencias en el precio pueden comunicar diferencias del producto para los consumidores. Considérese un amplificador estereofónico con un precio de 300 dólares en comparación con uno que vale 299.95 dólares. La diferencia real de precio es de sólo cinco centavos, pero la diferencia psicológica puede ser mucho mayor. Por ejemplo, algunos consumidores verán el 299.95 dólares como un precio en la escala de 200 dólares más que en la escala de 300 dólares. Es más probable que el precio de 299.95 dólares se perciba como un precio de ganga y el de 300 dólares comunique mayor calidad. Algunos psicólogos argumentan que cada dígito tiene cualidades simbólicas y visuales que deberían considerarse en la fijación de precios. Así, el 8 es simétrico y crea un efecto calmante y el 7 es angular y crea un efecto de discordancia.

Fijación de precios promocional

Bajo ciertas circunstancias, las compañías establecen precios temporales en sus productos por debajo del precio de lista y algunas veces por debajo de los costos. La fijación de precios promocional adopta varias formas:

1. Los supermercados y las tiendas departamentales imponen a ciertos artículos un precio de *líderes con pérdidas*, a fin de atraer más público y esperando que compren otras mercancía de precio normal.

2. Los vendedores usarán también *fijación de precios de suceso especial* en ciertas temporadas para atraer más clientes. Así, la lencería tiene precios de promoción cada mes de enero para atraer a consumidores aburridos de comprar en tiendas.

3. Los fabricantes ofrecerán a veces *reembolsos en efectivo* a los consumidores que compren el producto a distribuidores dentro de un periodo específico. El fabricante le manda su reembolso al cliente. Los reembolsos son un instrumento flexible para reducir los inventarios en periodos de poca venta sin necesidad de rebajar los precios de lista. Han sido populares recientemente con Chrysler y otros fabricantes de automóviles y también con productores de artículos caros como Polaroid, Minolta y Fedders.

COMPRE
OBTENGA 1 GRATIS

HOY

Carvel
De lujo
SUPER HELADO
O POSTRE

Carvel usa fijación de precios promocional. *Cortesía de Carvel Corp.*

4. Los *descuentos psicológicos* son otra técnica de fijación de precios de promoción, donde el vendedor pone un precio artificialmente alto a un producto y lo ofrece con ahorros sustanciales; por ejemplo, ''Era 359, Es 299''. Los descuentos psicológicos están prohibidos específicamente por la Federal Trade Commission y el Better Business Bureau. Por otra parte, los descuentos sobre los precios normales son una forma legítima de fijación de precios promocional (véase recuadro 14-1).

RECUADRO 14-1

PROMOCION DE VENTAS DE ABRIGOS DE MINK MEDIANTE EL DESCUENTO PROMOCIONAL

Irwin y Carol Ware alquilan y dirigen el departamento de abrigos de piel en la elegante tienda de I. Magnin, localizada en la North Michigan Avenue de Chicago. Con el fin de activar el lento inventario de los abrigos de piel, decidieron hacer una promoción de un día. Rebajaron los abrigos entre 50 y 70%. Llenaron los percheros con pieles; uno de ellos ostentaba la inscripción: ''Toda la mercancía de este perchero rebajada a menos de dos mil dólares''. Para anunciar la barata, se recurrió a la publicidad televisiva de tipo impactante. También en los anuncios de prensa se decía que se trataba de una barata que se ve una sola vez en la vida. Se informó al público que habían plazos de hasta 24 meses para pagar.

¿Dio buenos resultados esta publicidad tan emprendedora acerca de la venta promocional? La respuesta es afirmativa. Carol Ware recibió a más de 200 clientes ese día y 50% de ellos salieron de la tienda con un abrigo nuevo. Las ventas promedio en la sala de exhibición fueron de cuatro mil 500 dólares.

Fuente: Adaptado de ''Sale of Mink Coats Strays a Fur Piece from the Expected'', *Wall Street Journal*, 20 de marzo de 1980, p.1.

Fijación de precios geográfica

La compañía debe decidir cómo fijar el precio de sus productos para consumidores ubicados en diferentes partes del país. ¿Deberá cobrar precios más elevados a consumidores distantes para cubrir los costos de embarque y, por tanto, arriesgarse a perder su negocio? O ¿deberá cobrar lo mismo a todos los consumidores independientemente de la ubicación? Se examinarán cinco estrategias principales de fijación de precios geográfica relacionadas con la situación hipotética siguiente:

La compañía papelera Peerless está ubicada en Atlanta, Georgia, y vende productos de papel a consumidores en todo Estados Unidos. El costo del flete es alto y afecta las firmas a las cuales los consumidores compran papel. Peerless quiere establecer una política de fijación de precios geográfica. La gerencia está intentando determinar cómo fijar el precio de un pedido de 100 dólares a tres consumidores específicos: consumidor A (Hermosillo); consumidor B (Tampico), y consumidor C (Iguala).

Fijación de precios de origen LAB

Peerless puede pedir a cada consumidor que pague los costos de transporte desde la fábrica de Atlanta hasta el destino específico del cliente. Los tres consumidores pagarían el mismo precio de fábrica de 100 dólares, donde el cliente A pagaría, por ejemplo, 10 dólares por transporte, el cliente B pagaría 15 dólares y el C pagaría 25 dólares. Denominada *fijación de precios de origen LAB,* significa que los bienes se colocan gratuitamente a bordo de un transportista, en cuyo punto el derecho y la responsabilidad pasan al cliente, quien paga el flete desde la fábrica hasta el destinatario.

Los defensores de la fijación de precios LAB creen que ésta es la forma más equitativa de asignar cargos de flete, ya que cada cliente escoge su propio costo. Sin embargo, la desventaja es que Peerless será una firma de alto costo para consumidores distantes. Si el principal competidor de Peerless está en California, éste superará en ventas a Peerless. De hecho, el competidor superaría a Peerless en gran parte del Oeste; mientras que Peerless dominaría el Este. Podría trazarse una línea vertical en un mapa que conectara las ciudades donde el precio más flete de las dos compañías fuera exactamente igual. Peerless tendría la ventaja de precio al Este de esta línea y su competidor tendría la ventaja de precio al Oeste de esta línea.

Fijación de precios por entrega uniforme

La fijación de precios por entrega uniforme es exactamente lo contrario de la fijación de precios LAB. Aquí la firma cobra el mismo precio más el flete a todos los clientes independientemente de su ubicación. Se le denomina también "fijación de precios por sello postal", con base en el hecho de que el gobierno establece un precio uniforme de entrega en el correo de primera clase a cualquier parte del país. El cargo de flete se establece en su costo medio. Supóngase que es de 15 dólares. Por tanto, la fijación de precio por entrega uniforme da lugar a un cargo más alto para el consumidor de Atlanta (quien paga 15 por flete en vez de 10 dólares) y un cargo subsidiado al consumidor de Compton (quien paga 15 en vez de 25 dólares). El consumidor de Atlanta preferiría comprar papel de una compañía local que use fijación de precios de origen LAB. Por otra parte, Peerless tiene mejores oportunidades de ganarse al cliente de California. Otras ventajas son que la fijación de precios por entrega uniforme es relativamente fácil de administrar y le permite a la firma mantener un precio anunciado a escala nacional.

Fijación de precios por zonas

La fijación de precios por zonas cae entre la de origen LAB y la de entrega uniforme. La compañía establece dos o más zonas. Todos los consumidores dentro de una zona pagan el mismo precio y éste es mayor en las zonas más distantes. Peerless podría establecer una zona Este y cobrarles 10 dólares de flete a todos los consumidores; una zona del Medio Oeste y cobrar 15 dólares; y una zona Oeste y cobrar 25 dólares. De este modo, los consumidores dentro de una zona dada no recibirán ninguna ventaja de precio de la firma. Un cliente en Hermosillo y Guaymas pagaría el mismo precio total a Peerless. Sin embargo, la queja es que el consumidor de Hermosillo está subsidiando el costo del flete del consumidor de

Guaymas. Además, un consumidor situado exactamente en el lado Oeste de la línea que divide el Este y el Medio Oeste paga sustancialmente más que uno localizado exactamente en el lado Este de la línea, aunque puedan estar a unos cuantos kilómetros uno del otro.

Fijación de precios a partir del punto básico

La fijación de precios a partir del punto básico le permite al vendedor designar alguna ciudad como un punto base y cobrar a todos los consumidores el costo del flete desde esa ciudad hasta la ubicación donde se encuentre el cliente, independientemente de la ciudad desde la cual se embarquen los bienes. Por ejemplo, Peerless podría establecer Chicago como el punto básico y cargarles a todos los consumidores 100 dólares más el flete apropiado desde Chicago hasta su destino. Esto significa que un consumidor en Atlanta paga el costo del flete desde Chicago hasta Atlanta, aun cuando los bienes puedan embarcarse desde Atlanta. Este consumidor está pagando un "cargo fantasma". Una ventaja es que al usar una ubicación de punto básico que no sea la ubicación de la fábrica eleva el precio total a los consumidores cercanos a la fábrica y disminuye el precio total a los consumidores alejados de la misma.

Si todos los vendedores usaran la misma ciudad de punto básico, los precios de entrega serían los mismos para todos los consumidores y se eliminaría la competencia de precio. Las industrias como las del azúcar, cemento, acero y automóviles usan la fijación de precios por punto básico durante muchos años, pero este método es menos popular hoy en día debido a dictámenes judiciales adversos que han acusado a los competidores de confabularse para fijar precios. Algunas compañías establecen puntos múltiples de fijación de precios para crear más flexibilidad. Cotizarán cargos por flete desde la ciudad de punto básico más cercana al cliente.

Fijación de precios por absorción de flete

La compañía que esté ansiosa por hacer negocios con un cliente o con un área geográfica determinada podría absorber todos o la mayoría de los cargos por flete con el fin de obtener el negocio. El vendedor piensa que si puede hacer más negocios, sus costos medios bajarán y compensarán con creces el costo extra del flete. La fijación de precios por absorción del flete se usa para la penetración en el mercado y también para mantener los mercados cada vez más competitivos.

CAMBIOS DE PRECIOS

Iniciación de cambios de precios

Despúes de desarrollar sus estructuras y estrategias de precio, las compañías se enfrentan a casos en los cuales querrán reducir o elevar los precios.

Introducción de rebajas

Varias circunstancias pueden hacer que una firma considere necesario reducir su precio, aun cuando esto provoque una guerra de precios. Una circunstancia es la *capacidad excesiva*. Aquí la firma necesita negocios adicionales y no puede generarlos mediante un mayor esfuerzo de ventas, un mejoramiento del producto u otras medidas. A fines de la década de 1970, varias compañías abandonaron la "fijación de precios por imitación del líder" y recurrieron a la "fijación de precios flexible" para aumentar sus ventas.[3]

Otra circunstancia es la *merma de la porción del mercado* frente a una competencia de precios fuerte. Varias industrias estadunidenses (automóviles, artículos electrónicos de consumo, cámara, relojes y acero) han estado perdiendo participación en el mercado a manos de sus competidoras japonesas cuyos productos de alta calidad tienen precios más bajos que los artículos estadunidenses. Zenith, General Motors y otras empresas estadunidenses han recurrido a una acción más emprendedora de fijación de precios. La General Motors, por ejemplo, reduce los precios de su automóvil subcompacto 10% en la costa Oeste, donde la competencia japonesa es más fuerte.

Las compañías también iniciarán reducciones de precio con el fin de *dominar el mercado mediante costos más bajos*. Comienzan con costos más bajos que sus competidores o introducen rebajas con la esperanza de ganar porción de mercado que conducirá a costos más bajos mediante un volumen más grande.

Introducción de aumentos de precio

Muchas compañías han tenido que elevar sus precios en los últimos años, con el conocimiento de que los consumidores, los distribuidores y la misma fuerza de ventas de la firma resentirán esos aumentos. Pero un aumento exitoso del precio puede acrecentar las utilidades considerablemente. Por ejemplo, si el margen de utilidades de la empresa es 3% de las ventas, un aumento de 1% en el precio acrecentará las utilidades 33% si el volumen de ventas no es afectado.

Una circunstancia fundamental que provoca aumentos de precio es la persistente *inflación mundial de los costos*.[4] El aumento de los costos sin que haya incrementos equivalentes en la productividad merma los márgenes de ganancia e impulsa a la firma a recurrir a aumentos periódicos. Las empresas a menudo elevan sus precios por sobre el aumento de los costos en previsión de una inflación ulterior o de controles de precio gubernamentales. Las compañías dudan en hacer compromisos de precio a largo plazo con los clientes, temen que la inflación de los costos erosione sus márgenes de utilidades. Las firmas pueden aumentar sus precios de diversas maneras para combatir la inflación (véase recuadro 14-2).[5]

RECUADRO 14-2

ESTRATEGIAS DE PRECIO PARA ENFRENTAR LA INFLACION

Véanse algunas formas cómo las compañías ajustan sus precios para enfrentar la inflación:

1. *Adopción de fijación de precios de cotización retrasada.* La firma decide no establecer su precio final para el producto mientras éste no esté terminado o entregado. La fijación de precios por cotización retrasada es dominante en industrias con tiempos largos de producción, como la construcción industrial y la fabricación de equipo pesado.

2. *Uso de cláusulas de ajuste proporcional.* La compañía requiere que el consumidor liquide el total al precio corriente o parte de cualquier aumento inflacionario que ocurra antes de la entrega. Una cláusula de este tipo en el precio base del contrato aumenta sobre algún índice de precio especificado, como el índice del costo de la vida. Las cláusulas de ajuste proporcional se encuentran en muchos contratos que implican proyectos industriales de larga duración.

3. *Disgregación de bienes y servicios.* La compañía mantiene su precio pero elimina uno o más elementos que eran parte de la oferta previa. Estos elementos se ofrecen opcionalmente y tienen un precio por separado. Por ejemplo, la IBM decide ofrecer servicios de entrenamiento como un artículo de precio separado en vez de ser parte de la oferta previa. Esto equivale a acrecentar el precio de la oferta total anterior. Las compañías han venido disgregando cada vez más sus ofertas de productos en los últimos años.

4. *Reducción de descuentos.* La compañía reduce sus descuentos normales por pronto pago y por cantidad, y limita la libertad de su fuerza de ventas para ofrecer rebajas del precio de lista para conseguir negocios.

5. *Eliminación de productos, pedidos y clientes con un margen bajo de utilidades.* La firma elimina productos, pedidos o clientes de bajas utilidades. O la compañía eleva el precio o agrega cargos especiales por su manejo.

6. *Reducción de calidad, características y servicio del producto.* La compañía puede preservar su margen de utilidades al reducir la calidad, características o servicio que ofrece. Con estas políticas, la firma se arriesga a perder a sus consumidores leales.

Otro factor que conduce a aumentos de precios es la *demanda excesiva.* Cuando una empresa no puede abastecer todas las necesidades de sus clientes, puede elevar sus precios, racionar el producto, o ambas cosas. Los precios pueden elevarse de modo casi imperceptible al eliminar los descuentos y aumentar unidades más caras a la línea. Otra medida es la de elevar abiertamente el precio.

Al pasarles los aumentos de precio a los clientes, la compañía deberá evitar adquirir la imagen de un estafador en precios. Los aumentos de precio deberían estar apoyados por un programa de comunicaciones de la compañía que les informe a los clientes por qué aumentan los precios. La fuerza de ventas de la firma debería ayudar a los consumidores a encontrar formas para economizar.

Reacciones de los compradores a los cambios de precios

Ya sea que el precio se eleve o baje, la acción afectará sin duda alguna a los compradores, los competidores, los distribuidores y los abastecedores y también puede interesar al gobierno.

Los consumidores no siempre dan una interpretación unánime a los cambios de precio.[6] Una rebaja puede interpretarse de las siguientes maneras:[7] el artículo está a punto de ser sustituido por un modelo más moderno; el artículo tiene algún defecto y no se está vendiendo bien; la firma tiene problemas financieros y tal vez no permanezca en el negocio para suministrar partes de repuesto en el futuro; el precio bajará aún más y es mejor esperar; o bien la calidad ha bajado.

Un incremento de precio, que normalmente aminora las ventas, puede tener algunos significados positivos para los consumidores: el artículo tiene gran demanda y puede que se agote y debe comprarse pronto; el artículo representa un bien de extraordinario valor; o la firma es demasiado ambiciosa y cobra lo que el mercado soporte.

Reacciones de los competidores a los cambios de precio

Una firma que esté considerando un cambio de precio tiene que preocuparse por las reacciones de los competidores, así como por las de los clientes. Es muy probable que los competidores reaccionen cuando el número de firmas sea pequeño, cuando el producto sea homogéneo y cuando los compradores estén muy bien informados.

¿Cómo puede la firma prever las reacciones de la competencia? Supóngase que la empresa se enfrenta a un competidor grande. La reacción de éste puede estimarse desde dos posiciones ventajosas. Una consiste en suponer que el competidor reacciona en determinada forma a los cambios de precio. En este caso, la reacción del competidor resultará previsible. La otra es suponer que el competidor trata cada cambio de precio como un nuevo desafío y que reacciona de acuerdo con el propio interés de la empresa en el momento. En este caso, la firma tendrá que determinar cuál es el interés en ese momento.

El problema se complica porque el competidor puede hacer diferentes interpretaciones, por ejemplo, de una rebaja de la compañía, de tal suerte que piense que la empresa está tratando de robar el mercado; o puede que la empresa tenga pocas utilidades y esté intentando aumentar sus ventas; o puede que quiera que toda la industria reduzca sus precios para estimular la demanda total.

Cuando hay varios competidores, la compañía debe estimar la posible reacción de cada uno. Si todos los competidores se comportan de la misma forma, esto equivale a analizar sólo a un competidor típico. Si los competidores no se comportan de la misma manera debido a diferencias críticas en tamaño, porciones de mercado o políticas, entonces se necesita de análisis separados. Si algunos competidores igualan el cambio de precio, hay buenas razones'para esperar que el resto hará lo mismo.

Reacciones a los cambios de precio

Aquí se invierte la interrogante y la pregunta es cómo debería responder una firma a un cambio de precio iniciado por un competidor. La firma necesita considerar los siguientes puntos: 1) ¿Por qué cambió el precio el competidor? ¿Lo hizo para acaparar el mercado, para utilizar la capacidad en exceso, para enfrentar las condiciones de costo cambiantes o para encabezar el ajuste en toda la industria? 2) ¿Planea el competidor hacer un cambio temporal o permanente de precios? 3) ¿Qué sucederá con la porción de mercado y las utilidades de la firma si no responde? ¿Van a responder otras empresas? 4) ¿Cuáles serán las probables respuestas del competidor y la consideración de otras firmas a cada posible reacción?

Aparte de esos puntos, la firma debe hacer un análisis más exhaustivo. La compañía tiene que tomar en cuenta la etapa del producto en el ciclo de vida, su importancia en la cartera de producto de la empresa, las intenciones y recursos del competidor, la sensibilidad al precio y al valor por parte del mercado, el comportamiento de los costos en relación con el volumen y las oportunidades alternativas de la firma.

Un análisis exhaustivo de las alternativas de la compañía no es siempre factible en el momento de un cambio de precio. El competidor puede haber pasado mucho tiempo preparando esta decisión, pero es posible que la firma no tenga que reaccionar con decisión

FIGURA 14-2
Programa de reacción de precios para enfrentar la reducción de precio de un competidor

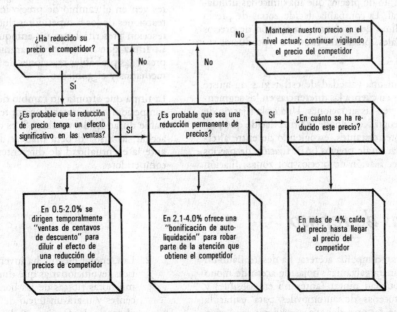

Fuente: Reproducida con permiso de un artículo no publicado de Raymond J. Trapp, Northwestern University, 1964.

en cosa de horas o días. Casi la única manera de reducir el tiempo necesario para tomar este tipo de decisiones es prever los ajustes de precio del competidor y preparar de antemano las estrategias. La figura 14-2 muestra un programas de reacción de precios de una firma para enfrentar la posible rebaja de un competidor. Los programas de reacción para enfrentar los cambios de precio tienen su mayor aplicación en las industrias donde ocurren con cierta frecuencia y donde es importante reaccionar con rapidez. Pueden encontrarse ejemplos en las industrias de carne empacada, madera y petróleo.[8]

■ Resumen

La fijación de precios es un proceso dinámico. Las compañías diseñan una estructura de fijación de precios que cubre todos sus productos, la cambian con el paso del tiempo y la ajustan para que tome en cuenta diferentes consumidores y situaciones.

Las estrategias de fijación de precio suelen cambiar a medida que el producto pasa por su ciclo de vida. En la fijación de precios de productos innovadores, la firma puede seguir una política de ''despumar'' al establecer precios inicialmente altos para ''espumar'' la máxima cantidad de ingresos de varios segmentos del mercado. O puede usar la fijación de precios por penetración en el mercado al establecer un precio inicial bajo para ganar una porción grande del mercado. La compañía puede decidirse por una de nueve estrategias de precio-calidad para introducir un producto imitativo.

Cuando el producto es parte de una mezcla de productos, la firma busca un conjunto de precios que maximice las utilidades de la mezcla total. La compañía decide zonas de precio para artículos en su línea de producto y la fijación de precios de productos opcionales, productos cautivos y productos secundarios.

Las compañías aplican una variedad de estrategias de ajuste de precios para tomar en cuenta las diferencias en los segmentos de consumidores y en las situaciones. Una es la fijación de precios por criterios geográficos, donde la firma decide qué precios dar a consumidores distantes, escogiendo de entre alternativas tales como fijación de precios LAB, fijación de precios por entrega uniforme, fijación de precios por zonas, fijación

de precios por punto básico y fijación de precios por absorción de flete. Otra estrategia está constituida por la fijación de precios por descuentos y descuentos por bonificación, donde la compañía establece descuentos por pronto pago, por cantidad, funcionales, por temporada y por bonificación. Una tercera estrategia es la fijación de precios discriminativa, donde la firma establece diferentes precios para distintos consumidores, formas del producto, lugares, o temporadas. Una cuarta estrategia es la fijación de precios con criterios sicológicos, donde la empresa ajusta el precio para que comunique mejor la posición buscada de un producto. La quinta estrategia es la fijación de precios con carácter promocional, donde la firma se decide por fijación de precios de líder con pérdidas, fijación de precio por acontecimientos especiales y fijación de precios sicológica.

Cuando una firma considera conveniente introducir un cambio de precio, debe tener presentes las reacciones de los consumidores y de los clientes. El significado que los consumidores ven en el cambio de precio incide en sus reacciones. Las reacciones de los competidores fluctúan desde una política de reacción prescrita hasta un enfoque fresco de cada situación. La firma que introduce el cambio de precio debe también prever las probables reacciones de los abastecedores, los intermediarios y el gobierno.

La firma que afronta un cambio de precio introducido por un competidor debe tratar de comprender su intención y la probable duración del cambio. Si es deseable la velocidad de reacción, la firma deberá planear de antemano sus reacciones ante la eventualidad de diferentes acciones de precio de sus competidores.

■ Preguntas de repaso

1. Armco, una gran compañía acerera, ha desarrollado un nuevo proceso para galvanizar hojas de acero de modo que éstas se puedan pintar (antes no era posible) y usarse en carrocerías de automóviles para evitar la corrosión. ¿Qué factores debería considerar la Armco para establecer un precio para su producto?

2. La General Electric ha inventado un foco de características revolucionarias que durará cinco veces más que las mil horas típicas de las bombillas ordinarias incandescentes y usará un tercio de la electricidad. Piensa fijar el precio del foco en 10 dólares (esto ahorrará 20 dólares en la duración estimada respecto a los gastos en el

consumo de energía). ¿Qué problemas podría tener la General Electric con esta política de fijación de precio? ¿Qué recomendaciones le daría Ud.?

3. Una compañía ha decidido aumentar sus precios debido a la inflación. Está a punto de anunciar el aumento de precio a sus clientes. Está intentando decidir cómo explicarles los aumentos de precio. Mencione dos diferentes enfoques y diga por cuál estaría usted a favor.

4. En 1981 y 1982, los fabricantes de automóviles recurrieron a programas de descuentos dinámicos en un intento por vender más automóviles. ¿Qué peligros existen con esta estrategia de fijación de precios?

5. Indique si las siguientes compañías practican la penetración en el mercado o el tamizado del mercado al establecer los precios de sus productos: a) McDonald's, b) Televisores Curtis Mathes, y c) Bic Corporation. ¿Por qué?

6. Explique las dos principales tácticas de fijación de precios por descuento que la Head Skis podría usar para tratar con los establecimientos al menudeo que manejan sus productos.

7. En los últimos años la mayoría de los cambios de precio hechos por mercadólogos han sido aumentos de precio. ¿Por qué?

■ Bibliografía

1. Véase Joel Dean, *Managerial Economics* (Englewood Cliffs, NJ: Prentice-Hall, 1951), p. 420ff.
2. Véase George Stigler, *The Theory and Practice of Price* (ed. rev.) (New York: Macmillan, 1952), p. 215ff.
3. Véase "Flexible Pricing," *Business Week*, 12 de diciembre de 1977, p. 78-88.
4. Véase "Pricing Strategy in an Inflation Economy", *Business Week*, 6 de abril de 1974, p. 43-49.
5. Norman H. Fuss Jr, "How to Raise Prices, Judiciously, to Meet Today's Conditions," *Harvard Business Review*, mayo-junio de 1975, p. 10ff; y Mary Louise Hat-
ten, "Don't Get Caught with Your Prices Down," *Business Horizons*, marzo-abril de 1982, p. 23-28.
6. Para una revisión excelente, véase Kent B. Monroe, "Buyers' Subjective Perceptions of Price," *Journal of Marketing Research*, febrero de 1973, p. 70-80.
7. Véase Alfred R. Oxenfeldt, *Pricing for Marketing Executives* (San Francisco: Wadsworth, 1961), p. 28.
8. Véase, por ejemplo, William M. Morgenroth, "A Method for Understanding Price Determinants," *Journal of Marketing Research*, agosto de 1964, p. 17-26.

CASO 9

TEXAS INSTRUMENTS, INC.: PRODUCTOS DE APOYO DIDACTICO "QUE HABLAN"

La penetración en los mercados de consumo de la Texas Instruments ha estado cambiando durante los últimos años al: 1) discontinuar los relojes digitales y las computadoras para el hogar y 2) al introducir varios productos nuevos de tipo manual como auxiliares del aprendizaje (LAPs) a precios relativamente económicos. El Little Professor, Dataman y First Watch tienen memorias numéricas y pantallas. Los dos primeros enseñan matemáticas y el tercero, a conocer la hora. Los productos de apoyo didáctico Spelling B y Speak & Spell enseñan a deletrear y ambos tienen memorias alfabéticas y numéricas, y pantallas. Speak & Spell se distingue además por tener voz. Entre las innovaciones recientes se cuentan Speak & Read y Speak & Math.

Aunque los LAPs difieren tanto en forma como en función respecto a otros productos de consumo anteriores de la TI (calculadoras, computadoras personales y relojes) y se encuentran en la etapa de introducción y crecimiento del ciclo de vida del producto, la estrategia de mercadotecnia que se ha usado hasta el momento es virtualmente idéntica a la empleada antes para los productos más acabados de la firma. Su valor educativo indica que se podrían vender a las escuelas como una ayuda complementaria para la enseñanza. Se han hecho esfuerzos limitados para desarrollar, ya sea los mercados educativos o de entretenimiento en el hogar. Así como sucede con la introducción de cualquier producto nuevo, la TI se enfrenta a la evaluación del potencial del mercado y a la tarea de familiarizar a los consumidores potenciales con un producto del cual nunca habían oído hablar antes. Estos problemas son particularmente graves en este caso, ya que los productos se desarrollan como resultado secundario de la innovación tecnológica, más que como respuesta a las necesidades expresadas por los consumidores.

La compañía está en el punto en que debe decidir cuáles estrategias y programas de acción deberá usar para asegurar la participación exitosa en el mercado de productos electrónicos pequeños de auxilio didáctico. Un aspecto principal es la estrategia de fijación de precios.

Estos auxiliares didácticos aparecieron en 1972 cuando la TI, junto con otras firmas como Bowmar, National Semiconductor y Commodore comenzaron a empacar computadoras baratas con libros de juegos. En 1975, la National Semiconductor ya había introducido el Quiz Kid, una máquina en forma de lechuza y de tipo manual, en la cual el usuario introducía problemas matemáticos sencillos y lo que creía que era la respuesta correcta. El aparato indicaba entonces con una luz verde o roja si la respuesta era correcta o no. El Little Professor y el Dataman de la TI se caracterizaban por estar preprogramados para resolver problemas específicos de matemáticas que existían dentro de la memoria de cada máquina. El Dataman aventajaba la capacidad del Little Professor por reunir habilidades para jugar partidas y por estar dotado de un marcador fluorescente, como los de los estadios, que mostraba las respuestas correctas.

Más tarde se lanzaron el Spelling B y el Speak & Spell. Estos productos son notables por su capacidad alfabética. Speak & Spell usa una nueva tecnología de sintetizador de voz. Contiene 230 de las palabras de ortografía más complicada ordenadas por grado de dificultad. Le pide al alumno deletrear una palabra que pronuncia con claridad. Cuando el estudiante termina, oprime un botón; si la respuesta es correcta, la máquina dice: "Es correcto, ahora deletree *tesoro*". Si el alumno deletrea mal la palabra, el aparato dirá: "Equivocado, inténtelo otra vez". El alumno tendrá entonces otra oportunidad. Si se equivoca de nuevo, la unidad dirá: "La ortografía correcta es T-E-S-O-R-O". La unidad también muestra automáticamente el número de respuestas correctas y erróneas al final de un bloque de diez palabras. Speak & Spell puede usarse como guía de pronunciación y como base de varios juegos; además es una unidad que aceptará cartuchos más pequeños de memoria, los cuales aumentan la dificultad del deletreo.

La nueva tecnología ofrece un potencial extraordinario de desarrollo, ya que con el tiempo el control del comando de voz será un aspecto importante de la vida. El *chip* de síntesis del habla, que ha atraído la atención del público hacia Speak & Spell, es una versión mucho más perfeccionada (compacta) de los sistemas de circuitos y *chips* que se han usado durante décadas en las "máquinas parlantes" de tipo comercial e industrial, como las que se emplean en los bancos y en las compañías telefónicas para comunicar mensajes de interrupción de servicio y de cambio de número. La capacidad de memoria de Speak & Spell es más del doble de la de cualquier sistema anterior de tipo portátil de memoria con voz. La capacidad de síntesis de voz de Speak & Spell se conceptúa como una innovación revolucionaria y, por ende, ha sido objeto de gran atención e interés.

Los productos parlantes de la compañía archivan palabras en *chips* semiconductores empacados en módulos intercambiables. El consumidor debe comprar módulos adicionales para ampliar el vocabulario. El gran interés del público y la participación de los usuarios, junto con la posición de líder de la empresa en innovaciones tecnológicas, ofrecen una buena base para comercializar todo el año una línea bien planeada de apoyos didácticos con sintetizador de voz. Esto contrasta con los esfuerzos anteriores que consistían en promover dos o tres artículos a fin de año.

Ahora Texas Instruments ha desarrollado una herramienta educativa que lleva la enseñanza de la lectura a la era electrónica. Al combinar dos tecnologías nuevas y con base en su auxiliar didáctico Speak & Spell, TI ha producido lo que denomina Magic Wand Speaking Reader. Con esto, los niños en edad preescolar pueden aprender a leer solos al mover una "varita" a lo largo de una franja de barras impresas bajo las palabras en libros especiales.

La varita de plástico, aproximadamente del tamaño de una pluma gruesa, usa un pequeño rayo de luz infrarroja para descifrar las instrucciones vocales contenidas en las franjas con código de barra. Opera como los exploradores de verificación en los supermercados para decodificar los datos de identificación del producto impresos sobre los artículos alimenticios, pero la varita de la TI cuesta una cuarta parte menos que los sistemas existentes. Se dice que la Magic Wand (la varita mágica) es el primer artículo de una familia de auxiliares didácticos y de productos de computación portátiles que usan almacenamiento de código de barra. La compañía pondrá en el mercado el dispositivo que se acciona con baterías a un precio de lista de 120 dólares.

La Magic Wand (varita mágica) también puede ser la clave para la impresión electrónica de bajo costo porque no requiere cambios en las técnicas y el equipo de impresión que se usan actualmente. TI planea aprovechar el lado de "hoja de rasurar" de este nuevo mercado al alentar a las casas editoriales a crear sus propios libros. Los editores suministrarán el texto y la TI, usando una "fábrica de código de barra" computarizada, traducirá esas palabras a barras y espacios que la Magic Wand puede leer. La firma Mattel Inc's. Western Publishing, editora de los Little Golden Books, usa un enfoque similar en el desarrollo de un lector parlante.

Se han propuesto varios usos futuros posibles de *chips* sintetizadores de la voz, incluyendo la enseñanza de idiomas y juegos electrónicos. Un ejemplo del potencial es el diccionario electrónico, que ya ofrecen cuando menos dos firmas. Puede traducir hasta 1 500 palabras y frases del inglés a un idioma extranjero, como francés, alemán, español, ruso y japonés. Los idiomas pueden cambiarse mediante diferentes módulos o cartuchos que se venden de 25 a 50 dólares cada uno. Tanto el Lexicon como el Craig son de tamaño de bolsillo y se venden como a 200 dólares.

La fuerza de ventas directa del Consumer Products Group de Texas Instruments vende los productos de apoyo didáctico y también calculadoras, y hasta hace unos años vendía también relojes digitales, a las principales cadenas de tiendas detallistas. Los establecimientos más pequeños hacen sus pedidos directamente a la empresa o los adquieren por medio de los distribuidores. La publicidad representaba cerca de un millón de dólares y se limitaba a las cuatro semanas siguientes a la fiesta de Acción de Gracias. El único medio utilizado era la televisión (tiempo de mayor y menor audiencia), con una exposición muy amplia. La compañía recurrió en parte a la publicidad en revistas especializadas de la industria, pero el programa no fue muy extenso. También se les ofreció a los detallistas una publicidad cooperativa.

Texas Instruments alcanzó su posición de hegemonía en la venta de calculadoras manuales y relojes digitales mediante la utilización de un margen de ganancias bajo y una estrategia de venta de grandes volúmenes. Se impusieron precios relativamente bajos a unos cuantos modelos, con la esperanza de que los grandes volúmenes de producción, aunados a la experiencia en fabricación y mercadotecnia (la curva de la experiencia) dieran como resultado una disminución del costo por unidad. Y esto permitiría a su vez precios todavía más bajos, con lo cual se conseguiría una participación mayoritaria en el mercado y, posiblemente, más utilidades para Texas Instruments.

En numerosas ocasiones ha habido escasez de Speak & Spell. Además, no hay sustitutos cercanos. El precio al menudeo de Speak & Spell ha variado mucho por año y por tipo de detallista. Ha habido una escala de menos de 45 a más de 60 dólares. Esto ha planteado la pregunta de si la estrategia de fijación de precios de curva de aprendizaje de la compañía, basada en el negocio y no en el consumidor, era apropiada para los productos orientados al consumidor.

1. En la línea de productos de apoyo didáctico, ¿debe aplicar la compañía una estrategia de precios bajos como la que empleó con los relojes digitales, las calculadoras de bolsillo y las computadoras personales?

2. ¿Qué recomendaría usted para desarrollar y comercializar dinámicamente una línea de apoyos didácticos que tuvieran el sintetizador de voz y el sonido de Texas Instruments?

NUEVO PRODUCTO DE LA TI: EL VOCAID

El VOCAID está diseñado para proporcionar capacidad parlante a quienes no tienen voz. Consta de un teclado, donde en cada tecla queda definida una voz o expresión. Al oprimir las teclas apropiadas, el VOCAID emite una expresión de voz sintetizada del mensaje seleccionado. Pueden usarse módulos y teclados comprados por separado para ampliar la capacidad del aparato. La fijación de precio del *hardware* VOCAID y de los cartuchos y plantillas adicionales es un problema, hay cierta incertidumbre acerca de qué precios al menudeo recomendaría la Texas Instruments. Se ha dicho que la firma debería establecer un precio para sus productos de acuerdo con el valor que tienen para el consumidor, en vez de comenzar con el costo. Se plantearon preguntas acerca de cuánto potencial pueden identificar los usuarios/compradores y cómo puede determinarse el valor para los usuarios y compradores.

1. ¿Deberá comercializarse el VOCAID junto con productos de auxilio didáctico? ¿Por qué? ¿Por qué no?

2. ¿Qué recomendaciones daría como consultor a la gerencia acerca de la fijación de precio del producto? ¿Cómo se debería comercializar?

CASO 10

LOCTITE CORPORATION

Esta es una empresa productora, con un crecimiento acelerado y sumamente rentable, que comercializa adhesivos, selladores y sustancias químicas afines, logrando ventas anuales de casi 200 millones de dólares. El desarrollo de la compañía se ha cimentado principalmente en la producción de los "pegamentos milagrosos" (concretamente los de tipo anaeróbico) que se solidifican rápidamente en ausencia de aire, y los pegamentos "locos" (cianoacrilatos), que se solidifican instantáneamente al entrar en contacto con la humedad presente en cantidades pequeñas en las superficies que deben unirse. En el mercado industrial el pegamento se vende a más de 120 dólares por kilogramo, que contiene cerca de 30 mil gotas y que suele aplicarse por gotas. Los empaques destinados a los consumidores son mucho más pequeños, pues contienen aproximadamente 2.8 gramos y se venden a 2 dólares el tubo, o sea, 20 dólares o más por 28 gramos.

El increíble éxito logrado por la firma en el mercado ha atraído a los competidores, entre los cuales se cuentan algunas empresas grandes y emprendedoras como Esmark y la 3M Company. Los productos a base de sustancias anaeróbicas y cianoacrilatos están comercializándose en la mayor parte de los países donde está instalada la Loctite. Tiene protección de patente para los anaeróbicos que se venden en Estados Unidos y, en menor medida, en algunos países extranjeros. Casi todos los selladores y aditivos de la competencia se venden a precio menor que los de ella. Aunque la firma ha reducido los precios de manera selectiva para afrontar el desafío de la competencia, está convencida de que la atención prestada al servicio técnico y a las necesidades del cliente le ha permitido mantener su posición en el mercado sin mermas notables en los precios.

La compañía planea intensificar su enfoque de "ingeniería de aplicaciones", estrategia que le ayudó a superar a Eastman Kodak en el mercado más competitivo de "pegaloca" o cianoacrilatos. Este enfoque consiste en ofrecer personal bien capacitado que da servicio técnico para resolver los problemas de los clientes utilizando para ello los productos de Loctite, a menudo con una fómula especial para la aplicación que requiera el cliente. La firma tiene tres mercados principales de usuarios de sus productos: el mercado industrial, el mercado de consumidores y el mercado secundario de la industria automotriz. En el Industrial Products Group, cerca de 60% de las ventas se realizan por medio de distribuidores independientes, algunos de los cuales venden adhesivos y selladores fabricados por otras empresas, y el resto de las ventas se hacen directamente con el usuario final. La compañía se mantiene en contacto estrecho y constante con sus distribuidores y principales usuarios finales con objeto de proporcionarles asesoría técnica. En Estados Unidos y Canadá, las ventas se efectúan mediante cerca de 120 gerentes de distrito que han recibido una capacitación técnica, ingenieros de ventas y aproximadamente dos mil 800 distribuidores industriales independientes.

Con la esperanza de mejorar la productividad, la Loctite decidió intentar técnicas de mercadotecnia de bienes de consumo en la comercialización de RC 601, un adhesivo parecido al mastique para reparar partes gastadas de maquinaria. Después de acudir al campo para determinar qué potencial querían los consumidores y después de estudiar el producto desde el punto de vista de los clientes, se hicieron cambios. El contraste anterior es el siguiente:

	ANTES	DESPUES
Mercado Meta	Ingenieros de diseño[a]	Trabajadores de mantenimiento[b]
Producto	Líquido claro	Gel
Empaque	Botella (roja)	Tubo (plateado)
Nombre	RC 601	Quick Metal
Precio	Con base en el costo	Basado en el valor
Promoción	Descripción técnica[c]	"Mantiene las máquinas funcionando hasta que lleguen las partes"
Esfuerzo de ventas	Rutina	Promociones e incentivos especiales a todos los niveles
Resultados de ventas		700% de aumento después de los cargos

[a] Reacio a probar productos nuevos.
[b] Capaz de comprar cualquier cosa en cualquier parte que necesite para operar la máquina.
[c] Gel anaeróbico thoxotrópico nomigrado.

La Industrial Products Division se enfrenta al problema de fijar precios para tres productos nuevos. Los detalles son los siguientes:

■**Bond-a-matic.** Es un aplicado de pegamento instantáneo que se usa en las líneas de montaje y que está dirigido a los fabricantes pequeños y de tamaño mediano, que en los procesos de producción unen muchas piezas. El producto no ocasiona ''obstrucciones adhesivas'', un problema costoso y frecuente. La firma tiene tanta confianza en el rendimiento del producto que envía por correo un equipo de demostración que puede probarse durante 30 días sin costo alguno. El producto deberá tener un precio bastante módico, para que los adquieran los gerentes de producción sin la aprobación que requeriría una inversión de capital.

■**Quick Repair Kit.** Incluye una gama de materiales para hacer rápidamente reparaciones menores que exigen adhesivos de solidificación instantánea y selladores dotados de la misma propiedad; de ese modo se conserva en función el equipo y se minimiza el desperdicio de materiales en talleres y fábricas de tamaño pequeño. El equipo incluye un par de pinzas Vice-Grip como obsequio promocional.

■**Quick-Metal.** Es un adhesivo en forma de mastique, que se usa en reparaciones temporales de cojinetes metálicos ya desgastados y en otras piezas de maquinaria. El equipo está listo para usarse en una hora, mientras que se necesitan doce horas para los ''metalizadores'', el método alternativo de mayor uso. Loctite sostiene que el producto le ahorra al usuario más de cuatro mil dólares en tiempo y trabajo. Viene en tubos de 50 cc.

Todos estos productos se venden mediante los distribuidores de la Industrial Products Division. Para determinar el precio recomendado que cobrarán los distribuidores en cada producto, supóngase que se dispone de los siguientes datos hipotéticos:

LOCTITE:

	BOND-A-MATIC	QUICK REPAIR KIT	QUICK-METAL
Costo de fabricación	$27.00	$ 6.25	$1.50
Todos los demás costos	23.00	5.75	3.50
Costo total por unidad	$50.00	$12.00	$5.00

DISTRIBUIDOR:
Margen bruto usual en este tipo de producto, 33 1/3% del precio de venta.

1. ¿Qué factores deberían considerarse para determinar el precio que la Loctite debería recomendar que cobren los distribuidores a sus clientes?

2. ¿Qué precio recomendaría que la Loctite sugiriera a sus distribuidores?

3. ¿Cómo usaría el enfoque de solución de problemas para vender a través de distribuidores y detallistas?

15
Colocación de productos: canales de distribución y distribución física

Hace un cuarto de siglo, Dr. Pepper era apenas un poco más que una compañía de líquidos concentrados de Texas. Pero para inicios de la década de 1980, Dr. Pepper era la firma de refrescos de sabores de mayor venta en Estados Unidos y el tercer vendedor más grande después de Coca-Cola y Pepsi. Para 1982, las ventas de Dr. Pepper y otras marcas de la firma (que incluyen Canada Dry y Welch's) pasaban de 500 millones de dólares y la empresa había disfrutado de 27 años de utilidades.

Dr. Pepper fabrica un buen producto y usa publicidad nacional para crear una fuerte preferencia en el consumidor. Pero la mercadotecnia exitosa de los refrescos requiere mucho más. Gran parte de la batalla de mercadotecnia se libra en los canales de distribución, entre las fuerzas de ventas de los embotelladores y los anaqueles de los detallistas. La compañía vende concentrado de Dr. Pepper a los embotelladores, quienes cargan el agua de ácido carbónico, la embotellan, la promueven y se la venden a los detallistas. Estos, a su vez, almacenan, promueven y venden Dr. Pepper a los consumidores. Dr. Pepper depende mucho de sus canales de distribución para ayudar a crear demanda y llevar el producto a las manos de los consumidores. Con el paso de los años, la firma ha desarrollado cuidadosamente un cuerpo leal de más de 500 embotelladores que venden la marca en sus mercados locales. Aunque la mayoría de los embotelladores de Dr. Pepper tiene otra marca principal de refrescos (usualmente Coca-Cola o Pepsi), de la que dependen para la mayoría de sus ventas, Dr. Pepper ganó el puesto de la segunda marca mejor vendida entre la mayoría de sus embotelladores.

El fuerte apoyo del embotellador es esencial para el éxito de Dr. Pepper. Esta bebida puede generar cierta preferencia de marca mediante publicidad nacional, pero las elecciones del consumidor en materia de refrescos son sumamente sensibles a las acciones de los detallistas. Y los embotelladores ejercen gran influencia sobre los detallistas. La fuerza de ventas del embotellador (visita regularmente a los detallistas y usa programas de promoción local para

alentar a los minoristas a que le den a Dr. Pepper una mejor posición en los anaqueles, a que anuncien la bebida en su publicidad semanal en los periódicos y a que promuevan el refresco con descuentos, exhibidores, cupones y muestras gratuitas. Los embotelladores comprenden las condiciones del mercado local y las necesidades de los detallistas, y a menudo pueden ayudar a la firma a desarrollar programas de mercadotecnia para aprovechar con más eficacia el mercado local.

Tradicionalmente, Dr. Pepper ha seguido un enfoque de mercadotecnia "local". La compañía ha dado a sus embotelladores una gran autonomía en cuanto a publicidad y promoción, y les ha permitido adaptar los programas de mercadotecnia de la marca a las condiciones locales del mercado. Pero a comienzos de la década de 1980, la gerencia decidió convertir a Dr. Pepper de una gran marca regional, con ventas concentradas en el sur y en el oeste de Estados Unidos, en una verdadera marca nacional. La firma cambió su enfoque de mercadotecnia local por uno nacional usando actividades de mercadotecnia nacionales controladas por la empresa en vez de programas locales adaptados al distribuidor. Dr. Pepper redujo su fuerza de ventas de campo, lo cual dio lugar a menos servicio a los embotelladores. Quitó la colocación de anuncios de las manos de los embotelladores y la misma compañía comenzó a poner la mayor parte de sus dólares de publicidad y promoción en campañas nacionales. Bajo el nuevo enfoque, los embotelladores tenían mucho menos que decir acerca de la forma cómo debería venderse el Dr. Pepper en sus áreas de mercado locales.

Dr. Pepper contaba con su programa de mercadotecnia centralizada para acrecentar la demanda del consumidor y mover una mayor parte del producto por el canal. La nueva publicidad nacional era popular entre los consumidores, pero no creó una nación llena de Peppers. En vez de ello, el nuevo enfoque alejó a los embotelladores de Dr. Pepper. Cuando la firma intentó alimentar a la fuerza a los embotelladores con el nuevo programa de mercadotecnia nacional, muchos se ofendieron y abandonaron Dr. Pepper. La compañía perdió su estatus especial como la segunda marca en importancia y se convirtió en una marca más para muchos embotelladores. Dr. Pepper perdió porción del mercado y vio mermadas sus utilidades. En 1982, las ventas unitarias de Dr. Pepper bajaron 3% y la pérdida en el cuarto trimestre de cuatro millones de dólares fue la primera en 27 años. Dr. Pepper cayó al cuarto lugar después de 7-Up.

En 1983, la compañía abandonó su enfoque de merca- dotecnia nacional, regresó a su enfoque local e intentó arreglar las cosas con sus embotelladores. Queda por ver si tendrá éxito en la recuperación el favor de sus canales de distribución. Pero la lección es clara: para venderles Dr. Pepper a sus consumidores finales, la compañía debe vender primero a sus embotelladores. En palabras de uno de éstos: "Pueden tener éxito si capturan primero la imaginación de los embotelladores y después la del público". Y eso parece ser exactamente lo que Dr. Pepper está intentando hacer.[1]

Las decisiones sobre el canal de mercadotecnia son las más difíciles a las que se en- frenta la gerencia. Los canales que son escogidos por la compañía afectan en última instancia cualquier otra decisión de mercadotecnia. La fijación de precios de la firma depende de si usa distribuidores grandes y de alta calidad o distribuidores medianos de calidad regular. Las decisiones sobre la fuerza de ventas de la compañía se toman en relación con el nivel de ventas y el entrenamiento que necesiten los distribuidores. Además, las decisiones so- bre el canal implican compromisos relativamente largos con otras firmas. Cuando un fabri- cante de camiones firma contratos con distribuidores independientes, no puede reempla- zarlos fácilmente con sucursales propiedad de la empresa si las condiciones cambian. Por lo tanto, la gerencia debe escoger canales observando el probable ambiente de ventas del futuro, así como del presente.

En este capítulo se examinarán cuatro temas principales: 1) ¿cuál es la naturaleza de los canales de mercadotecnia y qué tendencias se dan en éstos?, 2) ¿cómo interactúan y se organizan las firmas para hacer el trabajo del canal?, 3) ¿a qué problemas se enfrentan las compañías en el diseño, administración y evaluación de sus canales?, 4) ¿qué papel de- sempeñan las decisiones de distribución física para atraer y satisfacer a los consumidores? En el próximo capítulo se examinarán los temas del canal de mercadotecnia desde la pers- pectiva de los mayoristas y detallistas.

NATURALEZA DE LOS CANALES DE MERCADOTECNIA

La mayoría de los fabricantes trabajan con intermediarios de mercadotecnia para llevar sus productos al mercado. Intentan crear a toda costa un canal de distribución. El **canal de distribución** se define como el *conjunto de firmas e individuos que tienen derechos, o ayu- dan en la transferencia de derechos, del bien o servicio particular a medida que pasa del productor al consumidor.*

¿Por qué se usan intermediarios de mercadotecnia?

¿Por qué delegan los fabricantes parte de la labor de ventas a los intermediarios? Esto sig- nifica renunciar a cierto control sobre cómo y a quién se venden los productos. El produc- tor parece estar dejando el destino de la firma en manos de los intermediarios.

Como los productores les podrían vender directamente a los consumidores finales, deben estar convencidos de que ganan ciertas ventajas por usar intermediarios. Estas ven- tajas se describen enseguida.

Muchos fabricantes carecen de los recursos financieros para ejecutar la mercadotecnia directa. Por ejemplo, General Motors vende sus automóviles a través de 28 mil distribuidores independientes. Incluso a una corporación tan grande le sería difícil reunir los fondos para comprar a sus distribuidores.

La mercadotecnica directa exigiría que muchos fabricantes se convirtieran en intermediarios de los artículos de otras firmas para lograr ahorros en la distribución masiva. Así, a la empresa Wm. Wrigley Jr; no le convendría abrir pequeñas tiendas de chicle o goma de mascar en todo el país, ni vender su producto de puerta en puerta, ni los pedidos por correo. Tendría que vender chicle o goma de mascar junto con muchos otros productos pequeños y terminaría en el negocio de las farmacias o las tiendas de comestibles. Le es más fácil valerse de una extensa red de distribuidores independientes.

Los productores que pueden costear sus propios canales pueden ganar mayores rendimientos al aumentar su inversión en su negocio principal. Si una firma gana una tasa de rendimiento de 20% sobre la fabricación y prevé solamente un rendimiento de 10% en las ventas al menudeo, no querrá emprender esta última actividad.

El uso de intermediarios se justifica principalmente por la mayor eficiencia con que ponen los bienes en los mercados meta. Los intermediarios de mercadotecnia, gracias a sus contactos, experiencia, especialización y escala de operaciones le ofrecen a la firma más de lo que ésta puede lograr usualmente por su cuenta.

Desde el punto de vista del sistema económico, el papel básico de los intermediarios de mercadotecnia es transformar los abastos heterogéneos que se encuentran en la naturaleza en bienes que desea la gente. Según Alderson:

> Los materiales que son útiles para el ser humano se dan en la naturaleza en mezclas heterogéneas que podrían denominarse conglomerados, ya que las mezclas sólo tienen relaciones aleatorias con las necesidades y actividades humanas. El surtido de bienes propiedad de una familia o de una persona también constituye un abasto heterogéneo, pero se le podría denominar un surtido ya que está relacionado con patrones anticipados de conducta futura. Todo el proceso económico puede describirse como una serie de transformaciones de heterogeneidad sin significado a otra con significado.[2]

Alderson puntualiza: "La meta de la mercadotecnia consiste en igualar los segmentos de la oferta y la demanda".[3]

La figura 15-1 muestra una de las causas principales de los ahorros que se consiguen con los intermediarios. La parte A muestra tres productores cada uno de los cuales usa la mercadotecnia para llegar a tres consumidores. Este dilema requiere de nueve diferentes contactos. La parte B muestra a los tres productores que trabajan a través de un distribuidor, quien contacta a los tres clientes. Este sistema sólo requiere de seis contactos. De este modo, los intermediarios reducen la cantidad de trabajo que debe ejecutarse.

Funciones del canal de mercadotecnia

Un **canal de mercadotecnia** ejecuta el trabajo de desplazar los bienes de los productores a los consumidores. Salva las principales brechas de tiempo, espacio y posesión que separan los bienes y servicios de aquellos que los usen. Los integrantes del canal de mercadotecnia ejecutan un cierto número de funciones clave:[4]

- *Investigación*: recabar información necesaria para planear y facilitar el intercambio.

- *Promoción*: crear y difundir mensajes persuasivos acerca del producto.

- *Contacto*: encontrar a compradores potenciales y comunicarse con ellos.

- *Adaptación*: modelar y ajustar el producto a las exigencias del consumidor. Para ello se necesitan actividades como fabricación clasificación, montaje y empaque.

- *Negociación*: tratar de encontrar un precio mutuamente satisfactorio a fin de que se efectúe la transferencia de propiedad o posesión.

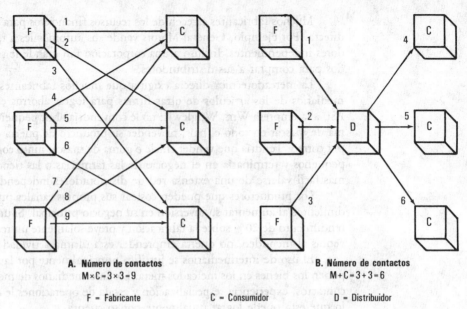

FIGURA 15-1
Manera cómo un distribuidor reduce el número de contactos directos

A. Número de contactos
M×C = 3 × 3 = 9

B. Número de contactos
M+C = 3 + 3 = 6

F = Fabricante   C = Consumidor   D = Distribuidor

- *Distribución física*: transportar y almacenar los bienes.

- *Financiamiento*: obtener y usar los fondos para cubrir los costos de sus actividades.

- *Aceptación de riesgos*: correr el riesgo que supone realizar las funciones propias del canal de distribución.

Las cinco primeras funciones sirven para llevar a cabo las transacciones; las tres últimas, para completarlas.

No se trata aquí de determinar *si* es necesario efectuar esas actividades (nadie lo duda), sino precisar *quién* ha de hacerlas. Todas las funciones tienen tres cosas en común: consumen recursos escasos, a menudo se cumplen mejor mediante la especialización y se les puede encomendar a diversos integrantes de los canales. En la medida en que el fabricante los ejecute bien, aumentará sus costos y tendrá que subir sus precios. Cuando algunas funciones se asignan a los intermediarios, los costos y los precios del productor son menores, pero el intermediario debe agregar un cargo para cubrir su trabajo. La cuestión sobre quién deberá encargarse de las funciones se centra en los aspectos de eficiencia y rentabilidad.

Por tanto, las funciones de mercadotecnia son más importantes que las instituciones que en un momento dado las ejecutan. Los cambios en las instituciones de canal son reflejo en gran parte del descubrimiento de formas más eficientes para combinar o separar funciones económicas que deben ejecutarse para proporcionarles surtidos satisfactorios de bienes a los consumidores meta.

Número de niveles de canal

Los canales de mercadotecnia pueden caracterizarse según el número de niveles. Cada intermediario que ejecuta su trabajo para acercar más el producto y su propiedad al comprador final constituye un *nivel de canal*. Como el productor y el consumidor final ejecutan algún trabajo, ambos son parte de cada canal. Se usará el *número de niveles de intermediario* para designar la *longitud* de un canal. La figura 15-2 ilustra varios canales de mercadotecnia de diferentes longitudes.

- Un *canal de nivel cero* (llamado también *canal de mercadotecnia directa*) está formado por un fabricante que les vende directamente a los consumidores. Las tres formas principales de mercadotecnia directa son de puerta en puerta, pedidos por correo y tiendas propiedad del fabricante. Los representantes de ventas de Avon venden cosméticos a las amas de casa de puerta en puerta; Franklin Mint vende objetos coleccionables pedidos por correo; y Singer vende máquinas de coser a través de sus propias tiendas.

■ Un *canal de un nivel* contiene un intermediario. En los mercados de consumo éste es típicamente un detallista; en los mercados industriales suele ser un agente de ventas o un corredor.

■ Un *canal de dos niveles* contiene dos intermediarios. En los mercados de consumo éstos son típicamente el mayorisa y el minorista; en los mercados industriales pueden ser un distribuidor industrial y los intermediarios.

■ Un *canal de tres niveles* contiene tres intermediarios. Por ejemplo, en la industria de las empacadoras de carne, los mediomayoristas usualmente se encuentran entre los mayoristas y los detallistas. El mediomayorista compra de los mayoristas y vende a los pequeños detallistas, que rara vez reciben la mercancía directamente de los mayoristas.

También existen canales de mercadotecnia de nivel superior, pero son menos frecuentes. Desde el punto de vista del fabricante, el problema del control aumenta con el número de niveles de canal, aun cuando el productor normalmente trata tan sólo con el nivel adyacente.

Tipos de corriente de canal

Las instituciones que integran un canal de mercadotecnia están conectadas por varios tipos de corrientes. Las más importantes son la corriente física, la corriente de derechos, la corriente de pago, la corriente de información y la corriente de promoción. Todas éstas pueden verse en la figura 15-3 para la comercialización de camiones con elevadores de carga.

La *corriente física* describe el movimiento de productos físicos desde que son materias primas hasta que llegan a los consumidores finales. En el caso de un fabricante de camiones con grúa, como Clark Equipment, las materias primas, subemsambles, las partes y los motores fluyen desde los proveedores mediante compañías transportistas hasta los almacenes y plantas del productor. Los camiones terminados se almacenan y después se embarcan a los pedidos de los distribuidores. Estos los venden y embarcan a los consumidores. Los pedidos grandes pueden mandarse directamente desde el almacén o la planta de la empresa. Pueden utilizarse uno o más medios de embarque, entre los cuales se incluyen ferrocarriles, camiones y carga aérea.

FIGURA 15-2 *Ejemplos de canales de diferente nivel*

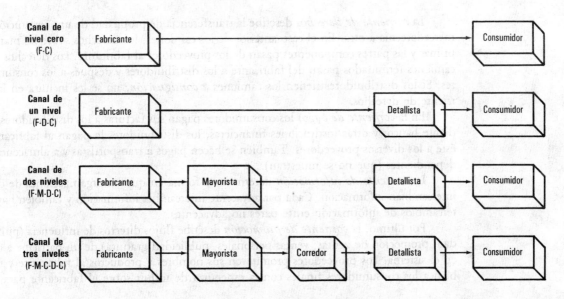

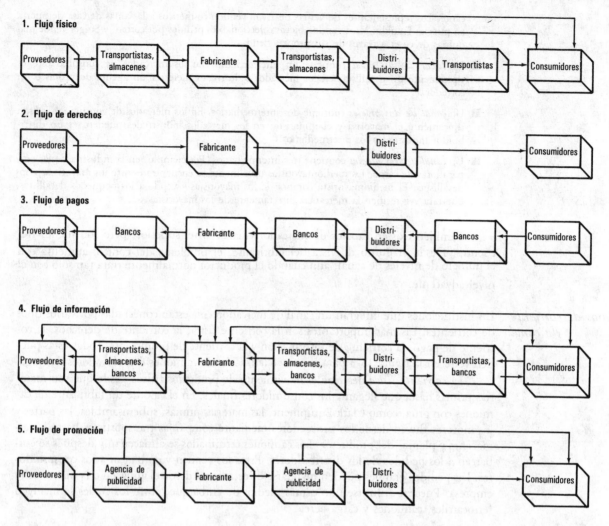

1. Flujo físico

Proveedores → Transportistas, almacenes → Fabricante → Transportistas, almacenes → Distribuidores → Transportistas → Consumidores

2. Flujo de derechos

Proveedores → Fabricante → Distribuidores → Consumidores

3. Flujo de pagos

Proveedores ← Bancos ← Fabricante ← Bancos ← Distribuidores ← Bancos ← Consumidores

4. Flujo de información

Proveedores ⇄ Transportistas, almacenes, bancos ⇄ Fabricante ⇄ Transportistas, almacenes, bancos ⇄ Distribuidores ⇄ Transportistas, bancos ⇄ Consumidores

5. Flujo de promoción

Proveedores → Agencia de publicidad → Fabricante → Agencia de publicidad → Distribuidores → Consumidores

FIGURA 15-3 *Cinco diferentes corrientes de mercadotecnia en el canal para montacargas*

La *corriente de derechos* describe la transferencia de propiedad de una institución de mercadotecnia a otra. En el caso anterior de los camiones, los derechos sobre las materias primas y las partes componentes pasan de los proveedores al fabricante. Los derechos a los camiones terminados pasan del fabricante a los distribuidores y después a los consumidores. Si los distribuidores tienen los camiones *a consignación,* no se les incluirá en la corriente de derechos.

En la *corriente de pagos* los consumidores pagan sus facturas a los distribuidores mediante bancos y otras instituciones financieras, los distribuidores le pagan al fabricante y éste a los diversos proveedores. También se hacen pagos a transportistas y a almacenes independientes (que no se muestran).

La *corriente de información* determina la forma en que las organizaciones de canal intercambian información. Cada par adyacente intercambia información y también hay intercambios de información entre pares no adyacentes.

Por último, la *corriente de promoción* describe flujos directos de influencia (publicidad, promoción de ventas, ventas personales, publicidad gratuita) de un partícipe a otros en el sistema. Los proveedores promueven sus nombres y productos al fabricante y también a los consumidores finales con la esperanza de influir sobre el fabricante para que adopte sus productos. Los fabricantes dirigen una corriente de promoción a los distribuidores (promoción del ramo) y a los consumidores finales (promoción de usuario final).

Si todas estas corrientes se superpusieran a un diagrama, recalcarían la tremenda complejidad incluso de los canales más sencillos de mercadotecnia. Esta complejidad va incluso más allá, una vez que comenzamos a distinguir entre diferentes tipos de minoristas, mayoristas y otros (véase capítulo 16).

Canales en el sector de servicios

El concepto de canales de mercadotecnia no está limitado a la distribución de bienes físicos. Los productores de servicios e ideas también se enfrentan al problema de hacer que su producción esté *disponible* y *accesible* a las poblaciones meta. Desarrollan "sistemas de diseminación educativa" y "sistemas de servicios médicos". Tienen que encontrar agencias y ubicaciones para hacerla accesible a una población distribuida geográficamente:

> Los hospitales deben estar ubicados en un espacio geográfico para prestar una atención médica integral, y las escuelas deben construirse cerca de donde vivan los niños que asistirán a ellas. La estaciones de bomberos deben estar en un sitio que permita llegar pronto a los incendios; las cabinas para votar deben estar bien situadas de modo que los ciudadanos no gasten mucho tiempo, dinero o esfuerzo para llegar. Muchos de los estados de la Unión Americana afrontan el problema de abrir filiales de universidades para atender a una población cada vez mayor y más educada. En las ciudades se advierte la necesidad de levantar campos de juego para niños en los lugares más apropiados. En muchos países con problemas demográficos es necesario edificar clínicas de control de la natalidad para llegar a la gente y proporcionarle información y anticonceptivos.[5]

Los canales de mercadotecnia también se usan en la mercadotecnia "de personajes". Antes de 1940, los comediantes profesionales podían llegar a la audiencia mediante teatros de variedades, eventos especiales, clubes nocturnos, radio, el cine, carnavales y el teatro. En la década de 1950, la televisión surgió como un canal fuerte y el teatro de variedades desapareció. Los políticos también deben encontrar canales eficientes en cuanto a costos (medios de comunicación masiva, reuniones populares, hora del café) para distribuir sus mensajes entre los votantes.

Los canales describen normalmente un movimiento hacia adelante de los productos. También se puede hablar de *canales de retroceso*. Según Zikmund y Stanton:

> El reciclaje de los desperdicios sólidos es un objetivo central de la ecología. Aunque el proceso es factible desde el punto de vista tecnológico, es un problema cambiar la dirección del flujo de materiales en el canal de distribución (mercadear la basura a través de un canal "hacia atrás"). Este tipo de canales es todavía primitivo y los incentivos financieros son insuficientes. El consumidor debe estar motivado para pasar por un cambio de papel y convertirse en productor, la fuerza iniciadora del proceso inverso de distribución.[6]

Los autores identifican varios intermediarios que pueden desempeñar un papel en los "canales regresivos", incluyendo centros de rescate para los fabricantes, "días de limpieza" de grupos comunitarios, intermediarios tradicionales como los que distribuyen refrescos, especialistas en recolección de basura, centros de reciclaje, "basureros y traperos" modernizados, corredores de reciclaje de basura y almacenes de procesamiento central.

CONDUCTA Y ORGANIZACION DEL CANAL

Los canales de distribución son algo más que conjuntos estáticos de firmas vinculadas por varias corrientes o flujos. Se trata de sistemas conductuales complejos en los que la gente y las empresas interactúan para lograr metas individuales, de compañía o de canal. Algunos sistemas de canal constan sólo de interacciones informales entre firmas vagamente organizadas; otros constan de interacciones formales orientadas por estructuras organizacionales sumamente específicas. Y los sistemas de canal no permanecen inmóviles: continuamente surgen nuevas instituciones y nuevos sistemas de canal. Aquí se verá la dinámica del comportamiento del canal y la forma en que sus miembros se organizan para ejecutar el trabajo.

Conducta del canal

Un canal de distribución es una coalición de firmas disímiles que se han unido para obtener un beneficio mutuo. Cada miembro del canal depende de los otros. Un distribuidor Ford depende de la Ford Motor Company para diseñar automóviles que satisfagan las necesidades del consumidor; Ford depende del distribuidor para atraer clientes, convencerlos de comprar un automóvil Ford y darles servicio a esos vehículos después de la venta. El distribuidor de Ford también depende de los otros distribuidores para proporcionar buenas ventas y servicio que elevarán la reputación de la Ford y su grupo de distribuidores. De hecho, el éxito de cada uno de los distribuidores Ford dependerá de lo bien que compita todo el canal de distribución de la Ford con los canales de los demás fabricantes de automóviles.

Cada miembro del canal desempeña un papel específico en el canal y se especializa en ejecutar una o más funciones. El papel de la IBM es producir computadoras personales que sean atractivas para los consumidores y crear demanda mediante publicidad nacional; el papel de Computerland es exhibir esas computadoras en ubicaciones convenientes, responder a la preguntas de los compradores potenciales, cerrar ventas y proporcionar servicio. El canal será más eficaz cuando a cada miembro se le asigne las tareas que pueda ejecutar mejor.

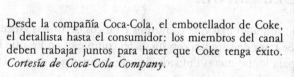

Desde la compañía Coca-Cola, el embotellador de Coke, el detallista hasta el consumidor: los miembros del canal deben trabajar juntos para hacer que Coke tenga éxito. *Cortesía de Coca-Cola Company.*

Idealmente, como el éxito de los miembros individuales del canal depende del éxito global de ese canal, todas las firmas en éste deberían comprender y aceptar sus papeles específicos, coordinar sus metas y actividades con las de otros miembros del canal, y cooperar para lograr los objetivos globales. Cada firma debería considerar cómo afectan sus acciones al rendimiento total del canal. Los fabricantes, mayoristas y detallistas deberían complementar sus necesidades mutuas y cooperar para producir mayores utilidades que cada participante podría obtener individualmente. Mediante la cooperación pueden ser más eficaces para percibir, servir y satisfacer el mercado meta.

Pero los miembros individuales del canal rara vez adoptan esa visión global. Usualmente se preocupan más por sus propias metas a corto plazo y por sus tratos con firmas próximas a ellos en el canal. La cooperación para lograr las metas generales del canal significa a veces renunciar a las metas de la compañía individual. Aunque los miembros del canal dependen unos de otros, a menudo actúan independientemente en beneficio de sus propios intereses a corto plazo. Con frecuencia discrepan acerca de los papeles que cada uno debería desempeñar, acerca de quién debería hacer qué y con qué compensación. Tales desacuerdos acerca de las metas y papeles generan *conflicto de canal*.

El *conflicto horizontal* describe el conflicto que ocurre entre las firmas en el mismo nivel del canal. Algunos distribuidores de Ford en Chicago se quejan de que otros distribuidores de la ciudad les roban ventas al actuar con dinamismo en su fijación de precios y en su publicidad o al vender fuera de sus territorios asignados. Algunos concesionarios de Pizza Inn se quejan de que otros concesionarios de la misma firma hacen trampa con los ingredientes, dan mal servicio y dañan la imagen global de Pizza Inn.

El *conflicto vertical* es aún más común y se refiere a los conflictos entre diferentes niveles del mismo canal. Por ejemplo, General Motors entró en conflicto con sus distribuidores hace algunos años cuando intentó hacer cumplir políticas sobre servicio, fijación de precios y publicidad. Y Coca-Cola entró en conflicto con sus embotelladores que aceptaban manejar Dr. Pepper. Una gran compañía de sierras de cadena causó conflicto cuando decidió saltarse a sus distribuidores al mayoreo y venderles directamente a los grandes detallistas como J.C. Penney y K mart, que entonces competían directamente con sus detallistas más pequeños.

El conflicto en los canales adopta la forma de competencia sana. Esta competencia puede ser buena para el canal: sin ella, se volvería pasivo y no habría innovaciones. Pero a veces el conflicto puede dañar el canal. Stern proporciona el siguiente ejemplo:[7]

Cuando las farmacias al menudeo estaban presionando a los fabricantes para que mantuvieran los precios al menudeo sobre sus marcas mediante la política de las leyes de comerciar bajo reciprocidad, a la Lever Brothers le resultó difícil controlar el comportamiento de fijación de precios de las farmacias "pine board" (de tarifa reducida) en relación con Pepsodent, la marca de pasta dentífrica de mejor venta en esa época. Como represalia, los farmacéuticos quitaron la marca de sus anaqueles, con lo cual obligaban a los consumidores a pedir paquetes cada vez que lo necesitaban. Sin lugar a dudas éste era un movimiento patológico hacia una situación de conflicto, ya que en el proceso de "lastimar" a Lever Brothers, los farmacéuticos se lastimaban a sí mismos por el volumen de ventas precedente y por causar molestias a sus clientes. El sistema completo sufrió como resultado de este boicot.

Para que el canal en su totalidad se desempeñe con eficacia, debe especificarse el papel de cada uno de sus miembros y el conflicto debe manejarse con eficacia. La cooperación, la especificación de papeles y la administración del conflicto en el canal se logran mediante un fuerte liderazgo de este último, el cual se desempeñará mejor si contiene una firma, agencia o mecanismo administrativo que tenga el poder de asignar recursos eficientemente dentro del sistema y asignar papeles y manejar el conflicto.

En una sola compañía grande, la estructura formal de la organización asigna papeles y proporciona el liderazgo necesario para asegurar la cooperación y manejar el conflicto entre los miembros de la organización. Pero en un canal de distribución compuesto por firmas independientes, el liderazgo y el poder no están establecidos formalmente. Tradicionalmente, los canales de distribución han carecido de liderazgo eficaz y de mecanismos administrativos adecuados para asignar papeles y manejar el conflicto. Sin embargo, en los últimos años han aparecido nuevos tipos de organizaciones de canal que proporcionan liderazgo más fuerte y mejor rendimiento. A continuación se considerarán estas organizaciones.[8]

Organización del canal

Históricamente, los canales de distribución han sido colecciones fortuitas de compañías de propiedad y administración independientes, cada una de las cuales muestra poco interés por el desempeño global del canal. Estos *canales convencionales de mercadotecnia* han carecido del liderazgo fuerte y se han caracterizado por el conflicto lesivo y el bajo rendimiento.

Crecimiento de los sistemas de mercadotecnia vertical

Uno de los desarrollos recientes más significativos han sido los *sistemas de mercadotecnia vertical* que han aparecido para desafiar a los canales convencionales de mercadotecnia. En la figura 15-4 se comparan los dos tipos de arreglo de canal.

Un canal convencional de mercadotecnia consta de un productor(es) independiente(s) mayorista(s) y detallista(s). Cada uno es un negocio separado que intenta maximizar sus propias utilidades, incluso a costa de maximizar las utilidades para el sistema en su totalidad. Ningún miembro del canal tiene control completo o sustancial sobre los otros miembros y no hay mecanismos formales para asignar papeles y resolver conflictos de canal. McCammon describe los canales convencionales como "cadenas sumamente fragmentadas en las cuales fabricantes, mayoristas y detallistas unidos vagamente han pactado unos con otros muy de cerca, han negociado agresivamente sobre los términos de las ventas y se han comportado autónomamente."[9]

Como contraste, un sistema de mercadotecnia vertical (SMV) está formado por el productor, mayorista(s) y detallista(s) que actúan como un sistema unificado. El miembro de un canal es dueño de los otros o los da en concesión o tiene tanto poder que los demás se ven forzados a cooperar. El sistema de mercadotecnia vertical puede estar dominado por el productor, el mayorista o el detallista. McCammon describe los SMV como "redes profesionalmente administradas y programadas centralmente, diseñadas para lograr ahorros de operación y máximo impacto en el mercado".[10] Los SMV se idearon para controlar el comportamiento del canal y manejar el conflicto que surge cuando miembros independientes persiguen sus propios objetivos. Logran ahorros debido al tamaño, el poder de negociación y la eliminación de servicios repetidos. Los SMV se han convertido en la forma

FIGURA 15-4
*Comparación de canal
convencional con el
sistema de
mercadotecnia vertical*

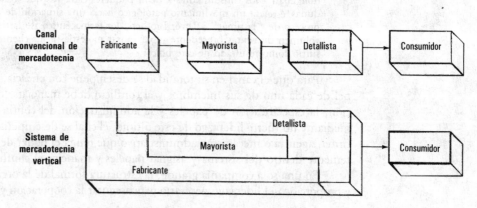

dominante de distribución en la mercadotecnia de consumo y sirven hasta 64% del mercado total.

A continuación se examinarán los tres tipos principales de SMV que se muestran en la figura 15-5. Cada tipo emplea un mecanismo diferente para establecer o usar el liderazgo y el poder en el canal. En un SMV corporativo, la coordinación y la administración del conflicto se logran mediante la propiedad común en diferentes niveles del canal. En un SMV contractual, se establecen papeles y mecanismos administrativos mediante acuerdos contractuales entre los miembros del canal. En un SMV administrado, uno a unos cuantos miembros dominantes del canal asumen el liderazgo.

SMV Corporativo. Un **SMV corporativo** combina etapas sucesivas de producción y distribución bajo un solo propietario. Véanse algunos ejemplos:

...Sherwin-Williams actualmente posee y opera más de dos mil tiendas detallistas... Se sabe que Sears obtiene 50% de su rendimiento de instalaciones de fabricación en las

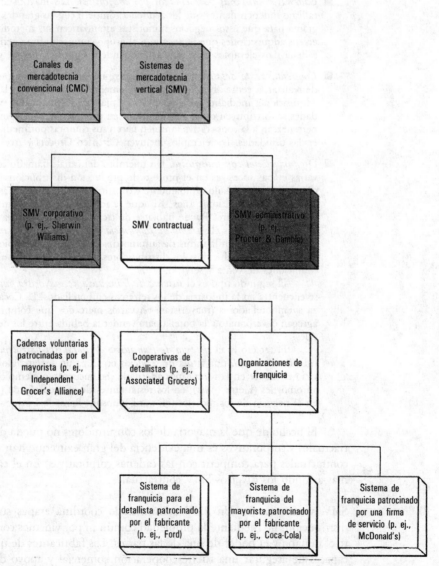

FIGURA 15-5 *Canales convencionales y sistemas de mercadotecnia vertical*

cuales gana intereses por su participación... Holiday Inn ha ido evolucionando hasta convertirse en una red de autoabastecimiento y tiene una fábrica de alfombras, una planta de muebles y numerosas instalaciones de redistribución cautiva. En suma, estas empresas y otras semejantes constituyen sistemas de integración vertical. Al denominarlas ''detallistas'', ''productoras'' u ''operadoras de moteles'', estamos simplificando demasiado la complejidad de sus actividades y olvidando el aspecto concreto del mercado.[11]

En tales sistemas corporativos integrados, la cooperacion y la administración del conflicto se manejan mediante canales organizacionales regulares.

SMV CONTRACTUALES. Un **SMV contractual** consta de firmas independientes en diferentes niveles de producción y distribución que integran sus programas en una base contractual para obtener más ahorros o impacto de ventas del que lograrían solas. Los SMV contractuales se han generalizado en los últimos años y constituyen uno de los desarrollos más significativos en la economía. Los SMV contractuales son de tres tipos.

■ *Cadenas voluntarias patrocinadas por mayoristas.* Los mayoristas organizan cadenas de detallistas independientes que les ayuden a competir con las grandes empresas. Elaboran un programa para que estos negocios minoristas estandaricen sus métodos de venta y logren ahorros en sus adquisiciones que le permitan al grupo competir eficazmente con las organizaciones en cadena. Los ejemplos incluyen la Independent Grocers Alliance y la Sentry Hardwares.

■ *Cooperativas de detallistas.* Los detallistas pueden iniciar y organizar un nuevo negocio a fin de realizar la venta al mayoreo y, posiblemente, la producción. Los miembros concentran sus adquisiciones mediante las cooperativas y planean su publicidad en forma conjunta. Las utilidades se distribuyen entre los miembros en proporción a sus compras. Los detallistas que no pertenezcan a la cooperativa también hacen sus compras por medio de ésta, pero sin participar en las utilidades. Los ejemplos incluyen Certified Grocers y Ace Hardwares.

■ *Organizaciones con franquicia.* Un miembro del canal, llamado concesionario, puede enlazar varias etapas sucesivas en el proceso de producción-distribución. La franquicia es un sistema que se ha generalizado rápidamente y constituye el fenómeno más interesante del comercio al menudeo en los últimos años. Aunque la idea básica es muy antigua, algunas modalidades son de cuño reciente. Puede hablarse de tres tipos de franquicias.

El primero es el *sistema de franquicia de detallistas patrocinados por el fabricante,* que suele encontrarse en la industria automotriz. La Ford, por ejemplo, autoriza a los distribuidores a vender sus vehículos; los distribuidores son negocios independientes que aceptan varias condiciones de venta y servicio.

El segundo tipo es el *sistema de franquicia de mayorista patrocinado por el fabricante* y se encuentra en la industria de los refrescos embotellados. La Coca-Cola, por ejemplo, autoriza a embotelladores (mayoristas) en varios mercados que compran el jarabe concentrado y agregan el carbonato y la botella para vender la bebida entre los detallistas en los mercados locales.

El tercero es el *sistema de franquicia de detallista patrocinado por una firma de servicios.* En este caso, una firma de servicios organiza un sistema global para hacer llegar su servicio al cliente en la forma más adecuada. Se encuentran ejemplos en el negocio de renta de automóviles (Hertz, Avis), en los restaurantes de comida rápida (McDonal's, Burger King) y en el negocio de los moteles (Howard Johnson, Ramada Inn).

El hecho de que la mayoría de los consumidores no pueda distinguir entre SMV contractuales y corporativos es una evidencia del gran éxito que han tenido las organizaciones contractuales para competir con las cadenas corporativas. En el capítulo 16 se examinarán más a fondo los diversos SMV contractuales.

SMV ADMINISTRADOS. Un **SMV administrado** coordina etapas sucesivas de producción y distribución, no mediante la propiedad común ni por vínculos contractuales, sino mediante el tamaño y el poder de una de las partes. Los fabricantes de una marca dominante son capaces de asegurar una fuerte cooperación comercial y apoyo de los revendedores. Así, General Electric, Proctec & Gamble, Kraftco y sopas Campbell son capaces de obtener una gran cooperación de los revendedores en lo que respecta a exhibidores, espacio de anaquel, promociones y políticas de precio.

Muchos detallistas independientes, si no se han unido a los SMV, han desarrollado tiendas de especialidades que sirven a segmentos de mercado que no son atractivos para los comerciantes en masa. El resultado es una polarización del comercio detallista entre grandes organizaciones de mercadotecnia vertical, por un lado, y tiendas independientes de especialidades, por el otro. Este desarrollo crea un problema a los fabricantes. Estos están muy vinculados con intermediarios independientes a los cuales no pueden renunciar fácilmente. Pero a la larga deben realinearse a sí mismos con los sistemas de mercadotecnia vertical de alto crecimiento y tienen que aceptar condiciones menos atractivas. Los sistemas de mercadotecnia vertical constantemente amenazan con saltarse a los grandes fabricantes y establecer sus propias instalaciones fabriles. *La competencia nueva en el comercio detallista ya no se da entre unidades de negocios independientes, sino entre sistemas completos de cadenas centralmente programadas (corporativas, administradas y contractuales) que compiten para lograr los mejores ahorros de costos y la mejor respuesta del consumidor.*

Crecimiento de los sistemas de mercadotecnia horizontal

Otro desarrollo de la organización de canal es la disposición de dos o más compañías en un nivel para unirse y explotar una oportunidad de mercadotecnia. Cada compañía carece del capital, el conocimiento para hacer las cosas, la capacidad de producción o los recursos de mercadotecnia para aventurarse sola; o teme al riesgo; o ve una ventaja sustancial en unirse a otra empresa. Las compañías pueden trabajar unas con otras en un régimen temporal o permanente o crear una firma separada. Adler denomina esto *mercadotecnia simbiótica.*[12] Por ejemplo, Dr. Pepper carecía de botellas para su refresco y decidió dar la franquicia a los embotelladores de Coca-Cola. Y Freightliner hizo un acuerdo de mercadotecnia con la White Motor Company para que los distribuidores de esta última vendieran los camiones Freightliner.

Crecimiento de sistemas de mercadotecnia de canales múltiples

Las compañías cada vez utilizan más este sistema para llegar a los mismos mercados o a otros. Por ejemplo, la John Smythe Company, un negocio minorista de muebles ubicado en Chicago, vende una línea completa de mobiliario a través de sus propias mueblerías y su división de muebles domésticos, que opera *negocios de ventas* en bodega. Los clientes hallarán muchos de los mismos productos en ambos canales, casi siempre a menor precio en el segundo. La J.C. Penney opera tiendas departamentales, tiendas de venta masiva (llamadas The Treasury) y tiendas de especialidades. Tillman denomina a las organizaciones detallistas de canal múltiple *conglomerados de comercialización* y los define como ''un imperio de comercialización de línea múltiple bajo una propiedad central, que usualmente combina varios estilos de venta detallista con una integración detrás del escenario de algunas funciones de distribución y administración''.[13]

Muchas compañías operan canales múltiples que sirven a dos diferentes niveles de consumidores. Llamada *distribución dual,* esto puede crearle conflictos a la organización patrocinadora.[14] Por ejemplo, General Electric vende electrodomésticos grandes a través de distribuidores independientes (tiendas departamentales, casas de descuento, detallistas por catálogo) y también directamente a los grandes contratistas de viviendas. A los distribuidores independientes les gustaría que la General Electric dejara de vender a los contratistas. General Electric defiende su posición al señalar que los constructores y los detallistas necesitan enfoques de mercadotecnia muy diferentes.

DECISIONES SOBRE EL DISEÑO DEL CANAL

Ahora se examinarán varios problemas de decisión de canal a los cuales se enfrentan los fabricantes. En el diseño de canales de mercadotecnia, los fabricantes tienen que decidir entre lo que es ideal y lo que es asequible. Una firma nueva típicamente comienza como una operación local o regional que vende en un mercado limitado. Comúnmente con capital limitado, tiende a usar a los intermediarios existentes. El número de intermediarios en cualquier mercado local tiende a ser limitado: unos cuantos agentes de ventas de los fabricantes, unos pocos mayoristas, varios detallistas establecidos, unas cuantas compañías camioneras y unas cuantas bodegas. Rara vez es un problema seleccionar los mejores canales. El problema podría ser convencer a uno o a varios intermediarios asequibles de que manejaran la línea.

Si la nueva firma tiene éxito, podría ramificarse a otros mercados. De nueva cuenta, el fabricante tendería a trabajar a través de los intermediarios existentes, aunque esto pudiera significar usar diferentes tipos de canales de mercadotecnia en distintas áreas. En los mercados más pequeños la firma podría venderles directamente a los detallistas; en los mercados más grandes, podría vender mediante distribuidores. En las áreas rurales podría trabajar con comerciantes de bienes generales; en las áreas urbanas con comerciantes de línea limitada. En una parte del país podría otorgar franquicias exclusivas, ya que los comerciantes normalmente trabajan de este modo; en otra, podría vender a través de todos los establecimientos que desearan manejar la mercancía. Así, el sistema de canal del fabricante evoluciona como respuesta a las oportunidades y condiciones locales.

El diseño de un sistema de canal requiere del establecimiento de objetivos y restricciones del canal, así como de la identificación y evaluación de sus principales alternativas.

Establecimiento de objetivos y restricciones de canal

La planeación eficaz del canal comienza con la determinación de los mercados a los cuales se deberá llegar con ciertos objetivos. Los objetivos incluyen el nivel deseado de servicio al cliente y las funciones que los intermediarios deberán ejecutar. Cada productor desarrolla sus objetivos en el contexto de las restricciones que emanen de los consumidores, productos, intermediarios, competidores, políticas de la compañía y ambiente.

■ *Características del consumidor.* Las características del consumidor influyen mucho en el diseño del canal. Cuando se intenta llegar a una población grande o muy dispersa, se necesitan canales largos. Si los consumidores compran con frecuencia pequeñas cantidades, se necesitan canales largos debido al alto costo de despachar pedidos pequeños y frecuentes.

■ *Características del producto.* Los productos *perecederos* requieren más mercadotecnia directa debido a los peligros asociados con retrasos y manejo repetido. Los productos *difíciles de manejar*, como los materiales de construcción y los refrescos embotellados, requieren de arreglos de canal que reduzcan al mínimo la distancia de embarque y el número de manipulaciones en el movimiento desde el productor hasta el consumidor. Los productos *no estandarizados*, como la maquinaria construida según especificaciones y formas especializadas de negocios, los venden directamente los representantes de ventas de la compañía ya que los intermediarios carecen de los conocimientos necesarios. Los productos que requieren instalación o servicios de mantenimiento suele venderlos la compañía o los distribuidores especializados. Los productos de *alto valor unitario* los suele vender la misma fuerza de ventas de la empresa en vez de los intermediarios.

■ *Características de los intermediarios.* El diseño del canal refleja las ventajas y desventajas de diferentes tipos de intermediarios para manejar diversas tareas. Por ejemplo, los representantes del fabricante son capaces de contactar a los consumidores a un costo más bajo por consumidor ya que los costos totales los comparten varios clientes. Pero el esfuerzo de ventas por consumidor es menos intenso el que harían los representantes de la firma. Por lo general, los intermediarios de mercadotecnia difieren en su aptitud para manejar promoción, negociaciones, escasez, contacto y crédito.

■ *Características de la competencia.* Los canales de los competidores influyen mucho en el diseño del canal. Puede que los productores quieran competir en o cerca de los mismos establecimientos donde se venden los productos de los competidores. Así, los procesadores de alimentos quieren que sus marcas se exhiban junto a las marcas competitivas; y Burger King quiere ubicarse junto a McDonald's. En otras industrias, puede que los productores quieran evitar los canales que usan los competidores. Avon decidió no competir con otros fabricantes de cosméticos por posiciones escasas en las tiendas al menudeo y prefirió establecerse en una lucrativa operación de ventas directas.

■ *Características de la compañía.* Las características de la firma desempeñan un papel importante en la selección del canal. El *tamaño* de la empresa determina el tamaño de sus mercados y su habilidad para obtener los distribuidores deseados. Sus *recursos financieros* determinan qué funciones de mercadotecnia puede manejar y cuáles puede delegar a los intermediarios. La *mezcla de productos* de la empresa incide en su patrón de canal. Mientras más amplia sea la mezcla de productos, mayor será la habilidad de la firma para tratar directamente con sus consumidores. Mientras más profunda sea la mezcla de productos de la compañía, más podría favorecer a distribuidores exclusivos o selectos. Mientras más consistente sea la mezcla de productos de la empresa, mayor será la homogeneidad de sus canales de mercadotecnia. La *estrategia de mercadotecnia* de la empresa influirá en el diseño del canal. Así, una política de entrega rápida al consumidor afecta las funciones que el productor quiere que los intermediarios realicen, el número de establecimientos de etapa final y puntos de abastecimiento y la elección de los transportistas.

■ *Características ambientales.* Cuando las *condiciones económicas* están deprimidas, los productores quieren llevar sus artículos al mercado de la manera más económica. Esto significa usar canales más cortos y descartar los servicios no esenciales que aumentan el precio final de los bienes. Las *reglamentaciones y restricciones legales* también afectan el diseño del canal. La legislación ha buscado impedir arreglos de canal que ''pueden tender a disminuir sustancialmente la competencia o a crear un monopolio''.

Identificación de las principales alternativas

Supóngase que una factoría ha definido su mercado meta y su posicionamiento deseado. A continuación deberá identificar sus principales alternativas de canal. La alternativa de canal se describe por tres elementos: 1) los tipos de intermediarios, 2) el número de intermediarios, y 3) las condiciones y responsabilidades mutuas de cada participante.

Tipos de intermediarios

La firma deberá identificar los tipos de intermediarios disponibles para ejecutar su trabajo en los canales. Considérese el ejemplo siguiente:

Un fabricante de equipo de prueba ha inventado un dispositivo de audio para detectar las conexiones mecánicas defectuosas en las máquinas provistas de partes móviles. Los directivos están convencidos de que su producto tendrá mercado en todas las industrias en las cuales se usen o produzcan motores eléctricos, de combustión o de vapor, la aviación, la industria automotriz, la ferroviaria, la de enlatados, la de construcción, la petrolera. La fuerza de ventas de la empresa era pequeña y el problema era cómo llegar a esas industrias tan heterogéneas. Las siguientes alternativas de canal fueron el resultado de reuniones de ejecutivos:

Fuerza de ventas de la compañía. Ampliar la fuerza de ventas directas de la empresa. Asignar representantes a territorios y darles la responsabilidad de establecer comunicación con todos los prospectos en el área. O desarrollar fuerza de ventas separadas para las diferentes industrias.

Asociaciones del fabricante. Contratar asociaciones del fabricante en las diferentes regiones o industrias y venderles el nuevo equipo de prueba.

Distribuidores industriales.[15] Encontrar distribuidores en las diferentes regiones o industrias que compren y manejen la nueva línea. Darles distribución exclusiva, márgenes adecuados de utilidad, entrenamiento en el manejo del producto y apoyo promocional.

Las compañías también deberían investigar canales de mercadotecnia innovadores. Esto sucedió cuando la Conn Organ Company decidió comercializar órganos mediante tiendas departamentales y de descuento, con lo cual los órganos obtuvieron mucha más atención que en las tiendas pequeñas especializadas en aparatos musicales. Se adoptó un canal nuevo y revolucionario cuando el Book-of-the-Month Club decidió vender libros por correo. Otras editoriales no tardaron en seguir su ejemplo con clubes de tipo Record-of-the-Month (disco del mes), Candy-of-the-Month (dulce del mes) y otros clubes parecidos.

A veces una compañía tiene que desarrollar un canal que no es el que prefiere debido a la dificultad o al costo de entrar en el canal preferido. Esta decisión a veces da resultados excelentes. Por ejemplo, la U.S. Time Company originalmente intentó vender sus relojes de pulsera económicos Timex a través de relojerías regulares. Pero la mayoría de éstas los rechazaron. La firma buscó otros canales y logró colocar su artículo en tiendas de mercado masivo. Esta fue una decisión adecuada debido al rápido crecimiento de la comercialización masiva.

Número de intermediarios

Las compañías tienen que decidirse por el número de intermediarios a usar en cada nivel. Hay tres estrategias.

DISTRIBUCION INTENSIVA. Los productores de bienes de uso común y de materias primas generales suelen buscar una *distribución intensiva,* es decir, depositar su producto en el mayor número posible de negocios. Estos bienes deben tener utilidad de lugar. Los cigarrillos, por ejemplo, se venden en más de un millón de tiendas en Estados Unidos para crear más exposición y conveniencia.

DISTRIBUCION EXCLUSIVA. Algunos productores limitan deliberadamente el número de intermediarios que manejan sus productos. La forma más extremosa de esto es la *distribución exclusiva,* donde un número limitado de distribuidores tiene el derecho exclusivo de la compañía para manejar los artículos de ésta en sus respectivos territorios. A menudo se trata de una *comercialización exclusiva,* donde el fabricante obliga a sus distribuidores a no manejar líneas de la competencia. La distribución exclusiva suele encontrarse hasta cierto grado en la distribución de automóviles nuevos, algunos electrodomésticos de gran tamaño y algunas marcas de ropa para mujer. Mediante el otorgamiento de una distribución exclusiva, el fabricante espera que haya ventas más dinámicas y reconocidas y mayor control sobre las políticas de los intermediarios acerca de precios, promoción, crédito y servicios varios. La distribución exclusiva tiende a acrecentar la imagen del producto y permite márgenes más altos de utilidades.

DISTRIBUCION SELECTIVA. Entre la distribución intensiva y la exclusiva se encuentra la *distribución selectiva,* o sea, usar más de uno pero no a todos los intermediarios que deseen vender un producto determinado. Esta técnica la usan las firmas establecidas y las nuevas que buscan obtener distribuidores con la promesa de la distribución selectiva. La empresa no tiene que disipar sus esfuerzos con muchos establecimientos, incluyendo muchos marginales. Puede desarrollar una buena relación laboral con los intermediarios seleccionados y esperar un esfuerzo de ventas mejor que el ordinario. La distribución selectiva le permite al productor obtener una cobertura adecuada del mercado con más control y menos costo que los que le hace posible la distribución intensiva.

Términos y responsabilidades de los miembros del canal

El productor debe determinar las condiciones y responsabilidades de los miembros que participan en el canal. Los principales elementos en la "mezcla de relaciones del ramo" son las políticas de precio, las condiciones de venta, los derechos territoriales y los servicios específicos que proporcionará cada factor.

- La *política de precios* requiere que el productor establezca un precio de lista y un programa de descuentos. El productor debe estar seguro de que los precios les parezcan a los intermediarios justos y eficientes.

- Las *condiciones de venta* se refieren a los términos de pago y a las garantías para el productor. La mayoría de los productores les otorgan descuentos en efectivo a sus distribuidores por pronto pago. Los fabricantes también pueden extender garantías a los distribuidores acerca de mercancía defectuosa, o baja en el precio. Una garantía contra la disminución de precios se usa para inducir a los distribuidores a comprar grandes cantidades.

- Los *derechos territoriales de los distribuidores* son otro elemento en la mezcla de relaciones del gremio. Los distribuidores quieren saber dónde establecerá el productor a otros distribuidores. También querrán recibir crédito completo por todas las ventas que ocurran en su territorio, independientemente de si ésas fueron resultado o no de su esfuerzo personal.

- Los *servicios y responsabilidades mutuos* deben describirse cuidadosamente, especialmente en canales de franquicia y de agencia exclusiva. Por ejemplo, la Howard Johnson Company les proporciona a los arrendatarios de restaurantes apoyo de local y de promoción, un sistema para llevar la contabilidad, entrenamiento y asistencia administrativa y técnica general. A su vez, los arrendatarios deben satisfacer los estándares de la compañía en cuanto a instalaciones físicas, cooperar con nuevos programas de promoción, presentar la información requerida y comprar productos alimenticios específicos.

Evaluación de las principales alternativas de canal

Supóngase que un productor ha identificado varias alternativas de canal y quiere seleccionar aquélla que satisfaga mejor los objetivos a largo plazo de la firma. Cada alternativa debe ser evaluada en comparación con criterios económicos, de control y de adaptación. Considérese la siguiente situación:

Un fabricante de muebles de Memphis quiere vender su línea mediante detallistas en la costa oeste. El fabricante intenta decidirse por una de dos posibilidades:

1. Una posibilidad requiere contratar diez nuevos representantes de ventas que operarían desde una oficina de ventas en San Francisco. Recibirán un salario base más comisiones en función de sus ventas.

2. La otra posibilidad sería usar una *agencia de ventas del fabricante* en San Francisco que tuviera muchos contactos con los detallistas. La agencia tiene treinta representantes de ventas que recibirían una comisión basada en sus ventas.

Criterios económicos

Cada posibilidad de canal producirá un nivel diferente de ventas y costos. El primer tema es saber si se producirán más ventas mediante una fuerza de ventas de la firma o con una agencia de ventas. La mayoría de los gerentes de mercadotecnia creen que vende más la fuerza de ventas de la misma empresa. Los representantes de la firma se concentran en los productos de la compañía; están mejor entrenados para vender los productos de ésta; son más dinámicos porque su futuro depende de la compañía; son más exitosos porque los consumidores prefieren tratar directamente con la empresa.

Por otra parte, es concebible que la agencia de ventas vendiera más que la fuerza de ventas de la compañía. Primero, la agencia de ventas tiene treinta representantes de ventas, no sólo diez. Segundo, la fuerza de ventas de la agencia puede ser tan dinámica como la fuerza de ventas de la compañía. Esto depende de cuánta comisión ofrezca la línea en relación con otras. Tercero, algunos consumidores prefieren tratar con agentes que representan a varios fabricantes en vez de vendedores de una misma compañía. Cuarto, la agencia tiene muchos contactos, mientras que la fuerza de ventas de la empresa tendría que empezar desde abajo.

El paso siguiente consiste en estimar los costos de vender diferentes volúmenes a través de cada canal. Los programas de costos se muestran en la figura 15-6. Los costos fijos de trabajar con una agencia de ventas son más bajos que los de establecer una oficina de ventas de la compañía. Pero los costos se elevan rápidamente con una agencia de ventas ya que los agentes obtienen una comisión más alta que los vendedores de la compañía.

Hay un nivel de ventas (S_B) en el cual los costos de las ventas son los mismos para los dos canales. La agencia de ventas sería el canal preferido en cualquier volumen de ventas por debajo de S_B, y la sucursal de ventas de la compañía sería preferible en cualquier volumen más alto que S_B. Por lo general, las firmas más pequeñas tienden a usar agentes de ventas, o las firmas más grandes en territorios más pequeños donde el volumen de ventas es demasiado bajo para que amerite una fuerza de ventas de la compañía.

Criterios de control

La evaluación debe ampliarse para considerar temas de control con los dos canales. El uso de una agencia de ventas plantea más de un problema de control. Una agencia de ventas es un negocio independiente interesado en maximizar sus utilidades. El agente puede concentrarse en los consumidores que sean los más importantes, en términos del surtido que compren más que los artículos del fabricante particular que es de su nivel de interés. Además, la fuerza de ventas de la agencia tal vez no domine los detalles técnicos del producto de la compañía o no maneje eficazmente los materiales promocionales de la firma.

Criterios adaptativos

Cada canal implica un compromiso de cierta duración y pérdida de flexibilidad. Un fabricante que use una agencia de ventas tal vez tenga que ofrecer un contrato por cinco años. Durante este periodo, pueden volverse más efectivos otros medios de venta, como el correo directo, pero el fabricante no tiene libertad para deshacerse de la agencia de ventas. Para tomar en consideración un canal que implique un compromiso largo, deberá ser muy superior en cuestiones económicas o de control.

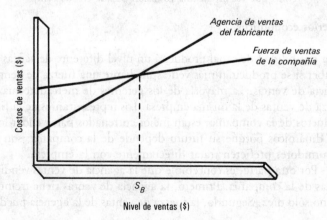

DECISIONES SOBRE ADMINISTRACION DE CANAL

Después de revisar sus posibilidades, la compañía se decidirá por el diseño de canal más eficaz. Ahora debe implantar y administrar el canal elegido. La administración de canal requiere seleccionar y motivar a intermediarios individuales y evaluar su rendimiento con el paso del tiempo.

No es uniforme la habilidad de los productores para atraer a intermediarios calificados al canal propuesto. Algunos productores no tienen problemas para reclutar intermediarios. Por ejemplo, la Ford fue capaz de atraer mil doscientos distribuidores nuevos para su fracasado modelo Edsel. En algunos casos, la promesa de distribución exclusiva o selectiva atraerá un número suficiente de aspirantes.

En el otro extremo se encuentran productores que tienen que trabajar duro para obtener el número deseado de intermediarios calificados. Cuando Polaroid comenzó, no podía lograr que las tiendas de artículos fotográficos manejaran sus nuevas cámaras y tuvo que recurrir a establecimientos de comercialización masiva. A los pequeños productores de alimentos normalmente les resulta difícil lograr que las tiendas de abarrotes manejen sus productos.

Independientemente de si a los productores les resulta fácil o difícil reclutar intermediarios, deberían determinar al menos qué características distinguen a los mejores intermediarios. Querrán evaluar el número de años que los intermediarios llevan en el negocio, las otras líneas que manejan, el historial de crecimiento y de utilidades, la solvencia, cooperación y reputación. Si los intermediarios son agentes de ventas, los productores querrán evaluar el número y las características de las otras líneas que manejen y el tamaño y la calidad de la fuerza de ventas. Si el intermediario es una tienda departamental que quiere distribución exclusiva, el productor querrá evaluar la ubicación de la tienda, el potencial de crecimiento futuro y el tipo de clientela.

Motivación de los miembros del canal

Es necesario motivar constantemente a los intermediarios para que hagan su mejor esfuerzo. Los términos que los conducen a unirse al canal proporcionan parte de la motivación, pero ésta debe complementarse con supervisión y aliento constantes de parte del productor. Este no sólo tiene que vender a través de los intermediarios, sino también venderles a éstos.

Con el fin de alentar a los miembros del canal a que hagan su mejor esfuerzo, el fabricante debe comenzar por tratar de comprender las necesidades y deseos de los intermediarios particulares. Según McVey, los fabricantes a menudo critican a los intermediarios "por llevar a la quiebra una marca dada, o por los deficientes conocimientos que sobre el producto tenga el vendedor, el hecho de que no use los materiales publicitarios del productor, su descuido de ciertos consumidores (quienes pueden ser buenos prospectos para artículos individuales pero no para el surtido), e incluso por sus sistemas deficientes de contabilidad, en los que pueden perderse los nombres de marcas".[16] Sin embargo, estas desventajas desde el punto de vista del fabricante pueden ser comprensibles desde el punto de vista del intermediario. McVey enumeró las siguientes proposiciones para ayudar a comprender a los intermediarios:

El intermediario no es un eslabón contratado en una cadena forjada por el fabricante, sino más bien un mercado independiente....Después de cierta experimentación, establece un método de operación, ejecutando aquellas funciones que considera imprescindibles a la luz de sus propios objetivos, formándose políticas cuando tenga libertad para hacerlo....

Frigidaire informa y motiva a sus detallistas en una junta de ventas de distribución.
Cortesía de Frigidaire.

[El intermediario a menudo actúa] como un agente de adquisiciones para sus clientes y sólo secundariamente como un agente de ventas para sus proveedores.... Está interesado en vender cualquier producto que estos consumidores deseen comprarle....

El intermediario busca integrar todas sus ofertas en una familia de artículos que pueda vender en combinación, como un surtido en paquete, a consumidores individuales. Sus esfuerzos de ventas están dirigidos principalmente a la obtención de pedidos por el surtido, en vez de artículos individuales....

Los intermediarios no mantendrán registros de ventas separados por marcas vendidas, a no ser que les den un incentivo para esto.... La información que podría usarse en el desarrollo del producto, fijación de precios, empaque o planeación de promoción queda enterrada en registros no estandarizados de los intermediarios y a veces se les oculta a propósito a los proveedores.[17]

Los productores varían mucho en la manera cómo manejan las relaciones con sus distribuidores. Cabe distinguir tres enfoques: *cooperación, sociedad y programación de distribución.*[18]

Para la mayoría de los productores el problema es encontrar formas para obtener *cooperación.* Usarán el enfoque de recompensa y castigo. Usarán motivadores positivos como márgenes elevados de utilidad, tratos especiales, premios, asignaciones para publicidad cooperativa, asignaciones como exhibidores y concursos de ventas. En ocasiones aplicarán sanciones negativas como amenazar con reducir los márgenes, retrasar las entregas o terminar la relación. El error de este enfoque es que el productor no ha estudiado realmente las necesidades, problemas, ventajas y desventajas de los distribuidores. Por consiguiente, el productor aplica motivadores diversos con base en un criterio estricto de estímulo y respuesta. McCammon observa que muchos programas del fabricante ''constan de tratos comerciales apresuradamente improvisados, concursos de ventas sin interés y estructuras de descuentos que no se han examinado bien''.[19]

Las compañías más complejas intentan establecer una *sociedad* con sus distribuidores. El fabricante desarrolla una idea clara de lo que quiere de sus distribuidores y lo que éstos pueden esperar en términos de cobertura de mercado, disponibilidad del producto, desarrollo de mercado, requerimiento de cuentas, asesoramiento y servicios técnicos e información de mercado. El fabricante busca un acuerdo de sus distribuidores acerca de estas políticas y puede basar la compensación en el respeto de aquéllos por estas políticas.

La *programación de la distribución* es el acuerdo más avanzado. McCammon define este enfoque como el desarrollo de un sistema de mercadotecnia vertical profesionalmente administrado, que incorpora las necesidades tanto del fabricante como de los distribuidores.[20] El fabricante establece un departamento dentro del área de mercadotecnia denominado *planeación de relaciones con el distribuidor,* cuya labor es identificar las necesidades de los distribuidores y desarrollar programas de comercialización para ayudar a cada distribuidor a operar de manera óptima. Este departamento y los distribuidores planean conjuntamente las metas de la comercialización, los niveles de inventario, los planes de comercialización visual y de espacio, los requisitos de entrenamiento de los vendedores y los planes de publicidad y promoción. Todo ello tiene por objeto lograr que los distribuidores se convenzan de que su progreso económico depende de la participación en un sistema muy complejo de mercadotecnia vertical.

Evaluación de los miembros del canal

El productor debe evaluar periódicamente el rendimiento de los intermediarios comparándolo con estándares como obtención de la cuota de ventas, niveles promedio de inventario, tiempo de entregas al cliente, tratamiento de bienes dañados y perdidos, cooperación en programas promocionales y de entrenamiento de la compañía y servicios que los intermediarios les deben a los clientes.

El productor característico establece cuotas de ventas para los intermediarios. Después de cada periodo, el fabricante podría hacer circular una lista que muestre el rendimiento de ventas de cada intermediario. Esta lista deberá motivar a los intermediarios que ocupen los últimos lugares a esforzarse más y a los intermediarios en los primeros lugares a mantener su rendimiento. El rendimiento de cada intermediario puede compararse con el rendimiento en el periodo anterior. El porcentaje de mejoramiento medio del grupo puede usarse como norma.

Los fabricantes deben ser sensibles a sus distribuidores. Quienes traten a sus distribuidores con ligereza se arriesgan no sólo a perder el apoyo de éstos, sino también a causar ciertas acciones legales. El recuadro 15-1 describe varios derechos y deberes relativos a los fabricantes y los miembros de su canal.

DECISIONES SOBRE LA DISTRIBUCION FISICA

Ya estamos ahora listos para examinar el aspecto físico de la distribución, es decir, la manera cómo las compañías almacenan, manejan y desplazan los bienes para que sean accesibles al público en el momento y lugar oportunos. En los clientes influye muchísimo el sistema de distribución física. Aquí se considerarán la naturaleza, los objetivos, los sistemas y los aspectos organizacionales de la distribución física.

RECUADRO 15-1

DECISIONES SOBRE DISTRIBUCION Y POLITICA PUBLICA

En su mayoría, los fabricantes tienen derecho legal a desarrollar los tipos de canales que les parezcan más adecuados. De hecho, la ley en materia de canales de distribución procura asegurar que no se les impida a los productores, mediante tácticas de mercadotecnia, utilizar los canales más idóneos. Pero esto les impone la obligación de proceder con cautela en la aplicación de tácticas que busquen excluir a otros. La preocupación fundamental de la ley es proteger los derechos mutuos y hacer cumplir las obligaciones de los fabricantes y los miembros de los canales de distribución una vez que hayan entablado una relación.

Acuerdo exclusivo. A la mayoría de los fabricantes y mayoristas les gusta desarrollar canales exclusivos para sus productos. Esta política se denomina *distribución exclusiva* cuando la empresa vendedora autoriza sólo a ciertos establecimientos manejar sus productos. Se denomina *acuerdo exclusivo* cuando el vendedor requiere que esos establecimientos no manejen productos de la competencia. Ambas partes sacan beneficios de los acuerdos exclusivos, el vendedor al lograr establecimientos más confiables sin tener que invertir capital en ellos, y los distribuidores al ganar una fuente constante de suministros y apoyo del vendedor. Sin embargo, el resultado es que se excluye a otros fabricantes de venderles a estos distribuidores. Esto ha hecho que los contratos de acuerdo exclusivo caigan bajo el control de la ley Clayton. Son legales siempre y cuando no hagan disminuir sustancialmente la competencia ni tiendan a crear un monopolio y cuando ambas partes hagan este acuerdo de manera voluntaria.

Distribución territorial exclusiva. Esta abarca a veces contratos de exclusividad territorial. Puede que el productor no les venda a otros distribuidores en el área, o que el vendedor acepte confinar las ventas a su propio territorio. El primer caso es bastante normal bajo los sistemas de franquicia como una forma para acrecentar el entusiasmo del distribuidor y la inversión en el área. La ley no obliga al fabricante a venderles a todos los distribuidores. El segundo caso, donde el fabricante intenta impedir que el distribuidor venda fuera de su propio territorio, se ha convertido en una cuestión jurídica muy debatida.

Contratos que obligan a adquirir otros productos de la línea. Los fabricantes de una marca de mucha demanda la venden a veces bajo la condición de que el distribuidor adquiera al mismo tiempo otros artículos de la línea. Esta práctica se denomina *imposición de toda la línea*. Estos acuerdos no son ilegales *per se,* pero violan la ley Clayton si tienden a reducir sustancialmente la competencia. A los distribuidores se les impide escoger libremente entre los proveedores de otras marcas.

Derechos de los distribuidores. Los fabricantes están en libertad de elegir a sus distribuidores, pero el derecho de cancelar el convenio está sujeto a determinadas restricciones. Por lo general, los productores pueden prescindir de los distribuidores por ''razones justificadas''. Pero no pueden hacerlo, por ejemplo, si los distribuidores se niegan a cooperar en acuerdos legalmente discutibles, como algunos tipos de distribución exclusiva o de contratos que obligan a adquirir otros productos de la línea.

Naturaleza de la distribución física

La **distribución física** abarca las tareas que intervienen en la planeación, implantación y control de los flujos físicos de materiales y artículos finales desde los puntos de origen hasta los puntos de uso para satisfacer las necesidades de los consumidores a cambio de utilidades. En la figura 15-7 se muestran los principales elementos de la mezcla de distribución física. El costo principal de la distribución física es el de transporte, seguido por el de almacenamiento, conservación del inventario, recepción y envío, empaque, administración, y procesamiento de pedidos.

La gerencia ha comenzado a preocuparse por el costo total de la distribución física, que equivale a 13.6% de las ventas para las compañías manufactureras y a 25.6% para las firmas revendedoras.[21] Los expertos creen que pueden lograrse ahorros sustanciales en el área de la distribución física, que se ha descrito como ''la última frontera para las economías de costo''[22] y el ''continente tenebroso de la economía''.[23] Las decisiones de distribución física, cuando no están coordinadas, dan lugar a altos costos. No se hace uso suficiente de las modernas herramientas de decisión para la coordinación de los niveles de inventario, modos de transporte y ubicaciones de planta, almacén y tiendas.

La distribución física no es sólo un costo, es una herramienta potente en la creación de demanda. Las compañías pueden atraer consumidores adicionales al ofrecer mejor servicio o precios más bajos mediante mejoramientos en la distribución física. Las firmas pierden consumidores cuando no logran entregar los artículos a tiempo. En el verano de 1976, la Kodak lanzó su campaña de publicidad nacional para su nueva cámara instantánea antes de distribuir suficientes cámaras en las tiendas. Los consumidores no encontraban la cámara y compraban en su lugar una Polaroid.

La concepción tradicional comienza con los bienes en la planta e intenta encontrar soluciones de bajo costo para llevarlos a los consumidores. Los mercadólogos prefieren la

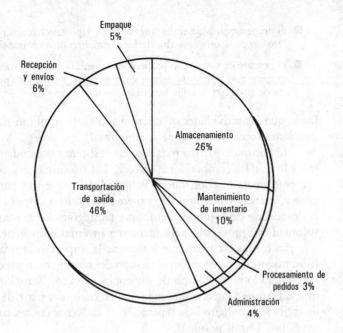

FIGURA 15-7
*Costo de los
elementos de la
distribución física
como un porcentaje
del costo de la
distribución física
total*

Empaque
5%

Recepción
y envíos
6%

Almacenamiento
26%

Transportación
de salida
46%

Mantenimiento
de inventario
10%

Procesamiento de
pedidos 3%

Administración
4%

Fuente: Basada en B. J. LaLonde y P. H. Zinszer, *Customer Service: Meaning and Measurement* (Chicago: National Council of Physical Distribution Management, 1976).

concepción de *logística de mercado* que comienza con el lugar del mercado y se mueve hacia atrás a la fábrica. Véase un ejemplo de la concepción de logística de mercado:

> Los consumidores alemanes característicos compran botellas de refrescos una por una. Un fabricante de refrescos decidió diseñar y poner a prueba un paquete de seis botellas. Los consumidores respondieron positivamente a la conveniencia de llevarse a casa un paquete de seis botellas. Los detallistas respondieron positivamente ya que las botellas en paquete podían colocarse más rápidamente en los anaqueles y porque se comprarían más botellas en cada ocasión. El fabricante diseñó el paquete de seis botellas para que cupiera perfectamente en los anaqueles. Entonces se diseñaron cajas y plataformas de carga para el transporte eficaz de las botellas. Se rediseñaron las operaciones de la fábrica para producir los nuevos paquetes de seis botellas. El departamento de compras solicitó ofertas para los nuevos materiales necesarios. Una vez implantado, este nuevo paquete de refrescos embotellados tuvo éxito inmediato con los consumidores y la porción de mercado del fabricante se elevó sustancialmente.

**Objetivo de
la distribución
física**

El objetivo de muchas compañías es *llevar los bienes correctos a los lugares adecuados en el momento oportuno con el costo mínimo*. Por desgracia, esto proporciona muy poca orientación real. Ningún sistema de distribución física puede, simultáneamente, maximizar el servicio al cliente y minimizar los costos de distribución. Maximizar el servicio al cliente implica grandes inventarios, transportación de primera y múltiples almacenes, todo lo cual eleva los costos de distribución. La minimización de los costos de distribución implica transporte económico, existencias bajas y pocos almacenes.

Una compañía no puede lograr una distribución física eficiente permitiendo que cada gerente de distribución mantenga bajos sus costos. Los costos de distribución física interactúan, a menudo de modo inverso:

■ El gerente de tráfico prefiere el transporte por ferrocarril al transporte aéreo, si está en condiciones de elegir. Con esto aminora el gasto del flete. Sin embargo, el ferrocarril es más lento y ello estanca más tiempo el capital de trabajo, retarda los pagos de los clientes y puede impulsarlos a comprarles a los competidores que les ofrezcan un servicio más rápido.

■ El departamento de embarques utiliza recipientes baratos para minimizar los gastos de envío. Esto propicia una tasa alta de bienes maltratados en tránsito y molesta al cliente.

■ El gerente de inventario prefiere los inventarios bajos para reducir los costos del departamento; pero esto acrecienta la falta de existencias, los pedidos pendientes, el papeleo, las horas extra de producción y los fletes rápidos de elevado costo

Dado que las actividades de distribución física implican fuertes trueques, deben tomarse decisiones sobre una base de sistema total.

El punto de partida para diseñar el sistema es estudiar lo que los consumidores quieren y lo que los competidores ofrecen. Los consumidores están interesados en diversas cosas: entregas puntuales, buena voluntad del proveedor para satisfacer las necesidades urgentes, manejo cuidadoso de la mercancía, buena disposición del proveedor para aceptar la devolución de bienes defectuosos y reintegrárselos al comprador de inmediato, y buena voluntad del proveedor para mantener inventario en beneficio del público.

La compañía tiene que investigar la importancia relativa de estos servicios para los consumidores. Por ejemplo, el tiempo del servicio de reparaciones es muy importante para los compradores de equipo de fotocopia. Por eso, Xerox desarrolló un sistema de servicio que le permite "reparar una máquina en cualquier parte de Estados Unidos a las tres horas de recibida la solicitud de reparación". La Xerox cuenta con una división de servicio formada por 12 mil personas.

La compañía deberá investigar los estándares de servicio de los competidores a la hora de establecer el propio. Normalmente querrá ofrecer al menos el mismo nivel de servicio que los competidores. Pero el objetivo es maximizar las utilidades, no las ventas. La compañía tiene que examinar los gastos que supondría mejorar la calidad del servicio. Algunas firmas ofrecen menos servicio y cobran un precio más bajo. Otras ofrecen más servicio que los competidores y cobran un precio adicional para cubrir los costos más altos.

En última instancia, la compañía debe establecer objetivos de distribución física para orientar su planeación. Por ejemplo, la Coca-Cola quería "poner su refresco al alcance de todos". Las compañías van más allá y definen los niveles de cada factor del servicio. Un fabricante de electrodomésticos ha establecido los siguientes estándares de servicio: entregar al menos 95% de los pedidos de los distribuidores dentro de los siete días contados a partir del momento de recibir el pedido, surtir el pedido con 99% de exactitud, responder las preguntas del distribuidor sobre la situación del pedido en tres horas, y asegurarse de que el daño físico de la mercancía en tránsito no pase de 1%.

Dado un conjunto de objetivos, la compañía está lista para diseñar un sistema de distribución física que minimice los costos de lograr esos objetivos. Los principales puntos de la desición son éstos: 1) ¿cómo deberán manejarse los pedidos? (*procesamiento de pedidos*); 2) ¿dónde deben colocarse las existencias? (*almacenamiento*), 3) ¿qué cantidad de existencias debe tenerse a mano? (*inventario*), 4) ¿en qué forma deben embarcarse los bienes? (*transporte*). A continuación se examinarán estos cuatro elementos y sus implicaciones para la mercadotecnia.

Procesamiento de pedidos

La distribución física comienza cuando el cliente hace un pedido. El departamento de pedidos prepara la factura y se la envía a varios departamentos. Los artículos agotados se envían a pedidos pendientes. Los que se embarcan van acompañados de documentos, con copias para cada departamento.

Tanto la firma como los clientes se benefician cuando estos pasos se ejecutan con rapidez y exactitud. Idealmente, los representantes de ventas mandan sus pedidos todas las tardes y en algunos casos lo hacen por teléfono. El departamento de pedidos los procesa con rapidez. El almacén los manda tan pronto como sea posible. Las facturas salen tan rápido como se pueda. Se emplea la computadora para acelerar los procesos de recepción de pedidos, embarque y facturación.

Los estudios de ingeniería industrial de la forma en que se procesan los pedidos pueden ayudar a acortar este ciclo. Algunas de las preguntas clave son: ¿qué sucede después de recibir un pedido de un consumidor? ¿Cuánto tiempo lleva la verificación del crédito del consumidor? ¿Qué procedimientos se usan para verificar el inventario y cuánto tiempo lleva esto? ¿Con cuánta rapidez se entera el departamento de fabricación de nuevos requerimientos de existencias? ¿Cuánto tiempo les lleva a los gerentes de ventas hacerse una idea completa de las ventas actuales?

Ringer y Howell informaron de un estudio en el cual una firma redujo el tiempo entre la recepción y el envío de un pedido de 62 a 30 horas sin ningún cambio en los costos.[24] General Electric opera un sistema basado en computadora que, después de recibir un pedido, verifica el crédito del consumidor y si los artículos están en existencia. La computadora emite una orden de embarque, le manda la factura al cliente, actualiza los registros del inventario, manda un pedido a producción por nuevas existencias y comunica a los representantes de ventas que el pedido del cliente está en camino, todo esto en menos de quince segundos.

Almacenamiento

Toda compañía guarda sus bienes en espera de venderlos. El almacenamiento es necesario ya que rara vez coinciden exactamente los ciclos de producción y de consumo. Muchos productos agrícolas se dan por estaciones y, en cambio, la demanda es constante. Con el almacenamiento se logra superar tales diferencias.

La compañía debe decidirse por el número apropiado de ubicaciones de almacenamiento. Mientras mayor sea el número de éstas, más artículos estarán en condiciones de entregar al cliente con toda oportunidad. Sin embargo, los costos de almacenamiento se elevan. El número de ubicaciones de almacenamiento debe hacer un equilibrio entre el nivel de servicio al cliente y los costos de distribución.

Parte de las existencias se conservan en la planta o cerca de ésta y el resto se localiza en diversos almacenes del país. La firma a veces será propietaria de *almacenes privados* y a veces alquilará espacio en *almacenes públicos*. Las firmas tienen más control sobre los almacenes propios, pero inmovilizan su capital y se enfrentan a cierta inflexibilidad si las ubicaciones deseadas cambian. Los almacenes públicos, por otra parte, cobran por el espacio rentado y proporcionan servicios adicionales (a un costo) por inspeccionar productos, empacarlos, embarcarlos y mandar las facturas. Cuando se usan almacenes públicos, las firmas tienen una amplia elección de ubicaciones y tipos de almacenes, incluyendo los especializados en frigoríficos, aquéllos especializados sólo en mercancías y otros requerimientos.

Las compañías usan almacenes de depósito y almacenes de distribución. Los *almacenes de depósito* guardan mercancía durante periodos medianos y prolongados. Los *almacenes de distribución* reciben bienes de varias plantas y proveedores, desplazándolos en cuanto puedan. Por ejemplo, la Wal-Mart Stores, Inc., una cadena regional de tiendas de descuento, opera cuatro centros de distribución. Un centro cubre 400,000 pies cuadrados en un emplazamiento de 93 acres. El departamento de embarques carga de 50 a 60 camiones al día, entregando mercancía dos veces por semana a los minoristas. Esto representa un costo menor que abastecer directamente a cada uno desde la planta.

Los antiguos almacenes de varios pisos, con elevadores lentos y métodos ineficaces de manejo de materiales comienzan a sentir la competencia de *almacenes automatizados* de un solo piso y con modernos sistemas de manejo de materiales controlados por una computadora central. En este tipo de depósitos, cuyo costo oscila entre 10 y 20 millones de dólares, se necesitan pocos empleados. La computadora lee los pedidos de las tiendas, dirige los montacargas y los ascensores eléctricos de carga para reunir la mercancía y llevarla a las plataformas de embarque y elabora las facturas. Estos depósitos han reducido el índice de lesiones de empleados, costos de mano de obra, hurtos y roturas; y además han perfeccionado su control de inventario.

Inventarios

Los niveles de inventario representan otra decisión sobre la distribución física y afectan la satisfacción de los clientes. A los mercadólogos les gustaría que sus compañías mantuvieran existencias suficientes para atender al instante los pedidos. Pero esto no resulta rentable para la firma. *Los costos de inventario aumentan a una tasa creciente a medida que el nivel de servicio al cliente se acerca 100%.* La gerencia necesitaría saber si las ventas y las utilidades aumentarían lo suficiente para justificar inventarios más elevados.

La toma de decisiones en materia de inventario implica saber cuándo hacer un pedido y cuánto pedir. A medida que el inventario disminuye, la administración debe saber en qué nivel de inventario ha de colocar un nuevo pedido. Este nivel de inventario se denomina el *punto de orden (o de reorden)*. Un punto de orden de 20 significa hacer un pedido cuando las existencias del artículo bajan a 20 unidades. El punto de orden deberá ser más elevado mientras más elevado sea el tiempo de admisión del pedido, la tasa de uso, y el estándar de servicio. Si el tiempo de admisión del pedido y la tasa de uso del consumidor son variables, el punto de orden deberá ser más alto para proporcionar *existencias de seguridad*. El punto de orden final deberá equilibrar los riesgos del agotamiento de las existencias con los costos de las existencias en exceso.

La otra decisión de inventario es cuánto pedir. Mientras más grande sea la cantidad ordenada, con menos frecuencia deberá hacerse un pedido. La compañía necesita equilibrar los costos de procesamiento de pedidos y los costos de mantenimiento de inventario. Los costos de procesamiento de pedidos para un fabricante constan de *costos de puesta en marcha* y *costos corrientes* para el artículo. Si los costos de puesta en marcha son bajos, el fabricante puede producir el artículo con frecuencia y el costo por producto es bastante constante e igual a los costos corrientes. Sin embargo, si los costos de puesta en marcha son elevados, el fabricante puede reducir el costo promedio por unidad al producir un tramo largo y mantener más inventario.

Los costos de procesamiento de pedidos deben compararse con los costos de mantener inventario. Mientras más grande sea el inventario medio mantenido, mayores serán los costos de mantenimiento de inventario. Estos costos incluyen cargos por almacenamiento, costo del capital, impuestos y seguros, y depreciación y obsolencia. Los costos de manteni-

Este almacén automatizado de la Xerox es una instalación de muchos pisos que usa robots para almacenamiento y recuperación de forma automática. *Cortesía de Xerox Corporation.*

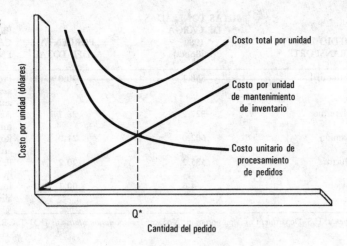

FIGURA 15-8
*Determinación de la
cantidad óptima de
pedido*

miento de inventario pueden ser hasta de 30% del valor del mismo. Esto significa que los gerentes de mercadotecnia que quieren que sus compañías mantengan inventarios más grandes necesitan demostrar que dichos inventarios producirán utilidades brutas que superarán los costos de mantenimiento de inventario incremental.

La cantidad óptima por pedido puede determinarse al observar la forma en que los costos de procesamiento de pedidos y los costos de mantenimiento de inventario ascienden a diferentes niveles posibles. La figura 15-8 muestra que el costo de procesamiento de pedido por unidad disminuye con el número de unidades ordenadas, ya que los costos por pedido están distribuidos en más unidades. Los cargos de mantenimiento de inventario por unidad aumentan con el número de unidades ordenadas, debido a que cada costo total hace una curva. El punto más bajo en la curva de costo total se proyecta hacia abajo en la unidad que permanece más tiempo en inventario. Las dos curvas del costo se resumen verticalmente en un eje horizontal para encontrar la cantidad óptima de pedido Q^*.

Transporte Los mercadólogos deben interesarse por las decisiones sobre transporte de la compañía. La elección del tipo de transporte afectará la fijación de precio de los productos, el tiempo de entrega y las condiciones de los bienes en el momento de ser entregados, todo lo cual incidirá en la satisfacción del consumidor.

Al enviar mercancía a los almacenes, a los distribuidores y a los clientes, la firma puede elegir entre cinco medios de transporte: ferrocarril, marítimo, camiones, ductos y aéreo. Las características de estas cinco modalidades se sintetizan en la tabla 15-1 y se explican en los párrafos siguientes:

FERROCARRIL. A pesar de una disminución en su popularidad, los ferrocarriles siguen siendo el medio más importante de transporte en Estados Unidos, pues representan 30% del total de kilómetros-toneladas del país. Los ferrocarriles son un medio muy económico para transportar grandes cantidades de productos a granel (carbón, arena, minerales, productos agrícolas y forestales) a grandes distancias. Las tarifas de carga son múltiples. La tarifa más baja se produce de embarques por furgón en vez de hacerlo por cantidades inferiores. Los fabricantes intentarán combinar embarques a destinos comunes para aprovechar las tarifas más bajas de furgón completo. Los ferrocarriles han comenzado recientemente a ampliar sus servicios centrales al cliente. Han diseñado nuevo equipo para manejar categorías especiales de mercancías con más eficiencia, vagones de plataforma destinados a cargar camiones de remolque, y servicios en tránsito como el desvío de mercancías a otros destinos en ruta y el procesamiento de bienes en ruta.

TABLA 15-1
*Características de los
principales medios de
transporte*

MEDIO DE TRANSPORTE	MILLAS TONELADAS DE CARGA 1980 (millones)	PORCENTAJE DEL TOTAL	PRODUCTOS CARACTERISTICOS ENVIADOS
Ferrocarril	858.1	30.0%	Productos agrícolas, minerales, arena, sustancias químicas, automóviles.
Marítimo	827.2	28.7	Aceite, granos, arena, grava, minerales metálicos, carbón
Camión	602.0	21.0	Ropas, libros, computadoras, artículos de papel
Ducto	585.2	20.2	Petróleo, carbón, sustancias químicas
Avión	4.6	00.1	Instrumentos técnicos, alimentos perecederos

Fuente: U.S. Department of Transportation, *National Transportation Statistics,* DOT-TSC-RSPA-81-8, Septiembre 1981.

MARÍTIMO. Parte considerable de la mercancía se envía por barcos y barcazas en aguas cercanas a la costa y ríos. Este tipo de transporte cuesta poco cuando se trata de productos voluminosos, de poco valor y no perecederos, como arena, carbón, granos, petróleo y minerales metálicos. Por otra parte, el transporte marítimo es el más lento de todos y depende de las condiciones climatológicas.

CAMION. Los camiones han ido captando parte del transporte y actualmente representan cerca de 21% del total de kilómetros-toneladas de carga. Acaparan el transporte intracitadino. Los camiones son sumamente flexibles en cuanto a rutas y plazos de entrega. Pueden llevar la mercancía de puerta en puerta, con lo cual las empresas se ahorran el gasto de llevar la mercancía del camión al ferrocarril y de nuevo al camión con el riesgo de perder tiempo y sufrir robos o daños. Los camiones son un medio eficaz de transporte para recorridos cortos con mercancías de alto valor. Sus tarifas son competitivas con las de los ferrocarriles y por lo general son más rápidos.

DUCTOS. Los ductos son un medio especializado de enviar petróleo, carbón y sustancias químicas desde su fuente hasta el mercado. Con este medio de transporte cuesta menos enviar petróleo que si se utilizara el ferrocarril, aunque es más caro que el transporte marítimo. La mayoría de los ductos son propiedad de la empresa que los usa para enviar sus productos.

AEREO. Los aviones transportan menos de 1% de las mercancías en Estados Unidos, pero poco a poco están cobrando mayor importancia. Aunque las tarifas de flete son mucho más altas que las de ferrocarril o camión, el transporte aéreo constituye el medio eficaz por la rapidez con que llega a los mercados más distantes. Entre los productos que se envían por avión se cuentan los artículos perecederos (por ejemplo, pescado y flores) y mercancía de gran valor y poco volumen (instrumentos técnicos, joyería). Gracias a este servicio disminuyen los niveles necesarios de inventario, el número de almacenes y los gastos de empaque.

*Elección del
medio de
transporte*

Para escoger un medio de transporte para un producto determinado, se pueden considerar hasta seis criterios. En la tabla 15-2 se enumeran los diversos medios de transporte según estos criterios. Así, si se busca velocidad, los transportes aéreo y por camión son la mejor opción. Si lo que se busca es un costo bajo, los transportes marítimo y por ductos son lo indicado. Los camiones parecen ofrecer mayores ventajas, lo cual explica su creciente participación en el mercado del transporte.

	VELOCIDAD (tiempo de entrega de puerta a puerta)	FRECUENCIA (embarques programados por día)	CONFIABILIDAD (cumplimiento del plazo de entrega)	CAPACIDAD (habilidad de manejar diversos productos)	DISPONIBILIDAD (número de puntos geográficos servidos)	COSTO (por milla-tonelada)
Ferrocarril	3	4	3	2	2	3
Transporte marítimo	4	5	4	1	4	1
Camión	2	2	2	3	1	4
Ducto	5	1	1	5	5	2
Transporte aéreo	1	3	5	4	3	5

Fuente: Adaptada de James L. Heskett, Robert J. Ivie, y Nicholas A. Glaskowsky, *Business Logistics* (New York: Ronald Press, 1964), pp. 71ff. Reimpreso por autorización de John Wiley & Sons, Inc.

Las compañías están incrementando la combinación de dos o más medios de transporte gracias a la contenedorización. La **contenedorización** consiste en colocar los bienes en cajas o camiones remolque que son fáciles de transferir de un medio de transporte a otro. Con la expresión *en plataforma* se designa el uso del ferrocarril y el camión; con la palabra *marítimo* el uso de transporte marítimo y camiones; con la palabra *vagón* el uso de transporte marítimo y ferrocarril; con el término *aeroterrestre* el uso de avión y camiones. Cada medio coordinado de transporte tiene sus ventajas específicas. Por ejemplo, el empleo de camión y ferrocarril resulta más barato que el uso exclusivo del ferrocarril, brindando a la vez flexibilidad y comodidad.

En la elección de medios de transporte, los usuarios pueden decidirse por transportistas privados, por contrato y públicos. Si el usuario es dueño de su propia flotilla de aviones o camiones, se convierte en un *transportista privado*. Un *transportista por contrato* es una organización independiente que les vende servicios de transporte a otras bajo contrato. Un *transportista público* proporciona servicios entre puntos predeterminados en un régimen regular y es asequible a todos los usuarios a tarifas estándares.

En las decisiones sobre transporte se deben tomar en cuenta las ventajas y desventajas de las distintas modalidades, así como sus consecuencias sobre otros elementos de la distribución: el depósito de mercancía en los almacenes y los inventarios, entre otras cosas. Como los costos relativos de los diferentes medios de transporte cambian con el tiempo, las compañías necesitan volver a analizar sus opciones en busca de arreglos óptimos de distribución física.

Responsabilidad organizacional por la distribución física

Es evidente que las decisiones sobre almacenamiento, inventario y transporte requieren de un nivel muy elevado de coordinación. Un creciente número de compañías ha establecido un comité permanente compuesto por gerentes que son responsables de diferentes actividades de distribución física. Este comité se reúne periódicamente para desarrollar políticas que ayuden a mejorar la eficiencia global de la distribución. Algunas firmas han nombrado un vicepresidente de distribución física, quién es responsable ante el vicepresidente de mercadotecnia o el vicepresidente de fabricación en la mayoría de los casos, o ante el presidente. La ubicación del departamento de distribución física dentro de la compañía es una cuestión secundaria. Lo importante es que la firma coordine sus actividades de distribución física y de mercadotecnia con el fin de crear una gran satisfacción en el mercado a un costo razonable.

■ Resumen

Las decisiones sobre el canal de mercadotecnia figuran entre las más complicadas y retadoras que afronta una compañía. Cada sistema de canal crea un nivel diferente de ventas y costos. Una vez que se ha escogido un canal de mercadotecnia particular, la firma usualmente debe mantenerlo durante bastante tiempo. El canal elegido incidirá de manera importante en los otros elementos de la mezcla de mercadotecnia y recibirá, a la vez, una fuerte influencia de ellos.

Cada compañía debe identificar formas posibles de llegar al mercado. Estas varían desde la venta directa hasta el uso de uno, dos, tres o más niveles de canal de intermediario. Las organizaciones que componen el canal de mercadotecnia están conectadas por corrientes o flujos físicos, de derechos, de pagos, de información y promoción. Los canales de mercadotecnia se caracterizan por un cambio continuo y a veces drástico. Tres de las tendencias más significativas son el crecimiento de los sistemas de mercadotecnia vertical, de mercadotecnia horizontal y de canal múltiple. Estas tendencias tienen importantes implicaciones para la cooperación, conflicto y competencia de canal.

El diseño del canal requiere de la identificación de las principales posibilidades para el canal en términos de los tipos de intermediarios, el número de éstos y los términos y responsabilidades del canal. Cada alternativa para el canal debe evaluarse de acuerdo con criterios económicos, de control y adaptativos.

La administración de canal requiere de la selección de determinados intermediarios y de motivarlos con una mezcla de relaciones con el ramo que sea eficaz en cuanto a costos. Los miembros individuales del canal deben evaluarse periódicamente en comparación con sus ventas pasadas y las ventas de otros miembros del canal.

Así como el concepto de mercadotecnia está recibiendo cada vez más reconocimiento, aumenta el número de firmas que están a favor del concepto de distribución física. Este último concepto es un área de ahorro de costos potencialmente elevados satisfactorios para el cliente. Cuando los procesadores de pedidos, planeadores de almacén, gerentes de inventario y gerentes de transporte toman decisiones, éstas afectan los costos del resto de los departamentos y la capacidad de creación de la demanda. El concepto de distribución física impone la necesidad de manejar todas estas decisiones dentro de un marco de referencia unificado. La tarea se convertirá en el diseño de arreglos de distribución física que minimicen el costo total de proporcionar un nivel deseado de servicios al cliente.

■ Preguntas de repaso

1. ''En una batalla entre las gigantescas empresas Procter & Gamble y Safeway [cadena de supermercados] hace cinco años, la primera hubiese salido victoriosa. En cambio, ahora Safeway se alza con el triunfo''. ¿A qué factores obedece este cambio de poder?

2. ¿Por qué se recurre a intermediarios? Explique su respuesta con un ejemplo concreto.

3. ¿Cuántos niveles de canal suelen usar las siguientes compañías?: a) Sears, b) Fuller Brush, y c) A&P.

4. Los canales de distribución no difieren en los servicios ni en los productos físicos. Comente esta aseveración.

5. Haga una distinción entre los tres tipos principales de sistemas de mercadotecnia vertical. Proporcione un ejemplo de cada uno.

6. No hay forma de aliviar el conflicto de canal. Comente eso.

7. ¿Cuál de los siguientes productos sería objeto de una distribución intensiva, una exclusiva, una selectiva y por qué?: a) relojes Rolex, b) automóviles Volkswagen, c) hojas de rasurar Gillette, y d) perfume Estée Lauder.

8. ¿En qué se distinguen las *decisiones de distribución física* de las *decisiones de canal*? ¿Cuál es el objetivo principal de la distribución física?

9. ¿En qué formas ha ayudado la computadora a realizar eficientemente la distribución física?

10. ¿Que medio de transporte se usaría probablemente para distribuir los siguientes productos: a) cerveza, b) joyas costosas, c) gas natural, y d) maquinaria agrícola?

■ Bibliografía

1. Adaptada de AL URBANSKI, "Dr Pepper Heals Itself," *Sales & Marketing Management,* 14 de marzo de 1983, p. 33-36.
2. WROE ALDERSON, "The Analytical Framework for Marketing," *Proceedings—Conference of Marketing Teachers from Far Western States* (Berkeley: University of California Press, 1958).
3. WROE ALDERSON, *Marketing Behavior and Executive Action: A Functionalist Approach to Marketing Theory* (Homewood, IL: Irwin, 1957), p. 199.
4. Para otras listas, véase EDMUND D. MCGARRY, "Some Functions of Marketing Reconsidered," en *Theory in Marketing,* Reavis Cox and Wroe Alderson, eds. (Homewood, IL: Irwing, 1950), p. 269-73; y LOUIS P. BUCKLIN, *A Theory of Distribution Channel Structure* (Berkeley: Institute of Business and Economic Research, University of California, 1966), p. 10-11.
5. RONALD ABLER, JOHN S. ADAMS, y PETER GOULD, *Spatial Organizations: The Geographer's View of the World* (Englewood Cliffs, NJ: Prentice-Hall, 1971), p. 531-32.
6. WILLIAM G. ZIKMUND y WILLIAM J. STANTON, "Recycling Solid Wastes: A Channels-of-Distribution Problem," *Journal of Marketing,* julio de 1971, p. 34.
7. LOUIS W. STERN y ADEL I. EL-ANSARY, *Marketing Channels* (2a. ed.) (Englewood Cliffs, NJ: Prentice-Hall, 1982), p. 291-92.
8. Para un resumen excelente del conflicto y el poder de canal, véase STERN y EL-ANSARY, *Marketing Channels,* caps. 6 y 7.
9. BERT C. MCCAMMON, JR., "Perspectives for Distribution Programming," en *Vertical Marketing Systems,* Louis P. Bucklin, ed. (Glenview, IL: Scott Foresman, 1970), p. 32-51.
10. Ibid.
11. Ibid., p. 45.
12. LEE ADLER, "Symbiotic Marketing," *Harvard Business Review,* noviembre-diciembre de 1966, p. 59-71.
13. ROLLIE TILLMAN, "Rise of the Conglomerchant," *Harvard Business Review,* noviembre-diciembre de 1971, p. 44-51.
14. Véase ROBERT E. WEIGAND, "Fit Products and Channels to Your Markets," *Harvard Business Review,* enero-febrero 1977, p. 95-105.
15. Para lecturas sobre distribuidores industriales, véase FREDERICK E. WEBSTER, JR., "The Role of the Industrial Distributor," *Journal of Marketing,* julio 1976, p. 10-16; y JAMES D. HLAVACEK y TOMMY J. MCCUISTON, "Industrial Distributors—When, Who, and How?" *Harvard Business Review,* marzo-abril de 1983, p. 96-101.
16. PHILLIP MCVEY, "Are Channels of Distribution What the Textbooks Say?" *Journal of Marketing,* January 1960, p. 61-64.
17. Ibid.
18. Véase BERT ROSENBLOOM, *Marketing Channels: A Management View* (Hinsdale, IL: Dryden Press, 1978), p. 192-203.
19. MCCAMMON, "Perspectives for Distribution Programming," p. 32.
20. Ibid., p. 43.
21. B. J. LALONDE y P. H. ZINSZER, *Customer Service: Meaning and Measurement* (Chicago: National Council of Physical Distribution Management, 1976).
22. DONALD D. PARKER, "Improved Efficiency and Reduced Cost in Marketing," *Journal of Marketing,* abril 1962, p. 15-21.
23. PETER DRUCKER, "The Economy's Dark Continent," *Fortune,* abril 1962, p. 103ff.
24. JURGEN F. RINGER y CHARLES D. HOWELL, "The Industrial Engineer and Marketing," en *Industrial Engineering Handbook* (2a. ed.), Harold Bright Maynard, ed. (New York: McGraw-Hill, 1963) p. 10, 102-3.

16
Colocación de productos: comercios detallista y mayorista

Los gerentes de tiendas en Estados Unidos están estudiando cada vez más el fenomenal éxito de las tiendas de departamentos Federated y especialmente de su joya, Bloomingdale's. Por supuesto, no todas las tiendas pueden imitar las técnicas específicas de Bloomingdale's: el helado hecho con mangos del Himalaya no se venderá tan bien en los suburbios de Spokane como en el East Side de Manhattan. Pero cualquier tienda puede seguir la fórmula esencial de Bloomingdale's: primero, conocer a sus clientes, sus edades, ingresos, costumbres, hábitos, gustos. Después los atraerá con mercancía distintiva, exhibidores interesantes y una aventura general, de hecho, con diversión.

Las oficinas centrales han autorizado a Bloomingdale's a explotar a fondo lo que desde hace tiempo ha sido su principal mercado: personas jóvenes, profesionales, ricas, conscientes de la moda, que han viajado. A éstas les interesan menos los refrigeradores y las lavadoras automáticas (''Bloomies'' no vende ninguna de éstas), se interesan más por la ropa de moda y calidad, equipo estereofónico y artefactos diversos para la compacta sociedad de Manhattan de pequeños departamentos, horarios apretados y relaciones casuales. Estos consumidores se interesan por máquinas que hacen yogurt o mantequilla de cacahuate, por un lado, y por extravagancias promocionales en las que se presentan a los diez mejores diseñadores de moda francesa, por el otro.

Bloomingdale's ha aprendido que este mercado tiene buen gusto, pero carece de la constancia para disfrutarlo. Le gusta la variedad y la emoción.

Así, Bloomingdale's no se limita sencillamente a mostrar mercancía; hace todo un espectáculo convirtiendo la tienda en una Disneylandia para adultos. Bloomies hace todo de la forma más grande posible y se precia de no parecerse a otra tienda en el mundo. En cualquier día de la semana, es probable que la tienda reciba la visita de celebridades que van desde actores y escritores hasta figuras de los deportes o miembros de la realeza, lo cual acrecienta su atractivo.

Detrás de las bambalinas hay una estrategia de mercadotecnia fríamente calculada. Los artículos destellantes son un tipo de pátina en una tienda que también tiene muchos artículos básicos: el consumidor (no necesariamente joven ni particularmente experto en moda) que desee pagar $15 dólares por una lámpara, la encontrará, pero es más probable que venga a mirar lo más novedoso en lámparas de $250 dólares.

De modo que Bloomingdale's trata de ser quien fija las tendencias, percibiendo las ideas más atrevidas para las cuales su mercado está listo (o se le pueda convencer para que acepte), para introducir entonces bienes apropiados y gran promoción.

El método no es completamente original. Todas las tiendas se promueven a sí mismas, pero Bloomingdale's lo hace con bombo y platillo, con más frecuencia y de manera fuera de lo común. Como resultado, las ventas de Bloomingdale's por metro cuadrado de espacio de piso son cuatro veces el promedio de todas las tiendas de departamentos de Estados Unidos.[1]

Bloomingdale's tiene una magia que hace que los clientes regresen. Añade drama al acto común de ir de compras y le vende emoción a su mercado meta. Pero no todos los compradores quieren esto. Algunos quieren encontrar productos de calidad a bajo precio, recibir buen servicio y salir rápido. Las tiendas que sirven a esos mercados masivos deben operar con eficiencia y ofrecer precios más bajos. Sears se convirtió en el detallista más grande del mundo que usaba métodos complejos de compras y comercialización que les daban a los consumidores considerable valor y servicio.

En el extremo opuesto se encuentran las pequeñas tiendas de tipo familiar. Estos pequeños detallistas son importantes porque se les encuentra por todas partes y les ofrecen a los consumidores más comodidad y servicio personal. Se adaptan más fácilmente y a menudo crean nuevas formas de comercio al menudeo que las tiendas grandes copiarán después. Asimismo, estos negocios pequeños le dan a la gente la oportunidad de ser sus propios jefes.

Ya sean grandes o pequeños, ya sea que vendan a una clase o a un mercado masivo, todos los minoristas operan en un ambiente que cambia con mucha rapidez. Deben estar alertas a los signos de cambio y estar listos para cambiar sus estrategias con rapidez. Muchos gigantes del comercio al menudeo han pagado un alto precio por no cambiar. W. T. Grant, una de las cadenas más antiguas y con mayor variedad, cayó en bancarrota. Lo mismo le pasó a Food Fair, que llegó a figurar entre las ocho cadenas más grandes de supermercados. Otras como A&P y Montgomery Ward están buscando estrategias para recuperar su antigua gloria. Incluso Sears ha tenido problemas:

> Durante la década de 1970, Sears descubrió dolorosamente los riesgos de un ambiente cambiante. Sus estrategias para cada década desde su fundación en 1886 fueron acertadas y le arrebató el número uno a Montgomery Ward's en la década de 1940. [Sears] prosperó durante los primeros años de la década de 1970, cuando decidió cambiar su estrategia de expansión por la de perfeccionamiento de la calidad. Decidió atraer el interés de los consumidores ricos al agregar líneas de mayor calidad e incluso mercancía de alto diseño. Pero no escogió el momento oportuno. El auge se convirtió en inflación y los consumidores de Sears no estaban dispuestos a pagar precios más elevados. Empezaron a comprar en el K mart y otras tiendas de descuento. Y la nueva estrategia tampoco atrajo a consumidores más ricos. En 1974, Sears experimentó por primera vez en años, una disminución de sus ingresos de 24.8%. Después que sus utilidades por la venta al detalle alcanzaran un pico en 1976 con 441 millones 200 mil dólares, descendieron después a 363 millones 900 mil dólares en 1977 y a 330 millones 700 mil dólares en 1978. En la década de 1980, Sears todavía está buscando la estrategia que le ayude a recuperar el terreno perdido.[2]

Los pequeños detallistas también son vulnerables al ambiente en continuo cambio: el 75% de los negocios nuevos al menudeo fracasan en cinco años. Muchas personas que comienzan con estos negocios pequeños carecen de las habilidades administrativas para tener éxito.

En este capítulo se examinarán las instituciones de comercio al menudeo y al mayoreo desde el punto de vista del gerente. En la primera sección se verán la naturaleza y la importancia del comercio minorista, los principales tipos de detallistas, las decisiones que éstos toman y el futuro del comercio al detalle. En la segunda sección se verán los mismos temas para los mayoristas.

COMERCIO DETALLISTA

El comercio detallista está constituido por *todas las actividades que intervienen en la venta de bienes o servicios directamente a los consumidores finales para su uso personal no lucra-*

tivo. Muchas instituciones (fabricantes, mayoristas, detallistas) realizan ventas al menudeo. Pero la mayor parte se lleva a cabo mediante detallistas o tiendas al menudeo, *negocios cuyas ventas provienen principalmente del comercio al menudeo*. Las ventas al detalle pueden hacerse en persona, por correo, teléfono o máquinas expendedoras automáticas en las tiendas, la calle o en el hogar del consumidor. Se sabe que Sears y K mart son detallistas, pero también lo son la señorita Avon, el Holiday Inn local y el doctor que examina a sus pacientes.

El comercio al detalle es una gran industria. Las tiendas detallistas comprenden 18% de todos los negocios en Estados Unidos. Superan en número a los fabricantes y a los mayoristas en más de siete a uno y son la tercera fuente más grande de empleo en Estados Unidos. Los detallistas generaron en ese país más de mil 200 millones de dólares en ventas en 1984. Y algunos detallistas son verdaderos gigantes. Por ejemplo, los diez detallistas más grandes y sus ventas en 1983 en miles de millones de dólares fueron Sears ($35.9), K mart ($18.6), Safeway ($18.5), Kroger ($15.2), J. C. Penney ($12.1), Southland ($8.8), Federated Department Stores ($8.7), Lucky Stores ($8.4), American Stores ($8.0) y Household International ($7.9).[3] Los grandes detallistas son principalmente cadenas de tiendas de departamentos y cadenas de supermercados.

TIPOS DE DETALLISTAS

Los detallistas se dan en una variedad de tamaños y formas y continuamente aparecen formas nuevas. Las funciones de distribución que ejecutan los detallistas pueden combinarse de diversas maneras para crear nuevos tipos de instituciones al menudeo. Por ejemplo, una moderna tienda K mart combina las características de un supermercado y una tienda de descuento.

Los detallistas pueden clasificarse de acuerdo con una o más características: cantidad de servicio, línea de producto vendida, hincapié relativo en el precio, naturaleza de las instalaciones del negocio, control de los establecimientos y el tipo del grupo de tiendas. Estos esquemas de clasificación, y los tipos correspondientes de detallistas, se muestran en la tabla 16-1 y se explican enseguida.

Cantidad de servicio

Diferentes productos tienen distintos requerimientos de servicio y las preferencias del consumidor en materia de servicios también varían. Algunos clientes les pagarán a los detallistas por el servicio extra, otros preferirán tener menos servicios y pagar un precio más bajo.

TABLA 16-1 *Diferentes formas para clasificar negocios detallistas*

CANTIDAD DE SERVICIO	LINEA DE PRODUCTO VENDIDA	ENFASIS RELATIVO AL PRECIO	NATURALEZA DE LAS TRANSACCIONES	CONTROL DE LOS ESTABLE-CIMIENTOS	TIPO DE AGRUPAMIENTO DE TIENDAS
Autoservicio	Tienda de especialidades	Tienda de descuento	Venta por pedido telefónico y por correo	Cadena corporativa	Zona central de negocios
Servicio limitado	Tienda de departamentos	Bodega		Cadena voluntaria y cooperativa del detallista	Centro comercial regional
Servicio completo	Supermercado	Sala de exhibición con catálogo	Venta automática	Cooperativa del consumidor	Centro comercial comunitario
	Tienda de artículos de uso común		Servicio de compras	Organización de franquicia	Centro comercial de barrio
	Tienda de combinación, supertienda e hipermercado		Venta de puerta en puerta	Conglomerado mercantil	
	Tienda de servicio				

Así, han aparecido varios tipos de detallistas que ofrecen diferentes niveles de servicio. La tabla 16-2 muestra tres niveles de servicio y las instituciones detallistas que suelen emplearlos.

La *venta al detalle por autoservicio* en Estados Unidos creció rápidamente durante la Gran Depresión de la década de 1930. Los consumidores deseaban ejecutar su propio proceso de "localizar, comparar y seleccionar" para ahorrar dinero. Actualmente el autoservicio es el fundamento de todas las operaciones de descuento y lo suelen usar típicamente los vendedores de bienes de consumo y los de marca nacional con desplazamiento rápido.

Los *detallistas de servicio limitado* como Sears o J. C. Penney proporcionan más asistencia en ventas porque tienen más bienes, acerca de los cuales los consumidores necesitan más información. También ofrecen servicios adicionales como crédito y devolución de mercancías que las tiendas pequeñas usualmente no ofrecen. Estos mayores costos de operación dan lugar a precios más elevados.

En el *comercio detallista de servicio completo,* que se encuentra en las tiendas de especialidad y en las tiendas de departamentos de primera clase, los vendedores ayudan a los consumidores en cada fase del proceso de ubicar-comparar-seleccionar. Las tiendas de servicio completo típicamente manejan una proporción más elevada de bienes de especialidad y artículos de movimiento lento como cámaras, joyería y modas. Tienen políticas más liberales de devoluciones, diversos planes de crédito, entrega gratuita, servicio en el hogar, e instalaciones como salas de descanso y restaurantes. El mayor número de servicios da lugar a costos de operación mucho más elevados, que se aplican en los precios altos a los consumidores. No es sorprendente que el comercio detallista de servicio completo haya declinado en relación con otros tipos de comercio minorista durante varios años.

Línea de productos vendida

Los detallistas pueden clasificarse por la longitud y amplitud de su surtido de productos. Entre los tipos más importantes se cuentan la tienda de especialidades, la tienda de departamentos, el supermercado, la tienda de bienes de uso común y la supertienda.

Tienda de especialidades

Una tienda de especialidades maneja una línea reducida de productos con un gran surtido dentro de esa línea. Los ejemplos incluyen tiendas de ropa, artículos deportivos, muebles, flores y libros. Las tiendas de especialidades pueden clasificarse, además por la limitación de su línea de productos. Así, una tienda de ropa será una *tienda de una sola línea,* una tienda de ropa para hombre será una *tienda de línea limitada,* y una tienda de camisas hechas a la medida para hombre será una *tienda de superespecialidad.* El uso creciente de la segmentación del mercado, la selección del mercado meta y la especialización por produc-

TABLA 16-2
Clasificación de los detallistas con base en la cantidad de servicio al cliente

	SERVICIOS DECRECIENTES ◄────	────► SERVICIOS CRECIENTES	
	Autoservicio	Servicio limitado	Servicio completo
Atributos	Muy pocos servicios Atractivo del precio Bienes básicos Artículos de uso común	Pequeña variedad de servicios Bienes de comparación	Amplia gama de servicios Mercancía de moda Mercancía de especialidad
Ejemplos	Detallistas de bodega Tiendas de abarrotes Detallistas de descuento Tiendas de artículos baratos Detallistas de pedido por correo Ventas automáticas	Ventas de puerta en puerta Tiendas de departamentos Ventas por teléfono Tiendas de artículos baratos	Tiendas de especialidades Tiendas de departamentos

Fuente: Adaptada de Larry D. Redinbaugh, *Retailing Management: A Planning Approach* (New York: McGraw-Hill, 1976), p. 12.

to han dado lugar al rápido crecimiento de tiendas de superespecialidades como Athlete's Foot (zapatos para deporte), Tall Men (ropa para hombres altos), The Gap (pantalones de mezclilla) y Computerland (computadoras personales).

El auge del centro de compras también ha contribuido al reciente crecimiento de las tiendas de especialidades, las cuales ocupan de 60 a 70% del espacio total del centro de compras. Aunque la mayoría de las tiendas de especialidades son de propiedad independiente, las tiendas en cadena de este tipo están mostrando el mayor crecimiento. La cadena más exitosa de estas tiendas se concentra en necesidades específicas del mercado.

Computadoras en una tienda de computadoras y en una tienda departamental. La tienda de especialidad ofrece profundidad de surtido; la tienda de departamentos proporciona menos profundidad en computadoras, pero ofrece muchas otras líneas de productos. *Fotos cortesía de Hewlett-Packard y Sears, Roebuck & Co.*

The Limited se especializa en ropa de alta costura para mujeres de 18 a 35 años de edad que desean pagar más por verse elegantes. La tienda tiene una atmósfera contemporánea, la mercancía se ofrece en juegos o conjuntos coordinados y hay vendedores vestidos a la moda de la edad de los consumidores meta. The Limited estudia cuidadosamente los intereses en moda de su mercado meta, primero somete a prueba las ideas en cuanto a modas, dirige su publicidad cuidadosamente y desarrolla una imagen de originalidad.

Tiendas de departamentos

Una tienda de departamentos maneja una gran variedad de líneas: ropa, aparatos y muebles para el hogar. Cada línea se opera en un departamento independiente dirigido por un comprador o comerciante especializado. Los ejemplos de tiendas de departamentos bien conocidas son Bloomingdale's (Nueva York), Marshall Field (Chicago), y Filene's (Boston).

La primera tienda de departamentos, Bon Marché, se estableció en París en 1852.[4] Introdujo cuatro principios innovadores: (1) márgenes reducidos de utilidades y rápida rotación de inventarios, (2) marcado y exhibición de los precios de la mercancía, (3) alentar al cliente para que recorra y observe las existencias sin la menor presión u obligación de comprar, y (4) una política muy liberal de quejas. A ésta siguieron otras tiendas de departamentos: Whiteley's en Gran Bretaña (década de 1870), que se preciaba de manejar "cualquier cosa desde un alfiler hasta un elefante", y Lewis (1870) la primera que incluía sucursales y empleaba un departamento central de compras. Las primeras tiendas de departamentos en Estados Unidos fueron Jordan Marsh, Macy's, Wanamaker's y Stewart's. Estas tiendas estaban ubicadas en edificios impresionantes en lugares centrales y de moda y vendían el concepto de "hacer compras por placer". Eran muy distintas a las tiendas de especialidades de esa época, que mostraban unos cuantos artículos y no permitían que los clientes examinaran todos los productos.

Durante la primera mitad del siglo XX, estimuladas por el crecimiento urbano, las tiendas de departamentos se convirtieron en la principal institución detallista en áreas céntricas de las ciudades. Las *tiendas de departamentos de especialidades,* como Saks Fifth Avenue e I. Magnin, aparecieron entonces, vendiendo solamente ropa, zapatos, cosméticos, artículos de regalo y equipaje. Pero después de la Segunda Guerra Mundial, las tiendas de departamentos entraron en la declinación del ciclo de vida del comercio detallista. Varios factores contribuyeron a esto. Aumentó la competencia entre las tiendas de departamentos, con lo cual se elevaron los costos de operación. Las tiendas de departamentos se enfrentaron a una mayor competencia de otros tipos de detallistas, particularmente las casas de descuento, las cadenas de tiendas de especialidades y los detallistas de bodega. Y el tránsito intenso, las dificultades para estacionarse y el deterioro del centro de las ciudades hizo que fuese menos atractivo comprar en éste. Como resultado, muchas tiendas de departamentos cerraron o se fusionaron con otras.

Actualmente las tiendas de departamentos están librando una "guerra de regreso" que adopta muchas formas. Muchas tiendas han abierto sucursales suburbanas que ofrecen mejores instalaciones y estacionamientos para poblaciones de crecimiento rápido de consumidores de mayores ingresos. Otras han incluido "sótanos de descuento" para enfrentar el reto de las tiendas de descuento. Otras más han remodelado sus establecimientos o han abierto "boutiques" que compiten con las tiendas de especialidades. Algunas están experimentando con las compras por correo directo o por teléfono. Otras, como Dayton-Hudson se han convertido en conglomerados de comercialización al diversificarse en tiendas de especialidades y de descuento. Algunas tiendas de departamentos están reduciendo su número de empleados, servicios y líneas de productos, pero esto puede eliminar sus principales ventajas estratégicas: surtido y servicio. Las tiendas de departamentos necesitan encontrar mejores medios para acrecentar la disminución de sus márgenes de utilidad.

Supermercados

Los supermercados son tiendas grandes, de bajo costo, margen bajo de utilidades, gran volumen y autoservicio que "satisfacen las necesidades totales del consumidor en materia de alimentos, lavandería y productos para el mantenimiento del hogar".[5] La mayoría de los supermercados son propiedad de cadenas como Safeway, Kroger, A&P, Winn-Dixie y Jewel.

Los orígenes del supermercado se remontan a 1912, cuando las tiendas de comestibles de pague y lleve de la Great Atlantic and Pacific Tea Company (A&P) y en las tiendas Piggly Wiggly (1916), que introdujeron los conceptos de autoservicio, torniquetes para el paso de los clientes y cajas registradoras. Pero los supermercados no lograron gran popularidad hasta la década de 1930. A Michael "King" Kullen se le atribuye la creación del primer supermercado exitoso en 1930, una tienda de autoservicio de pague y lléveselo, siete veces más grande que cualquiera de las tiendas convencionales de esa época. Kullen operaba lucrativamente con la mitad de margen bruto de otras tiendas de alimentos. En los dos años siguientes se abrieron 300 supermercados, y para 1939 había más de cinco mil de esos establecimientos que acaparaban más de 20% de las ventas totales de alimentos. Actualmente más de 37 mil supermercados se llevan 76% de todas las ventas de alimentos.

El auge de los supermercados a partir de la década de 1930 fue el resultado de diversos factores. La Gran Depresión hizo a los consumidores más conscientes del precio y permitió que los detallistas obtuvieran mercancía a precios bajos e inmuebles con alquileres bajos. La propiedad masiva de automóviles redujo la necesidad de pequeñas tiendas de barrio. Los avances en refrigeración permitieron que los supermercados y los consumidores almacenaran artículos perecederos por más tiempo. Con la nueva tecnología de empaque, los alimentos podrían venderse en paquetes almacenables de diversos tamaños en vez de barriles y cestos, y esto alentó el reconocimiento de marca mediante publicidad que reducía la necesidad de vendedores o dependientes. Por último, la integración de los departamentos de abarrotes, carnes y productos agrícolas promovió las compras en un mismo lugar y atrajo a consumidores desde grandes distancias, lo cual les dio a los supermercados el volumen necesario para compensar sus márgenes bajos.

Con el paso de los años, los supermercados han encontrado nuevas formas para acrecentar aún más su volumen de ventas. La mayoría de las cadenas operan ahora menos tiendas pero más grandes: la tienda promedio actualmente es mayor en más de 50% que los supermercados que había a mediados de la década de 1950. Los supermercados manejan ahora un gran número y una gran variedad de artículos. Un supermercado típico maneja alrededor de ocho mil artículos, en comparación con tres mil en 1946. El cambio más significativo se ha dado en el número de artículos no alimenticios (medicamentos que no necesitan receta, cosméticos, aparatos para el hogar, revistas, libros, juguetes) manejados por compañías que persiguen estrategias de "comercialización mezcladas". En la actualidad muchos supermercados también están vendiendo medicinas con receta, electrodomésticos, discos, artículos deportivos, artículos de ferretería, artículos para jardín y hasta cámaras fotográficas, con la esperanza de encontrar líneas de márgenes elevados para mejorar sus utilidades.

Los supermercados también están perfeccionando sus instalaciones y servicios para atraer a más clientes: ubicaciones dispendiosas, mejor arquitectura y decoración, horarios prolongados, servicios de cambio de cheques, entregas e incluso centros para cuidar a los niños. Los supermercados están aumentando sus actividades de promoción con más y mejor publicidad y promociones de venta más fuertes. Las cadenas están vendiendo más marcas privadas para aumentar sus márgenes y reducir su dependencia de las marcas nacionales.

Al enfrentarse a costos crecientes y mercados cambiantes, los supermercados se han vuelto cada vez más vulnerables a la competencia innovadora. Los supermercados ganan ahora utilidades de sólo alrededor de 1% de las ventas. El mercado se ha segmentado más, y ya no es probable el predominio de un solo tipo de detallista de alimentos. Los super-

Una tienda de artículos varios, un supermercado y una supertienda. *Cortesía de 7-Eleven Corporation y Safeway Stores.*

mercados han resentido mucho la aparición de nuevos tipos de competidores: tiendas "tradicionales grandes" tiendas de rebajas, supertiendas e hipermercados. Otro desafío ha sido el rápido crecimiento del hábito de comer fuera de casa: los estadunidenses gastan ahora casi 40% de su presupuesto alimentario fuera de las tiendas de alimentos.

Según McCammon, el concepto de supermercado implica: 1) autoservicio y exhibidores de autoselección; 2) centralización de servicios al cliente, usualmente en la caja registradora; 3) instalaciones a gran escala; 4) una fuerte reiteración en el precio; y 5) un gran surtido y variedad de mercancía.[6] Este concepto se ha difundido recientemente desde el comercio de alimentos al menudeo hasta el detallista de otros artículos como medicinas (Walgreen's), productos para mejorar el hogar (Lowe's, Hechinger's) y juguetes (Toys "R" Us).

Tiendas de artículos de uso común

Las tiendas de artículos de uso común son pequeños establecimientos que manejan una línea limitada de estos bienes y gran rotación. Los ejemplos incluyen 7-Elevens y White Hen Pantries. Estas tiendas están ubicadas cerca de las áreas residenciales y permanecen abiertas largas horas los siete días de la semana. Estas tiendas tienen que cobrar precios altos para compensar los costos de operación elevados y el menor volumen de ventas. Pero satisfacen una importante necesidad del consumidor, para quien hace compras "de relleno" y "de último momento" en horas poco usuales o cuando tienen poco tiempo, y desean pagar más por la comodidad. El número de tiendas de artículos de uso común aumentó de aproximadamente dos mil en 1957 a casi 39 mil en 1982, con ventas de 15 mil 100 millones de dólares.[7]

El comercio detallista de estas tiendas se ha difundido recientemente en las gasolinerías, al lado de las que puede verse una tienda donde el consumidor puede obtener artículos de uso común (pan, leche, cigarrillos, refrescos) y pagar con su tarjeta de crédito de una compañía petrolera.

Supertienda, tienda de combinación e hipermercado

Estos tres tipos de tiendas son más grandes que el supermercado convencional.

Las *supertiendas* son casi dos veces más grandes que los supermercados convencionales (2 800 contra 1 700 metros cuadrados) y buscan satisfacer las necesidades generales del consumidor en las compras rutinarias de productos alimenticios y no alimenticios. Suelen ofrecer servicios de lavado en seco, lavandería, reparación de calzado, cambio de cheques, pago de facturas y restaurantes baratos.[8] Debido a un surtido más amplio, los precios de las supertiendas son de 5 a 6% más altos que los de supermercados convencionales. Las cadenas principales se están convirtiendo en supertiendas. Por ejemplo, Kroger planea construir 114 supertiendas con un promedio de 2 800 metros cuadrados cada una. Safeway comienza con la supertienda Park'N Save, y A&P ha abierto tiendas Super Plus en Chicago y otras ciudades.[9]

Las *tiendas de combinación* son una mezcla de tiendas de comestibles y farmacias. Tienen un espacio promedio de ventas de 5 mil metros cuadrados (aproximadamente cancha y media de un estadio de futbol). Se usan tres diseños básicos. Kroger ubica sus supermercados y farmacias de descuento Super X juntas y cada tienda puede administrarse como un negocio independiente. La Jewel Company usa una tienda con medicamentos en un lado y alimentos en el otro. Esto les ofrece a los consumidores un acceso más fácil y mayor comodidad que probablemente genera más "sinergia" de ventas que el diseño una al lado de otra. En Detroit, Borman's intercalan los medicamentos con los artículos alimenticios del supermercado para generar más compras cruzadas.

Los *hipermercados* son incluso más grandes que las tiendas de combinación, tienen entre 7 500 y 20 500 metros cuadrados (aproximadamente *seis* canchas de futbol). El hipermercado combina los principios que rigen al supermercado, al almacén de descuento y a la tienda de bodega. Su surtido de productos va más allá de los artículos comprados rutinariamente e incluye muebles, electrodomésticos pesados y ligeros, ropa y muchas otras cosas. El hipermercado ofrece precios de descuento y opera como un almacén. Muchos productos vienen directamente del fabricante empacados en cestos de mimbre que se apilan en estantes metálicos de entre cuatro y cinco metros de alto. El reabastecimiento se efectúa con montacargas que atraviesan los pasillos en las horas de compras. Los consumidores seleccionan artículos de los exhibidores masivos y el establecimiento les da descuentos a los consumidores que transportan sus electrodomésticos pesados y muebles fuera de la tienda.

El primer hipermercado, que Carrefour abrió en París, tuvo éxito inmediato. El verdadero auge ocurrió a fines de la década de 1960 y comienzos de la de 1970, especialmente en Francia y Alemania, donde ahora operan varios centenares. Las cadenas estadunidenses están procediendo con más cautela. Mediante unas cuantas operaciones, The Treasury de J. C. Penney y el Grand Bazar de Jewel han adoptado algunos principios del hipermercado, la mayoría de las cadenas estadunidenses prefieren abrir supertiendas.

Negocios de servicio

Para algunos negocios, la "línea de producto" es en realidad un servicio. Los detallistas de servicio incluyen hoteles y moteles, bancos, líneas aéreas, universidades, hospitales, teatros y cines, clubes de tenis, salones de boliche, restaurantes, servicios de reparaciones, peluquerías y salones de belleza, tintorerías y funerarias. Los detallistas de servicio en Estados Unidos están creciendo más rápido que los detallistas de productos y cada industria de servicio tiene su propio drama en el comercio detallista. Los bancos buscan nuevas formas para distribuir sus servicios con eficiencia, incluyendo cajeros automáticos, depósitos directos y servicios bancarios por teléfono. Las organizaciones de medicina preventiva están revolucionando la forma como los consumidores consiguen y costean sus servicios de salud. La industria del entretenimiento ha generado Disney World y otros parques de diversiones por el estilo, y ahora hay grupos como meditación trascendental, est y el método Silva de control mental que han aplicado los principios de las ventas por franquicia y por cadena a la distribución masiva de servicios de crecimiento personal. H&R Block ha construido una cadena de franquicias para ayudar a los consumidores a pagar menos impuestos. (Para más acerca de los servicios, véase el capítulo 23.)

Énfasis relativo en el precio

Los detallistas también pueden clasificarse de acuerdo con sus precios. La mayoría de los minoristas ofrecen precios medios y niveles normales de calidad y servicio al cliente. Algunos ofrecen artículos y servicios de calidad superior a precios más elevados: Gucci's justifica su alto precio con estas palabras: "Seguirá recordando los artículos mucho después de que haya olvidado el precio". Las tiendas de descuento dirigen operaciones de costo más bajo y servicio inferior y venden artículos por abajo de los precios medios (denominada fijación de precios "fuera de lista" o "fuera de precio"). Aquí se verán las tiendas de descuento en dos modalidades: tiendas de bodega y salas de exhibición con catálogo.

Tienda de descuento

Una tienda de descuento vende mayor volumen de mercancía estándar a precios más bajos al aceptar márgenes más bajos. El uso de descuentos o ventas especiales adicionales no confiere el término a ningún negocio. Ni tampoco a venta de bienes inferiores a precios bajos. Una verdadera tienda de descuento tiene cinco características: (1) vende regularmente su mercancía a precios más bajos; (2) hace énfasis en las marcas nacionales, no en bienes inferiores a precios bajos; (3) opera en un régimen de autoservicio con instalaciones mínimas; (4) está ubicada en una zona de alquileres bajos y atrae consumidores desde grandes distancias; y (5) sus accesorios son sencillos y funcionales.[10] En 1981 había según cálculos, ocho mil 164 tiendas de departamentos de descuento con casi 67 mil millones de dólares en ventas.[11]

El comercio detallista de descuento comenzó antes de la Segunda Guerra Mundial, pero su verdadero crecimiento ocurrió a fines de la década de 1940 cuando hizo la transición de bienes blandos (ropa, artículos de tocador) a bienes duros (refrigeradores, aparatos electrodomésticos, lavadoras, acondicionadores de aire, muebles, artículos deportivos). Los primeros negocios de descuento que se crearon después de la guerra, como Masters, Korvette y Two Guys tuvieron éxito por muchas razones. Después del conflicto bélico, muchos bienes duros se volvieron más estandarizados y confiables, lo que permitía más preventa y reducía la necesidad de ventas dentro de la tienda. Más aún, un nuevo y numeroso grupo de consumidores ricos, pero deseosos de ahorrar, comenzó a hacer sentir su influencia. Las primeras tiendas de descuento operaban instalaciones parecidas a bodegas en zonas de alquileres bajos, pero sumamente transitadas. Bajaban mucho los precios, se anunciaban extensamente y manejaban una gran cantidad y diversidad de productos. Reducían sus gastos a la mitad de los que tenían las tiendas de departamentos y de especialidades, su rotación promedio de existencias de 14 veces por año era casi cuatro veces más que en la tienda de departamentos convencional. Para 1960, las tiendas de descuento acaparaban un tercio de todas las ventas de electrodomésticos.

En los últimos años, al enfrentarse a una competencia intensa de otros negocios de descuento y tiendas de departamentos, muchos detallistas de descuento han hecho un trueque: han mejorado la decoración, han agregado nuevas líneas y servicios y han abierto sucursales suburbanas, lo que ha conducido a costos y precios más elevados. Y algunas tiendas de departamentos han reducido sus precios para competir con los negocios de descuento, por esto se ha borrado la distinción entre muchas tiendas de descuento y de departamentos. Como resultado, varias tiendas grandes de descuento dejaron de funcionar en la década de 1970 porque perdieron su ventaja de precio. Y muchos detallistas de tienda de departamentos han perfeccionado o subido de grado sus tiendas y sus servicios para mantener la distinción entre sí y las tiendas de descuento mejoradas.

Cuando las principales tiendas de descuento cambiaron, una nueva ola de detallistas "fuera de precio" entraron para llenar el vacío de bajo precio y elevado volumen. Estos nuevos negocios se han movido rápidamente dentro de las áreas de mercancía especial como los artículos deportivos, muebles y electrodomésticos y artículos electrónicos (véase recuadro 16-1).

RECUADRO 16-1

COMERCIO DETALLISTA "REBAJADO" EN 47TH STREET PHOTO

Aparentemente, 47Th Street Photo no parece ser una operación detallista. Su tienda principal es pequeña y sucia situada arriba de la salchichonería Kaplan's en la calle 47 oeste de Nueva York. Su segunda tienda, un pequeño establecimiento de computadoras situado a unas cuantas cuadras, es un poquito más atractivo. Pero más allá de las apariencias, 47th Street Photo representa lo más avanzado en comercio detallista "rebajado": venta de mercancía de calidad y de marca con grandes descuentos. Con apenas 15 años en el negocio, las dos pequeñas tiendas de 47th Street Photo venden anualmente más de 100 millones de dólares en valor de productos electrónicos y sus ventas están creciendo 25% al año.

47th Street Photo es un ejemplo típico de los nuevos negocios de descuento que aparecieron en el extremo más bajo del comercio detallista para llenar el vacío creado cuando las instituciones de descuento más maduras comenzaron a alterar sus mercancías, servicios y precios. 47th Street Photo mantiene un criterio de alto volumen, costo y margen bajos. Maneja un inventario gigantesco de más de 25 mil artículos de movimiento rápido, entre los cuales se cuentan productos electrónicos de marca, cámaras y equipo (sólo 30% de su negocio), computadoras personales, calculadoras, máquinas de escribir, teléfonos, contestadoras automáticas y máquinas de videotape. Mantiene sus costos bajos mediante instalaciones de bajo costo sin adornos, operaciones eficientes y adquisiciones inteligentes. Entonces les ofrece a los consumidores los precios más bajos y mueve sus inventarios con rapidez.

Los clientes de 47th Street Photo soportan un trato más rudo y disfrutan de menos servicios de los que recibirían en tiendas de especialidades. Como un restaurante bien administrado, la 47th Street Photo los hace entrar, los alimenta, y los hace salir. Los consumidores hacen cola en el mostrador donde los esperan dependientes eficientes, pero lacónicos que prefieren que los clientes sepan lo que quieren desde antes de entrar. Se desalientan las inspecciones y comparaciones del producto dentro de la tienda y los vendedores ofrecen poca información o ayuda.

Pero el precio es el correcto. 47th Street Photo monitorea regularmente los precios de la competencia para estar segura de que sus propios precios apoyen su posición de "el precio más bajo". Ejemplos de precios: precio al menudeo recomendado de la copiadora Canon PC-20, mil 295; en 47th Street Photo es de 880 dólares. Macy's ofrece una máquina de escribir Brother por 400 y un domingo hace poco se le agotaron las existencias. En 47th Street Photo el mismo modelo vale 289 dólares y, por supuesto, tiene muchas.

La mitad de las ventas de 47th Street Photo provienen de consumidores que hacen pedidos por teléfono o por correo. Su catálogo de 224 páginas, sus números telefónicos para llamar por cobrar y sus anuncios en *New York Times, Wall Street Journal* y varias otras revistas comerciales y especializadas permiten que este estilo de compras al menudeo de Nueva York sea asequible al resto del país.

Con el paso de los años, 47th Street Photo se ha construido una sólida reputación de confiabilidad. Un precio es un precio, no hay regateos, no hay engaños.

De modo que, en apariencia, 47th Street Photo no se parece mucho a una operación al menudeo. Pero detrás de su exterior poco impresionante hay una maquinaria de comercialización que funciona a las mil maravillas.

Fuente: Adaptada de John Merwin, "The Source", *Forbes*, 9 de abril de 1984, p 74—78.

Los detallistas de alimentos también han adoptado las prácticas del comercio minorista de descuento. Un ejemplo reciente es la tienda "Tradicional grande" creada por Aldi Discount Food. En estas operaciones parecidas a las de una bodega, los servicios se reducen al mínimo y los consumidores pagan en efectivo y traen sus propias bolsas. Aldi maneja solamente 450 artículos de gran rotación y ninguno es perecedero, lo cual elimina la necesidad de refrigeración costosa. Los precios se anuncian en letreros en vez de estar sobre la mercancía lo cual ahorra costos de etiquetado. Los costos más bajos se les pasan a los consumidores en la forma de precios reducidos. Tales tiendas no han tenido gran éxito. Los consumidores disfrutan de los ahorros, pero la falta de variedad y la ausencia de alimentos congelados y refrigerados los obliga a ir a otras tiendas para terminar de hacer sus compras. En consecuencia, algunas tiendas han cerrado en los últimos años y otras se están acercando al estilo de los supermercados tradicionales al acrecentar el surtido de sus productos y al agregar servicios.[12]

Tienda de bodega

Una tienda de bodega es un negocio sin adornos y de servicio reducido que busca alto volumen mediante precios bajos. En su forma general, incluye hipermercados y tiendas "tradicionales grandes". Una de sus formas más interesantes es la *bodega con sala de exhibición de muebles*. Las mueblerías tradicionales han dirigido desde hace años ventas de bodega para deshacerse de sus existencias. Pero Ralph y Leon Levitz lo convirtieron en un nuevo concepto detallista en 1953. Para 1977 habían construido 61 nuevas bodegas con sala de exhibición de muebles. Los clientes entraban en un depósito del tamaño de una cancha de fútbol, situado en una zona urbana de alquiler bajo. Pasaban primero por la sección de la bodega, donde veían unos 52 mil artículos con un valor de dos millones de dólares. Después entraban a la sección de la sala de exhibición, compuesta por unas 200 salas con muebles de todo tipo. Los consumidores seleccionaban lo que querían y hacían sus pedidos a los vendedores. Mientras pagaban y se dirigían al sitio de carga de mercancía, les preparaban sus compras. Los productos pesados se entregaban en pocos días (a diferencia de las mueblerías ordinarias que tardan semanas en entregar la mercancía) o el cliente puede ahorrar dinero si él mismo la transporta.

La operación Levitz está dirigida a los compradores de muebles de marca, de precio medio que quieren descuento y entrega inmediata. Los compradores disfrutan de los bajos precios y del gran surtido, pero deben conformarse con un servicio limitado. Las tiendas Levitz tienen ciertos problemas en materia de utilidades. Generan un volumen alto, pero tienen altos costos de inventario, grandes gastos promocionales y a menudo demasiados competidores.[13]

Salas de exhibición con catálogo

Una sala de exhibición con catálogo vende una gran selección de artículos de alto margen de utilidad, de movimiento rápido y de marca a precios de descuento; bienes como joyería, herramientas eléctricas, cámaras, equipaje, electrodomésticos pequeños, juguetes y artículos deportivos. A fines de la década de 1960, estas tiendas se han convertido en uno de los negocios de mayor auge, representando incluso un peligro para las tiendas de descuento tradicionales, que han recurrido a más servicio, márgenes altos de utilidad y precios elevados. La industria está dominada por compañías de capital público como Best Products y Service Merchandise. Para fines de la década de 1970, 470 compañías operaban alrededor de mil 700 salas de catálogo en Estados Unidos.[14]

Estas salas de exhibición proporcionan catálogos detallados en colores que muestran el precio de lista y el precio de descuento de cada artículo. La Best Products publica un catálogo a color de 500 páginas que muestra ocho mil 500 artículos y que se les manda gratuitamente a 10 millones de consumidores potenciales cada año.[15] Los clientes pueden hacer sus pedidos por teléfono y pagar gastos de entrega o examinar los artículos en una de las 196 salas de exhibición de Best y pagarlos al llevárselos. Las salas de exhibición tienen ganancias al reducir los costos y los márgenes para proporcionar precios bajos que atraerán un volumen superior de ventas.

Manejan artículos reconocidos y de marca, rentan instalaciones en zonas de alquileres bajos, contratan un tercio menos de vendedores, minimizan las posibilidades de robos exhibiendo artículos dentro de cajas y principalmente con transacciones al contado. Los consumidores pasarán por alto tales inconvenientes, como el de manejar grandes distancias, hacer fila para ver algunos productos (muchos están en cajas cerradas), esperar a que se traigan artículos de la trastienda y encontrar poco servicio cuando tienen problemas. Pero el rápido crecimiento de las salas de exhibición con catálogo indica que muchos consumidores están deseosos de aceptar menos servicios a cambio de ahorrar dinero.

Naturaleza de las transacciones

La mayoría de los bienes y servicios se venden a través de tiendas, pero el *comercio detallista sin tiendas* ha crecido mucho más rápido que el comercio detallista con tiendas. El comercio detallista sin tiendas acapara 14% de todas las compras al menudeo. Casi un tercio de todas las mercancías podrán venderse por canales sin tiendas a fines de siglo.[16] Algunos expertos pronostican el *comercio detallista remoto,* donde los consumidores pedirán bienes usando computadoras personales y los recibirán sin poner un pie en la tienda.[17] Aquí se examinarán cuatro formas de comercio detallista sin tiendas: comercio detallista de pedido por correo y telefónico, máquinas expendedoras automáticas, servicios de compra y venta de puerta en puerta y de reuniones caseras.

Venta detallista mediante pedidos por correo y teléfono

En este comercio detallista se usa el correo o el teléfono para obtener pedidos o facilitar la entrega. Después de la guerra civil, los comerciantes comenzaron a vender catálogos a la gente que vivía en las zonas rurales. Montgomery Ward se fundó en 1872 y Sears and Roebuck en 1886. Para 1918 estas dos firmas manejaban un negocio gigantesco de pedidos por correo y había además dos mil 500 firmas más de pedidos por correo. En las décadas de 1930 y 1940, conforme las tiendas en cadena abrían sucursales en ciudades más pequeñas, muchos detallistas descontinuaron sus operaciones de pedido por correo. Pero en la actualidad, muy lejos de declinar, el negocio de pedidos telefónicos y por correo está en auge.

Más de 11 mil firmas de pedidos por correo y telefónicos en Estados Unidos generan ventas por más de 8 mil millones de dólares. Estos negocios adoptan diversas formas.

CATALOGO DE PEDIDO POR CORREO. Aquí el vendedor manda un catálogo a un grupo seleccionado de consumidores y lo hace disponible en los establecimientos. Este enfoque lo usan firmas de pedido por correo de mercancía general que manejan una línea completa de productos. Sears es el gigante de la industria: manda más de 300 millones de catálogos cada

Entre los vendedores por catálogo se cuentan los gigantescos comerciantes generales como Sears y J. C. Penney y detallistas de especialidades más pequeños como L.L. Bean. *Cortesía de L.L. Bean.*

año y genera más de tres mil 700 millones de dólares por ventas de catálogo. J. C. Penney vende más de mil 600 millones de dólares al año con su operación por catálogo.[18] Estos gigantes también operan servicios de catálogo en las cajas registradoras de sus tiendas y oficinas en pequeñas comunidades donde los clientes pueden examinar los catálogos, hacer pedidos y recoger sus compras cuando lleguen del almacén central.

Los gigantescos detallistas de mercancía general están acompañados por más de cuatro mil vendedores por catálogo que se encuentran ahora en el mercado, con ventas combinadas aproximadamente de 40 mil millones de dólares al año. Los consumidores pueden comprar casi cualquier cosa de los catálogos. Hanover House distribuye 22 catálogos diferentes que venden desde zapatos hasta pájaros decorativos. L. L. Bean vende equipo y ropa para excursionistas. Spiegel ofrece ropa de diseñador y muebles de estilo y Sharper Image vende tablas hawaianas con motor propulsor de dos mil 400 dólares.[19]

Recientemente, las tiendas de departamentos de especialidades como Neiman-Marcus y Saks Fifth Avenue han comenzado a usar catálogos para cultivar el mercado de la clase alta con mercancías de precio alto, y a veces exóticas como batas de baño unisex, joyas de diseñadores y alimentos de alta cocina. Otras grandes corporaciones también han adquirido divisiones de pedidos por correo. Xerox ofrece libros para niños; Avon vende ropa para mujer; American Airlines vende equipaje; General Foods ofrece agujas para tejer; General Mills vende camisas; American Express vende abrigos de zorro.

RESPUESTA DIRECTA. Aquí el mercadólogo maneja anuncios en periódicos, revistas, radio o televisión para describir algún producto y el consumidor puede hacer su pedido por correo o por teléfono. El mercadólogo selecciona los medios que maximizarán el número de pedidos dado por un desembolso publicitario. Esta estrategia funciona bien para productos como discos, cintas, libros y aparatos eléctricos pequeños.

CORREO DIRECTO. Aquí el mercadólogo manda piezas individuales de correo directo (cartas, volantes, folletos) a los prospectos cuyos nombres aparecen en guías telefónicas especializadas de compradores altamente potenciales. En Estados Unidos, las listas postales se alquilan o se compran a casas de corredores de listas. El correo directo ha tenido mucho éxito para vender libros, revistas, suscripciones y seguros, cada vez se usa más para vender artículos novedosos, ropa e incluso alimentos de alta cocina. Las principales organizaciones de caridad han usado el correo directo para reunir más de 21 mil 400 millones de dólares, o más de 80% de sus contribuciones.[20]

TELEMERCADOTECNIA. Los mercadólogos usan el teléfono para vender cualquier cosa desde servicios de reparaciones para el hogar hasta suscripciones a periódicos o del zoológico. Algunas empresas que venden por teléfono han desarrollado sistemas computarizados que llaman por teléfono automáticamente a las casas y presentan mensajes computadorizados. Las ventas por teléfono se han topado con la oposición de muchos grupos que están proponiendo leyes para prohibirlas o limitarlas.

Varios factores han sido la causa del incremento en el comercio detallista de pedido por correo y telefónico. Las mujeres que trabajan tienen menos tiempo para hacer compras. Las compras en las tiendas han perdido atractivo debido a la elevación del precio en la gasolina y el estacionamiento, problemas de tránsito, crimen en las áreas comerciales urbanas, menos servicio dentro de la tienda y largas filas en las cajas registradoras. Asimismo, muchas cadenas de tiendas han dejado de manejar artículos de especialidad de movimiento lento, lo cual crea una oportunidad para que los mercadólogos directos los promuevan. Por último, el desarrollo de líneas telefónicas para llamar gratis y la buena disposición de los detallistas por teléfono para aceptar pedidos en la noche o los domingos le ha dado auge a esta forma de comercio al menudeo.

Máquinas expendedoras automáticas

Las ventas mediante máquinas que funcionan con monedas creció rápidamente después de la Segunda Guerra Mundial y sus ventas totales ascendieron a 13 mil millones de dólares en 1979. La venta por máquinas automáticas no es algo nuevo: en el año 215 a.C. los egipcios podían comprar agua de los sacrificios mediante dispositivos accionados con monedas.[21] En la década de 1880, La Tutti-Frutti Company instaló máquinas expendedoras de chicle o goma de mascar en las estaciones de tren. Actualmente las máquinas emplean tecnología espacial y están acostumbradas a vender una considerable variedad de bienes que compran por impulso si encuentran un alto valor de comodidad: cigarrillos, bebidas, dulces, periódicos, bocadillos, medias, cosméticos, libros de bolsillo, discos y cintas, camisetas, pólizas de seguro e incluso limpieza del calzado y lombrices para pesca.

Las máquinas vendedoras se encuentran en fábricas, oficinas, salas de recepción, tiendas al menudeo, gasolinerías, y vagones de tren. Los propietarios de las máquinas, además de dar servicio a éstas rentan espacio en buenas ubicaciones. Estas máquinas suministran cada vez más servicios de entretenimiento: máquinas de billar romano, tocadiscos automáticos y juegos electrónicos. Los cajeros automáticos de los bancos les proporcionan a los clientes servicios de cheques, ahorros, retiros y transferencias de fondos las 24 horas.

Las máquinas expendedoras ofrecen ventas durante las 24 horas del día, autoservicio y menos artículos dañados. Pero las ventas automáticas constituyen el canal más costoso y los precios de los artículos vendidos, así, suelen ser entre 15 y 20% más altos. El vendedor debe sufragar los altos costos de abastecer máquinas colocadas en lugares muy dispersos, descomposturas frecuentes y muchos hurtos en ciertas ubicaciones. Los consumidores deben soportar las máquinas descompuestas, las que ya no tienen mercancía, y el hecho de que no pueden regresar los artículos.

Se pronostica que la venta automática se convertirá a la larga en la tienda completamente automatizada donde todos los artículos se compran de máquinas, con muy pocos dependientes presentes. Pero varios experimentos dirigidos en las décadas de 1950 y 1960 produjeron poco éxito. Sólo un tipo de tienda automática ha tenido éxito: la lavandería operada con monedas. La verdadera revolución en la venta automática podría venir de compras "desde el hogar" mediante sistemas de comunicación interactiva y servicios sumamente automatizados de procesamiento de pedidos, facturación e instalaciones de almacenaje.

Servicio de compras

Un servicio de compras es un detallista sin tienda que sirve a una clientela específica: usualmente los empleados de grandes organizaciones como escuelas, hospitales, sindicatos y agencias gubernamentales. Los miembros del servicio de compras están autorizados para comprar de una lista selectiva de detallistas que han acordado darles descuentos a los miembros. Un consumidor que busque una videograbadora recibiría un formulario del servicio de compras, se lo llevaría a un detallista aprobado y compraría el aparato con un descuento. El detallista pagaría entonces una pequeña suma por el servicio de compras. Por ejemplo, el United Buying Service les ofrece a sus 900 mil miembros la oportunidad de comprar mercancía a "su costo más 8%".

Comercio detallista de puerta en puerta

Esta forma de ventas, que comenzó hace siglos con los buhoneros, se ha convertido en una industria de seis mil millones de dólares. Más de 600 compañías venden de puerta en puerta, de oficina en oficina o en fiestas de ventas en casa. Un pionero, la Fuller Brush Company, todavía emplea a más de 10 mil vendedores para sus cepillos, brochas y otros productos. Otras son compañías de aspiradoras como Electrolux y otras venden libros, como Southwestern. Las compañías de enciclopedias han vendido de puerta en puerta durante años: World Book se convirtió en el líder al enlistar a maestros de escuela para que vendieran, en su tiempo libre, sus enciclopedias.

La imagen de las ventas de puerta en puerta mejoró considerablemente cuando Avon entró a la industria con su señorita Avon: la amiga y consultora de belleza del ama de casa. En 1983, su ejército de más de 425 mil representantes en Estados Unidos vendió productos con valor de mil 200 millones de dólares en más de 50 millones de hogares, convirtiendo a Avon en la firma de cosméticos más grande del mundo y la número uno en las ventas de puerta en puerta. Tupperware ayudó a popularizar las fiestas de ventas en casa; varias amigas y vecinas asisten a una reunión en casa de alguna donde se muestran y se venden los productos Tupperware. Esta compañía maneja alrededor de 140 productos distintos y en 1983 su fuerza de más de 300 mil representantes independientes generó ventas de más de 775 millones de dólares.[22]

Las ventas de puerta en puerta satisfacen las necesidades de comodidad y de atención personal de los consumidores, pero el alto costo de contratar, entrenar, pagar y motivar a la fuerza de ventas da lugar a precios más elevados para el consumidor. Las ventas de puerta en puerta tienen un futuro un tanto incierto. El aumento en el número de personas que viven solas y de familias donde ambos cónyuges trabajan disminuye las oportunidades de encontrar a alguien en casa. Y con la reciente proliferación de tecnologías de comunicación interactiva, el vendedor de puerta en puerta puede ser sustituido en el futuro por el televisor o la computadora en el hogar.

Control de los establecimientos

Las empresas detallistas pueden clasificarse por su tipo de propiedad. Alrededor de 80% de las tiendas al menudeo son independientes y acaparan dos tercios de las ventas totales al detalle. Aquí se verán algunas formas de propiedad: cadena corporativa, cadena voluntaria y cooperativa de detallistas, cooperativa de consumidores, organización de franquicia y conglomerado comercial.

Cadena corporativa

La cadena de tiendas es uno de los fenómenos del comercio detallista más importante del siglo xx. Una de las primeras cadenas en Estados Unidos, The Great Atlantic and Pacific Tea Company (A&P) comenzó en 1859 con una tienda que importaba té directamente del Oriente y que creció a 25 tiendas en 1869. Otra cadena pionera, Woolworth's, comenzó vendiendo artículos baratos mediante un enfoque de precio bajo y gran volumen. Pero las cadenas crecieron poco hasta este siglo.

Gist define una *cadena de tiendas como dos o más establecimientos que están bajo propiedad y control comunes, venden líneas similares de mercancía, tienen centros de compras y comercialización y pueden usar un motivo arquitectónico similar.*[23] Cada característica merece un comentario. La U.S. Bureau of the Census (Oficina del censo de E.U.A.) clasifica las cadenas en siete grupos que van desde una clase de dos a tres unidades hasta una clase de más de 100 unidades, pero los expertos discrepan en cuanto al número mínimo de unidades que constituyen una cadena.

La propiedad mancomunada y el control compartido son las características que distinguen las cadenas corporativas de las cadenas voluntarias y las operaciones de franquicia. El hecho de que las cadenas corporativas vendan líneas similares de mercancía las distingue de los conglomerados comerciales, que combinan varias cadenas bajo propiedad común. Las compras y la comercialización centralizadas significan que las oficinas centrales deciden, en gran parte, el surtido de producto de la cadena, coloca pedidos de gran volumen para obtener descuentos por cantidad, distribuye bienes a las unidades y establece políticas de fijación de precio, de promoción y otras para las unidades. Por último, las cadenas desarrollan un estilo arquitectónico congruente para hacer que sus unidades sean más visibles e identificables entre sus consumidores.

Las cadenas corporativas aparecen en todos los tipos de operaciones al menudeo: supermercados, tiendas de descuento, de artículos baratos, y de departamentos. En términos de línea de productos, las cadenas corporativas (cuando tienen once o más unidades) son más fuertes en las tiendas de departamentos (94% del total del volumen de ventas de 1979), tiendas de artículos baratos (80%), tiendas de alimentos (54%), farmacias (50%), zapaterías (48%) y tiendas de ropa de mujer (37%).

Las cadenas corporativas obtienen una ventaja sobre las independientes mediante una eficiencia que les permite cobrar precios más bajos y lograr un volumen de ventas más elevado. Las cadenas logran su eficiencia de muchas maneras. Primero, su tamaño les permite comprar en grandes cantidades a precios más bajos. Segundo, las cadenas pueden costear la contratación de especialistas corporativos de alto nivel para tratar con áreas tales como fijación de precios, promoción, comercialización, control de inventario y pronóstico de ventas. Tercero, las cadenas puede integrar funciones de detallistas y mayoristas, mientras que los detallistas independientes deben tratar con muchos mayoristas. Cuarto, las cadenas hacen ahorros promocionales porque sus costos de publicidad están distribuidos a lo largo de muchas tiendas y un gran volumen de ventas.

Cadena voluntaria y cooperativa de detallistas

El gran éxito de las cadenas corporativas produjo dos reacciones. Primero, inspiró la aprobación de la legislación anticadena a nivel estatal (leyes de comercio justo) y nivel federal (ley Robinson-Patman). Estas leyes intentaban prohibir a las cadenas la competencia con negocios independientes al cobrar precios logrados mediante el poder de compra centralizado. Segundo, el éxito de las cadenas hizo que muchos detallistas independientes se asociaran en una de dos formas. Una es la *cadena voluntaria,* un grupo de detallistas independientes patrocinados por el mayorista que hace compras en grupo y comercialización común. Los ejemplos incluyen la Independent Grocers Alliance (IGA), Sentry Hardwares y Western Auto. La otra es la *cooperativa de detallistas,* un grupo de minoristas independientes que se unen y forman una organización de compras central de propiedad común (operación mayorista) y dirigen esfuerzos conjuntos de comercialización y promoción. Los ejemplos incluyen la Associated Grocers y la Ace Hardware. A través de estas organizaciones, los detallistas independientes pueden lograr ahorros de compras y de promoción que les permiten enfrentar el reto de precio de las cadenas corporativas.

Cooperativa de consumidores

La cooperativa de consumidores es una firma detallista cuyos dueños son sus consumidores. Los residentes de una comunidad pueden comenzar una cooperativa de consumidores cuando crean que los detallistas locales están cobrando demasiado, proporcionan un surtido insuficiente o el producto es de baja calidad. Los residentes contribuyen con dinero para abrir su propia tienda, votan acerca de sus políticas y eligen gerentes. La tienda puede establecer precios bajos, o puede fijar precios normales y darles dividendos a los miembros según sus niveles de compra.

Muchas cooperativas exitosas son ideológicas y se encuentran en las comunidades universitarias. Aunque hay miles de cooperativas en Estados Unidos, nunca se han convertido en una fuerza importante del comercio detallista. Sucede lo contrario en algunos países europeos, especialmente en los países escandinavos y en Suiza.

Un ejemplo notable es Migros, en Suiza, cooperativa de consumidores que representa 11% del volumen total del comercio detallista en ese país. Migros fue fundada en 1925 por Gottlieb Duttweiler como cadena corporativa en el ramo de los abarrotes; se proponía luchar contra los competidores establecidos en el campo de los comestibles que obtenían altos márgenes de utilidad. Duttweiler logró tal éxito que en 1946 transformó Migros en una cooperativa de consumidores vendiendo una participación de acciones a cada uno de los 85 mil clientes registrados. En la actualidad, Migros es una enorme federación de 440 sucursales, 74 tiendas de especialidades y muchas otras empresas cuya propiedad está fundamentalmente en manos de sus mismos clientes.

Organización de franquicia

La organización de franquicia es una asociación constituida por contrato entre uno que concede (fabricante, mayorista, organización de servicio) y un concesionario (negociantes independientes que compran el derecho de poseer u operar una o varias unidades dentro del sistema de franquicia). La principal distinción entre una organización de franquicia y otros sistemas contractuales (cadenas voluntarias y cooperativas de detallistas) es que las organizaciones de franquicia se basan normalmente en la originalidad de algún producto o servicio, método de hacer negocios, nombre comercial, buena disposición o patente que el poseedor de la franquicia ha desarrollado. En 1983 había aproximadamente 465 mil tiendas de franquicia, con ventas de 436 mil millones de dólares. Su concentración más grande en términos de número de unidades se da en las gasolinerías (29.9%) y en los restaurantes de comida rápida (15.1%).

La compensación que recibe el concesionario puede incluir una tarifa inicial, regalía sobre las ventas brutas, tarifas de renta y alquiler de equipo y aditamentos suministrados por el dueño de la franquicia, una participación en las utilidades y a veces una tarifa regular por la licencia. Algunos dueños de franquicias también cobran tarifas por asesoramiento administrativo, pero éstas suelen incluirse como parte del contrato. McDonald's cobra una tarifa inicial de 150 mil dólares por una franquicia y recibe regalías de 3% y un cargo de renta de 8.5% del volumen de la franquicia. También requiere que los concesionarios asistan a la Hamburger University (universidad de la hamburguesa) por tres semanas para aprender a administrar el negocio.

El propietario de la franquicia usualmente establece requerimientos específicos acerca de la forma de servir o usar el "producto". McDonald's requería que todo el equipo y muchos suministros de los concesionarios se obtuvieran de la misma McDonald's o de proveedores autorizados. Pero esto ha sido motivo de críticas y una corte federal dictaminó que tal cláusula debe eliminarse de los contratos de franquicia. Los concesionarios pueden comprar de las fuentes que deseen, siempre y cuando satisfagan los estándares estrictos de calidad.

Conglomerado mercantil

Los conglomerados mercantiles son corporaciones de forma libre que combinan formas diversificadas de comercio detallista bajo una propiedad central, junto con la integración de sus funciones de distribución y administración.[24] Los principales ejemplos son Federated Department Stores, Allied Stores, Dayton-Hudson y J. C. Penney. Uno de los comercios detallistas diversificados más lucrativos, Melville Corporation, opera las cadenas de zapaterías McAn, Miles y Vanguard; Chess King, una cadena de 326 tiendas de ropa para hombres jóvenes; Foxmoor, tiendas de ropa para mujer; Clothes Bin, una cadena de tiendas de descuento de ropa para mujer; CVS, una cadena de tiendas de salud y de cosméticos; y Marshall Inc., una cadena regional que maneja todo tipo de ropa con nombre de marca.[25] Es probable que el comercio detallista diversificado aumente durante las décadas de 1980 y 1990. La pregunta principal es si el comercio detallista diversificado producirá sistemas y ahorros administrativos que beneficien a todas las unidades en el conglomerado.

Tipo de agrupamiento de tiendas La mayoría de las tiendas se agrupan hoy en día para acrecentar su poder, para atraer consumidores y para proporcionarles a éstos la conveniencia de hacer sus compras en un mismo lugar. Los cuatro tipos principales de agrupamiento de tiendas son la zona central de negocios, el centro comercial regional, el centro comercial comunitario y el centro comercial de barrio.

Zona central de negocios

Las zonas centrales de negocios fueron la forma dominante de agrupamiento al menudeo hasta la década de 1950. Toda ciudad y población grande contaban con un centro de negocios que contenía tiendas de departamentos, tiendas de especialidades, bancos y cines. Las zonas comerciales más pequeñas podían encontrarse en áreas remotas. Cuando la gente comenzó a emigrar a los suburbios en la década de 1950, estas zonas centrales de negocios, con sus problemas de tránsito, estacionamiento y crimen, comenzaron a perder clientela. Los comerciantes del centro de las ciudades comenzaron a abrir sucursales en centros de compra suburbanos y continuó la decadencia de las zonas centrales. Sólo a últimas fechas se han unido las ciudades con los comerciantes a fin de intentar revitalizar las áreas comerciales centrales, al construir centros comerciales y estacionamientos subterráneos. Algunas zonas centrales han resurgido, otras permanecen en decadencia lenta y tal vez irreversible.

Centro comercial regional

El *centro comercial* es "un grupo de establecimientos comerciales planeados, desarrollados y administrados como una unidad relacionada en ubicación, tamaño y tipo de tienda con el área comercial a la cual sirve y que proporciona estacionamiento, en relación definitiva con los tipos y tamaños de las tiendas que contenga".[26] El centro comercial regional es el más grande y el más notable de los centros comerciales.

Un centro comercial regional es como un centro de la ciudad en miniatura. Contiene de 40 a 100 tiendas y sirve de entre 100 mil a un millón de consumidores que viven a un radio de 30 minutos en automóvil. En su forma original, el centro comercial regional tiene dos grandes tiendas de departamentos en ambos extremos de la galería y un grupo de tiendas de especialidades entre éstas. Este arreglo alienta las compras por comparación: los consumidores pueden fácilmente comparar líneas similares en varias tiendas de departamentos y de especialidades. El consumidor que quiera comprar pantalones vaqueros podría compararlos en Sears, Lord & Taylor, Just Jeans, The Gap y la County Seat. Los centros regionales han agregado nuevos tipos de detallistas con el paso de los años: dentistas, clubes deportivos e incluso sucursales de bibliotecas. Los centros regionales más grandes tienen ahora varias tiendas de departamentos y varios niveles de compras. La mayoría de los centros nuevos están techados para que los clientes puedan hacer sus compras sin importar las condiciones meteorológicas.

Federated Department Stores, Inc., una corporación diversificada, consta de todos estos detallistas. *Cortesía de Federated Department Stores, Inc.*

Centro comercial comunitario

El centro comercial comunitario contiene de 15 a 50 tiendas al menudeo que sirven de 20 mil a 100 mil personas que viven principalmente a unos dos kilómetros del centro. Normalmente, el centro consta de una tienda principal, usualmente una sucursal de una tienda de departamentos o de un bazar, un supermercado, tiendas de especialidades, tiendas de artículos de uso común, oficinas profesionales y a veces un banco. La tienda principal usualmente está ubicada en la esquina de la L, en centros cuya planta tenga la forma de esa letra, o bien en el centro cuando esté en línea recta. Los negocios ubicados más cerca de la tienda principal venden bienes de comparación; los más alejados, artículos de uso común.

Centro comercial de barrio

La mayoría de los centros comerciales son centros de barrio que contienen de cinco a 15 tiendas y sirven a poblaciones de menos de 20 mil personas. Son de acceso fácil y cómodo para los consumidores. Usualmente contienen un supermercado como el negocio principal y varios establecimientos de servicio: una tintorería, una lavandería de autoservicio, una farmacia, peluquería o salón de belleza, una ferretería y otras tiendas ubicadas en una franja sin planeación.

Todos los centros comerciales combinados acaparan actualmente alrededor de un tercio de todas las ventas al menudeo, pero puede que estén acercándose a su punto de saturación. Muchas áreas contienen demasiados centros y las ventas por metro cuadrado están disminuyendo, las tasas de desocupación se elevan y han ocurrido algunas bancarrotas. La tendencia actual es hacia centros más pequeños ubicados en ciudades de tamaño medio y en áreas de crecimiento rápido como el sudoeste.

DECISIONES DE MERCADOTECNIA DEL DETALLISTA

Ahora se examinarán las principales decisiones de mercadotecnia que los detallistas deben tomar acerca de sus mercados meta, surtido de producto y servicios, precio, promoción y plaza.

Decisión del mercado meta

Primero, los detallistas deben definir el perfil del mercado meta y decidir después cómo se posicionarán sus operaciones en él. La decisión de posicionamiento orienta todas las demás decisiones de mercadotecnia del detallista: surtido de producto, servicios, fijación de precios, publicidad, decoración de la tienda y otras decisiones que deben apoyar consistentemente la posición del detallista en su segmento de mercado.

Algunas tiendas definen sus mercados meta y se posicionan muy bien. Una tienda de ropa para mujer en Palm Springs se posiciona como "modas para la mujer exigente" y su mercado meta está compuesto por mujeres de altos ingresos entre 30 y 35 años que viven a 30 minutos de la tienda, en automóvil. Ya se vio antes que Bloomingdale's ha identificado claramente su mercado meta y su posicionamiento.

Pero demasiados detallistas no logran clarificar sus mercados meta y sus posiciones. Intentan tener "algo para todos" y terminan por no satisfacer bien a ningún mercado. Incluso las grandes tiendas de departamentos como Sears deben definir sus mercados meta de modo que puedan diseñar estrategias eficaces para servir a éstos.

Un detallista deberá hacer investigaciones periódicas para verificar que esté satisfaciendo a sus consumidores meta. Considérese una tienda que tiene como mercado meta a los consumidores ricos, pero cuya imagen de tienda se muestra por la línea continua en la figura 16-1. La tienda actualmente no tiene atractivo para su mercado meta; debe cambiar su mercado meta o cambiar el diseño de sus instalaciones y convertirse en una tienda más clásica. Supóngase que la tienda perfecciona ahora sus productos, servicios y vendedores y eleva sus precios. Poco tiempo después, una segunda encuesta de los consumidores revela la imagen que se muestra por la línea punteada en la figura 16-1. La tienda ha establecido una posición que es congruente con su elección de mercado meta.

Surtido de productos y decisión sobre servicios

Los detallistas tienen que decidirse por tres principales variables del producto: surtido, mezcla de servicios y atmósfera de la tienda.

El *surtido de producto* del detallista debe corresponder a las expectativas de compra del mercado meta. De hecho, se convierte en un elemento clave en la batalla competitiva entre detallistas similares. El detallista tiene que decidir la *amplitud* de surtido del producto (estrecha o amplia) y la *profundidad* (somera o profunda). Así, un restaurante puede ofrecer un surtido estrecho y superficial (servicio de comidas ligeras), un surtido estrecho y profundo (comestibles preparados), un repertorio amplio y superficial (cafetería) o un surtido amplio y profundo (restaurante grande). Otra dimensión del surtido del producto es la calidad de los bienes. El consumidor está interesado no sólo en la escala de elección, sino también en la calidad de los productos.

Los detallistas también deben decidir la *mezcla de productos* que ofrecer a los consumidores. Las antiguas tiendas de abarrotes de tipo familiar ofrecían servicios de entrega, crédito y conversación que los supermercados modernos han eliminado. En la tabla 16-3 se enumeran algunos de los principales servicios que los detallistas de servicio completo pueden ofrecer. La mezcla de servicios es una de las herramientas claves en la competencia ajena a los precios para diferenciar los establecimientos.

La *atmósfera de la tienda* es un tercer elemento en su arsenal de producto. Cada tienda tiene una distribución física que facilita o dificulta el movimiento. Cada tienda posee un estilo especial. Una es sucia, otra es encantadora, una tercera es suntuosa, una más es sombría. La tienda debe tener una atmósfera planeada que corresponda a su mercado

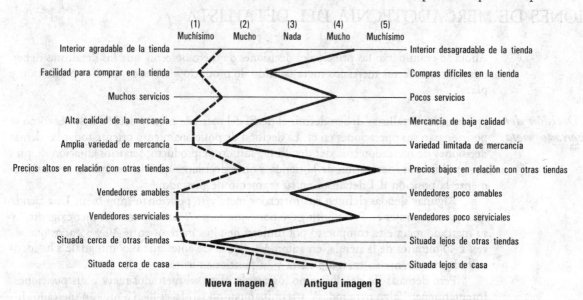

FIGURA 16-1 *Una comparación entre la imagen nueva y antigua de una tienda que busca atraer a un mercado de clase.*

Fuente: Tomado de David W. Cravens, Gerald E. Hills, y Robert B. Woodruff, *Marketing Decision Making: Concepts and Strategy* (Homewood, II.: Irwin, 1976), p. 234.

TABLA 16-3
Servicios minoristas típicos

	SERVICIOS ANTERIORES A LA COMPRA	SERVICIOS POSTERIORES A LA COMPRA	SERVICIOS COMPLEMENTARIOS
	1. Aceptación de pedidos por teléfono	1. Entrega	1. Pago de cheques
	2. Aceptación de pedidos por correo (o compras)	2. Envoltura (o bolsa regular)	2. Información general
	3. Publicidad	3. Envoltura para regalos	3. Estacionamiento gratuito
	4. Escaparates	4. Ajustes	4. Restaurantes
	5. Exhibición en el interior	5. Devoluciones	5. Reparaciones
	6. Probadores	6. Alteraciones	6. Decoración interior
	7. Horario de compras	7. Ajustes a la medida del cliente	7. Crédito
	8. Exhibición de modas	8. Instalaciones	8. Salas de descanso
	9. Trueque de ventas	9. Grabado	9. Servicios de guardería
		10. Entrega por COD	

Fuente: Carl M. Larson, Robert E. Weigand, y John S. Wright, *Basic Retailing* (Englewood Cliffs, NJ: Prentice-Hall, 1976), p. 364.

meta y motive a éste a comprar. Una funeraria deberá ser tranquila, sombría y silenciosa; una discoteca tendrá un ambiente vivaz, ruidoso y vibrante. La atmósfera la diseñan personas creativas que saben cómo combinar estímulos visuales, auditivos, olfativos y táctiles para lograr el efecto deseado.[27]

Decisión sobre el precio

Los precios de los detallistas son un factor competitivo clave y refleja la calidad de los bienes y servicios ofrecidos. Los precios al menudeo se basan en el costo de la mercancía y las compras inteligentes son un ingrediente clave en el éxito del comercio detallista. Con frecuencia los detallistas pueden hacer tanto dinero mediante las adquisiciones inteligentes, como a través de las ventas inteligentes. Más allá de esto, deben fijar precios cuidadosamente en otras formas.

Se pueden establecer márgenes bajos de utilidad en ciertos artículos que pueden funcionar como *incentivos de tráfico* o *líderes de pérdidas,* con la esperanza de que los consumidores comprarán artículos adicionales con márgenes más elevados una vez que hayan entrado en la tienda. Además, la administración al menudeo debe usar esta estrategia con la mercancía de movimiento lento. Por ejemplo, los detallistas de zapatos esperan vender 50% de sus zapatos a un margen de 60%, 25% a un margen de 40% y el 25% restante al costo. En sus precios iniciales ya están previstos estos descuentos.

Decisión de promoción

Los detallistas se valen de las herramientas promocionales normales (publicidad, ventas personales, promoción de ventas y publicidad no pagada) para llegar a los consumidores. Los detallistas se anuncian en periódicos, revistas, radio y televisión. La publicidad puede complementarse con circulares entregadas a mano y piezas de correo directo. Las ventas personales requieren de un entrenamiento cuidadoso de los vendedores acerca de cómo recibir a los clientes, satisfacer sus necesidades y manejar sus dudas y quejas. La promoción de ventas puede tomar la forma de demostraciones dentro de la tienda, estampillas de intercambio, grandes premios y visitas de celebridades. La publicidad siempre es asequible a los detallistas que tienen algo interesante qué decir. Considérese la diversidad de estilos promocionales disponibles para tres galerías de arte que abrieron en Chicago:

La Seaberg-Isthmus Gallery ingresó sin mucho ruido en el mundo del arte de esta ciudad el mes pasado, con un modelo de promoción impresa: con una sencilla carta de información anunció su inauguración... El segundo ejemplo es Origin, víctima de un terrible fracaso en sus relaciones públicas que avergonzó al joven artista (Matt) y sin duda alejará a los que él hubiera deseado ver en la galería-estudio. De alguna manera el arte y la promoción se mezclaron mal... El tercer ejemplo es un caso típico de no venta. Sin nombre y sólo con su dirección, 1017 Aermitage, el taller de Julian Frederick Harr tiene una elegante galería de arte enfrente y detrás se encuentra el estudio ruidoso y lleno de fragmentos de piedra propiedad de un escultor... A la larga, Harr atraerá poco a poco más público y tendrá más éxito que Matt, quien sufrirá las consecuencias de una publicidad bien intencionada. Pero, evidentemente, la venta sin tanta publicidad de Seaberg Isthmus es la más eficaz.[28]

Decisión sobre la plaza   La elección de la ubicación es un factor competitivo clave en la habilidad del detallista para atraer consumidores. Y los costos de construir o alquilar instalaciones tienen un gran impacto sobre las utilidades del detallista. Así, las decisiones sobre la ubicación se cuentan entre las más importantes que toma el detallista. Los detallistas pequeños tal vez tengan que conformarse con las ubicaciones que estén disponibles y que puedan costear. Los detallistas grandes usualmente emplean especialistas que seleccionan ubicaciones con métodos avanzados.[29]

FUTURO DEL COMERCIO DETALLISTA

Varias tendencias afectarán el futuro del comercio detallista. La disminución en el crecimiento económico y de la población significa que los detallistas ya no lograrán crecimiento de las utilidades y de las ventas mediante la expansión natural en los mercados actuales y nuevos. El crecimiento tendrá que darse por el aumento de sus porciones de los mercados actuales. Pero la mayor competencia de nuevos detallistas y de nuevas formas de este comercio hará muy difícil que los minoristas mantengan o aumenten sus porciones de mercado. La demografía, el estilo de vida y los patrones de compra del consumidor están cambiando rápidamente y los mercados detallistas se hacen cada vez más fragmentados. Para tener éxito, los detallistas tendrán que escoger cuidadosamente sus segmentos meta y posicionarse con fuerza a sí mismos.

Los crecientes costos de capital, trabajo, energía y comercialización harán que la operación más eficiente y las adquisiciones más inteligentes sean esenciales para el éxito en el comercio detallista. Las nuevas tecnologías en áreas tales como cajas registradoras computarizadas y control de inventario aumentarán la eficiencia y proporcionarán nuevas formas para servir mejor a los consumidores. Por último, la mayor preocupación social y ambiental dará lugar a más reglamentaciones estatales y federales acerca del comercio al menudeo. Los detallistas deben dirigir sus operaciones tomando en cuenta el bienestar a largo plazo del consumidor.

Muchas innovaciones del comercio detallista son el resultado de buscar mayor productividad y soluciones de altos costos y elevado precio. Tales innovaciones se explican en parte por el concepto *sobre rueda de comercio detallista*.[30] Según éste, muchos tipos nuevos de instituciones detallistas comienzan con operaciones de margen, precio y *estatus* bajos. Desafían a los detallistas establecidos que han ''engordado'' con el paso de los años al dejar que sus costos y sus márgenes aumenten. El éxito de los nuevos detallistas los conduce gradualmente a perfeccionar o modernizar sus instalaciones y a ofrecer servicios adicionales. Esto acrecienta sus costos y los obliga a elevar sus precios. Con el tiempo, las nuevas instituciones detallistas se parecen a los convencionales a quienes reemplazaron.

El ciclo vuelve a comenzar cuando otros tipos más nuevos de instituciones detallistas aparecen y presentan costos y precios más bajos (véase recuadro 16-2). El concepto del comercio detallista sobre rueda parece explicar el éxito inicial y los problemas posteriores de tiendas de departamentos, supermercados y, más recientemente, de las tiendas de descuento. Por otra parte, el concepto no explica el crecimiento de centros comerciales suburbanos y de ventas por máquinas automáticas, los que comenzaron como operaciones de alto margen y elevados costos.

Los mercadólogos están buscando constantemente nuevas formas para vender al detalle sus productos y servicios. Véanse algunos ejemplos interesantes:

Un fabricante de refrescos embotellados abrió una cadena de tiendas de refrescos para el mercado de llevar a casa que ofrecían grandes ahorros. La American Bakeries creó los establecimientos Hippopotamus Food Store que presentaban paquetes de tamaño institucional con ahorros de entre 10 y 30%. Un gran banco de Nueva York instituyó "préstamos por llamada telefónica" para examinar a un cliente por teléfono y entregarle el dinero en persona. La Universidad Adelphi en Garden City, Nueva York, desarrolló un "salón de clases en tren suburbano": los ejecutivos que viajaban diariamente entre Long Island y Manhattan pueden obtener maestrías en administración asistiendo a una clase de 50 minutos que se lleva a cabo en vagones especialmente reservados a bordo del tren.

RECUADRO 16-2

LA RUEDA DEL COMERCIO DETALLISTA GIRA EN K MART

Durante las últimas dos décadas, K mart ha sido el modelo de las tiendas de departamentos de descuento y se ha aferrado constantemente a los principios de la comercialización de descuento. Pero al igual que muchos otros detallistas de descuento, K mart se está alejando ahora rápidamente de la fórmula que lo convirtió en el detallista número 2 del país (con ventas en 1983 de 18 mil 600 millones en comparación con los 35 mil 900 millones de dólares de Sears). Durante los próximos años, K mart se alejará de su estrategia de bajo precio y ausencia de adornos y se orientará por una filosofía de mayor escala que recalca la calidad y el valor en lugar de los precios bajos. Con esta nueva estrategia, K mart espera obtener más negocios del número creciente de consumidores más ricos, que actualmente compran en K mart sólo en busca de artículos curiosos.

Para establecer la nueva imagen, K mart está haciendo cambios graduales, pero definitivos en su surtido de mercancía y en las instalaciones de sus tiendas. Su surtido más amplio y de mayor calidad incluirá algunas marcas nacionales bien conocidas y marcas privadas de alta calidad. Se dedicará más espacio a las modas, artículos deportivos, aparatos electrónicos y otros bienes de margen elevado. La publicida de K mart anunciará menos rebajas, más productos de marca y más atractivos.

K mart está gastando la fabulosa suma de 450 millones de dólares para modernizar y perfeccionar sus dos mil tiendas. La decoración se está mejorando y el espacio se está convirtiendo en módulos de departamentos especiales (un rincón de la cocina, centro de aparatos electrónicos domésticos, centro de nutrición, sección de libros y otros) para proporcionar un ambiente más agradable a los clientes más exigentes.

Así, la rueda del comercio detallista gira en K mart. Las nuevas tiendas se parecerán más a los establecimientos de Sears o de Penney que a tiendas de descuento. Y la nueva estrategia puede ser peligrosa: mientras K mart intenta atraer a consumidores de mayor calidad, aparecerán otras tiendas de descuento que intentarán quedarse con los consumidores conscientes del precio y de menor escala que le dieron tanto éxito a K mart.

Pero K mart comprende la rueda del comercio detallista y está tomando medidas para asegurar que no lo desplacen hasta el fondo. Al mismo tiempo que está subiendo de categoría sus tiendas, la compañía también está acercándose al comercio detallista de rebajas y de otros tipos para recoger el extremo inferior del negocio que podría perderse bajo la nueva estrategia de mayor escala. En los últimos años, K mart ha desarrollado o adquirido un cierto número de cadenas de especialidades de descuento: Designer Depot (ropa con etiqueta de diseñador a grandes descuentos); Garment Rack (ropa de calidad baja); Accent (regalos y artículos domésticos de calidad a precios de descuento); Bishop Buffets y Furr's Cafeterías (alimentos económicos); y otros negocios que combinados integran 600 millones de dólares en ventas anuales fuera de las tiendas K mart. Y la firma está considerando operaciones de descuento adicionales en áreas tales como juguetes, artículos deportivos, ferretería, joyas, libros y medicamentos. En vez de caer víctima de la rueda del comercio detallista, K mart parece estar usándolo para su provecho.

Fuentes: "K Mart's Plan to be Born Again", *Fortune,* 21 de septiembre de 1981, pp. 74—85; Jesse Snyder, "K Mart Moves to Sell 'Store of the '90', idea," *Advertising Age,* 12 de marzo de 1984, pp. 52-53; "K Mart: The No. 2 Retailer Starts to Make an Up-Scale Move—At Last," *Business Week,* 4 de junio de 1984, pp. 50—51.

TABLA 16-4 Ciclos de vida de las instituciones detallistas	INSTITUCION DETALLISTA	CRECIMIENTO TEMPRANO	MADUREZ	TIEMPO APROXIMADO PARA ALCANZAR LA MADUREZ
	Tiendas de departamentos	Mediados 1860	Mediados 1960	100 años
	Tiendas de artículos baratos	Principios 1900	Principios 1960	60 años
	Supermercados	Mediados 1930	Mediados 1960	30 años
	Tiendas de departamentos de descuento	Mediados 1950	Mediados 1970	20 años
	Establecimientos de servicio de comida rápida	Principios 1960	Mediados 1970	15 años
	Centros de mejoramiento del hogar	Mediados 1960	Fines 1970	15 años
	Salas de exhibición de bodega de muebles	Fines 1960	Fines 1970	10 años
	Salas de exhibición por catálogo	Fines 1960	Fines 1970	10 años

Fuente: Bert C. McCammon, Jr., ''The Future of Catalog Showrooms: Growth and Its Challenges to Management'' (Marketing Science Institute working paper, 1973), p. 3.

Continuarán apareciendo nuevas formas de comercio detallista para satisfacer las nuevas necesidades del consumidor y las nuevas situaciones.[31] Pero el ciclo de vida de las nuevas formas de comercio detallista se está acortando. La tabla 16-4 muestra los ciclos de vida de algunas grandes instituciones de comercio detallista. A las tiendas de departamentos les llevó casi 100 años llegar a la etapa de madurez de su ciclo de vida; las formas más recientes alcanzan su madurez en cosa de 10 años. Los detallistas ya no pueden dormirse con una fórmula exitosa. Para seguir teniendo éxito, deben adaptarse continuamente a los nuevos ambientes del comercio al menudeo.

COMERCIO MAYORISTA

El **comercio mayorista** incluye *todas las actividades relacionadas con la venta de bienes y servicios a quienes los compran para revenderlos o para uso comercial.* Una panadería al menudeo se dedica a las ventas al mayoreo cuando le vende pasteles al hotel local. Pero las firmas *mayoristas* son aquéllas que se dedican *principalmente* a la actividad de vender al mayoreo.

Los mayoristas se diferencian de los detallistas en varias cosas. Primero, como tratan principalmente con intermediarios o negocios más que con los consumidores finales, prestan menos atención a la promoción, la atmósfera y la ubicación. Segundo, los mayoristas usualmente cubren grandes áreas comerciales y tienen mayores transacciones que los detallistas. Tercero, los mayoristas están sujetos a diferentes reglamentaciones legales e impuestos.

Los mayoristas compran principalmente a fabricantes y les venden a los detallistas, consumidores industriales y otros mayoristas. ¿Pero por qué se usa a los mayoristas? Por ejemplo, ¿por qué usaría mayoristas un fabricante en lugar de venderles directamente a los detallistas o a los consumidores? La respuesta es que con frecuencia los mayoristas son más eficientes para ejecutar una o más de las siguientes funciones del canal:

1. *Promoción y ventas.* Los mayoristas proporcionan fuerza de ventas que les permiten a los fabricantes llegar a muchos consumidores pequeños a un costo relativamente bajo. El mayorista tiene más contactos y a menudo el comprador tiene más confianza en él que en el fabricante distante.

2. *Surtido y artículos más selectos.* Los mayoristas pueden seleccionar artículos y conseguir los surtidos que necesiten los consumidores, con lo que les ahorran a éstos un considerable trabajo.

3. *Descuentos por compra en gran volumen.* Los mayoristas logran rebajas para sus clientes al comprar lotes completos de mercancía y grandes cantidades de productos.

4. *Almacén de depósito*. Los mayoristas guardan inventario y con esto reducen los costos de éste, así como los riesgos para proveedores y clientes.

5. *Transporte*. Los mayoristas proporcionan una entrega más rápida a los consumidores, pues están más cerca de éstos que el fabricante.

6. *Financiamiento*. Los mayoristas financian al cliente concediéndole crédito, y financian a los proveedores haciendo sus pedidos con mucha anticipación y liquidando a tiempo sus facturas.

7. *Absorción de riesgos*. Los mayoristas absorben parte del riesgo al adquirir la propiedad de las mercancías y absorber el costo de los hurtos, daños, desperdicio y obsolescencia.

8. *Información sobre el mercado*. Los mayoristas suministran información a sus proveedores y clientes acerca de las actividades de los competidores, los productos nuevos, evolución de los precios y cosas por el estilo.

9. *Servicios de administración y asesoría*. Los mayoristas ayudan al detallista a mejorar sus operaciones dando capacitación a los dependientes, ayudándoles en el proyecto del local y en las exhibiciones, implantando sistemas de contabilidad y control de inventarios.

Varios fenómenos de tipo económico han contribuido al crecimiento del comercio mayoristas con el paso de los años. Estos incluyen los siguientes: 1) el crecimiento de la producción en masa en las grandes fábricas ubicadas lejos de sus principales compradores; 2) el crecimiento de la producción en previsión de futuros pedidos y no a causa de pedidos específicos; 3) un aumento del número de niveles de productores intermediarios y usuarios; y 4) la creciente necesidad de adaptar productos a los deseos de usuarios intermedios y finales en términos de cantidades, paquetes y formas.[32]

TIPOS DE MAYORISTAS

Los mayoristas pueden clasificarse en cuatro grupos principales (véase tabla 16-5): mayoristas comerciales, corredores y agentes, sucursales y oficinas de ventas de los fabricantes y mayoristas diversos. A continuación se examinará cada uno de estos grupos de mayoristas.

Mayoristas comerciales   Los mayoristas comerciales son negocios de propiedad independiente que tienen derechos sobre la mercancía que manejan. En distintos ramos se les puede denominar comerciantes en estantes, distribuidores o proveedores fabriles. Constituyen el grupo más numeroso de los mayoristas, ya que acaparan aproximadamente 50% de todo el comercio al mayoreo.

TABLA 16-5   *Clasificación de los mayoristas*

MAYORISTAS COMERCIANTES	CORREDORES Y AGENTES	SUCURSALES Y OFICINAS DE LOS FABRICANTES Y LOS DETALLISTAS	MAYORISTAS DIVERSOS
Mayoristas de servicio completo	Corredores	Sucursales y oficinas de ventas	Intermediarios agrícolas
Comerciantes mayoristas	Agentes	Oficinas de adquisiciones	Plantas y terminales de petróleo
Distribuidores industriales			Compañías de subastas
Mayoristas de servicio limitado			
Mayoristas de pagar y llevar			
Mayoristas camioneros			
Fletadores			
Comerciantes en estante			
Cooperativas de productores			
Mayoristas de pedido por correo			

Los mayoristas comerciales pueden subclasificarse en dos grandes tipos: mayoristas de servicio completo y mayoristas de servicio limitado.

Mayoristas de servicio completo

Los mayoristas de servicio completo proporcionan un conjunto completo de servicios como llevar inventario, usar fuerza de ventas, ofrecer crédito, hacer entregas y proporcionar asistencia administrativa. Incluyen dos tipos: comerciantes al mayoreo y distribuidores industriales.

COMERCIANTES AL MAYOREO. Les venden principalmente a los detallistas y proporcionan una gama completa de servicios. Varían principalmente en la amplitud de su línea de producto. Los *comerciantes generales al mayoreo* manejan varias líneas de mercancía para satisfacer las necesidades tanto de los detallistas generales como de los detallistas de una sola línea. Los *mayoristas de línea general* manejan sólo una o dos líneas de mercancía con mayor profundidad de surtido. Los ejemplos principales son mayoristas en ferretería, en medicamentos y en ropa. Los *mayoristas de especialidades* sólo manejan parte de una línea con gran profundidad. Los ejemplos son mayoristas de alimentos naturales, de pescados y mariscos, y de refacciones de automóvil. Les ofrecen a los consumidores la ventaja de mayor elección y mejor conocimiento del producto.

DISTRIBUIDORES INDUSTRIALES. Los distribuidores industriales son comerciantes al mayoreo que les venden a los fabricantes más que a los detallistas. Proporcionan servicios como conservación de la mercancía, crédito y entrega. Pueden manejar una amplia gama de mercancía (llamada a menudo casa de abastecimiento fabril), una línea general o una de especialidad. Los distribuidores industriales pueden concentrarse en líneas tales como artículos MRO (mantenimiento, reparación y operación), artículos SEO (suministros de equipo original como rodamientos y motores) o equipo (instrumentos manuales y eléctricos o montacargas).

Mayoristas de servicio limitado

Los mayoristas de servicio limitado les ofrecen menos servicios a sus proveedores y consumidores. Hay varios tipos de mayoristas de servicio limitado.

MAYORISTAS DE PAGAR Y LLEVAR. Los mayoristas de pagar y llevar tienen una línea limitada de artículos de movimiento rápido, les venden en efectivo a detallistas pequeños y normalmente no hacen la entrega. Así, un pequeño detallista de pescado normalmente acude al amanecer con el mayorista que le vende ese producto, compra varias cajas, paga al momento, trae la mercancía a su establecimiento y la descarga.

MAYORISTAS CAMIONEROS. Los mayoristas camioneros (llamados también intermediarios camioneros) desempeñan principalmente una función de venta y entrega. Manejan una línea limitada de bienes semiperecederos (como leche, pan, bocadillos) que venden en efectivo durante sus rondas en supermercados, pequeñas tiendas de abarrotes, hospitales, restaurantes, cafeterías de fábricas y hoteles.

FLETADORES DE ENTREGA. Estos trabajan en industrias cuyos productos son voluminosos como carbón, madera y equipo pesado. No mantienen inventario ni manejan la mercancía. Una vez recibido un pedido, encuentran a un fabricante que envía la mercancía directamente al cliente según condiciones y en un plazo establecido previamente. El fletero asume la

Un centro típico de distribución de alimentos al mayoreo de las compañías Fleming. El almacén medio de Fleming contiene 500 mil pies cuadrados de espacio de piso (con techos de 30 pies de alto), maneja 16 mil productos alimenticios distintos y sirve de 150 a 200 detallistas dentro de un radio de 800 kilómetros. *Cortesía de Fleming Companies, Inc. Oklahoma City. OK.*

propiedad del producto y el riesgo desde el momento en que acepta un pedido hasta el momento de entregárselo al cliente. Como no llevan inventario, sus gastos son más bajos y así les ahorran un poco a los clientes.

COMERCIANTES EN ESTANTE. Estos sirven a las tiendas de comestibles y a las farmacias, sobre todo en el campo de los artículos no alimenticios. Estos detallistas no quieren pedir y mantener en los estantes cientos de esos artículos. Los comerciantes por estante envían camiones repartidores a las tiendas; el que hace la entrega pone en los estantes juguetes, libros de bolsillo, artículos de ferretería, de belleza, medicamentos, etc. Les pone precio, los mantiene frescos, establece exhibidores en el punto de compra y lleva registros del inventario. Los comerciantes en estante venden a consignación, lo cual significa que conservan la propiedad de los bienes y facturan a los detallistas sólo por los bienes vendidos al consumidor. Con eso prestan servicios como entrega, conservación en los estantes, mantenimiento de inventario y financiamiento. Hacen muy poca promoción porque se dedican a varios artículos de marca que gozan de mucha publicidad.

COOPERATIVAS DE PRODUCTORES. Las cooperativas de productores, propiedad de los miembros-campesinos, se encargan de vender los productos agrícolas en los mercados locales. Sus utilidades se distribuyen entre los miembros al final del año. A menudo intentan mejorar la calidad del producto y promover un nombre de marca de cooperativa, como Sun Maid (pasas), naranjas Sunkist o nueces Diamond.

MAYORISTAS DE PEDIDO POR CORREO. Los mayoristas de pedido por correo les mandan a los consumidores detallistas, industriales e institucionales catálogos de joyería, cosméticos, alimentos de especialidad y otros artículos pequeños. Sus principales consumidores son negocios en pequeñas áreas alejadas de las ciudades. No mantienen una fuerza de ventas para visitar a los clientes. Los pedidos se hacen y se mandan por correo, camión u otro medio eficiente de transporte.

Los corredores y los agentes se distinguen de los mayoristas en dos aspectos: no tienen la propiedad de la mercancía y sólo ejecutan unas cuantas funciones. La principal función es facilitar las compras y las ventas, por lo que ganan una comisión que va de 2 a 6% del precio de venta. Al igual que los comerciantes al mayoreo, por lo general se especializan por línea de producto o tipos de consumidores. Acaparan 10% del volumen total de ventas al mayoreo.

Corredores

La función principal de un corredor es reunir a los compradores y a los vendedores y ayudarles en la negociación. A los corredores les paga quien los contrata. No llevan inventario, no intervienen en el financiamiento ni corren riesgos. Los ejemplos más conocidos son corredores de alimentos, de bienes raíces, de seguros y de valores.

Agentes

Los agentes representan a los vendedores o a los compradores en un régimen más permanente. Hay varios tipos.

Los *agentes de los fabricantes* (llamados también representantes de los fabricantes) son más numerosos que otros tipos de agentes de mayoristas. Representan a dos o más fabricantes de líneas complementarias. Hacen un acuerdo formal por escrito con cada fabricante que cubre políticas de fijación de precios, territorios, procedimientos para manejo de pedidos, servicio de entrega y garantía y tasas de comisión. Conocen la línea de producto de cada fabricante y usan sus numerosos contactos para vender los productos de éste. Los agentes del fabricante se usan en líneas tales como ropa, muebles y aparatos eléctricos. La mayoría de los agentes del fabricante son pequeños negocios, con unos cuantos vendedores experimentados. Son contratados por fabricantes pequeños que no pueden costearse una fuerza de ventas propia y por grandes fabricantes que quieren usar agentes para abrir nuevos territorios o para representarlos en territorios que no pueden mantener a un vendedor de tiempo completo.

Los *agentes de ventas* tienen autoridad por contrato para vender la producción total de un fabricante. A éste no le interesa realizar la función de ventas o se considera impreparado para efectuarla. El agente de ventas sirve como un departamento de ventas y tiene una influencia significativa sobre los precios, términos y condiciones de la venta. El agente de ventas normalmente no tiene límites territoriales. Se encuentran agentes de ventas en áreas tales como textiles, maquinaria y equipo industriales, carbón y coque, sustancias químicas y metales.

Los *agentes de adquisiciones* generalmente tienen una relación a largo plazo con los compradores y hacen las compras para éstos; a menudo reciben, inspeccionan, almacenan y embarcan la mercancía a los compradores. Un tipo consiste en los *compradores residentes* en los grandes mercados de ropa, que buscan líneas adecuadas de ropa que puedan vender los pequeños detallistas en las ciudades pequeñas. Son expertos y proporcionan valiosa información sobre el mercado a los clientes, además de conseguir los mejores precios y mercancía disponibles.

Los *comerciantes a comisión* (o casas comisionistas) son agentes que toman posesión física de la mercancía y negocian la venta. Por lo general son empleados de planta. En el mercado agrícola los contratan agricultores que no quieren vender sus propios productos y que no pertenecen a ninguna cooperativa. El comerciante a comisión carga un camión con artículos y lo lleva a un mercado central; allí lo vende al mejor postor, deduce una comisión y los gastos y le envía el resto al productor.

Sucursales y oficinas de venta de fabricantes y detallistas

El tercer tipo fundamental de comercio mayorista consiste en operaciones al mayoreo dirigidas por vendedores o por los mismos compradores, en vez de realizarse a través de mayoristas independientes. Hay dos tipos.

Sucursales y oficinas de ventas

Los fabricantes establecen a menudo sus propias sucursales y oficinas, con el propósito de mejorar el control de inventarios, las ventas y la promoción. Las *sucursales de ventas* conservan inventario y se encuentran en industrias como la maderera y la de equipo y partes automotrices. Las *oficinas de ventas* no conservan inventario y negocian, sobre todo, bienes generales y novedosos. Las sucursales y oficinas representan cerca de 11% de todos los establecimientos mayoristas y 36% del volumen total de ventas.

Oficinas de adquisiciones

Muchos detallistas establecen estas oficinas en los grandes centros mercantiles de ciudades como Nueva York y Chicago. Las oficinas cumplen una función análoga a la de los corredores o agentes, sólo que forman parte de la organización del cliente.

Mayoristas diversos

Han aparecido unos cuantos tipos especializados de mayoristas que satisfacen necesidades especiales en ciertos sectores de la economía. Por ejemplo, los *intermediarios agrícolas* reúnen los productos de los agricultores y forman con éstos grandes lotes, embarcándolos después a los procesadores de alimentos, a las panaderías y a clientes gubernamentales. Las *plantas y terminales de petróleo* expenden e integran los derivados del petróleo a las gasolinerías. Las *compañías de subasta* son importantes en las industrias donde los consumidores quieren ver y examinar los bienes antes de adquirirlos, como en el mercado del tabaco y del ganado. Tales mayoristas especializados son muy importantes en ciertas industrias, pero sólo tienen una pequeña proporción del volumen total del comercio al mayoreo.

DECISIONES DE MERCADOTECNIA DEL MAYORISTA

Los mayoristas también toman decisiones acerca de mercados meta, surtido de producto y servicios, fijación de precios, promoción y plaza.

Decisión del mercado meta

Los mayoristas, al igual que los detallistas, necesitan definir su mercado meta y no intentar servir a todos. Pueden escoger un grupo meta de consumidores de acuerdo con criterios de tamaño (sólo detallistas grandes), tipo de consumidor (sólo tiendas de artículos de uso común), necesidad de servicio (consumidores que necesitan crédito), u otros criterios. Dentro del grupo meta, pueden identificar a los clientes más lucrativos y diseñar ofertas poderosas y desarrollar mejores relaciones con éstos. Pueden proponer sistemas automáticos de reorden, implantar la capacitación administrativa y sistemas de asesoría, e incluso pueden patrocinar una cadena voluntaria. Pueden desalentar a los clientes menos rentables al requerir pedidos más grandes o aumentar un cargo a los pedidos más pequeños.

Decisión de surtido de producto y servicios

El "producto" del mayorista es el surtido. Se encuentra bajo la fuerte presión de tener una línea completa y conservar suficientes existencias para hacer una entrega inmediata. Pero esto puede ser negativo para las utilidades. Hoy en día los mayoristas están reconsiderando el número de líneas que les conviene manejar y empiezan a decidirse exclusivamente por las más rentables. Agrupan los artículos en un régimen de ABC, donde A significa los productos más rentables y C los menos rentables. Los niveles de mantenimiento de inventario varían para los tres grupos.

Los mayoristas también están reevaluando qué servicios ayudan más a crear relaciones estrechas con el cliente y cuáles deben abandonarse o asignarse al renglón de gastos. La clave consiste en encontrar una mezcla especial de servicios que aprecien los clientes meta.

Decisión sobre el precio

Los mayoristas usualmente aumentan el costo de los bienes en un porcentaje estándar, por ejemplo 20% para cubrir los gastos. Estos pueden llegar a 17% del margen bruto, dejando así una utilidad de 3%, más o menos. En el comercio mayorista de alimentos al margen promedio de utilidad suele ser menor de 2%. Los mayoristas comienzan a experimentar con nuevos enfoques de la fijación de precios. Pueden reducir su margen en algunas líneas con el fin de ganar nuevos clientes importantes. Les pedirán precios especiales a los proveedores para tener la oportunidad de aumentar las ventas.

Decisión de promoción

Pocos mayoristas tienen una orientación promocional. El uso que hacen de la publicidad, promoción de ventas, publicidad no pagada y ventas personales es fortuito en su mayor parte. Muchos están atrasados en las ventas personales, todavía consideran la venta como un solo vendedor que habla con un solo cliente en vez de un esfuerzo de equipo para vender, encontrar buenas cuentas y darles servicio a los clientes. En cuanto a la promoción no personal, los mayoristas se beneficiarían si adoptaran algunas de las técnicas de promoción de imagen que usan los detallistas. Necesitan desarrollar una estrategia global de promoción y hacer mayor uso de los materiales y programas de promoción del proveedor.

Decisión de plaza

Los mayoristas suelen establecerse en áreas de bajo alquiler e impuestos reducidos e invierten poco dinero en sus instalaciones y en sus oficinas. Con frecuencia, los sistemas con los que manejan los materiales y procesan los pedidos están rezagados respecto a la tecnología moderna. Para resolver el problema que plantea el aumento de los costos, los mayoristas más progresistas han comenzado a desarrollar nuevos métodos. Uno es el almacén automatizado donde los pedidos se alimentan a una computadora. Hay dispositivos mecánicos que escogen los artículos y los transportan automáticamente a la plataforma de embarque y allí son reunidos. Este tipo de mecanización está avanzando con rapidez, lo mismo que la automatización en las actividades de oficina. Algunos mayoristas comienzan a recurrir a las computadoras y a las procesadoras de palabras para realizar la contabilidad, facturación, control de inventario y pronóstico.

FUTURO DEL COMERCIO MAYORISTA

Los cambios en el comercio mayorista han sido menos extremosos que en el comercio minorista, pero no menos importantes. En el siglo XIX, los mayoristas tenían la posición dominante en los canales de mercadotecnia. La mayoría de los fabricantes eran pequeños y dependían de los grandes mayoristas para distribuir sus productos a los numerosos detallistas pequeños. El poder del mayorista comenzó a disminuir en el siglo XX conforme los fabricantes se hicieron más grandes y aparecieron gigantescas cadenas y sistemas de franquicia. Los grandes fabricantes buscaron formas para venderles directamente a los principales detallistas y éstos buscaron nuevas formas para comprar directamente a los fabricantes.

La oportunidad de un trato directo, aun cuando no se usara la mayor parte del tiempo, acrecentó el poder del fabricante y del detallista y obligó a los mayoristas a volverse más eficientes. La importancia relativa de los mayoristas declinó en las décadas de 1930 y 1940 y no recuperaron su posición hasta mediados de la década de 1950. El volumen de ventas del comercio mayorista ha seguido creciendo, pero en términos relativos los mayoristas se han limitado a mantenerse firmes.

Los fabricantes siempre han tenido la opción de saltarse a los mayoristas o reemplazar a un mayorista ineficiente por otro más dinámico. Las principales quejas que tienen los fabricantes acerca de los detallistas son: (1) No promueven dinámicamente la línea de producto del fabricante, actúan más en el sentido de tomar pedidos; (2) no llevan suficiente inventario y no localizan pedidos de los clientes con suficiente rapidez; (3) no le suministran al fabricante información actualizada sobre el mercado y la competencia; (4) no atraen a gerentes de alto nivel y no bajan sus propios costos; y (5) cobran demasiado por sus servicios.

Estas quejas están justificadas en muchos casos. Los mayoristas deben adaptarse a un ambiente que cambia rápidamente. Según Lopata:

> Los avances tecnológicos, la proliferación de líneas de productos, el cambio en las estructuras minoristas y los ajustes sociales; son tan sólo unos cuantos de los problemas reales que complican la vida del mayorista. Cada producto mejorado que pasa por el nivel de mayorista genera una nueva demanda de inversiones en espacio de almacén, análisis de mercado y entrenamiento en ventas, e innumerables ajustes en los sistemas de información de los mayoristas. Cada cambio principal en el comercio detallista diseñado para satisfacer las necesidades del consumidor obliga al mayorista a ajustar sus patrones de venta, a revisar sus niveles de servicio al cliente, a estudiar los surtidos de productos y a revisar sus estrategias.[33]

Los mayoristas progresistas son aquéllos que están deseosos de cambiar sus prácticas para enfrentar los retos de las organizaciones de cadena, las casas de descuento y el incremento de los costos laborales. Están adaptando sus servicios a las necesidades de los consumidores meta y están descubriendo métodos para reducir costos en las transacciones comerciales.

■ Resumen

El comercio mayorista y el minorista constan de muchas organizaciones que realizan la labor de llevar los bienes y servicios desde el punto de producción hasta el consumo.

El *comercio minorista* abarca todas las actividades que intervienen en la venta de bienes o servicios directamente a los consumidores finales para su uso personal y no comercial. El comercio al menudeo es una de las principales industrias en Estados Unidos. Los detallistas se pueden clasificar de diversas formas: por la cantidad de servicio que proporcionan (autoservicio, autoselección, servicio limitado o servicio completo); por línea de producto (tiendas de especialidades, tiendas de departamentos, supermercados, tiendas de artículos de uso común, tiendas de combinación, supertiendas, hipermercados y negocios de servicio); por el énfasis relativo en el precio (tiendas de descuento, tiendas de bodega y salas de exhibición con catálogo); por la naturaleza de las transacciones (comercio detallista por pedido telefónico o por correo, venta automática, servicios de compra y ventas de puerta en puerta); por el control de los establecimientos (cadenas corporativas, cadenas voluntarias y cooperativas de detallistas, cooperativas de consumidores, organizaciones de franquicia y conglomerados mercantiles); y por el tipo de agrupamiento de tiendas (zonas comerciales centrales, centros comerciales regionales, centros comerciales comunitarios y centros comerciales de barrio). Los detallistas toman decisiones acerca de sus mercados meta, el surtido de producto y servicios, fijación de precio, promoción y plaza. Los minoristas deben buscar formas para mejorar su administración profesional y aumentar su productividad.

El *comercio mayorista* incluye todas las actividades que intervienen en la venta de bienes o servicios a aquéllos que los compran con el propósito de revenderlos o para uso comercial. Los mayoristas ayudan a los fabricantes a entregar sus productos eficientemente a los numerosos detallistas y usuarios industriales en toda la nación. Los mayoristas ejecutan muchas funciones, incluyendo venta y promoción, compras y obtención de surtido de producto, descuentos por grandes volúmenes, servicio de bodegas, transporte, financiamiento, aceptación de riesgos, suministro de información sobre mercados, prestación de servicios administrativos y de asesoría. Los mayoristas se clasifican en cuatro grupos. Los mayoristas comerciales son dueños de los bienes. Se les puede subclasificar en mayoristas de servicio completo (comerciantes mayoristas, distribuidores industriales) y mayoristas de servicios limitados (mayoristas de pagar y llevar, mayoristas camioneros, fletadores, comerciantes en estante, cooperativas de productores y mayoristas de pedido por correo). Los agentes y los corredores no son dueños de los bienes, sino que reciben una comisión por su colaboración en la compra y venta. Las sucursales y oficinas de los fabricantes son negocios con los que los no mayoristas tratan de prescindir de la intermediación. Los mayoristas diversos incluyen los intermediarios agrícolas, las plantas y terminales de petróleo y las compañías de subastas. El comercio mayorista conserva su vigencia en la economía moderna.

Los mayoristas más progresistas han comenzado a adaptar sus servicios a las exigencias de los clientes y buscan medios para reducir los costos de las transacciones.

■ *Preguntas de repaso*

1. En dos de sus establecimientos de San Diego, Montgomery Ward abrió casetas de "consulta legal" que proporcionan asesoría legal inmediata por una tarifa de 10 dólares. Los clientes entran en un recinto parecido a una cabina telefónica cuyas operadoras los conectan con una oficina central de abogados que responden a preguntas telefónicamente. Explique las decisiones de mercadotecnia detallista para la "tienda de consulta legal".

2. ¿Cuál es la principal diferencia entre *detallistas* y *mayoristas*? Explíquela usando ejemplos de cada uno.

3. Analice las diferencias principales entre una *tienda de bodega* y una *sala de exhibición con catálogo*. ¿Qué factores contribuyeron al desarrollo de ambas?

4. Las ventas de puerta en puerta disminuirán para fines de la década de 1980. Explique por qué.

5. Si sus amigos estuviesen planeando abrir una tienda de anuncios, ¿qué tipo de agrupamiento de tiendas les recomendaría que seleccionaran y por qué?

6. ¿Hay alguna diferencia entre el enfoque tomado en *decisiones de mercadotecnia detallista* y el adoptado en *decisiones de mercadotecnia de producto*? Explique su respuesta.

7. La distinción principal entre *mayoristas comerciales* y *agentes/corredores* es que los primeros le ofrecen más servicio al comprador. Comente esta aseveración.

8. ¿Buscará un pequeño fabricante de herramientas de jardinería a un agente del fabricante o a un representante de ventas para que maneje su mercancía? Explique su respuesta.

9. ¿Por qué cree que el área de promoción de la estrategia de mercadotecnia ha sido tradicionalmente débil para los mayoristas?

■ *Bibliografía*

1. Véase "Leading Toward a Green Christmas," *Time*, 1 de diciembre de 1975, pp. 74—80; RICHARD L. GORDON y STUART EMMRICH. "Bloomingdale's Future in Expanding Its Mystique," *Advertising Age*, 3 de octubre de 1983, p. 3ff; y LAUREL BUXBAUM. "Bye Bye, Broadway; Hello, Bloomies," *Advertising Age*, 5 de septiembre de 1983, pp. M18—M19.
2. Para más detalles, véase PHYLLIS BERMAN, "Two Big for Miracles," *Forbes*, 15 de junio de 1977, p. 26—29.
3. Véase "The Largest Retailers Ranked by Sales," *Fortune*, 11 de junio de 1984, p. 186.
4. ERNEST SAMHABER, *Merchants Make History* (New York: Harper & Row, 1964), p. 345—48.
5. La parte citada de la definición se tomó de WALTER J. SALMON. ROBERT D. BUZZELL. STATON G. CORT, y MICHAEL R. PEARCE. *The Super Store: Strategic Implications for the Seventies* (Cambridge, MA: Marketing Science Institute, 1972), p. 83.
6. Véase BERT MCCAMMON, "High Performance Marketing Systems" (unpublished paper).
7. Véase "1982 Grocery Store Sales," *Progressive Grocer*, abril de 1983, p. 58.
8. SALMON et al., *Super Store*, p. 4.
9. Véase "Super Warehouses Chomp into the Food Business," *Business Week*, 16 de abril de 1984, p. 72.
10. RONALD R. GIST, *Retailing Concepts and Decisions* (New York: Wiley, 1968), p 45—46. Gist modifica ligeramente esta lista de elementos.
11. Standard and Poor's Industry Surveys, *Retailing*, 16 de noviembre de 1981.
12. Véase THEODORE J. GAGE, "No Thrills for the No Frills," *Advertising Age*, 15 de marzo de 1982, p. M36.
13. Véase JONATHON N. GOODRICH y JO ANN HOFFMAN. "Warehouse Retailing: The Trend of the Future?" *Business Horizons*, abril de 1979, p 45—50.
14. "Catalog Showroom Hot Retailer," *Chicago Tribune*, 6 de diciembre de 1978, Sec. 4, p. 12.
15. Véase "Best Products: Too Much Too Soon at the Nation's No. 1 Catalog Showroom," *Business Week*, 23 de julio de 1984, p 136—38.

16. Véase Leo Bogart, "The Future of Retailing," *Harvard Business Review,* noviembre-diciembre de 1973, p. 26; y Richard Green, "A Boutique in Your Living Room," *Forbes,* 7 de mayo de 1984, pp. 86—94.

17. Belden Menkus, "Remote Retailing a Reality by 1985?" *Chain Store Age Executive,* septiembre de 1975, p. 42.

18. Véase Green, "A Boutique," p. 90; y Wendy Kimball y Lewis Lazare, "Sears Book Gets Breezy Look," *Advertising Age,* 9 de julio de 1984, p. 24.

19. Véase Green, "A Boutique," p. 88.

20. Para un libro excelente sobre técnicas de correo directo, véase Bob Stone. *Successful Direct Marketing Methods* (2d ed.) (Chicago: Crain Books, 1979).

21. G. R. Schreiber, *A Concise History of Vending in the U.S.A.* (Chicago: Vend, 1961), p. 9.

22. Véase Avon Annual Reports and Dart & Kraft 1983 annual report.

23. Véase Ronald R. Gist, *Marketing and Society: Text and Cases* (2d ed.) (Hinsdale, IL: Dryden Press, 1974), p. 334.

24. Véase Rollie Tillman, "Rise of the Conglomerchant," *Harvard Business Review,* noviembre-diciembre de 1971, p 44—51.

25. Véase Phyllis Berman, "Melville Corp.: Discounting with a Difference," *Forbes,* 16 de abril de 1979, p 93—94.

26. Esta definición se tomó de Urban Land Institute y puede encontrarse en Roger A. Dickinson, *Retail Management: A Channels Approach* (Belmont, CA: Wadsworth, 1974), p. 9.

27. Para un mayor estudio, véase Phillip Kotler, "Atmospherics as a Marketing Tool," *Journal of Retailing,* invierno 1973—74, p 48—64.

28. Harold Haydon, "Galleries: A Little Push Is Better Than Too Much or No Promotion at All," *Chicago Sun-Times,* 30 de octubre de 1970, p. 55.

29. Para más sobre la ubicación de la tienda al menudeo, véase Lewis A. Spaulding, "Beating the Bushes for New Store Locations," *Stores,* octubre de 1980, p 30—35; y "How to Use Foresight in Site Selection," *Discount Store News,* 5 de noviembre de 1979.

30. Malcolm P. McNair, "Significant Trends and Developments in the Postwar Period," in *Competitive Distribution in a Free, High-Level Economy and Its Implications for the University,* A. B. Smith, ed. (Pittsburgh: University of Pittsburgh Press, 1958), pp. 1—25. Véase también el tratado crítico por Stanley C. Hollander, "The Wheel of Retailing," *Journal of Marketing,* Julio de 1960, pp. 37—42. Véanse otras teorías sobre el cambio en la reventa Ronald R. Gist, *Retailing Concepts and Decisions* (New York: Wiley, 1968), chap. 4.

31. Para artículos adicionales sobre el futuro del comercio detallista, véase William R. Davidson, Albert D. Bates, y Stephen J. Bass, "The Retail Life Cycle," *Harvard Business Review,* noviembre-diciembre de 1976, p 89—96; Albert D. Bates, "The Troubled Future of Retailing," *Business Horizons,* agosto de 1976, p 22—28; and Malcolm P. McNair and Eleanor G. May, "The Next Revolution of the Retailing Wheel," *Harvard Business Review,* septiembre-octubre de 1978, p 81—91.

32. David A. Revzan, *Wholesaling in Marketing Organization* (New York: Wiley, 1961) p. 10—11.

33. Richard S. Lopata, "Faster Pace in Wholesaling," *Harvard Business Review,* julio-agosto de 1969, p. 131.

CASO 11

GOULD, INC.: PLAN DE MERCADOTECNIA PARA 800 BAT-TERY

Gould, Inc., un fabricante diversificado de equipo eléctrico, está preparando una gran prueba de un plan innovador destinado a las ventas directas al consumidor para ganar una mayor porción del mercado cada vez más débil de los acumuladores para automóvil, con ventas que ascienden a dos mil 500 millones. Gould inventó el acumulador (batería) que no necesita mantenimiento, y produce una de cada siete baterías en Estados Unidos, pero casi todos sus acumuladores se venden con marcas privadas, generalmente mediante las empresas petroleras y las que trabajan a nivel masivo. El nuevo plan de mercadotecnia directa le acarreará la competencia de algunos de sus principales clientes de marca privada: J. C. Penney, K mart y Montgomery Ward de Mobil. El plan se está sometiendo a prueba en el área de Chicago.

El plan para 800 BAT-TERY exige establecer un servicio de carretera para los conductores ordinarios, manteniendo para esto una flotilla de camionetas Rover alquiladas y equipadas con una dotación de acumuladores nuevos. El conductor que no pueda poner en marcha su vehículo marca el número telefónico de 800 BAT-TERY sin costo alguno, de las seis de la mañana a las ocho de la noche entre semana. Si el despachador piensa, después de un diálogo de diagnóstico con el cliente, que el problema es el acumulador, envía una camioneta que suele llegar al lugar en una hora. Si las pruebas indican que se necesita un acumulador, el conductor de la camioneta se la vende al cliente y se la instala por un precio que fluctúa entre 49.50 y 69.50 dólares. En caso de que el acumulador no sea el problema y el automóvil puede arrancar, se cobran 15 dólares que pueden pagarse en efectivo, con cheque o con tarjeta de crédito (el riesgo de crédito se comprueba en el momento que el despachador recibe la llamada telefónica). Si el automóvil no arranca, no se cobra nada. Se cree que éste es un plan muy atractivo para los clientes por ofrecerles mayor comodidad a un costo no mayor del que supone adquirir un acumulador en los negocios tradicionales.

La mayor parte de los acumuladores de repuesto se compran en cadenas detallistas a nivel nacional (entre las que cabe mencionar Sears, K mart y Penney) o en las gasolinerías. Gould abastece a ambos tipos de detallistas, lo mismo que a algunos fabricantes de vehículos; pero sus acumuladores siempre se vendían con el nombre de marca de éstos, no con el de Gould. Por lo tanto, si un detallista no está contento, lo único que debe hacer es cambiar de producto sin que esto influya en la demanda. Dada la sobrecapacidad que existe en la industria, todos los fabricantes desean a toda costa abastecer a los detallistas. Y esto los coloca en una situación de desventaja a la hora de negociar, y ha provocado que la venta de acumuladores sea más rentable para el detallista que para el productor.

Gould podría haber decidido la creación de una cadena de distribuidores, como hicieron los grandes fabricantes de llantas Goodyear, Firestone y General. Pero había pocas probabilidades de que los acumuladores alcanzaran el mismo éxito, puesto que las llantas suelen comprarse en casos de emergencia y a intervalos más prolongados. Para atraer el interés de los automovilistas y conductores en general, era preciso ofrecerles otra mercancía o servicio. Aún así, las tiendas no tendrían algo que las distinguiera de las de la competencia. Más aún, si la inversión de capital en cada establecimiento fuera de 200 mil dólares y la tasa de interés fuera de 15% anual, el pago de intereses ascendería a 30 mil dólares anuales por tienda. Si se considera el número de establecimientos necesarios para dar el buen servicio al área de Chicago, una opción de este tipo necesitaría de una fuerte inversión de capital.

Al analizar la experiencia de Federal Express, se advierte que una flotilla de camionetas alquiladas podría operarse con una inversión menor, contando además con mayor flexibilidad de tiempo y espacio que los establecimientos al detalle. En efecto, el costo de alquilar 20 camionetas en el área de Chicago se estimó en siete mil dólares mensuales (*Business Week,* 15 de junio, 1981, p. 82). La entrada al mercado de los acumuladores al detalle implica otros gastos, como la publicidad para darse a conocer, pero serán más o menos iguales en el plan de flotilla de camionetas o en una cadena de tiendas.

Antes de implantar este sistema, la Gould dirigió investigaciones sobre los consumidores para calcular la demanda. Cada año se venden 47 millones de acumuladores de repuesto, con la posibilidad de un aumento a medida que los precios altos de los automóviles nuevos hagan a los conductores conservar su vehículo de modelo anterior. Las ventas de acumuladores de repuesto pueden clasificarse en dos grupos: *las anticipadas y las de problemas*. Las primeras son aquéllas en las que se cambia un acumulador todavía bueno porque el dueño piensa que puede fallarle en circunstancias peligrosas. Representan cerca de 20% de las ventas totales, pero gran parte son de temporada. Fueron 50% de las efectuadas en septiembre. Las ventas del segundo tipo constituyen 80% y también son en gran medida de temporada. Los automóviles necesitan mayor potencia de arranque en invierno y los acumuladores generan menos potencia conforme baja la temperatura. El nivel máximo de la demanda corresponde a las mañanas extremadamente frías.

Gould ensayó un nuevo enfoque en Wilkes-Barre, Filadelfia, y aumentó cinco puntos porcentuales su porción de mercado. Se seleccionó esa región porque podía darle servicio una de las plantas situadas cerca de allí. Si la prueba en el área de Chicago tiene éxito, Gould terminará por ampliarla a 42 mercados.

Este caso fue preparado por el profesor Richard Yalch, de la escuela de administración, Universidad de Washington, Seattle, 98195. Aunque toda la información del caso se tomó de artículos noticiosos publicados, el autor se benefició con una presentación en clase en la Universidad Northwestern por Richard Melrose de Gould, Inc.

¿A qué oportunidades y amenazas se enfrenta el plan y cómo deberá la gerencia tratar con ellas?

CASO 12

FOTOMAT CORPORATION

La corporación Fotomat se dedica principalmente a la venta de servicios de revelado de películas y mercancía fotográfica. Fue el líder en revelado de películas en la década de 1970 y principios de la de 1980. Además de Fox-Stanley, era la única verdadera cadena "nacional" en la industria muy fragmentada del acabado fotográfico. Fotomat competía muy eficazmente recalcando la calidad y la conveniencia. El crecimiento lento de la industria del acabado fotográfico, aunado al auge de los "minilabs" en Estados Unidos ha puesto a Fotomat en una posición difícil. Los minilabs son iguales en calidad y comodidad, pero revelan en una hora en vez de un día como Fotomat. Las farmacias y otros establecimientos al menudeo erosionaron aún más la ventaja competitiva de Fotomat al ofrecer servicios similares de revelado a precios rebajados. Los bajos costos de entrada y salida para minilabs les permitían a muchos empresarios más pequeños entrar al negocio. En vista de lo anterior, Fotomat debe reafirmar su posición competitiva en el lugar del mercado y desarrollar un plan de mercadotecnia para prevalecer y desarrollarse.

Fox-Stanley es el principal competidor de Fotomat en revelado. Proporciona sus servicios mediante establecimientos de tipo quiosco situados en todo el país. A la Fox también la han afectado los tiempos difíciles, y uno de sus principales problemas lo constituyen los minilabs de una hora. Han hecho sus quioscos más llamativos. Pero a diferencia de Fotomat, Fox Photo ha comenzado a adaptarse. Ha cerrado 340 de sus 965 quioscos, mientras que ha agregado mensualmente 4 minilabs de una hora a su base actual de casi 100.

Fotomat debe decidir si desarrollará también su propia cadena de minilabs; entrar al pedido por correo; y/o incrementar su negocio mayorista. Además, tiene que investigar si es posible volver más lucrativos a los quioscos mediante alguna de estas posibilidades: 1. Ofrecer servicios y mercancía además de revelado; 2. Convertir algunos establecimientos en tiendas pequeñas con más servicios y mercancías que los quioscos; o 3. Eliminar los quioscos como un concepto detallista cuya época ha pasado a menos para esta industria. La compañía está en una etapa decisiva de su existencia.

Cuando Fotomat fue fundada en 1968, Kodak tenía más de 90% del mercado. ¿Cómo podía competir la Fotomat con una gigantesca firma que fabrica cámaras fotográficas, películas, líquidos para revelado y accesorios y que proporciona servicios de revelado, impresión y ampliación? Richard D. Irwin, presidente de Fotomat, respondió así:

Construyendo una ratonera mejor. La clave para este negocio es que se trata de una industria orientada al servicio y tiene que ofrecerle al público la mayor comodidad. Así que colocamos los quioscos donde la gente puede hacer sus compras con la mayor facilidad, con servicios para automovilistas. Colocamos los quioscos cerca de áreas de intenso tránsito como los centros comerciales y ofrecemos servicio de calidad. No intentamos necesariamente ofrecer el precio más bajo. (*Commercial and Financial Chronicle*, 6 de junio de 1975).

En los quioscos trabajaban empleados a medio tiempo, generalmente amas de casa o estudiantes de preparatoria que recibían el salario mínimo. La compañía estaba a favor de este sistema, ya que los costos laborales eran bajos y era difícil que los empleados a tiempo parcial se sindicaran. Pero aquí la Fotomat fue víctima del incremento de los salarios mínimos que han hecho aumentar recientemente los costos laborales y reducen los márgenes de utilidad. Las ubicaciones mejores para los quioscos comenzaba a escasear y también los empleados a tiempo parcial en las áreas urbanas. Es común la reducción competitiva de los precios y las ventas por quiosco han estado disminuyendo en los últimos años. Todo esto se traduce en márgenes de utilidad más bajos para Fotomat. A pesar de esta situación, la empresa continúa abriendo más quioscos a un ritmo veloz.

En sus primeros años la compañía basaba su fuerza en la comodidad, confiabilidad, servicio rápido y garantía. Fotomat ofrece cambiar gratuitamente cualquier rollo de película que no sirva, aunque esto se haya debido a negligencia del consumidor. La compañía se concentra en el fotógrafo de "instamatic", quien no se preocupa tanto por la calidad de la foto como por la comodidad y la rapidez.

Otro factor que contribuyó a los problemas de Fotomat fue el desplazamiento en la demanda desde las cámaras y películas instamatic, que integraban aproximadamente 90% de su negocio en esa época, hacia cámaras y películas de 35 mm. El cambio, que Fotomat no vio, se debía a nuevas tecnologías en cámaras de 35 mm que les permitían a los fotógrafos aficionados tomar mejor fotografías más fácilmente y a menor costo. Este mercado fotográfico, formado por personas de 18 a 49 años de edad, de las cuales 53% eran mujeres, estaba más interesado por la calidad y compraba más impresiones, ampliaciones y accesorios que los usuarios de cámaras instamatic. Además, el número de cámaras Polaroid, que usan película que no necesita revelado, está elevándose. Debido a estos cambios, Fotomat perdió su nicho en el mercado y tuvo que resolver el problema de cómo participar en la industria del revelado de fotos cada vez más competida.

El presidente de Fotomat, Richard D. Irwin, reconoció veladamente que la compañía había pasado por alto el cambio significativo desde las cámaras y películas instamatic, que en sus palabras componían 90% del negocio a comienzos de la década de 1970, hasta película de 35 mm que representa, hoy en día, más de 50% de las ventas. Los pronósticos indican que la tendencia aumentará hasta 80 y 90% en 1990. Para remediar el daño provocado por su miopía, Fotomat introdujo a fines de 1978 la Serie 35, un esfuerzo de comercialización tendiente a conquistar el mercado de las películas de 35 mm, insistiendo en el revelado de mejor calidad y en la obtención de ampliaciones más grandes. El programa aumentó los pedidos de revelado de película de 35 mm, ayudando así a mejorar la imagen que Fotomat tenía entre los fotógrafos más profesionales. Para atender las necesidades de este sector, en 1985, las exposiciones en 35 mm representaban más del 50% del negocio total de revelado de películas de Fotomat.

Además de este programa, Fotomat abrió tiendas de especialidades que vendían accesorios y cámaras fotográficas con la intención de penetrar aún más en este creciente segmento del mercado.

De 1975 a 1978, aumentó muchísimo la disponibilidad de servicios de revelado en farmacias, supermercados y tiendas de descuento. En muchas ubicaciones, estos establecimientos estaban muy cerca de los quioscos. Durante este periodo, las ventas por tienda cayeron 12% y los ingresos netos disminuyeron más de 40%. Además, Fotomat agregó casi 500 tiendas por año. En la prisa por crear más establecimientos, la gerencia repitió muchas cosas, en vez de hacer mejoras. Los nuevos quioscos se colocaron cerca de los antiguos, lo cual canibalizaba las ventas.

Fotomat no pudo mantener su ventaja competitiva debido a la mayor disponibilidad de servicios fotográficos ofrecidos por nuevos establecimientos al menudeo que ofrecían la misma comodidad a precios más bajos. La situación se complicó todavía más por la introducción de minilabs de una hora a fines de la década de 1970.

Es difícil decir si la recesión de 1979-1982 tuvo un gran impacto sobre la industria del revelado fotográfico. Aunque la recesión sí redujo los gastos discrecionales de los consumidores en áreas como la fotografía, la gente todavía toma fotografías, especialmente en ocasiones especiales como fiestas y cumpleaños. Además, la fotografía, un pasatiempo que creció 12% durante la década de 1970, actualmente está creciendo a menos de 5% al año.

En 1983, la industria del revelado tuvo ventas de tres mil 500 millones de dólares. La industria está muy fragmentada y se caracteriza por márgenes bajos de utilidad. De los establecimientos 75% usan una instalación de procesamiento al mayoreo. Sólo los minilabs y las operaciones por pedido postal tienen sus propias instalaciones. Como se dijo antes, la mayoría de estos establecimientos al menudeo contratan su procesamiento con plantas al mayoreo.

El pedido por correo también es un segmento en crecimiento de la industria. Se caracteriza por los precios más bajos, bajos costos de distribución y márgenes bajos de utilidad. El tiempo de procesamiento suele ser de cuatro a siete días. Este segmento se ha vuelto cada vez más fragmentado debido a costos bajos de entrada y salida.

El segmento de minilabs es el que tiene el crecimiento más rápido en la industria. El número de establecimientos aumentó de 600 en 1980 a más de tres mil en 1983. Los minilabs parecen haber proliferado en muchas áreas de intenso tránsito dominadas antes por los quioscos. Tienen capacidades para revelar película en una hora por un precio aproximadamente 25% más alto que el servicio normal de un día, pero ofrecen la misma calidad. Este segmento está muy fragmentado, no hay un líder claro ni una cadena nacional. Eugene Glazer, analista de revelado para Dean Witter en Nueva York, dice esto: "Al disminuir el nivel de entrada al negocio (minilabs), alcanzaremos un punto de saturación y habrá una recesión moderada en la industria en los próximos dos o tres años".

Los establecimientos al menudeo con un minilab en el lugar requerirán de laboratorios mayoristas para revelar la película. Esto les permite a los competidores detallistas ofrecer el mismo servicio que Fotomat, a precios reducidos porque usan el revelado como "líder de pérdidas" para hacer entrar al consumidor en la tienda, mientras que en Fotomat el revelado es la principal fuente de ingresos.

La importancia relativa y los niveles de precio de los detallistas de revelado de fotografías en un año reciente son como se muestra a continuación:

| TIPO DE ESTABLECIMIENTO | VENTAS | | NIVEL DE PRECIO |
	$(Millones)	%	
Farmacias	945	27	Bajo
Quioscos	490	14	Medio
Tiendas especializadas en cámaras	420	12	Alto
Pedido por correo	420	12	Inferior
Minilabs	385	11	Muy alto
Tiendas de descuento	350	10	Bajo
Tiendas de departamentos	350	10	Bajo
Otros, por ejemplo, supermercados	175	5	Bajo

Los grandes problemas de Fotomat con sus quioscos en la década de 1970 hicieron que explotaran las ventas de diferentes productos y servicios para complementar las ventas en los quioscos. Estos primeros intentos incluían pantimedias, forjado de llaves, reparación de zapatos e impresiones instantáneas. Estos resultaron ser menos que prometedores, instigando a un astuto observador a decir: "La única tendencia común en la línea de producto es la desesperación".

En 1978 comenzó a vender cintas de videograbadora en blanco y un servicio que transfería películas de 8 mm a casetes de videotape. El negocio de transferencia, aunque es rentable, ha crecido lentamente. Por otra parte, las ventas de las cintas en blanco están creciendo rápidamente y han sido lucrativas. El alquiler de películas se descontinuó cuando se vio que no era lucrativo.

El informe anual de Fotomat para el año que terminó el 31 de enero de 1984 indica lo siguiente:

1. Utilidades negativas continuas con algún mejoramiento

2. Gran deuda

3. Programa emprendedor de reducción de costos

4. Ventas de todas las 45 tiendas de cámaras de especialidad

5. Consolidación de las tiendas al menudeo, principalmente del tipo quiosco, en 40 mercados rentables ubicados cerca de las plantas de procesamiento el resultado la eliminación de mil 182 de los tres mil 779 establecimentos al detalle de la compañía

6. Acuerdos firmados con varios establecimientos detallistas grandes para servir sus necesidades de revelado de película en plantas de la compañía en 10 ubicaciones a lo largo y ancho del país

7. Adquisición de Portrait World, Inc., una firma que se especializa en fotografías de niños pequeños y tiene una reputación excelente con líderes escolares, estudiantes y padres

8. Lanzamiento de dos grandes programas dirigidos a los consumidores claves: una tarjea de consumidor preferido y un club de nuevas madres. Ambos son programas en marcha que han sido bien recibidos

9. Nuevo énfasis en el servicio de transferencia de videocinta permitiendo reproducir transparencias o películas en formato de videotape con la creencia de que el auge de las ventas de videograbadoras creará un mercado grande y en crecimiento para este servicio Fotomat

A fines de 1984, la junta directiva de Fotomat aprobó un plan que infundirá nuevo capital dentro de la firma, refinanciará su deuda e incrementará a 60% el interés que sobre la empresa detenta la Koneshiroku Photo Industry Company, una firma japonesa que fabrica las cámaras Konica y otros artículos fotográficos. La Koneshiroku ya es propietaria de 20% de Fotomat, que adquirió en 1979.

El negocio de las videograbadoras está en un periodo de rápido crecimiento. Más de 20% de los hogares estadunidenses tienen este tipo de equipo, lo cual representa un gigantesco mercado potencial tanto para programas como para equipo. Todavía queda por decidir cuándo y cómo deberá aprovechar la Fotomat esta gran oportunidad de mercado. Puede que sea una oportunidad limitada y entonces a la compañía le convendría más desarrollar una cadena de minilabs de una hora. Asimismo, la firma debe decidir cómo usar mejor sus 10 plantas de revelado de películas. ¿Le será mejor dar prioridad al hecho de proporcionar servicio mayorista a las farmacias y otros minoristas que servir sencillamente como un receptor de películas o concentrarse en el negocio del pedido por correo? ¿Qué recomendaría?

17
Promoción de productos: comunicación y estrategias

El negocio de las computadoras Apple creció muchísimo a fines de la década de 1970 y comienzos de la de 1980. Pero para mediados de 1983, la Apple era una compañía con problemas. La principal fuente de sus complicaciones era la IBM, que entró tarde al mercado de las computadoras personales, pero que muy pronto llegó a dominarlo. Para 1983, la IBM había conseguido alrededor de un tercio de todas las ventas de computadoras personales y su participación crecía rápidamente. El asombroso éxito de la IBM provocó una "recesión" moderada en la industria: un cúmulo de compañías grandes y pequeñas se tragaron sus pérdidas y abandonaron sus líneas de computadoras personales. La mayoría de los competidores restantes reposicionaron sus aparatos como "compatibles con IBM" y buscaron nichos de mercado en los cuales pudieran competir contra la IBM.

Lo que había sido una formidable porción de mercado de la Apple, para 1983, bajó a menos de 20%. Su línea antes constante Apple II estaba declinando y sus modelos más grandes y mejores Lisa y Apple III se habían desplomado. Ya habían terminado los días del glorioso crecimiento de la Apple; la firma modernizó sus operaciones, aminoró gastos y estableció la meta de intentar tan sólo superar la recesión.

Pero en vez de convertirse en un fabricante más de computadoras compatibles con IBM, Apple se la jugó. Apostó su futuro a un producto innovador, la Macintosh, que la Apple posicionó como una alternativa para la IBM. La Macintosh era un producto notable: un poderoso aparato con capacidades gráficas revolucionarias, además excepcionalmente fácil de comprender y usar. Apple sabía que los consumidores que conocieran a la poderosa y útil pequeña Macintosh quedarían prendados de ésta. Los usuarios experimentados en computadoras personales la adoptarían como una emocionante alternativa a la IBM. Los usuarios particulares y comerciales menos experimentados que aún le temían a las computadoras personales apreciarían la facilidad de manejo de la Macintosh.

La Apple sabía que tenía un buen producto, pero no lograba el convencimiento total. Los recientes fracasos de producto de la Apple y su posición de mercado declinante hacían que los consumidores, los detallistas, los analistas financieros, los medios y otros públicos importantes fueran escépticos acerca de la habilidad de la Apple para competir con la IBM. La extraordinaria nueva Macintosh necesitaría un programa de promoción excepcional para convencer a esos incrédulos, y desarrolló uno.

Apple rediseñó todas sus herramientas promocionales para explicarles a los consumidores las ventajas de la Macintosh: su publicidad, fuerza de ventas, cadena de detallistas, promociones de venta y publicidad no pagada. La Apple estableció una nueva fuerza de ventas de cuentas nacionales de 65 personas para ganarse a los consumidores de las grandes corporaciones, y reestructuró su fuerza de ventas de 350 personas para obtener apoyo de los revendedores (más de 80% de todas las computadoras personales se vendían mediante detallistas). Una cadena amplia de más de dos mil distribuidores detallistas comunicó la historia de la Macintosh a millones de consumidores. La Apple incluso hizo que la Macintosh hablará por sí misma: la promoción innovadora de "Pruebe una Macintosh" alentaba a los clientes a tomar prestada una Macintosh del distribuidor por 24 horas para probar la afirmación de la Apple en el sentido de que la Macintosh era la primera computadora personal que cualquiera podía aprender a usar de la noche a la mañana.

Pero la clave del programa de la Apple para contar la historia de la Macintosh era su publicidad valiente e innovadora. Apple empezó en 1984 con 2 millones de dólares en publicidad intrépida que presentaba un anuncio llamativo y futurista para "1984". El anuncio estableció el tono para el posicionamiento valiente de la Macintosh y para la publicidad que había de seguir.

Los anuncios del Super Tazón fueron reforzados por insertos publicitarios de 20 páginas en los principales semanarios noticiosos y publicaciones comerciales. Y para el resto del año, la Apple alabó las cualidades de la Macintosh a los compradores potenciales con más de 100 millones de dólares de publicidad nueva y estimulante. Según un editorial de *Advertising Age:* ". . .mientras se cita muy a menudo el asombroso suceso del comercial, ya clásico de la transmisión por televisión del Super Tazón el pasado mes de enero, el uso llamativo que ha hecho la Apple de los medios y su publicidad durante todo el año fueron igualmente asombrosos: anuncios con ilustraciones valientes, sencillas y claras y un texto directo y comprensible. Se destacaban del montón''. Para rematar la campaña de 1984 con estilo, Apple gastó tres millones de dólares para comprar *todo* el espacio publicitario (alrededor de 40 páginas) en la edición especial de *Newsweek* posterior a las elecciones.

Esta campaña que llamó tanto la atención le confirió al presidente y CEO de la Apple, John Sculley, una mención honorífica en la revista *Advertising Age* como ''Anunciante del año''. Y la Apple no sólo superó la

recesión en la industria. En 1984 vendió aproximadamente 383 mil Macintosh y las ventas totales de la firma llegaron a mil 500 millones de dólares, un aumento de 50% en comparación con 1983. La Apple todavía se enfrenta una batalla difícil contra la IBM para mantener su porción del mercado. Por lo pronto, la compañía ha regresado por sus fueros.

El crédito le corresponde al desarrollo de un producto innovador, una estrategia original de posicionamiento y un programa de promoción y comunicación valiente e imaginativo.[1]

L a mercadotecnia moderna es algo más que el desarrollo de un producto bueno, fijarle a éste un precio atractivo y hacerlo accesible para los consumidores meta. Las compañías también deben comunicarse con sus clientes. Pero lo que se comunica nunca deberá dejarse al azar.

Para lograr una comunicación eficaz, la firma contrata agencias de publicidad para desarrollar anuncios eficaces; especialistas en promoción de ventas para diseñar programas de incentivos de ventas; y firmas de relaciones públicas para desarrollar la imagen corporativa. Entrenan a sus vendedores para que sean amables y estén bien informados. Para la mayoría de las empresas el dilema no es comunicar o no, sino cuánto gastar y cómo.

Una compañía moderna maneja un sistema complicado de comunicaciones de mercadotecnia (véase figura 17-1). La firma se comunica con sus intermediarios, consumidores y diversos públicos. Sus intermediarios se comunican con sus consumidores y con varios públicos. Los consumidores se dedican a la comunicación oral entre sí y con otros públicos. Mientras tanto, cada grupo realimenta a los demás grupos.

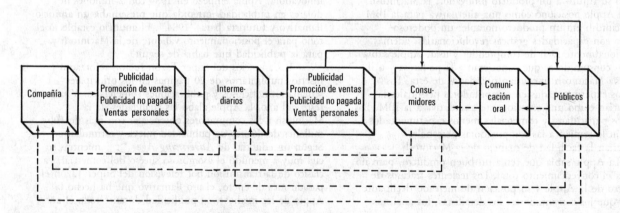

FIGURA 17-1 *El sistema de comunicación de mercadotecnia*

La mezcla de comunicaciones de mercadotecnia (llamada también la mezcla de promoción) consta de cuatro elementos principales:

Publicidad: cualquier forma pagada de presentación no personal y promoción de ideas, bienes o servicios por un patrocinador identificado.

Promoción de ventas: Incentivos a corto plazo para alentar las compras o ventas de un producto o servicio.

Publicidad no pagada: Estimulación no personal de la demanda de un producto, servicio o unidad comercial que se logra al colocar noticias comercialmente significativas en un medio impreso, o bien, al obtener una presentación favorable en la radio, la televisión o en el escenario que el patrocinador no pague.

Ventas personales: Presentación oral en una conversación con uno o más compradores potenciales a fin de lograr la venta.[2]

Dentro de cada categoría hay instrumentos específicos como presentaciones de ventas, exhibidores de punto de venta, publicidad de especialidad, exhibiciones comerciales, ferias, demostraciones, catálogos, literatura, anuncios en la prensa, carteles, concursos, premios, cupones y estampillas de canje. Asimismo, la comunicación va más allá de estos instrumentos específicos. El estilo del producto, su precio, la forma y el color de su empaque, la apariencia y el estilo del vendedor, todas estas cosas les comunican algo a los compradores. La mezcla completa de mercadotecnia, no sólo la mezcla promocional, debe orquestarse para que alcance su máximo impacto.

En este capítulo se abordan dos interrogantes principales: ¿Cuáles son los pasos para el desarrollo de una comunicación de mercadotecnia eficaz? ¿Cómo deberá determinarse la mezcla de promoción y presupuesto? El capítulo 18 se concentrará en los instrumentos de la comunicación colectiva: publicidad, promoción de ventas y publicidad no pagada. En el capítulo 19 se examinará la fuerza de ventas como un instrumento de comunicación y promoción.

PASOS PARA EL DESARROLLO DE LA COMUNICACION EFICAZ

Los mercadólogos necesitan comprender cómo funciona la comunicación. Esta implica los nueve elementos que se muestran en la figura 17-2. Dos elementos representan los componentes principales en la comunicación; el *emisor* y el *receptor.* Otros dos representan los principales instrumentos de comunicación: el *mensaje* y los *medios.* Cuatro representan las funciones principales de la comunicación: *codificación, decodificación, respuesta y retroalimentación.* El último elemento representa el *ruido* en el sistema. Estos elementos se definen de la manera siguiente:

■ *Emisor:* el que envía un mensaje al receptor (llamado también la *fuente o comunicador*).

■ *Codificación:* el proceso consistente en darle forma simbólica al mensaje.

■ *Mensaje:* el conjunto de símbolos organizados que el emisor transmite.

■ *Medios:* los recursos de expresión mediante los que se transmite el mensaje desde el emisor al receptor.

■ *Decodificación:* el proceso mediante el cual el receptor asigna significado a los símbolos transmitidos por el emisor.

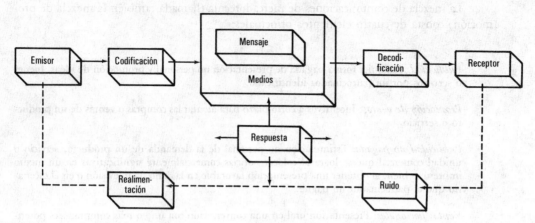

FIGURA 17-2   *Elementos en el proceso de comunicación*

■ *Receptor:* el que recibe el mensaje mandado por el emisor (llamado también *auditorio* o *interpretador*).

■ *Respuesta:* el conjunto de reacciones que el receptor tiene después de haber sido expuesto al mensaje.

■ *Retroalimentación:* la parte de la respuesta del receptor que le comunica de retorno al emisor.

■ *Ruido:* la ocurrencia de estática o distorsión inesperada durante el proceso de comunicación que da lugar a que el receptor reciba un mensaje distinto al que el emisor envió.

El modelo recalca los factores claves en la comunicación eficaz. Los emisores deben saber qué públicos quieren alcanzar y qué respuestas desean. Deben ser hábiles para codificar mensajes que tomen en cuenta la forma cómo la audiencia meta tiende a decodificar mensajes. Deben transmitir el mensaje por medios eficientes que lleguen a la audiencia meta. Deben desarrollar canales de retroalimentación de modo que puedan saber la respuesta del público al mensaje.

Se examinarán los elementos en el modelo de la comunicación principalmente en términos del *flujo de la planeación* (del comunicador hacia la audiencia meta). El comunicador de mercadotecnia debe tomar las siguientes decisiones: 1) identificar la audiencia meta, 2) determinar la respuesta buscada, 3) escoger un mensaje, 4) escoger los medios, 5) seleccionar los atributos de la fuente, y 6) conseguir la realimentación.

Identificación de la audiencia meta

Un comunicador que selecciona un mercado meta debe comenzar con una idea muy clara de su audiencia meta, el que puede estar formado por compradores potenciales de los productos de la compañía, usuarios actuales, decisores o influenciadores. La audiencia puede constar de individuos, grupos, públicos particulares o público en general. La audiencia meta tendrá una influencia determinante en las decisiones del comunicador acerca de *qué, cómo, cuándo, dónde* y *quién* habrá de decirlo.

Determinación de la respuesta buscada

Después de haber identificado a la audiencia meta, el comunicador de mercadotecnia debe determinar qué respuesta se busca. La respuesta final es, desde luego, la compra. Pero la conducta de compra es el resultado de un largo proceso de toma de decisiones por parte del consumidor. El comunicador de mercadotecnia necesita saber en dónde se encuentra la audiencia meta y a qué estado se le debe mover.

La audiencia meta puede encontrarse en cualquiera de los seis *estados de la madurez para la compra: información preliminar, conocimiento, atracción, preferencia, convicción o compra.* Estos estados se describen en los párrafos siguientes:

Información preliminar

El comunicador debe saber primero qué tanta información tiene la audiencia meta sobre el producto o la organización. Puede que ésta jamás haya oído hablar de la entidad, que sólo la conozca de nombre, o que sepa unas cuantas cosas sobre ella. Si la mayoría de la audiencia meta carece de información, la tarea del comunicador es proporcionar esos datos, quizás con un mero reconocimiento de nombre. Esto puede lograrse con mensajes sencillos que repitan el nombre. Pero, a pesar de eso, se tarda en lograr el reconocimiento.

Supóngase que una pequeña universidad de Iowa llamada Pottsville busca aspirantes de Nebraska, pero no tiene renombre en ese estado. Y supóngase que hay 30 mil estudiantes del último año de preparatoria en Nebraska que pueden tener un interés potencial en la universidad Pottsville. Esta podría establecer el objetivo de conseguir que 70% de esa población estudiantil conociera el nombre de la universidad en el plazo de un año.

Conocimiento

Puede que la audiencia meta ya tenga cierta información sobre la compañía o el producto, pero no suficiente. Tal vez la institución Pottsville quiera que su audiencia meta sepa que es una universidad privada de cuatro años en el este de Iowa con excelentes programas en ornitología y tanatología. La universidad necesita saber cuántas personas en la audiencia meta tienen poco, algún o ningún conocimiento de Pottsville. Puede que la universidad decida inculcar el conocimiento del producto que ofrece como su objetivo inmediato de comunicación.

Atractivo

Si la audiencia meta conoce el producto, ¿qué piensan de éste? Se puede desarrollar una escala que cubra *mucha antipatía, ligera antipatía, indiferencia, ligera simpatía, mucha simpatía.* Si el público ve con muy malos ojos la universidad Pottsville, el comunicador debe averiguar por qué y desarrollar entonces una campaña para acrecentar el sentimiento favorable. Si la opinión desfavorable tiene sus raíces en deficiencias reales de la institución, entonces una campaña de comunicación no servirá para nada. La labor consistiría entonces en mejorar la universidad y después comunicar su calidad. Las buenas relaciones públicas requieren que las palabras se basen en hechos reales.

Preferencia

Puede que a la audiencia meta le guste el producto, pero que prefiera otros. En este caso, el comunicador deberá fomentar la preferencia, dará información sobre la calidad, valor, rendimiento y otros atributos del producto. El comunicador puede verificar el éxito de la campaña volviendo a medir las preferencias del público después de la campaña.

Convicción

Una audiencia meta a veces preferirá un producto en particular pero sin desarrollar la convicción de comprarlo. Así, puede que algunos estudiantes de preparatoria prefieran Pottsville, pero tal vez no estén seguros de que quieran ir a la universidad. La labor del comunicador es crear la convicción de que ir a la universidad es la decisión más acertada.

Compra

Puede ser que algunos miembros de la audiencia meta tengan convicción, pero no la suficiente para hacer la compra. Tal vez esperen información adicional o planeen actuar después. El comunicador debe llevar a estos consumidores a dar el paso final. Entre los dispositivos que se usan para producir compras se cuentan los de ofrecer el producto a menor precio, ofrecer un premio, ofrecer la oportunidad de probarlo en un régimen limitado o indicar que muy pronto se agotará.

Estos seis estados se reducen a tres etapas conocidas como *cognoscitiva* (información, conocimiento), *afectiva* (simpatía, preferencia, convicción), y *conductual* (compra). Los compradores normalmente pasan por estas etapas en su camino para efectuar una compra. La tarea del comunicador consiste en identificar la etapa en la cual se encuentran la mayoría de los consumidores y desarrollar una campaña de comunicación que los haga pasar a la etapa siguiente.

Algunos académicos de mercadotecnia han puesto en duda la concepción de que los consumidores pasan por *reconocimiento, afecto y conducta,* en ese orden. Ray ha indicado que algunos consumidores pasan del *conocimiento* a la *conducta* y entonces al *afecto.*[3] Un ejemplo sería el estudiante que oye hablar de Pottsville, se inscribe allí, y entonces desarrolla una fuerte simpatía por la institución. Ray también sugiere que algunos consumidores pasan de la *conducta* al *efecto* y después al *conocimiento.* Un estudiante puede matricularse a ciegas en un curso, desarrollar una simpatía y finalmente empezar a comprender la materia de estudio. Cada secuencia asumida de las tres etapas conduciría a una estrategia diferente de comunicación.

Elección de un mensaje

Después de definir la respuesta deseada, el comunicador procede a idear un mensaje eficaz. Idealmente, el mensaje deberá llamar la *atención,* mantener el *interés,* despertar el *deseo* y obtener *acción* (todo lo cual se conoce como el modelo AIDA). En la práctica, pocos mensajes logran llevar al consumidor por todas las etapas desde la información preliminar hasta la compra, pero la estructura AIDA indica las cualidades deseables.

La formulación del mensaje requerirá solucionar tres problemas: lo que ha de decirse (*contenido del mensaje*), cómo decirlo con lógica (*estructura del mensaje*) y cómo decirlo simbólicamente (*formato del mensaje*).

Contenido del mensaje

El comunicador tiene que crear un mensaje o tema que produzca la respuesta deseada. Pueden distinguirse tres tipos de llamados. Los *llamados racionales* tienen que ver con los intereses propios del público. Demuestran que el producto aportará los beneficios que de él se afirman. Los ejemplos serían mensajes que demostraran la calidad, economía, valor o rendimiento de un producto.

Los *llamados emocionales* intentan provocar una emoción positiva o negativa que motivará la compra. Los comunicadores han trabajado con llamados de temor, culpa y vergüenza para lograr que la gente haga lo que debe hacer (lavarse los dientes, tener un examen médico anual), o que deje de hacer lo perjudicial (fumar, beber en exceso, abusar de las drogas, comer demasiado). Los llamados de temor son eficaces hasta un punto, pero si el público prevé mucho temor en el mensaje, es muy probable que lo evite.[4] Los comunicadores también usan llamados emocionales positivos como amor, sentido del humor, orgullo y alegría. La evidencia no ha establecido que un mensaje humorístico, por ejemplo, sea necesariamente más eficaz que una versión rígida del mismo mensaje.[5]

Los *llamados morales* están dirigidos al sentido que tenga el público sobre el bien y el mal, lo correcto y lo incorrecto. Se usan a menudo para animar a la gente a apoyar causas sociales como un ambiente más limpio, mejores relaciones raciales, igualdad de derechos para la mujer y ayuda para los pobres. Un ejemplo es el lema de la Marcha de los diez centavos de dólar: ''Dios te concedió el don de un cuerpo sano e íntegro. Ayuda a quienes no lo recibieron''. Los llamados morales se usan con menos frecuencia en los productos de uso común.

Estructura del mensaje

La eficacia de un mensaje también depende de su estructura. El comunicador tiene que tomar una decisión sobre tres cuestiones. La primera consiste en sacar una conclusión bien definida o dejarle esta tarea al auditorio. Por lo común es preferible sacar una conclusión.[6] La segunda cuestión se refiere a presentar un argumento unilateral o bilateral. Casi siempre el primer tipo da mejores resultados en las presentaciones de ventas, excepto cuando el público tiene un nivel educativo muy alto o cuando está predispuesto negativamente.[7] La tercera es si conviene presentar los argumentos más poderosos al comienzo o al final. Presentarlos primero establece una fuerte atención, pero puede conducir a un fin amortiguado.[8]

Formato del mensaje

El comunicador debe desarrollar un formato poderoso para el mensaje. En un anuncio impreso, el comunicador tiene que decidir el encabezado, el texto, la ilustración y el color. Para atraer la atención, los publicistas se valen de técnicas como *novedad y contraste, ilustraciones y encabezados llamativos, formatos originales, tamaño y posición del mensaje, color, forma y movimiento.*[9] Si el mensaje ha de transmitirse por radio, el comunicador tiene que escoger las palabras, las cualidades de la voz (velocidad, ritmo, tono, articulación) y las vocalizaciones (pausas, suspiros, bostezos). El ''sonido'' de un anunciante que promueve un automóvil usado tiene que ser distinto que otro que promueva un colchón de calidad.

Si el mensaje ha de transmitirse por televisión o en persona, entonces todos estos elementos más el lenguaje corporal (instigadores no verbales) tienen que planearse. Los presentadores tienen que prestar atención a las expresiones faciales, gesticulaciones, vestimenta, postura y estilo de peinado. Si el mensaje se transmite por el producto o el paquete, el comunicador tiene que prestar atención a la textura, aroma, color, tamaño y forma.

El color desempeña un importante papel en la comunicación de preferencias en materia de alimentos. Cuando las amas de casa probaron cuatro tazas de café que habían sido colocadas cerca de recipientes de color marrón, azul, rojo y amarillo (con un café idéntico en los cuatro casos, aunque no lo sabían), 75% de las mujeres pensaron que el que estaba cerca del recipiente color marrón era demasiado fuerte, casi 85% juzgó que el que estaba cerca del recipiente rojo era el más rico; casi todas opinaron que el que estaba cerca del recipiente color azul era ligero y el situado al lado del recipiente amarillo era débil.

Elección de los medios El comunicador debe seleccionar ahora canales eficientes de comunicación. Los canales de comunicación son de dos tipos, personales y no personales.

Este innovador anuncio exterior llama la atención. *Cortesía de Chevrolet Motor Division, General Motors Corporation.*

Canales de comunicación personal

En los canales de comunicación personal, dos o más personas se comunican directamente una con otra. Pueden comunicarse cara a cara, persona a público, por teléfono o incluso por correo mediante correspondencia personal. Los canales de comunicación personal son eficaces porque proporcionan oportunidades para un contacto personal y retroalimentación.

Puede hacerse otra distinción entre canales de defensor, de experto y sociales. Los *canales de defensor* están integrados por los vendedores de la firma que entran en contacto con los miembros del mercado meta. Los *canales de experto* son personas independientes que tienen experiencia en la presentación de mensajes y lemas al público. Los *canales sociales* se componen de los vecinos, amigos, familiares y colegas que hablan con los compradores potenciales. Este último canal, llamado también de *influencia verbal*, es el más persuasivo en muchas áreas de productos.

La influencia personal tiene un gran peso en las categorías de artículos costosos o expuestos a riesgos. Los compradores de automóvile y de grandes aparatos electrodomésticos prescinden de las fuentes de comunicación masiva y buscan la opinión de los conocedores. La influencia personal incide, asimismo en productos de mucha visibilidad social.

Las compañías pueden tomar varias medidas para estimular los canales de influencia personal y lograr su respaldo. Pueden identificar a los individuos y las compañías que ejerzan una gran influencia, y dedicarles un esfuerzo especial. O crear líderes de opinión a ciertas personas al suministrarles el producto, en condiciones atractivas. Las empresas pueden trabajar mediante personajes que tengan influencia en la localidad como animadores radiofónicos, presidentes de asociaciones civiles y presidentas de organizaciones femeninas; o usar personas con influencia en la publicidad certificada; o desarrollar publicidad con un alto "valor de conversación".[10]

Canales de comunicación no personal

Los canales de comunicación no personal son medios que transmiten mensajes sin contacto personal ni realimentación. Incluyen medios masivos y selectivos, ambientes y acontecimientos. Los *medios masivos y selectivos* constan de los medios impresos (periódicos, revistas, correo directo), medios electrónicos (radio, televisión) y medios de exhibición (carteles, tableros, signos). Los medios masivos están dirigidos a públicos grandes y a menudo no diferenciados; los medios selectivos están dirigidos a públicos especializados. Los *ambientes* refuerzan la propensión del consumidor a hacer una compra o consumir el producto. Así, los bufetes jurídicos y los bancos están diseñados de modo que den confianza y otras cosas que el cliente espera.[11] Los *acontecimientos* son hechos planeados de antemano que le transmiten determinados mensajes al auditorio meta. El departamento de relaciones públicas organiza conferencias de prensa o inauguraciones con pompa, para lograr ciertos efectos específicos de comunicación sobre la audiencia.

Aunque la comunicación personal suele ser más eficaz que la masiva, los medios masivos quizá constituyan el método principal para estimular la comunicación personal. La comunicación masiva afecta las actitudes y la conducta personal mediante un *proceso de flujo de la comunicación en dos etapas.* "Las ideas fluyen a menudo de la radio y de los medios impresos hacia los líderes de opinión, y a partir de éstos llegan a los sectores menos dinámicos de la población".[12]

Este flujo de dos pasos tiene varias implicaciones. Primero, la influencia de los medios masivos sobre la opinión pública no es tan directa, poderosa y automática como se supone. Por el contrario, los *líderes de opinión,* personas que pertenecen a los grupos primarios y cuyas opiniones son buscadas en una o más áreas de productos. Los líderes de opinión están más expuestos a los medios masivos que las personas sobre quienes influyen. Transmiten mensajes a las personas que están menos expuestas a los medios, con lo cual amplían la influencia de los medios masivos; o pueden transmitir mensajes alterados o ningún mensaje en absoluto, con lo que actúan como *controladores.*

Segundo, la hipótesis pone en duda la creencia de que los estilos de compra dependen primordialmente de un efecto de influencia gradual de las clases más altas. Como la gente interactúa principalmente con los miembros de su propia clase social, escogen sus modas y otras ideas de las personas que, como ellas, son líderes de opinión.

Una tercera implicación es que los comunicadores masivos lograrán mejores resultados si dirigen su mensaje específicamente a los líderes de opinión, dejando que éstos lo transmitan a otros. Así, las firmas farmacéuticas primero tratan de promover sus nuevos medicamentos entre los médicos de mayor influencia en el medio.

Selección de los
atributos de la
fuente

La repercusión del mensaje sobre el público depende de cómo perciba éste al emisor. Los mensajes comunicados por fuentes de gran credibilidad tienen mayor fuerza de persuasión. Las compañías farmacéuticas quieren que los médicos testifiquen las ventajas de sus productos porque estos profesionales gozan de mucha credibilidad. Los que luchan contra las drogas se sirven de exadictos para prevenir a los estudiantes de preparatoria acerca del abuso de las drogas, ya que tienen más credibilidad que los maestros. Los mercadólogos contratarán a personalidades bien conocidas como atletas o cronistas de noticieros para que transmitan sus mensajes.

¿Pero qué factores le dan credibilidad a una fuente?[13] La *pericia* es el grado que el comunicador parece poseer la autoridad necesaria para respaldar la afirmación del mensaje. Los médicos, científicos y profesores ocupan un lugar privilegiado en sus campos en relación con este atributo. La *confianza* se relaciona con la objetividad y honestidad que comunique la fuente. Los amigos merecen más confianza que los extraños o que los vendedores. La *simpatía* denota el atractivo que tiene la fuente ante el público. Las cualidades como el candor, el sentido del humor y la espontaneidad le confieren mayor simpatía a la fuente. La fuente más creíble será, por tanto, quien ocupe un lugar destacado en estas tres dimensiones.[14]

Obtención de
retroalimentación

Después de difundir el mensaje, el comunicador debe investigar el efecto de éstos sobre la audiencia meta. Esto implica preguntarle a la audiencia meta si reconoce o recuerda el mensaje; cuántas veces los vio, qué puntos recuerda; qué piensa del mensaje; cuál es su actitud anterior y actual sobre el producto y la compañía. Al comunicador también le gustaría obtener mediciones conductuales de la respuesta del público, como las de saber cuántas personas compraron el producto, a cuántas les gustó y con cuántas hablaron acerca de él.

La figura 17-3 proporciona un ejemplo de medición de retroalimentación. Si se mira la marca A, se descubre que 80% del mercado total conoce la marca, 60% de quienes la conocen la han probado y sólo 20% de quienes la han probado están satisfechos. Esto indica que el programa de comunicación es eficaz para crear conocimiento, pero que el producto no logra satisfacer las expectativas del consumidor. Por otra parte, sólo 40% del mercado total tiene conocimiento de la marca B, 30% de quienes la conocen la han probado; de éstos, 80% han quedado satisfechos. En este caso, el programa de comunicación necesita perfeccionarse para aprovechar la capacidad de la marca para generar satisfacción.

ESTABLECIMIENTO DEL PRESUPUESTO TOTAL Y DE LA MEZCLA DE PROMOCION

Se han examinado los pasos que intervienen en la planeación y dirección de la comunicación a una audiencia meta específica. Pero ahora la compañía debe tomar decisiones acerca de: 1) el presupuesto total de promoción, y 2) su división entre los principales instrumentos promocionales. Se examinarán estas preguntas en ese orden, aunque una empresa puede seguir cualquiera.

Establecimiento del
presupuesto total de
promoción

Una de las decisiones de mercadotecnia más difíciles es cuánto gastar en promoción. John Wanamaker, el gerente de la tienda de departamentos, dijo: "Yo sé que la mitad de mi publicidad se desperdicia, pero no sé cuál mitad. Gasto dos millones de dólares en publicidad y no sé si eso es la mitad de lo que debería invertir o si es el doble de lo necesario."

Por tanto, no es sorprendente que las industrias y las compañías varíen considerablemente en sus presupuestos de promoción. Los gastos de promoción pueden equivaler a 20 o 30% de las ventas en la industria de los cosméticos y sólo de 5 a 10% en el ramo de la maquinaria industrial. Dentro de una industria dada, pueden encontrarse compañías que

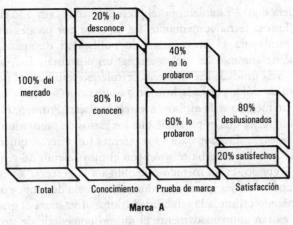

FIGURA 17-3
Etapas actuales del consumidor para dos marcas

Marca A

Marca B

gastan mucho y otras que invierten poco. Philip Morris gasta mucho. Cuando compró la cervecería Miller y después la compañía Seven-Up, incrementó sustancialmente su presupuesto total de promoción. El gasto adicional en Miller ayudó a elevar su porción de mercado de 4 a 19% en pocos años.

¿Cómo toman decisiones las compañías acerca de sus presupuestos de promoción? Se describirán cuatro métodos comunes que se usan para establecer el presupuesto total para cualquier componente, como la publicidad.

Método de lo factible

Las compañías establecen el presupuesto promocional en el nivel que la empresa puede sostener. Un directivo explicó este método con las siguientes palabras: "Pero si es muy sencillo. Primero voy arriba a ver al contralor y le pregunto cuánto puede darnos para el año actual. Me dice que un millón 500 mil dólares. Más tarde el jefe viene y me pregunta cuánto gastaremos, y yo le digo: Creo que un millón 500 mil."[15]

Este método para establecer presupuestos ignora completamente la repercusión de la promoción sobre el volumen de ventas. Conduce a un presupuesto promocional anual inseguro, que dificulta la planeación del mercado a largo plazo.

Método de porcentaje de ventas

Muchas empresas establecen su presupuesto de promoción sobre un porcentaje específico de las ventas actuales o pronosticadas o del precio de venta. Un ejecutivo de una compañía ferrocarrilera dijo: "Establecemos el presupuesto de cada año el uno de diciembre del año anterior. En esa fecha aumentamos los ingresos por pasajes al siguiente mes y tomamos 2% del total para el presupuesto de publicidad destinado al próximo año."[16] Las compañías de automóviles suelen asignar un porcentaje fijo, basándose en el precio planeado de cada unidad. Las empresas petroleras establecen el presupuesto en una fracción de centavo de dólar por cada litro de gasolina que se venda bajo su marca.

A este método se le atribuyen varias ventajas. Primero, el método del porcentaje de las ventas significa que es probable que los gastos de promoción varíen con lo que la firma puede "costear". Esto satisface a los gerentes financieros, quienes consideran que los gastos han de guardar estrecha relación con el movimiento de ventas a lo largo del ciclo del negocio. Segundo, es un método que obliga a la gerencia a pensar en función de la relación existente entre los gastos de promoción, precio de venta y utilidad por unidad. Tercero, este método estimula la estabilidad competitiva hasta el grado en que las firmas competidoras gastan aproximadamente el mismo porcentaje de sus ventas en promoción.

A pesar de estas ventajas, el método del porcentaje de las ventas tiene pocas bases que lo justifiquen. Usa el razonamiento circular al considerar las ventas como la causa de la promoción en vez del resultado. Hace que el presupuesto se fije según la disponibilidad de fondos más que a partir de las oportunidades. Desalienta ensayar otros tipos de promoción o inversión emprendedoras. La dependencia del presupuesto respecto de las fluctuaciones anuales de las ventas entorpece la planeación a largo plazo. Este método no proporciona una base lógica para escoger el porcentaje específico, ya que se basa en lo que se ha hecho antes o en lo que la competencia está haciendo. Por último, no alienta la elaboración del presupuesto mediante una evaluación previa de lo que merecen cada producto y territorio.

Método de paridad competitiva

Las compañías fijan su presupuesto de promoción de modo que corresponda a las inversiones que los competidores asignen al renglón del presupuesto. Esta forma de pensar la expresa un ejecutivo que pregunta a una fuente comercial: "¿tiene cifras que otras firmas en el campo de las especialidades en construcción hayan usado y que nos indiquen la proporción de las ventas brutas que se destina a la publicidad?"[17]

Hay dos argumentos en defensa de este método. Uno es que los gastos de la competencia representan la sabiduría colectiva de la industria. El otro es que al conservar la paridad competitiva, se evitan las guerras de carácter promocional.

Ningún argumento es válido. No hay razones para creer que la competencia tiene una idea mejor sobre lo que una empresa debería gastar en promoción. Las reputaciones, recursos, oportunidades y objetivos de las firmas difieren tanto que sus presupuestos de promoción difícilmente pueden servir de guía. Además, no hay evidencia de que los presupuestos basados en la paridad competitiva desalienten las guerras de promoción.

Método basado en objetivo y tarea

El método basado en objetivo y tarea requiere que los mercadólogos desarrollen su presupuesto de promoción en tres etapas: 1) definir sus objetivos específicos; 2) determinar las tareas que han de ejecutarse para alcanzarlos, y 3) estimar los costos de ejecución de esas tareas. La suma de estos costos es el presupuesto de promoción que se propone.

Ule demostró la forma como puede usarse este método para establecer un presupuesto de publicidad para un nuevo cigarrillo, el Sputnik (nombre ficticio).[18] Los pasos son los siguientes:

1. *Establecer la meta de porción de mercado.* El anunciante quiere 8% del mercado. Como hay 50 millones de fumadores, la compañía quiere hacer que 4 millones de éstos cambien al Sputnik.

2. *Calcular el porcentaje del mercado al que se deberá llegar con la publicidad del Sputnik.* El anunciante espera llegar al 80% (40 millones de fumadores) con su publicidad.

3. *Determinar el porcentaje de fumadores que ya conocen la marca y a quienes deberá convencérseles de que la prueben.* El anunciante estaría satisfecho si 25% de esa población, o sea 10 millones de fumadores, probaran el Sputnik. Esto es así porque el anunciante estima que 40% de todos los que lo prueben, o 4 millones de personas, se convertirían en usuarios leales. Esta es la meta de mercado.

4. *Determinar el número de impresiones publicitarias por 1% de ensayos del producto.* El anunciante estima que 40 impresiones publicitarias (exposiciones o contactos) por cada 1% de la población producirán un porcentaje de ensayo de 25%.

5. *Determinar el número de puntos brutos de clasificación que tendrían que adquirirse.* Un punto bruto de clasificación es la exposición a 1% de la población meta. Como la firma desea lograr 40 exposiciones al 80% de la población, querrá comprar tres mil 200 puntos brutos de clasificación.

6. *Determinar el presupuesto publicitario necesario con base en el costo medio de comprar un punto bruto de clasificación.* Exponer 1% de la población meta a una impresión cuesta, en promedio, tres mil 277 dólares. Por tanto, tres mil 200 puntos brutos de rating costarían 10 millones 486 mil 400 dólares (= $3 277 × 3 200) en el año de introducción.

Este método tiene la ventaja de exigir a la gerencia que dé a conocer sus suposiciones sobre la relación existente entre los dólares gastados, los niveles de exposición, las tasas de ensayos y el uso regular.

La respuesta global a la pregunta sobre la importancia que se le debe conceder a la promoción en la mezcla total de mercadotecnia (en comparación con el mejoramiento del producto, precios más bajos, más servicios, etc.) depende de los siguientes aspectos: dónde se encuentran los artículos de la firma dentro de su ciclo de vida, si se trata de artículos comunes o sumamente diferenciables, si se necesitan sistemáticamente o si es necesario "venderlos" y otras consideraciones. En teoría, el presupuesto promocional total debería establecerse donde las utilidades marginales del último dólar promocional sean exactamente iguales a las utilidades marginales del último dólar en el mejor uso no promocional. Sin embargo, la implantación de este principio no es fácil.

Establecimiento de la mezcla promocional

Las compañías dentro de la misma industria difieren considerablemente en la forma como dividen sus presupuestos promocionales. Avon concentra sus fondos promocionales en las ventas personales (su publicidad es sólo 1.5% de las ventas), mientras que Revlon gasta mucho (alrededor de 7% de sus ventas). En la venta de aspiradoras, Electrolux gasta mucho en una fuerza de ventas de puerta en puerta, mientras que Hoover depende más de la publicidad. Por tanto, es posible lograr un nivel dado de ventas con varias mezclas de publicidad, ventas personales, promoción de ventas y publicidad no pagada.

Las compañías siempre están buscando formas para mejorar la eficiencia al sustituir un instrumento promocional por otro a medida que esto les representa ahorros. Muchas empresas han reemplazado algunas actividades de ventas de campo con ventas por teléfono y por correo directo. Otras compañías han acrecentado sus presupuestos de promoción de ventas en relación con la publicidad para lograr ventas más rápidas. Puesto que los instrumentos promocionales pueden sustituirse unos por otros, las funciones de mercadotecnia deben coordinarse desde un solo departamento.

El diseño de la mezcla promocional se complica aún más cuando un instrumento puede usarse para producir otro. Así, cuando McDonald's decidió organizar premios del millón de dólares en sus restaurantes (una forma de promoción de ventas), tuvo que publicar anuncios en la prensa para informar al público. Cuando General Mills desarrolla una campaña de publicidad / promoción de ventas para respaldar el consumo de un nuevo tipo de harina preparada para pastel, debe asignar dinero para promover su campaña a los revendedores, a fin de obtener el apoyo de éstos.

Muchos factores influyen en la selección de los instrumentos promocionales. A continuación se examinarán por separado.

Naturaleza de cada instrumento de promoción

Cada instrumento de promoción (publicidad, ventas personales, promoción de ventas y publicidad no pagada) tiene características y costos propios. Los mercadólogos tienen que comprender estas características para seleccionar los instrumentos.

PUBLICIDAD.   Debido a las numerosas formas y aplicaciones de la publicidad, es difícil hacer generalizaciones acerca de sus cualidades como un componente de la mezcla de promoción. Sin embargo, cabe señalar las siguientes cualidades:[19]

- *Presentación pública.* La publicidad es una modalidad sumamente pública de comunicación. Su naturaleza pública le confiere un cierto tipo de legitimidad al producto y también sugiere una oferta estandarizada. Como muchas personas reciben el mismo mensaje, los compradores saben que sus motivos para comprar el producto se comprenderán públicamente.

- *Penetración.* La publicidad es un medio de gran penetración que le permite al vendedor repetir un mensaje muchas veces. También le permite al comprador recibir y comparar los mensajes de varios competidores. La publicidad a gran escala dice algo positivo acerca del tamaño, popularidad y éxito del vendedor.

- *Expresividad amplificada.* La publicidad proporciona oportunidades para representar a la compañía y sus productos mediante el uso artístico de la impresión, el sonido y el color. Sin embargo, su éxito por la expresividad a veces diluye el mensaje o distrae al receptor.

- *Impersonal.* La publicidad no puede ser tan eficaz como la presencia de un representante de ventas de la compañía. El público no se siente obligado a prestar atención ni a responder. La publicidad sólo es capaz de mantener un monólogo, no un diálogo, con el público.

Por un lado, la publicidad puede usarse para construir una imagen a largo plazo para un producto (como los anuncios de Coca-Cola), y por el otro, para desencadenar ventas rápidas (como cuando Sears anuncia una barata de fin de semana). La publicidad es una forma eficiente para llegar a muchos compradores dispersos geográficamente a un costo bajo por exposición. Ciertas formas de publicidad, como la de televisión, pueden requerir de un presupuesto grande; otras formas, como la publicidad en la prensa, pueden realizarse con un presupuesto pequeño.

VENTAS PERSONALES.   Las ventas personales constituyen el instrumento más eficaz en ciertas etapas del proceso de compra, particularmente para desarrollar preferencia, convicción y acción en el consumidor. La razón es que las ventas personales, cuando se comparan con la publicidad, tienen tres características distintivas:[20]

- *Confrontación personal.* Las ventas personales implican una relación viva, inmediata e interactiva entre dos o más personas. Cada elemento puede observar las necesidades y características del otro muy de cerca y hacer ajustes inmediatos.

- *Cultivo de una relación.* Las ventas personales permiten el desarrollo de todo tipo de relaciones, que van desde una relación meramente comercial hasta la amistad profunda. El representante de ventas eficaz normalmente mantendrá un interés personal por el bien del cliente si desea una relación prolongada.

- *Respuesta.* Las ventas personales hacen que el comprador se sienta bajo cierta obligación por haber escuchado la plática del vendedor. El comprador tiene una mayor necesidad de atender y responder, incluso si la respuesta es un amable ''gracias''.

Estas cualidades tienen un costo. Las ventas personales constituyen el instrumento de contacto más caro de la compañía. En 1983, una visita de ventas les costaba a las compañías en promedio 205 dólares.[21] En 1981, las firmas estadunidenses gastaron más de 150 mil millones de dólares en las ventas personales, en comparación con 61 mil millones en publicidad. Este dinero sirvió para mantener a más de 6 millones 400 mil estadunidenses que trabajan en ventas.[22]

PROMOCION DE VENTAS.   Aunque la promoción de ventas implica un conjunto de instrumentos diversos (cupones, premios, concursos y otras), éstos tienen tres características:

- *Comunicación.* Capta la atención y usualmente proporciona información que puede llevar al consumidor al producto.

- *Incentivo.* Ofrecen alguna concesión, aliciente o aportación que el consumidor aprecia.

- *Invitación.* Incluyen una invitación explícita rápida.

Las compañías usan los instrumentos de promoción de ventas para crear una respuesta más rápida y más fuerte. La promoción de ventas puede usarse para emocionar con ofertas del producto y para revivir las ventas en decadencia. Sin embargo, los efectos de la pro-

FIGURA 17-4
Importancia relativa de los instrumentos de promoción en los mercados de consumo con los industriales

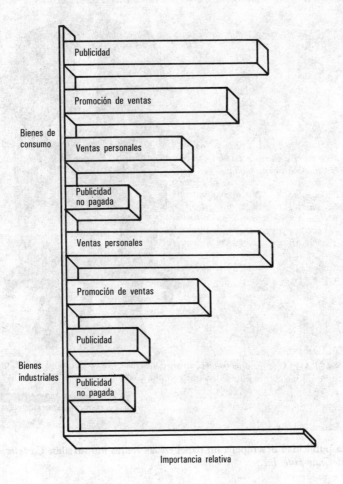

moción de ventas por lo general son de corta duración y no son eficaces para desarrollar una preferencia a largo plazo por la marca.

PUBLICIDAD NO PAGADA. El atractivo de la publicidad no pagada se basa en tres cualidades:

- *Alta credibilidad.* Los reportajes y las crónicas periodísticas les parecen a los lectores más auténticos y creíbles que los anuncios.

- *Gran alcance.* La publicidad no pagada puede llegar a muchos prospectos que suelen evitar a los vendedores y a la publicidad. El mensaje les llega como una noticia y no como una comunicación destinada a conseguir una venta.

- *Asombro.* Al igual que la publicidad comercial, la publicidad no pagada tiene un potencial para dar una imagen conmovedora de la compañía o producto.

Por lo común, los mercadólogos usan poco la publicidad no pagada o la utilizan en forma tardía. Sin embargo, una compañía bien planeada de publicidad no pagada, com-

FIGURA 17-5

"Yo no sé quién sea usted.
No conozco su compañía.
No conozco el producto de su empresa.
No conozco las metas de su compañía.
No conozco a los clientes de su firma.
No conozco las ventas de su compañía.
No conozco la reputación de su empresa.
Y ahora dígame ¿qué quiere venderme?".

MORALEJA: Las ventas comienzan **antes** de que el vendedor visite al cliente, y se inician con la publicidad que comunica la empresa.

McGRAW-HILL MAGAZINES
BUSINESS•PROFESSIONAL•TECHNICAL

La publicidad desempeña un papel en las ventas industriales. *Cortesía de McGraw-Hill, Inc.*

binada con otros elementos de la mezcla de promoción, puede ser sumamente eficaz y mucho menos costosa.

Factores en el establecimiento de la mezcla promocional

Las compañías consideran varios factores para desarrollar sus mezclas de promoción. Estos se examinan en seguida.

TIPO DE PRODUCTO O MERCADO. La eficacia de los instrumentos promocionales varía entre los mercados industrial y de consumo. Las diferencias se muestran en la figura 17-4. Las compañías de bienes de consumo normalmente destinan gran parte de sus fondos a la publicidad, seguida por la promoción de ventas, ventas personales y, finalmente, publicidad no pagada. Las firmas de bienes industriales destinan la mayor parte de sus fondos a las ventas personales, seguidas por la promoción de ventas, la publicidad y la publicidad no pagada. Por lo general, las ventas personales se usan más con bienes costosos y riesgosos y en mercados donde hay menos y más grandes vendedores (por tanto, mercados industriales).

Aunque la publicidad es menos importante que las visitas de ventas en los mercados industriales, desempeña, no obstante, un papel significativo. La publicidad puede crear conocimiento y comprensión del producto, desarrollar pistas de ventas, ofrecer legitimación y brindarles seguridad a los consumidores. El papel de la publicidad en la mercadotecnia industrial puede apreciarse en un anuncio de McGraw-Hill (véase figura 17-5). La publicidad podría haber evitado la mayoría de los enunciados que el comprador hace en ese anuncio. Morrill mostró, en su estudio sobre la mercadotecnia de bienes industriales, que la publicidad combinada con las ventas personales acrecentaba las ventas 23% sobre las conseguidas sin ésta. El costo total de la promoción como un porcentaje de las ventas se redujo en 20%.[3] La investigación de Levitt también mostró el importante papel que la publicidad puede desempeñar en la mercadotecnia industrial (véase recuadro 17-1).

RECUADRO 17-1

PAPEL DE LA PUBLICIDAD CORPORATIVA EN LA MERCADOTECNIA INDUSTRIAL

Theodore Levitt intentó determinar la contribución relativa de la reputación de la compañía (desarrollada principalmente mediante publicidad) y la presentación de ventas de la firma (ventas personales) en la producción de ventas industriales. A los agentes de compras se les mostraron presentaciones de ventas filmadas de un producto técnico nuevo, aunque ficticio, para usarse como ingrediente en la fabricación de pinturas. Las variables eran la calidad de la presentación de ventas y si el vendedor venía de una firma bien conocida, una empresa menos conocida pero con credibilidad o una compañía desconocida. Las relaciones del agente de adquisiciones se recabaron después de ver la película y, nueva cuenta cinco semanas después. Los resultados fueron los siguientes:

1. La reputación de una compañía mejora las probabilidades de obtener un primer público favorable y una adopción temprana del producto. Por tanto, la publicidad corporativa que pueda desarrollar la reputación de la empresa (otros factores también configuran su reputación) ayudará a los representantes de ventas de la organización.

2. Los representantes de ventas de compañías bien conocidas tienen una ventaja para conseguir la venta si su presentación de ventas es adecuada. Si un representante de ventas de una empresa menos conocida hace una presentación sumamente eficaz, esto puede superar la desventaja. Las

empresas más pequeñas deberán usar sus fondos limitados para seleccionar y entrenar buenos representantes, en vez de gastar estos fondos en publicidad.

3. La reputación de la compañía tiene el efecto más fuerte cuando el producto es complejo, cuando el riesgo es elevado y el agente de adquisiciones tiene una capacitación menos profesional.

Fuente: Theodore Levitt, *Industrial Purchasing Behavior: A Study in Communication Effects* (Boston: División de Investigación, Harvard Business School, 1965). Copyright © 1965 por el presidente y miembros del asociados de Harvard College; derechos reservados.

A la inversa, las ventas personales contribuyen de manera notable a la comercialización de bienes de consumo. No se trata sencillamente de que "los vendedores coloquen productos en los estantes y que la publicidad se los lleve". Los vendedores de bienes de consumo bien entrenados firman contratos con los distribuidores para que manejen la marca, los convencen para que les destinen más espacio en su negocio y logran que cooperen en las promociones especiales.

ESTRATEGIA CENTRADA EN LOS INTERMEDIARIOS Y ESTRATEGIA CENTRADA EN EL CONSUMIDOR. La mezcla promocional recibe una fuerte influencia si la compañía escoge una u otra estrategia para crear ventas. En la figura 17-6 se comparan las dos estrategias. En la **estrategia centrada en los intermediarios** se usa la fuerza de ventas y la promoción para impulsar el producto a través de los canales. El productor promueve con dinamismo el artículo entre los mayoristas, para que éstos lo promuevan entre los detallistas, y así los detallistas emprendan su promoción entre los consumidores.[24] En la **estrategia centrada en los consumidores** se gasta mucho dinero en publicidad y promoción para desarrollar la demanda entre los consumidores. Si hay éxito, los consumidores le pedirán el producto al detallista, éstos se lo pedirán a los mayoristas, quienes a su vez se lo pedirán a los productores.

Algunas compañías pequeñas de bienes industriales usan sólo estrategias centradas en los intermediarios; algunas empresas de mercadotecnia directa sólo usan estrategias centradas en el consumidor. La mayoría de las compañías grandes usan alguna combinación de éstas. Por ejemplo, Procter & Gamble usa publicidad de medios masivos para mover sus productos mediante atracción y una gran fuerza de ventas y mucha promoción para empujar sus productos a través de los canales.

ETAPA DE MADUREZ DEL COMPRADOR. Los instrumentos promocionales varían en su eficacia de costos en diferentes etapas de madurez (o disposición) del comprador. La figura 17-7 muestra la eficacia relativa de cuatro instrumentos promocionales.[25] La publicidad, junto

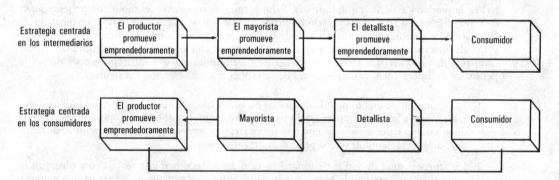

FIGURA 17-6 *Estrategia centrada en el consumidor y estrategia centrada en el intermediario*

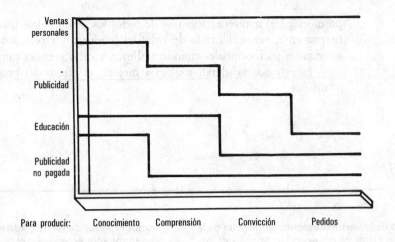

FIGURA 17-7
Eficacia relativa de cuatro instrumentos promocionales en diferentes etapas del proceso de compra del consumidor

con la publicidad no pagada, desempeña el papel principal en la etapa de conocimiento, más importante que las "visitas en frío" de los representantes de ventas. En el conocimiento del cliente influye principalmente la educación, pero la publicidad y las ventas personales desempeñan un papel secundario. Sobre la convicción del consumidor influyen principalmente las ventas personales, seguidas muy de cerca por la publicidad. Por último, el cierre de la venta es función principal de la visita de ventas. Evidentemente, las ventas personales, dados sus costos, deberían concentrarse en las etapas finales del proceso de compra del consumidor.

ETAPA DEL CICLO DE VIDA DEL PRODUCTO.   La eficacia de los instrumentos de promoción varía en diferentes etapas del ciclo de vida del producto. En la etapa de introducción, la publicidad y la publicidad no pagada son eficaces en cuanto a costos para producir gran conocimiento, y la promoción de ventas es útil para hacer que los consumidores prueben el producto. Las ventas personales son relativamente costosas, aunque deben usarse para hacer que los detallistas manejen el producto.

En la etapa de crecimiento, la publicidad y la publicidad no pagada continúan siendo potentes, mientras que la promoción de ventas puede reducirse porque se necesitan menos incentivos.

En la etapa de madurez, la promoción de ventas cobra más valor que la publicidad. Los compradores conocen las marcas y sólo necesitan un simple recordatorio por medio de la publicidad.

En la etapa de declinación, la publicidad se mantiene a nivel de recordatorio, la publicidad no pagada se elimina y los vendedores le dan al producto una atención mínima. Sin embargo, la promoción de ventas podría seguir siendo poderosa.[26]

Responsabilidad por la planeación de la comunicación de mercadotecnia

Los miembros del departamento de mercadotecnia a menudo tienen opiniones distintas acerca de la manera de distribuir el presupuesto de promoción. El gerente de ventas preferiría contratar a dos representantes extra que gastar 80 mil dólares en un solo comercial de televisión. El gerente de relaciones públicas cree que puede hacer maravillas con algún dinero transferido de publicidad a publicidad no pagada.

Históricamente, las compañías han dejado estas decisiones en manos de diferentes personas. Nadie era responsable por considerar detenidamente los papeles de los diversos instrumentos de promoción y por coordinarlas. Hoy en día, las firmas se están acercando al concepto de *comunicación integrada de mercadotecnia*. Este concepto requiere de: 1) nombrar un director con responsabilidad general por la comunicación de mercadotecnia de la empresa; 2) desarrollar políticas acerca del uso de los diferentes instrumentos de promoción; 3) mantener registros de todos los desembolsos promocionales por producto, herramienta, etapa del ciclo de vida del producto y efecto observado, y 4) coordinar las actividades promocionales cuando se lleven a cabo grandes campañas.

Estos pasos ayudarán mucho a mejorar el efecto del programa promocional de la compañía.

■ *Resumen*

La *promoción* es uno de los cuatro elementos principales de la mezcla de mercadotecnia de la empresa. Los principales instrumentos promocionales (publicidad, promoción de ventas, publicidad no pagada y ventas personales) tienen capacidades separadas independientes, pero que se superponen, y su coordinación eficaz requiere de una definición cuidadosa de los objetivos de la comunicación.

Para preparar la comunicación específica de mercadotecnia, el comunicado tiene que comprender los nueve elementos de cualquier proceso de comunicación: emisor, receptor, codificación, decodificación, mensaje, medios, respuesta, retroalimentación y ruido. La primera tarea del comunicador es identificar la audiencia meta y sus características. Enseguida, el comunicador tiene que definir la respuesta buscada, ya se trate de una información preliminar, conocimiento, simpatía, preferencia, convicción o compra. Entonces se desarrollará un mensaje con algún contenido, estructura y formato eficaces. Deben seleccionarse los medios, tanto para la comunicación personal como para la comunicación no personal. El mensaje debe transmitirlo alguna fuente con buena credibilidad, alguien que

sea un experto, digno de confianza y agradable. Por último, el comunicador debe vigilar el grado de conocimiento que adquiera el mercado y el porcentaje de quienes prueban el producto y quedan satisfechos con él.

La compañía tiene que decidir cuánto gastar en promoción. Los enfoques más populares son gastar lo que la compañía puede costear, usar un porcentaje de las ventas, basar la promoción en los desembolsos de los competidores, o basarla en un análisis y en el costo de los objetivos y tareas de la comunicación.

La firma debe repartir el presupuesto promocional entre los principales instrumentos. Las compañías se orientan por las características de cada instrumento promocional, el tipo de producto o mercado, si la empresa prefiere una estrategia centrada en el intermediario o en el consumidor, la etapa de buena disposición del comprador y la etapa del ciclo de vida del producto. Las interacciones de las diferentes actividades de promoción requieren de coordinación organizacional para lograr el máximo efecto.

■ *Preguntas de repaso*

1. Aplique los cuatro instrumentos principales de la comunicación de mercadotecnia a los equipos profesionales de deportes.

2. ¿Cuáles son los dos elementos que se usan en la comunicación de mercadotecnia? Explique qué relación guardan con McDonald's.

3. ¿De qué modo se relacionan los seis estados de madurez (disposición) del comprador con la última compra que hizo de cerveza o de refrescos embotellados?

4. ¿Qué tipo de contenido de mensaje usan los siguientes mercadólogos: a) AT&T; b) Toyota; c) American Lung Association, y d) General Electric?

5. ¿Cuáles son los tipos de canales de comunicación que

una organización puede utilizar? ¿Cuándo deberá usarse cada uno?

6. Señale si las siguientes personalidades son fuentes creíbles de comunicación de mercado: a) el presidente de Estados Unidos; b) Neil Armstrong, y c) Lupita D'Alessio. ¿Por qué?

7. ¿Cómo podría una empresa establecer su presupuesto promocional? Explique las ventajas de cada enfoque.

8. El tipo de producto que va a ser comercializado no tiene relación con la mezcla de comunicación que use el mercadólogo. Comente esta aseveración.

9. ¿Quién debería ser responsable por la planeación de la comunicación de mercadotecnia? ¿Por qué?

■ *Bibliografía*

1. Basado en material encontrado en BRIAN MORAN y CLEVE-LAND HORTON, ''John Scully: Marketing Methods Bring Back Apple'', *Advertising Age,* 31 de diciembre de 1984, pp. 1 +. Véase también DEBORAH WISE y CATHERINE HARRIS, ''Apple's New Crusade: A Bold Plan to Take on IBM in the Office'', *Business Week,* 26 de noviembre de 1984, pp. 146-54.
2. Estas definiciones, excepto la de *promoción de ventas,* se tomaron de *Marketing Definitions: A Glossary of Marketing Terms* (Chicago: American Marketing Association, 1960). La definición AMA de *promoción de ventas* incluye, además de incentivos, medios de mercadotecnia tales como carteles, espectáculos y exhibiciones, así como demostraciones que pueden quedar mejor clasificadas como formas de anuncios, ventas personales o propaganda. Algunos eruditos en mercadotecnia han sugerido que se agregue el *empaque* como quinto elemento de la mezcla de promoción, aunque otros lo clasifican como elemento del producto.
3. MICHAEL L. RAY, *Marketing Communication and the Hierarchy-of-Effects* (Cambridge, MA; Marketing Science Institute, noviembre de 1973). Véase también ROBERT E. SMITH y WILLIAM R. SWINYARD, ''Information Response Models: An Integrated Approach'', *Journal of Marketing,* invierno de 1982, pp. 81-93.
4. MICHAEL L. RAY y WILLIAM L. WILKIE, ''Fear: The Potential of an Appeal Neglected by Marketing'', *Journal of Marketing,* enero de 1970, pp. 55-56; y BRIAN STERNTHAL y C. SAMUEL CRAIG, ''Fear Appeals: Revisited and Revised'', *Journal of Consumer Research,* diciembre de 1974, pp. 22-34.
5. Véase BRIAN STERNTHAL y C. SAMUEL CRAIG, ''Humor in Advertising'', *Journal of Marketing,* octubre de 1973, pp. 12-18.
6. CARL I. HOVLAND y WALLACE MANDELL, ''An Experimental Comparison of Conclusion-Drawing by the Communication and by the Audience'', *Journal of Abnormal and Social Psychology,* julio de 1952, pp. 581-88.
7. Véase C. I. HOVLAND, A. A. LUMSDAINE y F. D. SHEFFIELD, *Experiments on Mass Communication* (Princeton, NJ: Princeton University Press, 1948), vol. III, cap. 8.
8. Para más sobre el contenido y la estructura del mensaje, véase LEON G. SCHIFFMAN y LESLIE LAZAR KANUK, *Consumer Behavior* (2a. ed.) (Englewood Cliffs, NJ: Prentice-Hall, 1983), pp. 270-77.
9. Para una explicación de estos dispositivos, véase JAMES F. ENGEL, ROGER D. BLACKWELL y DAVID T. KOLLAT, *Consumer Behavior* (3a. ed.) (Hinsdale, IL: Dryden Press, 1978), pp. 36-48.
10. Estos y otros puntos están expuestos en THOMAS S. ROBERTSON, *Innovative Behavior and Communication* (New York: Holt, Rinehart & Winston, 1971), cap. 9.
11. Véase PHILIP KOTLER, ''Atmospherics as a Marketing Tool'', *Journal of Retailing,* invierno de 1973-74, pp. 48-64.
12. P. F. LAZARSFELD, B. BERELSON y H. GAUDET, *The People's Choice* (2a. ed.) (New York: Columbia University Press, 1948), p. 151.
13. HERBERT C. KELMAN y CARL I. HOVLAND, ''Reinstatement of the Communication in Delayed Measurement of Opinion Change'', *Journal of Abnormal and Social Psychology,* 48 (1953), 327-35.
14. Para más sobre la credibilidad de la fuente, véase SCHIFFMAN y KANUK, *Consumer Behavior,* pp. 258-67.
15. Citado en DANIEL SELIGMAN, ''How Much for Advertising?'' *Fortune,* diciembre de 1956, p. 123.
16. ALBERT WESLEY FREY, *How Many Dollars for Advertising?* (New York: Ronald Press, 1955), p. 65.
17. *Ibid.,* p. 49.
18. G. MAXWELL ULE, ''A Media Plan for 'Sputnik' Cigarettes'', *How to Plan Media Strategy* (American Association of Advertising Agencies, 1957 Regional Convention), pp. 41-52.
19. Véase SIDNEY J. LEVY, *Promotional Behavior* (Glenview, IL: Scott, Foresman, 1971), cap. 4.
20. *Ibid.*
21. Véase ''Average Cost Shatters $200 Mark for Industrial Sales Call, But Moderation Seen in 1984 Hikes'', *Marketing News,* 17 de agosto de 1984, p. 16.
22. *Sales and Marketing Management,* 21 de febrero de 1983, p. 36.
23. *How Advertising Works in Today's Marketplace: The Morrill Study* (New York: McGraw-Hill, 1971), p. 4.
24. Para más sobre estrategias de empuje, véase MICHAEL LEVY, JOHN WEBSTER y ROGER KERIN, ''Formulating Push Marketing Strategies: A Method and Application'', *Journal of Marketing,* invierno de 1983, pp. 25-34.
25. ''What IBM Found about Ways to Influence Selling'', *Business Week,* 5 de diciembre de 1959, pp. 69-70. Véase también HAROLD C. CASH y WILLIAM J. CRISSY, ''Comparison of Advertising and Selling'', en *The Psychology of Selling* (Flushing, NY: Personal Development Associates, 1965), vol. 12.
26. Para más sobre publicidad y ciclo de vida del producto, véase JOHN E. SWAN y DAVID R. RINK, ''Fitting Market Strategy to Product Life Cycles'', *Business Horizons,* enero-febrero de 1982, pp. 60-67.

18
Promoción de productos: publicidad, promoción de ventas y publicidad no pagada

La PepsiCo es una compañía grande y diversificada, con ventas por más de ocho mil millones de dólares. Sus divisiones y marcas son palabras comunes para los consumidores en Estados Unidos: Pepsi-Cola (Pepsi, Diet Pepsi, Pepsi Free, Mountain Dew, Teem); Frito-Lay (Lays, O'Grady's, Ruffles, Fritos, Cheetos, Doritos, galletas Grandman's); restaurantes Pizza Hut y Taco Bell; artículos deportivos Wilson. Todos éstos se cuentan entre los líderes de mercado en sus categorías.

La PepsiCo ha desarrollado una gran diversidad de instrumentos de promoción para comunicarse con sus numerosos públicos. Cientos de empleados de la PepsiCo en numerosas unidades de publicidad, promoción de ventas, publicidad no pagada y relaciones públicas diseminadas por toda la compañía trabajan con más de una docena de grandes agencias de publicidad y otras firmas para desarrollar mensajes dirigidos a los consumidores, embotelladores y detallistas, accionistas, la comunidad financiera, los empleados y el público en general.

La PepsiCo usa dosis masivas de publicidad para desarrollar y mantener la porción de mercado de sus marcas. En 1983, la PepsiCo gastó más de 472 millones de dólares en publicidad y promoción a escala mundial, con lo cual se convirtió en el doceavo anunciante más grande de Estados Unidos. Los refrescos embotellados de la PepsiCo tuvieron una porción de mercado en 1983 de 26% (detrás de 35% de la Coca-Cola), y la factura de publicidad para estos productos fue de más de 65 millones de dólares. En 1984, se esperaba que la PepsiCo gastara más de 40 millones de dólares tan sólo en su marca Pepsicola. En 1983, la compañía le dio a Pizza Hut 47 millones en apoyo publicitario y destinó otros 19 millones de dólares para Taco Bell. Otros productos estuvieron apoyados por cantidades que iban desde unos cuantos hasta muchos millones de dólares.

Pero la PepsiCo usa más que publicidad para comunicarse con los consumidores y otros públicos. Más de un tercio de sus desembolsos publicitarios en 1983 (alrededor de 133 millones de dólares) fueron destinados a "medios no medidos", como cupones, premios y concursos, eventos especiales, exhibiciones comerciales y otras promociones de ventas. Durante varios años, la Pepsi ha dirigido el "Desafío de la Pepsi", una promoción de preferencia de sabor en la cual los consumidores deben comparar el sabor de la Pepsi con el de la Coca-Cola. La Pepsi persuade continuamente a los consumidores con cupones y premios; halaga a los detallistas con descuentos y exhibidores. Los productos nuevos y las campañas de publicidad se les presentan a los embotelladores y a la prensa en sucesos extravagantes como la "Gira de la Victoria", de conciertos en el territorio estadunidense.

En 1984, la Pepsi usó una combinación de publicidad, promoción de ventas y publicidad no pagada para el establecimiento de su nueva campaña "Pepsi: La elección de una generación", que estaba diseñada para reemplazar a la "Generación Pepsi" con una generación nueva y más joven de consumidores de este refresco. La nueva campaña se alejó mucho del enfoque publicitario tradicional un tanto nostálgico y de tono bajo. Empleaba el sentido del humor y la emoción con lo que esperaba atraer a la generación más joven. Pepsi contrató a Lionel Richie (se dice que por 8 millones de dólares) y a los hermanos Jackson (por 10 millones de dólares) como voceros del nuevo enfoque promocional. Para iniciar la campaña, la compañía creó siete nuevos comerciales, incluyendo dos comerciales de 60 segundos de Jackson cuya producción costó más de 2 millones de dólares. Michael Jackson y sus hermanos también intervinieron en una variedad de eventos de promoción de ventas, incluyendo una gira de conciertos patrocinada por la Pepsi en la que recorrieron Estados Unidos.

Pepsi se aprovechó de la emoción que rodeaba la campaña de los Jackson mediante un esfuerzo concentrado de publicidad. Mantuvo conferencias de prensa y emitió comunicados periodísticos acerca de la contratación de los Jackson, detalles de los anuncios, de la gira y actividades relacionadas. Hizo presentaciones previas de los anuncios a los embotelladores y a la prensa. La campaña se convirtió en todo un acontecimiento para los medios de comunicación: se habló de ésta en incontables artículos de periódicos y revistas y en programas de televisión. La MTV: Music Television, a pesar de su política en contra de la identificación de productos, dirigió un programa especial con estrenos de los comerciales con Jackson y una entrevista con el director de los mismos. Los comerciales ayudaron a mejorar los ratings de los premios Grammy de la CBS, el primer programa que transmitió los anuncios. Así, la hábil combinación que hizo la Pepsi de toda la promoción masiva logró que la campaña de la ''nueva generación'' se iniciara de la mejor manera posible.

Además de las formas directas de publicidad y promoción de ventas, la PepsiCo comunica responsabilidad corporativa mediante varias actividades de relaciones públicas. Se asoció con el Boys Club of America para establecer el SuperFit All-Stars Program para la educación física de los jóvenes. Su programa PepsiCo Fellows patrocina investigaciones sobre la relación entre el ejercicio y la buena condición física. Apoya las artes mediante el PepsiCo Summerfare, un festival artístico.

Y su programa de Awards to Volunteers proporciona fondos para organizaciones no lucrativas y reconoce y da todo su apoyo a las actividades voluntarias de los empleados.

La PepsiCo debe gran parte de su éxito al desarrollo de productos de calidad que tienen un fuerte atractivo para millones de consumidores en todo el mundo. Pero el éxito también depende de la habilidad de la PepsiCo para informar a sus públicos acerca de la compañía y sus productos mediante un esfuerzo de comunicaciones cuidadosamente planeado.[1]

Muchos productos de consumo nuevos fracasan cada año no porque sean débiles, sino porque llegan al mercado sin una distribución ni emoción. Las compañías deben preocuparse por algo más que hacer buenos productos: deben posicionar cuidadosamente los productos en la mente del consumidor.[2] Para lograr esto deben orquestar cuidadosamente los instrumentos de promoción masiva como la publicidad, la promoción de ventas y la publicidad no pagada. En este capítulo se examinarán estos instrumentos.

PUBLICIDAD

La **publicidad** consiste en *formas no personales de comunicación dirigidas mediante patrocinio pagado*. En 1983, la publicidad representó un gasto de 75 mil 900 millones de dólares en Estados Unidos. Los que gastaron este dinero no sólo eran firmas comerciales, sino también museos, fundaciones profesionales y varias organizaciones de acción social que anuncian sus causas a diversos públicos meta. De hecho, la empresa que ocupa el vigésimo octavo lugar entre los que invierten más en este sector es organización no lucrativa: el gobierno de Estados Unidos.

Dentro del sector comercial, los 100 principales anunciantes nacionales dan cuentan de alrededor de la cuarta parte de toda la publicidad.[3] En la tabla 18-1 se enumeran los 10 principales anunciantes en 1983. Procter & Gamble es el líder con 774 millones de dólares, o 8.1% de sus ventas totales en Estados Unidos de 9 mil 600 millones de dólares. La siguen empresas en las industrias automotriz, de alimentación, al menudeo, farmacéutica y tabaquera. La publicidad como un porcentaje de las ventas es baja en la industria automotriz y alta en la industria de la alimentación, la farmacéutica, artículos de tocador y cosméticos, seguidas por goma de mascar, jabón y dulces. Las compañías que gastan los mayores porcentajes de sus ventas en publicidad fueron Sterling Drug (24.4%), Noxell (22.8%), Richardson-Vicks (22.6%) y Mattel (21.4%).

TABLA 18-1
Los 10 principales anunciantes, nacionales en 1983

RANGO	COMPAÑÍA	PUBLICIDAD TOTAL EN ESTADOS UNIDOS (millones)	TOTAL DE VENTAS EN ESTADOS UNIDOS (millones)	PUBLICIDAD COMO UN PORCENTAJE DE LAS VENTAS
1	Procter & Gamble	$773.6	$ 9 554	8.1%
2	Sears	732.5	32 637	2.2
3	Beatrice	602.8	13 443*	4.5
4	General Motors	595.1	66 160	0.9
5	R. J. Reynolds	593.4	10 769	5.5
6	Philip Morris	527.5	9 303	5.7
7	Ford	479.1	33 000	1.5
8	AT&T	463.1	67 648	0.7
9	K mart	400.0	17 786	2.2
10	General Foods	386.1	6 408	6.0

*Las ventas de Beatrice son mundiales, no se dispone de cifras de ventas en Estados Unidos.

Fuente: reproducida con permiso del número de septiembre de 1984 de *Advertising Age* Copyright 1984, Crain Communication, Inc.

Los presupuestos de publicidad se distribuyen entre diversos medios: espacio en periódicos y revistas, radio y televisión; exhibidores exteriores (carteles, señales, palabras dibujadas con humo en el cielo); correo directo; novedades (cajas de cerillos, cuadernitos, calendarios); anuncios en trenes y autobuses; catálogos; directorios; y circulares. Y la publicidad tiene muchos usos: desarrollo a largo plazo de la imagen de la organización *(publicidad institucional)*, desarrollo a largo plazo de una marca particular *(publicidad de marca)*, difusión de información acerca de una venta, servicio o suceso *(publicidad clasificada)*, anuncios de una venta especial *(publicidad de baratas)* y defensa de una causa particular *(publicidad de defensa)*.

Las raíces de la publicidad pueden determinarse en la historia (véase recuadro 18-1). Aunque la publicidad es principalmente un instrumento de mercadotecnia de las empresas privadas, se usa en todos los países del mundo, incluyendo los socialistas (véase recuadro 18-2). La publicidad es un medio muy eficaz en cuanto a costos para difundir mensajes, ya se trate de desarrollar preferencia de marca para la Coca-Cola en todo el mundo, o motivar a los consumidores en una nación en desarrollo a tomar leche o a practicar el control de la natalidad.

RECUADRO 18-1

HITOS EN LA HISTORIA DE LA PUBLICIDAD

Los orígenes de la publicidad se remontan a los albores de la escritura. En excavaciones efectuadas en los países que rodean el Mediterráneo, los arqueólogos encontraron signos que anunciaban diversos acontecimientos y ofertas. Los romanos pintaban las paredes y en ellas anunciaban los torneos de gladiadores; los fenicios pintaban murales en las rocas más salientes en los itinerarios de los desfiles para promover su mercancía, método precursor de la moderna publicidad exterior. En un mural de Pompeya se elogia a un político y se pide al pueblo romano votar por él.

Otra modalidad antigua de la publicidad se encuentra en el *pregonero* del pueblo. En la Edad de Oro de la Grecia antigua, los pregoneros recorrían Atenas anunciando ventas de esclavos, de ganado y de otros bienes. He aquí uno de los antiguos anuncios "cantados" de Atenas: "La mujer conocedora comprará sus cosméticos de Eusclipto para tener ojos hermosos, mejillas arreboladas y una belleza que perdurará después de la juventud, y todo esto a precio módico".

Otro tipo primitivo de publicidad fue la *marca* que los artesanos les ponían a sus artículos individuales, como la cerámica. A medida que aumentaba la reputación de un artesano, los clientes comenzaban a buscar su símbolo, de mismo modo que sucede en la actualidad con las marcas registradas y los anuncios. Así, los artículos de lino de Osnabrück eran sometidos a un riguroso control de calidad y tenían un precio 20% más alto que los artículos sin marca procedentes de Westfalia. La marca cobró cada vez más importancia al irse centralizando la producción y al irse haciendo más distantes los mercados.

El momento crucial en la historia de la publicidad ocurrió en 1450, año en que Gutenberg inventó la imprenta. Los que hacían anuncios ya no tenían que producir las copias de un signo en forma manual. El primer anuncio que se imprimió en inglés apareció en 1478.

En 1622, la publicidad recibió un impulso extraordinario al publicarse el primer periódico en inglés: *The Weekly Newes*. Más tarde, Addison y Steele publicaron el *Tatler* y se convirtieron en decididos partidarios de la publicidad. Addison publicó esta recomendación a los redactores de textos publicitarios: ''El secreto en la redacción de anuncios consiste en encontrar el método adecuado para captar el interés del lector; sin esto, un buen texto pasará inadvertido o se perderá entre otras noticias intrascendentes''. El número del 14 de septiembre de 1710 del *Tatler* contenía anuncios de jabones para rasurarse, medicinas de patente y otros artículos de consumo.

La publicidad alcanzó un auge impresionante en Estados Unidos. A Benjamín Franklin se le conoce como el padre de la publicidad estadunidense porque su *Gazette,* cuyo primer número apareció en 1729, alcanzó la mayor circulación y el volumen más grande de publicidad entre los diarios que se publicaban en ese país. Hubo varios factores que contribuyeron a hacer de Estados Unidos la cuna de la publicidad. Primero, la industria de ese país encabezó la mecanización de la producción, lo cual dio origen a excedentes y, por otra parte, fue necesario convencer al público de que comprara cantidades más grandes. Segundo, la creación de una eficiente red de comunicaciones marítimas, de carreteras y caminos hicieron posible transportar las mercancías a los pueblos y hacerles llegar la publicidad. Tercero, al establecerse en 1813 la educación pública obligatoria, disminuyó el analfabetismo y empezaron a proliferar los periódicos y las revistas. Con la aparición de la radio y, más tarde, de la televisión, se pudo contar con dos medios extraordinarios para difundir la publicidad.

RECUADRO 18-2

PUBLICIDAD EN LA UNION SOVIETICA Y EN CHINA

Hay más de un centenar de agencias de publicidad que operan ahora en la Unión Soviética, a pesar de la doctrina marxista-leninista de que la publicidad es un instrumento de la explotación capitalista.

Estas agencias se establecieron inicialmente para crear demanda de bienes soviéticos de exportación en otros países. Pero muchos anuncios también aparecen en los medios impresos, de radio y televisión que llegan a los consumidores soviéticos. La Conferencia de Praga de 1957 de los trabajadores de publicidad de los países socialistas señaló tres puntos acerca de cómo debe usarse la publicidad: 1) educar el gusto de la gente, desarrollar sus requerimientos y activar así la demanda; 2) ayudar al consumidor proporcionándole información de los medios más racionales de consumo; y 3) ayudar a elevar la cultura del comercio. Además, la publicidad soviética tiene que ser ideológica, verídica, concreta y funcional. Los soviéticos afirman que su publicidad no usa los dispositivos comunes en Occidente. Los anuncios no usarán celebridades, sólo expertos. No usarán publicidad caprichosa. No creará diferenciación de marca cuando ninguna existe. El uso principal de la publicidad soviética hoy en día es estimular la demanda de productos cuyo abasto es excesivo cuando las compañías no escogen hacer la cosa lógica: reducir los precios.

China abrió sus puertas a la publicidad occidental en 1978. Su volumen publicitario todavía es pequeño: los mercadólogos extranjeros sólo gastaron 17 millones de dólares en publicidad en 1983 para llegar a la población china de casi mil millones de personas. Pero el mercado de los anuncios está comenzando a surgir a medida que crece el mercado de consumo en China.

Actualmente, los trabajadores chinos, con un poco de dinero en efectivo en sus bolsillos, comienzan a dejarse convencer por los publicistas occidentales para que compren gasolina

Esso, películas Kodak y Coca-Cola. En las calles de las grandes ciudades hay tableros publicitarios de gran colorido, signos de neón anuncian compañías japonesas y comerciales hechos en el extranjero aparecen en la televisión local.

Fuente: La información sobre la publicidad en China se tomó de "Billings Are Up in China, of All Places", *Business Week*, 4 de junio, 1984, pág. 36.

Las organizaciones obtienen su publicidad de diversas maneras. En las compañías pequeñas, la publicidad la maneja el departamento de ventas, que ocasionalmente trabajará con una agencia de publicidad. Las compañías grandes usan departamentos de publicidad, cuyos gerentes son responsables ante los directores de mercadotecnia. La labor del departamento de publicidad es desarrollar el presupuesto total, aprobar los anuncios y las campañas de las agencias y manejar la publicidad por correo directo, los exhibidores para el detallista y otras formas de publicidad que la agencia no suele manejar. La mayoría de las compañías usan una agencia de publicidad porque ésta ofrece varias ventajas (véase recuadro 18-3).

RECUADRO 18-3

¿COMO FUNCIONA UNA AGENCIA DE PUBLICIDAD?

La Madison Avenue es un nombre muy conocido para los estadunidenses. Es una avenida en la ciudad de Nueva York donde están las oficinas centrales de las agencias de publicidad más importantes. Pero la mayoría de las 10 mil agencias de publicidad de Estados Unidos se encuentran fuera de Nueva York, y hay pocas ciudades que no tengan al menos una agencia, aunque esté operada por una sola persona. Las seis agencias más grandes de Estados Unidos en términos de su facturación mundial en 1983 eran Young & Rubican, Ted Bates, J. Walter Thompson, Ogilvy & Mather, McCann-Erickson y BBDO. Young & Rubican tuvo una facturación de más de dos mil 700 millones de dólares.

Las agencias de publicidad comenzaron en la segunda mitad del siglo XIX. Las iniciaron vendedores y corredores que trabajan para varios medios y recibían una comisión por venderles espacio publicitario a las compañías. A medida que aumentaba la competencia de los medios por la publicidad, los vendedores comenzaron a ofrecerles ayuda a sus clientes para preparar sus anuncios. Eventualmente formaron agencias y se acercaron más a los anunciantes que a los medios. Estas agencias ofrecían una gama creciente de publicidad y, en algunos casos, servicios de mercadotecnia para sus clientes.

Hasta las compañías con un departamento poderoso de publicidad usarán los servicios de agencias. Las agencias empleaban especialistas creativos y técnicos que a menudo pueden ejecutar las tareas publicitarias mejor y con más eficiencia que el personal de la compañía. Las agencias también proporcionan una perspectiva externa acerca de los problemas de la empresa, así como una gran experiencia por haber trabajado con diferentes clientes y situaciones. Las agencias se pagan con descuentos de los medios y, por esto, les cuestan muy poco a las firmas. Además, como la compañía puede cancelar su contrato con la agencia en cualquier momento, una agencia tiene un fuerte incentivo para ser eficiente.

Las agencias de publicidad suelen estar organizadas en torno de cuatro departamentos: el *creativo*, que maneja el desarrollo y la producción de anuncios; el de *medios*, que selecciona los medios y coloca los anuncios; el de *investigación*, que determina las características y los deseos de la audiencia; y el de *negocios*, que maneja las actividades comerciales de la agencia. Cada cuenta está supervisada por un ejecutivo de cuenta y se asigna personal de cada departamento para trabajar en una o más cuentas.

Las agencias suelen atraer a sus clientes gracias a su reputación y a su tamaño. Sin embargo, generalmente el cliente invita a unas cuantas agencias a que hagan una presentación y luego selecciona a la que ofrezca un servicio y un proyecto más satisfactorios.

Las agencias reciben sus honorarios en forma de comisiones y, en parte, como honorarios. Típicamente, la agencia recibe 15% del costo de los medios en forma de reembolso. Supóngase que la agencia compra 60 mil dólares de espacio de revista para un cliente. La revista le envía a la agencia una factura por 51 mil (o sea, 60 mil menos 15%), y después la agencia le hace una factura al cliente por 60 mil, reservándose una comisión de 9 mil. Si el cliente compra espacio directamente de la revista, tendría que pagar 60 mil porque estas comisiones sólo se pagan a agencias de publicidad acreditadas.

Tanto los anunciantes como las agencias comienzan a sentirse cada vez más insatisfechos con el sistema de comisiones. Los grandes anunciantes se quejan de que pagan más por los mismos servicios que se ofrecen a otros más pequeños, simplemente porque colocan más anuncios. También están convencidos de que el sistema de comisiones hace que las agencias rehúyan los medios de bajo costo y las campañas de corta duración. Por su parte, las agencias están descontentas porque prestan servicios adicionales a un cliente sin recibir a cambio honorarios especiales. La tendencia actual consiste en solicitar un pago basado en una tarifa directa o en una combinación de honorarios y comisión.

Hay otras tendencias que también afectan al negocio de la publicidad. Las agencias que dan servicio completo afrontan cada día una mayor competencia por parte de las que prestan servicios limitados, las cuales se especializan en comprar medios de comunicación masiva, en preparar los textos publicitarios o en producir la publicidad. Los gerentes de las agencias están acaparando más poder y le exigen una mentalidad más comercial al personal creativo. Hay anunciantes que establecen sus propias agencias dentro de la empresa, rompiendo así una prolongada relación con la agencia. Por último, en Estados Unidos la Federal Trade Commission desea que las agencias compartan la responsabilidad con el cliente en los casos de publicidad engañosa. Todas estas tendencias darán origen a cambios en la industria, pero las agencias que cumplan bien su misión sobrevivirán pese a todo.

Fuentes: véanse las estadísticas de agencias de publicidad en John J. O'Conner, ''Agency Income Tops $6.5 Billion in 1983,'' *Advertising Age,* 28 de marzo de 1984, p. 1; y ''Census Sees Steep Rise in Shop Growth,'' *Advertising Age,* 7 de mayo de 1984, p. 68.

PRINCIPALES DECISIONES EN PUBLICIDAD

La gerencia de mercadotecnia debe tomar cinco decisiones importantes para desarrollar un programa de publicidad. Estas decisiones se enumeran en la figura 18-1 y se examinan en las secciones siguientes.

Establecimiento de objetivos El primer paso en el desarrollo de un programa publicitario es establecer los objetivos de la publicidad. Estos deben basarse en las decisiones previas acerca del mercado meta, el posi-

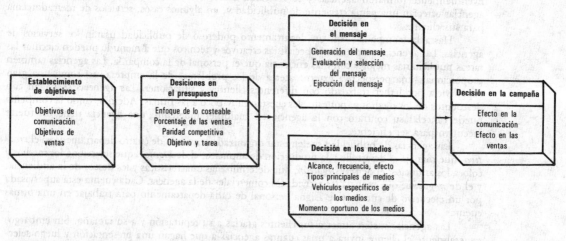

FIGURA 18-1 *Principales decisiones en la publicidad*

cionamiento de mercadotecnia y la mezcla de mercadotecnia. Estas estrategias definen el trabajo que la publicidad debe realizar en el programa total de mercadotecnia.

A la publicidad se le puede asignar muchos objetivos específicos de comunicación y de ventas. Colley enumera 52 posibles objetivos de la publicidad en su obra *Defining Advertising Goals for Measured Advertising Results*.[4] Describe un método llamado DAG-MAR (las siglas del título del libro) para convertir los objetivos publicitarios en metas específicas y mensurables. Una *meta publicitaria* es una tarea de comunicaciones específica que ha de lograrse con una audiencia específica en un periodo específico. DAGMAR describe un enfoque para medir si se han logrado las metas de la publicidad.

Los objetivos de la publicidad pueden clasificarse en cuanto a su propósito de informar, persuadir o servir de recordatorio. La tabla 18-2 enumera ejemplos de estos objetivos.

La *publicidad informativa* tiene gran importancia en la etapa inicial de una categoría de producto, cuando el objetivo es crear la *demanda primaria*. Así, la industria del yogurt inicialmente tuvo que informar a los consumidores sobre las ventajas nutricionales y los numerosos usos de producto.

La *publicidad persuasiva* cobra importancia en la etapa competitiva, cuando el objetivo de una firma es construir la *demanda selectiva*. Por ejemplo, Chivas Regal intenta persuadir a los consumidores de que Chivas Regal confiere más estatus que ninguna otra marca de whisky. Busca construir una posición de ''lo mejor de lo mejor'' para Chivas Regal en la mente del consumidor.

Cierta publicidad persuasiva ha entrado a la categoría de *publicidad de comparación*, que busca establecer la superioridad de una marca al compararla directa o indirectamente con una o más marcas. En su campaña clásica de comparación, Avis se posicionó contra el líder del mercado, Hertz, al afirmar: ''Somos el número dos, pero nos esforzamos más''. Procter & Gamble posicionó Scope contra Listerine afirmado que el fresco aroma a menta de Scope ''combate al mal aliento y no da aliento a medicina.'' En su campaña de ''atrévase a comparar'', Texas Instruments invitaba a los consumidores a comparar su computadora personal con la de IBM. La publicidad de comparación se ha usado en categorías de productos como desodorantes, pasta dentífrica, automóviles, vinos y analgésicos.[5]

La *publicidad de recordatorio* es sumamente importante en la etapa de madurez para mantener al consumidor pensando en el producto. El propósito de los anuncios costosos a cuatro colores de Coca-Cola en revistas es para recordarle a la gente la Coca-Cola, no de informar ni persuadir. Una forma relacionada de publicidad es la *publicidad de reforzamiento*, que busca asegurarles a los compradores actuales que han hecho la elección adecuada.

TABLA 18-2 **Posibles objetivos** **de la publicidad**		
Informar:		
Informarle al mercado acerca de un producto nuevo	Describir los servicios disponibles	
Recomendar nuevos usos para un producto	Corregir las impresiones falsas	
Informarle al mercado sobre un cambio de precio	Reducir los temores de los consumidores	
Explicar cómo funciona el producto	Crearle una imagen a la compañía	
Persuadir:		
Crear preferencia de marca	Persuadir a los consumidores de que compren ahora	
Alentar el cambio a la marca propia	Persuadir a los consumidores de que reciban una	
Cambiar la percepción que tiene los consumidores de los atributos del producto.	visita de ventas	
Recordar:		
Recordarles a los consumidores de que el producto puede ser necesario en el futuro inmediato	Mantenerlo en su mente en las temporadas que no lo usen	
Recordarles dónde comprarlo	Mantener el producto en el primer lugar de la atención	

Los anuncios de automóviles describen a menudo a clientes satisfechos que disfrutan de alguna característica especial del vehículo que compraron.

Decisión sobre el presupuesto

Después de determinar los objetivos publicitarios, la compañía debe proceder a establecer su presupuesto publicitario para cada producto. El papel de la publicidad consiste en desplazar la curva de la demanda del producto hacia arriba. La firma quiere gastar la cantidad requerida para lograr la meta de ventas. En el capítulo 17 se describieron cuatro métodos comúnmente usados para establecer el presupuesto de publicidad. El método teóricamente correcto para establecer el presupuesto publicitario (o cualquier otro presupuesto de mercadotecnia) se examinó en el capítulo 3. Las empresas como Du Pont y Anheuser-Busch dirigen experimentos publicitarios como parte de su proceso de establecimiento del presupuesto de publicidad. Así, Anheuser-Bush gastará cantidades más elevadas de lo normal en algunos territorios y cantidades menores en otros y verificará los resultados comparándolos con territorios de control para medir lo que gana o pierde con desembolsos más altos o más bajos. Sus resultados le permitieron a Anheuser-Bush reducir sus desembolsos publicitarios por caso sin pérdida de su porción de mercado.[6]

Decisión sobre el mensaje

Dados los objetivos y el presupuesto de publicidad, la gerencia tiene que desarrollar una estrategia creativa. Los anunciantes pasan por tres pasos: generación, evaluación, selección y ejecución del mensaje.

Generación del mensaje

Las personas creativas usan diferentes métodos para generar ideas publicitarias que comuniquen los objetivos. Muchas personas creativas proceden *inductivamente,* hablando con consumidores, distribuidores, expertos y competidores. La campaña de Schlitz ''Cuando se le acaba su Schlitz, se le acaba la cerveza'', se originó porque el ejecutivo de la agencia de publicidad oyó a un consumidor decirle esto a un cantinero cuando este último dijo que se le había terminado la cerveza.

Algunas personas creativas usan un sistema *deductivo* para generar mensajes publicitarios. Maloney propuso una estructura (véase tabla 18-3).[7] Consideraba que los compradores esperaban una de entre cuatro tipos de recompensa de un producto: *racional, senso-*

TABLA 18-3 *Ejemplos de 12 tipos de mensajes*

TIPOS DE EXPERIENCIA POTENCIALMENTE RECOMPENSANTE CON UN PRODUCTO	TIPO POTENCIAL DE RECOMPENSA			
	Racional	Sensorial	Social	Satisfacción del ego
Experiencia de resultados de uso	1. Limpia mejor la ropa	2. Alivia el dolor de estómago por completo	3. Cuando se preocupa por servir lo mejor	4. Para la piel que merece tener
Experiencia del producto de uso	5. La harina que no necesita cernirse	6. Verdadero sabor en una cerveza ligera	7. Un desodorante que garantiza la aceptación social	8. El zapato para el ejecutivo joven
Experiencia incidental al uso	9. La envoltura de plástico mantiene al cigarrillo fresco	10. El televisor portátil de peso más ligero y más fácil de levantar	11. Los muebles que identifican el hogar de la gente moderna	12. Estereofónico para el hombre exigente

Fuente: Adaptado de John C. Maloney, ''Marketing Decisions and Attitude Research,'' *Effective Marketing Coordination,* ed. George L. Baker, Jr., (Chicago: American Marketing Association, 1961).

rial, social o de satisfacción del ego. Y los compradores pueden visualizar estas recompensas de *experiencias de resultados de uso, experiencia del producto en uso, o experiencia incidental al uso.* Al entrecruzar los cuatro tipos de recompensas con los tres tipos de experiencia se generan doce tipos de mensajes publicitarios.

Evaluación y selección del mensaje

El anunciante necesita evaluar los posibles mensajes. Twedt señaló que los mensajes pueden clasificarse de acuerdo con su *conveniencia, exclusividad y credibilidad.*[8] El mensaje debe decir primero algo deseable o interesante acerca del producto. El mensaje también debe decir algo exclusivo o distintivo que no se aplique a otras marcas en la categoría de producto. Por último, el mensaje debe ser creíble. La credibilidad puede ser difícil de lograr: muchos consumidores son escépticos acerca de la veracidad de la publicidad en general. En un estudio reciente se descubrió que, en promedio, los consumidores consideran los mensajes publicitarios como "un tanto increíbles".[9]

Los anunciantes deberán evaluar la conveniencia, exclusividad y credibilidad de sus mensajes publicitarios. Por ejemplo, la "marcha de los décimos de dólar" buscaba un tema publicitario para reunir fondos destinados a la lucha contra los defectos congénitos.[10] En una sesión de tormenta de ideas se encontraron veinte posibles mensajes. A un grupo de padres jóvenes se les pidió que clasificaran cada mensaje en cuanto al interés, originalidad y credibilidad, asignando hasta 100 puntos a cada uno. Por ejemplo, "Quinientos mil niños mueren en el seno materno cada año por defectos congénitos" tuvo una puntuación de 70, 60 y 80 en interés, originalidad y credibilidad, mientras que "Su próximo bebé podría nacer con defectos congénitos" tuvo una puntuación de 58, 50 y 70. El primer mensaje superaba al segundo y resultaba preferible para propósitos publicitarios.

Ejecución del mensaje

El efecto del mensaje depende no sólo de lo que dice, sino también de la forma cómo lo dice. La ejecución del mensaje puede ser decisiva para productos que sean sumamente similares, como detergentes, cigarrillos, café y cerveza. El anunciante tiene que comunicar el mensaje de tal forma que capte la atención y el interés de la audiencia meta. El anunciante usualmente prepara una *declaración de estrategia de texto,* en la cual describe el objetivo, contenido, apoyo y tono del anuncio deseado. Véase una declaración de estrategia de texto para un producto de Pillsbury llamado 1869 Brand Biscuits:

> El *objetivo* de la publicidad es convencer a los consumidores de que ahora pueden comprar bizcochos en paquete tan buenos como los hechos en casa: el 1869 Brand Biscuits de Pillsbury. El *contenido* consiste en recalcar las siguientes características del producto: 1) su aspecto es igual al de los bizcochos hechos en casa; 2) tienen la misma textura que los bizcochos hechos en casa; y 3) tienen el mismo sabor que los bizcochos hechos en casa. El *apoyo* para la promesa de "tan bueno como el hecho en casa" será de dos tipos: 1) los 1896 Brand Biscuits están hechos con una clase especial de harina (harina de trigo suave) que se usa para hacer bizcochos en casa, pero que nunca se había utilizado para fabricar bizcochos empacados, y 2) el uso de recetas estadunidenses tradicionales. El *tono* de la publicidad será el de un comunicado noticioso, matizado por un sentimiento reflexivo y amable procedente de una mirada retrospectiva a la conocida calidad de la pastelería estaduni-dense.

Las personas creativas deben encontrar ahora *estilo, tono, palabras y formato* para ejecutar el mensaje.

Cualquier mensaje puede presentarse en diferentes *estilos de ejecución*, como éstos:

1. *Escenas de la vida real*. Esta muestra a una o más personas usando el producto en una situación familiar típica, sentados en la mesa del comedor y que podría expresar satisfacción con una nueva marca de bizcochos.

2. *Estilo de vida*. Aquí se recalca la forma cómo un producto encaja en un estilo de vida. Un anuncio de whisky escocés muestra a un hombre de edad madura muy elegante que sostiene un vaso de whisky en una mano y con la otra maneja el timón de su yate.

3. *Fantasía*. Esto crea una fantasía en torno del producto o de su uso. El anuncio inicial de Revlon para Jontue presentaba a una mujer descalza que llevaba un vestido de chifón. Salía de un antiguo granero francés, atravesaba un prado, se encontraba con un joven montado en un caballo blanco y se iba con él.

4. *Estado de ánimo o imagen*. Da origen a un estado de ánimo o a una imagen de añoranza en torno al producto; por ejemplo, provoca un sentimiento de belleza, amor o serenidad. No se hace ninguna afirmación sobre el producto, sino que se presenta una sugerencia. Es el sistema que emplean muchos anuncios de cigarrillos, como Salem y Newport.

5. *Musical*. Este estilo muestra a una o más personas o personajes de caricaturas cantando una canción relacionada con el producto. Es el estilo que predomina en muchos anuncios de Coca-Cola.

6. *Símbolo de personalidad*. Con este estilo se crea un personaje que encarna el producto. El personaje puede ser animado o bien real .

7. *Conocimiento técnico*. En este estilo se muestra la experiencia y capacidad técnica de una empresa en la elaboración del producto. Así, Hill Brothers muestra a uno de sus clientes selec-

Estilo de vida: El National Dairy Board muestra cómo contribuye la leche a un estilo de vida sano y activo. *Cortesía de National Dairy Board.*

Símbolos de personalidad: Marlboro creó su famoso símbolo de personalidad. *Reproducida con permiso de Philip Morris, Incorporated.*

cionando cuidadosamente los granos de café y la Italian Swiss Colony recalca sus numerosos años de experiencia en la fabricación de vinos.

8. *Evidencia científica*. Presentan una encuesta o datos científicos que corroboran el hecho de que se prefiere determinada marca o que ésta es superior a otras. Durante años Crest ha aportado pruebas científicas para convencer al público de que su pasta dentífrica tiene extraordinarias propiedades contra las caries.

9. *Pruebas testimoniales*. Consiste en presentar una fuente de gran credibilidad o simpatía que hable en favor del producto. Puede ser una celebridad del mundo del espectáculo, de los negocios, del arte, o personas comunes que afirmen que les gusta mucho el producto.

El comunicador debe escoger también un *tono* apropiado para el anuncio. Procter & Gamble es consistentemente positivo en su tono: sus anuncios dicen algo muy positivo acerca del producto. El sentido del humor se evita para no distraer la atención del mensaje. Por otra parte, el anuncio clásico de la Volkswagen para su famoso escarabajo adoptó un tono típicamente humorístico ("La cucaracha horrible").

Deben encontrarse *palabras* que capten la atención y se recuerden. Los temas enumerados a continuación en la columna de la izquierda habrían tenido mucho menos afecto sin las frases creativas que pueden verse a la derecha:[11]

TEMA	TEXTO CREATIVO
7-Up no es de cola.	"El refresco sin cola".
Permítanos llevarlo en nuestro autobús en lugar de que tome su automóvil.	"Aborde el autobús y deje que nosotros manejemos".
Compre mirando las páginas de la guía telefónica	"Deje que sus dedos caminen".
Si bebe cerveza, Schaefer es una buena cerveza para beber.	"La cerveza para cuando toma más de una".
Nosotros no rentamos tantos automóviles, así que tenemos que hacer más por nuestros clientes.	"Nosotros nos esforzamos más".

La creatividad es especialmente necesaria para los encabezados. Hay cinco tipos básicos de encabezados: *noticiosos* ("Nuevo auge y más inflación en el futuro... y qué puede hacer"); *de pregunta* ("¿Lo ha comprado últimamente?"); *narrativos* ("Se echaron a reír cuando me senté frente al piano, pero todo cambió cuando comencé a tocar"); *de orden* ("No compre hasta que haya probado los tres"); 1-2-3 *maneras* ("12 maneras para ahorrar en su declaración de impuestos"); y *cómo-qué-por qué* ("Por qué no pueden dejar de comprar"). Véase el cuidado que tienen las líneas aéreas para encontrar la forma correcta de describir su aerolínea como segura sin mencionar la seguridad: "Los cielos amigables de United" (United); "Las alas del hombre" (Eastern); y "La línea aérea con más experiencia del mundo" (Pan American).

Los *elementos del formato* como el tamaño, el color y la ilustración marcarán una diferencia en el efecto de un anuncio, así como en sus costos. Una pequeña reestructuración de los elementos mecánicos dentro del anuncio puede mejorar en varios puntos su poder para captar la atención. Los anuncios de tamaño más grande captan más atención, aunque no necesariamente tanta como su diferencia en costos. Las ilustraciones a cuatro colores en vez de blanco y negro acrecientan la eficacia del anuncio y también su costo.[12]

Decisión sobre los medios   La siguiente tarea del anunciante es escoger los medios de comunicación que transmitirán el mensaje. Los pasos son: 1) decidir el alcance, la frecuencia y el efecto; 2) escoger entre los principales tipos de medios; 3) seleccionar vehículos específicos de los medios; y 4) decidir el momento oportuno de utilizarlos.

Decisión sobre alcance, frecuencia y efecto

Con el propósito de seleccionar los medios, el anunciante debe determinar el alcance, frecuencia y efecto que se necesitan para lograr los objetivos de la publicidad:

1. *Alcance*. El anunciante debe decidir cuántas personas en la audiencia meta deberán ser expuestas a la campaña durante el periodo específico. Por ejemplo, puede que el anunciante quiera alcanzar a 70% de la audiencia meta durante el primer año.

2. *Frecuencia*. El publicista debe determinar, además cuántas veces será expuesto al mensaje el individuo estándar de la audiencia durante cierto periodo. Así, quizás busque una exposición media de tres veces. Krugman ha argumentado que menos de tres exposiciones a un mensaje tal vez sean insuficientes para tener un efecto y más de tres pueden ser un desperdicio.[13]

3. *Efecto*. El publicista también debe decidir el efecto que la exposición deberá tener. Los mensajes por televisión generalmente tienen más repercusión que los mensajes por radio, porque la televisión combina imagen y sonido, no sólo sonido. Dentro de los mismos medios, como las revistas, el mismo mensaje en una revista (por ejemplo, *Newsweek*) puede comunicar más credibilidad que en otra (por ejemplo, *Police Gazette*) Por ejemplo, puede que el publicista busque un efecto de 1.5 cuando 1.0 es el efecto de un anuncio en un medio normal.

Ahora supóngase que el producto del anunciante pudiera tener atractivo para un mercado de un millón de consumidores. La meta es alcanzar a 700 mil consumidores (= 1 000 000 × 7). Como el consumidorr medio recibirá tres exposiciones, deben buscarse dos millones de exposiciones (= 700 000 × 3). Como se desean exposiciones de alto efecto de 1.5, debe buscarse un número total de exposiciones de tres millones 159 mil (= 2 100 000 × 1.5). Si un millar de exposiciones con este efecto cuestan 10 dólares, el presupuesto de publicidad tendría que ser de 31 mil 500 dólares (= 3 150 × 10). Generalmente, mientras más alcance, frecuencia y efecto busque el publicista, más elevado tendrá que ser el presupuesto de publicidad.

Selección de los principales medios publicitarios

El planificador de los medios tiene que conocer la capacidad de los principales tipos de medios para lograr alcance, frecuencia y efecto. En la tabla 18-4 pueden verse los principales medios publicitarios. Estos son, en orden de su volumen publicitario, *periódicos, televisión, correo directo, radio, revistas y publicidad exterior*. Cada medio tiene ciertas ventajas y limitaciones. Los planificadores de los medios eligen entre estas categorías considerando algunas variables, las más importantes son las siguientes:

1. *Hábitos de la audiencia meta*. Por ejemplo, la radio y la televisión son los medios más eficaces para llegar a los adolescentes.

2. *Producto*. Los vestidos para mujer se muestran mejor en revistas a colores, y ias cámaras Polaroid se demuestran mejor en la televisión. Cada tipo de medio publicitario tiene un potencial diferente para demostración, visualización, explicación, credibilidad y color.

3. *Mensaje*. Un mensaje que anuncie una gran barata para el día siguiente deberá publicarse en la prensa o transmitirse por radio. Un mensaje que contenga muchos datos técnicos podría requerir de revistas especializadas o de una correspondencia selecta.

4. *Costo*. La televisión es muy costosa, mientras que la publicidad en los periódicos resulta bastante barata. Lo que cuenta es el costo por millar de exposiciones más que el costo total.[1]

Las ideas sobre el efecto y el costo de los medios deben volverse a examinar con regularidad. Durante mucho tiempo, la televisión disfrutó de la posición dominante en la mezcla y otros medios se descuidaban. Entonces, los investigadores de los medios comenzaron a observar la eficiencia reducida de la televisión debido a un mayor desorden de comerciales. Los publicistas dirigían comerciales más numerosos y más cortos a la audiencia televisiva, lo cual reducía la atención y el efecto. Además, los costos de la publicidad en televisión se elevaron con más rapidez que los costos de otros medios. Varias compañías descubrieron que una combinación de anuncios impresos y comerciales por televisión a menudo tenía mejores resultados que los comerciales de televisión nada más. Esto ilustra el hecho de que los publicistas deben revisar periódicamente los diferentes medios para determinar los más eficaces.

Dadas las características de los medios, su planificador debe decidir cómo asignar el presupuesto entre los principales tipos. Por ejemplo, al lanzar su nuevo bizcocho, Pillsbury podría decidir asignar tres millones de dólares a las cadenas de televisión en el horario diurno, dos millones a las revistas femeninas y un millón a los diarios en veinte grandes mercados.

Selección de vehículos específicos de los medios

El planificador de los medios escoge ahora los vehículos específicos de los medios que tendrán más efectividad de costo. Recurre a varios volúmenes publicados por Standard Rate and Data que proporcionan cifras de circulación y de costos para diferentes tamaños de anuncios, opciones de color, posiciones y cantidades de inserciones en distintas revistas femeninas. El planificador evalúa las revistas en cuanto a características cualitativas como credibilidad, prestigio, ediciones geográficas, ediciones ocupacionales, calidad de reproducción, clima editorial, número de lectores y repercusión sicológica. El planificador decide qué vehículos específicos proporcionan el mayor alcance, frecuencia y efecto por el dinero gastado.

Los planificadores de los medios calculan el *costo por millar de personas alcanzadas* por un vehículo particular. Si un anuncio a página completa y a cuatro colores en *Newsweek* cuesta 74 mil dólares y el número aproximado de lectores de esta revista es de tres millones, el costo de alcanzar un millar de personas es de alrededor de 25 dólares. El mismo anuncio en *Business Week* puede costar 30 mil dólares, pero sólo llega a 775 mil personas, a un costo por millar de 39 dólares. El planificador clasificaría las distintas revistas de acuerdo con su costo por millar y favorecería aquéllas con el costo más bajo por millar.

El planificador también debe considerar los costos de producir anuncios para cada medio. Los anuncios en la prensa pueden costar muy poco producirlos, pero los costos de los comerciales en televisión pueden ser hasta de un millón de dólares. Apple pagó 400 mil dólares para producir un comercial futurista para presentar su computadora Macintosh. Midas Muffler pagó más de 480 mil dólares por seis anuncios de 30 segundos. En promedio, los anunciantes deben pagar más de 85 mil dólares para producir un solo comercial de televisión de 30 segundos.[14] El planificador debe agregar los costos de producción cuando evalúe la efectividad de costos de cada medio.

Varios ajustes deben aplicarse a estas mediciones iniciales de los costos. Primero, las mediciones deberán ajustarse en cuanto a la *calidad de la audiencia*. Para un anuncio de loción para niños, una revista leída por un millón de madres jóvenes tendría un valor de exposición de un millón, pero si la leen un millón de hombres viejos tendría un valor de exposición de cero. Segundo, el valor de exposición deberá ajustarse en cuanto a la *probabilidad de atención de la audiencia*. Los lectores de *Vogue*, por ejemplo, prestan más atención a los anuncios que los lectores de *Newsweek*. Tercero, el valor de exposición debe ajustarse a la *calidad editorial* (presitigio y credibilidad) que una revista tendría en comparación con otra.

Los planificadores de los medios usan mediciones cada vez más complicadas de la eficacia de los medios y las emplean en modelos matemáticos para conseguir la mejor mezcla de medios. Muchas agencias de publicidad usan un programa de computadora para seleccionar los medios iniciales y entonces hacen otras mejoras con base en factores subjetivos omitidos en el modelo.[15]

TABLA 18-4 *Perfiles de los principales medios*

MEDIO	VOLUMEN EN MILES DE MILLONES DE DOLARES (1983)	PORCENTAJE (1983)	EJEMPLO DE COSTOS (1984)	VENTAJAS	LIMITACIONES
Periódicos	$20.6	27.1%	$20 974 por una página, entre semana *Chicago Tribune*	Flexibilidad; selección del momento oportuno; buena cobertura de mercado local; amplia aceptación; gran credibilidad	Corta vida; mala calidad de reproducción; escasa audiencia que se pasa los periódicos
Televisión	16.1	21.2	$6 000 por 30 segundos de tiempo principal en Chicago	Combina imagen, sonido y movimiento; tiene atractivo para los sentidos; mucha atención; gran alcance	Costo absoluto elevado; poco orden; exposición fugaz; menos selectividad de la audiencia
Correo directo	11.8	15.5	$1 280 por los nombres y direcciones de 36 650 veterinarios	Selectividad de la audiencia; flexibilidad; no hay competencia de anuncios dentro del mismo medio; personalización	Costo relativamente alto; imagen de correo de propaganda
Radio	5.2	6.8	$500 por un minuto de tiempo principal en Chicago	Uso masivo; alta selectividad demográfica y geográfica; bajo costo.	Sólo presentación de audio; menor atención que en televisión; tarifas sin tasas estandarizadas; exposición fugaz
Revistas	4.2	5.6	$73 710 una página, cuatro colores, en *Newsweek*	Alta selectividad geográfica y demográfica; credibilidad y prestigio; reproducción de alta calidad; larga vida; buen número de lectores que se pasan la revista	Larga espera para comprar un espacio para anuncio en la revista; parte de la circulación se pierde; sin garantía de posición
Publicidad exterior	0.8	1.1	$21 960 por mes para 71 carteleras de publicidad en el área metropolitana de Chicago	Flexibilidad; gran exposición repetida; bajo costo; baja competencia	No hay selectividad de la audiencia; limitaciones creativas
Otros	17.2	22.7			
Total	75.9	100.0%			

Fuente: las columnas 2 y 3 son de *Advertising Age*, 28 de mayo de 1984, p. 50. Impreso con permiso. Copyright © 1984, Cain Communications, Inc.

Decisión sobre el momento oportuno de los medios

El publicista tiene que decidir cómo programar la publicidad durante el año en relación con la temporada y con los desarrollos económicos esperados. Supóngase que las ventas de un producto determinado alcanzan un pico en diciembre y bajan al mínimo en marzo. El vendedor tiene tres posibilidades. La firma puede variar sus gastos publicitarios para seguir el patrón por temporada, oponerse al patrón por temporada, o ser constante durante todo el año. La mayoría de las firmas siguen una política de publicidad por temporada. Aun aquí, la firma tiene que decidir si sus desembolsos publicitarios deberán estar a la cabeza o coincidir con las ventas por temporada. También tiene que decidir si sus desembolsos publicitarios deberán ser más intensos, proporcionales o menos intensos que la amplitud por temporada de las ventas.

El publicista tiene que escoger entre continuidad y pulsación de anuncio. La *continuidad* se logra al programar exposiciones uniformemente en un periodo dado. La *pulsación* se refiere a la programación no uniforme de exposiciones durante el mismo periodo. Así, 52 exposiciones podrían programarse continuamente a una por semana durante el año, o repartirse en varios lapsos concentrados. Quienes están a favor de la pulsación creen que la audiencia aprenderá el mensaje más a fondo, y que se podrá ahorrar dinero. La investigación de Anheuser-Busch indicó que Budweiser podría suspender su publicidad en un mercado particular sin experimentar ningún efecto adverso sobre las ventas al menos por un año y medio.[16] Entonces la compañía podría introducir una posibilidad concentrada en un periodo de seis meses y restaurar la tasa anterior de crecimiento. Este análisis llevó a Budweiser a adoptar una estrategia de pulsación.

Nuevos medios publicitarios

La nueva tecnología de comunicación desarrollada durante los últimos años han dado lugar a una variedad de nuevos medios electrónicos. El uso de estos medios nuevos ha crecido mucho, especialmente a manos de mercadólogos directos y otros que intentan llegar a segmentos meta específicos. En el recuadro 18-4 se describen varios de estos medios.

RECUADRO 18-4

NUEVOS MEDIOS ELECTRONICOS

Los mercadólogos que usan estrategias selectivas de elección de mercado meta necesitan medios que se concentren en segmentos selectos de consumidores. En los últimos años, los avances en las tecnologías de la comunicación han dado lugar a varios medios electrónicos nuevos que los mercadólogos pueden usar para alcanzar mercados meta selectos. Algunos de esos medios nuevos se describen en seguida:

Telemercadotecnia. La telemercadotecnia (mercadotecnia por teléfono) se ha convertido en el instrumento principal de la mercadotecnia directa. En 1983, los mercadólogos gastaron más de 13 mil 600 millones de dólares en llamadas telefónicas para ayudar a vender sus productos y servicios. La telemercadotecnia floreció a fines de la década de 1960 con la introducción del servicio telefónico de área amplia (WATS) de entrada y salida. Con IN WATS (servicio de entrada), los mercadólogos pueden usar números que empiezan con la cifra 800 para llamar por cobrar y que sirve para manejar quejas y servicio para los clientes, o para recibir pedidos de anuncios de radio y televisión, correo directo o catálogos. Con el OUT WATS (servicio de salida), pueden usar el teléfono para venderles directamente a los consumidores y a los negocios, generar buenas pistas de ventas o confirmarlas, llegar a compradores más distantes o darles servicio a los clientes o cuentas actuales. En 1981 se hicieron mil 600 millones de llamadas telefónicas por el número 800. Durante enero de 1982 más de 700 personas marcaron un número 800 cada minuto como respuesta a anuncios de televisión. La familia media recibe 19 llamadas telefónicas de ventas por año y hace 16 llamadas para poner un pedido. Los mercadólogos también usan números 900 para promover o vender productos y servicios. El consumidor que marca un número 900, recibe información promocional y se le puede dar un número diferente o ponerlo en comunicación directa con los vendedores de la empresa en cuestión. Por ejemplo, el número 900-210-RICK se usó para promover un nuevo álbum de Rick Springfield: la persona que llamaba oía parte del nuevo álbum y la voz de Rick hablando sobre el mismo.

Algunos sistemas de telemercadotecnia están completamente automatizados. Por ejemplo, hay máquinas que automáticamente marcan números y registran mensajes (llamadas ADRMP): comunican un mensaje publicitario con una voz grabada y toman los pedidos de los consumidores interesados.

La telemercadotecnia la usan compañías de consumo e industriales grandes y pequeñas. Véanse algunos ejemplos:

■ Quaker Oats organizó una rifa para uno de sus cereales usando un número telefónico 800: el número recibió más de 15 millones de llamadas en un periodo de cuatro meses y aumentó las ventas en más de 30%.

■ C'est Croissant usa un catálogo y un número para llamar gratis que le permite vender grandes pedidos de *croissants* en todo el país. La compañía recibe hasta 500 llamadas al mes y envía alrededor de 15 mil docenas de *croissants* al año a sus casi 13 mil consumidores.

■ Las bicicletas Raleigh usan la telemercadotecnia para reducir la cantidad de ventas personales necesaria para contactar a sus distribuidores. En el primer año, los costos de viajes de la fuerza de ventas se redujeron 50% y las ventas en un solo trimestre subieron 34%.

■ Avis usa programas de telemercadotecnia auxiliados por computadora en sus operaciones de renta de flotilla para ubicar y calificar a los prospectos y para generar buenas pistas para sus vendedores. El programa reduce los costos de la fuerza de ventas, mejora mucho el tiempo de venta disponible para los representantes y reduce el tiempo requerido para cerrar una venta en un mes.

Televisión por cable. Actualmente hay más de 70 millones de familias que están suscritas a uno o más de los cuatro mil 200 sistemas de cablevisión. Los sistemas de cable permiten transmisiones restringidas o especializadas, como programas sólo de deportes, sólo de noticias, programas sobre nutrición, sobre arte y otros dirigidos a segmentos selectos de la población. Usando la televisión por cable, los anunciantes pueden dirigir eficazmente sus mensajes publicitarios a segmentos especiales de mercado, en vez de usar el enfoque de escopeta que ofrecen las cadenas de televisión y otros medios de comunicación masiva.

Los anunciantes pueden usar la televisión por cable comprando espacio durante la programación de la misma forma que hacen con la televisión regular. Sin embargo, a últimas fechas se han probado varios formatos nuevos de la televisión por cable. Varias firmas han experimentado con canales de compras: programas o canales dedicados a la venta al menudeo de bienes y servicios. Por ejemplo, "Home Shopping Show" es un programa de charla de media hora que se transmite cinco veces por semana y en él se muestran numerosos productos. Los consumidores pueden hacer pedidos mediante el número 800. El "Video Mail Order" pasa las 24 horas del día y vende productos de unas cincuenta compañías por catálogo. El programa "The Cableshop" usa tres canales durante las 24 horas para transmitir comerciales que los suscriptores han solicitado por número 800. El consumidor consulta un canal de directorio, solicita un "infomercial" de tres a siete minutos de duración y cambia a otro canal para verlo. El producto puede pedirse entonces por teléfono. Estos formatos de cable todavía están en la fase experimental, pero son una gran promesa para los anunciantes.

Videotext. El videotext es un sistema de comunicación en dos direcciones que vincula a los consumidores con bancos de datos computarizados mediante cable o líneas telefónicas. Un servicio de videotext crea un catálogo computarizado de productos y servicios que ofrecen los productores, detallistas, bancos, agencias de viajes, organizaciones de servicio no lucrativas y otras. El consumidor usa un televisor ordinario equipado con un teclado especial y conectado al sistema por un cable de dos direcciones para examinar el catálogo, comparar las características y precios del producto y hacer pedidos. O el consumidor podría conectarse al sistema por teléfono usando una computadora personal. Un consumidor que quiera comprar un nuevo aparato estereofónico podría solicitar una lista de todas las marcas de esos equipos en el catálogo computarizado, comparar las marcas y pedir una usando tarjeta de crédito, todo eso sin salir de casa. Alguien que desee rentar una casa en la playa para las vacaciones de la familia podría llamar listas de lugares para rentar en playas lejanas; ver imágenes de los interiores, exteriores y entorno de cada una; y hacer una reservación para el periodo deseado. Videotext todavía está en gran parte en la etapa experimental, pero varios sistemas se están sometiendo actualmente a prueba. El Times Mirror Videotext Services está probando un sistema llamado Gateway que ofrece servicios de compra desde la casa y muchas cosas más. Con el Gateway, los suscriptores pueden pedir mercancía de detallistas locales y nacionales; hacer sus operaciones bancarias mediante conexiones directas con los centros de cómputo de los bancos locales; tener acceso al contenido del periódico *Los Angeles Times* la noche anterior a la publicación de éste; examinar los horarios de vuelos y hacer reservaciones de avión, hotel y renta de automóvil; tener acceso al texto de una enciclopedia completa; tomar cursos universitarios; comprar boletos para conciertos y acontecimientos deportivos; jugar pasatiempos, hacer rompecabezas y participar en concursos; conseguir consejo sobre reparaciones de plomería, primeros auxilios, buena condición física, decoración y muchos otros temas; y mandarse mensajes y felicitaciones unos a otros. Una firma de consultores en administración estima que 30 millones de familias tendrán esos sistemas de información para mediados de la década de 1990.

Estos y otros medios electrónicos nuevos se están apropiando de una porción cada vez más creciente de los desembolsos publicitarios. Y su importancia crecerá a medida que nuevas tecnologías proporcionen mejoras y los consumidores descubren las maravillas de las compras electrónicas.

Fuentes: G. Scott Osborne, *Electronic Direct Marketing* (Englewood Cliffs, NJ: Prentice-Hall, 1984); ''Direct Marketers Outline Goals, Troubles,'' *Advertising Age,* April 16, 1984, pp. M10ff; JoAnne Bonacker ''New Technologies Changing Traditional Ways of Marketing,'' *Direct Marketing,* March 1984, pp. 74-84; Bob Stone, ''Dial-800-SUCCESS,'' *Advertising Age,* January 13, 1984, p. M32; Ed Zotti, ''There's Madness in Their Methods,'' *Advertising Age,* November 28, 1983, pp. M54-M57; and Lawrence Strauss, *Electronic Marketing* (White Plains, NY: Knowledge Industry Publications, 1983).

Evaluación de la publicidad

El programa de publicidad debe evaluarse continuamente. Los investigadores usan varias técnicas para medir los efectos que tiene la publicidad sobre la comunicación y las ventas.

Investigación del efecto de la comunicación

La investigación del efecto de la comunicación busca determinar si un anuncio tiene una eficacia real de comunicación. Llamada *prueba del texto,* puede ocurrir antes de que un anuncio aparezca en los medios o después de haber sido impreso o transmitido. Hay tres métodos principales de *prueba antes del anuncio:*

1. *Ratings directos.* En este caso un grupo de consumidores o de expertos en publicidad es expuesto a anuncios alternativos y después se les pide que los clasifiquen. La pregunta podría ser: ''¿Qué anuncios cree que influirían más para que comprara el producto?'' Los ratings directos son menos confiables que la evidencia sólida del efecto real de un anuncio, pero ayuda a descartar los anuncios malos.

2. *Pruebas de cartera. En este caso se les pide a los consumidores que examinen una cartera de anuncios, tomándose todo el tiempo que quieran.* Después se les pide que recuerden todos los anuncios y lo más que puedan recordar sobre el contenido de los mismos, con ayuda o no del entrevistador. Los resultados indican la habilidad de un anuncio para destacarse y la habilidad de su mensaje para ser comprendido y recordado.

3. *Pruebas de laboratorio.* Algunos investigadores usan equipo para medir las reacciones fisiológicas de los consumidores (latidos del corazón, presión arterial, dilatación de la pupila, respiración) a un anuncio. Estas pruebas miden el poder de captación de la atención en vez de creencias, actitudes o intenciones.

Hay dos métodos populares de *pruebas posteriores del anuncio:*

1. *Pruebas de recordación.* El investigador les pide a personas que han sido expuestas al vehículo de los medios que recuerden anunciantes y productos que vieron en esa exposición. Se les pide que vuelvan a ver todo lo que puedan recordar. Las puntuaciones de recordación se usan para indicar el poder del anuncio para destacarse y ser recordado.

2. *Pruebas de reconocimiento.* Aquí los lectores por ejemplo, de un número de una revista deben decir lo que reconocen haber visto antes. Para cada anuncio, se preparan tres diferentes puntuaciones de lectura Starch (llamados así por Daniel Starch, que proporciona el mejor servicio): a) *percibido,* el porcentaje de lectores que dicen haber visto previamente el anuncio en

la revista; b) *visto/asociado*, el porcentaje que identifica correctamente el producto y el anunciante con el anuncio; y c) *leído casi todo*, el porcentaje que dice que leyeron más de la mitad del material escrito en el anuncio. Starch también suministra *normas del anuncio*, que muestran las puntuaciones medias para cada clase de producto durante el año, y por separado para hombres y mujeres en la misma revista, para permitirles a los publicistas comparar el efecto de su anuncio con los de la competencia. En un estudio dirigido en 1981 se examinó la exactitud de indicadores de puntuaciones Starch en la prueba del anuncio y en el reconocimiento de marca. La importancia relativa de percibido (reconocimiento del anuncio), *asociado* (reconocimiento de marca mediante el anuncio) y *leído casi todo* para determinar la eficacia de la comunicación estaba relacionada con el proceso de decisión del consumidor. Para decisiones de menor alcance, el reconocimiento de marca (*asociado*) puede ser suficiente, mientras que la prueba completa probablemente sea necesaria para casos de mayor alcance.[17]

Investigación del efecto sobre las ventas

La investigación del efecto de la comunicación ayuda a los publicistas a evaluar los efectos de comunicación de un anuncio, pero revela poco acerca de su repercusión en las ventas. ¿Cuántas ventas genera un anuncio que aumenta el conocimiento general de la marca 20% y la preferencia por ésta en 10%?

El efecto que tiene la publicidad sobre las ventas generalmente es más difícil de medir que el efecto de comunicación. Sobre las ventas inciden muchos factores además de la publicidad, como las características del producto, su precio, asequibilidad y acciones de la competencia. Mientras sean menos y más controlables estos factores, más fácil será medir la repercusión de la publicidad sobre las ventas. El efecto sobre las ventas es más fácil de medir en situaciones de pedido por correo y más difícil de medir en publicidad de creación de imagen de marca o corporativa. Los investigadores intentan medir las ventas mediante el análisis histórico o experimental.

El *enfoque histórico* implica correlacionar las ventas pasadas con los desembolsos publicitarios pasados en una base actual o retrasada mediante el uso de técnicas estadísticas avanzadas. Por ejemplo, Montgomery y Silk midieron el efecto de tres instrumentos promocionales (correo directo, muestras y literatura, publicidad en revistas) sobre las ventas de una firma farmacéutica.[18] Sus resultados estadísticos indicaron que la firma había gastado demasiado en la correspondencia directa y muy poco en la publicidad a través de revistas.

Otros investigadores usan el *diseño experimental* para medir el efecto de la publicidad sobre las ventas. Du Pont fue una de las primeras compañías en diseñar experimentos de publicidad. El departamento de pinturas de Du Pont dividió 56 territorios de ventas en territorios de porción de mercado alta, media y baja.[19] En un tercio del grupo, Du Pont gastó la cantidad normal en publicidad. En otro tercio gastó dos y media veces la cantidad normal. En la tercera gastó cuatro veces la cantidad normal. Al final del experimento, Du Pont estimó cuántas ventas extra se habían creado por niveles más altos de desembolsos publicitarios. Du Pont descubrió que los desembolsos publicitarios más altos incrementaban las ventas a una tasa descendente, y que el aumento de las ventas era más débil en los territorios de alta porción de mercado de Du Pont.

La publicidad absorbe grandes sumas de dinero que malgastarán las compañías que no definan bien sus objetivos al respecto; que no establezcan un presupuesto riguroso; que no formulen un mensaje eficaz ni tomen las decisiones convenientes acerca de los medios de comunicación; que no evalúen los resultados. La publicidad también atrae una gran atención al público, debido a su poder para influir en el estilo de vida y en las opiniones. La publicidad está siendo sometida a reglamentaciones elaboradas para asegurar que sea responsable (véase recuadro 18-5).[20]

RECUADRO 18-5

DECISIONES SOBRE PUBLICIDAD Y POLITICA PUBLICA

Las compañías deben evitar el engaño y la discriminación en el uso de la publicidad. A continuación se explican los principales tipos de publicidad falaz:

Publicidad falsa. Los anunciantes no deben hacer afirmaciones falsas, como asegurar que un producto cura determinada dolencia cuando en realidad no es así. También deben evitar las demostraciones falsas, como utilizar plexiglás en vez de lija en un comercial para demostrar que una hoja de rasurar puede afeitar la lija.

Publicidad engañosa. Los publicistas no deben crear anuncios que tengan la capacidad de engañar, aunque nadie caiga en el engaño. No debe afirmarse que una cera para pisos da protección durante seis meses a no ser bajo condiciones normales; tampoco puede decirse que un pan dietético contiene menos calorías si esto se debe exclusivamente al hecho de que las rebanadas son más delgadas. El problema estriba en distinguir entre engaño y la simple exageración publicitaria, esta última es aceptable.

Publicidad de gancho. Un vendedor no puede atraer clientes con afirmaciones falsas. Por ejemplo, el vendedor anuncia una máquina de coser por 79 dólares y luego se niega a venderla a ese precio, no ofrece las características originales o impone fechas de entrega totalmente irrazonables.

Descuentos y servicios promocionales. La compañía debe hacer llegar estos beneficios a todos los clientes en condiciones proporcionalmente iguales.

PROMOCION DE VENTAS

La **promoción de ventas** consiste en una gran variedad de instrumentos promocionales diseñadas para estimular una respuesta del mercado más temprana o más fuerte. Estos instrumentos incluyen *promoción de consumo* (muestras, cupones, ofertas de reembolso, descuentos, premios, concursos, estampillas de canje, demostraciones), la *promoción comercial* (descuentos por bonificación, artículos gratuitos, rebajas, publicidad cooperativa, dinero de promoción, concursos de ventas de distribuidores) y la *promoción para la fuerza de ventas* (bonificaciones, concursos, reuniones de ventas).

Los instrumentos de la promoción de ventas los usan la mayoría de las organizaciones, incluyendo fabricantes, distribuidores, detallistas, asociaciones comerciales e instituciones no lucrativas. (Por ejemplo, las iglesias patrocinan juegos de bingo, funciones de teatro, comidas testimoniales y rifas). Los cálculos sobre los desembolsos anuales en promoción de ventas llegan hasta 60 mil millones de dólares y han aumentado rápidamente en los últimos años.[21]

Varios factores han contribuido al rápido crecimiento de la promoción de ventas, particularmente en los mercados de consumo.[22] Los factores internos incluyen: la gerencia ahora suele aceptar más la promoción de ventas como un instrumento eficaz; hay más gerentes de producto calificados para usar instrumentos de promoción de ventas, y estos gerentes están bajo una gran presión para acrecentar sus ventas. Los factores externos incluyen: el número de marcas ha aumentado, los competidores le han dado más importancia a la promoción, la inflación y la recesión han hecho que los consumidores se interesen más por el precio, los intermediarios exigen más transacciones a los fabricantes, y la eficiencia de la publicidad ha disminuido debido a la elevación de los costos, el desorden de los medios y las restricciones legales.

Una cuestión importante para los mercadólogos es cómo dividir el presupuesto entre promoción de ventas y publicidad. Las compañías usan razones de entre 20:80 a 80:20. Esta razón de promoción de ventas con publicidad ha aparecido últimamente como respuesta a la mayor sensibilidad al precio que muestran los consumidores. La gerencia no deberá permitir que esta razón suba demasiado. Cuando a una marca se le hacen demasiadas promociones de precio, la imagen de la misma puede diluirse.

Algunos instrumentos de promoción de ventas ''dan al consumidor una franquicia'': comunican un mensaje de ventas junto con el beneficio, como en el caso de muestras gratuitas, cupones cuando incluyen un mensaje de ventas, y premios cuando están relacionados con el producto.[23] Los instrumentos de promoción de ventas que no le dan franquicia al consumidor incluyen los paquetes promocionales, los premios que no están relacionados con un producto, concursos, ofertas de reembolso y rebajas. Los productores deberán usar promociones que den franquicia porque éstas refuerzan el conocimiento que de la marca tengan los consumidores.

La promoción de ventas parece más eficaz cuando se usa junto con la publicidad o las ventas personales. ''En un estudio se descubrió que los exhibidores de punto de venta relacionados con anuncios actuales en la televisión producían 15% más ventas que exhibidores similares no relacionados con tal publicidad. En otro, una estrategia intensiva de muestras gratuitas junto con publicidad por televisión resultó más exitosa en el lanzamiento de un producto que la televisión solamente o ésta con cupones.''[24]

Principales decisiones en la promoción de ventas

Al usar la promoción de ventas, una compañía debe establecer los objetivos; seleccionar los instrumentos, desarrollar el programa; hacer pruebas anteriores del mismo, implantarlo y controlarlo; y evaluar los resultados.

Establecimiento de los objetivos de la promoción de ventas

Los objetivos de la promoción de ventas se derivan de *objetivos básicos de la comunicación de mercadotecnia*, que a su vez se derivan *objetivos de mercadotecnia* básicos desarrollados para el producto. El conjunto de objetivos específicos para la promoción de ventas variará con el tipo de mercado meta. Para los *consumidores*, los objetivos incluyen alentar más uso y compras de unidades de tamaño más grande, alentar a los no usuarios a hacer una prueba y atraer a los usuarios de las marcas de la competencia. Para los *detallistas*, los objetivos incluyen inducir al minorista a manejar nuevos artículos y niveles más altos de inventario, alentar las compras fuera de temporada, alentar el abasto de artículos relacionados y lograr entrar a nuevos establecimientos al menudeo. Para la *fuerza de ventas*, los objetivos incluyen alentar el apoyo de un nuevo producto o modelo, alentar la búsqueda de más prospectos y estimular las ventas fuera de temporada.

Selección de los instrumentos de promoción de ventas

Hay muchos instrumentos asequibles para lograr los objetivos de la promoción de ventas. El planificador debe tomar en cuenta el tipo de mercado, los objetivos de la promoción de ventas, las condiciones competitivas y la efectividad de costo de cada instrumento. Los principales instrumentos se describen enseguida.

Muestras, cupones, paquetes de descuento, premios y estampillas de canje

Estos instrumentos constituyen la parte medular de las promociones de consumo. Las *muestras* son ofertas de una pequeña cantidad del producto o de su uso a prueba.[25] Algunas muestras son gratuitas, otras son autoamortizables: la firma carga una pequeña cantidad para compensar los costos. Las muestras pueden entregarse de puerta en puerta, mandarse por correo, recogerse en la tienda, venir en otro producto o incluirse en una oferta publicitaria. Las muestras constituyen el medio más eficaz y menos costoso para introducir un producto nuevo. En el lanzamiento de su champú y acondicionador Finesse, Helene Curtis gastó millones de dólares para distribuir más de 70 millones de muestras.[26]

Los *cupones* son certificados que dan derecho al tenedor de un descuento específico al adquirir determinado producto. Más de 100 mil millones de cupones se distribuyen y alrededor de 4% son rescatados por los tenedores.[27] Los cupones pueden mandarse por correo, anexarse a otro producto o insertarse en anuncios. Pueden ser eficaces para estimular las ventas de una marca acabada e inducir a probar una marca nueva. Los expertos creen que los cupones deben proporcionar ahorros de 10 a 20% para que sean eficaces.

Los *paquetes de descuento* (llamados también descuentos promocionales) son ofertas de rebajas del precio regular de un producto, anunciada en la etiqueta o paquete. Pueden adoptar la forma de un *paquete de precio rebajado*, un paquete individual que se vende a un descuento (como dos por el precio de uno); o un *paquete combinado*, dos productos relacionados que se venden juntos (como pasta dentífrica con cepillo). Los paquetes de descuento son muy eficaces para estimular las ventas a corto plazo, aún más que los cupones.

Los *premios* son mercancía que se ofrece gratis o a un costo bajo como incentivo para comprar un producto particular. Los desembolsos en premios llegaron a más de 10 mil millones de dólares en 1983.[28] Un *premio en el paquete* es el que acompaña al producto dentro o fuera del empaque. Si el paquete es *un contenedor reutilizable*, puede servir como premio. Un *premio por correo* es un artículo de regalo que se les envía a los consumidores quienes hayan mandado una prueba de la compra, como la tapa del paquete. Un *premio autoamortizable* es un artículo vendido por abajo de su precio normal al menudeo a los consumidores que lo soliciten. Los fabricantes les ofrecen ahora a los consumidores todo tipo de premios que llevan el nombre de la compañía: los fanáticos de Budweiser pueden pedir camisetas, globos y muchos otros artículos que llevan el nombre de esa cerveza.[29]

Las *estampillas de canje* son un tipo especial de premio que los consumidores pueden intercambiar por mercancía en centros destinados a ese fin. Las estampillas se usaron mucho durante las décadas de 1950 y 1960, pero durante la crisis económica de la década de 1970, muchos comerciantes decidieron abandonarlas y ofrecer rebajas de precio. Las estampillas han regresado en los últimos años y ahora está aumentando el número de detallistas que las usan para generar lealtad a la tienda. Actualmente, más de 100 compañías ofrecen estampillas de canje en supermercados, gasolinerías, farmacias y moteles.[30]

Exhibidores y demostraciones en el punto de venta

Los exhibidores y demostraciones de PDV se dan en el lugar donde se hace la compra o la venta. Un ejemplo es un exhibidor de cartón de cinco pies de alto de Cap'n Crunch junto a las cajas de cereal de la misma marca. Por desgracia, a muchos detallistas no les gusta manejar los centenares de exhibidores, signos y carteles que reciben de los fabricantes todos los años. Los fabricantes responden creando mejores materiales de PDV, combinándolos con mensajes en la televisión o en la prensa y ofreciéndose a armarlos en las tiendas. El exhibidor de las pantimedias L'eggs es uno de los más creativos en la historia de los materiales de PDV y un factor central en el éxito de esa marca.[31] Otro ejemplo es el exhibidor de la "lata inclinada" de la Pepsi, que fue elegido el Exhibidor del año en 1983 por el Point-of-Purchase Advertising Institute:

> De un exhibidor de un paquete ordinario de seis latas de Pepsi en el anaquel del detallista, un paquete de seis latas mecánicamente montado comienza a inclinarse hacia adelante, captando la atención de los clientes que pasan por allí y que piensan que el paquete se caerá del anaquel. Un anuncio en el paquete que se inclina les dice a los consumidores: "No olvide la Pepsi". En las puntuaciones del mercado de prueba, el exhibidor ayudó a lograr más apoyo de los detallistas y aumentó las ventas de Pepsi en 14 cajas por semana.[32]

Promoción comercial

Los fabricantes usan varias técnicas para asegurar la cooperación de los mayoristas y detallistas. Los productores pueden ofrecer *descuentos de compra*, que es una oferta de rebaja por caja adquirida durante cierto periodo. Esta oferta alienta a los distribuidores a comprar una cantidad o a manejar un nuevo artículo que de lo contrario no adquirirían. Los distribuidores pueden usar los descuentos para utilidades inmediatas, publicidad o reembolsos de precio.

Los productores pueden ofrecer una *rebaja comercial* para compensar a los distribuidores por la propaganda que hacen a sus artículos. Un *descuento por publicidad* compensa a los distribuidores por anunciar el producto del fabricante. Un *descuento por exhibición* los compensa por tener exhibidores especiales del producto.

Los productores pueden ofrecer *mercancía gratuita,* que son cajas extra de mercancía para los intermediarios que compran una cierta cantidad. Pueden ofrecer *incentivos en efectivo,* que consta de dinero en efectivo o regalos para los distribuidores o sus fuerzas de ventas para que impulsen los artículos. Los fabricantes pueden ofrecer artículos gratuitos de *publicidad de especialidades,* productos que llevan el nombre de la compañía, como plumas, lápices, calendarios, pisapapeles, cajas de cerillos, cuadernos de memorándum, ceniceros y reglas.[33]

La botella de Pepsi que se inclina atrae mucho la atención. *Cortesía de Pepsi-Cola.*

Convenciones de negocios y exposiciones mercantiles

Las asociaciones industriales organizan convenciones anuales y patrocinan generalmente una exposición mercantil al mismo tiempo. Las compañías que venden sus productos a esa industria particular montan exposiciones con ellos y los demuestran. Más de cinco mil 600 exposiciones ocurren cada año, a donde acuden aproximadamente 80 millones de personas. Las compañías que participan esperan recibir varios beneficios: generar más ventas y conquistar nuevos mercados, mantener contacto con los clientes, introducir nuevos productos, conocer a otros clientes y vender más a los que ya tienen.[34]

Concursos, rifas y juegos

Les brindan la oportunidad de ganar a los consumidores, distribuidores o fuerza de ventas (dinero en efectivo, viajes o artículos) como resultado de la suerte o del esfuerzo extra. En un *concurso* los consumidores deben presentar algo (una tonada, una apreciación, una sugerencia) que será examinada por un jurado que seleccionará a los ganadores. En una *rifa* los participantes incluyen su nombre en un sorteo. Un *juego* les obsequia a los consumidores cada vez que compran algún artículo (números de bingo, letras faltantes) que les puede ayudar o no a ganar un premio. Un *concurso de ventas* es una competencia en la cual se induce a los distribuidores o a la fuerza de ventas para que redoblen sus esfuerzos durante un periodo estipulado, otorgándoseles premios a los que alcancen el mayor rendimiento.

Desarrollo del programa de promoción de ventas

El mercadólogo debe tomar algunas decisiones adicionales para definir el programa completo de promoción: cuántos incentivos ofrecer, quién puede participar, cómo anunciar la promoción de ventas, cuánto tiempo deberá durar, cuándo deberá comenzar y cuánto presupuesto asignarle.

Magnitud del incentivo

El mercadólogo tiene que determinar cuánto ofrecer. Se requiere de cierto incentivo mínimo para que la promoción tenga éxito. Un nivel elevado de incentivo producirá más respuesta de ventas, pero a una tasa decreciente. Algunas de las grandes firmas de bienes de consumo empacados tienen un gerente de promoción de ventas que estudia la eficacia de las promociones pasadas y les recomienda incentivos apropiados a los gerentes de marca.

Condiciones para la participación

Podrían ofrecerles incentivos a todos o a un grupo selecto. Podría ofrecerse un premio sólo a quienes presenten la tapa de una caja del producto. Las rifas no pueden ofrecerse en algunos estados, tampoco a familiares del personal de la compañía ni a personas menores de cierta edad.

Vehículo de distribución para la promoción

El mercadólogo debe decidir cómo promover y distribuir el programa de promoción. Podría distribuirse un cupón de 15 centavos de dólar de descuento junto con el paquete, en la tienda, por correo o por los medios publicitarios. Cada método de distribución implica un nivel diferente de alcance y costo.

Duración de la promoción

Si el periodo de la promoción de ventas es demasiado corto, muchos prospectos no podrán aprovecharla, ya que tal vez no estén haciendo compras en ese momento. Si la promoción se prolonga demasiado, la oferta perderá parte de su fuerza de "actué ahora". Según un investigador, la frecuencia óptima es de alrededor de tres semanas por trimestre y la duración óptima es la duración del ciclo medio de compra.[35]

Momento oportuno de la promoción

Los gerentes de marca necesitan fijar fechas para las promociones. Las fechas serán utilizadas por los departamentos de producción, ventas y distribución. También se necesitarán algunas promociones no planeadas que requerirán de cooperación sin previo aviso.

Presupuesto total de la promoción de ventas

El presupuesto de promoción de ventas puede desarrollarse de dos maneras. El mercadólogo puede escoger las promociones y estimar el costo total de éstas. La forma más común es tomar un porcentaje convencional del presupuesto total para usar en la promoción de ventas.

Strang descubrió tres insuficiencias principales de planeación en la forma cómo las compañías manejan la promoción de ventas: 1) falta de consideración de la efectividad de costos; 2) uso de reglas simplistas de decisión, como son las extensiones de los gastos del año pasado, el porcentaje de ventas esperadas, el mantenimiento de una razón fija con la publicidad y el "enfoque del sobrante"; y 3) la preparación independiente de los presupuestos de publicidad y ventas.[36]

Prueba anterior Los instrumentos de la promoción de ventas deberán someterse a una prueba previa cuando sea posible para determinar si son apropiadas y tienen la magnitud correcta de incentivo. Sin embargo, menos de 42% de las principales ofertas son sometidas a pruebas anteriores.[37]

Implantación Las compañías deberán establecer planes de implantación para cada promoción que abarque el tiempo muerto y el tiempo global. El *tiempo muerto* es el tiempo necesario para preparar el programa antes de su lanzamiento. El *tiempo global* comienza con el lanzamiento y termina cuando se cierra la transacción.

Evaluación de los resultados La evaluación es un requerimiento esencial y, sin embargo, de acuerdo con Strang: "la evaluación de los programas de promoción recibe poca atención. Incluso cuando se hace un intento por evaluar una promoción, es probable que éste sea superficial.... La evaluación en términos de rentabilidad es todavía menos común".[38]

Los productores pueden usar cuatro métodos para medir la efectividad. El método más común es comparar las ventas antes, durante y después de una promoción. Supóngase que una compañía tiene una porción de mercado de 6% en el periodo anterior a la promoción, que salta a 10% durante la promoción, cae a 5% inmediatamente después y se eleva a 7% después de algún tiempo. Evidentemente, la promoción logró atraer a nuevos clientes y generó más compras de los consumidores existentes. Después de la promoción, las ventas disminuyen a medida que los consumidores agotan sus inventarios. El aumento a largo plazo de 7% indica que la compañía ganó algunos consumidores nuevos. Si la porción de la marca retornara al nivel anterior a la promoción, entonces la promoción sólo alteró el patrón cronológico de la demanda pero no la demanda total.

Los *datos colectivos sobre los consumidores* revelarán el tipo de personas que respondieron a la promoción y lo que hicieron después de ésta. Si se necesita más información, pueden dirigirse *encuestas del consumidor* para averiguar cuántos recuerdan la promoción, qué pensaban de ésta, cuántos la aprovecharon y cómo afectó su conducta subsecuente de elección de marca. Las promociones de ventas también pueden evaluarse mediante *experimentos*, en los cuales se varían atributos como el valor del incentivo, la duración y los medios de comunicación.

Evidentemente, la promoción de ventas desempeña un papel muy importante en la mezcla total de promoción. Su uso sistemático requiere definir los objetivos de la promoción de ventas, seleccionar los instrumentos apropiados, construir, el programa de promoción de ventas, someterlo a una prueba anterior, implantarlo y evaluar sus resultados. En el recuadro 18-6 se describen varias campañas de promoción de ventas que han recibido premios.

RECUADRO 18-6

PROMOCIONES DE VENTAS GANADORAS DE PREMIOS

Todos los años la revista *Advertising Age* selecciona las ''Mejores promociones del año'': aquéllas que lograron resultados notables en relación con sus presupuestos mediante la aplicación innovadora de las técnicas de promoción de ventas a las líneas tradicionales de productos de consumo. Algunas de las mejores promociones de 1983 se describen enseguida.

Concurso de ''búsqueda de campeones'' de Wheaties

En este concurso nacional se seleccionaron atletas no profesionales para aparecer en las cajas de cereal Wheaties. General Mills invitó a las escuelas locales, iglesias y organizaciones comunitarias a echar votos oficiales (que se encontraban dentro de las cajas de cereal) en favor de sus héroes deportivos locales. Las organizaciones que patrocinaban a los cincuenta deportistas que obtenían más votos recibían un dólar por boleta; las que patrocinaban a uno de los seis ganadores recibían mil dólares adicionales. El concurso contaba con el apoyo de anuncios de televisión de 30 segundos y 39 millones 300 mil insertos que ofrecían cupones de descuento de 25 centavos de dólar. Se mandaron ''cajas para votos'' a varios miles de organizaciones no lucrativas. Se generó publicidad no pagada a través de programas nacionales de televisión y medios locales. Los ganadores se anunciaban en un acontecimiento especial de los medios en el Central Park de Nueva York y en anuncios en *Sports Illustrated*. La promoción sólo costó 100 mil dólares más que la promoción comercial normal para el periodo, pero el concurso tuvo gran éxito e hizo desaparecer el cereal de los anaqueles. Los consumidores recuperaron 6.7% de los cupones (en comparación con una tasa promedio de recuperación de 2.4 para los productos de abarrotes). General Mills recibió más de 50 mil admisiones y las ventas de Wheaties aumentaron significativamente.

9-Lives ofrece ''examen médico gratis para su gato''

En esta promoción fuera de lo común, la firma Star-Kist Foods se alió con la American Animal Hospital Association para ofrecerles a los dueños de gatos un examen médico gratuito de 15 dólares a cambio de una prueba de compra de alimento para gatos 9-Lives. Los mil 500 miembros de la AAHA donaron sus servicios para acostumbrar a los dueños de gatos a someter a sus animales a exámenes médicos periódicos. Star-Kist apoyó la oferta de premios con 40 millones de cupones distribuidos mediante insertos libres, 23 millones de cupones distribuidos mediante publicidad en revistas y descuentos mercantiles para alentar la participación de los revendedores. La promoción costó alrededor de 600 mil dólares (excluyendo los medios). Los consumidores rescataron 5.1% de los cupones (40% más de lo normal) y Star-Kist distribuyó más de 50 mil certificados médicos gratuitos. Durante la promoción, los productos enlatados 9-Lives lograron su porción más elevada del mercado en dos años.

Rifa de ''Boodles y cena''

La General Wine & Spirits Company usó esta rifa para ganar apoyo de los detallistas y para establecer la ginebra Boodles (que ocupaba el tercer lugar después de Tanqueray y Beefeater) como una marca que se pedía por su nombre. Los consumidores sencillamente mandaban por correo una solicitud de admisión para concursar en tres grandes medios de cena para dos personas cada semana durante un año; tres primeros premios de cena para dos cada dos semanas durante un año; y tres segundos premios de cena para dos cada mes durante un año. Los formularios de admisión se distribuían mediante anuncios en *Esquire, Gentlemen's Quarterly, Gourment, Penthouse* y otras revistas. Donde eran legales también se usaron formularios de tarjeta, de mesas con toldos y otros materiales de punto de venta. El presupuesto: 120 mil dólares para la promoción de ventas y 226 mil para los medios. Los resultados: 428 mil participantes. Durante los dos meses de la promoción, las ventas fueron cuatro veces más grandes que lo normal. En los mercados encuestados después de la promoción, la distribución se elevó al doble.

Promoción del "par gratis de L'eggs"

L'eggs le dio al formato de cupones un nuevo giro al distribuir alrededor de 40 millones de cupones de valor variable, ganador instantáneo y desprendibles para sus pantimedias regular y de alto control. Alrededor de 80 % de los cupones daban 50 centavos de descuento, 15% daban 75 centavos de descuento y 5% daban un dólar de descuento. Otros 50 mil cupones daban pantimedias gratis. El presupuesto total, incluyendo los medios, fue de uno a un millón 300 mil dólares. Los consumidores rescataron un millón 500 mil cupones y la promoción generó ventas adicionales de casi dos millones 900 mil pares de pantimedias. Durante los seis meses de la promoción, la porción de L'eggs del mercado de alto control aumentó 5.2%; su porción del mercado regular aumentó 2.3%.

Promoción de "Vuelve con el Barón Rojo"

La firma Red Baron Pizza Service usó una combinación imaginativa de acontecimientos especiales, cupones y actividades de caridad para aumentar las ventas de sus pizzas congeladas. La compañía recreó al famoso aviador de la Primera Guerra Mundial, Barton Manfred von Richtofen (con todo su atavío de aviador y sus biplanos Stearman) como el vocero de la empresa. Pilotos vestidos como el barón rojo volaban por trece mercados, exhibían el avión, ejecutaban acrobacias aéreas, distribuían cupones e invitaban a los consumidores a volar con el barón rojo. La compañía donó 500 dólares a una organización juvenil local en cada mercado y alentó a los consumidores a igualar el regalo con acontecimientos para recabar fondos vinculados con la aparición del barón rojo. Se obtuvo apoyo de los detallistas mediante promociones locales y mercantiles. El presupuesto total: alrededor de un millón de dólares. Los resultados: para el periodo de cuatro semanas durante y después de las exhibiciones aéreas, las ventas unitarias en los 13 mercados subieron en promedio 100%. En los 90 días siguientes a las exhibiciones, las ventas en algunos mercados aumentaron hasta 400%.

Fuente: Adaptada de William A. Robinson, "The Best Promotions of 1983", *Advertising Age,* 31 de mayo de 1984, p. 10-12. Reproducida con permiso Copyright 1984 por Crain Communications, Inc.

PUBLICIDAD NO PAGADA

Otro importante instrumento de promoción es la publicidad no pagada. **La publicidad no pagada** implica "obtener espacio editorial, distinto del espacio pagado, en todos los medios que los clientes actuales o potenciales de una firma lean, vean o escuchen, todo esto con el objetivo específico de colaborar en la consecución de las metas de ventas".[39] La publicidad no pagada puede dar a veces resultados espectaculares. Considérese el caso de las muñecas Cabbage Patch:

> La publicidad no pagada desempeñó un papel muy importante para convertir las muñecas Cabbage Patch de Coleco en la sensación de la temporada de navidad de 1983. Las muñecas se lanzaron formalmente en una conferencia de prensa en Boston donde los niños de las escuelas locales realizaron una ceremonia de adopción en masa para la prensa. Gracias a la maquinaria de publicidad no pagada de Coleco, los sicólogos infantiles aprobaron públicamente las muñecas y el doctor Joyce Brothers y otros columnistas de

El gran "furor de las muñecas Cabbage Patch."*Cortesía de Coleco.*

periódicos proclamaron que las muñecas eran juguetes sanos. Las principales revistas femeninas hablaron de las muñecas como regalos ideales de navidad, y después de una aparición de cinco minutos en el programa "Today", los juguetes recorrieron el circuito completo de los programas de charlas. Los mercadólogos de otros productos usaron las muñecas Cabbage Patch difíciles de encontrar como premios, y los detallistas las usaron para atraer a los clientes a sus tiendas. La noticia se difundió y todas las niñas querían tener una. Las muñecas comenzaron a agotarse para el día de acción de gracias y comenzó el gran "pánico de Cabbage Patch".[40]

La publicidad gratuita se usa también para promover marcas, productos, personas, lugares, ideas, actividades, organizaciones e incluso países. Las asociaciones comerciales han usado la publicidad no pagada para revivir el interés por artículos básicos como huevos, leche y papas. Las organizaciones han usado la publicidad no pagada para atraer la atención o contrarrestar una mala imagen. Las naciones han usado la publicidad no pagada para atraer más turistas, inversiones extranjeras y apoyo internacional.

La publicidad no pagada es parte de un concepto más amplio, el de **relaciones públicas**. Las relaciones públicas de la compañía tienen varios objetivos, incluyendo la obtención de publicidad no pagada favorable para la empresa, la creación de una buena imagen de "ciudadano corporativo" para la compañía y la manipulación de rumores adversos e historias negativas que surgen en contra de su reputación. Los departamentos de relaciones públicas usan varios instrumentos para alcanzar estos objetivos:[41]

■ *Relaciones con la prensa*. El objetivo de las relaciones con la prensa es colocar información relevante en los medios impresos para atraer la atención a una persona, producto o servicio.
■ *Publicidad del producto*. Esta engloba los intentos y medidas tendientes a hacerles propaganda a productos específicos.
■ *Comunicación corporativa*. Esta actividad cubre la comunicación interna y externa para promover el conocimiento de la institución.

■ *Cabildeo*. Consiste en tratar con legisladores y funcionarios públicos para defender ciertas leyes o lograr que se abroguen.
■ *Asesoría*. Consiste en orientar a la gerencia sobre cuestiones de interés público, así como en lo tocante a las posturas e imagen de la empresa.

Los expertos en publicidad no pagada suelen encontrarse en el departamento de relaciones públicas de la empresa. Este está típicamente ubicado en las oficinas centrales corporativas y su personal está tan ocupado tratando con diversos públicos (accionistas, empleados, legisladores, funcionarios municipales) que a veces pueden descuidar la publicidad no pagada para apoyar objetivos de mercadotecnia del producto. Una solución es agregar un especialista en publicidad no pagada al departamento de mercadotecnia.

La publicidad no pagada suele describirse como producto secundario de la mercadotecnia debido a su uso limitado y esporádico. Sin embargo, la publicidad no pagada puede crear un efecto memorable sobre la conciencia del público con una mínima parte del costo de la publicidad regular. La compañía no paga por el espacio o el tiempo en los medios. Paga por un personal que desarrolla y hace circular las historias. Si la firma desarrolla una historia interesante, será transmitida por todos los medios y su valor en una publicidad equivalente será de muchos millones. Además, tendría más credibilidad que la publicidad comercial. El recuadro 18-7 describe dos compañas de publicidad no pagada que costaron poco, pero lograron resultados sustanciales.

RECUADRO 18-7

DOS EJEMPLOS DE CAMPAÑAS DE PUBLICIDAD EXITOSAS

El publicista es capaz de encontrar o crear noticias aun tratándose de productos comunes. Hace algunos años el Potato Board decidió financiar una campaña publicitaria tendiente a incrementar el consumo de papas. Un estudio sobre la actitud del pueblo estadunidense y sobre su consumo de ese producto reveló que muchos pensaban que era un alimento que engordaba, poco nutritivo y una fuente escasa de vitaminas y minerales. Tales ideas habían sido difundidas por líderes de opinión, entre quienes se encontraban editores de columnas periodísticas sobre alimentación, defensores de la dieta y médicos. La realidad es que las papas contienen mucho menos calorías de lo que se cree, siendo además ricas en varias vitaminas y minerales de gran importancia. El Potato Board decidió elaborar programas independientes de publicidad destinados a los consumidores, médicos, dietistas, nutriólogos, economistas del hogar y editores de artículos sobre alimentación. El programa dirigido a los consumidores consistía en difundir muchas noticias e historias sobre las papas mediante estaciones de televisión y revistas femeninas, en elaborar y distribuir el *Potato Lover's Diet Cookbook* y en publicar artículos y recetas en las columnas periodísticas sobre alimentación. El programa dirigido a los editores de artículos sobre nutrición consistía en celebrar seminarios para ellos bajo la dirección de nutriólogos.

La publicidad no pagada puede ser muy eficaz en la promoción de marcas. Una de las marcas más importantes de alimentos para gatos es 9-Lives de Star-Kist Foods. Su imagen de marca se centra en el gato Morris. La agencia de publicidad Leo Burnett, creadora de Morris, quiso hacer de éste un felino real, dotado de vida para que los dueños de gatos pudieran sentirse identificados con él. Se contrató a una firma de relaciones públicas, que propuso y realizó las ideas siguientes: 1) lanzar un concurso de "El gato más parecido a Morris" en nueve mercados principales, y el felino se presentaría en vivo a la vez que se publicarían noticias sobre la búsqueda del doble del felino; 2) escribir un libro titulado *Morris, una biografía íntima*, en el cual se describirían las aventuras del famoso felino; 3) organizar un premio muy atractivo denominado "The Morris", consistente en otorgar una estatuilla de bronce a los dueños de los gatos triunfadores en las presentaciones locales; 4) patrocinar una campaña titulada "Adopte este mes a un gatito", en la cual el gato Morris se dirigía al público para instarle a adoptar gatos callejeros, como el propio Morris lo había sido; 5) distribuir un folleto con el título "El método Morris", sobre el cuidado de los gatos. Con estas medidas publicitarias se consolidó la participación de la marca en este mercado de alimentos.

Decisiones principales en la publicidad no pagada

En el momento de considerar cómo y cuándo usar publicidad no pagada, la gerencia debería establecer los objetivos de esa publicidad, escoger los mensajes y vehículos publicitarios, implantar el plan publicitario y evaluar los resultados.

Establecimiento de objetivos de la publicidad no pagada

La primera tarea consiste en establecer objetivos específicos para la publicidad no pagada. La firma Wine Growers de California contrató en 1966 a la compañía de relaciones públicas de Daniel J. Edelman para desarrollar un programa de publicidad no pagada que sirviera para apoyar dos objetivos importantes de mercadotecnia: Convencer a los estadunidenses de que beber vino es parte de la buena vida y mejorar la imagen de la porción de mercado de los vinos de California entre todos los vinos. Se establecieron los siguientes objetivos: desarrollar reportajes sobre el vino y publicarlos en las revistas de mayor difusión (*Time, House Beautiful*) y en periódicos (secciones sobre alimentación, secciones de artículos sobre interés humano); crear artículos sobre el valor que tiene el vino para la buena salud y enviárselos a los médicos; y preparar una publicidad destinada al mercado de los adultos jóvenes, al de los universitarios, a los organismos estatales y a las diversas comunidades étnicas. Estos objetivos se convirtieron en metas específicas a fin de poder valorar los resultados finales.

Elección de los mensajes y los vehículos de publicidad no pagada

El publicista identifica de inmediato historias interesantes acerca del producto. Supóngase que una universidad poco conocida desea darse a conocer. El publicista buscará posibles historias. ¿Algunos de los profesores tienen antecedentes académicos extraordinarios o están trabajando en proyectos originales? ¿Están impartiéndose cursos originales o nuevos? ¿Están celebrándose acontecimientos especiales en la universidad? Usualmente esta investigación descubrirá centenares de historias que pueden darse a la prensa. Las historias elegidas deberán reflejar la imagen que desea esta universidad.

Si el número de historias es insuficiente, el publicista deberá proponer algunas noticias de interés que la universidad puede patrocinar. El publicista se dedica a *crear noticias* en vez de *encontrar noticias*. Las ideas incluyen convenciones académicas, invitación a personajes destacados para que dicten conferencias, y desarrollar conferencias de prensa. Cada acontecimiento es una oportunidad para desarrollar varias historias dirigidas a diferentes audiencias.

La *creación de acontecimientos* es una habilidad particularmente importante en la obtención de fondos para organizaciones no lucrativas. Los que se dedican a esto han desarrollado un gran repertorio de acontecimientos especiales, incluyendo *celebraciones de aniversario, exposiciones de arte, subastas, fiestas de beneficencia, juegos de bingo, ventas de libros, ventas de pasteles, concursos, bailes, cenas, ferias, exhibiciones de modas, fiestas en lugares insólitos, maratones musicales, ventas de artículos donados, giras y maratones de caminata*. Apenas se descubre un acontecimiento nuevo, como el maratón de caminata, cuando la competencia ofrece nuevas versiones: maratón de lectura, de paseos en bicicleta, de yoga.

Implantación del plan de publicidad no pagada

La implantación de la publicidad no pagada requiere cuidado. Supóngase que se quiere colocar las historias en un medio de comunicación masiva. Una historia extraordinaria no plantea el menor problema. Pero la mayoría de las historias no tienen esa gran cualidad y no llegan más allá del escritorio de un atareado editor. Una de las grandes ventajas de los publicistas suele ser su relación personal con los encargados de los medios de comunicación. Muchos publicistas son ex periodistas que conocen bien a los editores y saben exactamente lo que éstos quieren para sus noticias. Ven en los editores un mercado que deben satisfacer para que siga utilizando sus noticias.

Evaluación de los resultados de la publicidad no pagada

La contribución de la publicidad no pagada es difícil de medir porque se usa con otros instrumentos promocionales. Si se usa antes de que entren en acción otros instrumentos, es más fácil evaluar su contribución.

La medición más fácil de la eficacia de la publicidad es el número de *exposiciones* creadas en los medios. Los publicistas le proporcionan al cliente un "cuaderno de recortes" que muestra todos los medios donde se publicaron noticias sobre el producto y una relación sucinta como la siguiente:

La cobertura de los medios incluyó tres mil 500 pulgadas en las columnas de noticias y fotografías en 350 publicaciones, con una circulación total de 79 millones 400 mil; dos mil 500 minutos de tiempo de transmisión en 290 estaciones radiofónicas y una audiencia estimada de 65 millones; 660 minutos de tiempo de transmisión en 160 estaciones de televisión, con una audencia estimada de 91 millones. Si el tiempo y el espacio se hubiesen comprado a las tarifas actuales de publicidad pagada, se hubieran gastado un millón 47 mil dólares.

Esta medición de la exposición no es muy satisfactoria. No hay un indicador acerca de cuántas personas leyeron o escucharon el mensaje en verdad, y qué pensaron después. No hay información sobre la audiencia neta alcanzada, ya que las publicaciones comparten al público lector.

Una medición más adecuada es el cambio en el *conocimiento/comprensión/actitud* del producto, atribuible a la campaña de publicidad no pagada (después de excluir el efecto de otros instrumentos promocionales). Esto requiere analizar los niveles anterior y posterior a la publicidad que mostraban estas variables. Por ejemplo, Potato Board descubrió que el número de personas que aceptaban la afirmación de que "Las papas son ricas en vitaminas y minerales" aumentó de 36% antes de la campaña a 67% después de la misma, un mejoramiento significativo en la comprensión del producto.

El efecto sobre las ventas y las utilidades es la medición más satisfactoria si se puede obtener. Por ejemplo, las ventas de 9-Lives aumentaron 43% al término de la campaña de publicidad de "Morris the Cat". Sin embargo, la publicidad pagada y la promoción de ventas habían sido incrementadas, por lo cual es necesario considerar su contribución.

■ *Resumen*

Los tres instrumentos principales de la promoción en masa son la publicidad, la promoción de ventas y publicidad no pagada. Estos son instrumentos de mercadotecnia masiva en contraposición a las ventas personales, que selecciona a clientes específicos.

La *publicidad* (el uso de medios pagados por una empresa para comunicar información persuasiva sobre sus productos, servicios o nombre) es un potente instrumento promocional. Los mercadólogos estadunidenses gastan más de 75 mil millones de dólares al año en publicidad, y ésta adopta muchas formas (nacional, regional, local; de consumo, industrial, de detallista; de producto, marca, institucional, etc). La toma de decisiones respecto a la publicidad es un proceso de cinco pasos que consisten en el establecimiento de objetivos, decisión sobre el presupuesto, el mensaje, los medios y evaluación de campaña. Los anuncios deberán establecer metas claras en cuanto que la publicidad ha de informar, persuadir o servir

de recordatorio a los compradores. El presupuesto publicitario puede establecerse con base en lo que es costeable, como un porcentaje de las ventas, con base en los desembolsos de los competidores, o con base en los objetivos y tareas. La decisión sobre el mensaje exige generarlo, evaluar varias opciones y escoger una, realizarlo de la manera más eficaz posible. La decisión sobre los medios supone definir el alcance, la frecuencia y el efecto que se desea; seleccionar entre los tipos principales, escoger los vehículos específicos de los medios; programar los medios. Por último, para evaluar la campaña hay que evaluar primero los efectos que la publicidad ha tenido en la comunicación y en las ventas antes, durante y después de la campaña.

La *promoción de ventas* cubre una gran variedad de instrumentos de incentivo a corto plazo (cupones, premios, concursos, descuentos) diseñados para estimular los mercados de los consumidores, el comercio y la fuerza de ventas de la propia organización. Los desembolsos en promoción de ventas han estado creciendo a un ritmo más rápido que la publicidad en los últimos años. La promoción de ventas requiere del establecimiento de objetivos de promoción de ventas; selección de los instrumentos; desarrollo, prueba anterior e implantación del programa de producción de ventas; y evaluación de los resultados.

La *publicidad no pagada*, que consiste en conseguir espacio o tiempo gratuitos en los medios de comunicación, es el instrumento promocional menos utilizado, aunque tiene gran potencial para crear conocimiento y preferencia en el lugar del mercado. La publicidad no pagada implica establecer los objetivos de la misma; escoger los mensajes y los vehículos de la publicidad; implantar el plan publicitario; y evaluar los resultados de la publicidad no pagada.

■ *Preguntas de repaso*

1. Enumere las ventajas y desventajas de cada uno de los "medios noticiosos" y explique cuándo debería usarse cada uno. ¿Qué otros medios podrían aparecer en los próximos quince años?

2. Muchas firmas han tenido que combatir los rumores negativos acerca de sus productos en los últimos años: se dice que los abrigos de Taiwan que se venden en K mart tienen serpientes venenosas; que McDonald's utiliza gusanos en su carne; que el dulce de Pop Rocks provoca indigestión terrible; que la goma de mascar contiene huevecillos de araña. ¿Cómo puede una firma afrontar tales rumores cuando se vale de las relaciones públicas y la publicidad?

3. El principal objetivo de la publicidad es informar. Comente esta aseveración.

4. Explique los principales aspectos de la decisión sobre el mensaje y relaciónelos con un producto específico.

5. Los instrumentos de la promoción de ventas sólo son eficaces cuando se usan para promoción de consumo. Comente esta afirmación.

6. ¿Qué instrumentos de promoción de ventas son los más usados para productos de supermercado? ¿Por qué?

7. ¿Cómo podría un fabricante de bienes empacados de consumo evaluar si su campaña nacional de promoción de ventas tuvo éxito?

8. Explique cómo desarrollaría una campaña de publicidad no pagada para la American Cancer Society.

■ *Bibliografía*

1. Basado en los informes anuales de PepsiCo. 2., número especial sobre los 100 mayores publicistas, 14 de septiembre de 1984; John J. O'Connor, "New Pepsi Ads Turn to Humor". *Advertising Age*, February 27, 1984, p. l; Nancy Giges, "Soft-Drink Marketing: It's All Showmanship", *Advertising Age*, 12 de marzo de 1984, p. 3; "No More Aftertaste," *Barron's*, May 28 1984, pp. 35-36 y fuentes varias.

2. Véase Al Ries y Jack Trout. *Positioning: The Battle for Your Mind* (New York: Warner Books, 1981).

3. La información estadística en esta sección sobre la magnitud y la composición de la publicidad se basa en el número especial de *Advertising Age* sobre los 100 anunciantes nacionales más importantes, septiembre 14, 1984.

4. Véase Russel. H. Colley,*Defining Advertising Goals for Measured Advertising Results* (New York: Association of National Advertisers, 1961).

5. Véase William L. Wilke y Paul W. Farris. "Comparison Advertising: Problem and Potential", *Journal of Marketing*, octubre de 1975, p. 7-15; y Nancy Giges,

"Comparison Ads: Battles That Wrote Dos and Don'ts," *Advertising Age*, 19 de septiembre de 1980, p. 59-64.

6. Véase Russell L. Ackoff y James R. Emshoff "Advertising Research at Anheuser-Busch, Inc. (1963-68)." *Sloan Management Review*, invierno de 1975 p. 1-15.

7. John C. Maloney, "Marketing Decisions and Attitude Research," in *Effective Marketing Coordination* George L. Baker, Jr., ed. (Chicago: American Marketing Association, 1961), p. 595-618.

8. Dik Warren Twedt "How to Plan New Products, Improve Old Ones, and Create Better Advertising," *Journal of Marketing*, enero de 1969, p. 53-57.

9. Véase "Ad Quality Good, Believability Low," *Advertising Age*, 31 de mayo de 1984. p. 3.

10. Véase William A. Mindak y H. Malcolm Byee. "Marketing's Application to Fund Raising", *Journal of Marketing*, julio de 1971, p. 13-18.

11. L. Greenland, "Is This the Era of Position?" *Advertising Age*, 19 de mayo de 1972.

12. Para más sobre enfoques del texto, véase David Ogilvy

y Joel Raphaelson. "Research on Advertising Techniques that Work—and Dont' Work," *Harvard Business Review,* julio-agosto de 1982, p. 14-18:

13. Véase Herbert E. Krugman, "What Makes Advertising Effective?" *Harvard Business Review,* marzo-abril de 1975, p. 96-103, aquí p. 98.

14. Véase "Goodbye, Mr. Whipple," *Newsweek,* 24 de marzo de 1984, p. 62-64.

15. Véase Dennis H. Gensch, *Advertising Planning* (New York: Elsevier, 1973).

16. Philip H. Dougherty, "Bud 'Pulses' the Market," *New York Times,* 18 de febrero de 1975, p. 40.

17. John Rossiter, "Predicting Starch Scores," *Journal of Advertising Research,* octubre de 1981, p. 63-68.

18. David B. Montgomery y Alvin J. Silk. "Estimating Dynamic Effects of Market Communications Expeditures," *Management Science,* junio de 1972, p. 485-501.

19. Véase Robert D. Buzzell, "E. I. Du Pont de Nemours & Co.: Measurement of Effects of Advertising," in his *Mathematical Models and Marketing Management* (Boston: Division of Research, Graduate School of Business Administration, Harvard University, 1964), p. 157-79.

20. Para más sobre los aspectos legales de publicidad y promoción de ventas, véase Louis W. Stern y Thomas L. Eovaldi, *Legal Aspects of Marketing Strategy* (Englewood Cliffs, NJ: Prentice-Hall, 1984). chaps. 7 and 8.

21. Véase "$60 Billion Can't Be Wrong," *Marketing Communications,* enero de 1983, p. 48.

22. Roger A. Strang, "Sales Promotion—Fast Growth, Faulty Management," *Harvard Business Review,* julio-agosto de 1976, p. 115-24, aquí p. 116-17.

23. Véase Roger Strang, Robert M. Prentice, y Alden G. Clayton, *The Relationship between Advertising and Promotion in Brand Strategy* (Cambridge, MA: Marketing Science Institute, 1975), cap. 5.

24. Strang, "Sales Promotion," p. 124.

25. La mayor parte de las definiciones en esta sección se han adaptado de John F. Luck y William Lee Siegler, *Sales Promotion and Modern Merchandising* (New York: McGraw-Hill, 1968).

26. Eillen Norris, "Curtis Samples Success in Small Packets," *Advertising Age,* 28 de noviembre de 1983, p. M36.

27. Otto Kleppner, Thomas Russell. y Glen Verrill, *Advertising Procedure* (Englewood Cliffs, NJ: Prentice-Hall, 1983), p. 299.

28. Ed Fitch, "Without a Plan Carrots Just Dangle," *Advertising Age,* 10 de mayo de 1984, p. M15.

29. Para más lecturas, véase Carl-Mangus Seipel, "Premiums—Forgotten by Theory," *Journal of Marketing,* abril de 1971, p. 26-34; and Fitch, "Without a Plan."

30. Betsy Gilbert, "Retailers Stamp Out Loyalty Problems," *Advertising Age,* 10 de mayo de 1984, p. M34.

31. "Our L'eggs Fit Your Legs," *Business Week,* March 27, 1972.

32. "Pepsi Tops Honor Role of 1983,s Best Point-of-Purchase Display," *Marketing News,* 27 de abril de 1984, pp. 14-15.

33. Para más sobre promociones mercantiles, véase John A. Quelch, "It's Time to Make Trade Promotion More Effective," *Harvard Busines Review,* mayo-junio de 1983, pp. 130-36.

34. Véase Suzette Cavanaugh, "Setting Objectives and Evaluating the Effectiveness of Trade Show Exhibits," *Journal of Marketing,* octubre de 1976, p. 100-5.

35. Arthur Stern. "Measuring the Effectiveness of Package Goods Promotion Strategies" (artículo presentado a la Association of National Advertisers, Glen Cove, febrero de 1978).

36. Strang, "Sales Promotion," p. 119.

37. Russell D. Bowman, "Merchandising and Promotion Grow Big in Marketing World," *Advertising Age,* diciembre de 1974, p. 21.

38. Strang, "Sales Promotion," p. 120.

39. George Black, *Planned Industrial Publicity* (Chicago: Putnam, 1952), p. 3.

40. Véase Lynn Langway, "Harvesting the Cabbage," *Newsweek,* 12 de diciembre de 1983, p. 81-85.

41. Adaptada de Scott M. Cutlip y Allen H. Center. *Effective Public Relations* (3rd ed.) (Englewood Cliffs, NJ: Prentice-Hall, 1964), pp. 10-14.

42. Arthur M. Merims, "Marketing's Stepchild: Product Publicity," *Harvard Business Review,* noviembre-diciembre de 1972, p. 111-12.

19
Promoción de los productos: ventas personales y administración de ventas

A los 29 años de edad, Kim Kelley ya es una leyenda en Honeywell Inc. ¿"Es el que, lloró cuando cerró su ventana, no"?, dice otro vendedor de la misma firma con una sonrisa.

El mismo. En el mes de junio pasado, Kim se echó a llorar en su oficina como un niño. Acababa de cerrar la venta de una computadora por ocho millones 100 mil dólares al estado de Illinois. Se había jugado toda su carrera para lograr esa venta. Había pasado tres años preparando el terreno, y durante tres largos meses había trabajado seis días por semana, a menudo 14 horas diarias, compitiendo con vendedores de otras compañías de computadoras.

Fue una situación de todo o nada para Kim y mientras lloraba de alegría y satisfacción, estaba seguro de que la había hecho. Se había asegurado un brillante futuro con Honeywell y había ganado 80 mil dólares en comisiones: más dinero del que había ganado en los cuatro años que llevaba con la empresa.

. . .Así es la vida del vendedor ambicioso que persigue contratos de muchos millones de dólares mientras que otros venden a pedacitos. Atraídos por las elevadas comisiones (1% del valor total del equipo en el caso de Honeywell), dedican meses a la planeación cuidadosa y otros meses a la batalla en sí, todo para lograr una venta grande.

Lo mandaron a Springfield en 1970 y se le dijo que dejara en remojo cuatro o cinco ventas grandes, pero que sólo pusiera una en el asador. Kim no dejó pasar mucho tiempo escogiendo su objetivo: el gobierno del estado, el cliente potencial más grande en la región. Su estrategia a largo plazo consistía en dedicar al menos la mitad de su tiempo a trabajarse al estado y usar el tiempo restante para atender pequeñas ventas en otra parte, para cumplir con su cuota anual de 500 mil dólares en valor de equipo nuevo.

Durante tres años visitó pacientemente todos los días las oficinas claves del estado, haciendo pausas en cada una para dejar documentos técnicos o sólo para platicar. Siguió a los burócratas en sus horas libres a lugares como la American Legion. "La gente no compra productos, compra relaciones", piensa Kim.

Hacia fines de 1972, el secretario de estado de Illinois pidió ofertas para un equipo masivo de computación. Cinco fabricantes respondieron: Honeywell, Burroughs, la división Univac de Sperry Rand, Control Data y la International Business Machines.

En los tres meses siguientes, Control Data fue eliminada debido a su "alto costo", según Noel Sexton, jefe de un comité técnico asignado por el estado para evaluar las ofertas. IBM nunca fue un competidor fuerte, dice Hank Malkus, que era entonces administrador de división en la oficina del secretario. "La IBM no ajusta su equipo a las necesidades de un cliente. Ellos se limitan a decir. 'Aquí está su equipo, ahora haga que su sistema encaje en él'", afirma el señor Malkus.

Eso hizo del concurso una carrera de tres caballos entre Honeywell, Burroughs y Univac. "El equipo era parecido", dice Patrick Halperin, asistente ejecutivo del secretario de estado. "Pero el personal se sentía más cómodo con Honeywell porque pensaban que Kim había hecho la labor más completa de mercadotecnia".

Y así era. Kim trató solamente con el comité. "Algunos de los otros vendedores hacían más hincapié en vender en la oficina central y trataban de apoyarse en amistades", recuerda el señor Sexton.

Kim le proporcionó información al comité, no usó solamente la persuasión. "Cuando pedíamos ver a los consumidores", dice el señor Malkus, "Kim nos daba una lista de usuarios de Honeywell y decía: escojan". Univac, por otra parte, molestaba a los miembros del comité al no dejar que entrevistaran a los usuarios.

Kim trajo a expertos y altos ejecutivos de mercadotecnia de Honeywell desde Boston, Minneapolis, Phoenix y Chicago para responder preguntas técnicas sobre ingeniería, finanzas, instalación y servicio. "Demostró la habilidad de su firma para cooperar", dice el señor Halperin.

"La increíble atención a los detalles ayudó también". piensa Kim. El comité pedía a diario nuevas piezas de información, cosas como cuánto aire acondicionado necesitaría el equipo. Kim contestaba cada pregunta en dos días y siempre entrega la respuesta en mano a cada miembro del comité. "Eso me daba cinco minutos más de tiempo de venta con cada uno", explica.

Cuando Hank Malkus le ordenó que fuera al capitolio del estado en el mes de junio pasado, Kim sabía que ese iba a ser el día de la decisión, pero no sabía quién había ganado.

Minutos más tarde. el señor Malkus estaba sonriendo, su secretario abrazaba a Kim y éste lloraba.[1]

Robert Louis Stevenson observó una vez que "todos nos ganamos el sustento vendiendo algo". Las fuerzas de ventas se encuentran en las organizaciones lucrativas y en las no lucrativas. Los que reclutan a universitarios son la parte de la fuerza de ventas de un colegio encargada de atraer a alumnos. Las iglesias usan comités de proselitismo para atraer a nuevos feligreses. El servicio de extensión agrícola de Estados Unidos envía a especialistas para que convenzan a los agricultores de que apliquen los métodos más modernos de cultivo. Los hospitales y museos contratan a personas que reúnan fondos para poder cumplir con su cometido.

Las personas que hacen la venta reciben varios nombres: representantes de ventas, vendedores, ejecutivos de cuenta, asesores de ventas, ingenieros de ventas, representantes de campo, agentes, representantes de servicio y representantes de mercadotecnia. Las ventas constituyen una de las profesiones más antiguas del mundo (véase recuadro 19-1).

RECUADRO 19-1

HITOS EN LA HISTORIA DE LA VENTA Y EL ARTE DE VENDER

Los orígenes de las ventas se remontan al inicio de la historia. Paul Herman describe a un agente viajero de la Edad de bronce con su caja de muestras ". . . una caja de madera, de 66 cm de largo, dividida en varios compartimentos en los que había varios tipos de hachas, hojas para espadas, botones, etc". Los antiguos vendedores y comerciantes no gozaban de mucha estima. La palabra latina con que se designa al vendedor significa "estafador"; el protector de los comerciantes y mercaderes romanos era Mercurio, el dios del trueque y símbolo de la astucia.

La compra y venta de mercancía floreció con el paso de los años, centrándose paulatinamente en los emporios comerciales. Los buhoneros llevaban su mercancía a los hogares de los posibles clientes, a quienes les era imposible ir a esos emporios o centros de comercio.

Los primeros vendedores en Estados Unidos fueron los buhoneros yanquis que llevaban ropa, especias, artículos para el hogar y las noticias en mula desde los centros industriales de la costa este hasta los colonizadores que vivían en el lejano oeste. También comerciaban con los indios, intercambiando cuchillos, collares y adornos por pieles. Muchos de ellos eran considerados personas sin escrúpulos y muy astutas que no vacilaban un momento en ponerle arena al azúcar, polvo a las especias o achicoria al café. A menudo vendían simple agua con azúcar como si fuera una medicina, asegurando que curaba cualquier dolencia o malestar físico.

A principios del siglo XIX algunos buhoneros comenzaron a usar carretones tirados por caballos y a almacenar en depósitos mercancías como las pieles, relojes, platos, armas y municiones. Algunos de ellos se establecieron en poblaciones del oeste, abriendo allí las primeras tiendas y factorías.

Los grandes detallistas iban una o dos veces por año a la ciudad más cercana para reabastecerse. Con el tiempo los mayoristas y fabricantes comenzaron a contratar a representantes y agentes viajeros que invitaban a minoristas a las exposiciones. Los agentes viajeros salían al encuentro de los trenes y barcos para adelantarse a sus rivales. Poco a poco comenzaron a visitar a los clientes en su sede. Antes de 1860, había menos de mil agentes viajeros; muchos de ellos eran investigadores de crédito que además tomaban pedidos de mercancía. En 1870, ya había siete mil, en 1880 su número ascendía a 20 mil y en 1900 eran 93 mil.

Los métodos modernos de venta y de administración de ventas los perfeccionó John Henry Patterson (1844-1922), considerado por muchos como el padre de ese arte. Patterson dirigía la National Cash Register Company (NRC). Pidió a sus mejores vendedores enseñar sus técnicas a otros colegas. El método más eficaz fue impreso en un "manual de ventas" y distribuido a todos los vendedores de la empresa para que lo aplicaran al pie de la letra. Y así nació el método habitual de venta. Además, Patterson les asignó territorios exclusivos y cuotas para intensificar su esfuerzo. Celebraba reuniones frecuentes que cumplían la función de capacitación y de intercambio social. A sus vendedores les enviaba comunicaciones periódicas sobre la manera como debían cumplir su cometido. Uno de los jóvenes a quienes adiestró fue Thomas J. Watson, que más tarde fundó la IBM. Patterson enseñó a otras empresas su sistema para hacer de la fuerza de ventas un instrumento muy valioso en el incremento de las ventas y en la obtención de ganancias.

Fuentes: Basado en varias fuentes, incluyendo Paul Hermann, *Conquest by Man* (New York: Harper & Row, Pub., 1954), p. 38; Frederic Russell, Frank Beach, y Richard Buskirk, *Textbook of Salesmanship* (New York: McGraw-Hill, 1969), pp. 8-10: Bertrand Canfield, *Salesmanship: Practices and Principles* (New York: McGraw-Hill, 1950), p. 6; y Thomas y Marva Belden, *The Lengthening Shadow* (Boston: Little, Brown, 1962), p. 44.

Hay muchos estereotipos de representantes de ventas. El "vendedor" puede conjurar la imagen del despreciable personaje de Willy Loman en la obra teatral de Arthur Miller *Death of a Salesman* (La muerte de un agente viajero), o bien recuerda a Harold Hill con su inseparable puro, su jovialidad y gran sentido del humor del que hace gala en la obra *The Music Man* de Meredith Wilson. Se les describe (aunque esto les desagrade a muchos, como personas muy sociables. Se les critica por casi obligar al cliente a que haga la compra, aunque los clientes a menudo los buscan.

En realidad, el término *representante de ventas* cubre una amplia gama de posiciones en la economía moderna, donde las diferencias a menudo son más grandes que las similitudes. McMurry diseñó la siguiente clasificación de los puestos de ventas:

- La labor del vendedor es principalmente entregar el producto: leche, pan, combustible, petróleo.

- El vendedor es principalmente un receptor de pedidos dentro del negocio, como el representante de artículos para caballero que atiende a la clientela en el mostrador.

- El vendedor es también en gran parte un receptor de pedidos, pero trabaja en el campo, por ejemplo, el que trabaja para empacadoras, fábricas de jabón o de especias.

- El vendedor no toma pedidos sino que sólo desarrolla buena voluntad o educa al usuario real o potencial: el "misionero" de una destilería o el "representante médico" de una compañía farmacéutica.

- Se hace hincapié principalmente en los conocimientos técnicos: los ingenieros representantes de ventas cuya tarea principal consiste en darles asesoría a los clientes.

- Exigen la venta creativa de productos tangibles como aspiradoras, refrigeradores, enciclopedias.

- Requieren de la venta creativa de bienes intangibles: seguros, servicios de publicidad, educación.[2]

La lista anterior abarca desde los tipos de ventas menos creativas hasta las que exigen el máximo de creatividad. Las primeras requieren mantener cuentas y tomar pedidos, mientras las segundas requieren buscar prospectos y convencerlos de que hagan la compra. En las secciones siguientes se verán los tipos más creativos de ventas.

> La *administración de la fuerza de ventas* consiste en el análisis, planeación, implantación y control de las actividades de la fuerza de ventas. Incluye establecer objetivos y diseñar estrategia para la fuerza de ventas; además reclutar, seleccionar, entregar, supervisar y evaluar a los representantes de ventas de la firma.

En la figura 19-1 se muestran las principales decisiones a las que se enfrentan las compañías para desarrollar y administrar una fuerza de ventas eficaz. Esas decisiones se examinarán en las secciones siguientes.

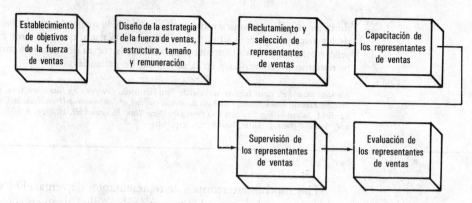

FIGURA 19-1 *Pasos principales en la administración de la fuerza de ventas*

ESTABLECIMIENTO DE LOS OBJETIVOS DE LA FUERZA DE VENTAS

Las compañías establecen diferentes objetivos para su fuerza de ventas. Los representantes de ventas de la IBM son responsables de "vender, instalar y actualizar" el equipo de computación del consumidor. Los representantes de ventas de AT&T son responsables de "desarrollar, vender y proteger" las cuentas. Los representantes de ventas ejecutan una o más de las siguientes tareas para sus compañías:

■ *Búsqueda de prospectos.* Los representantes de ventas encuentran y atienden a clientes nuevos.

■ *Comunicación.* Los representantes de ventas comunican hábilmente información sobre los productos y servicios de la compañía.

■ *Ventas.* Los representantes de ventas conocen el "arte de vender": acercarse al comprador, presentar el producto, refutar objeciones y cerrar la venta.

■ *Dar servicio.* Los representantes de ventas les proporcionan servicios a los clientes: asesoría para resolver sus problemas, prestar asistencia técnica, hacer arreglos financieros y acelerar la entrega.

■ *Recaban información.* Los representantes de ventas dirigen investigación de mercados, recaban datos y redactan informes de visitas de ventas.

■ *Asignación de productos.* Los representantes evalúan la calidad del cliente y asignan productos durante periodos de escasez.

Las compañías se vuelven cada vez más específicas acerca de los objetivos y actividades de la fuerza de ventas. Una firma les aconseja a sus representantes gastar 80% de su tiempo con los clientes actuales y 20% con los prospectos; 85% de su tiempo con productos establecidos y 15% con productos nuevos.[3] Si no se establecen normas, los representantes de ventas tenderán a pasar la mayor parte de su tiempo vendiendo productos establecidos a cuentas actuales y descuidando nuevos productos y nuevos prospectos.

A medida que las compañías acrecientan su orientación de mercado, sus fuerzas de ventas deben volverse más orientadas al mercado. La visión tradicional es que los vendedores deberían preocuparse acerca del volumen y la firma debería preocuparse por las utilidades. La visión más moderna es que los vendedores deberían saber cómo producir satisfacción al cliente y utilidades a la compañía. Deberán saber cómo analizar los datos de ventas, medir el potencial de mercado, recabar información sobre él y desarrollar estrategias y planes de mercadotecnia. Los representantes de ventas necesitan habilidades analíticas de mercadotecnia y esto se vuelve especialmente decisivo en los niveles superiores de la administración de ventas. Los mercadólogos creen que a largo plazo será más eficaz una fuerza de ventas con orientación de mercado que con orientación de ventas.

DISEÑO DE LA ESTRATEGIA DE LA FUERZA DE VENTAS

Una vez que la compañía haya establecido los objetivos de su fuerza de ventas, está lista para enfrentar cuestiones sobre su estrategia, estructura, tamaño y compensación.

Estrategia de la fuerza de ventas

La compañía competirá con otras para obtener pedidos de los clientes, debe precisar su estrategia en una comprensión del proceso de compra del cliente. Puede usar uno o más de los cinco enfoques de contacto de venta con los clientes:

- *Representante de ventas para el comprador.* Un representante habla con un prospecto o cliente en persona o por teléfono.

- *Representante de ventas para un grupo de compradores.* Un representante hace una presentación de ventas a un grupo de compradores.

- *Equipo de ventas para un grupo de compradores.* Un equipo de ventas (como un funcionario de la compañía, un representante de ventas y un ingeniero de ventas) hace una presentación de ventas a un grupo de compradores.

- *Venta en conferencia.* El representante de ventas organiza una reunión de asesores y especialistas de la empresa con uno o más clientes, a fin de que discutan problemas y oportunidades mutuas.

- *Ventas en seminarios.* Un equipo de la compañía organiza un seminario educativo para un grupo técnico de una empresa cliente para que discutan los últimos adelantos respecto al producto.

Así, el vendedor a menudo actúa como un ''gerente de cuenta'' que arregla contactos entre personas en las organizaciones de compra y venta. Las ventas requieren cada vez más de trabajo en equipo. Los vendedores necesitan ayuda de otros en la compañía: de la gerencia general, especialmente cuando venden a cuentas nacionales[4] o cuando las ventas grandes[5] están en juego; de personas técnicas que proporcionan servicios al consumidor como instalación o mantenimiento; de personal de oficina como analistas de ventas, procesadores de pedidos y secretarias.

Una vez que la compañía se haya decidido por un enfoque de ventas deseable, puede usar una fuerza directa o contractual. Una *fuerza de ventas directa (o de la compañía)* consta de empleados pagados a tiempo parcial o completo que trabajan exclusivamente para la compañía. Esta fuerza de ventas incluye *personal de ventas interno,* que dirigen negocios desde las oficinas usando el teléfono y reciben visitas de compradores potenciales, y *personal de ventas de campo,* que viajan y visitan a los clientes. Una *fuerza de ventas contractual* consta de representantes del fabricante, agentes de ventas o corredores, a quienes se les paga una comisión con base en las ventas.

Estructura de la fuerza de ventas

La estrategia también implica la estructuración de la fuerza de ventas para que tenga eficacia máxima en el mercado. Esto es sencillo si la firma vende una línea de producto a una industria de uso final con clientes en muchas ubicaciones; aquí la compañía usaría una fuerza de ventas estructurada por territorio. Si la empresa vende muchos productos a distintos clientes, podría necesitar de una fuerza de ventas estructurada por producto o por consumidor. Estas estructuras alternativas se examinan en seguida.

Fuerza de ventas estructurada por territorio

Es la organización de ventas más sencilla, a cada representante de ventas se le asigna un territorio exclusivo en el que representa la línea completa de la firma. Esta estructura de ventas tiene varias ventajas. Primero, da lugar a una definición clara de las responsabilidades del vendedor. Según el grado como las ventas personales marquen la diferencia, el vendedor recibe el crédito o la culpa por las ventas en el territorio. Segundo, la responsabilidad territorial acrecienta el incentivo de representante de ventas para cultivar los negocios locales y los vínculos personales. Estos vínculos contribuyen a la eficacia de ventas del representante y a su vida personal. Tercero, los gastos de viajes son relativamente pequeños, ya que cada representante de ventas viaja dentro de un área geográfica pequeña.

La organización de ventas territoriales está apoyada por una jerarquía de puestos administrativos. Varios territorios estarán bajo la supervisión de un *gerente de ventas locales,* varias localidades estarán bajo la supervisión de un *gerente regional de ventas,* y varias regiones estarán bajo la supervisión de un *gerente de ventas nacionales* o un *vicepresidente de ventas.* Cada gerente de ventas de nivel más alto se encarga de más y más trabajo de mercadotecnia y de administración en relación con el tiempo disponible para las ventas. De hecho, a los gerentes de ventas se les paga por sus habilidades administrativas en vez de sus habilidades de ventas. El vendedor novato, al mirar hacia adelante su carrera, se convertirá en un representante de ventas, después en un gerente local, y dependiendo de su habilidad y motivación puede pasar a niveles más altos de ventas o administración general.

Fuerza de ventas estructurada por productos

La importancia de que los representantes de ventas conozcan sus productos, junto con el desarrollo de divisiones de producto y administración de producto, ha llevado a muchas empresas a estructurar su fuerza de ventas a lo largo de líneas de productos. La especialización por producto está garantizada cuando los productos son numerosos, técnicamente complejos o sin mucha relación.

Sin embargo, la existencia de diferentes productos de la compañía no es un argumento suficiente para especializar a la fuerza de ventas por productos. Pueden ocurrir problemas si los mismos consumidores compran las líneas de producto de la compañía separadas. Por ejemplo, la American Hospital Supply Corporation tiene varias divisiones de producto, cada una con su propia fuerza de ventas. Es posible que varios representantes de ventas de esa corporación puedan visitar el mismo hospital en el mismo día. Esto significa que el personal de ventas de la empresa viaja por las mismas rutas y cada uno espera para ver a los agentes de compras del cliente. Estos costos extra deben valorarse contra los beneficios de una representación más experta en el manejo de la mercancía.

Fuerza de ventas estructurada por clientes

Las compañías a menudo especializan su fuerza de ventas a partir de la clientela. Pueden establecerse fuerzas de ventas separadas para diferentes industrias, para cuentas principales y regulares, y para desarrollo de negocios actuales y nuevos. La ventaja más obvia de la especialización por cliente es que cada fuerza de ventas con el tiempo llega a conocer perfectamente las necesidades de cada cliente. En una época, la General Electric estructuraba su fuerza de ventas por productos (motores de ventilador, conmutadores). Pero como diferentes clientes percibían estos productos en términos de sus propias aplicaciones industriales, GE cambió a la especialización por mercados. Una fuerza de ventas estructurada por cliente puede reducir a veces los costos totales de la fuerza de ventas. En una época un fabricante de bombas hidráulicas usó ingenieros de ventas altamente entrenados para venderles a todos sus clientes: fabricantes de equipo original que necesitaban asistencia altamente técnica y a intermediarios que no la necesitaban. Más tarde la empresa dividió su fuerza de ventas y usó vendedores menos técnicos y con menos salario para tratar con los intermediarios.

La desventaja principal de la fuerza de ventas estructurada por clientes surge cuando los diversos clientes están esparcidos por el país. Esto significa que la fuerza de ventas tendrá que viajar mucho.

Estructuras complejas de la fuerza de ventas

Cuando una compañía vende una amplia variedad de productos a diversos clientes en un área geográfica amplia, a menudo combina varios tipos de estructura de la fuerza de ventas. Los representantes de ventas pueden especializarse por territorio y producto, por territorio y cliente, por cliente y producto, o en última instancia por territorio, producto y cliente. Un representante de ventas puede entonces ser responsable ante uno o más gerentes de línea o de apoyo.

Magnitud de la fuerza de ventas

Una vez que la compañía haya establecido su estrategia y su estructura, está lista para considerar el tamaño de la fuerza de ventas. Los representantes de ventas son uno de los activos más productivos y costosos de la empresa. Al aumentar su número aumentarán las ventas y los costos.

Muchas compañías usan el *enfoque de la carga de trabajo* para establecer el tamaño de la fuerza de ventas.[6] Este método consta de los siguientes pasos:

1. Los clientes se agrupan en distintos tamaños por su volumen anual de ventas.

2. Para cada tamaño se establece la frecuencia de visitas (número de visitas de ventas a una cuenta por año). Estas reflejan cuánta intensidad busca la compañía en relación con los competidores.

3. El número de cuentas de cada tamaño se multiplica por la frecuencia de llamadas correspondientes para llegar a la carga total de trabajo (en visitas de ventas por año) para el país.

4. Se determina el número medio de visitas que un representante de ventas puede hacer al año.

5. El número de representantes de ventas necesario se determina al dividir el total de visitas anuales requeridas entre las visitas anuales promedio hechas por un representante de ventas.

Supóngase que la compañía estima un millar de cuentas A y dos millares de cuentas B en la nación; y las cuentas A requieren de 36 visitas al año y las cuentas B de 12 visitas al año. Esto significa que la compañía necesita una fuerza de ventas que pueda hacer 60 mil visitas al año. Supóngase que el representante de ventas medio puede hacer mil visitas al año. La firma necesitaría sesenta representantes de ventas de tiempo completo.

Compensaciones para la fuerza de ventas

Para atraer el número deseado de representantes de ventas, la firma tiene que desarrollar un plan atractivo de remuneración. A los representantes de ventas les gusta la regularidad de ingresos, recompensas por rendimiento encima del promedio, y pago justo por experiencia y antigüedad. Por otra parte, la gerencia recalca el control, la economía y la sencillez. Los objetivos de la administración, como la economía, entrarán en conflicto con los objetivos de los representantes de ventas, como la seguridad económica. Es comprensible por qué varían tanto los planes de compensaciones no sólo entre las industrias, sino también entre compañías dentro de la misma industria.

La gerencia debe determinar el nivel y los componentes de un plan de compensaciones eficaz. El *nivel de compensación* debe guardar cierta relación con el "precio actual en el mercado" para el tipo de trabajo en ventas y habilidades requeridas. Por ejemplo, las ganancias promedio de un vendedor industrial experimentado en 1983 llegaron a 36 mil 900 dólares.[7] Si el precio de mercado para los vendedores está bien definido, la firma tendrá que pagar la tarifa actual. Si paga menos atraerá a muy pocos aspirantes; pagar más es innecesario. Pero el precio de mercado para el trabajo de ventas rara vez está bien definido. Por un lado, los planes de la compañía varían en cuanto a la importancia de elementos del salario fijos y variables, beneficios marginales y cuenta de gastos. Y los datos sobre la paga media de los representantes de ventas que trabajan para firmas de la competencia pueden ser engañosos debido a variaciones significativas en la antigüedad media y los niveles de habilidad de las fuerzas de ventas de los competidores. Los datos publicados sobre los niveles de compensaciones para la fuerza de ventas en la industria son infrecuentes y por lo general carecen de detalles suficientes.

La compañía debe determinar los *componentes de la compensación:* una cantidad fija, un monto variable, gastos y beneficios marginales. La *cantidad fija,* que podría ser un salario o una cuenta de adelantos, satisface la necesidad de los representantes de ventas por cierta estabilidad de ingresos. El *monto variable,* que podrían ser comisiones, una bonificación o participación de utilidades, estimula y recompensa el mayor esfuerzo. Las *cuentas de gastos* les permiten a los representantes de ventas emprender esfuerzos de ventas que se consideren necesarios o deseables. Y los *beneficios marginales,* como las vacaciones pagadas, beneficios por accidentes o enfermedad, pensiones y seguros de vida, proporcionan seguridad y satisfacción laboral.

La gerencia general de ventas debe decidir la importancia relativa de estos componentes en el plan de compensaciones. Una regla popular favorece hacer que 70% del ingreso total del vendedor sea fijo y asignar el restante 30% entre los demás elementos. Pero las variaciones en torno de este promedio son tan grandes que difícilmente podrían servir como una guía. La compensación fija debería asignarse a trabajos con una razón elevada de deberes de ventas y otros y en trabajos donde la tarea de ventas sea técnicamente complicada. La compensación variable debería aplicarse en trabajos donde las ventas sean cíclicas o dependan de la iniciativa.

La compensación fija y variable da lugar a tres tipos básicos de planes de compensación: salario directo, comisión directa y combinación de salario y comisiones. En un estudio de compañías de consumo e industriales se demostró que 20% pagaban salario directo, 5% pagaban comisiones directas y 75% pagaban salario más comisión o bonificación.[8]

RECLUTAMIENTO Y SELECCION DE REPRESENTANTES DE VENTAS

Después de haber establecido la estrategia, estructura, tamaño y compensación de la fuerza de ventas, la compañía tiene ahora que tomar una serie de decisiones de administración operacional de ventas. Específicamente, la firma tiene que establecer sistemas para reclutar y seleccionar, entrenar, supervisar y evaluar.

Importancia de la selección cuidadosa

El aspecto fundamental de la operación exitosa de la fuerza de ventas es la selección de vendedores eficaces. Las diferencias de rendimiento entre los vendedores superiores y los promedio pueden ser grandes, y la selección cuidadosa pueden acrecentar sustancialmente el rendimiento global de la fuerza de ventas. Una encuesta en más de 500 compañías reveló que, en una fuerza de ventas típica, 27% de los vendedores conseguían más de 52% de las ventas.[9]

La mala selección de vendedores también puede dar lugar a un movimiento laboral costoso. Un estudio descubrió una tasa media de movimiento laboral anual para la fuerza de ventas de todas las industrias en casi 20%.[10] Los costos del gran movimiento laboral pueden ser elevados. La firma debe gastar más para contratar y entrenar sustitutos, y una fuerza de ventas que tenga una alta proporción de vendedores nuevos es menos productiva. Los vendedores nuevos a menudo tienen más dificultades para generar suficientes ventas que cubran sus costos. Los ingresos directos tienen un promedio sólo de la mitad de los costos directos de ventas del vendedor. Si un vendedor recibe 30 mil dólares al año en ingresos, otros 30 mil dólares pueden ir a beneficios marginales, gastos, supervisión, espacio de oficina, abastecimientos y ayuda secretarial. Así, el vendedor debe producir ventas en las que el margen bruto cubra al menos los 60 mil dólares en gastos de ventas. Si el margen bruto es 10%, el vendedor debe vender 600 mil dólares para que la compañía no gane ni pierda.

¿Qué cualidades debe reunir un buen representante de ventas?

Seleccionar representantes de ventas no sería un problema si supiéramos qué rasgos buscar. Si los representantes de ventas son extrovertidos, emprendedores y enérgicos, estas características deberían buscarse en los aspirantes. Pero muchos representantes exitosos también son introvertidos, de maneras suaves y nada enérgicos. Los representantes exitosos incluyen hombres y mujeres que son altos y bajos, de excelente dicción y torpes para expresarse, bien arreglados y desaliñados.

Sin embargo, continúa la búsqueda de la combinación mágica de rasgos que garanticen la posesión de las cualidades del buen vendedor. Se han elaborado numerosas listas. McMurry escribió: "Estoy convencido de que el poseedor de una personalidad de ventas *eficaz* es *alguien que siente la necesidad de triunfar y de tener siempre el afecto de los demás*".[11] McMurry menciona otros cinco rasgos de super vendedor: "Un nivel elevado de energía, mucha seguridad en sí mismo, un fuerte y constante deseo de tener dinero, un hábito arraigado de dinamismo y un estado anímico que ve un reto en cada objeción, resistencia u obstáculo".[12] Charles Garfield descubrió que el vendedor exitoso está dispuesto a correr riesgos y que se identifica fuertemente con sus clientes (véase recuadro 19-2).

RECUADRO 19-2

¿QUE ES UN SUPERVENDEDOR?

Charles Garfield, profesor de psicología en la escuela de medicina de San Francisco de la Universidad de California, afirma que su análisis de 20 años de más de mil 500 personas que se han destacado en cualquier campo es el más largo hasta la fecha. *Peak Performance-Mental Training Techniques of the World's Greatest Athletes,* el primer libro que Garfield escribió acerca de sus resultados, se publicó el primero de junio. Aunque dice que publicará muy pronto un libro sobre negocios que abarcará a los supervendedores, muchas compañías (como IBM, que tomó tres mil) han pedido el libro actual para sus fuerzas de ventas. Garfield dice que la complejidad y la velocidad del cambio en el mundo de los negocios, hoy en día significa que para tener un rendimiento superior en ventas se necesita mayor destreza en diferentes campos que para ser el primero en ciencias, deportes o arte. Véanse a continuación las características más comunes que él ha descubierto en el rendimiento pico en ventas:

- Los supervendedores siempre están corriendo riesgos y haciendo innovaciones. A diferencia de la mayoría de la gente, están fuera de la "zona confortable" e intentan superar sus niveles anteriores de rendimiento.

■ Los supervendedores tienen un sentido poderoso de misión y establecen las metas a corto, mediano y largo plazo necesarias para realizar esa misión. Sus metas personales siempre son más elevadas que las cuotas de ventas que los gerentes establecen. Los supervendedores también trabajan bien con los gerentes, especialmente si éstos están interesados también por el rendimiento óptimo.

■ Los supervendedores están más interesados por resolver problemas que en culpar a alguien más o evadir la situación. Como se consideran a sí mismos como profesionales en capacitación, siempre están actualizando sus habilidades.

■ Los supervendedores se ven a sí mismos como socios de sus clientes y como jugadores en un equipo, más que como adversarios. Los que tienen un rendimiento óptimo creen que su tarea es comunicarse con la gente, mientras que los vendedores mediocres psicológicamente cambian a sus clientes en objetos y hablan acerca del número de visitas y cierres que han hecho como si todo esto no tuviera nada que ver con seres humanos.

■ Los supervendedores interpretan cada rechazo como información de la que pueden aprender, mientras que la gente mediocre personaliza el rechazo.

■ El resultado más sorprendente es que, al igual que los máximos exponentes en los deportes y en el arte, los supervendedores usan el ensayo mental. Antes de cada venta revisan ésta en su mente, desde el momento en que estrechan la mano del cliente cuando entran hasta la discusión de los problemas y la solicitud de un pedido.

Fuente: "What Makes a Supersalesperson?" *Sales and Marketing Management,* agosto 13, 1984, p. 86.

¿Cómo puede una firma determinar las características que los representantes de ventas deberían poseer en su industria? Los deberes del trabajo indican algunas de las características a buscar. ¿Hay mucho papeleo? ¿El trabajo requiere de muchos viajes? ¿Se enfrentará el vendedor a una alta proporción de rechazos? La compañía también debería examinar los rasgos de sus representantes más exitosos para posibles indicios.

Procedimientos de reclutamiento

Después de que la administración haya desarrollado criterios de selección, debe reclutar. El departamento de personal busca aspirantes por diversos medios, incluyendo pedir nombres de los representantes actuales usar agencias de empleo, poner anuncios y entrar en contacto con estudiantes universitarios. A veces, a las firmas les resulta difícil contratar universitarios. Una encuesta de mil estudiantes universitarios del sexo masculino indicó que sólo uno de cada 17 mostraba interés por las ventas.[13] Los reacios daban razones como éstas: Las ventas constituyen un trabajo y no una profesión; requieren del engaño para que la persona tenga éxito; hay inseguridad y muchos viajes. Algunas mujeres piensan que las ventas son una carrera para hombres. Para contrarrestar estas objeciones, los reclutadores de la compañía recalcan los salarios iniciales, las oportunidades de ingresos y el hecho de que una cuarta parte de los presidentes de grandes corporaciones estadunidenses comenzaron en mercadotecnia y en ventas. Señalan que más de 21% de las personas que venden productos manufacturados son mujeres (véase recuadro 19-3).

Procedimientos para la selección de aspirantes

Los procedimientos de clasificación, si tienen éxito, atraerán a muchos aspirantes. La compañía deberá seleccionar a los mejores. Los procedimientos de selección pueden variar desde una sola entrevista informal hasta pruebas y entrevistas prolongadas no sólo del aspirante sino también de su familia.

Muchas empresas dan pruebas formales a los aspirantes de ventas. Aunque las puntuaciones en la prueba son sólo un elemento de información en un conjunto que incluye

RECUADRO 19-3

EN EL TRABAJO CON UNA VENDEDORA
EXITOSA DE XEROX

La palabra ''vendedor'' comienza a tener un tono arcaico. La entrada de las mujeres en lo que fue una vez un bastión reservado a los hombres ha sido rápida y dramática. Más de 21% de la gente que vende productos manufacturados son mujeres, en comparación con 7% hace 10 años. Y la mujer está progresando a grandes pasos vendiendo equipo de alta tecnología. En Xerox, por ejemplo, constituyen 39% de la fuerza laboral.

Nancy Reck decidió que las ventas le ofrecían la mejor oportunidad cuando ella y su esposo, Miles, se trasladaron desde Jacksonville, Florida, hasta Chapel Hill, Carolina del Norte, hace tres y medio años, para que él pudiera seguir un curso de doctorado. Desempeñaban cinco trabajos entre los dos para sostenerse cuando Nancy, de 30 años, encontró lo que había estado buscando: un solo trabajo que diera lo suficiente para mantenerlos a ambos. Según la antigua maestra de escuela: ''Las

Nancy Reck haciendo negocios a pesar del clima. *Cortesía de Rebbeca Chao, usada con permiso.*

ventas son un campo donde la remuneración está relacionada con el rendimiento. Usted escribe su propio boleto''.

Reck comenzó a trabajar con Xerox como representante de ventas y rápidamente se distinguió. En cada uno de los últimos tres años, ha sido calificada para el President's Club, que significa que superó todas sus metas de ventas, un honor que ganó sólo uno de cada cinco miembros de la fuerza de ventas el año pasado. Los ingresos de Nancy, que no quiere revelar, son probablemente de 50 mil dólares al año aproximadamente.

Nacida en la pequeña aldea de Seaboard, en Carolina del Norte, Reck se hizo de fama en las ventas de ''volumen bajo'' vendiendo copiadoras y máquinas de escribir electrónicas Xerox de puerta en puerta a pequeños comerciantes en 17 distritos de su estado natal. Recientemente ha sido ascendida a un nuevo puesto que es un escalón para la gerencia.

Reck había pensado que iba a tener que desarrollar una personalidad artificial para tener éxito en ventas. En vez de esto, descubrió que podía ser ella misma: ''Trato a cada cliente como si fuera mi padre, mi hermano o mi mejor amigo''.

Fuente: ''On the Job With a Successful Xerox Saleswoman,'' *Fortune,* abril 30, 1984, p. 102. © 1984 Time Inc. Derechos reservados.

características personales, referencias, historia de empleo y reacciones del entrevistado, son muy importantes para compañías como IBM, Prudential, Procter & Gamble y Gillette. Gillette afirma que las pruebas han reducido el movimiento de personal 42% y han mostrado una buena correlación con el progreso subsecuente de nuevos representantes de ventas en la organización.

CAPACITACION DE LOS REPRESENTANTES DE VENTAS

Muchas compañías solían mandar a sus representantes nuevos al campo casi inmediatamente después de contratarlos. Les suministraban muestras, talonarios de pedidos e instrucciones para vender al oeste del Mississippi. Los programas de capacitación eran lujos. Un programa de ese tipo significaba hacer grandes desembolsos para instructores, materiales y espacio; pagarle a una persona que todavía no estaba vendiendo; y perder oportunidades debido a que él, o ella, no estaba en el campo.

Hoy en día, los representantes de ventas nuevos pueden pasar de unas pocas semanas a varios meses de capacitación. El periodo medio de entrenamiento es de 20 semanas en productos industriales y compañías de servicio, y de 18 en firmas de productos de consumo.[14] En IBM, los representantes nuevos trabajan bajo supervisión durante los primeros dos años. Y la IBM espera que sus representantes de ventas pasen 15% de su tiempo cada año en capacitación adicional.

La facturación anual por capacitación para las principales corporaciones estadunidenses llega a millones de dólares. Sin embargo, la gerencia de ventas opina que la capacitación agrega más valor que costo. En la actualidad los representantes de ventas les venden a compradores más conscientes del valor y del costo. Además, venden productos técnicamente más complejos. La compañía quiere y necesita representación de ventas madura y experta.

Los programas de capacitación tienen varias metas:

1. *Los representantes de ventas necesitan conocer e identificarse con la compañía.* La mayoría de las empresas dedican la primera parte del programa de capacitación a describir la historia y los objetivos de la empresa, la organización y las líneas de autoridad, los funcionarios superiores, la estructura financiera, las instalaciones y los productos principales y el volumen de ventas.

2. *Los representantes de ventas necesitan conocer los productos de la compañía.* A los de ingreso reciente se les enseña cómo se elaboran los productos y cómo funcionan en diversas aplicaciones.

3. *Los representantes de ventas necesitan conocer las características de los clientes y de los competidores.* Los representantes aprenden acerca de los diferentes tipos de clientes y sus necesidades, motivos y hábitos de compra. Aprenden acerca de las estrategias y políticas de la compañía y de los competidores.

4 *Los representantes de ventas necesitan saber cómo hacer presentaciones eficaces.* Los representantes reciben entrenamiento en los principios del arte de vender. Además, la compañía describe los principales argumentos de ventas para cada producto y algunas proporcionan un guión de ventas.

5. *Los representantes de ventas deben conocer los procedimientos y las responsabilidades de campo.* Los representantes aprenden a distribuir su tiempo entre las cuentas activas y las potenciales; y aprenden también a usar la cuenta de gastos, a preparar informes y a fijar su itinerario de visitas.

Principios del arte de vender

Muchos representantes de ventas no saben cómo vender (véase recuadro 19-4). Uno de los principales objetivos de los programas de capacitación es entrenar a los representantes en el arte de vender. Las compañías gastan cientos de millones de dólares en seminarios, libros, casetes y otros materiales. Casi un millón de copias de libros sobre ventas se compran cada año, con títulos como estos: *How to Outsell the Born Salesman, How to Sell Anything to Anybody, The Power of Enthusiastic Selling, How Power Selling Brought Me Success in 6 Hours, Where Do You Go from No. 1* y *1000 Ways a Salesman Can Increase His Sales.* Uno de los libros más memorables es *How to Win Friends and Influence People* de Dale Carnegie.

RECUADRO 19-4

¿QUE NIVEL DE CAPACITACION TIENEN LOS REPRESENTANTES DE VENTAS?

El vicepresidente de una gran compañía de artículos alimenticios pasó una semana observando cincuenta presentaciones de ventas a un atareado cliente que trabajaba para una gran cadena de supermercados. Véanse a continuación algunas de sus reacciones:

Observé a un representante de una compañía de jabón abordar al cliente. Tenía tres ofertas promocionales que tratar con seis clientes. No traía nada escrito.... Cuando se marchó, el atareado cliente me confesó: "Tardaré unos 15 minutos en definir todo este asunto".

Vi a otro vendedor dirigirse a un cliente y decirle: "Pasaba por aquí y quise informarle que tenemos una excelente promoción para la próxima semana". El interlocutor le replicó: "Muy bien. ¿Y en qué consiste"? Y la respuesta fue: "Pues, no lo sé.... vendré la próxima semana para hablarle de ella". Y el cliente le preguntó qué hacía entonces allí. El vendedor le dijo que pasaba casualmente. Otro vendedor llegó y dijo: "Creo que ya es tiempo de que hagamos el pedido... pues tenemos que prepararnos para la temporada" El cliente replicó: "Me parece bien, George, pero podrías decirme a cuánto ascendieron mis compras el año pasado". El vendedor pareció un poco confundido y dijo: "Ojalá lo supiera...".

La mayoría de los vendedores no estaban bien preparados, no sabían responder las preguntas básicas ni tenían idea de lo que querían lograr con la visita. No la consideraban una presentación profesional que exigía cierto dominio. No tenían una idea clara de las necesidades y deseos del minorista.

Fuente: Tomado de un discurso pronunciado por Donald R. Keough en la Vigésima Conferencia anual del Super-Market Institute en Chicago, del 26 al 29 de abril de 1964.

Todos los enfoques de capacitación tienen como objetivo convertir al vendedor de un *receptor pasivo de pedidos* a una *consecución activa de pedidos.* Los receptores de pedidos operan con base en las siguientes premisas: 1) los clientes conocen sus propias necesidades; 2) les molesta que alguien intente influir en ellos, y 3) prefieren a los representantes de ventas amables y retraídos. Un ejemplo de una mentalidad de recepción de pedidos sería un vendedor que visita a una docena de clientes diario, preguntándoles sencillamente a cada uno si necesitan algo.

Para entrenar a los vendedores a que *consigan pedidos,* hay dos enfoques básicos, un *enfoque orientado a las ventas* y un *enfoque orientado al cliente.* El primero capacita al vendedor en *técnicas de ventas de alta presión,* como las que se usan para vender enciclopedias o automóviles. Las técnicas incluyen exagerar los méritos del producto, criticar los productos de la competencia, usar una presentación ingeniosa, venderse a sí mismo y ofrecer alguna concesión para obtener el pedido de inmediato. Esta forma de ventas presupone que sin presión es muy improbable que la gente compre algo; que se puede influir en los clientes con una presentación ingeniosa y modales serviles; y que los clientes no se arrepentirán de haber hecho el pedido y, si se arrepienten, eso no importa.

El otro enfoque capacita al personal de ventas para *resolver los problemas del cliente.* El vendedor aprende a identificar las necesidades del cliente y propone soluciones eficaces. Este enfoque presupone: 1) los clientes tienen necesidades latentes que constituyen oportunidades para la compañía; 2) aprecian las buenas sugerencias, y 3) serán leales con los representantes de ventas que se preocupen por sus intereses a largo plazo. El solucionador de problemas es una imagen más compatible para el vendedor bajo el concepto de mercadotecnia que el vendedor de estilo emprendedor o el que se limita a recoger pedidos.

En la mayoría de los programas de capacitación se considera que el proceso de venta está compuesto por varios pasos que el vendedor debe dominar. Estos pasos se muestran en la figura 19-2 y se explican en seguida.[15]

Búsqueda de prospectos y evaluación

El primer paso en el proceso de venta consiste en identificar a los prospectos. El vendedor debe acercarse a muchos prospectos para obtener unas cuantas ventas. En un segmento de la industria de los seguros, sólo uno de nueve prospectos se convierte en cliente; en el negocio de hardware / software de computadora, 125 llamadas telefónicas dan lugar a 25 entrevistas que conducen a cinco demostraciones y a una venta.[16] Aunque la compañía suministra pistas, los representantes de ventas necesitan habilidad para desarrollar sus propias pistas. Las pistas pueden desarrollarse de la manera siguiente: 1) pedirles nombres de prospectos a los clientes actuales; 2) cultivar otras fuentes de referencia, como proveedores, distribuidores, representantes de ventas no competidores, banqueros y ejecutivos de asociaciones comerciales; 3) afiliarse a las organizaciones a las que pertenezcan los prospectos; 4) escribir y realizar comunicaciones orales (discursos, conferencias, charlas) que atraigan la atención; 5) examinar las fuentes de información (periódicos, directorios) en busca de nombres; 6) usar el teléfono y el correo para seguir las pistas de posibles compradores, y 7) visitar sin previo aviso algunas oficinas.

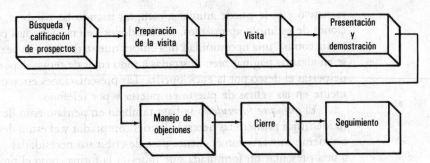

FIGURA 19-2
*Pasos principales
en las ventas
eficaces*

Los representantes de ventas deben saber cómo excluir las pistas poco prometedoras. A los prospectos se les puede calificar examinando su situación financiera, su volumen de negocio, requerimientos especiales, ubicación y probabilidad de una relación de negocios prolongada. El vendedor deberá telefonear o escribirles a los prospectos para ver si vale la pena seguir tras ellos.

Preparación para la visita

Antes de visitar un prospecto, el vendedor deberá averiguar tanto como pueda sobre la compañía (qué necesita, quién interviene en la decisión de compra) y sus compradores (las características personales y los estilos de compra). El vendedor puede consultar fuentes estándar *(Moody's, Standard and Poor, Dun and Bradstreet),* personas conocidas y otras fuentes para conseguir información sobre la empresa. El vendedor deberá establecer *objetivos de la visita,* que podrían ser los de calificar al prospecto, recabar información o hacer una venta inmediata. Otra tarea consiste en decidir el mejor *acercamiento,* que podría ser una visita personal, una llamada telefónica o una carta. Es conveniente escoger el *momento oportuno,* ya que muchos prospectos suelen estar ocupados a ciertas horas. Por último, el vendedor debe desarrollar una *estrategia global de ventas* para la cuenta.

Visita

El vendedor debe saber cómo saludar al cliente y lograr que la relación comience de forma positiva. Intervienen en esto la apariencia del vendedor, las primeras palabras de la entrevista y los comentarios posteriores. El vendedor deberá usar ropas similares a las que lleva el cliente; mostrarle cortesía y atención al comprador; y evitar los manerismos que distraen, como caminar de un lado a otro, mirar fijamente al cliente. Las palabras iniciales deberán ser positivas, como éstas: "Señor Martínez, yo soy Luis Vega de la compañía ABC. Mi compañía y yo apreciamos su amabilidad en recibirme. Procuraré que mi visita sea útil para ambos." Conviene formular después algunas preguntas clave o enseñar un muestrario para despertar la curiosidad e interés del cliente.

Presentación y demostración

El vendedor le cuenta ahora la "historia" del producto al comprador, mostrándole cómo es que le hará ganar o ahorrar dinero. El vendedor describe las *características del producto,* pero se concentra en venderle los *beneficios al cliente.* El vendedor seguirá la fórmula AIDA de conseguir *atención,* mantener el *interés,* despertar el *deseo* y lograr la *acción.*

Las compañías usan tres estilos de presentación de ventas. El más antiguo es el *enfoque estereotipado,* que es una charla de ventas memorizada que cubre los puntos principales. Se basa en pensamiento de estímulo y respuesta: en el sentido de que el comprador es pasivo y se le puede animar a comprar usando las palabras, imágenes, términos y acciones de estímulo apropiados. Un vendedor de enciclopedias podría describir la enciclopedia como "una oportunidad de compra que se da una sola vez en la vida" y concentrarse en algunas páginas bien ilustradas a todo color de temas deportivos, con la intención de despertar el deseo por la enciclopedia. Las presentaciones estereotipadas se usan principalmente en las ventas de puerta en puerta y por teléfono.

El *enfoque formulado* se basa también en pensamiento de estímulo y respuesta, pero identifica primero las necesidades del comprador y el estilo de compra. El vendedor inicialmente conversa con el cliente para describir sus necesidades y opiniones. Pasa entonces a una presentación formulada que muestra la forma cómo el producto podrá satisfacer las necesidades del comprador. No es estereotipada, sino que sigue un plan general.

El *enfoque centrado en la satisfacción de las necesidades* comienza con una búsqueda de las necesidades reales del comprador al alentar al cliente a llevar la conversación. Este enfoque requiere saber escuchar y tener habilidades para solucionar problemas. Un representante de ventas de la IBM lo describe muy bien: "Me meto en el negocio de mis cuentas clave. Descubro sus principales problemas. Ofrezco soluciones, usando los sistemas de mi compañía e incluso, a veces, componentes de otros proveedores. Pruebo de antemano que mis sistemas les ahorrará o les harán ganar dinero a mis cuentas. Entonces trabajo con el contador para instalar el sistema y ponerlo a funcionar."[17]

Las presentaciones de ventas pueden mejorarse con dispositivos de apoyo, como folletos, rotafolios, transparencias, películas y muestras del producto. Según el grado como el comprador pueda ver o manejar el producto, él, o ella, recordará mejor sus características y beneficios.

Representantes de ventas hacen una presentación. *Cortesía de Hewlett-Packard.*

Manejo de objeciones

Los clientes casi siempre plantean objeciones durante la presentación o cuando se les solicita un pedido. Su resistencia puede ser psicológica o lógica. La *resistencia psicológica* incluye resistencia a la interferencia, preferencia por los hábitos establecidos, apatía, resistencia a abandonar algo, asociaciones desagradables acerca de la otra persona, tendencia a resistir la dominación, ideas predeterminadas, aversión a tomar decisiones y actitud neurótica hacia el dinero.[18] La *resistencia lógica* podría consistir en objeciones acerca del precio, entregas, o ciertas características del producto o de la compañía. Para manejar estas objeciones, el vendedor mantiene un enfoque positivo, le pide al comprador que clarifique la objeción, lo interroga de tal modo que el comprador tiene que contestar sus propas objeciones, niega la validez de la objeción o la convierte en una razón para hacer la compra. El vendedor necesita entrenamiento en las habilidades más generales de las negociaciones, de las cuales el manejo de objeciones es una parte.[19]

Cierre

El vendedor intenta ahora cerrar la venta. Algunos vendedores no llegan a esta etapa o no la manejan bien. Les falta confianza, o se sienten culpables por solicitar el pedido, o no reconocen el momento psicológico apropiado para cerrar la venta. Los vendedores deben saber cómo reconocer las señales de cierre de parte del comprador, incluyendo acciones físicas, declaraciones o comentarios, y preguntas. Los vendedores pueden usar una de entre varias técnicas de cierre. Pueden solicitar el pedido, revisar los puntos del acuerdo, ofrecerse a ayudar a escribir el pedido, preguntar si el comprador quiere A o B, lograr que el comprador haga elecciones menores, como el color o el tamaño, o indicar lo que el cliente perderá si no hace el pedido en ese momento. El vendedor puede ofrecerle al comprador incentivos específicos para cerrar la venta, como pueden ser un precio especial o una cantidad extra sin costo.

Seguimiento

Este último paso es necesario si el vendedor quiere asegurarse la satisfacción del cliente y repetir el negocio con éste. Inmediatamente después del cierre, el vendedor deberá terminar cualesquiera detalles necesarios sobre tiempo de entrega, condiciones de la compra y otras cuestiones. El vendedor deberá programar una visita de seguimiento cuando se reciba el pedido inicial para asegurar que la instalación, las instrucciones de uso y el servicio se lleven a cabo en forma satisfactoria. Aprovechar la visita para detectar cualquier problema y demostrarle al cliente su genuino interés porque todo marche bien.

SUPERVISION DE LOS REPRESENTANTES DE VENTAS

Los nuevos representantes de ventas necesitan algo más que un territorio, un paquete de compensaciones y capacitación: necesitan supervisión. Mediante la supervisión, los jefes esperan dirigir y motivar a la fuerza de ventas para que haga un trabajo mejor. El recuadro 19-5 indica que todavía es necesario hacer mucho trabajo.

Dirección de los representantes de ventas

El grado de supervisión que se ejerce sobre los representantes varía de una firma a otra. Los que reciben su remuneración en forma de comisión principalmente y los que deben localizar a los prospectos, por lo general trabajan por su cuenta y con poca supervisión. Los que

RECUADRO 19-5

¿CON CUANTA EFICACIA MANEJAN SUS FUERZAS DE VENTAS LAS COMPAÑIAS?

Hay evidencia de ineficacia en la forma como las compañías manejan sus fuerzas de ventas. En una encuesta de 257 compañías de las ''500'' de Fortune, se descubrió lo siguiente:

- 54% no han dirigido un estudio organizado acerca de cómo usan su tiempo los representantes de ventas, aun cuando la mayoría de los entrevistados pensaban que el uso del tiempo representa un área de mejoramiento.

- 25% no tienen un sistema para clasificar cuentas de acuerdo con su potencial.

- 30% no usan programas u horarios de visitas para la fuerza de ventas.

- 51% no determinan el número de visitas que resultan económicas hacer en una cuenta.

- 83% no determinan una duración aproximada para cada una.

- 51% no usan una presentación planeada de ventas.

- 24% no establecen objetivos de ventas para las cuentas.

- 72% no establecen objetivos de utilidades para las cuentas.

- 19% no usan un sistema de informe de visitas.

- 63% no usan un itinerario prescrito para cubrir territorios.

- 77% no usan la computadora para ayudar en la administración de tiempo y territorio.

Fuente:, Robert Vizza, ''Managing Time and Territories for Maximum Sales Success,'' *Sales Management*, julio 15, 1971, pp. 31-36.

perciben un sueldo y deben obtener un número determinado de clientes suelen estar sujetos a supervisión muy estrecha.

Desarrollo de volumen de ventas y normas de visitas

Muchas compañías clasifican a los clientes en cuentas de tipo A, B y C, clasificación que refleja el volumen de ventas de cada cuenta, el potencial de utilidades y de crecimiento. Fijan el número deseado de visitas por periodo en cada clase de cuenta. Así, las cuentas A pueden recibir nueve visitas al año; las B, seis visitas, y las C, tres visitas. Las normas de visita dependen de las establecidas por la competencia y la rentabilidad esperada de la cuenta.

La cuestión central es cuánto volumen de ventas puede esperarse de una cuenta particular como una función del número anual de visitas. Magee describe un experimento donde cuentas similares fueron divididas aleatoriamente en tres conjuntos.[20] Se les pidió a los representantes de ventas que pasaran menos de cinco horas al mes con cuentas en el primer conjunto, de cinco a nueve horas al mes con las del segundo conjunto, y más de nueve horas al mes con las del tercer conjunto. Los resultados demostraron que las visitas adicionales producían más ventas, dejando únicamente la interrogante de si la magnitud del aumento de las ventas justificaba el costo adicional.

Establecimiento del número de prospectos y las normas de visita

Las compañías a menudo especifican el tiempo que la fuerza de ventas debe dedicar a la búsqueda de nuevas cuentas. Spector Freight quiere que sus representantes de ventas pasen 25% de su tiempo dedicados a buscar prospectos y dejar de visitar a un prospecto después de tres visitas sin éxito.

Las compañías establecen estándares para la búsqueda de prospectos debido a varias razones. Si se les deja solos, muchos representantes de ventas pasarán la mayor parte de su tiempo con clientes actuales. Los clientes actuales representan una cantidad estable de pedidos. Los representantes pueden depender de éstos para hacer negocio, mientras que es probable que un prospecto nunca permita hacer negocios. A no ser que a los representantes se les recompense por abrir cuentas nuevas, puede que eviten el desarrollo de las mismas. Algunas compañías confían en una fuerza de ventas, cuya misión sea abrir cuentas nuevas.

Uso eficiente del tiempo de ventas

Los representantes de ventas deben saber cómo usar su tiempo con eficiencia. Un instrumento es el *programa de visitas anuales* que muestra a qué clientes y prospectos visitar en qué meses y qué actividades ejecutar. Estas actividades incluyen participación en exhibiciones comerciales, asistencia a reuniones de ventas y ejecución de proyectos de investigación de mercadotecnia.

El otro instrumento es el análisis de *tiempo y actividades*. El representante distribuye su tiempo de la siguiente manera:

■ *Viajes.* En algunos trabajos el tiempo de viajes equivale a más de 50% del tiempo total. El tiempo de viaje puede reducirse al usar medios de transporte más rápidos, aunque esto aumente los costos. Cada vez hay más compañías que alientan los viajes aéreos para su fuerza de ventas, a fin de aumentar su razón de ventas con tiempo total.

■ *Comidas e intermedios.* Cierta porción del día laboral de la fuerza de ventas se dedica a comer y a tener intermedios.

■ *Tiempo de espera.* Es el tiempo que el vendedor pasa en la oficina del comprador haciendo antesala. Este es tiempo muerto, a no ser que el representante lo use para planear o para redactar informes.

■ *Tiempo de venta.* Es el tiempo ocupado con el comprador en persona o por teléfono. Se divide en "charla social" (el tiempo hablando de otras cosas) y "charla de venta" (el tiempo hablando de los productos de la compañía).

■ *Tiempo de administración.* Esta es una categoría que consta del tiempo pasado en elaboración de informes y facturas, asistencia a reuniones de ventas y conversaciones con otras personas en la firma acerca de producción, entrega, facturación, rendimiento de ventas y otras cuestiones.

No es sorprendente que el tiempo real de ventas equivalga tan sólo a 15% del tiempo laboral total. Si pudiera elevarse del 15 a 20%, esto sería una mejora de 33%. Las compañías están buscando constantemente métodos más eficaces en cuanto a tiempo: usando el "poder del teléfono", simplificando los formularios de documentación, desarrollando mejores planes de visitas y de rutas y suministrándoles más y mejor información sobre los clientes. Muchas empresas están computarizando sus sistemas de información de visitas y de ventas para hacer a los vendedores más eficaces.[21]

Motivación de los representantes de ventas   Algunos representantes de ventas pondrán todo su empeño sin necesidad de recibir estímulos de la gerencia. Para éstos, las ventas son la actividad más fascinante del mundo.

Son ambiciosos y muestran una gran iniciativa. Pero la mayoría de los representantes de ventas requieren de aliento y de incentivos especiales para dar su mayor rendimiento. Esto es aplicable especialmente en las ventas de campo, debido a las razones siguientes:

■ *La naturaleza del trabajo*. El trabajo en ventas implica una frustración frecuente. Los representantes usualmente trabajan solos; sus horarios son irregulares, y suelen estar mucho tiempo fuera de casa. Se enfrentan con representantes emprendedores de la competencia; tienen un *estatus* inferior en relación con el comprador; a menudo no tienen la autoridad para hacer lo que sea necesario para obtener una cuenta; pierden pedidos grandes que se han esforzado mucho por obtener.

■ *La naturaleza humana*. La mayoría de la gente opera por debajo de su capacidad en ausencia de incentivos especiales, como ganancias financieras o reconocimiento social.

■ *Problemas personales*. Los representantes ocasionalmente están preocupados por problemas personales, como algún enfermo en la familia, problemas maritales o deudas.

La gerencia puede mejorar la moral y el rendimiento de la fuerza de ventas mediante su clima organizacional, sus cuotas de ventas y sus incentivos.

Clima organizacional

El clima organizacional describe la sensación que tiene el representante de ventas acerca de oportunidades, valor y recompensas por un buen rendimiento. Algunas compañías tratan a los representantes de ventas como si fueran de poca importancia. Otras los tratan como un elemento esencial y les brindan numerosas oportunidades de mejorar sus ingresos y lograr ascensos. La actitud de la organización hacia sus representantes actúa como una profecía que se cumple por sí sola. Si se les tiene poca estima, habrá mucha rotación de personal y un rendimiento bajo; si se les da mucha importancia, habrá poco movimiento laboral y un rendimiento alto.

El trato personal que recibe el representante de su superior inmediato es un aspecto importante del clima organizacional. Un gerente de ventas eficaz se mantiene en contacto con la fuerza de ventas mediante correspondencia y llamadas telefónicas, visitas personales en el campo y sesiones de evaluación en la oficina central. En diferentes momentos el gerente de ventas actúa como el jefe, compañero, asesor y confesor del vendedor.

Cuotas de ventas

Muchas compañías establecen cuotas para sus representantes de ventas especificando lo que éstos deberían vender durante el año y por producto. Su remuneración suele estar relacionada con el grado de cumplimiento de la cuota.

Las cuotas de ventas se establecen cuando se desarrolla el plan anual de mercadotecnia. La compañía se decide primero por un pronóstico de ventas que le parezca razonable y factible. Este se convierte en la base para la planeación de la producción, el tamaño de la fuerza de ventas y sus requerimientos financieros. Después, la gerencia establece cuotas de ventas para sus regiones y territorios que ordinariamente rebasan los pronósticos de ventas. Las cuotas de ventas es establecen a un nivel mayor que el de esos pronósticos, a fin de que los gerentes y los representantes pongan su máximo empeño. Aun si no logran cumplir con éstas, la empresa habrá alcanzado sus objetivos.

Cada gerente de ventas de área divide la cuota entre los representantes en la misma. Hay tres criterios para el establecimiento de cuotas. El *criterio de cuota elevada* establece cuotas más altas de las que la mayoría de los representantes lograrán pero que, de todas formas, son factibles de lograr. Sus defensores creen que las cuotas altas provocan un esfuerzo extra. El *criterio de la cuota modesta* establece cuotas que la mayoría de los representantes puede lograr. Sus defensores piensan que el vendedor aceptara la cuota considerándola justa, la cumplirá y ganará confianza en sí mismo. El *criterio de la cuota variable* considera que las diferencias individuales entre los representantes de ventas amerita cuotas altas para algunos, cuotas modestas para otros. Según Heckert:

> La experiencia real con las cuotas de ventas, al igual que sucede con todos los estándares o normas, revelará que los representantes reaccionan a ellas de manera un tanto distinta, particularmente al comienzo. Algunos son estimulados para lograr su mayor eficiencia, otros se sienten desalentados. Algunos ejecutivos de ventas hacen mucho hincapié en este elemento humano al establecer sus cuotas. Sin embargo, por lo general, los hombres buenos responderán favorablemente a largo plazo a cuotas elaboradas inteligentemente, en particular cuando la remuneración es justa en relación con el rendimiento.[22]

Incentivos

Las compañías usan varios motivadores para estimular el esfuerzo de la fuerza de ventas. Las *reuniones de ventas* periódicas proporcionan una ocasión social, un intermedio de la rutina, una oportunidad para reunirse y hablar con los jefes de la empresa y para externar opiniones e identificarse con un grupo más grande. Las compañías también patrocinan *concursos de ventas* para alentar a la fuerza de ventas a realizar un esfuerzo especial por encima de lo que cabría esperar normalmente. Otros motivadores incluyen menciones honoríficas, premios y planes de participación de utilidades.

EVALUACION DE LOS REPRESENTANTES DE VENTAS

Hasta este momento se ha descrito la forma cómo la gerencia se comunica con los representantes para indicarles lo que deben hacer y para motivarlos. Pero esto requiere de buena retroalimentación. Y ésta significa conseguir información regular de los representantes para evaluar su rendimiento.

Fuentes de información La gerencia obtiene información sobre sus representantes de ventas de varias maneras. La fuente más importante son los informes de ventas. Otras fuentes adicionales son observación personal, cartas y quejas de los consumidores, encuestas del consumidor y conversaciones con otros representantes de ventas.

Los informes de ventas se dividen en *planes para actividades futuras* y *evaluaciones críticas de las actividades terminadas*. El mejor ejemplo de la primera es el *plan de trabajo del vendedor,* que los representantes de ventas presentan con una semana o un mes de antelación. El plan describe las visitas y las rutas. Este informe lleva a la fuerza de ventas a planear y programar actividades, a informar a la gerencia del lugar donde se encuentren y proporciona una base para comparar planes y logros. A los representantes de ventas se les puede evaluar según su habilidad para ''planear el trabajo y cumplir su plan''. Ocasionalmente, la gerencia contacta a representantes individuales después de recibir los planes de éstos para mejoramientos.

Las compañías están comenzando a exigirles a sus representantes trazar un *plan de mercadotecnia de territorio* anual en el cual describen sus programas para desarrollar nuevas cuentas y acrecentar el negocio de las existencias. Los formatos varían considerablemente: algunos requieren de ideas generales acerca de desarrollo y otras piden un volumen detallado y estimados de utilidades. Este tipo de informe coloca a los representantes en el papel de gerentes de mercadotecnia y centros de utilidades. Sus gerentes estudian estos planes, hacen sugerencias y los usan para desarrollar sus cuotas de ventas.

Los representantes hacen una valoración crítica de sus actividades terminadas en *informes de visitas*. Estos informes mantienen enterada a la gerencia de ventas sobre las actividades del vendedor, indican el estado de las cuentas de los clientes y proporcionan información que podría ser útil en visitas subsecuentes. Los representantes también someten informes de gastos por los que se les reembolsa todo o parte. Algunas empresas también exigen informes sobre negocios nuevos, informes sobre negocios perdidos e informes sobre negocios locales y condiciones económicas.

Estos informes suministran los datos brutos de los cuales la gerencia de ventas puede extraer indicadores clave del rendimiento de ventas. Los indicadores claves son: 1) número medio de visitas de ventas por vendedor al día; 2) tiempo promedio de visita de venta por contacto; 3) ingresos medios por visita de ventas; 4) costo medio por visita de venta; 5) costo de representación por visita de venta; 6) número de pedidos por cien visitas de venta; 7) número de nuevos clientes por periodo; 8) número de clientes por periodo, y 9) costo de la fuerza de ventas como un porcentaje de las ventas totales. Estos indicadores responden varias preguntas útiles: ¿Hacen muy pocas visitas por día los representantes? ¿Pasan demasiado tiempo en cada visita? ¿Gastan demasiado en representación? ¿Cierran suficientes pedidos por cada cien visitas de venta? ¿Producen un número suficiente de clientes nuevos y mantienen los clientes antiguos?

Evaluación formal del rendimiento

Los informes de la fuerza de ventas, junto con otros informes y observaciones, suministran la materia prima para evaluar a los miembros de la fuerza de ventas. La evaluación formal produce al menos tres beneficios. Primero, la gerencia tiene que desarrollar y comunicar estándares claros para juzgar el rendimento. Segundo, la gerencia está motivada para recabar información más completa acerca de cada vendedor. Y tercero, los representantes saben que tendrán que sentarse una mañana con el gerente y explicar su rendimiento o su fracaso para lograr ciertas metas.

Comparaciones de vendedor

Un tipo de evaluación consiste en comparar y clasificar el rendimiento en ventas de los diversos representantes. Sin embargo, tales comparaciones pueden ser engañosas. Las diferencias en rendimiento serán significativas sólo si no se dan variaciones en el territorio, el potencial de mercado, la carga de trabajo, el grado de competencia, el esfuerzo promocional de la compañía y otras circunstancias. Además, las ventas no suelen ser el mejor indicador del logro. La gerencia debería interesarse más por lo que cada representante aporta a las utilidades netas. Y esto requiere examinar la mezcla y los gastos de ventas de cada representante.

Comparación de ventas actuales y anteriores

Un segundo tipo de evaluación consiste en comparar el rendimiento actual del representante con el rendimiento anterior; se obtiene así una indicación directa del progreso o retroceso. Un ejemplo se muestra en la tabla 19-1.

El gerente de ventas puede aprender muchas cosas acerca de John Smith en esta tabla. Las ventas totales de Smith aumentaron cada año (línea 3). Esto significa por fuerza que Smith esté haciendo un buen trabajo. La división por producto muestra que él ha sido capaz de empujar las ventas del producto B más allá que las del producto A (líneas 1 y 2). De acuerdo con su cuota para los dos productos (líneas 4 y 5), su éxito para aumentar las ventas del producto B puede darse a costa de las ventas del producto A. Según las utilidades brutas (líneas 6 y 7), la compañía gana el doble de utilidades brutas (como una razón

TABLA 19.1 *Forma para evaluar el rendimiento de los representantes de ventas*

	TERRITORIO: REGION CENTRAL		REPRESENTANTE DE VENTAS: JOHN SMITH	
	1982	1983	1984	1985
1. Ventas netas producto A	$251 300	$253 200	$270 000	$263 100
2. Ventas netas producto B	$423 200	$439 200	$553 900	$561 900
3. Total de ventas netas	$674 500	$692 400	$823 900	$825 000
4. Porcentaje de cuota producto A	95.6	92.0	88.0	84.7
5. Porcentaje de cuota producto B	120.4	122.3	134.9	130.8
6. Utilidades brutas producto A	$ 50 260	$ 50 640	$ 54 000	$ 52 620
7. Utilidades brutas producto B	$ 42 320	$ 43 920	$ 53 390	$ 56 190
8. Total de utilidades brutas	$ 92 580	$ 94 560	$109 390	$108 810
9. Gastos de ventas	$ 10 200	$ 11 100	$ 11 600	$ 13 200
10. Gastos de ventas con las ventas totales (%)	1.5	1.6	1.4	1.6
11. Número de visitas	1 675	1 700	1 680	1 660
12. Costo por visita	$ 6.09	$ 6.53	$ 6.90	$ 7.95
13. Número promedio de clientes	320	324	328	334
14. Número de clientes nuevos	13	14	15	20
15. Número de clientes perdidos	8	10	11	14
16. Ventas promedio por cliente	$ 2 108	$ 2 137	$ 2 512	$ 2 470
17. Utilidades brutas promedio por cliente	$ 289	$ 292	$ 334	$ 326

con las ventas) en A que en B. Puede que Smith esté impulsando el producto de volumen más alto y margen más bajo a costa del producto más lucrativo. Aunque Smith aumentó las ventas totales en mil 100 dólares entre 1984 y 1985 (línea 3), las utilidades brutas sobre sus ventas totales en realidad disminuyeron en 580 dólares (línea 8).

El gasto de ventas (línea 9) muestra un aumento constante, aunque el gasto total como un porcentaje de las ventas totales parece estar bajo control (línea 10). La tendencia ascendente en el gasto total en dólares de Smith no parece explicarse por ningún incremento en el número de visitas (línea 14). Sin embargo, hay una posibilidad de que en la búsqueda de nuevos clientes, Smith esté descuidando a los clientes actuales, como se indica por la tendencia ascendente en el número anual de clientes perdidos (línea 15).

Las últimas dos líneas en la tabla muestran el nivel y la tendencia en las ventas y utilidades brutas por cliente de Smith. Estas cifras se vuelven más significativas cuando se comparan con los promedios generales de la compañía. Si las utilidades brutas medias por cliente de John Smith son más bajas que el promedio en la compañía, puede que éste se concentre en los clientes equivocados o que no pase suficiente tiempo con cada uno. Al examinar su número anual de visitas (línea 11), puede que Smith esté haciendo menos visitas anuales que el vendedor medio. Si las distancias en su territorio no son muy diferentes, esto puede significar que él no trabaja un día completo, no planea muy bien su itinerario ni reduce al mínimo su tiempo de espera, o pasa demasiado tiempo con ciertas cuentas.

Evaluación cualitativa de los representantes

La evaluación usualmente incluye el conocimiento que tenga el vendedor de la compañía, sus productos, territorios, clientes, competidores y responsabilidades. Se valorarán las características de la personalidad, como el comportamiento general, aspecto personal, lenguaje y temperamento. El gerente de ventas también puede revisar cualquier problema en motivación u obediencia. El gerente de ventas deberá asegurarse de que el representante conozca las leyes (véase recuadro 19-6). Cada compañía debe decidir qué conocimientos son más útiles en el momento de hacer la evaluación. Deberá comunicarles estos criterios evaluativos a sus representantes para que sepan cómo se juzgará su rendimiento y para que procuren mejorarlo.

RECUADRO 19-6

VENTAS PERSONALES Y POLITICA GUBERNAMENTAL

Los representantes de ventas deben acatar las reglas de la competencia leal cuando traten de conseguir pedidos. Ciertas actividades son ilegales o están sujetas a muchas normas. Los representantes deberán abstenerse de ofrecer sobornos a los clientes, a los agentes de adquisiciones y a otras personas que ejerzan influencia en la decisión de compra. También es ilegal obtener información técnica o averiguar los secretos de la competencia mediante el espionaje o el soborno. No deberán desacreditar los productos de los rivales afirmando cosas falsas acerca de éstos. Tampoco deben vender artículos usados como si fueran nuevos ni mentir sobre las ventajas de la mercancía. Están obligados a comunicarle al cliente sus derechos, como sucede con el periodo de 72 horas durante el cual los clientes pueden retornar la mercancía y recuperar su dinero. No deben discriminar al cliente por raza, sexo ni credo.

Fuente: Adaptado de Ovid Riso, ed., *The Dartnell Sales Manager's Handbook,* 11th ed. (Chicago: Dartnell Corporation, 1968), p. 320-22.

■ *Resumen*

La mayoría de las compañías usan representantes de ventas, y muchas les asignan a éstos un papel central en la mezcla de mercadotecnia. El elevado costo de este recurso requiere un proceso eficaz por parte de la gerencia de ventas, que consta de seis etapas: establecer los objetivos de la fuerza de ventas; idear la estrategia, estructura, tamaño y remuneración de los representantes; reclutarlos y seleccionarlos; capacitarlos; supervisarlos, y evaluarlos.

Como un elemento de la mezcla de mercadotecnia, la fuerza de ventas contribuye ampliamente a la consecución de los objetivos y ejecuta ciertas actividades como la búsqueda de prospectos, comunicación, ventas y servicio, recabación de información y asignación. Bajo el concepto de mercadotecnia, la fuerza de ventas necesita habilidades en análisis de mercadotecnia y planeación, además de las habilidades tradicionales en ventas.

Una vez que se hayan escogido los objetivos de la fuerza de ventas, la estrategia de esta última debe responder a las siguientes preguntas: ¿qué tipo de venta dará mejores resultados (venta individual, venta en equipo, etc.)? ¿Qué clase de estructura de la fuerza de ventas es la más conveniente (territorial, por producto, centrada en el cliente)? ¿Qué tamaño debe tener? ¿Cómo se remunerará a los representantes en función del nivel de sueldos y de elementos como salario, comisiones, bonificaciones, gastos y prestaciones?

Los representantes deben ser reclutados y seleccionados con gran cuidado para no elevar demasiado los costos que implica contratar a personas ineptas. Los programas de capacitación familiarizan a los empleados de reciente ingreso con la historia de la compañía, sus productos y políticas, las características de los clientes y los competidores, con el arte de vender. El arte de vender es un proceso de siete etapas: búsqueda y clasificación de prospectos, preparación de la visita, la visita, presentación y demostración, manejo de objeciones, cierre y seguimiento. Los vendedores necesitan supervisión y aliento constantes, pues deben tomar muchas decisiones y están sujetos a muchas frustraciones. La compañía debe evaluar periódicamente el rendimiento de sus vendedores para ayudarlos a superarse.

■ *Preguntas de repaso*

1. ¿En qué forma se distingue la *venta personal* de la *publicidad*?

2. Relacione las seis tareas de la venta con un representante de automóviles.

3. ¿En qué otras formas alternativas puede estructurarse la fuerza de ventas? Relacione cada una con una compañía específica que venda productos industriales.

4. Una combinación de salario directo y comisiones puede que sea la mejor manera de remunerar a la fuerza de ventas. Comente esta afirmación.

5. ¿Cuáles son las dos cualidades personales que en su opinión sean sumamente importantes para un representante de ventas exitoso? ¿Por qué?

6. La World Book Encyclopedia Company acaba de contratarlo para que sea su vendedor en el verano. Explique las etapas por las que pasará para llegar a ser un buen vendedor.

7. ¿Qué tareas deben llevar a cabo quienes supervisan a los representantes de ventas?

8. ¿Cómo evaluaría su rendimiento en la venta de enciclopedias el gerente de ventas de la compañía de la pregunta al final del verano?

■ *Bibliografía*

1. Extractos de Thomas Ehrich, "To Computer Salesmen, the 'Bit-Ticket' Deal Is the One to Look For", *Wall Street Journal*, 22 de enero de 1974, p. 1.
2. Robert N. McMurry, "The Mystique of Super-Salesmanship", *Harvard Business Review*, marzo-abril de 1961, p. 114.
3. Véase William R. Dixon, "Redetermining the Size of the Sales Force: A Case Study", en *Changing Perspectives in Marketing Management*, Martin R. Warshaw (Ann Arbor: University of Michigan, Michigan Business Reports, 1962), No. 37, p. 58.
4. Véase Roger M. Pegram, *Selling and Servicing the National Account* (New York: Conference Board, 1972); y Benson P. Shapiro y Rowland Moriarty, "National Account Management", Marketing Science Institute, 1980.
5. William H. Kaven, *Managing the Major Sale* (New York: American Management Association, 1971); y Benson P. Shapiro y Ronald S. Posner, "Making the Major Sale", *Harvard Business Review*, marzo-abril de 1976, pp. 68-78.
6. Para más sobre la carga de trabajo y otros enfoques, véase Walter J. Talley, "How to Design Sales Territories", *Journal of Marketing*, enero de 1961, pp. 7-13; y Gilbert A. Churchill, Jr., Neil M. Ford, and Orville C. Walker. Jr. *Sales Force Management* (Homewood, IL: Irwin, 1981), pp. 160-67.
7. "1984 Survey of Selling Costs", *Sales and Marketing Management*, 20 de febrero de 1984, p. 60.
8. Ibid., p. 61.
9. La encuesta fue dirigida por Sales Executives Club of New York, y un informe de la misma apareció en *Business Week*, 1 de febrero de 1964, p. 52.
10. "1984 Survey of Selling Costs", p. 67.
11. McMurry, "Mystique of Super-Salesmanship", p. 117.

12. Ibid., p. 118.
13. "Youth Continues to Snub Selling", *Sales Management*, 15 de enero de 1965, p. 69. Véase también Donald L. Thompson, "Stereotype of the Salesman", *Harvard Business Review*, enero-febrero de 1972, p. 21.
14. "1984 Survey of Selling Costs", p. 73.
15. Parte de la siguiente discusión se basa en W. J. E. Crissy, William H. Cunningham e Isabella C. M. Cunningham, *Selling: The Personal Force in Marketing* (New York: Wiley, 1977), pp. 119-29.
16. Vincent L. Zirpoli, "You Can't 'Control' the Prospect, So Manage the Presale Activities to Increase Performance", *Marketing News*, 16 de marzo de 1984, p. 1.
17. Mark Hanan, "Join the Systems Sell and You Can't Be Beat", *Sales and Marketing Management*, 21 de agosto de 1972, p. 44. Véase también Mark Hanan, James Cribbin y Herman Heiser, *Consultative Selling* (New York: American Management Association, 1970).
18. Crissy, Cunningham y Cunningham, *Selling*, pp. 289-94.
19. Véase Gerald I. Nierenberg, *The Art of Negotiation* (New York: Hawthorn, 1968); y Chester L. Karrass, *Give and Take: The Complete Guide to Negotiating Strategies* (New York: Crowell, 1974).
20. Véase John F. Magee, "Determining the Optimum Allocation of Expenditures for Promotional Effort with Operations Research Methods", en *The Frontiers of Marketing Thought and Science*, Frank M. Bass, ed. (Chicago: American Marketing Association, 1958), pp. 140-56.
21. Para ejemplos, véase "S&MM's Special Computers in Marketing Section", *Sales and Marketing Management*, 5 de diciembre de 1983, pp. 52-63.
22. J. B. Heckert, *Business Budgeting and Control* (New York: Ronald Press, 1946), p. 138.

CASO 13

LA PILLSBURY CO.: TOTINO'S PIZZA

Totino's, Inc., una compañía de pizzas congeladas cuya sede se encuentra en Minneapolis, fue adquirida por la Pillsbury Co., en 1975, año en que las ventas anuales tuvieron una tasa de crecimiento de 20%. Al cabo de dos años, la revolucionaria tecnología de corteza tostada ya había sido inventada por Totino's y la firma ya estaba lista para lanzar un dinámico plan de mercadotecnia, con el cual pretendía conquistar el liderazgo en este sector del mercado de alimentos. Los aspectos claves del plan eran mejorar el producto, hacer esfuerzos promocionales de mucho vigor y atender los tres segmentos básicos del mercado: de precio alto, mediano y bajo.

El plan dio buenos resultados y en tres años Totino's ya era el líder de las pizzas congeladas en Estados Unidos, pese a la aparición de otros competidores patrocinados por General Mills (Saluto), H. J. Heinz (La Pizzeria), Nestlé (Stouffers), Quaker Oats (Celeste) y una competencia más firme proveniente de 100 firmas regionales de menor tamaño.

En 1976 Pillsbury compró la Fox De Luxe Pizza, que en esa época era un pequeño fabricante de pizzas congeladas que se distribuían principalmente en la parte sudeste del país. Fox De Luxe era diferente en la formulación del producto y utilizaba un pan horneado y no frito. Normalmente también se vendía a un precio al menudeo más bajo que la Party Pizza regular de Totino's.

Más recientemente, en 1984, Pillsbury introdujo una pizza congelada, diseñada especialmente para prepararse en hornos de microondas. Este producto fue lanzado bajo el nombre de marca Pillsbury Microwave. La firma también vende otros productos congelados específicamente para hornos de microondas, incluyendo panqués y palomitas de maíz.

Jeno's, Inc., de Duluth, Minnesota, antiguo líder en el mercado de pizzas congeladas y que a últimas fechas ocupaba el segundo lugar, buscó recuperar su liderazgo intentando nulificar la ventaja de Totino's en el empaque tan característico que tenía la corteza tostada. Dos años después lanzó su versión de la "corteza tostada y sabrosa". El empaque de tamaño "regular" (cerca de 300 gramos) se confundía con el de Totino's. Después de ciertas acciones legales, Jeno's cambió el diseño de su empaque. Subsecuentemente, a comienzos de la década de 1980, Jeno's aumentó su porción mediante la adquisición de Chef Saluto de General Mills y dos marcas regionales, John's y Gino's, pero siguió en el segundo lugar.

En general, la industria alimenticia está mostrando tendencias hacia productos de mayor calidad y más sanos. Tal vez debido a que hay más mujeres en la fuerza laboral, los consumidores están exigiendo calidad más alta, alimentos más nutritivos y están dispuestos a pagar por esto. Dentro de la industria de las pizzas, los productos que están más cerca de satisfacer esta necesidad son las marcas que se entregan a domicilio y las deli pizzas, que se hacen en algunos supermercados grandes. La My Classic Pizza de Totino's compite en este segmento de alto precio.

Los desembolsos publicitarios en la industria representan ahora cerca de 2% de las ventas, porcentaje que los coloca entre los más bajos de los productos alimenticios y a una tasa que suele depender del tipo de comestible. Por otra parte, una cantidad considerable se destina al nivel detallista por concepto de exhibición, publicidad y otro tipo de gastos como los incentivos de ventas. También a los consumidores se les ofrecen incentivos: los principales son las baratas promocionales y cupones. *Rara vez pasa una semana sin que se realice alguna promoción especial para artículos en el empaque de la pizza congelada.*

Los detallistas prefieren las marcas que les den muy buenas utilidades. Por ser escaso el espacio de que disponen en el congelador, prefieren las compañías que dedican grandes sumas a la publicidad y a la promoción, sobre todo los descuentos comerciales que mejoran directamente la rentabilidad. Por su parte, Totino's y otros productores admiten que esos descuentos y casi todos los tipos de promoción de ventas constituyen sólo un estímulo a corto plazo, sin que logren crear una gran lealtad entre los consumidores. La gerencia de Totino's desea invertir en publicidad y promoción para conseguir esa lealtad; por ejemplo, una franquicia de consumidores. Y a pesar de esto, los competidores destinan fuertes inversiones en estimulación inmediata de las ventas, en especial los fabricantes menores.

La gerencia de Totino's debe ahora reconsiderar sus objetivos y actividades de mercadotecnia en vista de la nueva situación competitiva y los cambios del estilo de vida del consumidor, especialmente en lo que toca a los aspectos de publicidad y promoción. ¿Qué recomendaciones daría a la gerencia de Totino's acerca de la comercialización del producto, particularmente la publicidad y la promoción de ventas?

Apéndice: Información adicional sobre la industria

1. Las ventas de pizzas congeladas llegaron a unos 950 millones de dólares en 1983 comparadas con las ventas en pizzerías de casi cinco mil millones de dólares: muchas veces más que las ventas de pizzas congeladas. Mientras que las pizzas congeladas representaban alrededor de 30% de todas las pizzas consumidas, más de 70% de todas las pizzas, incluyendo las de pizzerías, se comen en casa.

2. La pizza congelada está creciendo en su volumen de dólares, pero con más lentitud que otros alimentos congelados.

	CRECIMIENTO EN DOLARES
Total de comidas congeladas	+10.7
Comidas preparadas congeladas	+21.3
Platillo sencillo congelado	+19.9
Cenas congeladas	+48.3
Entremeses congelados	+34.9
Pizza congelada	+ 3.1

3. Las diferencias regionales en gusto son grandes y la variedad hace difícil que las cadenas de comida rápida preparen pizzas al gusto, lo cual hace más fácil que sobrevivan las pequeñas cadenas regionales. La pizza está más fragmentada y menos dominada por las cadenas que el segmento de las hamburguesas de restaurantes de comida rápida. Las diferencias regionales en gusto también fueron una razón por la cual, últimamente, la industria de las pizzas congeladas estaba sumamente fragmentada y no había marcas nacionales fuertes.

4. Las categorías de pizzas congeladas y los estimados marcantiles de porciones de mercado y tasas de crecimiento para un año reciente son:

	PORCENTAJE DEL TOTAL	TASA DE CRECIMIENTO
Plato sencillo 6-8 onzas	6.6%	+16.8
Regular 9-12 onzas	53.4	+ 0.7
Tamaño medio 13-17 onzas	11.9	+ 9.5
De lujo 18 y más onzas	12.4	+ 7.9
Pan francés	7.4	+16.7

La línea de pizza Pillsbury incluye lo siguiente:

NOMBRE	DESCRIPCION	CATEGORIA	PESO (onzas)
Totino Party	Corteza tostada	Regular	9–10.85
Totino Extra	Cubierta extra	Tamaño medio	13–14.3
Totino My Classic	Corteza delgada	De lujo	20–24.5
Totino Heat & Eat (M/W)	Microondas	Porción sencilla	3.5–?
Pillsbury Microwave	Microondas	Porción sencilla	6–9.9
Fox De Luxe	Corteza tostada	Económica	10

5. La popularidad de la pizza cruza los segmentos de mercado. La revista *Chain Institutions Magazine* descubrió que en un año reciente más de 48% de las operaciones de servicio encuestadas informaron que la pizza ''se vende bien'' cuando está en el menú. Incluyen restaurantes de servicio completo, restaurantes de comida rápida, hoteles y moteles, hospitales, asilos, escuelas y universidades y comedores para empleados.

6. Hay un gran número de procesadores en el negocio de las pizzas congeladas:

FABRICANTE	MARCAS
Pillsbury	Totino's, Fox De Luxe, Pillsbury Microwave
Quaker Oats	Celeste
Nestlé	Stouffer
American Home Products	Chef-Boy-Ar-Dee

Los principales independientes son los siguientes:

FABRICANTE	MARCAS
Jeno's, Inc.	Jeno's, Mr. P's, John's, Gino's, Chef Saluto
United Products*	La Pizzeria
Tony's	Tony's, Red Baron
Tombstone	Tombstone

*Compró La Pizzeria de H. J. Heinz en 1984.

Las porciones de mercado de estos siete fabricantes se estiman de la manera siguiente:

FABRICANTE	PORCION DE CAJAS DE PIZZA CONGELADA (%)
Pillsbury	30
Jeno's, Inc.	25
Quaker Oats	8
Nestlé	8
Tony's	7
Tombstone	3
United Products	1
Chef-Boy-Ar-Dee	1

7. Las pizzas de Totino's se distribuyen virtualmente en todas las áreas geográficas. Totino's tiene una porción de marca muy fuerte, especialmente en el segmento regular (Party Pizza), en muchas áreas. Sin embargo, en algunos mercados las marcas locales o las marcas fuertemente atrincheradas de las principales compañías de bienes de consumo tienen la porción dominante del mercado.

8. Para vender el producto, suelen emplearse corredores de comidas congeladas o sistemas de distribución de almacén. Se dice que Tony's y Tombstone son las únicas firmas con sistemas directos de entrega en las tiendas.

9. Los descuentos mercantiles son un instrumento principal de mercadotecnia para la industria. Están diseñados para alentar promociones de bajo precio del detallista al consumidor. La

guerra por la porción de mercado mantiene los precios bajos y reduce los márgenes potencialmente altos. En el comercio minorista se dice que nadie hace mucho dinero todavía con las pizzas congeladas. *"No hay espacio en el congelador para todos, y uno se va con los que están gastando dinero (publicidad y promoción)"*, declaró un detallista.

10. Hasta la reciente introducción de la pizza de microondas de Pillsbury (un tamaño para una sola persona), los hornos de microondas producían una corteza indeseablemente blanda. El producto de Pillsbury viene en empaque de tecnología avanzada que incluye un dispositivo de cocción, que permite que la corteza quede tostada. Debido al alto precio de este empaque, no tendría sentido usarlo en pizzas de tamaño grande o en aquéllas que se compran para hornos convencionales.

11. Algunos detallistas indican que las ventas de pizzas *deli/refrigeradas* han causado un aumento notable del volumen total de pizzas. Parece que la pizza *deli/refrigerada* es un artículo que se compra por un fuerte impulso.

CASO 14

PUREX INDUSTRIES, INC.

Purex es una empresa que fabrica y comercializa productos industriales y de consumo, en especial artículos a precio de promoción tanto en las categorías de marca registrada como de marca libre. Ocupa el cuarto lugar entre las que fabrican productos domésticos de limpieza, y el primer lugar entre los fabricantes y distribuidores de los productos domésticos de limpieza de marca privada. Purex tiene 25% del mercado del blanqueador líquido, esto la coloca en el segundo lugar después de Clorox; afirma también que posee una participación importante en el mercado de secadores de ropa y suavizantes de telas, siendo superada solamente por Procter & Gamble, líder en este campo.

A continuación se enumeran los desarrollos internos y externos que han originado una nueva situación de competencia que exigirá cambios en los esfuerzos de mercadotecnia de Purex, en especial en los que se relacionan con los productos de limpieza.

1. Los productos de marca privada y genérica representan hoy en día una participación notable y creciente en las ventas de esta industria, sobre todo en los artículos de papel y en los de limpieza para el hogar. Los consumidores muestran mayor aceptación a causa de los factores económicos y de otra índole, pero su aceptación depende del producto, el establecimiento detallista y el área.

   Según la Generics Survey (encuesta de productos genéricos) de 1984, de los 150 principales mayoristas y detallistas de alimentos en Estados Unidos, las marcas genéricas aumentaron a 10% de las ventas, a pesar de sus empaques sin adornos y su falta de apoyo de mercadotecnia. Como el precio de los artículos genéricos estaba a un promedio de 27.8% por debajo de las marcas nacionales, y un promedio de 12.8% por debajo de las marcas privadas, según la encuesta, los operadores estimaban que las marcas nacionales fueron las más afectadas por la creciente popularidad de los artículos genéricos.

2. Los detallistas, deseosos de atraer a los clientes que buscan un buen precio, empiezan a preferir los productos sin marca y el comercio minorista "sin adornos" en los supermercados ordinarios. Empiezan a proliferar también nuevos tipos de establecimientos al detalle sin decoración, entre los que pueden contarse Aldi, A&P's Plus y Jewel's T Box, así como las tiendas de fábrica que dan importancia principalmente al valor de la mercancía. Algunos establecimientos han reducido el número de las categorías de bienes en existencia, mientras que otros sólo expenden dos o tres marcas de prestigio en cada una.

3. Los fabricantes de marcas que reciben publicidad a nivel nacional están produciendo líneas orientadas principalmente al precio, pues sufren la competencia de las marcas privadas y ge-

néricas. Scott Paper Company, el productor más importante de papel sanitario, cuenta con artículos en ambos extremos del espectro de precios. Procter & Gamble lanzó una línea de productos de papel con el nombre de Summit, sin publicidad alguna y centrada en el ahorro para el consumidor. Introdujo asimismo un champú de bajo precio llamado Ivory; sólo que en los mercados de prueba no recalcó el precio como un punto de venta. Aún no está claro cuánta publicidad recibirá.

4. Purex ha tomado varias medidas para adaptarse al cambio de las condiciones de mercado, a saber:

a. Compró la Decatur, los activos de la A. E. Staley Company (con sede en Illinois) y su negocio de productos domésticos y productos alimenticios al detalle. Esto le dio una línea más de artículos de lavandería, suavizantes de telas, almidón de maíz y productos de jarabe, además de cuatro fábricas en Estados Unidos.

b. Compró las dos plantas de detergentes de secado por pulverización que la Witco Chemical Company (con sede en Nueva York) tenía en ubicaciones estratégicas. De este modo, con esos productos de bajo precio aumentó Purex su capacidad a cinco de esas unidades.

c. Vendió algunos de sus negocios de tipo industrial o agrícola que arrojaban pérdidas y, optando por el sistema de regalías, cambió la fabricación y venta de sus productos farmacéuticos a la Jeffrey Martin, Inc., una firma internacional que obtuvo enorme éxito con su crema Porcelana para desvanecer los barros de la piel. Entre las nuevas marcas figuraban Ayds (supresor del apetito), las pastillas Doan y los productos médicos para la piel Cuticura. Todo esto ha venido a darle a Purex mayor disponibilidad de efectivo, permitiéndole al mismo tiempo reasignar sus activos.

d. Reestructuró sus operaciones para ofrecer organizaciones a nivel mundial que manejen por separado los productos de consumo y los industriales, lo mismo que los servicios.

El primer producto de Purex fue un blanqueador casero y su principal competidor fue y ha seguido siendo Clorox. Ambas compañías trataron de que el público las identificara por su marca y para lograrlo recurrieron a la publicidad, el empaque y las etiquetas. Desde el punto de vista químico, se trata de un producto idéntico. Con los años Purex ha adquirido productos de marcas de prestigio, a veces después de que éstas hayan alcanzado su nivel máximo. Entre ellas se cuentan Dutch (un detergente quitamanchas), Bo-Peep (un amoniaco), el añil LaFrance y Cameo, que sirve para dar brillo al cobre. También conviene mencionar Fels Naptha (jabón en barra para ropa), Sweetheart (productos de jabón), Dobie (almohadillas para limpiar), Brillo (almohadillas de jabón), la pizza Ellio's, jitomates de la marca Pope y otros productos italianos. La firma también desarrolló productos para ofrecer una línea completa de artículos de limpieza doméstica.

La gerencia de la Purex atribuye el éxito de los productos de marca principalmente a los siguientes factores: 1) su plan de ventas de "cuentas claves" se dirigió a los detallistas, y 2) su concepto de "precio/valor" se centró en los consumidores y distribuidores.

El concepto de "cuentas claves" consiste en trabajar eficientemente con un pequeño número de grandes cadenas detallistas, que constituyen una parte desproporcionadamente extensa de las ventas de productos de consumo. Al dedicarse de lleno a esos clientes, al enterarse de sus necesidades, coordinar las actividades y satisfacer las exigencias, los representantes que los atienden han logrado muchísimo éxito. El método tan eficaz de Purex (es decir, cultivar las relaciones de beneficio mutuo con los grandes distribuidores) ha conseguido aceptación general entre los competidores, con lo cual ha disminuido en parte una de las ventajas iniciales de Purex.

Los elementos que conforman el concepto de mercadotecnia de precio y valor de Purex son: calidad competitiva a menores precios, apoyo publicitario relativamente ligero, grandes incentivos para los distribuidores. Purex afirma que el margen bruto de utilidades de los detallistas es mucho mayor que el de los que trabajan para la competencia. El logotipo de la compañía, con su lema "símbolo de valor" (un círculo que rodea a una mano extendida que sostiene una barra de jabón Purex sobre la inscripción "Símbolo de valor"), aparece en casi todos los anuncios y empaques. A veces no es fácil probar ese valor. Procter & Gamble, por su parte, sostiene que sus products ofrecen mayor rendimiento del que perciben los consumidores. Y esto sí puede demostrarse.

Purex vendió productos con precio promocional en la década de 1960, basándose en el concepto de precio/valor, pero en la década de 1970 impulsó con mayor agresividad el concepto rebajando aún más el precio. Los blanqueadores y detergentes de marca costaban 30% menos que las marcas de mayor venta. Los observadores piensan ahora que la competencia será todavía más fuerte contra Purex, si sus marcas genéricas logran más aceptación y si los fabricantes de marcas con obsequios promocionales aumentan los productos de marca con precios rebajados. El éxito del concepto de precio/valor depende de que el consumidor esté convencido de que obtiene un artículo de calidad a un precio módico.

El caso que ilustra lo anterior es el blanqueador líquido, producto que cae dentro de la categoría de los bienes de uso común. El ingrediente activo en todos los blanqueadores de esa clase que se venden en Estados Unidos es el hipoclorito sódico: 5.25%. El restante 94.75% es agua. Con todo, los siguientes precios de blanqueadores de marca y sin marca se han observado en un supermercado de una gran cadena:

TAMAÑO	NACIONAL	REGIONAL	MARCA PRIVADA	GENERICO
1 qt	$ .55			
2 qt	.79		$ .66	
4 qt	.94	$ .89	.79	$ .58
6 qt	1.65			

Las diferencias de precios de este tipo se dan en casi todos los establecimientos donde se expende blanqueador líquido, pese a que los envases contienen en esencia la misma solución. La persistencia de estas diferencias dependerá de si las empresas logran inculcar una identificación de marca en la mente del consumidor. Antiguamente Purex trataba de lograrlo aumentando los ingredientes activos hasta 5.75%, con lo que podía afirmar que tenía un producto más fuerte y eficaz. Más tarde, volvió a la fórmula de 5.25% y todavía la sigue usando. Clorox ha desarrollado un envase de uso fácil y que no gotea.

Se estima que los productos sin marca, incluyendo los de marca privada y los genéricos, representan hoy casi el 35% de las ventas de Purex en el sector de los productos de limpieza para el hogar. Algunos observadores ven en esto un problema potencial, ya que en este negocio se dan grandes pedidos, pero sin lealtad por parte de los consumidores. Purex y otros proveedores de productos sin marca admiten el fuerte poder de negociación con los grandes distribuidores, en especial cuando un proveedor llega a depender demasiado de uno o unos cuantos clientes. Durante muchos años Purex ha disfrutado de la ventaja de su concepto de mercadotecnia basado en el precio/valor. Ante la nueva situación competitiva, se plantea esta pregunta: ¿los planes de mercadotecnia basados en este concepto le servirán realmente a Purex para mantener una tasa adecuada de crecimiento y utilidades? ¿Qué recomendaciones le daría a la gerencia de Purex?

seis

ADMINISTRACION DEL ESFUERZO DE MERCADOTECNIA

En la sexta parte de este libro se examina la forma en que las compañías diseñan e implantan sólidas estrategias de mercadotecnia competitiva usando los instrumentos de la mezcla de mercadotecnia.

HASTA EL CONDUCTOR MAS HABIL ES SOLAMENTE TAN BUENO COMO LO SEAN SUS NEUMATICOS.

Eagle — Fabricadas para automóviles que poseen características adecuadas

A fin de cuentas, el contacto del automóvil con el pavimento realzará o entorpecerá la habilidad del conductor para controlarlo.

Quizás a ello se deba que la mayoría de los pilotos profesionales corran con llantas de carrera Eagle de Goodyear.

Su constante participación en carreras es también la mejor forma que conocemos para usar las llantas a su máximo.

La tecnología que hemos desarrollado a partir de estas pruebas se aplica en cada una de las llantas que fabricamos. En consecuencia, la llanta Eagle de alto rendimiento se encuentra entre las mejores del mundo.

Quizás usted quiera añadir un juego de llantas radiales Eagle para su propio automóvil. Estamos seguros que le harán buena compañía.

La línea completa de llantas de alto rendimiento Eagle sólo se encuentra en su centro distribuidor Goodyear.

GOODYEAR

20
Estrategias competitivas de mercadotecnia

Durante los últimos años el mercado de las llantas se ha vuelto cada vez más competitivo, ha experimentado un crecimiento lento, un exceso de capacidad y guerra de precios. Cada gran productor de llantas tiene la misma meta global: existir lucrativamente en esta industria. Pero cada uno usa una estrategia competitiva sumamente diferente.

Goodyear Tire & Rubber, el fabricante de llantas más grande del mundo, está invirtiendo dinero en esta industria para proteger su posición como líder de mercado. Goodyear está invirtiendo mucho en modernización de las plantas para abatir los costos y mejorar la calidad, en investigación y desarrollo para diseñar llantas más avanzadas, y en mercadotecnia y publicidad para crear preferencia entre los consumidores y los distribuidores. A través de esta estrategia, Goodyear ha acrecentado su porción de mercado, pero le llevará mucho tiempo traducir esa mayor porción de mercado en utilidades.

Goodyear está vigilando muy atentamente a Michelin, el fabricante de llantas número dos y el principal desafío de mercado. Michelin se elevó a su alta posición debido a sus innovaciones en la industria. Lanzó la llanta radial con cinturón de acero, que duraba más que las llantas de los competidores. Las continuas innovaciones de Michelin le valieron una reputación de ''Cadillac'' por su alta calidad que le permitía cobrar un precio más elevado. Aunque Michelin ha bajado sus precios a últimas fechas para recuperar porción de mercado, todavía busca el liderazgo mediante la innovación tecnológica.

Uniroyal, la compañía que ocupa el cuarto lugar en la industria llantera, ha elegido una estrategia de diversificación para reducir su dependencia del negocio llantero de crecimiento lento. Está entrando en dos negocios ajenos a las llantas: sustancias químicas para la agricultura y productos de plástico manufacturados, que responden a 33% de sus ventas pero a más de 75% de sus ganancias. Uniroyal ha diversificado sus unidades de negocios para hacer pelotas de golf, cámaras y mangueras para incendios, pero todavía debe averiguar qué hacer con su negocio central de llantas, que cuelga como un albatros de su cuello. Uniroyal es el principal proveedor de llantas de equipo original de la General Motors, pero debido al crecimiento de menos de 2% en la industria llantera y a las intensas reducciones de precio, Uniroyal estaría dispuesta a vender su negocio de llantas si pudiera encontrar un comprador.

La Armstrong Rubber Company, que se cuenta entre las seis principales firmas fabricantes de llantas de Estados Unidos, ha elegido especializarse en fabricar llantas casi completamente para el mercado de repuestos. Ha desarrollado grandes habilidades para escoger y explotar nichos de mercado de especialidad, como los de las llantas para vehículos recreativos y equipo agrícola. Armstrong selecciona segmentos de mercado más pequeños pero potencialmente lucrativos y busca el liderazgo en cada segmento de mercado escogido, especializándose en atender las necesidades de ese mercado.

Cada una de estas compañías ha adoptado una estrategia de mercadotecnia competitiva que considera la más adecuada para la posición de la firma en la industria y para el ambiente industrial sumamente competitivo y de cambio rápido. Goodyear se concentra en la reducción de los costos; Michelin persigue la innovación; Uniroyal ha escogido la diversificación; Armstrong practica una estrategia de nicho de mercado al penetrar mercados pequeños pero altamente lucrativos.[1]

La administración del esfuerzo de mercadotecnia implica *analizar* el ambiente y las posibles acciones, *planificar* las estrategias y programas que aprovechen mejor las oportunidades de mercado, *implantar* estas estrategias y programas mediante una organización eficaz, y *controlar* los esfuerzos para asegurar que la compañía opere de modo eficaz y eficiente.

En la segunda parte de este libro se examinaron los procesos de planeación estratégica y de planeación de mercadotecnia para ver las actividades de los mercadólogos bajo el plan estratégico global de la empresa. En las partes tercera y cuarta se examinó la forma en que los mercadólogos analizan a los consumidores y a los ambientes de mercadotecnia para seleccionar los mercados meta más prometedores. Y en la quinta parte se examinaron detenidamente las variables de la mezcla de mercadotecnia: los instrumentos que los mercadólogos pueden ensamblar en programas que lograrán los objetivos de la compañía y de la mercadotecnia. Ahora estamos preparados para examinar las estrategias generales de mercadotecnia que podrían resultar del análisis y planeación que haga la compañía, la forma como se adaptan estas estrategias a las situaciones competitivas cambiantes y la manera de implantarlas y controlarlas.

En este capítulo se examinarán las estrategias competitivas generales que los mercadólogos usan de acuerdo con sus recursos, posición en la industria y ambiente competitivo. En el capítulo siguiente se verá la manera en que las compañías implantan estrategias y programas de mercadotecnia y la organización y control que ejercen sobre estos esfuerzos.

ESTRATEGIAS COMPETITIVAS

Los mercadólogos deben diseñar estrategias que igualen mejor los recursos de la empresa con las oportunidades ambientales. ¿Pero qué estrategias generales de mercadotecnia podría usar la firma? ¿Cuáles son mejores para una compañía determinada o para las diferentes divisiones y productos de la firma?

El concepto de mercadotecnia estipula que para tener éxito, los mercadólogos deben determinar las necesidades y deseos de los consumidores meta y proporcionarles los satisfactores deseados con más eficacia y eficiencia que los competidores. Así, la estrategia de mercadotecnia debe adaptarse no sólo a los consumidores meta, sino también a los competidores que están sirviendo a los mismos consumidores meta. Para tener éxito los mercadólogos deben formular estrategias que posicionen fuertemente sus ofertas en comparación con las ofertas de los competidores en la mente del consumidor: estrategias que le den a la compañía, unidad de negocio o producto, la *ventaja estratégica* lo más fuerte posible.

No hay una estrategia única que sea la mejor para todas las compañías. Cada firma debe determinar qué tiene más sentido en vista de su posición en la industria y sus objetivos, oportunidades y recursos. Incluso dentro de una compañía, pueden ser necesarias diferentes estrategias para distintos negocios o productos. Johnson & Johnson usa una estrategia de mercadotecnia para sus marcas principales en mercados de consumo estables, y una estrategia de mercadotecnia distinta para sus nuevos negocios y productos de cuidado de la salud de alta tecnología. En este capítulo, se considerarán las *estrategias de mercadotecnia competitivas* generales que los mercadólogos puedan usar para sus compañías, unidades de negocio o marcas

Posiciones competitivas Los mercadólogos deben adaptar constantemente sus estrategias al ambiente competitivo cambiante. En el ambiente económico de crecimiento rápido de la década de 1960, las compañías les prestaban menos atención que hoy en día a los competidores. El pastel económico crecía con la suficiente rapidez para que todos tuvieran éxito. En las décadas de 1970 y 1980, la disminución del crecimiento económico dio lugar a una competencia intensificada. Las compañías comenzaron a prestarles gran atención a las ventajas y desventajas de sus competidores, y a menudo lanzaban ataques a las posiciones de éstos. Las compañías fundamentaban cada vez más sus estrategias de mercadotecnia en la lógica tanto de los deseos del consumidor como de las posiciones de la competencia.[2]

El tamaño y la posición de cada firma determinará su estrategia de mercadotecnia. Las compañías grandes con posiciones dominantes en una industria pueden practicar ciertas estrategias que las firmas pequeñas no pueden costear. Pero ser grande no es suficiente. Hay estrategias ganadoras para firmas grandes; también hay estrategias perdedoras para firmas grandes. Y las firmas pequeñas a menudo pueden encontrar estrategias para lograr tasas de rendimiento iguales o mejores que las de las firmas grandes. Tanto las compañías grandes como las pequeñas, deben diseñar estrategias que las posicionen eficazmente en contra de los competidores en su mercado. Michael Porter, en su obra *Competitive Strategy,* recomienda cuatro estrategias genéricas de posicionamiento que las compañías deberían seguir: tres estrategias ganadoras y una estrategia perdedora.[3]

- ■ **Liderazgo de costo general.** Aquí la compañía trabaja duro para lograr costos más bajos de producción y distribución de modo que pueda poner un precio más bajo que sus competidores y ganar una porción grande de mercado. Las firmas que sigan esta estrategia deben ser buenas en ingeniería, adquisiciones, fabricación y distribución física, y necesitan menos habilidades en mercadotecnia. La Texas Instruments es un líder en esta estrategia.

- ■ **Diferenciación.** Aquí la compañía se concentra en crear una línea de producto sumamente diferenciada y un programa de mercadotecnia, de modo que se convierta en el líder de clase en la industria. La mayoría de los clientes prefiere poseer esta marca si el precio no es demasiado alto. Las compañías que siguen esta estrategia tienen sus principales puntos fuertes en investigación y desarrollo, diseño, control de calidad y mercadotecnia. IBM y Caterpillar disfrutan de la posición de diferenciación en computadoras y equipo pesado para construcción, respectivamente.

- ■ **Enfoque (alta segmentación).** Aquí la compañía concentra su esfuerzo en servir bien a unos cuantos segmentos de mercado en vez de ir tras el mercado completo. La compañía llega a conocer las necesidades de estos segmentos y persigue el liderazgo de costos, la diferenciación de producto o ambas cosas, dentro de cada segmento. Así, Armstrong Rubber se ha especializado en fabricar llantas superiores para equipo agrícola y vehículos recreativos, y sigue buscando otros nichos que servir.

Según Porter, las compañías que siguen una estrategia clara (cualquiera de las anteriores) tienen probabilidades de desempeñarse bien. Las firmas que siguen la misma estrategia constituyen un *grupo estratégico.* La firma que aplique mejor esa estrategia tendrá las mayores utilidades. Así, la firma de costo más bajo entre las empresas que siguen esta estrategia tendrá el mejor desempeño. Porter indica que las firmas que no siguen una estrategia clara (posicionamiento a la mitad) son las que presentan el peor funcionamiento. Chrysler e International Harvester tuvieron tiempos difíciles, ya que ninguna destacaba en sus industrias respectivas como la más baja en costos, la más alta en el valor percibido o la mejor en servir a algún segmento del mercado. Las posicionadas a la mitad tratan de ser buenas en todas las dimensiones estratégicas, pero como cada una requiere formas diferentes y a menudo incongruentes para organizar a la empresa, estas compañías terminan por no ser particularmente excelentes en alguna cosa (véase figura 20-1).

En este capítulo se desarrollará una clasificación diferente de las posiciones competitivas. Las compañías, las divisiones de una empresa o los productos se pueden clasificar por su comportamiento en una industria: liderazgo, desafío, seguidores o nichos. Supóngase que una industria tiene la estructura de mercado que se muestra en la figura 20-1. El 40% del mercado está en manos del *líder de mercado,* firma cuyos productos tienen la mayor

RECUADRO 20-1

POSICIONES COMPETITIVAS EN LA INDUSTRIA DE CAMIONES DE TRABAJO PESADO

Las compañías que logran liderazgo de costo, alta diferenciación de producto o concentración de mercado pueden disfrutar de altas tasas de rendimiento. Las que siguen estrategias moderadas usualmente sólo ganan tasas de rendimiento promedio o por debajo de éste. La investigación de William Hall ilustra la forma cómo estas posiciones competitivas se relacionan con la rentabilidad en la industria de fabricación de camiones. La figura que aparece a continuación muestra las posiciones competitivas a fines de la década de 1970 de siete fabricantes de camiones de acuerdo con su *costo de entrega relativo* (al ser una firma de costo bajo) y su *rendimiento relativo* (al ofrecer el producto o servicio deseable más diferenciado). Los porcentajes en la figura representan el rendimiento sobre la inversión de cada fabricante en esta industria.

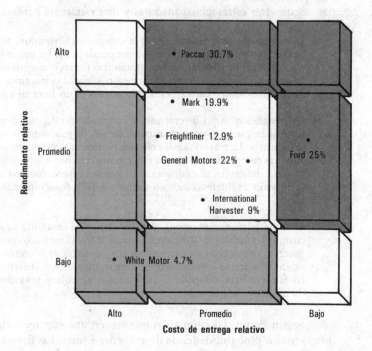

Costo de entrega relativo

Ford tiene el costo de entrega relativo más bajo. Sus camiones sólo muestran rendimiento medio, pero la posición de bajo costo de Ford le da un margen más elevado y una de las tasas de rendimiento más elevadas de la industria. Paccar es el líder de la industria en camiones de alto rendimiento (sus camiones Peterbilt y Kenworth se consideran como los Cadillacs de la industria), y su liderazgo de alto rendimiento le da a Paccar un rendimiento sobre la inversión de 31%, el más alto en la industria.

En el otro extremo está White, cuyos camiones están por abajo del promedio en rendimiento y altos en costos de entrega. No es sorprendente que la tasa de rendimiento de White fuera tan sólo de 4.7%, la más baja en la industria. La compañía fue adquirida después por Volvo, que esperaba mejorar el rendimiento competitivo de White.

Las cuatro compañías en el cuadro central están "posicionadas a la mitad" e intentan ser buenas en rendimiento y costos, pero no son especialmente buenas en ninguna cosa. Freightliner fue adquirida después por la Mercedes y la línea de camiones de International Harvester tiene grandes problemas.

Para mejorar su rentabilidad, las posicionadas a la mitad deben comprometerse más con una de las tres estrategias ganadoras de Porter. Por ejemplo, International Harvester tiene tres opciones. Puede invertir en instalaciones de producción más modernas para convertirse en una firma de bajo costo y competir con Ford y General Motors en el grupo estratégico que busca liderazgo de costo. O la

International Harvester podría intentar mejorar la calidad y diferenciar más fuertemente sus camiones para que compitan con Paccar y Mack en el grupo estratégico que persigue diferenciación de producto. Esta sería una estrategia más dura: lleva años desarrollar un producto y una reputación mejores, y Paccar está bien establecido en esta posición. Por último, International Harvester podría perseguir ciertos nichos en el mercado de los camiones: convertirse en líder en cada nicho mediante costos bajos o diferenciación de producto o ambas cosas. Pero si International Harvester permanece en su posición competitiva actual de intentar hacer un poco de todo, su futuro será difícil.

porción de mercado. Otro 30% está en manos de un *retador de mercado,* firma que pelea duro para acrecentar su porción de ese mercado. Otro 20% está en las manos de un *seguidor de mercado,* otro subcampeón que quiere mantener su porción sin mover peligrosamente el barco. El 10% restante está en manos de los *nichos de mercado,* firmas cuyos productos sirven a pequeños segmentos de los que no se ocupan las firmas con porciones más grandes del mercado.

A continuación se examinarán estrategias específicas de mercadotecnia que son asequibles a los líderes de mercado, retadores, seguidores y nichos. Es importante recordar en las secciones siguientes que las clasificaciones de las posiciones competitivas a menudo no son aplicables a una compañía completa, sino sólo a su posición en una industria específica. Por ejemplo, las compañías grandes y diversificadas como IBM, Sears o General Mills (o sus negocios individuales, divisiones o productos) podrían ser líderes en algunos mercados y tener nichos en otros. Tales compañías con frecuencia usan diferentes estrategias de mercadotecnia competitiva para diferentes unidades del negocio, lo que depende de la situación competitiva de cada una.

ESTRATEGIAS DE LIDER DE MERCADO

La mayoría de las industrias tienen una firma que está reconocida como líder de mercado. Esta compañía tiene la porción más grande de mercado del producto pertinente. Usualmente encabeza a las otras firmas en cambios de precio, introducciones de productos nuevos, cobertura de distribución e intensidad promocional. Independientemente de que al líder se le admire o respete, otras firmas reconocen su predominio. El líder es un punto de orientación para los competidores, un compañía a desafiar, imitar o evitar. Algunos de los líderes de mercado mejor conocidos son General Motors (automóviles), Kodak (fotografía), U.S. Steel (acero), IBM (computadoras), Xerox (copiadoras), Procter and Gamble (bienes de consumo empacados), Caterpillar (equipo para construcción), Coca-Cola (refrescos embotellados), Sears (comercio detallista), McDonald's (comida rápida) y Gillete (hojas de rasurar).

La vida de una firma dominante no es fácil. Debe mantener una vigilancia constante. Las otras firmas estarán siempre retándola o intentando aprovecharse de sus debilida-

FIGURA 20-1
Estructura hipotética de mercado

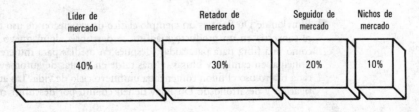

Líder de mercado	Retador de mercado	Seguidor de mercado	Nichos de mercado
40%	30%	20%	10%

des. El líder de mercado puede errar el camino en un momento dado y terminar en segundo o tercer lugar. Puede aparecer una innovación del producto y daña al líder (como cuando Tylenol sin aspirina comenzó a arrebatarle el liderazgo a la aspirina Bayer). El líder podría gastar conservadoramente, esperando tiempos difíciles, mientras que un retador gasta liberalmente (la pérdida de Montgomery Ward de su predominio en el mercado detallista frente a Sears después de la Segunda Guerra Mundial). La firma dominante podría parecer pasada de moda en comparación con rivales nuevos (la revista *Playboy* cayó al segundo lugar en circulación frente a *Penthouse*). Los costos de la firma dominante podrían elevarse excesivamente y dañar sus utilidades (la decadencia de Foods Fair's debido a un mal control de los costos).

Las firmas dominantes quieren seguir manteniendo el primer lugar. Esto requiere de acción en tres frentes. Primero, la compañía debe encontrar formas para expandir la demanda total. Segundo, la empresa debe proteger su porción actual de mercado mediante buenas acciones ofensivas y defensivas. Tercero, la firma puede intentar expandir todavía más su porción de mercado, incluso si el tamaño de éste permanece constante.

Expansión del mercado total

Todas las firmas en una industria pueden beneficiarse cuando el mercado total se expande, pero la firma dominante normalmente gana la mayor parte. Si los estadunidenses compran 10 millones de automóviles en vez de 8 millones, General Motors ganará la mayor parte porque produce más de la mitad de los automóviles que se venden en Estados Unidos. Si la General Motors puede convencer a más estadunidenses de poseer automóviles o de tener más vehículos por familia, o de reemplazarlos con más frecuencia, se beneficiará. Por lo general, el líder debería buscar nuevos usuarios, nuevos usos y mayor uso de su producto.

Usuarios nuevos

Cada clase de producto tiene el potencial para atraer compradores que no conocen el producto o que se resisten a comprarlo debido a su precio o a su carencia de ciertas características. Un fabricante puede buscar nuevos usuarios entre tres grupos. Por ejemplo, un fabricante de perfumes puede incitar a las mujeres que no usan perfume a que lo usen *(estrategia de penetración de mercado),* o convencer a los hombres de que empiecen a usar perfume *(estrategia de mercado nuevo)* o vender perfume en otros países *(estrategia de expansión geográfica).*

Una de las historias de gran éxito en el desarrollo de una nueva clase de usuarios es la del champú para niños de Johnson & Johnson, la marca líder en su ramo. La compañía comenzó a preocuparse por el crecimiento futuro de las ventas cuando la tasa de natalidad disminuyó. Sus mercadólogos observaron que otros miembros de la familia usaban ocasionalmente el champú para niños. La gerencia decidió desarrollar una campaña de publicidad dirigida a los adultos. En poco tiempo, Johnson & Johnson convirtió su champú en la marca líder de mercado total de ese producto.

Usos nuevos

El mercadólogo puede expandir los mercados al descubrir y promover nuevos usos para el producto. Véanse algunos ejemplos:

- El nylon de Du Pont es un ejemplo clásico de expansión de uso nuevo. Cada vez que el nylon se convertía en un producto maduro, se descubría algún nuevo uso. El nilón se usó primero como una fibra para paracaídas; después en medias para mujeres; después como un material principal en camisas y blusas, y más tarde en llantas de automóvil, tapicería y alfombras.[4] En cada nuevo uso el nilón comenzaba un nuevo ciclo de vida. Las actividades continuas de investigación y desarrollo de Du Pont tienen crédito por descubrir nuevos usos.

UNA DIETA SUAVE Y AMOROSA

Cualquiera que haya dicho "...el amor es lo que hace al mundo girar", probablemente estaba comiendo sopa de pollo en ese momento.

En especial, sopa de pollo con fideos Campbell's.

La historia nos respalda. Es lo que las madres servían tradicionalmente cuando alguien necesitaba calor de hogar.

Y mamá lo sabía muy bien.

Por esto es casi imposible encontrar un alimento más hogareño que la sopa de pollo con fideo de Campbell's. O una comida más satisfacto-

ria. O una comida que sencillamente le hace sentirse mejor.

De modo que cuando necesite una dieta suave y amorosa, y a veces todos la necesitamos, sírvase un tazón de deliciosa sopa de fideos con pollo Campbell's.

Sopa de fideos con pollo Campbell's. Unas cuantas palabras que dicen algo acerca del amor.

CAMPBELL'S
SOPA QUE ES BUEN ALIMENTO

Campbell's tiene una extensa línea de sopas bajas en sodio para las personas que siguen una dieta de sal o les afecta el sodio.

Campbell, líder de mercado, intenta expandir el mercado total al convencer a los consumidores de que la "sopa es buen alimento". *Cortesía de Campbell Soup Company.*

■ Las ventas de bicarbonato de sosa Arm & Hammer permanecieron uniformes por 125 años. El producto tenía muchos usos, pero no se anunciaba ninguno de éstos. Cuando la compañía descubrió que los consumidores estaban usando el bicarbonato de sosa como desodorante para refrigerador, lanzó una gran campaña de publicidad pagada y no pagada concentrada en este uso, y logró hacer que los consumidores en la mitad de los hogares estadunidenses colocaran una caja abierta de bicarbonato de sosa en sus refrigeradores. Unos cuantos años después, Arm & Hammer descubrió que algunos consumidores usaban el bicarbonato de sosa para apagar fuegos de grasa en la cocina y promovió este uso con gran éxito.

■ En muchos casos, los consumidores merecen crédito por descubrir nuevos usos. La vaselina comenzó como simple lubricante para máquinas. Pero con los años los consumidores han informado de muchos usos nuevos, como el ungüento para la piel, agente de curación y acondicionador para el cabello.

Más usos

Una tercera estrategia de expansión del mercado es convencer a la gente de que use más cantidad del producto cada vez. Si un fabricante de cereal convence a los consumidores de que coman un tazón completo de cereal en vez de la mitad de uno, las ventas totales aumentarán. Procter & Gamble aconseja a los usuarios de que su champú Head and Shoulders es más eficaz con dos aplicaciones que con una.

Un ejemplo creativo de una compañía que estimula el mayor uso por ocasión es la Michelin Tire Company (francesa). Michelin quería que los propietarios franceses de automóviles manejaran sus vehículos más kilómetros al año, lo cual daría lugar a más llantas de repuesto. Concibieron la idea de clasificar los restaurantes franceses en un sistema de tres estrellas. Informaron que muchos de los mejores restaurantes estaban en el sur de Francia, lo cual hizo que muchos parisinos consideraran conveniente manejar el fin de semana al sur del país. Michelin también publicó guías con mapas y señales al lado de la carretera para alentar los viajes.

Protección de la porción de mercado

Mientras intente expandir la porción total de mercado, la firma líder también debe proteger constantemente su negocio actual de los ataques de la competencia. Coca-Cola debe defenderse constantemente de la Pepsi-Cola; Gillete de la Bic; Kodak de la Fuji; McDonald's de Burger King; General Motors de la Ford.

¿Qué puede hacer el líder del mercado para proteger su posición? La mejor respuesta es *innovación continua*. El líder se niega a quedar satisfecho con la manera como están las cosas y dirige a la industria en ideas de productos nuevos, servicios al consumidor, eficacia de distribución y reducción de costos. Acrecienta constantemente su eficacia competitiva y su valía frente a los consumidores. Toma la ofensiva y ejerce iniciativa, establece el ritmo y aprovecha las debilidades del competidor. La mejor defensa es un buen ataque.

La firma dominante, aun cuando no lance ofensivas, debe al menos defender todos sus frentes y no dejar ningún flanco desguarnecido. Debe mantener sus costos bajos, y sus precios deben ser congruentes con el valor que los consumidores ven en la marca. El líder debe "tapar agujeros" para que los competidores no se metan. Así, un líder en artículos de consumo empacados producirá sus marcas en diversos tamaños y formas para satisfacer distintas preferencias del consumidor y retener tanto espacio de anaquel como sea posible.

La competencia intensificada en los mercados nacional y mundial en los últimos años ha alentado el interés de la gerencia por modelos de contienda militar.[5] Se ha aconsejado a las compañías líderes protejan sus posiciones de mercado con estrategias competitivas modeladas según estrategias militares defensivas exitosas. Hay, en realidad, seis estrategias defensivas que un líder de mercado puede usar. Estas se ilustran en la figura 20-2 y se describen enseguida.[6]

Defensa de la posición

La forma básica de defensa es construir fortificaciones en torno a una posición. Pero limitarse a defender la posición o los productos actuales es una forma de *miopía de mercadotecnia*. La miopía de Henry Ford con respecto a su Modelo T llevó a una compañía envidiablemente sana con mil millones de dólares en reserva en efectivo, en su punto más alto al borde de la ruina financiera. Hasta las marcas tan duraderas como Coca-Cola y aspirina Bayer, no pueden ser consideradas por sus compañías como las principales fuentes de crecimiento futuro y rentabilidad. La Coca-Cola hoy en día, a pesar de producir casi la mitad de los refrescos embotellados en el mundo, se ha movido dinámicamente dentro del mercado del vino; ha adquirido compañías de bebidas de frutas, y se ha diversificado en equi-

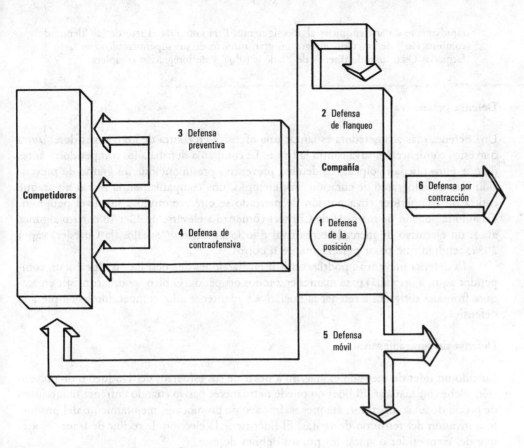

FIGURA 20-2 *Estrategias de defensa*

po de desalinación y plásticos. Evidentemente, los líderes que son atacados cometerían un error si pusieran todos sus recursos para construir fortificaciones en torno a sus productos actuales.

Defensa de los flancos

Cuando esté defendiendo su posición global, el líder de mercado deberá prestar particular atención a sus flancos más débiles. Los competidores astutos normalmente atacarán el punto débil de la compañía. Así, los japoneses entraron con éxito al mercado de los automóviles pequeños porque los fabricantes estadunidenses dejaron una gran brecha en ese segmento. La firma debe verificar cuidadosamente sus flancos y proteger los más vulnerables.

En el mundo de los negocios abundan los ejemplos de defensa de flancos.

La compañía Jewel Foods Stores, con base en Chicago, cree que el supermercado continuará siendo una fuerza dominante, pero está flanqueando su posición al fortalecer su mezcla de surtido detallista de alimentación para enfrentar los nuevos retos. El auge de los establecimientos de comida rápida ha sido satisfecho al ofrecer un amplio surtido de comidas instantáneas y congeladas al igual que el reto de los establecimientos de descuento al promover líneas genéricas. Los diversos supermercados de Jewel están siendo modificados para acomodar las demandas locales de artículos como pan fresco y comidas regionales. Y la compañía no se está arriesgando con algunos desarrollos industriales. Ha establecido la división Jewel T, que es una cadena de tiendas de descuento "tradicionales grandes" que siguen el modelo de Aldi. Al observar un repentino cambio en la posición competitiva de "independientes" en 1977, la división Star Market de Jewel en Nueva Inglaterra comenzó rápidamente a dar franquicias al año siguiente. Para enfrentar el reto de la "tienda de combinación" de artículos, integró un gran número de sus supermercados con las farmacias Osco, usando diseños de "lado a lado" y de integración completa.

Defensa preventiva

Una defensa más acometedora es lanzar una ofensiva en contra de los competidores *antes* que éstos comiencen la suya contra la firma. La compañía derriba a los competidores antes de que éstos puedan golpear. La defensa preventiva presupone que un gramo de prevención vale un kilogramo de curación. Por ejemplo, una compañía podría lanzar un ataque contra un competidor cuya porción de mercado se esté acercando a un nivel peligroso. Cuando la porción de mercado de Chrysler comenzó a elevarse de 12 a 18% hace algunos años, un ejecutivo de mercadotecnia rival dijo lo siguiente: "Si ellos (la Chrysler) van a 20%, tendrán que pasar por encima de nosotros."

La defensa preventiva podría consistir en "acciones de guerrilla" (golpear a un competidor aquí, a otro allá) para mantener a todos ocupados. O bien, podría consistir en ataques frontales dirigidos a retener la iniciativa y mantener a los competidores siempre a la defensiva.

Defensa de contraofensiva

Cuando un líder de mercado es atacado a pesar de sus esfuerzos de flanqueo o de prevención, debe contraatacar. El líder no puede permanecer pasivo cuando enfrenta reducciones de precio de un competidor, ataques relámpago de promoción, mejoramiento del producto o invasión del territorio de ventas. El líder tiene la elección de recibir de frente el ataque del competidor o atacar los puntos débiles de éste.

A veces la erosión de la porción de mercado es tan rápida que un contraataque frontal es necesario. Pero para una compañía que disfrute de alguna profundidad estratégica, puede valer la pena recibir algunas pequeñas derrotas para permitir que la ofensiva se desarrolle por completo (y sea comprendida) antes de contraatacar. Esta puede parecer una estrategia peligrosa de "esperar y ver", pero hay buenas razones para no lanzar una contraofensiva. Al esperar, la compañía puede identificar una debilidad en la ofensiva del competidor, una brecha por la que pueda lanzarse una contraofensiva exitosa. Cadillac diseñó su Seville como alternativa para el Mercedes y manifestó sus esperanzas al ofrecer manejo más descansado y más comodidades que las que la Mercedes estaba dispuesta a diseñar.

Cuando se ataca la posición de un líder de mercado, un contraataque eficaz estaría dirigido al principal territorio del competidor de modo que éste tendría que retirar algunos de sus recursos para defender su propia posición. Una de las rutas más lucrativas de la Northwest Airline es de Minneapolis a Atlanta. Una compañía pequeña anunció gran reducción de tarifas y se hizo mucha publicidad para expandir su porción en este mercado. La Northwest contraatacó al reducir sus tarifas en la ruta Minneapolis a Chicago, de la que dependía la otra línea para sus mayores ingresos. Con este ataque en su fuente principal de ingresos, la otra aerolínea restauró su tarifa Minneapolis-Atlanta a nivel normal.

Defensa móvil

En la defensa móvil, el líder no se limita a defender dinámicamente su posición actual de mercado. En la defensa móvil el líder se amplía a nuevos mercados que pueden servir como bases futuras para la defensa y la ofensiva. Se extiende a mercados nuevos no sólo mediante la proliferación normal de marca, sino mediante la innovación en dos frentes de ampliación y diversificación de mercado. Estos movimientos generan "profundidad estratégica" para la firma, la que le permite sortear los ataques continuos y lanzar contra-ofensivas.

En la *ampliación de mercado*, la compañía deja de concentrarse en los productos actuales y se ocupa de la necesidad del consumidor más amplia. Por ejemplo, Armstrong Cork usó una estrategia exitosa de ampliación de mercado al volver a definir su enfoque de "cubierta de piso" como "cubierta decorativa de habitación" (incluyendo las paredes y el cielo raso). Al reconocer la necesidad del consumidor de crear un interior agradable mediante varios materiales de revestimiento, Armstrong Cork se amplió a negocios vecinos que estaban equilibrados en crecimiento y defensa. Pero una estrategia de ampliación no deberá llevarse demasiado lejos. Un exceso de ampliación dispersaría mucho los recursos de la compañía, de modo que ésta tendría dificultades para concentrar suficientes recursos en cualesquiera de sus mercados para competir de modo eficiente.

La *diversificación de mercado* en industrias no relacionadas es la otra alternativa para generar "profundidad estratégica". Cuando las compañías tabaqueras estadunidenses como Reynolds y Philip Morris se enfrentaron a crecientes restricciones sobre el hábito de fumar, no estaban contentas con defender la posición y ni siquiera con buscar sustitutos nuevos para el cigarrillo; en vez de esto, se movieron rápidamente en nuevas industrias como cerveza, licor, refrescos y alimentos congelados.

Defensa por contracción

Las compañías grandes a veces descubren que ya no pueden defender todas sus posiciones. Sus recursos están demasiado dispersos y los competidores están picoteando varios frentes. El mejor curso de acción parece ser entonces la contracción planeada (llamada también retirada estratégica). La contracción planeada no consiste en abandonar el mercado, sino más bien en renunciar a las posiciones más débiles y reasignar recursos a las más fuertes. La contracción planeada consolida la fortaleza competitiva en el mercado y concentra grandes cantidades en posiciones fundamentales.

En la década de 1980 de crecimiento lento, aparece una creciente oportunidad para estrategias lucrativas consistentes en eliminar o fusionar segmentos de mercado fragmentados. Westinghouse redujo su número de modelos de refrigerador de 40 a 30 que respondían a 85% de las ventas. General Motors estandarizó sus motores de automóvil y ahora ofrece menos opciones. Campbell's Soup, Heinz, General Mills, Del Monte y Georgia-Pacific se cuentan entre las compañías que han reducido significativamente sus líneas de productos en los últimos años.

Expansión de la porción de mercado

Los líderes de mercado también pueden crecer al aumentar aún más sus porciones de mercado. Los conocidos estudios de Profit Impact of Management Strategies (PIMS) (Impacto de las utilidades de las estrategias de administración) indican que la *rentabilidad* se eleva cuando aumenta la *porción de mercado*.[7] La relación se muestra en la figura 20-3A.[8] Según los estudios PIMS, los negocios con porciones de mercado relativamente grandes promedian alrededor de tres veces el rendimiento de la inversión de firmas con porciones relativas de mercado de menos de 20%.

Estos resultados han llevado a muchas compañías al objetivo de expandir sus porciones de mercado para mejorar la rentabilidad. Por ejemplo, General Electric ha declarado que quiere ser al menos el número uno o dos en cada uno de sus mercados o salirse de ellos. GE ha dejado caer sus negocios de computadoras y de acondicionadores de aire porque no podía lograr la primera posición en esas industrias.

Otros estudios han descubierto una relación en forma de V entre la porción del mercado y la rentabilidad en muchas industrias (véase la figura 20-3B).[9] Tales industrias tie-

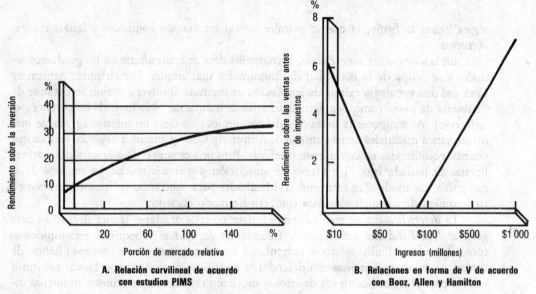

FIGURA 20-3 *Relaciones entre porción de mercado y rentabilidad*

Fuentes: (A) Bradley T. Gale y Ben Branch, *Beating the Cost of Capital,* PIMSLETTER No. 32, (Cambridge, MA: The Strategic Planning Institute), p. 12 (B) "From Strategic Planning to Strategic Performance: Closing the Achievement Gap.," *Outlook* publicado por Booz, Allen & Hamilton, Nueva York, primavera de 1981, p. 22.

nen una o varias firmas grandes y sumamente rentables, varias firmas rentables y más concentradas, y un gran número de firmas de tamaño medio y menos lucrativas. Según Roach:

> Las grandes firmas en la curva V tienden a dirigir al mercado completo, logrando ventajas de costo y alta porción de mercado al realizar economías de escala. Los pequeños competidores obtienen grandes utilidades al concentrarse en algún segmento más estrecho del negocio y al desarrollar enfoques especializados de la producción, mercadotecnia y distribución para ese segmento. Irónicamente, los competidores de tamaño medio en el seno de la curva V son incapaces de realizar ninguna ventaja competitiva y a menudo muestran las utilidades más bajas. Atrapados en una "tierra de nadie" estratégica, son demasiado grandes para cosechar los beneficios de la competencia más enfocada, pero también demasiado pequeños para beneficiarse de las economías de escala de las cuales disfrutan sus competidores más grandes.[10]

El mensaje es que las firmas de tamaño medio necesitan descubrir cómo entrar a las grandes asociaciones o de otra forma quedarse con algunos nichos especiales donde puedan hacer un trabajo notable.

Sin embargo, las compañías de tamaño medio no deben pensar que la obtención de una creciente porción del mercado mejorará automáticamente la rentabilidad. Mucho depende de su estrategia. Los analistas de negocios han citado muchas compañías con una porción alta de mercado y rentabilidad baja, y muchas firmas con porción baja de mercado que tienen una rentabilidad elevada. El costo de adquirir una mayor porción del mercado puede superar en mucho a los rendimientos.[11] Las porciones más elevadas tienden a producir utilidades más elevadas bajo dos condiciones:

■ *Los costos unitarios bajan al aumentar la porción de mercado.* Los costos unitarios caen tanto porque el líder, al dirigir plantas más grandes, disfruta de economías de costo de escala y baja más rápido en la curva de la experiencia de costo. Esto significa que una estrategia de mercadotecnia eficaz para obtener aumentos lucrativos en la porción de mercado, consiste en obtener los costos más bajos en la industria y pasar a los consumidores los ahorros de costo mediante precios más bajos. Esta fue la estrategia de Henry Ford para vender automóviles en la década de 1920, y la estrategia de Texas Instruments para vender transistores en la década de 1960.

■ *La compañía ofrece un producto de calidad superior y cobra un precio alto que cubre con creces el costo de ofrecer calidad superior.* Crosby, en su libro *Quality is Free,* afirma que darle más calidad a un producto no le cuesta a la empresa mucho más porque la compañía ahorra en descartar materiales, servicio posterior a la venta, etc.[12] Pero sus productos son tan deseados que los consumidores pagan un alto precio que da lugar a márgenes de utilidad más elevados. Esta estrategia para un crecimiento rentable de la porción del mercado es la que siguen IBM, Caterpillar y Michelin, entre otras firmas.

Todo se ha dicho, los líderes de mercado que permanecen en la cúspide han aprendido el arte de expandir el mercado total, defendiendo su posición actual y acrecentando su porción de mercado lucrativamente. El recuadro 20-2 detalla los principios específicos que Procter & Gamble usa para mantener y expandir su liderazgo de mercado.

ESTRATEGIAS DE RETO DE MERCADO

Las firmas que son las segundas, terceras o las más bajas en una industria son a veces bastante grandes, como Colgate, Ford, Kmart, Avis, Westinghouse, Miller y Pepsi-Cola. Estas empresas pueden adoptar una de dos estrategias competitivas. Pueden atacar al líder y a otros competidores en una postura agresiva por una mayor porción de mercado (retadores de mercado). O bien, pueden coexistir con los competidores y no mover el barco (seguidores de mercado). Ahora se examinarán las estrategias competitivas disponibles para los retadores de mercado.[13]

Definición del objetivo estratégico y del competidor

Un retador de mercado debe definir primero su objetivo estratégico. La mayoría de los retadores de mercado busca acrecentar su rentabilidad al aumentar sus porciones de mercado. Pero el objetivo estratégico depende de quién sea el competidor. En muchos casos, la compañía puede escoger a qué competidores retará y puede escoger uno de entre tres tipos de firmas:

■ *Puede atacar al líder del mercado.* Esta es una estrategia de alto riesgo, pero que brinda potencialmente grandes ganancias y que tiene sentido si el líder no sirve bien al mercado. La compañía examina las necesidades o la insatisfacción de los consumidores y si un segmento considerable no está servido o se le sirve mal, ofrece una gran meta estratégica. Miller retó exitosamente a Budweiser cuando descubrió la necesidad no satisfecha de una cerveza "clara". Una estrategia alternativa es superar al competidor en innovaciones en el mercado completo. Xerox le quitó el mercado de las copias a 3M al desarrollar un mejor proceso de copiado (copia seca en vez de húmeda).

■ *Puede atacar firmas de su mismo tamaño.* Aquí la compañía examina detenidamente el mercado en busca de firmas de tamaño similar que no están haciendo el trabajo o que están subfinanciadas. Cuando descubre un competidor así, interviene para quitarle a éste parte de su porción de mercado. Hasta un ataque amplio y frontal puede funcionar si los recursos del competidor son limitados.

■ *Puede atacar firmas locales y regionales pequeñas.* Muchas de estas firmas están subfinanciadas y no servirán bien a sus clientes. Algunas de las principales compañías cerveceras llegaron a su tamaño actual no por atacar a competidores grandes, sino por eliminar a competidores locales o regionales más pequeños.

RECUADRO 20-2

**COMO MANTIENE PROCTER AND GAMBLE SU LIDERAZGO
DE MERCADO**

P&G es ampliamente reconocida como el mercadólogo más hábil de Estados Unidos en bienes de consumo empacados. Vende la marca número uno en cada una de ocho categorías importantes: pañales desechables (Pampers), detergentes (Tide), papel de baño (Charmin), toallas de papel (Bounty), suavizantes de tela (Downy), pasta dentífrica (Crest), champú (Head & Shoulders) y líquido para enjuague bucal (Scope). (Véase "P&G Up Against its Wall", *Fortune*, 23 de febrero de 1981, p. 49-54). Su liderazgo de mercado se basa en varios principios.

Innovación del producto. P&G es un innovador de producto y un segmentador de beneficios. Lanza marcas que ofrecen nuevos beneficios al consumidor en vez de marcas parecidas a las demás sostenidas por mucha publicidad. P&G pasó 10 años investigando y desarrollando la primera pasta dentífrica eficaz contra las caries, Crest. Pasó varios años investigando el primer champú anticaspa, Head & Shoulders. La compañía somete a prueba rigurosamente sus nuevos productos con los consumidores, y sólo cuando éstos indican una verdadera preferencia es cuando la firma los lanza al mercado nacional.

Estrategia de calidad. P&G diseña productos de calidad superior al promedio. Una vez lanzados, hace un esfuerzo continuo por mejorar la calidad del producto con el tiempo. Cuando anuncian un producto "nuevo y mejorado", están diciendo la verdad. Esto es un contraste con algunas compañías que después de establecer el nivel de calidad, rara vez lo mejoran, y con otras empresas que deliberadamente reducen la calidad en un esfuerzo por lograr más utilidades.

Flanqueo de producto. P&G produce sus marcas en diversos tamaños y formas para satisfacer diversas preferencias del consumidor. Esto le da a su marca más espacio de anaquel e impide que los competidores entren para satisfacer necesidades no atendidas en el mercado.

Estrategia de multimarca. P&G es la originadora del arte de comercializar varias marcas en la misma categoría de producto. Por ejemplo, produce 10 marcas de detergentes para ropa, cada una posicionada de forma un tanto distinta en la mente del consumidor. El truco es diseñar marcas que satisfagan diferentes necesidades del consumidor y que compitan en contra de marcas competidoras específicas. Cada gerente dirige su marca independientemente de los otros gerentes de marca y compite por los recursos de la compañía. Al tener varias marcas en el anaquel, la compañía "encierra" espacio de anaquel y gana más poder con los distribuidores.

Estrategia de extensión de marca. P&G usará a menudo sus fuertes nombres de marca para lanzar nuevos productos. Por ejemplo, la marca Ivory se ha ampliado desde un jabón hasta incluir jabón líquido y detergente. El lanzamiento de un producto nuevo bajo un nombre de marca fuerte y ya existente le da reconocimiento más instantáneo y credibilidad con mucho menos gasto en publicidad.

Publicidad fuerte. P&G es el anunciante de bienes empacados de consumo más grande de la nación y gasta más de 770 millones de dólares al año. Nunca escatima gastar dinero para crear gran conocimiento y preferencia entre los consumidores.

Fuerza de ventas acometedora. P&G tiene una fuerza de ventas de campo de alto nivel, que es muy eficaz para obtener espacio de anaquel y cooperación de los detallistas en exhibidores y promociones de punto de venta.

Promoción de ventas eficaz. P&G tiene un departamento de promoción de ventas para asesorar a sus gerentes de marca sobre las promociones más eficaces para alcanzar objetivos determinados. El departamento estudia los resultados de promociones de consumo y de detallista, y desarrolla un sentido experto de la eficacia de las mismas bajo diferentes circunstancias. Al mismo tiempo, P&G prefiere minimizar el uso de la promoción de ventas y prefiere confiar en la publicidad para construir preferencia del consumidor a largo plazo.

Rudeza competitiva. P&G usa la mano dura cuando se trata de reprimir a los agresores. P&G está dispuesta a gastar grandes sumas de dinero para superar las promociones de nuevas marcas competitivas e impedir que éstas obtengan una posición firme en el mercado.

Eficiencia de fabricación. La reputación de P&G como una gran compañía de mercadotecnia es igualada por su grandeza como una compañía manufacturera. P&G gasta grandes sumas de dinero para desarrollar y mejorar operaciones de producción para mantener sus costos entre los más bajos de la industria.

Sistemas de administración de marca. P&G originó el sistema de administración de marca, en el cual un ejecutivo es responsable de cada marca. El sistema ha sido imitado por muchos competidores, pero con frecuencia sin el éxito que P&G ha logrado mediante el perfeccionamiento de su sistema con el paso de los años.

Así, el liderazgo de mercado de P&G no se basa en hacer una cosa bien, sino en la orquestación exitosa de todos los factores que cuentan en el liderazgo de mercado.

Así, el objetivo estratégico del retador depende de cuál competidor elija atacar. Si el atacante va tras el líder de mercado, su objetivo puede ser arrebatar una cierta porción del mercado. Bic sabe que no puede superar a Gillette en el mercado de las rasuradoras, tan sólo busca una porción más grande. O la meta del retador podría ser la de apropiarse del liderazgo de mercado. IBM entró tarde al mercado de las computadoras personales, como un retador, pero rápidamente se convirtió en el líder. Si la compañía ataca a una pequeña firma local, su objetivo puede ser el de sacar a esa empresa del negocio. El punto importante subsiste: la compañía debe escoger cuidadosamente a sus oponentes y tener un objetivo claramente definido, decisivo y alcanzable.

La necesidad de un análisis competitivo sistemático es crucial para elegir oponentes y objetivos. Cada compañía debe recabar información actualizada sobre sus competidores. Su sistema competitivo de información y análisis debe responder las siguientes preguntas:[14]

- ¿Quiénes son los competidores?

- ¿Qué ventas, porción de mercado y situación financiera tiene cada competidor?

- ¿Cuáles son las metas y suposiciones de cada competidor?

- ¿Cuáles son las ventajas y desventajas de cada competidor?

- ¿Qué cambios es probable que haga cada competidor en su estrategia futura como respuesta a desarrollos ambientales, competitivos e internos?

Elección de una estrategia de ataque

¿Cómo puede el retador de mercado atacar mejor al competidor escogido y lograr sus objetivos estratégicos? Cinco posibles estrategias de ataque se muestran en la figura 20-4 y se explican en seguida.

Ataque frontal

La compañía puede lanzar un ataque frontal al enfrentar sus recursos directos contra los de su competidor. Ataca los puntos fuertes del competidor en vez de los débiles. El resultado depende de quién tenga la mayor fuerza y resistencia. Para tener éxito en un ataque frontal puro, el retador debe atacar el producto del competidor, sus esfuerzos de publicidad, precio y distribución. Recientemente, el segundo fabricante en el Brasil decidió atacar al

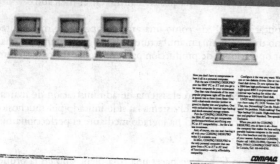

Texas Instrument y COMPAQ rentan al líder de mercado IBM. (COMPAQ® es una marca registrada de COMPAQ Computer Corporation; IBM® es una marca registrada de International Business Machines Corporation.) *Cortesía de Texas Instruments Incorporated,* **COMPAQ** *Computer Corporation and International Business Machines Corporation.*

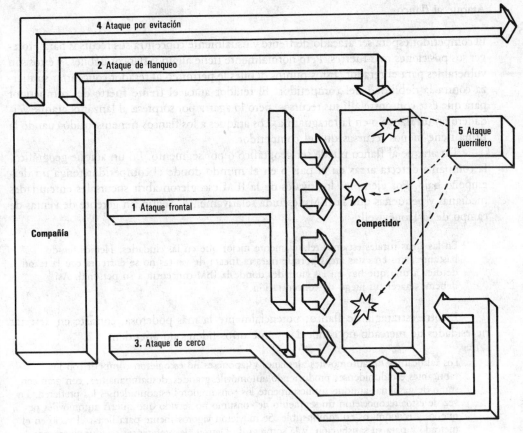

4 Ataque por evitación

2 Ataque de flanqueo

5 Ataque guerrillero

1 Ataque frontal

Compañía

Competidor

3. Ataque de cerco

FIGURA 20-4 *Estrategias de ataque*

líder de mercado Gillette. Pero cuando se le preguntó si le iba a ofrecer al consumidor una mejor hoja de rasurar, la gerencia replicó: "no". "¿Un mejor precio?" "No". "¿Un mejor empaque?" "No". "¿Una campaña de publicidad más ingeniosa?" "No". "¿Mejores descuentos para detallistas?" "No". "¿Entonces cómo esperan quitarle una porción de mercado a Gillette?" "Fuerte determinación", fue la respuesta. Como era de esperarse, la ofensiva fracasó.

Para que su ataque frontal tenga éxito, la compañía necesita una fuerte ventaja sobre su competidor. Mientras más fuerte y más atrincherado esté el competidor, mayor será la fuerza que necesite el retador. Si el retador de mercado tiene menos recursos que el competidor, un ataque frontal se convierte una misión suicida. RCA, GE y Xerox aprendieron esto dolorosamente cuando lanzaron ataques frontales contra la IBM, pasando por alto la superior posición defensiva de ésta.[15]

Un ejemplo de un ataque frontal puro exitoso es la entrada de S. C. Johnson and Son al mercado del champú con la marca Agree:[16]

En 1977, con lo que Forbes describió como "minuciosidad casi japonesa", S. C. Johnson buscó primero ejecutivos experimentados en la compañía Colgate y en otras. Entonces hizo un ataque relámpago en el mercado con una promoción de 14 millones de dólares que incluía 30 millones de botellas de muestra de su nuevo acondicionador de cabello, Agree. Eso equivalía más o menos a la promoción total de la industria de acondicionadores de pelo. En su primer año se adueñó de 15% del mercado, peleando con gigantes tales como Toni de Gillette, Breck y Clairol. (Para 1979, su porción era del 20%.) Entonces, en 1978, invadió el mercado del champú y gastó 30 millones de dólares en costos de mercadotecnia en el verano de ese año. Terminó con 6% de ese mercado.

Ataque al flanco

El competidor espera ser atacado de frente y usualmente concentra sus recursos para proteger sus posiciones más fuertes. Pero normalmente tiene algunos flancos débiles, y éstos son vulnerables para el retador. Estos puntos débiles le permiten al retador concentrar su fuerza contra la debilidad del competidor. El retador ataca el frente fuerte del competidor para que éste concentre allí sus recursos, pero lo agarra por sorpresa al lanzar el ataque verdadero en un flanco o en la retaguardia. Los ataques a los flancos tienen sentido cuando la firma tiene menos recursos que el competidor.

Un ataque al flanco puede ser geográfico o por segmento. En un ataque geográfico, la compañía detecta áreas en el país o en el mundo donde el competidor tenga un desempeño bajo. Por ejemplo, los rivales de la IBM escogieron abrir sucursales en ciudades medianas y pequeñas que la IBM descuida relativamente. Según un gerente de ventas de campo de la Honeywell:

> En las áreas rurales estamos relativamente mejor que en las ciudades. Hemos tenido bastante éxito en estas áreas porque nuestra fuerza de ventas no se enfrenta con la razón de diez a uno que hay en las ciudades donde la IBM concentra a su personal. Así, debemos hacer un juego de concentración.[17]

La otra estrategia de flanco, potencialmente la más poderosa, consiste en detectar necesidades de mercado no conocidas y que otros líderes no atienden:

> Los fabricantes de automóviles alemanes y japoneses no escogieron competir con los fabricantes estadunidenses produciendo automóviles grandes, despampanantes, con gran consumo de gasolina, aunque supuestamente los consumidores estadunidenses los prefieren. En vez de esto, reconocieron un segmento de consumo no servido que quería automóviles pequeños y económicos en combustible. Se movieron vigorosamente para llenar el vacío en el mercado y para su satisfacción, y la sorpresa de Detroit, la preferencia estadunidense por automóviles más pequeños y económicos creció hasta convertirse en una parte sustancial del mercado.

Una estrategia de flanqueo implica identificar los desplazamientos del mercado que están causando vacíos, que los productos de la industria no llenan, y apresurarse a llenarlos y desarrollarlos hasta que sean elementos fuertes. El flanqueo conduce más a una cobertura completa de las diversas necesidades del mercado que a una batalla entre dos compañías que intenten servir al mismo mercado. El flanqueo es la mejor tradición de la filosofía de la mercadotecnia moderna, la que sostiene que el propósito de la mercadotecnia es "descubrir necesidades y servirlas".

Ataque de cerco

El flanqueo implica encontrar vacíos en la cobertura existente de mercado de los competidores. Cercar, por otra parte, implica lanzar una ofensiva en varios frentes, de modo que el competidor debe proteger su frente, flancos y retaguardia simultáneamente. El retador puede ofrecerles a los consumidores todo lo que el competidor les ofrezca y más, de manera que la oferta no se pueda rechazar. La estrategia de cerco tiene sentido cuando el retador tiene recursos superiores y cree que será rápida y lo bastante completa como para romper la posición del competidor en el mercado. Véase aquí un ejemplo:

> El ataque de Seiko en el mercado de los relojes de pulsera ilustra una estrategia de cerco.[18] Durante varios años, Seiko había estado adquiriendo distribución en cada relojería principal y abrumaba a sus competidores y consumidores con una enorme variedad de modelos que cambiaban continuamente. En Estados Unidos ofrece unos 400 modelos, pero

su poder de mercadotecnia está apoyado por los dos mil 300 modelos que hace y vende en todo el mundo. "Ocupan el primer lugar en modas, características, preferencias del usuario y todo lo que pudiera motivar al consumidor", dice con admiración el vicepresidente de una compañía competidora estadunidense.

Ataque de evasión

La evasión es una estrategia competitiva indirecta que evita un movimiento directo contra el competidor. El retador evita al competidor y ataca mercados más fáciles para ampliar su base de recursos. Hay tres enfoques de evasión: diversificarse en *productos no relacionados,* diversificarse en *nuevos mercados geográficos* y saltar a *nuevas tecnologías* para reemplazar a los productos existentes.

El impresionante cambio de posición de Colgate utilizó los dos primeros principios.[19] En Estados Unidos, Colgate siempre ha luchado con la sombra de Procter & Gamble. En detergentes de trabajo pesado, el Tide de P&G hizo salir al Fab de Colgate en casi cinco a uno. En líquidos lavatrastes, P&G tiene casi el doble de la porción de Colgate. En jabones, también, Colgate está muy atrás. Cuando David Foster tomó el puesto de CEO en 1971, a pesar de sus mil 300 millones de dólares en ventas, la Colgate tenía la reputación de una empresa torpe de jabón y detergente. Para 1979, Foster había transformado la compañía en un conglomerado de cuatro mil 300 millones de dólares, capaz de desafiar a P&G si fuera necesario. El verdadero logro de Foster fue el reconocimiento de que cualquier batalla de frente con P&G era fútil. "Nos superaban tres a uno a nivel de tienda", decía Foster, "y tenían tres personas de investigación en comparación con una de nosotros". La estrategia de Foster era sencilla: aumentar el liderazgo de Colgate en el extranjero y evitar P&G en casa al diversificarse en mercados donde P&G no participaba. Siguió una serie de adquisiciones en textiles y productos para hospitales, cosméticos y una variedad de artículos deportivos y productos alimenticios. El resultado: en 1971, Colgate era víctima de P&G en alrededor de la mitad de sus negocios. Para 1976, en tres cuartas partes de sus negocios, estaba colocada cómodamente contra P&G o no se enfrentaba con ésta en lo absoluto.

El salto tecnológico es una estrategia de evasión usada con frecuencia en industrias de alta tecnología. En vez de imitar el producto del competidor y montar un ataque frontal costoso, el retador investiga y desarrolla pacientemente la siguiente tecnología. Cuando está satisfecho con su superioridad, lanza un ataque donde tenga una ventaja. En el mercado de los videojuegos, la Intellivisión evitó la tecnología avanzada de Atari y atacó cuando tenía tecnología superior.

Ataque guerrillero

El ataque guerrillero es otra opción disponible para los retadores de mercado, especialmente para los más pequeños o los descapitalizados. El retador hace ataques pequeños y periódicos para acosar y desmoralizar al competidor, con la esperanza de establecer posiciones firmes permanentes.

En un ataque guerrillero, la compañía puede usar medios convencionales y no convencionales para acosar al competidor. Estos podrían incluir reducciones selectivas de precio, latrocinio de ejecutivos, ataques promocionales o acciones legales diversas. Estas últimas se están convirtiendo en unas de las más comunes.

Un distribuidor de cerveza con base en Seattle que había estado mandando cerveza a Alaska por barco se molestó cuando el grupo Oetker de Alemania Occidental obtuvo un crédito tributario de 75% por 10 años de la legislatura de Alaska para establecer la producción de cerveza en ese estado. El distribuidor de Seattle demandó a Oetker, alegando que el incentivo tributario era anticonstitucional. Oetker ganó en los tribunales, pero cuatro años de retraso destruyó su esperanza de aprovechar el auge de la construcción de oleoductos. Después de operar sólo 30 meses, Oetker cerró su cervecería Anchorage.[20]

Normalmente, las acciones guerrilleras las emprenden pequeñas firmas en contra de otras más grandes. Al no ser capaces de montar un ataque frontal o aún un ataque a los flancos efectivo, la firma más pequeña hostiga con ataques cortos promocionales y de precio en rincones aleatorios del mercado más grandes del competidor en un intento por debilitar el poder de mercado de éste. Pero las campañas guerrilleras continuas pueden ser costosas, y deben ir seguidas en última instancia de un ataque más fuerte si el retador desea "vencer" al competidor. Por tanto, en términos de recursos, las campañas guerrilleras no son necesariamente operaciones de bajo costo.

Las estrategias de ataque que se han visto son muy amplias. El retador de mercado debe integrar una estrategia total formada por varias estrategias específicas. El recuadro 20-3 muestra la forma en que una compañía retadora bien conocida, Yamaha, atacó al líder en su industria.

RECUADRO 20-3

COMO RETO YAMAHA A HONDA POR LA PORCION DE MERCADO

A comienzos de la década de 1960, Honda se había establecido a sí misma como la marca número uno en motocicletas en Estados Unidos. Sus máquinas de poco peso con un gran atractivo visual, el lema "Usted se encuentra a la gente más agradable en una Honda", una organización de ventas y una cadena de distribución dinámicas se combinaron para expander mucho el mercado total de las motocicletas. Yamaha, otro fabricante japonés, decidió entrar en el mercado en contra de Honda. Su primer paso fue estudiar las principales desventajas o puntos débiles de Honda, entre las cuales se incluían varios distribuidores que se habían hecho ricos y flojos, cambios abruptos en la administración, desaliento de los distribuidores que buscaban franquicias, y fracaso para promover las características mecánicas de las motocicletas. Yamaha ofreció franquicias a los mejores solicitantes que Honda había rechazado y usó una fuerza de ventas entusiasta para entrenar y motivar a estos distribuidores. Mejoró su motocicleta hasta el punto en que podía afirmar y demostrar superioridad mecánica. Gastó mucho en publicidad y programas de promoción de ventas para desarrollar conocimiento en el comprador y entusiasmo en el distribuidor. Cuando la seguridad de las motocicletas se convirtió en un tema importante, diseñó características superiores de seguridad y las anunció mucho. Estas estrategias llevaron a Yamaha a una segunda posición clara en una industria en la que había más de cincuenta fabricantes.

ESTRATEGIAS DE SEGUIDOR DE MERCADO

No todas las compañías sublíderes retarán al líder de mercado. El líder nunca se toma a la ligera el esfuerzo por quitarles clientes. Si el cebo del retador es precios más bajos, mejor servicio o características adicionales del producto, el líder puede igualar éstos rápidamente para esfumar el ataque. El líder probablemente tiene más poder para permanecer en una batalla campal. Una pelea dura podría dejar a ambas firmas en peores condiciones y esto significa que el retador debe pensar dos veces antes de atacar. Salvo que el retador pueda lanzar un ataque preventivo (en la forma de una innovación sustancial del producto o un avance en la distribución), a menudo prefiere seguir más que atacar al líder.

Los patrones de "paralelismo consciente" son comunes en las industrias de producto homogéneo y capital intensivo, como acero, fertilizantes y sustancias químicas. Las oportunidades para diferenciación de producto y de imagen son bajas; la calidad del servicio es a menudo comparable; la sensibilidad al precio es elevada. Las guerras de precio pueden comenzar en cualquier momento. En estas industrias se evita las apropiaciones a corto plazo, ya que esa estrategia sólo provoca venganza. La mayoría de las firmas deciden no robarse los clientes entre sí. En vez de esto les presentan ofertas similares a los compradores, usualmente copiando al líder. Las porciones de mercado muestran una gran estabilidad.

Esto no quiere decir que los seguidores de mercado carezcan de estrategias. Un seguidor de mercado debe saber cómo mantener a los clientes actuales y obtener una porción justa de nuevos consumidores. Cada seguidor intenta darle ventajas distintivas a su mercado meta: ubicación, servicios, financiamiento. El seguimiento es un objetivo principal de los ataques de los retadores. Por tanto, el seguidor de mercado debe mantener bajos sus costos de fabricación y la calidad de su producto y de sus servicios debe ser alta. También debe entrar a mercados nuevos cuando éstos se abran. El papel de seguidor no consiste en ser pasivo ni en ser una copia al carbón del líder. El seguidor tiene que definir una senda de crecimiento, pero una que no dé lugar a venganza competitiva. Cabe distinguir tres grandes estrategias del seguidor:

- *Seguidor cercano*. Aquí el seguidor emula al líder en tantas áreas de segmentación de mercado y de mezcla de mercadotecnia como sea posible. El seguidor casi parece ser un retador, pero si no bloquea radicalmente al líder, no habrá ningún conflicto directo. Algunos seguidores tal vez pongan muy poco para estimular el mercado, con la esperanza de vivir de las inversiones del líder de mercado.

- *Seguidor a distancia*. Aquí el seguidor mantiene cierta diferenciación, pero sigue al líder en términos de grandes innovaciones de mercado y de producto, niveles generales de precio y distribución. El seguidor es muy aceptable para el líder de mercado, quien tal vez vea poca interferencia con sus planes de mercado y pueda estar contento de que la porción de mercado del seguidor le ayude a evitar acusaciones de monopolización. El seguidor distante puede lograr su crecimiento adquiriendo firmas más pequeñas en la industria.

- *Seguidor selectivo*. Esta compañía sigue al líder muy de cerca en algunas cosas y a veces marcha por su cuenta. La firma puede ser muy innovadora y, sin embargo, evita la competencia directa y sigue muchas estrategias del líder donde las ventajas son aparentes. Esta compañía frecuentemente llega a convertirse en el futuro retador.

Los seguidores de mercado, aunque tengan menores porciones de mercado que el líder, pueden ser tan rentables como este último o incluso más. En un estudio reciente se informó que muchas compañías con menos de la mitad de la porción del mercado del líder tenían un rendimiento promedio igual a cinco años sobre el capital que superaba la media en la industria.[21] Crown Cork & Seal (contenedores de metal) y Union Camp Corporation (papel) se contaban entre los seguidores de mercado más exitosos. La clave de su éxito fue una segmentación y concentración de mercado conscientes, investigación y desarrollo eficaces, énfasis en las utilidades más que en la porción de mercado y gerencia general fuerte.

ESTRATEGIAS DE NICHO DE MERCADO

Casi toda industria incluye firmas menores que se especializan en parte del mercado donde evitan choques con las mayores. Estas empresas más pequeñas ocupan nichos de mercado a los que sirven eficazmente mediante la especialización y que las firmas más grandes son propensas a descuidar o ignorar. Estas firmas tienen varios nombres: nichos de mercado, especialistas de mercado, firmas de umbral o empresas de posición firme. El nicho de mercado no sólo es de interés para las empresas pequeñas, sino también para divisiones más pequeñas de compañías grandes que no son capaces de lograr una posición mejor en esa industria.

El ocupante de nicho de mercado Saab escoge al creciente segmento de los automóviles deportivos de lujo. *Cortesía de Saab-Scania of America.*

Estas firmas intentan encontrar uno o más nichos de mercado que sean seguros y lucrativos. Un nicho ideal de mercado tendría las siguientes características:

- El tamaño y el poder adquisitivo suficientes para ser lucrativo.

- Potencial de crecimiento.

- Es insignificante para el interés de los grandes competidores.

- En este caso la firma tiene las habilidades y recursos necesarios para servir al nicho con eficacia.

- La firma puede defenderse aquí del ataque de un gran competidor mediante la buena voluntad del consumidor que se ha ganado.

La idea clave en la creación de nichos es la especialización. La firma tiene que especializarse por mercado, consumidor, producto o mezcla de mercadotecnia. Véanse algunos papeles de especialistas de que dispone el poseedor de un nicho de mercado:

■ *Especialistas de uso final.* Se especializa en servir un tipo de consumidor de uso final. Por ejemplo, un bufete puede especializarse en los mercados criminal, civil o de negocios.

■ *Especialista de nivel vertical.* Se especializa en algún nivel vertical del ciclo de producción y distribución. Por ejemplo, una firma de cobre puede concentrarse en producir cobre en bruto, componentes de cobre o productos de cobre elaborados.

■ *Especialista por tamaño de cliente.* Se concentra en vender a clientes de tamaño pequeño, mediano o grande. Muchas se especializan en servir a pequeños clientes que las firmas grandes descuidan.

■ *Especialista de cliente específico.* Limita sus ventas a uno o más consumidores principales. Muchas firmas venden su producción completa a una sola compañía, como Sears o General Motors.

■ *Especialista geográfico.* Vende sólo en cierta localidad, región o área del mundo.

■ *Especialista por producto o línea de producto.* Produce un solo producto o línea de productos. Dentro de la industria de equipo para laboratorio hay firmas que producen sólo microscopios o incluso sólo lentes para microscopios.

■ *Especialista por producto o característica.* Se especializa en producir un cierto tipo de producto o característica del producto. Rent-a-Wreck, por ejemplo, es una agencia de renta de automóviles que sólo renta automóviles ''desgastados''.

■ *Especialista de trabajo por encargo.* Fabrica productos según las especificaciones del cliente.

■ *Especialista de precio/calidad.* Opera en el extremo bajo o alto del mercado. Por ejemplo, Hewlett-Packard se especializa en el extremo de alta calidad y alto precio del mercado de las calculadoras de bolsillo.

■ *Especialista por servicio.* Ofrece uno o más servicios que no son asequibles a otras compañías. Un ejemplo sería un banco que recibe solicitudes de préstamo por teléfono y le entrega en mano el dinero al cliente.

La especialización por nicho representa un gran riesgo ya que el nicho de mercado puede agotarse o ser atacado. Es por esto que los *nichos múltiples* son preferibles a *un solo nicho*. Al desarrollar fuerza en dos o más nichos, la compañía acrecienta sus oportunidades de supervivencia. Incluso algunas firmas grandes prefieren una estrategia de nicho múltiple en vez de servir al mercado total. Un gran bufete ha desarrollado una reputación nacional en las tres áreas de fusiones y adquisiciones, bancarrotas y desarrollo de prospectos, y casi no hace nada más.

El punto principal es que las firmas de porción baja también pueden ser lucrativas y el uso de nichos es una de las principales respuestas. Sin embargo, no es todo lo que interviene. Woo y Cooper estudiaron las estrategias de negocios de porción baja con rendimiento alto y bajo para ver porque los primeros se desempeñaban tan bien. Descubrieron lo siguiente:[22]

■ Muchos negocios de porción baja lucrativos se encuentran en mercados de bajo crecimiento que son bastante estables. La mayoría de éstos hacen componentes o abastecimientos industriales que se compran con frecuencia. Estas firmas no cambian sus productos a menudo. La mayoría de ellos son estandarizados y las firmas proporcionan pocos servicios extra. Los negocios tienden a encontrarse en industrias de alto valor agregado.

■ Estas firmas están fuertemente concentradas y no intentan hacerlo todo.

■ Normalmente tienen una reputación de alta calidad y precios medios a bajos en relación con la calidad alta.

■ A menudo tienen costos unitarios más bajos porque se concentran en una línea de producto más estrecha y gastan menos en investigación y desarrollo, introducción de productos nuevos, publicidad, promoción de ventas y apoyo a la fuerza de ventas.

Puede verse que las firmas pequeñas tienen muchas oportunidades para servir a los clientes en formas rentables. Muchas firmas pequeñas descubren buenos nichos mediante la mera suerte, aunque las buenas oportunidades pueden detectarse y desarrollarse de una manera más sistemática.

Independientemente de si una compañía es líder de mercado, retador, seguidor o poseedor de nicho en una industria, debe encontrar la estrategia de mercadotecnia competitiva que la posicione con más eficacia en contra de sus competidores. Y debe adaptar continuamente sus estrategias al ambiente competitivo de cambio rápido. Pero en el ambiente cada vez más competitivo de la mercadotecnia, la compañía puede "concentrarse demasiado en el competidor": puede desperdiciar mucho tiempo vigilando y reaccionando a las actividades de los competidores y perder de vista las necesidades del consumidor que busca satisfacer. La compañía debe esforzarse por permanecer "centrada en el consumidor". Cuando se diseñan estrategias de mercadotecnia competitivas, deben considerarse las posiciones y acciones de los competidores, pero el objetivo fundamental es tener éxito en contra de los competidores al encontrar nuevas maneras de satisfacer las necesidades del consumidor.

■ Resumen

Para tener éxito, una compañía debe desarrollar estrategias de mercadotecnia competitivas que la posicionen eficazmente en contra de los competidores y que le den la ventaja competitiva más fuerte posible. Qué estrategia tiene más sentido depende de la posición competitiva de la compañía en su industria y sus objetivos, oportunidades y recursos. La estrategia de mercadotecnia competitiva de la firma depende de si es un líder de mercado, un retador, un seguidor o el ocupante de un nicho.

Un líder de mercado se enfrenta a tres desafíos: expandir el mercado total, proteger y expandir la porción de mercado. El líder de mercado está interesado en encontrar formas para expandir el mercado total porque es el principal beneficiario de cualquier aumento en las ventas. Para expandir el tamaño del mercado, el líder busca nuevos usuarios del producto, nuevos usos y más uso. Para proteger su porción de mercado existente, el líder de mercado tiene varias defensas: de posición, de los flancos, preventiva, de contraofensiva, móvil y por contracción. Los líderes más complejos se protegen a sí mismos haciéndolo todo bien, no dejando aberturas para el ataque de la competencia. Los líderes también pueden tratar de acrecentar su porción de mercado. Esto tiene sentido si la rentabilidad aumenta a niveles superiores de porción de mercado y si las tácticas de la compañía no invitan la acción antimonopolista.

Un retador de mercado es una firma que intenta agresivamente expandir su porción de mercado atacando al líder, a otras firmas sublíderes o a firmas más pequeñas en la industria. El retador puede escoger entre una variedad de estrategias de ataque, incluyendo el frontal, el que se hace a los flancos, el de cerco, el de evasión y el guerrillero.

Un seguidor de mercado es una firma sublíder que escoge no mover el barco, usualmente por temor a que pueda perder más de lo que pueda ganar. Sin embargo, el seguidor tiene una estrategia y usa su habilidad particular para participar activamente en el crecimiento del mercado.
Algunos seguidores disfrutan de una tasa superior de rendimiento sobre la inversión en comparación con los líderes de la industria.

Un ocupante de nicho en el mercado es una firma más pequeña que escoge operar en alguna parte de este último mercado que esté especializada y que no sea susceptible de atraer a las firmas más grandes. Los ocupantes de nichos de mercado a menudo se convierten en especialistas en algún uso final, nivel vertical, tamaño del cliente, cliente específico, área geográfica, producto o línea de producto, característica del producto o servicio.

■ Preguntas de repaso

1. Recomiende una estrategia para una firma pequeña y nueva que entre al mercado de las fotocopias.

2. ¿Cuál podría ser la estrategia para acosar a una firma dominante que intenta proteger su porción de mercado de los retadores?

3. Hewlett-Packard, líder en el extremo superior del mercado de las calculadoras de bolsillo, se encontró en un dilema entre las computadoras portátiles acometedoramente promovidas y calculadoras menos costosas con crecientes características complejas. ¿Qué estrategia de líder de mercado recomendaría para Hewlett-Packard?

4. Comente las siguientes declaraciones hechas acerca de la estrategia apropiada de mercadotecnia de firmas más pequeñas: a) "La firma más pequeña debería concentrarse en quitarle los clientes a la compañía más grande,

mientras que la firma grande debería concentrarse en estimular a nuevos clientes a que entren al mercado". b) "las firmas más grandes deberían ser pioneras de productos nuevos y las firmas más pequeñas deberían copiarlas".

5. Aunque Caterpillar es una compañía extremadamente fuerte, tiene algunas vulnerabilidades. Mencione las amenazas potenciales contra Caterpillar.

6. ¿Cuáles son los principios de mercadotecnia que la General Motors utilizó para mantener durante cuatro décadas su liderazgo en la industria automotriz estadunidense?

7. Critique brevemente la siguiente declaración de estrategia de mercadotecnia: "La compañía ofrecerá el mejor producto y el mejor servicio al precio más bajo".

■ Bibliografía

1. Véase "Goodyear: Will Staying No. 1 in Tires Pump Up Profits?" *BusinessWeek*, 12 de julio de 1982, p. 85-88; "Michelin: Spinning Its Wheels in the Competitive U.S. Market," *Business Week*, 1 de diciembre de 1980, p. 119-24; "Uniroyal: Narrowing the Choices As It Clings to the Tire Business," *Business Week*, 11 de junio de 1979, p. 74-76; y "The Niche Pickers at Armstrong Rubber," *Fortune*, 6 de septiembre de 1982, p. 100-4.

2. Véase ALFRED R. OXENFELD y WILLIAM L. MOORE, "Customer or Competitor: Which Guidelines for Marketing?" *Management Review*, agosto de 1978, p. 43-48.

3. MICHAEL E. PORTER, *Competitive Strategy: Techniques for Analyzing Industries and Competitors* (New York: Free Press, 1980), cap. 2.

4. Véase JORDAN P. YALE, "The Strategy of Nylon's Growth," *Modern Textiles Magazine*, febrero de 1964, p. 32ff. Véase también THEODORE LEVITT, "Exploit the Product Life Cycle," *Harvard Business Review*, noviembre-diciembre de 1965, p. 81-94.

5. SUN TSU, *The Art of War* (London: Oxford University Press, 1963); MIYAMOTO MUSASHI, *A Book of Five Rings* (Woodstock, NY: Overlook Press, 1974); CARL VON CLAUSEWITZ, *On War* (London: Routledge & Hegan Paul, 1908); y B. H. LIDDELL HART, *Strategy* (New York: Praeger, 1967).

6. Estas seis estrategias de defensa, así como las cinco estrategias de ataque que se describen en este capítulo, se tomaron de PHILIP KOTLER y RAVI SINGH, "Marketing Warfare in the 1980s,' *Journal of Business Strategy,* invierno de 1982, p. 30-41.

7. SIDNEY SCHOEFFLER, ROBERT D. BUZZELL, y DONALD F. HEANY, "Impact of Strategic Planning on Profit Performance," *Harvard Business Review*, marzo-abril de 1974, p. 137-45; y ROBERT D. BUZZELL, BRADLEY T. GALE, y RALPH G. M. SULTAN, "Market Share—the Key to Profitability," *Harvard Business Review*, enero-febrero de 1975, p. 97-106.

8. Véase BUZZELL, y cols., "Market Share," p. 97-106. Los resultados deben interpretarse cuidadosamente puesto que la información provino de un número limitado de industrias y hubo algunas variantes alrededor de la línea principal de relación.

9. JOHN D. C. ROACH, "From Strategic Planning to Strategic Performance: Closing the Achievement Gap," *Outlook*, publicado por Booz, Allen & Hamilton, New York, Primavera de 1981, p. 22. Esta curva supone que el rendimiento de pre-impuesto sobre las ventas está estrechamente relacionado con la rentabilidad y que los ingresos de la firma son un sustituto de la porción de mercado. MICHAEL PORTER, en su *Estrategia Competitiva*, muestra una curva similar, en forma de V, que cumple con el mismo punto.

10. ROACH, "Strategic Planning," p. 21.

11. PHILIP KOTLER y PAUL N. BLOOM, "Strategies for High Market-Share Companies," *Harvard Business Review*, noviembre-diciembre de 1975, p. 63-72.

12. PHILIP B. CROSBY, *Quality Is Free* (New York: McGraw-Hill, 1979).

13. Para lecturas adicionales, véase C. DAVID FOGG, "Planning Gains in Market Share," *Journal of Marketing*, julio de 1974, p. 30-38; y BERNARD CATRY y MICHEL CHEVA-

LIER, ''Market Share Strategy and the Product Life Cycle,'' *Journal of Marketing*, octubre de 1974, p. 29-34.

14. Para más sobre análisis competitivo, véase PORTER, *Competitive Strategy*, cap. 3.

15. ''The 250 Million Dolar Disaster That Hit RCA,'' *Business Week*, 25 de septiembre de 1971.

16. Véase ''Stopping the Greasies,'' *Forbes*, 9 de julio de 1979, p. 121.

17. Citado en ''Honeywell Information Systems.'' caso disponible en la Intercollegiate Case Clearing House, Soldiers Field, Boston, 1975, p. 7-8.

18. Véase ''Seiko's Smash,'' *Business Week*, 5 de junio de 1978, p. 89.

19. Véase ''The Changing of the Guard,'' *Fortune*, 29 de septiembre de 1979; y ''How to Be Happy Though No. Two,'' *Forbes*, 15 de julio de 1976, p. 36.

20. ''Alaska Chills a German Beer,'' *Business Week*, 23 de abril de 1979, p. 42.

21. R. G. HAMERMESH, M. J. ANDERSON, JR., y J. E. HARRIS, ''Strategies for Low Market Share Businesses,'' *Harvard Business Review*, mayo-junio de 1978, p. 95-102.

22. CAROLYN Y. WOO y ARNOLD C. COOPER, ''The Surprising Case For Low Market Share,'' *Harvard Business Review*, noviembre-diciembre de 1982, p. 106-13.

21
Implantación, organización y control de los programas de mercadotecnia

Durante la década de 1970, la IBM se volvió pesada y burocrática. Las ventas de 50 mil millones de dólares del gigante estaban creciendo 13% anual, y todavía dominaba el gran segmento de las computadoras, pero la organización sumamente estructurada y tradicional de la IBM tenía problemas para competir eficazmente en contra de empresas más pequeñas y más flexibles en segmentos de cambio rápido y alto crecimiento. La porción de IBM del mercado total de procesamiento de información cayó de 60% a fines de la década de 1960 a menos de 40% en 1980.

Así, cuando la IBM decidió a comienzos de la década de 1980 entrar al mercado de la computadora personal, los analistas de la industria se mostraron escépticos e, incluso, muchos ejecutivos de la IBM estaban preocupados. La estrategia era muy sólida: llevar el nombre de la IBM y la reputación establecida de la compañía por calidad y servicio al segmento de más rápido crecimiento en el mercado de las computadoras. Pero con computadoras personales, la firma tendría que operar en un territorio de mercadotecnia desconocido, vendiendo un producto muy distinto, a consumidores muy diferentes, en un ambiente sumamente competitivo. ¿Podría la IBM (muy apegada a los métodos tradicionales) *implantar* con éxito una nueva estrategia que fuera tan distinta de las estrategias anteriores? A pesar de su formidable poder y fuerza, pocos esperaban que la IBM tuviera un efecto tan inmediato sobre el mercado de las computadoras personales.

Pero en el desarrollo y la comercialización de su nueva IBM PC (computadora personal), la empresa dio algunas sorpresas. Hizo a un lado los métodos tradicionales de operación y rompió varias reglas establecidas desde hace tiempo. Creó una "unidad especial de operaciones" llamada Entry Systems, con responsabilidad total para diseñar, hacer y vender la IBM PC. La compañía le dio a Entry Systems vía libre sobre el proyecto y protegió a la unidad de complicaciones burocráticas. Esta "compañía independiente dentro de una compañía" desarrolló una cultura y un estilo de operar similar a sus competidores. Libre del control estricto que la IBM suele imponer a sus unidades operaciona-

les, Entry Systems ignoró las tradiciones IBM e hizo muchas cosas que no eran comunes en esa empresa. Por ejemplo:

1. IBM *siempre* había construido sus computadoras íntegramente, usando sólo componentes electrónicos diseñados y producidos por la IBM. Pero para entrar con la PC en el mercado más rápido, Entry Systems ensambló el aparato con componentes de fácil obtención de proveedores externos. Por ejemplo, el corazón de la PC era un microprocesador de 16 bit fabricado por la Intel Corporation.

2. IBM *siempre* había guardado cuidadosamente sus diseños de computadoras y había desarrollado su propio software. Pero no para la PC. Para alentar la aceptación rápida y la expansión de las ventas, Entry Systems publicó las especificaciones técnicas de la PC para mostrar cómo estaba construida la máquina y cómo operaba. Esto facilitó a las compañías externas la posibilidad de diseñar programas de software compatibles con la IBM y la abundancia resultante de software disponible hizo que la PC tuviera todavía más atractivo para los consumidores. Las máquinas IBM muy pronto se convirtieron en el estándar de la industria para los productores de software.

3. IBM *siempre* había vendido sus productos directamente a los usuarios finales mediante su fuerza de ventas grande y estrictamente controlada. Pero para la PC, Entry Systems desarrolló una gran cadena de detallistas independientes, incluyendo algunos de gran peso, como Sears y Computerland. Para superar su falta de experiencia en distribución al menudeo, Entry Systems copió las técnicas de distribución de sus competidores. Por ejemplo, copió sus programas de apoyo al distribuidor y educación del consumidor de la Apple.

4. Hasta fines de la década de 1970, la IBM *siempre* había confiado en innovación de producto lenta pero segura y en estabilidad de precio. Pero la firma había invertido recientemente miles de millones de dólares para renovar sus plantas y equipo en un in-

tento por convertirse en el productor de bajo costo de la industria, y ha comenzado a usar el precio como principal arma competitiva. Entry Systems siguió el ejemplo para la PC: gastó millones para construir instalaciones modernas de producción que pudieran fabricar PC a bajo costo y entonces siguió una política acometedora de fijación de precios para mantener a los competidores en desequilibrio.

Para implantar su estrategia de entrar al mercado de la computadora personal, IBM hizo varios cambios antitradicionales en su estructura, operaciones y tácticas. Y el nuevo enfoque dio resultado:

hasta los mismos ejecutivos de la IBM estaban sorprendidos por la rapidez con que la IBM PC llegó a dominar. Después de sólo dos y medio años, tenía una porción de mercado de 35% (de 60 a 70% en el segmento corporativo). La entrada exitosa de la IBM causó conmoción en la industria que eliminó a docenas de competidores. El nuevo enfoque funcionó tan bien que desde 1981 la IBM ha establecido más de una docena de unidades de negocios especiales para desarrollar oportunidades en software, robótica, atención de salud de alta tecnología y otros mercados de crecimiento rápido.[1]

El análisis del ambiente de la mercadotecnia y la planeación de buenas estrategias son sólo el comienzo hacia la administración exitosa del esfuerzo de mercadotecnia. La compañía también debe desarrollar una organización eficaz de mercadotecnia que ejecute las actividades necesarias para implantar la estrategia. Y debe evaluar continuamente sus actividades y rendimiento para asegurar que se logren los objetivos estratégicos. En este capítulo se verá la manera cómo se implantan las estrategias de mercadotecnia y la forma cómo se organizan y se controlan estos esfuerzos en la organización moderna.

IMPLANTACION

Una estrategia brillante de mercadotecnia servirá de poco si la firma no es capaz de implantarla apropiadamente.

> La *implantación de mercadotecnia* es el proceso que convierte las estrategias y planes en acciones de mercadotecnia con el fin de lograr los objetivos estratégicos del área.

La implantación consiste en movilizar al personal y los recursos de la empresa dentro de las actividades cotidianas, mes a mes, esto hace que el plan estratégico funcione. Mientras que el análisis y la planeación estratégica abordan los *qué* y *por qué* de las actividades de mercadotecnia, la implantación aborda los *quién, dónde, cuándo y cómo*.

La estrategia y la implantación están estrechamente relacionadas. Primero, la estrategia determina las actividades de implantación necesarias. Por ejemplo, la decisión de la alta gerencia de "segar" un producto debe traducirse en acciones específicas como las de asignar menores fondos para el producto, hacer que los vendedores cambien su énfasis de ventas, tal vez elevar los precios y reasignar los esfuerzos de la agencia de publicidad a otros productos. Una decisión para "construir" un producto requeriría de diferentes actividades de implantación. Segundo, las capacidades de implantación de la compañía influyen en el tipo de estrategia que escoja la gerencia. Por ejemplo, la gerencia evitaría un ataque frontal contra un competidor bien atrincherado si carece de los recursos para implantar esta estrategia.

La implantación es difícil y complicada: a menudo es más fácil idear buenas estrategias de mercadotecnia que llevarlas a la práctica. En un estudio, 90% de los planificadores encuestados pensaban que sus estrategias no estaban funcionando porque se estaban implantando mal.[2] Y los gerentes a menudo tienen dificultades para diagnosticar problemas de implantación. El mal rendimiento puede ser el resultado de malas estrategias o de buenas estrategias que se implantan mal. Usualmente es difícil determinar si el mal rendimiento fue causado por la mala estrategia, por la mala implantación o por ambas cosas.[3]

Razones de la mala implantación

¿Qué causa los fracasos de implantación? ¿Por qué son incapaces las firmas de cubrir exitosamente la brecha entre la estrategia y el rendimiento de la mercadotecnia? Varios factores causan problemas de implantación.

Planeación aislada

El plan estratégico de la compañía a menudo es preparado por "planificadores profesionales" a nivel corporativo que se comunican mal con los gerentes de mercadotecnia encargados de implantar la estrategia. Esto conduce a diversos problemas. Los asesores en planificación que se encargan de la estrategia global a menudo no se preocupan por detalles de implantación y pueden producir planes que sean demasiado superficiales o muy generales. Los planificadores que no entienden los problemas prácticos a los que se enfrentan los gerentes de línea pueden plantear estrategias que sean irreales o demasiado ambiciosas. Los planificadores aislados tal vez no comuniquen adecuadamente sus estrategias a los gerentes de línea de mercadotecnia, y puede que los gerentes tengan problemas para implantar las estrategias porque no las comprendan bien. Por último, la planeación aislada puede conducir a hostilidades entre los planificadores y los gerentes de línea de mercadotecnia. Los gerentes que tratan con las operaciones cotidianas pueden resentir u oponerse a lo que ven como estrategias irreales propuestas por planificadores "en torres de marfil".

Muchas compañías han comprendido que los planificadores profesionales a nivel corporativo preparan estrategias *para* gerentes de mercadotecnia; en vez de esto, los planificadores deben ayudar a los gerentes de mercadotecnia a encontrar sus propias estrategias. Los gerentes de línea comprenden mejor las operaciones y las condiciones del mercado, y si se les incluye en el proceso de planeación, los gerentes estarán más dispuestos y serán más capaces de implantar estrategias. Muchas compañías están ahora reduciendo el personal de planeación excesivo y centralizado, y están haciendo planeación estratégica en los niveles de operación. Por ejemplo, después de varios intentos no fructíferos para crear un sistema de planeación estratégica en las oficinas centrales, la General Motors descentralizó el proceso e hizo que la planeación estratégica fuera la responsabilidad de sus gerentes de línea. Eaton redujo su grupo de planeación central de 35 a 16, y General Electric redujo su personal corporativo de planeación de 58 a 33.[4] En éstas y otras compañías, los planificadores no están aislados: trabajan directamente con los gerentes de línea para diseñar estrategias más eficaces.

Trueque entre objetivos a largo y a corto plazo

Las compañías diseñan estrategias de mercadotecnia que conducirán a una ventaja competitiva *a largo plazo:* los planes estratégicos frecuentemente cubren actividades de los próximos tres a cinco años. Pero los gerentes de mercadotecnia que implantan estas estrategias suelen ser recompensados por ventas, crecimiento o utilidades *a corto plazo.* Cuando se enfrentan a una elección entre estrategias a largo plazo y rendimiento a corto plazo, los gerentes usualmente hacen un trueque a favor del corto plazo. En un estudio de grandes compañías se descubrieron numerosos ejemplos de estos trueques dañinos.[5] Por ejemplo, la estrategia de desarrollo de producto a largo plazo de una compañía fracasó porque los gerentes de mercadotecnia de la división, a quienes se les recompensaba por su rendimiento anual, a menudo posponían los gastos de desarrollo de producto pequeño y favorecían los productos establecidos con el fin de mejorar las ganancias actuales e impulsar sus comisiones. Otra compañía diseñó una estrategia de mercadotecnia que recalcaba la disponibilidad del producto y el servicio al cliente. Pero bajo presiones para el rendimiento de las utilidades a corto plazo, los gerentes de operación redujeron costos al minimizar los inventarios y reducir el personal de servicio técnico. Estos gerentes cumplieron con las metas de rendimiento a corto plazo y recibieron evaluaciones altas, pero sus acciones dañaron la estrategia y la posición a largo plazo de la compañía.

Algunas empresas están tomando medidas para identificar tales problemas de trueque y para alentar un mejor equilibrio entre las metas a corto y a largo plazo. Esto implica hacer a los gerentes más conscientes de las metas estratégicas, evaluar a los gerentes en cuanto al rendimiento a corto y a largo plazos y recompensarlos por alcanzar objetivos estratégicos a largo plazo.[6]

Resistencia al cambio

Todas las operaciones actuales de la compañía han sido diseñadas para implantar estrategias previas. Habrá resistencia a las estrategias nuevas que no sean congruentes con los patrones y hábitos establecidos por la empresa. Y mientras más se diferencie la estrategia nueva de la antigua, mayor será la resistencia a implantarla. Para las estrategias radicalmente nuevas, la implantación puede cortar líneas organizacionales tradicionales dentro de la compañía y a través de patrones de operación establecidos de los proveedores y las firmas de canal. Por ejemplo, con el fin de implantar una estrategia de desarrollo de nuevos mercados para una línea antigua de producto, una firma tuvo que crear una división de ventas enteramente nueva.[7] En otro caso, una compañía especializada en productos de iluminación industrial decidió ponerles marca a sus bombillas y venderlas en tiendas de abarrotes.[8] La compañía era el principal productor del país de bombillas de marca privada, pero no tenía experiencia en mercadotecnia de consumo ni en mercadotecnia para detallistas. Dos años después y millones de dólares gastados, la marca tenía sólo una porción de mercado de 0.3%. La compañía no podía implantar la nueva estrategia concentrada en el consumidor porque no podía cambiar su orientación de mucho tiempo a una marca privada y a la industria.

Carencia de planes específicos de implantación

Algunos planes estratégicos están mal implantados porque los planificadores no logran desarrollar planes detallados. Dejan los detalles a los gerentes individuales y el resultado es una mala o ninguna implantación. Hobbs y Heany describen una compañía de electrodomésticos que decidió mejorar la rentabilidad ensanchando su línea de producto:[9]

La compañía les comunicó el intento global de su nueva estrategia a sus unidades de ingeniería y fabricación, autorizó la fabricación para que diseñara un nuevo aparato electrodoméstico y pidió al departamento de ingeniería que se preparara para un tiraje inicial de producción de dos mil unidades. Los datos posteriores mostraron que la tasa de fracaso para los modelos nuevos era mucho más elevada que para los más antiguos. Resultó que los ingenieros de diseño de la empresa consideraron las primeras dos mil unidades como "modelos de prueba": planeaban examinar los resultados en el campo antes de establecer estándares finales de calidad. Pero el departamento de fabricación pensó que los diseños para el nuevo electrodoméstico eran los finales e invirtió millones de dólares en una nueva línea de producción para las unidades iniciales. Si el diseño original del producto se cambiaba, gran parte de esta inversión tendría que castigarse. Además, la gerencia superior contaba con una introducción rápida y lucrativa del nuevo producto, pero si el producto tenía que diseñarse de nuevo, estas metas no podrían cumplirse. La compañía llegó a esta difícil situación porque no logró armar un programa completo para implantar la nueva estrategia.

La gerencia no puede limitarse a presuponer que sus estrategias se implantarán. Debe preparar un programa detallado de implantación que identifique y coordine las actividades específicas necesarias para poner la estrategia en su lugar. Debe desarrollar horarios para alcanzar objetivos específicos y asignarles responsabilidad a los gerentes individuales por las principales tareas de implantación.

El proceso de implantación

El personal en todos los niveles del sistema de mercadotecnia debe cooperar para implantar estrategias de mercadotecnia. Dentro del departamento de mercadotecnia, el personal en publicidad, ventas, investigación de mercados y desarrollo de producto deben ejecutar actividades que apoyen al plan estratégico. Este personal debe coordinar sus acciones con el personal de otros departamentos de la firma: investigación y desarrollo, fabricación, adquisiciones, finanzas y legal. Muchas personas y organizaciones en el sistema de mercadotecnia externo de la empresa también deben contribuir a la implantación estratégica. Los proveedores, mayoristas y detallistas de la compañía; las agencias de publicidad, firmas de investigación de mercados y consultores externos; públicos financieros, los medios, grupos de acción cuidadana, el gobierno, todos pueden ayudar u obstaculizar los intentos de la compañía por implantar sus estrategias de mercadotecnia. La firma debe desarrollar estructuras y sistemas eficaces que coordinen todas estas actividades en un curso de acción.

Según McKinsey & Company, una gran firma consultora, una estrategia clara y bien planeada es sólo uno de los siete elementos que conducen al rendimiento exitoso. La estructura McKinsey 7-S se muestra en la figura 21-1.[10] Los primeros tres elementos (estrategia, estructura y sistemas) son el "hardware" del éxito. Abarcan instrumentos y juicios analíticos duros. Los siguientes cuatro elementos (habilidades, personal de asesoría, estilo y valores) son el "software". Comprenden las personas y las interacciones personales necesarias para el desempeño exitoso.

FIGURA 21-1
La estructura de 7-S de McKinsey

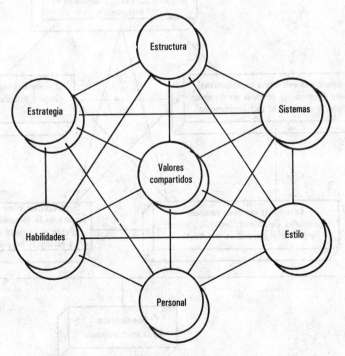

Fuente: Thomas J. Peters and Robert H. Waterman, Jr., *In Search of Excellence: Lessons from America's Best Run Companies.* Copyright © 1982 by Thomas J. Peters and Robert H. Waterman, Jr. Reimpresión autorizada de Harper & Row, Publishers.

Así, una compañía exitosa diseña primero una *estrategia* apropiada para lograr sus metas. Después construye una *estructura* organizacional y *sistemas* de información, planeación, control y recompensa para ejecutar esta estrategia. Pero los consultores de McKinsey argumentan que en las últimas décadas la gerencia ha estado prejuiciada hacia los elementos analíticos duros. Esta propensión ha distraído la atención de los elementos importantes relacionados con la gente. La fortaleza de la firma va más allá de la estrategia, la estructura y los sistemas. El éxito también depende de tener a las personas adecuadas (*personal*) haciendo las cosas correctas (*habilidades*) bajo un clima administrativo y organizacional apropiados (*estilo* y *valores compartidos*).

El proceso de implantación se muestra en la figura 21-1.[11] La figura muestra que la estrategia de mercadotecnia y el desempeño de mercadotecnia están vinculados por un sistema de implantación que consta de cinco actividades interrelacionadas: desarrollo de programas de acción, construcción de una estructura organizacional, diseño de sistemas de decisión y recompensa, desarrollo de recursos humanos y establecimiento de un clima administrativo y una cultura de la compañía.

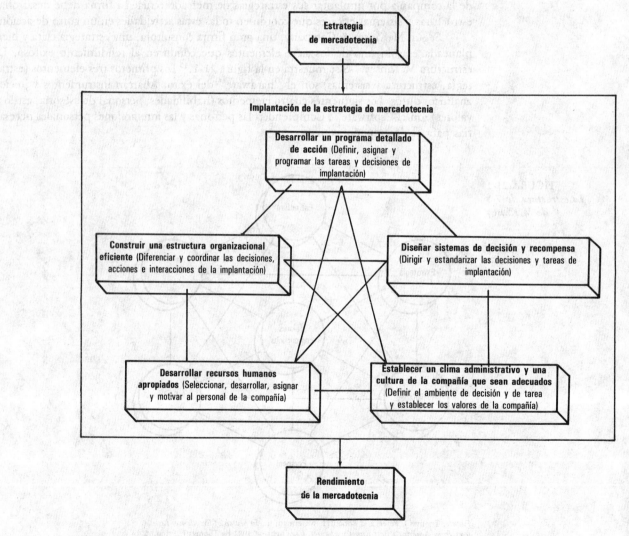

FIGURA 21-2 *El proceso de implantación de la mercadotecnia*

Desarrollo de un programa de acción

Para implantar estrategias de mercadotecnia, el personal en todos los niveles del sistema de mercadotecnia debe tomar decisiones específicas y ejecutar tareas precisas. En Procter and Gamble, la implantación de la estrategia de la alta gerencia de introducir una corriente de nuevos productos de alta calidad requiere de decisiones y acciones bien planeadas y coordinadas día a día por miles de personas fuera y dentro de la organización. Dentro de la organización de mercadotecnia, los investigadores de mercados someten a prueba conceptos de producto nuevo y exploran el lugar del mercado en busca de ideas factibles para productos nuevos. Para cada producto nuevo, los gerentes de mercadotecnia toman decisiones acerca de segmentos meta y posiciones de producto, fijación de marcas, empaque, fijación de precios, promoción y distribución. Se seleccionan vendedores, se entrenan y vuelven a entrenar, se dirigen y se motivan.

Los gerentes de mercadotecnia trabajan con otros gerentes de la firma para obtener recursos y apoyo para productos nuevos y prometedores. Hablan con el departamento de ingeniería acerca del diseño del producto, con fabricación acerca de los niveles de calidad, producción e inventario; con finanzas acerca de fondos para proyectos y flujos de efectivo; con el departamento legal acerca de patentes y cuestiones de seguridad del producto; y con el departamento de personal acerca de necesidades de dotación de personal y de entrenamiento. Los gerentes de mercadotecnia también trabajan con personas en organizaciones externas. Se reúnen con personal de agencias de publicidad para planear y lanzar campañas, y con los medios para obtener apoyo de publicidad no pagada. La fuerza de ventas alienta a los detallistas a darles a los productos nuevo apoyo publicitario local, proporcionarles espacio adecuado de anaquel y usar los exhibidores de la empresa. Los fracasos en cualquier nivel de la implantación pueden afectar el éxito del nuevo producto.

Para implantar exitosamente sus estrategias, la compañía debe desarrollar un *programa de acción* detallado. Este programa identifica *decisiones y tareas* claves que se necesitan para convertir las estrategias de mercadotecnia en realidades en el lugar de trabajo. El programa de acción también asigna *responsabilidad* por decisiones y tareas a personas y unidades específicas en la compañía. Por último, el programa de acción incluye un *horario* que estipula cuándo han de tomarse las decisiones, cuándo deben emprenderse las acciones y cuándo deben alcanzarse las estrategias fijadas. El programa de acción identifica lo que debe hacerse, quién lo hará y cómo se coordinarán las decisiones y las acciones para alcanzar los objetivos estratégicos de la compañía.

Construcción de una estructura organizacional eficaz

La estructura organizacional formal de la compañía desempeña un papel importante en la implantación de la estrategia de mercadotecnia. La estructura define y asigna tareas a departamentos y personas específicas, establece líneas de autoridad y comunicación, y coordina las acciones y las decisiones en toda la firma.

Las compañías con diferentes estrategias necesitan diferentes estructuras: deberán diseñar una estructura que se ajuste y dé apoyo a su estrategia, sus características y su ambiente competitivo. La estructura proporciona *diferenciación*: divide el trabajo de la firma en tareas bien definidas y aplicables, asigna estas tareas a departamentos y personas, y permite la eficiencia mediante la especialización. La estructura proporciona entonces *integración:* coordina estas decisiones y acciones especializadas al definir relaciones formales entre personas y unidades, y al crear canales de autoridad y comunicación.

La estructura de una compañía evoluciona a medida que cambian las estrategias y su ambiente. La pequeña firma que desarrolle productos nuevos en una industria de cambio rápido podría necesitar de una estructura flexible que alentara las actividades empresariales: una estructura descentralizada con especificaciones vagas de papel y altos niveles de comunicación informal. Una compañía establecida en mercados más estables podría necesitar una estructura que proporcionara mayor integración: una estructura más centralizada con muy buena definición de papeles, tareas rutinarias y comunicación "por los canales apropiados".

En un estudio de 43 compañías exitosas, Peters y Waterman descubrieron que las firmas tenían varias características estructurales en común que conducían a la implantación estratégica exitosa.[12] Por ejemplo, sus estructuras tenían niveles elevados de *informalidad*: la APP (administración por paseos) de la United Airlines, la "política de puertas abiertas" de la IBM, los "clubes" de 3M para crear interacción de grupo pequeño. Las estructuras de las compañías exitosas estaban *descentralizadas,* con pequeñas divisiones autónomas o grupos empresariales para fomentar la innovación, y fuerzas especiales temporales creadas por integrar decisiones y acciones. Las estructuras también tendían a ser *sencillas*. La mayoría de las compañías exitosas diseñaban sus estructuras en torno de una sola dimensión, como las divisiones de producto. Estas estructuras simples y descentralizadas son más flexibles y fluidas y les permiten a las compañías adaptarse con más rapidez a las condiciones cambiantes. Johnson & Johnson proporciona un ejemplo excelente de sencillez estructural. Su compañía de cinco mil millones de dólares está dividida en 150 divisiones independientes que promedian unos 30 millones de dólares en tamaño. Cada división maneja sus propias decisiones y actividades de mercadotecnia. Esta estructura pone el control en manos de los gerentes de operaciones y da lugar a más eficacia en el desarrollo y la implantación de la estrategia.

Además de las estructuras sencillas, las compañías exitosas tienen poco personal especialmente en niveles superiores. Según Peters y Waterman:[13]

De hecho, parece que la mayoría de las compañías exitosas tienen comparativamente poco personal a nivel corporativo y que el personal de apoyo tiende a estar en el campo resolviendo problemas en vez de estar en la oficina vigilando las cosas. La clave es menos administradores y más operadores.

Las conclusiones del estudio de Peters y Waterman han sido puestas en duda porque el estudio se concentró en compañías de alta tecnología y bienes de consumo que operaban en ambientes que cambiaban rápidamente.[14] Las estructuras usadas por estas compañías tal vez no sean apropiadas en diferentes ambientes para otras firmas. Además, muchas de las compañías exitosas del estudio necesitarán cambiar sus estructuras a medida que evolucionen sus estrategias y situaciones. Por ejemplo, la estructura descentralizada e informal que le dio tanto éxito a Hewlett-Packard en la época de la investigación le ha causado problemas a la HP en los últimos años. La compañía se ha movido recientemente hacia una estructura más centralizada (véase recuadro 21-1).

RECUADRO 21-1

LA ESTRUCTURA DE HEWLETT-PACKARD EVOLUCIONA

En 1939 dos ingenieros, Bill Hewlett y Dave Packard, comenzaron la Hewlett Packard en un garage de Palo Alto para construir equipo de prueba. Al comienzo, Bill y Dave lo hacían todo ellos mismos, desde el diseño y la construcción de su equipo hasta su comercialización. Cuando la firma comenzó a crecer fuera del garage y a fabricar más tipos diferentes de equipo de prueba, Hewlett y Packard ya no podían ejecutar todas las operaciones necesarias. Se nombraron a sí mismos gerentes generales y contrataron a gerentes funcionales para dirigir varias actividades de la empresa. Estos gerentes eran relativamente autónomos, pero todavía tenían grandes nexos con los propietarios.

Para mediados de 1970, las 42 divisiones de Hewlett-Packard empleaba a más de mil 200 personas. La estructura de la firma evolucionó para dar apoyo a su gran énfasis en la innovación y la autonomía. La estructura era flexible y descentralizada. Cada división operaba como unidad y autónoma y era responsable de su propia planeación estratégica, desarrollo de producto, programas de mercadotecnia e implantación.

Hewlett-Packard comenzó en este garage en 1939; ahora opera en todo el mundo. *Cortesía de Hewlett-Packard.*

En 1982 Peters y Waterman, en su obra *In Search of Excellence,* citaron la estructura informal y descentralizada de HP como una razón principal de la excelencia continua de la compañía. Alabaron la estructura no restrictiva y el alto grado de comunicación informal (su estilo de APP: administración por paseos). Peters y Waterman observaban que la estructura de la HP descentraliza la toma de decisiones y la responsabilidad. En palabras de un gerente de la HP:

Hewlett Packard no debería tener una organización estricta de tipo militar, sino más bien darle a la gente la libertad para trabajar en búsqueda de objetivos globales de tal forma que determinen cómo mejorar sus propias áreas de responsabilidad.

La estructura también descentraliza la autoridad y fomenta la autonomía:

La fuerza de ventas no tiene que aceptar un producto desarrollado por una división a no ser que así lo quiera. La compañía cita numerosos casos en los que varios millones de dólares de fondos de desarrollo fueron gastados por una división para que la fuerza de ventas dijera: ''No, muchas gracias''.

Pero en los últimos años, y aunque todavía es rentable, la Hewlett Packard se ha topado con algunos problemas en los mercados de cambio rápido de las microcomputadoras y las minicomputadoras. Según *Business Week:*

La famosa cultura de la innovación y la descentralización de Hewlett Packard dio lugar a productos de tanto éxito como su minicomputadora 3000, la calculadora científica del tamaño de la mano y el impresor sin impacto ThinkJet. Pero cuando un nuevo clima hizo que sus divisiones fieramente autónomas cooperaran en el desarrollo y mercadotecnia de productos, la apasionada devoción de HP por la ''autonomía y carácter empresarial'' que defendían Peters y Waterman se convirtió en un obstáculo.

Así, la Hewlett Packard está descubriendo que debe cambiar su estructura y su cultura para ajustarlas a la situación cambiante. Según *Business Week:*

Para recuperar su fuerza, la HP está obligada a abandonar sus atributos de excelencia por los que se le solía alabar. Su cultura de impulso tecnológico orientaba a la ingeniería, en la que la descentralización y la innovación eran una religión y donde los empresarios eran los dioses, está dando paso a una cultura de la mercadotecnia y a una creciente descentralización.

Fuentes: Basado en información tomada de Donald F. Harvey, *Business Policy and Strategic Management* (Columbus, OH: Charles E. Merrill, 1982), p. 269-70; "Who's Excellent Now?" *Business Week*, 5 de noviembre de 1984, p. 76-78: y Thomas J. Peters and Robert H. Waterman, Jr., *In Search of Excellence: Lessons from America's Best-Run Companies* (New York: Harper & Row, 1982).

Diseño de los sistemas de decisión y recompensa

La compañía debe también diseñar sistemas de decisión y recompensa que den apoyo a sus estrategias de mercadotecnia. Los sistemas incluyen procedimientos de operación formal e informal que orientan y estandarizan actividades tales como planeación, recopilación y distribución de información, presupuesto y poder humano, reclutamiento, capacitación, medición y control del rendimiento, evaluación y recompensas para el personal.

Los sistemas mal diseñados pueden ser negativos para la implantación de la estrategia; los sistemas bien diseñados pueden alentar la buena implantación. Considérese el sistema ejecutivo de evaluación y recompensas de una compañía. Si el sistema compensa a los ejecutivos por resultados de operación y utilidades a corto plazo, los gerentes tienen pocos incentivos para esforzarse por objetivos a largo plazo. Muchas compañías están diseñando sistemas de compensación que alientan a los gerentes a lograr un mejor equilibrio entre resultados de operación a corto plazo y rendimiento estratégico a largo plazo. Véanse dos ejemplos:[15]

Una compañía grande que operaba en una industria de crecimiento lento y que estaba amenazada por importaciones de bajo costo se decidió por una estrategia nueva y de dos posibilidades. Primero, controlaría los costos y fortalecería las actividades de mercadotecnia para ahorrar en su negocio central actual. Segundo, se aventuraría en nueva tecnología mediante la adquisición de pequeñas compañías ya existentes en mercados de crecimiento más rápido. La empresa comprendió que los negocios antiguo y nuevo tenían estrategias muy diferentes que requerirían de diferentes sistemas de administración: incluyendo planes de compensaciones. La compañía les paga a los gerentes de empresa nueva un salario base más bajo que el de gerentes comparables en negocios centrales. Pero al mismo tiempo, les da a los gerentes de negocios nuevos cuatro veces más el dinero potencial en gratificaciones disponible para los gerentes de negocios centrales con salarios superiores. Así, el sistema de compensaciones alienta a los gerentes de negocios centrales a concentrarse en la consolidación de la productividad y del mercado, congruente con la estrategia de ahorro del negocio clave. El sistema alienta a los gerentes de nueva empresa a correr mayores riesgos para rendimientos potenciales más elevados, congruente con la estrategia de aventura de negocio de innovación y desarrollo de mercado.

Otra compañía en un ambiente competitivo más estable estaba preocupada porque su sistema de gratificación anual alentaba a los gerentes a ignorar las estrategias a largo plazo y a concentrarse en las metas de rendimiento anual. Para corregir esto, la compañía cambió su sistema de gratificaciones para incluir recompensas tanto para el rendimiento anual como para el logro de "hitos estratégicos". Bajo el nuevo plan, cada gerente trabaja con planificadores estratégicos para establecer dos o tres objetivos a largo plazo de acuerdo con los que se le medirá anualmente. Al final del año, la gratificación del gerente se basa tanto en el rendimiento de operación como en el logro de los objetivos estratégicos. La mezcla de gratificación varía según el nivel organizacional del gerente. Los ejecutivos de alto nivel y los planificadores de apoyo, quienes están inclinados a concentrarse demasiado en los temas de estrategia global, tienen gratificaciones más cargadas hacia los resultados de operaciones anuales. Los gerentes funcionales, que están orientados a favorecer las operaciones actuales en vez de la estrategia a largo plazo, basan más sus gratificaciones en la consecución de objetivos estratégicos. Así, el sistema de gratificación alienta a los gerentes en ambos niveles a lograr más equilibrio en las necesidades a corto y a largo plazo de la compañía.

Desarrollo de los recursos humanos

Las estrategias de mercadotecnia las implantan personas en la compañía y en organizaciones externas. La implantación exitosa requiere de planeación cuidadosa de los recursos humanos. En todos los niveles, la compañía debe dotar su estructura y sus sistemas con personas que tengan las habilidades, motivación y características personales necesarias para la implantación de la estrategia.[16]

Los recursos humanos deben reclutarse, asignarse, desarrollarse y mantenerse ... las preguntas acerca del reclutamiento [incluyen] ... ¿Será asequible la fuerza laboral necesaria? ¿De dónde vienen los trabajadores? ¿Podemos sufragar el costo? El desarrollo del personal está correlacionado con el propósito de "hacer en vez de comprar" en el sentido de que las políticas de promoción y entrenamiento internos pueden ser preferibles a reclutar fuera de la organización. El tema de la asignación implica asegurar que las tareas y recursos distribuidos a varias partes de la organización incluyan a las personas correctas: aquéllas con habilidades apropiadas para ejecutar las tareas con eficacia. ... En lo que toca al mantenimiento de la fuerza laboral, las políticas acerca de los niveles de pago, beneficios marginales y sistemas para la evaluación del rendimiento deben establecerse. Tales políticas pueden ser claves ... sobre la habilidad para ejecutar una estrategia y competir con eficacia.

La compañía también debe tomar decisiones de la proporción de gerentes y trabajadores en posiciones de línea y de apoyo. Muchas compañías han comenzado a recortar los puestos a nivel corporativo y otros puestos de apoyo para reducir los gastos generales y poner otra vez la toma de decisiones en manos de los implantadores.

La selección y desarrollo de ejecutivos y otros gerentes en la compañía son especialmente claves para la implantación. Diferentes estrategias requieren de gerentes con distintas personalidades y habilidades. Las de negocio nuevo necesitan gerentes con habilidades empresariales; las de mantenimiento requieren gerentes con habilidades organizacionales y administrativas; y las de ahorro requieren gerentes con habilidades de reducción de costos. Así, la compañía debe igualar cuidadosamente sus gerentes con los requerimientos de las estrategias a implantar.

Establecimiento del clima administrativo y la cultura de la compañía

El clima administrativo y la cultura de la compañía afectan la manera cómo la gente en la firma toman decisiones y ejecutan sus tareas. Estos factores organizacionales informales pueden crear o romper la implantación de estrategias. El *clima administrativo* implica la forma cómo los gerentes de la firma trabajan con otros en la empresa. Algunos gerentes son "autocráticos": toman el mando, delegan poca autoridad, mantienen un control estricto e insisten en comunicación a través de canales formales. Otros son "participativos": delegan tareas y autoridad, coordinan en vez de ordenar, alientan a los subordinados a tomar la iniciativa y se comunican de modo informal. No hay un estilo administrativo único que sea eficaz en cualquier situación. Diferentes estrategias pueden necesitar de distintos estilos de liderazgo, y el estilo mejor varía con la estructura de la compañía, sus tareas, personal y ambiente.

La *cultura de la compañía* es un sistema de valores y creencias que comparte la gente en una organización. Es la identidad y el significado colectivos de la compañía. La cultura orienta informalmente la conducta de la gente en todos los niveles de la firma. Peters y Waterman descubrieron que las compañías exitosas tienen culturas fuertes y claramente definidas.[17]

Sin excepción, el predominio y la coherencia de la cultura probaron ser una cualidad esencial de las compañías exitosas. Además, mientras más fuerte fuese la cultura y más estuviese dirigida hacia el mercado, menor necesidad había de manuales de políticas, organigramas o procedimientos y reglas detallados. En estas empresas, el personal inferior sabía lo que tenía que hacer en la mayoría de las situaciones, ya que el escaso número de valores orientadores es muy claro… Todo el mundo en Hewlett-Packard sabe que son innovadores. Todo el mundo en Procter & Gamble sabe que la calidad del producto es la característica *sine qua non*.

Descubrieron que las culturas de compañías exitosas se basan tan sólo en unos cuantos valores, como ser el mejor, prestar atención a los detalles de ejecución, tratar a la gente como a individuos, proporcionar calidad y servicio superiores, alentar la innovación y estar dispuestos a soportar el fracaso y alentar más comunicación informal.[18]

El estilo administrativo y la cultura de la compañía guían y motivan las decisiones y las acciones de los seres humanos en la empresa. Las estrategias que no encajan en el estilo y la cultura de la firma serán difíciles de implantar. Por ejemplo, una decisión de Procter & Gamble de aumentar la penetración del mercado al reducir la calidad del producto y los precios se toparía con resistencia de personas de la compañía en todos los niveles quienes se identifican fuertemente con la reputación de calidad que tiene la firma. Como el estilo y la cultura de la administración son tan difíciles de cambiar, las compañías usualmente diseñan estrategias que encajan en sus culturas actuales en vez de intentar cambiar sus propios estilos y culturas para que se ajusten a estrategias nuevas y distintas.

Relaciones entre tareas, estructura, sistemas, seres humanos y cultura

Para la implantación exitosa, todas las actividades del sistema de implantación deben apoyar la estrategia que se está implantando. Pero el programa de acción, la estructura organizacional, los sistemas de decisión y recompensa, los seres humanos y el estilo y cultura de la compañía también deben ser congruentes entre sí. La gente en la firma debe tener las habilidades necesarias para tomar las decisiones y ejecutar las tareas requeridas para implantar la estrategia. El sistema de recompensas debe motivar a la gente para que ejecute las tareas cruciales para la estrategia. La gente trabajará con más eficiencia si se identifica con el estilo administrativo y la cultura de la compañía.

La tabla 21-1 contiene una lista de preguntas que las firmas deberían hacerse acerca de cada componente del sistema de implantación. La implantación exitosa depende de la forma como la compañía combine las cinco actividades en un programa coherente que dé apoyo a sus estrategias.

TABLA 21-1
Preguntas acerca del sistema de implantación de estrategias de mercadotecnia

Estructura
¿Cuál es la estructura de la organización?
¿Cuáles son las líneas de autoridad y comunicación?
¿Cuál es el papel de las fuerzas especiales, los comités o mecanismos similares?

Sistemas
¿Cuáles son los sistemas importantes?
¿Cuáles son las variables claves de control?
¿Cómo fluye el producto y la información?

Tareas
¿Cuáles son las tareas a ejecutar y cuáles son decisivas?
¿Cómo se logran, con qué tecnología?
¿Qué ventajas tiene la organización?

Gente
¿Cuáles son sus habilidades, conocimiento y experiencia?
¿Cuáles son sus expectativas?
¿Cuáles son sus actitudes hacia la firma y sus trabajos?

Cultura
¿Hay valores compartidos que sean visibles y aceptados?
¿Cuáles son los valores compartidos y cómo se comunican?
¿Cómo se resuelve el conflicto?

Ajuste
¿Cada uno de los componentes anteriores apoya la estrategia de mercadotecnia?
¿Encajan bien entre sí los distintos componentes para fomar una estructura coherente para la implantación de la estrategia?

Fuente: Adaptada de David L. Aaker, *Strategic Market Management,* (New York: Wiley, 1984), p. 151 © 1984, John Wiley & Sons, Inc.

ORGANIZACION DEL DEPARTAMENTO DE MERCADOTECNIA

En la sección anterior se consideró la forma cómo la organización formal e informal de la compañía apoya la estrategia y su implantación. En esta sección se verá la organización del departamento de mercadotecnia: la forma como evoluciona este departamento dentro de las compañías y su organización.

Evolución del departamento de mercadotecnia

El departamento moderno de mercadotecnia es el producto de una larga evolución. Por lo menos pueden distinguirse cinco etapas y en la actualidad es posible encontrar compañías en cada etapa de evolución.

Departamento de ventas sencillo

Todas las compañías comienzan con cuatro funciones sencillas. Alguien debe levantarse y manejar capital (finanzas), producir el artículo o servicio (operaciones), venderlo (ventas), y llevar los libros (contabilidad). La función de ventas está encabezada por un vicepresidente de ventas que dirige la fuerza de ventas y también lleva a cabo algunas ventas. Cuando la firma necesita alguna investigación de mercados o publicidad, el vicepresidente de ventas también maneja esto. Esta etapa se ilustra en la figura 21-3A.

Departamento de ventas con funciones auxiliares

A medida que la compañía se expande, necesita investigación de mercadotecnia, publicidad y servicio al cliente en un régimen más continuo y experto. El vicepresidente de ventas contrata especialistas para ejecutar estas funciones. El vicepresidente de ventas también puede contratar a un director de mercadotecnia para que planee y controle las funciones ajenas a las ventas (véase figura 21-3B).

Departamento de mercadotecnia separado

El crecimiento continuo de la compañía acrecienta la importancia de otras funciones de mercadotecnia (investigación de mercados, desarrollo de producto nuevo, publicidad y promoción de ventas, servicio al cliente) en relación con la actividad de la fuerza de ventas. No obstante, el vicepresidente de ventas continúa dándole demasiado tiempo y atención a la fuerza de ventas. El director de mercadotecnia argumentará que las otras funciones de su área deberían recibir más presupuesto.

El presidente de la compañía eventualmente verá la ventaja de establecer un departamento de mercadotecnia que sea relativamente independiente del vicepresidente de

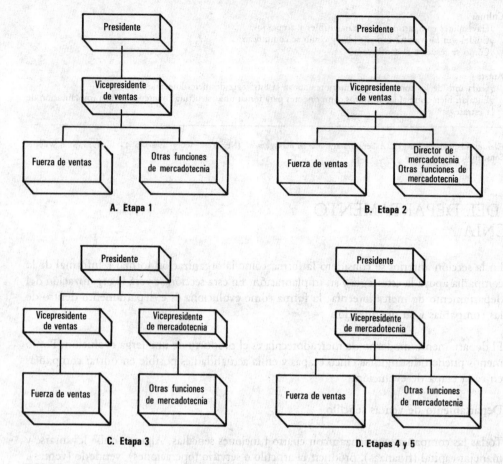

FIGURA 21-3 *Etapas en la evolución del departamento de mercadotecnia*

ventas (véase figura 21-3C). El departamento de mercadotecnia estará encabezado por un vicepresidente de mercadotecnia que es responsable, junto con el vicepresidente de ventas, ante el presidente o el vicepresidente ejecutivo. En esta etapa, las ventas y la mercadotecnia son funciones separadas e iguales y se supone que trabajan muy juntas.

Departamento moderno de mercadotecnia

Aunque se supone que los vicepresidentes de ventas y mercadotecnia trabajan armoniosamente, sus relaciones frecuentemente se caracterizan por rivalidad y desconfianza. El vicepresidente de ventas se resiste a permitir que la fuerza de ventas se vuelva menos importante en la mezcla de mercadotecnia; el vicepresidente de mercadotecnia busca más poder para las funciones que no son de la fuerza de ventas. El vicepresidente de ventas tiende a una orientación a corto plazo y a preocuparse por lograr las ventas al presente. El vicepresidente de mercadotecnia tiende a mostrar orientación a largo plazo y a preocuparse por la planeación de los productos adecuados y la estrategia correcta de mercadotecnia para satisfacer las necesidades de los consumidores a largo plazo.

Si hay demasiado conflicto entre ventas y mercadotecnia, el presidente de la compañía puede poner las actividades de mercadotecnia bajo el vicepresidente de ventas, ordenar al vicepresidente ejecutivo que maneje los conflictos que se presenten, o poner al vicepresidente de mercadotecnia a cargo de todo, incluyendo la fuerza de ventas. La última solución forma la base del departamento moderno de mercadotecnia, un departamento encabezado por un vicepresidente de mercadotecnia con subordinados que informan desde cada función (véase figura 21-3D).

Compañía moderna de mercadotecnia

Una firma puede tener un departamento moderno de mercadotecnia y, sin embargo, no operar como una compañía moderna de mercadotecnia. Esto último depende de cómo ven los otros funcionarios la función de mercadotecnia. Si la consideran principalmente como una función de ventas, están cometiendo un error. Sólo cuando ven que todos los departamentos están "trabajando para el cliente", y que la mercadotecnia no es el nombre de un departamento, sino del pensamiento de una empresa, se convertirán en una compañía moderna de mercadotecnia.

Formas para organizar el departamento de mercadotecnia

Los departamentos modernos de mercadotecnia muestran numerosos arreglos. Sin embargo, cada arreglo debe permitirle a la organización de mercadotecnia acomodarse a las cuatro dimensiones básicas de su actividad: funciones, áreas geográficas, productos y mercados de consumo.

Organización funcional

La forma más común de organización de mercadotecnia consiste en especialistas funcionales que son responsables ante un vicepresidente de mercadotecnia que coordina sus actividades. La figura 21.4 muestra a cinco especialistas: gerente de administración de mercadotecnia, gerente de publicidad y promoción de ventas, gerente de ventas, gerente de investigación de mercadotecnia y gerente de productos nuevos. Los especialistas funcionales adicionales podrían incluir un gerente de servicio al cliente, uno de planeación de mercadotecnia y otro de distribución física.

La principal ventaja de una organización de mercadotecnia funcional es su sencillez administrativa. Por otra parte, esta forma pierde eficacia a medida que crecen los productos y mercados de la compañía. Primero, hay una planeación inadecuada para productos y mercados específicos, ya que nadie tiene responsabilidad completa por cualquier producto o mercado. Los productos que no sean los favoritos de varios especialistas funcionales se descuidan. Segundo, cada grupo funcional compite para ganar más presupuesto y *estatus* en relación con las demás funciones. El vicepresidente de mercadotecnia tiene que seleccionar constantemente las afirmaciones de los especialistas funcionales competitivos y se enfrenta con un problema difícil de coordinación.

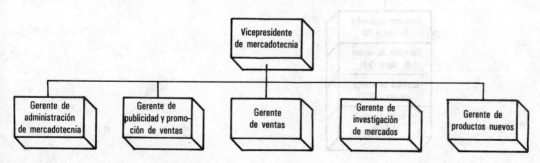

FIGURA 21-4 *Organización funcional*

Organización geográfica

Una compañía que venda en un mercado nacional a menudo organiza su fuerza de ventas (y a veces otras funciones) a lo largo de líneas geográficas. La figura 21-5 muestra un gerente nacional de ventas, cuatro gerentes regionales de ventas, 24 gerentes de ventas de zona, 192 gerentes de ventas locales y mil 920 vendedores. El tramo de control aumenta a medida que nos movemos desde el gerente nacional de ventas hasta el gerente local. Los tramos más cortos les permiten a los gerentes darles más tiempo a los subordinados y están garantizados cuando la tarea de ventas es compleja, cuando a los vendedores se les paga mucho y cuando el efecto del vendedor sobre las utilidades sea sustancial.

Organización de la gerencia de producto

Las compañías con una gran variedad de productos o marcas a menudo establecen una organización por gerencia de producto o de marca. Esta no sustituye a la organización funcional, pero sirve como otra capa de administración. La gerencia de producto está encabezada por un director de producto que supervisa a los gerentes a cargo de productos específicos (véase figura 21-6).

Una gerencia de producto tiene sentido si los productos son bastante diferentes o si el número verdadero de productos está más allá de la capacidad de manejo de una organización funcional de mercadotecnia.

La gerencia de producto apareció por primera vez en la compañía Procter & Gamble en 1927. Una nueva compañía de jabón, Camay, no lo estaba haciendo muy bien y uno de los ejecutivos jóvenes, Neil H. McElroy (más tarde presidente de P&G), fue encargado de dar su atención exclusiva al desarrollo y promoción de este producto. Hizo esto con éxito y la compañía muy pronto agregó otros gerentes de producto.

Desde entonces, muchas firmas, especialmente en las industrias de alimentos, jabón, artículos de tocador y sustancias químicas han establecido organizaciones de gerencia de producto. General Foods, por ejemplo, usa este tipo de organización en su división de

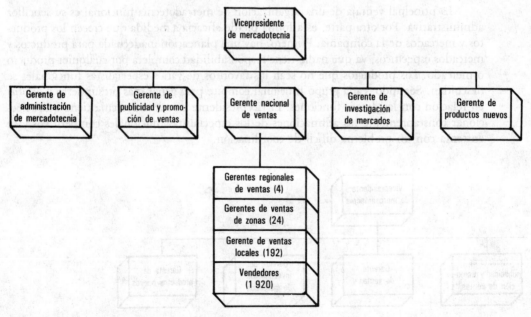

FIGURA 21-5 *Organización geográfica*

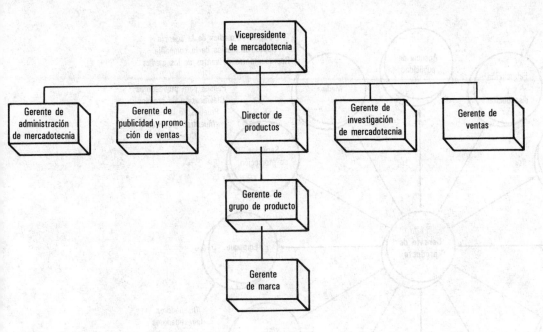

FIGURA 21-6 *Organización de la gerencia de producto*

ventas por correo. Hay gerentes independientes de grupo de producto a cargo de cereales, alimentos para animales y bebidas. Dentro del grupo de cereales, hay gerentes para cereales nutritivos, cereales endulzados para niños, cereales familiares y cereales diversos. A su vez, el gerente de cereal nutritivo supervisa a los gerentes de marca.[19]

El papel del gerente de producto es desarrollar planes de producto, ver que éstos se implanten, vigilar los resultados y emprender acción correctiva. El gerente desarrolla una estrategia competitiva para el producto, prepara un plan de mercadotecnia y un pronóstico de ventas, trabaja con las agencias de publicidad para desarrollar campañas de promoción, estimula el apoyo de la fuerza de ventas y de los distribuidores para el producto, analiza su rendimiento e inicia mejoras del producto para satisfacer necesidades de mercado.

La organización con gerencia de producto introduce varias ventajas. Primero, armoniza la mezcla de mercadotecnia para el producto. Segundo, puede reaccionar con más rapidez a los problemas del mercado que un comité de especialistas. Tercero, las marcas más pequeñas están menos descuidadas porque tienen un defensor del producto. Cuarto, es un campo de entrenamiento excelente para ejecutivos jóvenes, ya que los hace participar casi en cualquier área de operaciones de la compañía (véase figura 21-7).

Pero se paga un precio por estas ventajas. Primero, la gerencia de producto crea algo de conflicto y frustración.[20] Generalmente no se les da suficiente autoridad para ejecutar sus responsabilidades con eficiencia. Tienen que depender de la persuasión para obtener la cooperación de los departamentos de publicidad, ventas, fabricación y otros. Se les dice que son ''minipresidentes'' pero a menudo se les trata como coordinadores de nivel bajo.

Segundo, los gerentes de producto se vuelven expertos en su producto pero rara vez se vuelven expertos en cualquier función. Vacilan entre presentarse como expertos y ser atemorizados por verdaderos especialistas. Esto es una desgracia cuando el producto depende de un tipo específico de destreza, como la publicidad.

Tercero, el sistema de gerencia de producto a menudo resulta ser más costoso de lo previsto. Originalmente, se nombra a una persona para dirigir cada producto principal. Muy pronto se nombran gerentes para dirigir incluso productos menores. Cada gerente de producto, usualmente con exceso de trabajo, solicita y obtiene un *gerente asistente de*

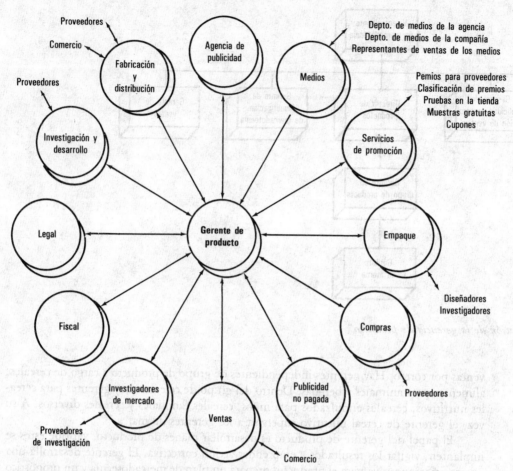

FIGURA 21-7 *Las interacciones del gerente de producto*

Fuente: Adaptada de "Product Managers: Just What Do They Think?" *Printer's Ink*, October 28, 1966, p. 15.

marca. Más tarde, los dos tienen exceso de trabajo y convencen a la gerencia de que les dé un *asistente de marca*. Con todo este personal, se elevan los costos de nómina. Mientras tanto la compañía continúa con sus especialistas funcionales en promoción, investigación de mercadotecnia, sistemas de información y otras áreas. La compañía queda gravada por una estructura costosa de personal dedicado a la administración del producto y especialistas funcionales.

Pearson y Wilson han recomendado cinco pasos para hacer que el sistema de gerencia de producto funcione mejor.[21]

1. Estipular con claridad los límites del papel y la responsabilidad del gerente de producto.

2. Construir un desarrollo de estrategia y un proceso de revisión para proporcionar un marco de referencia acordado mutuamente en las operaciones del gerente de producto.

3. Considerar áreas de conflicto potencial entre gerentes de producto y especialistas funcionales cuando se definan sus papeles respectivos.

4. Establecer un proceso formal que lleve a la alta gerencia todas las situaciones de conflicto de intereses entre la gerencia de producto y la gerencia funcional de línea.

5. Establecer un sistema para medir los resultados que sea congruente con las responsabilidades del gerente de producto.

Organización de la gerencia de mercado

Muchas compañías venderán una línea de producto a un conjunto sumamente diverso de mercados. Por ejemplo, Smith Corona vende sus máquinas de escribir eléctricas a mercados de consumo, de negocios y gubernamentales. U.S. Steel vende su acero a las industrias ferroviarias, de construcción y de servicios públicos. Cuando los consumidores pertenecen a grupos con hábitos distintivos de compra o preferencias por productos, es deseable una gerencia de mercado.

La organización de una gerencia de mercado es similar a la organización de una gerencia de producto que se muestra en la figura 21-6. Un *director de mercados* supervisa a varios *gerentes de mercado* (llamados también *gerentes de desarrollo de mercado, especialistas de mercado,* o *especialistas de industria*). Los gerentes de mercado son responsables de desarrollar planes a largo plazo y anuales para las ventas y utilidades en sus mercados. Tienen que conseguir pacientemente ayuda de investigación de mercados, publicidad, ventas y otras funciones. La principal ventaja del sistema es que la compañía está organizada en torno de las necesidades de segmentos específicos de consumo.

Muchas compañías están reorganizadas a lo largo de líneas de mercado. Hanan las denomina *organizaciones centradas en el mercado* y argumenta que ''la única forma de asegurar la orientación de mercado es poner junta la estructura organizacional de una compañía de modo que sus principales mercados se conviertan en los centros en torno de los que se construyan sus divisiones''.[22] Xerox ha pasado de las ventas geográficas a las ventas por industria. La Heinz Company dividió su organización de mercadotecnia en tres grupos: abarrotes, restaurantes comerciales e instituciones. Cada grupo tiene a otros especialistas de mercado. Por ejemplo, la división institucional tiene especialistas de mercado separados que planean para escuelas, universidades, hospitales y prisiones.

Organización de la gerencia de producto/mercado

Las compañías que elaboran muchos productos que fluyen a muchos mercados se enfrentan a un dilema. Podrían usar un sistema con gerencia de producto, éste requiere que los gerentes de producto estén familiarizados con mercados sumamente divergentes. O podrían usar un sistema de gerencia de mercado, significa que los gerentes de mercado tendrían que estar familiarizados con productos sumamente divergentes que sus mercados compran. O podrían instalar gerentes tanto de producto como de mercado en una *organización matriz.*

Sin embargo, la dificultad es que este sistema es costoso y genera conflicto. Véanse dos de los principales dilemas:

■ ¿Cómo debería organizarse la fuerza de ventas? ¿En el ejemplo de Du Pont del recuadro 21-2, debería haber fuerza de ventas separada para rayón, nilón y cada una de las otras fibras? ¿O la fuerza de ventas debería estar organizada según ropa para hombres, para mujeres y para otros mercados? ¿O no debería estar especializada?

■ ¿Quién debería establecer precios para un mercado de producto particular? En el ejemplo de Du Pont, ¿debería el gerente de producto de nilón tener autoridad final para establecer precios de nilón en todos los mercados? ¿Qué sucede si el gerente de mercado de ropa para hombre cree que el nilón perderá en este mercado a no ser que se hagan concesiones especiales de precio para el nilón?

La mayoría de los gerentes piensan que sólo los productos y mercados más importantes justificarían gerentes de división. Algunos no se inquietan ni por los conflictos ni por el costo y creen que los beneficios de la especialización de producto y mercado superan a los costos.[23]

RECUADRO 21-2

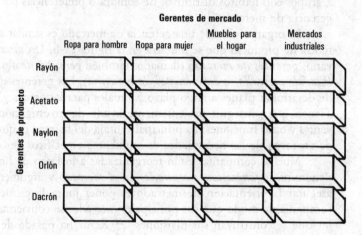
CONTROL DE MERCADOTECNIA

La labor del departamento de mercadotecnia es planear, implantar y controlar sus actividades. Como muchas sorpresas ocurrirán durante la implantación de los planes de mercadotecnia, el departamento responsable tiene que dedicarse a ejercer un control continuo. Los sistemas de control de mercadotecnia son esenciales para asegurar que la compañía opere con eficiencia y eficacia.

Sin embargo, el control de mercadotecnia está muy lejos de ser un proceso sencillo. Cabe distinguir tres tipos de control de mercadotecnia (véase tabla 21-2).

El *control del plan anual* consiste en que el personal de mercadotecnia verifique el rendimiento corriente comparándolo con el plan anual y emprendiendo la acción correctiva que sea necesaria. El *control de rentabilidad* consta de esfuerzos para determinar la rentabilidad real de diferentes productos, territorios, mercados de uso final y canales de comercio. El *control estratégico* consta de exámenes periódicos para averiguar si las estrategias básicas de la empresa están igualadas con sus oportunidades.

TABLA 21-2	TIPO DE CONTROL	RESPONSABILIDAD PRINCIPAL	PROPOSITO DEL CONTROL	ENFOQUES
Tipos de control de mercadotecnia	I. Control del plan anual	Gerencia general Gerencia media	Examinar si se consiguieron los resultados planeados	Análisis de ventas Análisis de participación en el mercado Análisis de la razón gastos de mercadotecnia y ventas Investigación de la actitud del consumidor
	II. Control de rentabilidad	Contralor de mercadotecnia	Examinar si la compañía está ganando o perdiendo dinero	Rentabilidad por: Producto Territorio Segmento del mercado Canal de distribución Tamaño del pedido
	III. Control estratégico	Gerencia general Auditor de mercadotecnia	Examinar si la compañía está aprovechando sus mejores oportunidades de mercadotecnia y si lo hace bien	Auditoría de mercadotecnia

Control del plan anual

El propósito del control del plan anual consiste en asegurar que la compañía logre sus objetivos de ventas, utilidades y otros establecidos en su plan anual. En esto intervienen cuatro pasos (véase figura 21-8). Primero, la gerencia debe estipular metas mensuales o trimestrales en el plan anual como blancos inmediatos. Segundo, la gerencia debe vigilar su rendimiento en el lugar del mercado. Tercero, la gerencia debe determinar las causas de cualquier desviación grave del rendimiento. Cuarto, la gerencia debe emprender una acción correctiva para cerrar la brecha entre sus metas y su rendimiento. Para esto puede ser necesario cambiar los programas de acción o incluso cambiar las metas.

¿Qué instrumentos específicos de control usa la gerencia para verificar el rendimiento del plan? Los cuatro instrumentos principales son análisis de ventas, análisis de porción de mercado, análisis de gastos de mercadotecnia y ventas e investigación de las actitudes de los consumidores.

Análisis de ventas

El **análisis de ventas** consiste en medir y evaluar las ventas reales en comparación con las metas de ventas. Hay dos instrumentos específicos.

El *análisis de la variancia de las ventas* mide las contribuciones relativas de diferentes factores para una brecha en el rendimiento de ventas. Supóngase que el plan anual requería vender cuatro mil artículos en el primer trimestre a un dólar por unidad, o cuatro mil dólares. Al final del trimestre, sólo se vendieron tres mil artículos a 80 centavos de dólar

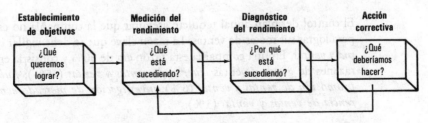

FIGURA 21-8
El proceso de control

Establecimiento de objetivos — ¿Qué queremos lograr?

Medición del rendimiento — ¿Qué está sucediendo?

Diagnóstico del rendimiento — ¿Por qué está sucediendo?

Acción correctiva — ¿Qué deberíamos hacer?

cada uno, o dos mil 400 dólares. La variancia del rendimiento de las ventas es de mil 600 dólares o 40% de las ventas esperadas. ¿Qué tanto de este rendimiento inferior se debe a la disminución del precio y cuánto a la disminución del volumen? El cálculo siguiente responde esta pregunta:

$$\text{Variancia debida a disminución de precio} = (\$1.00 - \$0.80)(3\,000) = \$\ \ 600 \quad 37.5\%$$
$$\text{Variancia debida a disminución de volumen} = (\$1.00)(4\,000 - 3\,000) = \underline{\$1\,000} \quad \underline{62.5\%}$$
$$\$1\,600 \quad 100.0\%$$

Casi dos tercios de la variancia de ventas se debe a un fracaso para lograr la meta de volumen. La compañía debería investigar a fondo por qué no logró su volumen esperado de ventas.[24]

El *análisis de micro ventas* puede dar la respuesta. El análisis de microventas examina productos y territorios específicos que no lograron producir su porción esperada de ventas. Supóngase que la compañía vende en tres territorios y sus ventas esperadas fueron de mil 500, 500 y dos mil unidades, respectivamente, que totalizan cuatro mil artículos. El volumen real de ventas fue de mil 400, 525 y mil 75 unidades, respectivamente. Así, el territorio uno mostró déficit de 7% en las ventas esperadas; el territorio dos superávit de 5% y el territorio tres déficit de 46%. El territorio tres está causando gran parte del problema. El vicepresidente de ventas puede verificar el territorio tres para ver por qué es malo el rendimiento.

Análisis de porción de mercado

Las ventas de la firma no revelan lo bien que se desempeña en comparación con los competidores. Supóngase que aumentan las ventas de una firma. Esto podría deberse a mejores condiciones económicas donde todas las empresas ganaron. O podría deberse a un mayor rendimiento de la firma en relación con la competencia. La gerencia necesita investigar la porción de mercado de la empresa. Si la porción de mercado de la firma aumenta, está ganándole a los competidores; si la porción baja, está perdiendo en relación con los competidores.

Sin embargo, estas conclusiones del análisis de porción de mercado están sujetas a ciertas premisas.[25]

■ Las fuerzas externas afectan a la compañía de la misma manera; no es siempre válida.

■ El rendimiento de una compañía debería juzgarse en comparación con el rendimiento medio de todas las empresas, tampoco es siempre válida.

■ Si una nueva firma entra a la industria, entonces disminuirá la porción de mercado de cada firma existente.

■ A veces la disminución de la porción de mercado de una compañía es el resultado de una política deliberada para mejorar las utilidades.

Análisis de gastos de mercadotecnia y ventas

El control del plan anual requiere asegurar que la compañía no esté gastando demasiado para lograr sus metas de ventas. La razón clave que se debe vigilar es *gastos de mercadotecnia y ventas*. En una compañía esta razón era de 30% y consistía en cinco componentes de razones de gastos y ventas: *fuerza de ventas y ventas* (15%); *publicidad a ventas* (5%); *promoción de ventas y ventas* (6%); *investigación de mercadotecnia y ventas* (1%); y *gerencia de ventas y ventas* (3%).

Mantenimiento de información sobre ventas y gastos. *Cortesía de Hewlett Packard.*

La gerencia necesita vigilar estas razones. Mostrarán fluctuaciones pequeñas que muy bien pueden ignorarse. Pero las fluctuaciones sobre la escala normal son motivo de preocupación. Las fluctuaciones periodo a periodo en cada razón pueden seguirse sobre una *gráfica de control,* como la que aparece en la figura 21-9. Este diagrama muestra que la razón de gastos de publicidad a ventas fluctúa normalmente entre 8 y 12%. Sin embargo, en el periodo decimoquinto, la razón superó el límite superior de control. Este podría ser un suceso muy raro o podría indicar que la compañía ha perdido control de sus gastos y deberá encontrar la causa.

Debería vigilarse la conducta de observaciones sucesivas incluso dentro de los límites de control. Obsérvese que el nivel de la razón de gastos y ventas se elevó de manera constante desde el noveno periodo en adelante. La probabilidad de encontrar seis aumentos sucesivos por casualidad es baja. La gerencia debería haber investigado este patrón antes del decimoquinto periodo.

Investigación de actitudes del consumidor

Las compañías alertas usan sistemas para rastrear las actitudes de los consumidores, distribuidores y otros participantes en el sistema de mercadotecnia. La gerencia puede emprender una acción más temprana, al vigilar las actitudes cambiantes del consumidor antes de que afecten las ventas. Los principales sistemas para rastrear la actitud del consumidor son:

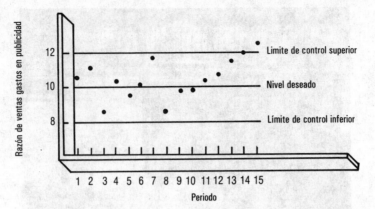

FIGURA 21-9
*El modelo del
diagrama de control*

Límite de control superior

Nivel deseado

Límite de control inferior

Periodo

■ *Sistemas de quejas y sugerencias.* Las compañías orientadas al mercado registran, analizan y responden a quejas escritas y orales de sus clientes. La gerencia intenta corregir cualquiera que sea la causa de los tipos más frecuentes de quejas. Muchos detallistas, como hoteles, restaurantes y bancos, proporcionan tarjetas de sugerencias para alentar la retroalimentación de consumo. Las compañías orientadas al mercado intentan maximizar las oportunidades para quejas de los consumidores de modo que la gerencia puede tener una idea cabal de las reacciones de los consumidores a sus productos y servicios.

■ *Paneles de consumidores.* Algunas compañías dirigen paneles que consisten en consumidores que han acordado comunicar sus actitudes periódicamente mediante llamadas telefónicas o cuestionarios por correo. Estos paneles descubren una escala más representativa de actitudes del consumidor que los sistemas de quejas y sugerencias del consumidor.

■ *Encuesta del consumidor.* Algunas compañías periódicamente mandan cuestionarios a muestras aleatorias de consumidores para evaluar la amabilidad del personal, la calidad del servicio y otros factores.[26]

Acción correctiva

Cuando el rendimiento real se desvía demasiado de las metas del plan anual, las compañías emprenden acciones correctivas. Podrían ajustar sus metas para hacerlas más realistas y asequibles. Si las metas son sólidas, podrían requerirse cambios en la estrategia. Si la estrategia y las metas siguen siendo apropiadas, la compañía tendrá que cambiar algunos de los elementos de su plan de implantación.

**Control de
rentabilidad**

Aparte del control del plan anual, las compañías también necesitan medir la rentabilidad de los diversos productos, territorios, grupos de consumidores, canales de distribución y tamaño de los pedidos. Esta información ayudará a la gerencia a determinar si hay productos o actividades de mercadotecnia que deban ampliarse, reducirse o eliminarse.[27]

Análisis de rentabilidad de la mercadotecnia

Se ilustrarán los pasos en el análisis de rentabilidad de mercadotecnia con el ejemplo siguiente:

El vicepresidente de mercadotecnia de una compañía de podadoras de pasto quiere determinar la rentabilidad de vender sus podadoras mediante tres tipos de canales minoristas: ferreterías, tiendas de artículos para jardín y tiendas de departamentos. Su declaración de utilidades y pérdidas se muestra en la tabla 21-3A.

Paso 1: Identificación de los gastos funcionales. Presupóngase que los gastos enumerados en la tabla 21-3A son aquéllos en los cuales se incurre para vender el producto,

TABLA 21-3A
Una declaración de utilidades y pérdidas simplificada

Ventas	$60 000
Costo de los bienes vendidos	39 000
Margen bruto	$21,000
Gastos	
Salarios $9 300	
Renta 3 000	
Proveedores 3 500	
	15 800
Utilidades netas	$5 200

TABLA 21-3B
Informe de los gastos normales dentro de los gastos funcionales

CUENTAS NORMALES	TOTAL	VENTAS	PUBLICIDAD	EMPAQUE Y ENTREGA	FACTURACION Y COBRO
Salarios	$ 9 300	$5 100	$1 200	$1 400	$1 600
Renta	3 000	—	400	2 000	600
Proveedores	3 500	400	1 500	1 400	200
	$15 800	$5 500	$3 100	$4 800	$2 400

TABLA 21-3C
Bases para asignar gastos funcionales a los canales

TIPO DE DE CANAL	VENTAS	PUBLICIDAD	EMPAQUE Y ENTREGA	FACTURACION Y COBRO
	Número de visitas de ventas en el periodo	Número de anuncios	Número de pedidos hechos en el periodo	Número de pedidos hechos en el periodo
Ferretería	200	50	50	50
Art. para jardín	65	20	21	21
Tiendas de dptos.	10	30	9	9
	275	100	80	80
Gasto funcional =	$5 500	$3 100	$4 800	$2 400
Núm. de unidades	275	100	80	80
Costo por unidad =	$20	$31	$60	$30

TABLA 21-3D
Declaraciones de utilidades y pérdidas para los canales

	FERRETERIA	ARTICULOS PARA JARDIN	TIENDAS DE DEPTOS.	COMPAÑIA ENTERA
Ventas	$30 000	$10 000	$20 000	$60 000
Costo de los bienes vendidos	19 500	6 500	13 000	39 000
Margen bruto	$10 500	$ 3 500	$ 7 000	$21 000
Gastos				
Ventas ($20 por visita)	$ 4 000	$ 1 300	$ 200	$ 5 500
Publicidad ($31 por anuncio)	1 550	620	930	3 100
Empaque y entrega ($60 por pedido)	3 000	1 260	540	4 800
Facturación ($30 por pedido)	1 500	630	270	2 400
Gastos totales	$10 050	$ 3 810	$ 1 940	$15 800
Utilidades netas (o pérdidas)	$ 450	$ (310)	$ 5 060	$ 5 200

anunciarlo, empacarlo y entregarlo, facturarlo y cobrarlo. La primera tarea consiste en medir en cuánto se incurrió del gasto para cada actividad.

Supóngase que la mayor parte de los nueve mil 300 dólares en gastos de salarios fueron para representantes de ventas (cinco mil 100) y el resto fueron para un gerente de publicidad (mil 200), ayuda en empaque y entrega (mil 400) y un contador de la oficina (mil 600). La tabla 21-3B muestra la asignación del gasto en salario a estas cuatro actividades.

La tabla 21.3B muestra también la renta de tres mil dólares asignada a las cuatro actividades. Como los representantes de ventas trabajan fuera de la oficina, ninguno de los gastos de renta del edificio se asigna a las ventas. La mayor parte del espacio de piso y del equipo rentado son para empaque y entrega. Una pequeña porción del espacio de piso lo usa el gerente de publicidad y el contador de la oficina.

Por último, los gastos de abastecimiento cubren los materiales promocionales y para empaque, compras de combustible para entregas y papelería para la oficina central. Los tres mil 500 dólares en esta cuenta se reasignan a la función. Así, la tabla 21-3B resume la forma cómo los gastos naturales de 15 mil 800 dólares fueron traducidos a gastos funcionales.

Paso 2: Asignación de los gastos funcionales a los canales. La tarea siguiente es medir cuántos gastos funcionales estaban asociados con la venta a través de cada tipo de canal. Considérese el esfuerzo de ventas, como se indica por el número de ventas hechas en cada canal. Esto se encuentra en la columna de Ventas de la tabla 21-3C. En total se hicieron 275 visitas de ventas durante el periodo. Como el gasto total de ventas equivalía a cinco mil 500 dólares (véase tabla 21-3B), el costo de ventas por visita promediaba 20 dólares.

Los gastos de publicidad pueden asignarse de acuerdo con el número de anuncios dirigidos a los diferentes canales. Como había 100 anuncios en total, el anuncio medio costaba 31 dólares.

El gasto de empaque y entrega se asigna de acuerdo con el número de pedidos colocados por cada tipo de canal; esta misma base se usó para asignar gastos de facturación y cobros.

Paso 3: Preparación de una declaración de utilidades y pérdidas para cada canal. Ahora puede prepararse una declaración de utilidades y pérdidas para cada tipo de canal. Los resultados se muestran en la tabla 21-3D. Como las ferreterías daban cuenta de una mitad de las ventas totales (30 mil de 60 mil dólares), este canal está cargado con la mitad de los costos de los bienes vendidos (19 mil 500 de 39 mil dólares). Esto deja un margen bruto de las ferreterías de 10 mil 500 dólares. De aquí deben deducirse las proporciones de los gastos funcionales para las ferreterías.

Según la tabla 21-3C, las ferreterías recibieron 200 de un total de 275 visitas de ventas. A 20 dólares por visita, las ferreterías tuvieron que cargar cuatro mil dólares de gastos de ventas. La tabla 21-3C también muestra que las ferreterías fueron el objetivo de 50 anuncios. A 31 dólares por anuncio, a las ferreterías se les carga mil 550 dólares de publicidad. El mismo razonamiento es aplicable al cómputo de la porción de los otros gastos funcionales a cargar a las ferreterías. El resultado es que las ferreterías dieron lugar a 10 mil 50 dólares de los gastos totales. Al restar esto del margen bruto, las utilidades de vender a través de las ferreterías es de sólo 450 dólares.

Este análisis se repite para los otros canales. La compañía está perdiendo dinero al vender mediante tiendas de artículos para jardín y gana casi todas sus utilidades vendiendo mediante tiendas de departamentos. Obsérvese que las ventas brutas mediante cada canal no son un indicador confiable de las utilidades netas que se hacen en cada canal.

Determinación de la mejor acción correctiva

Sería ingenuo sacar la conclusión de que' las tiendas de artículos para jardín y posiblemente las ferreterías debieran descartarse con el fin de concentrarse en tiendas de departamentos.

Varias preguntas deberían responderse primero. ¿Hasta qué grado compran los consumidores con base en el tipo de tienda en comparación con la marca, buscarán los compradores de tiendas de jardinería y de ferretería la marca en el canal restante? ¿Cuáles son las tendencias en lo que toca a la importancia de los tres canales? ¿Han sido óptimas las estrategias de mercadotecnia de la compañía dirigidas a los tres canales?

Con base en estas respuestas, la gerencia de mercadotecnia podría emprender un cierto número de acciones alternativas. Podría no hacer cosa alguna. Podría abandonar sólo a los detallistas más débiles en cada canal. Establecer un cargo especial por pequeños pedidos para alentar los pedidos más grandes. O podría aumentar o disminuir el número de visitas de venta y ayuda promocional para las tiendas de artículos de jardín y las ferreterías.

Para ayudar a evaluar las actividades y acciones de mercadotecnia, algunas compañías han creado un puesto nuevo llamado *contralor de mercadotecnia*. Su ocupante está entrenado en finanzas y mercadotecnia y puede ejecutar un análisis financiero sofisticado de desembolsos pasados y planeados.[28]

Control estratégico De cuando en cuando, las compañías deben revisar críticamente su eficacia global de mercadotecnia. Ya que en esta área la obsolescencia rápida de las estretegias y programas es una posibilidad constante. Cada compañía debería reevaluar periódicamente su enfoque global del lugar de mercado, usando el instrumento que se describe a continuación.[29]

Auditoría de mercadotecnia

La auditoría de mercadotecnia se define de la manera siguiente:

> Una *auditoría de mercadotecnia* es un examen completo, sistemático, independiente y periódico del ambiente, objetivos, estrategias y actividades de mercadotecnia de una compañía (o una unidad del negocio) con el fin de determinar áreas problemáticas y oportunidades y recomendar un plan de acción para mejorar el rendimiento de mercadotecnia de la empresa.

La auditoría de mercadotecnia cubre todas las principales dimensiones de mercadotecnia de un negocio, no tan sólo unos cuantos puntos problemáticos. Implica una secuencia ordenada de pasos de diagnóstico que cubren el ambiente de mercadotecnia de la organización, su sistema interno y las actividades específicas. Después del diagnóstico hay planes de acción correctiva a corto y a largo plazo para mejorar la eficacia global de la compañía.

La auditoría de mercadotecnia normalmente la dirige un elemento externo objetivo y experimentado que es relativamente independiente del departamento de mercadotecnia. La auditoría de mercadotecnia debería dirigirse periódicamente y no sólo cuando hay crisis. Promete beneficios para la compañía que sea exitosa, así como para la que tenga problemas.

El auditor de mercadotecnia deberá tener libertad absoluta para entrevistar a los gerentes, consumidores, distribuidores, vendedores y otros que pudieran arrojar luz sobre el rendimiento de mercadotecnia de la organización. La tabla 21.4 es una guía para los tipos de preguntas que este auditor preguntará. No todas estas preguntas son importantes en cualquier situación. El auditor desarrollará un conjunto de resultados y recomendaciones con base en esta información. Los resultados pueden ser una sorpresa, y a veces una sacudida, para la gerencia. Esta decide qué recomendaciones tienen sentido y cómo y cuándo implantarlas.

TABLA 21-4
*Componentes de una
auditoría de
mercadotecnia*

PARTE I: AUDITORIA DEL AMBIENTE DE MERCADOTECNIA

Macroambiente

A. Factores demográficos
1. ¿Cuáles son los principales fenómenos y tendencias demográficas que ofrecen una oportunidad o los peligros que la amenazan?
2. ¿Qué medidas ha tomado la empresa ante estos acontecimientos y tendencias?

B. Factores económicos
1. ¿Cuáles son los cambios más importantes en ingresos, precios, ahorros y crédito que incidirán en la compañía?
2. ¿Qué acciones ha emprendido la compañía como respuesta a estos desarrollos y tendencias?

C. Factores naturales
1. ¿Cuáles son las perspectivas para el costo y disponibilidad de recursos naturales y energía que la compañía necesita?
2. ¿Qué inquietudes se han manifestado acerca del papel que la firma desempeña en la contaminación y conservación del medio, y qué medidas ha tomado?

D. Factores tecnológicos
1. ¿Cuáles son los principales cambios que están ocurriendo en la tecnología de los productos? ¿En la tecnología de los procesos? ¿Cuál es la posición de la compañía en estas tecnologías?
2. ¿Cuáles son los principales sustitutos genéricos que podrían reemplazar a este producto?

E. Factores políticos
1. ¿Qué leyes están promoviéndose ahora que pudieran afectar las estrategias y tácticas de mercadotecnia?
2. ¿Qué acciones federales, estatales y locales deberían vigilarse? ¿Qué está sucediendo en las áreas de control de la contaminación, igualdad de oportunidades de empleo, seguridad del producto, publicidad, control de precio y otras cosas que pudieran afectar la estrategia de mercadotecnia?

F. Factores culturales
1. ¿Cuál es la actitud del público hacia los negocios y hacia los productos fabricados por la compañía?
2. ¿Qué cambios en los estilos de vida de los consumidores y de los negocios y en sus valores tienen efecto sobre la compañía?

Ambiente del negocio

A. Mercados
1. ¿Qué está sucediendo con el tamaño del mercado, con su crecimiento, distribución geográfica y utilidades?
2. ¿Cuáles son los principales segmentos del mercado?

B. Consumidores
1. ¿Qué opinión tienen los clientes actuales y potenciales sobre la compañía y la competencia respecto a reputación, calidad del producto, servicio, fuerza de ventas y precio?
2. ¿Cómo toman sus decisiones de compra diferentes segmentos de clientes?

C. Competidores
1. ¿Quiénes son los principales competidores? ¿Cuáles son sus objetivos y estrategias, sus ventajas y desventajas, sus tamaños y porciones de mercado?
2. ¿Qué tendencias afectarán la competencia futura y los sustitutos para este producto?

D. Distribución y distribuidores
1. ¿Cuáles son los canales de distribución más importantes mediante los que se hace llegar el producto a los clientes?
2. ¿Cuáles son los niveles de eficiencia y los potenciales de crecimiento de los diversos canales de distribución?

E. Proveedores
1. ¿Cuáles son las perspectivas de disponibilidad de los recursos fundamentales de la producción?
2. ¿Qué tendencias se observan en el patrón de venta de los proveedores?

F. Facilidades y firmas de mercadotecnia
1. ¿Cuáles son las perspectivas de costos y disponibilidad respecto a los servicios de transporte?
2. ¿Cuáles son las perspectivas de costo y disponibilidad de los servicios de almacén?
3. ¿Cuáles son las perspectivas de costo y disponibilidad respecto a los recursos financieros?
4. ¿Con qué grado de eficiencia están trabajando las agencias publicitarias?

G. Públicos
1. ¿Qué públicos le ofrecen oportunidades o problemas especiales a la compañía?
2. ¿Qué medidas ha tomado la compañía para responder a las exigencias de cada público?

TABLA 21-4 (Cont.)
*Componentes de una
auditoría de
mercadotecnia*

PARTE II: AUDITORIA DE LA ESTRATEGIA DE MERCADOTECNIA

A. Misión del negocio
1. ¿Está definida claramente la misión del negocio en función de la orientación al mercado? ¿Es factible?

B. Objetivos y metas de la mercadotecnia
1. ¿Se han establecido los objetivos de mercadotecnia y los de la empresa señalando claramente las metas para guiar la planeación de mercadotecnia y la medición del rendimiento?
2. ¿Corresponden los objetivos de mercadotecnia a la posición que ocupa la compañía en la competencia, a sus recursos y a sus oportunidades?

C. Estrategia
1. ¿Cuál es la estrategia central de mercadotecnia para alcanzar los objetivos? ¿Es adecuada?
2. ¿Se dispone de suficientes recursos para alcanzar los objetivos de mercadotecnia o son excesivos?
3. ¿Están asignados de manera óptima los recursos de mercadotecnia a los segmentos del mercado, a los territorios y productos?
4. ¿Están asignados los recursos de mercadotecnia en forma óptima a los elementos principales de la mezcla de mercadotecnia como son la calidad del producto, el servicio, la fuerza de ventas, publicidad, promoción y distribución?

PARTE III: AUDITORIA DE LA ORGANIZACION DE MERCADOTECNIA

A. Estructura formal
1. ¿Tiene el gerente de mercadotecnia suficiente autoridad y responsabilidad en las actividades de la compañía que inciden en la satisfacción del consumidor?
2. ¿Están estructuradas de manera óptima las actividades de mercadotecnia por funciones, producto, usuario final y territorios?

B. Eficiencia funcional
1. ¿Hay buenas comunicaciones y relaciones laborales entre el departamento de mercadotecnia y el de ventas?
2. ¿Está funcionando bien el sistema de administración de producto? ¿Pueden planear los gerentes de producto las utilidades o sólo el volumen de ventas?
3. ¿Hay grupos en mercadotecnia que necesiten más capacitación, motivación, supervisión o evaluación?

C. Eficiencia de interfase
1. ¿Hay problemas entre los departamentos de mercadotecnia, producción, investigación y desarrollo, adquisiciones o finanzas que requieran de atención inmediata?

PARTE IV: AUDITORIA DE LOS SISTEMAS DE MERCADOTECNIA

A. Sistema de información en mercadotecnia
1. ¿Está produciendo el sistema de información de mercadotecnia una información objetiva, suficiente y oportuna sobre los cambios del mercado?
2. ¿Están aplicando debidamente la investigación de mercados las personas encargadas de tomar las decisiones en la compañía?

B. Sistema de planeación de mercadotecnia
1. ¿Es adecuado y eficaz el sistema de planeación de mercadotecnia?
2. ¿Se realizan bien el pronóstico de ventas y la medición del potencial de mercado?
3. ¿Están fijadas en un criterio apropiado las cuotas de ventas?

C. Sistema de control de mercadotecnia
1. ¿Son los métodos de control adecuados para garantizar la consecución de los objetivos del plan anual?
2. ¿Analiza la gerencia periódicamente la rentabilidad de los productos, mercados, territorios y canales de distribución?
3. ¿Se examinan periódicamente los costos de mercadotecnia?

D. Sistema de desarrollo de producto nuevo
1. ¿Está la compañía bien organizada para conseguir, generar y seleccionar ideas sobre productos nuevos?
2. ¿Realiza la firma suficiente investigación de conceptos y un análisis exhaustivo del negocio antes de invertir en las ideas nuevas?
3. ¿Lleva a cabo la compañía bastantes pruebas del producto y del mercado antes de lanzar productos nuevos?

TABLA 21-4 (Cont.)
Componentes de una
auditoría de
mercadotecnia

PARTE V: AUDITORIA DE PRODUCTIVIDAD DE MERCADOTECNIA

A. Análisis de rentabilidad

1. ¿Cuál es la rentabilidad de los diferentes productos, mercados, territorios y canales de distribución de la compañía?
2. ¿Debe la compañía entrar en algún segmento del negocio, contratarlo o retirarse de él? ¿Cuáles serían las consecuencias sobre las utilidades a corto y a largo plazo?

B. Análisis de la razón entre costos y eficacia

1. ¿Son demasiado costosas algunas actividades de mercadotecnia? ¿Pueden tomarse medidas para reducir los costos?

PARTE VI: AUDITORIA DE LA FUNCION DE MERCADOTECNIA

A. Productos

1. ¿Cuáles son los objetivos de la línea de productos? ¿Son adecuados estos objetivos? ¿Está cumpliendo con los objetivos la línea actual de productos?
2. ¿Hay productos que conviene eliminar?
3. ¿Hay productos nuevos que convenga añadir?
4. ¿Convendría modificar la calidad, características o estilo de algunos productos?

B. Precio

1. ¿Cuáles son los objetivos, políticas, estrategias y métodos de la fijación de precios? ¿Hasta qué punto se basan los precios en el costo, la demanda o los criterios de competitividad?
2. ¿Piensan los clientes que los precios de la compañía corresponden al valor de su oferta?
3. ¿Utiliza eficientemente la compañía las promociones de precio?

C. Distribución

1. ¿Cuáles son los objetivos y estrategias de la distribución?
2. ¿Son adecuados la cobertura y el servicio del mercado?
3. ¿Debería la compañía estudiar la conveniencia de ya no basarse tanto en los distribuidores, representantes de ventas y venta directa?

D. Publicidad, promoción de ventas y publicidad no pagada

1. ¿Cuáles son los objetivos de publicidad de la compañía? ¿Son adecuados?
2. ¿Se destina una cantidad suficiente a la publicidad? ¿Cómo se calcula el presupuesto de publicidad?
3. ¿Son eficaces el lema de los anuncios y el texto publicitario? ¿Qué opinión tienen los clientes y el público en general acerca de la publicidad?
4. ¿Están bien seleccionados los medios publicitarios?
5. ¿Se usa bien la promoción de ventas?
6. ¿Está bien estructurado el programa de publicidad no pagada?

E. Fuerza de ventas

1. ¿Cuáles son los objetivos de la fuerza de ventas de la organización?
2. ¿Es suficientemente grande la fuerza de ventas para alcanzar los objetivos de la compañía?
3. ¿Está la fuerza de ventas organizada conforme a los principios aceptados de especialización (territorio, mercado, producto)?
4. ¿Muestra la fuerza de ventas en buen espíritu de grupo, capacidad y empeño?
5. ¿Son adecuados los procedimientos con los cuales se fijan cuotas y se evalúa el rendimiento?
6. ¿Cómo se clasifica la fuerza de ventas de la compañía en relación con la de la competencia?

■ *Resumen*

En este capítulo se examinó la forma cómo se implantan las estrategias de mercadotecnia y la manera de organizar y controlar estos esfuerzos.

A menudo es más fácil diseñar buenas estrategias que llevarlas a la práctica. Para tener éxito, las compañías deben implantar las estrategias con eficacia. La *implantación* es el proceso mediante el cual las estrategias de mercadotecnia se convierten

en acciones de mercadotecnia. Varios factores pueden causar fracasos de implantación: planeación aislada, trueques entre objetivos a corto y a largo plazo, la resistencia natural de la compañía al cambio e incapacidad para preparar planes detallados de implantación.

El proceso de implantación vincula la estrategia de mercadotecnia con el rendimiento de mercadotecnia. El proceso consta de cinco elementos interrelacionados. El *programa de acción* identifica las tareas y decisiones claves que se necesitan para implantar la estrategia, asigna responsabilidades a personas específicas y establece el tiempo para la terminación de estas tareas. La *estructura organizacional* diferencia tareas y asignaciones y coordina los esfuerzos de la gente y las unidades de la compañía. La estructura de la firma evoluciona para ajustarse a la estrategia y situación de la empresa. Los *sistemas de decisión y recompensa* de la compañía también deben apoyar la estrategia de mercadotecnia. Estos sistemas orientan actividades tales como planeación, información, presupuesto, entrenamiento, control y evaluación y recompensas para el personal. Los sistemas bien diseñados pueden alentar la buena implantación.

La implantación exitosa también requiere de una planeación cuidadosa de los *recursos humanos*. La compañía debe reclutar, asignar, desarrollar y mantener un buen personal. Debe igualar cuidadosamente a sus gerentes con los requerimientos de las estrategias que se estén implantando. El *clima administrativo y la cultura de la compañía* pueden hacer o romper la implantación. Distintas estrategias requieren de diferentes estilos de liderazgo. Y la cultura de la compañía orienta la conducta de la gente dentro de la firma: la buena implantación depende de cultura fuerte y claramente definida que se ajusta a la estrategia escogida. Cada elemento del sistema de implantación debe ajustarse a la estrategia de la compañía. Además, la implantación exitosa depende de la eficacia con la que la compañía combine los cinco elementos en un programa coherente que apoye sus estrategias.

Gran parte de la responsabilidad por la implantación le corresponde al departamento de mercadotecnia de la empresa. El departamento moderno de mercadotecnia evolucionó a través de varias etapas. Comenzó como un departamento de ventas y más tarde adoptó algunas funciones secundarias, como la publicidad y la investigación de mercados. A medida que las funciones secundarias crecían en importancia, muchas compañías crearon un departamento de mercadotecnia independiente para manejarlas. Pero los directores de ventas y de mercadotecnia a menudo estaban en desacuerdo y a la larga los dos departamentos se fusionaron en un departamento moderno de mercadotecnia encabezado por un vicepresidente. Sin embargo, éste departamento no crea automáticamente una compañía moderna de mercadotecnia a no ser que los otros funcionarios acepten y practiquen una orientación hacia la satisfacción del cliente.

Los departamentos modernos de mercadotecnia están organizados en diferentes formas. La más común es la organización de mercadotecnia funcional en la que las funciones del área están encabezadas por gerentes independientes que son responsables ante el vicepresidente de mercadotecnia. Otra forma es la gerencia de producto en la que los artículos se asignan a gerentes de producto que trabajan con especialistas funcionales para desarrollar y lograr sus planes. Otra forma es la gerencia de mercado en la que los mercados principales se asignan a gerentes de mercado que trabajan con especialistas funcionales para desarrollar y lograr sus planes. Algunas compañías grandes usan una gerencia de producto/mercado.

Las organizaciones de mercadotecnia realizan tres tipos de control de mercadotecnia.

El *control del plan anual* consiste en vigilar el esfuerzo y los resultados actuales de mercadotecnia para asegurar que se alcancen las metas anuales de ventas y utilidades. Los principales instrumentos son análisis de ventas; de porción de mercado; de gastos de mercadotecnia y ventas e investigación de la actitud del consumidor. Si se detecta un rendimiento por abajo de lo normal, la compañía puede implantar varias medidas correctivas, incluyendo reducción de la producción, cambio de precios, mayor presión de la fuerza de ventas y reducción de desembolsos marginales.

El *control de rentabilidad* consiste en determinar la rentabilidad real de los productos, territorios, segmentos de mercado y canales de comercialización. El análisis de rentabilidad de mercadotecnia revela las entidades de mercadotecnia más débiles, aunque no indica si las unidades más débiles deberían reforzarse o descontinuarse.

El *control estratégico* es la tarea de determinar que los objetivos, estrategias y sistemas de la compañía se adapten de forma óptima a los ambientes de mercadotecnia actual y futura. Utiliza la auditoría de mercadotecnia, que es un examen completo, sistemático, independiente y periódico del ambiente, objetivos, estrategias y actividades de esta área de la organización. El propósito de la auditoría de mercadotecnia es determinar las áreas de oportunidad y de amenaza para recomendar acciones a corto y a largo plazo que mejoren el rendimiento de mercadotecnia global de la empresa.

■ *Preguntas de repaso*

1. Seleccione una compañía de servicio al cliente y explique la forma cómo ésta maneja las siete S de la estructura McKinsey.

2. Las computadoras Apple han escogido como mercado meta el de oficina, primero con la computadora Lisa y después con la "Macintosh Office". ¿Qué cambios

fueron necesarios en la cultura corporativa de Apple para pasar de vender computadoras principalmente para los mercados del hogar y la escuela y entrar al mercado de oficina?

3. Explique pros y contras de instituir la gerencia de producto para la línea de International Harvester de equi-

po agrícola (por ejemplo, tractores, segadoras e implementos como arados y gradas).

4. ¿En qué se diferencia la *organización de gerencia de producto/mercado* de la *organización divisional corporativa*?

5. Un contralor de mercadotecnia está bien versado en mercadotecnia y en finanzas. ¿Sería útil esta persona en las etapas ulteriores de planeación de mercadotecnia? ¿Por qué?

6. Un amigo suyo está planeando abrir una discoteca. Comprende que el "control" de mercadotecnia es esen-

cial para el éxito. ¿Qué le aconsejaría acerca de las opciones que tiene para ejercer control de mercadotecnia en su nueva empresa?

7. ¿Cuáles son las ventajas y desventajas relativas de la investigación de las actitudes del consumidor cuando se comparan con los otros enfoques de control del plan anual?

8. El centro del proceso del control estratégico es la auditoría de mercadotecnia. Explique brevemente las características y el propósito de ésta.

■ *Bibliografía*

1. Basado en información encontrada en Peter D. Petre, "Meet the Lean New IBM," *Fortune,* June 13, 1983, p. 69-82; "Personal Computers: And the Winner Is IBM," *Business Week,* 3 de octubre de 1983, p. 76-83; and "How the PC Project Changed the Way IBM Thinks," *Business Week,* 3 de octubre de 1983, p. 86-90.
2. Véase George S. Day, *Strategic Market Planning: The Pursuit of Competitive Advantage* (New York: West, 1984), p. 205.
3. Para más sobre diagnóstico de problemas de implantación, véase Thomas V. Bonoma, "Making Your Marketing Strategy Work," *Harvard Business Review,* marzo-abril de 1984, pp. 70-71.
4. Véase "The New Breed of Strategic Planner: Number-Crunching Professionals Are Giving Way to Line Managers," *Business Week,* 17 de septiembre de 1984, p. 62.
5. Estos y otros ejemplos pueden encontrarse en Robert L. Banks y Steven C. Wheelwright, "Operations vs. Strategy: Trading Tomorrow for Today," *Harvard Business Review,* mayo-junio de 1979, p. 112-20.
6. Véase Ray Stata y Modesto A. Maidique, "Bonus System for Balanced Strategy," *Harvard Business Review,* noviembre-diciembre de 1980, pp. 156-63.
7. Véase Banks y Wheelwright, "Operations vs. Strategy," p. 115.
8. Véase Bonoma, "Making Your Marketing Strategy Work," p. 73.
9. Véase John M. Hobbs y Donald F. Heany, "Coupling Strategy to Operating Plans," *Harvard Business Review,* mayo-junio de 1977, p. 121.
10. Véase Thomas J. Peters y Robert H. Waterman, Jr., *In Search of Excellence: Lessons from America's Best-Run Companies* (New York: Harper & Row, 1982), p. 10.
11. Esta figura se basa en diversos modelos de componentes del diseño organizacional. Para ejemplos, véase Jay R. Galbraith, *Organizational Design* (Reading, MA: Addison-Wesley, 1977); Peter Lorange, *Implementation of Strategic Planning* (Englewood Cliffs, NJ:

Prentice-Hall, 1982), p. 95; David L. Aaker, *Strategic Market Management* (New York: Wiley, 1984), cap. 9; y Carl R. Anderson, *Management: Skills, Functions, and Organization Performance* (Dubuque, IA: Wm. C. Brown, 1984), p. 409-13.
12. Véase Peters y Waterman, *In Search of Excellence.* Véase el excelente resumen de descubrimientos en estructuras, en Aaker, *Strategic Market Management,* p. 154-57.
13. Peters y Waterman, *In Search of Excellence,* p. 311
14. Véase "Who's Excellent Now?" *Business Week,* November 5, 1984, pp. 76-78; and Daniel T. Carrol, "A Disappointing Search for Excellence," *Harvard Business Review,* noviembre-diciembre 1983, p. 78-79ff.
15. Estos ejemplos están adaptados de los que aparecen en Robert M. Tomasko, "Focusing Company Reward Systems to Help Achieve Buiness Objetives,"*Management Review,* (New York: AMA Membership Publications Division, American Management Associations, octubre 1982). p. 8-12.
16. William F. Glueck y Lawrence R. Jauch, *Business Policy and Strategic Management* (New York: McGraw-Hill, 1984), p. 358.
17. Peters y Waterman, *In Search of Excellence,* pp. 75-76.
18. bid., p. 285.
19. Para detalles, véase "General Foods Corporation: Post División," in *Organization Strategy: A Marketing Approach,* E. Raymond Corey and Steven H. Star, eds. (Boston: Division of Research, Graduate School of Busines Administration, Harvard University, 1971), p. 201-30.
20. véase David J. Luck, "Interfaces of a Product Manager,"*Journal of Marketing.* octubre 1969, p. 32-36.
21. Andrall E. Pearson y Thomas W. Wilson, Jr. *Marking Your Organization Work* (New York: Association of National Advertisers, 1967), pp. 8-13. Véase material adicional en Richard M. Clewett y Stanley F. Stasch, "Shifting Role of the Product Manager," *Harvard Business Review,* enero-febrero de 1975, p. 65-73; Victor

P. Buell, "The Changing Role of the Product Manager in Consumer Goods Companies," *Journal of Marketing*, julio de 1973, p. 3-11; "The Brand Manager: No Longer King," *Business Week*, 9 de junio de 1973; y Joseph A. Morein, "Shift from Brand to Product Line Marketing," *Harvard Business Review*, septiembre-octubre 1975, p. 56-64.

22. Mark Hanan, "Reorganize Your Company around Its Markets", *Harvard Business Review*, noviembre-diciembre de 1974, pp. 63-74.

23. véase B. Charles Ames, "Dilema of Product/Market Management," *Harvard Business Review*, marzo-abril de 1971, pp. 66-74.

24. Para más información, véase James M. Hulbert y Norman E. Toy, "A Strategic Framework for Marketing Control," *Journal of Marking*, abril de 1977, p. 12-20

25. Véase Alfred R. Oxenfeldt. "How to Use Marketshare Measurement" *Harvard Business Review*, enero-febrero de 1959, p. 59-68.

26. Para una aplicación a una cadena de hoteles, véase Arthur J. Daltas, "Protecting Service Markets with Consumer Feedback," *Cornell Hotel and Restaurant Administration Quarterly*, mayo de 1977, p. 73-77.

27. Para un texto básico, véase Donald R. Longman y Michael Schiff, *Practical Distribution Cost Analysis* (Homewood, IL: Irwin, 1955).

28. Véase Sam R. Goodman, *Techniques of Profitability Analysis* (New York: Wiley, 1970).

29. Para detalles, véase Philip Kotler, William Gregor, y William Rodgers, "The Marketing Audit Comes of Age," *Sloan Management Review*, Invierno de 1977, p. 25-43. Se describe un instrumento de auditoría preliminar de mercadotecnia, en Philip Kotler. "From Sales Obsession to Marketing Effectiveness," *Harvard Business Review*, noviembre-diciembre de 1977 p. 67-75.

CASO 15

INTERNATIONAL BUSINESS MACHINE CORPORATION: COMPUTADORA PERSONAL PARA LOS MERCADOS EDUCACIONAL Y DEL HOGAR

La International Business Machine Corporation domina la totalidad del mercado de las computadoras y se ha ganado 35% del mercado para su computadora personal que se lanzó en 1981 y está considerada como el estándar de la industria. En enero de 1984, la IBM lanzó la PCjr en el mercado de las computadoras para el hogar. Se habían recibido pedidos de la PCjr antes de que este producto hubiese aparecido en el mercado, pero las ventas rápidamente disminuyeron. Como respuesta a las quejas, la compañía cambió el teclado de la máquina, desarrolló equipo opcional que amplió significativamente su memoria, adaptó software comercial para la misma, aumentó el apoyo de publicidad y promoción y, por último, redujo drásticamente los precios mientras que al mismo tiempo ofrecía condiciones de pago más fáciles para los distribuidores. Para el mes de noviembre los paquetes de computadoras y monitores de color que se habían vendido por mil 698 dólares eran asequibles por menos de 900 dólares. Las ventas se elevaron dramáticamente. La porción de mercado aumentó de 11 a 17% en diciembre. Pero cuando los descuentos se retiraron, las ventas bajaron. La porción de mercado bajó a 4% en febrero y a fines de marzo de 1985 la IBM anunció que dejaría de fabricar la PCjr.

La compañía se enfrenta ahora a la cuestión de qué productos PC y esfuerzos de mercadotecnia debería planear para los mercados educativo y del hogar. Hay dos consideraciones principales:

1. El equipo existente de PCjr, la base de usuarios y los detallistas.

2. El uso creciente de tipo comercial y profesional, y de tiempo parcial en las horas libres de las computadoras para el hogar, lo cual requiere compatibilidad de computadoras para el hogar y para el trabajo o la oficina.

Los antecedentes de la presente situación son los siguientes:

1. Persistió durante mucho tiempo la especulación de que el producto estaba siendo desarrollado y estaba a punto de lanzarse, lo cual dio lugar a todo tipo de rumores y sometió a presión a la IBM y a sus distribuidores. Meses antes de la revelación oficial sobre la PCjr, los distribuidores estaban aceptando depósitos no retornables e incluso defendiéndose de los consumidores potenciales. Todo esto dio lugar a una gran expectativa.

2. El momento oportuno para la introducción de la PCjr no fue el adecuado. Anunciada en noviembre de 1983, la PCjr no se embarcó hasta mediados de enero. Según la IBM, esta introducción prematura obedeció a la gran expectativa que había en los medios por el producto. Pero lo que sucedió fue una insatisfacción del distribuidor y las ventas de otras computadoras aumentaron durante la temporada navideña de 1983. (Alrededor de 40% de las ventas anuales de computadoras para el hogar se hacen durante la temporada de navidad.)

3. Cuando la PCjr salió finalmente al mercado en enero de 1984, resultó ser una gran desilusión. Los usuarios finales la recibieron fríamente por tres razones principales: el teclado casi de juguete era difícil de usar; la mayor de las máquinas no tenía suficiente poder para hacer trabajo de negocios; y otros fabricantes vendían máquinas menos costosas. En esencia, parecía que la IBM había diseñado la PCjr como una máquina deliberadamente defectuosa para no canibalizar las ventas de la computadora personal IBM de mayor capacidad. El mercado de la computadora para el hogar resultó más difícil de lo esperado.

4. El posicionamiento del producto no parecía claro. La PCjr se posicionó inicialmente hacia los mercados educativo y del hogar, como una computadora que cualquier miembro de la familia podía usar. Más tarde, este posicionamiento se extendió para incluir el uso comercial. Este enfoque parecía muy general y confuso para muchas personas.

5. La compatibilidad limitada con la PC hizo que los negocios potenciales y los compradores profesionales no adquieran la PCjr. Aparentemente, la IBM no resolvió la cuestión de qué papel debería desempeñar la PCjr en relación con su línea PC en el mercado de los negocios.

6. En abril de 1984, debido a ventas de la PCjr más bajas de lo esperado y a una gran insatisfacción de los distribuidores, la IBM lanzó una intensa campaña publicitaria de tipo relámpago, en la que gastó más de 20 millones de dólares. Sin embargo, los problemas persistieron. Los distribuidores redujeron radicalmente sus precios, redujeron pedidos, usaron la PCjr como una bonificación para los clientes que compraban computadoras IBM de mayor capacidad y a menudo preferían vender la Apple IIe que la PCjr.

7. Después de reagruparse, se anunciaron grandes rebajas de precio para la PCjr. Se lanzó un nuevo teclado estándar y una memoria ampliada (512K). Estos cambios se explicaron como respuesta a la publicidad negativa y a la presión del consumidor y del distribuidor. IBM quería que la PCjr calificara como una máquina usada para trabajo comercial en el hogar, usos más complicados para educación y aplicaciones en el hogar.

8. Agosto de 1984 trajo un gran apoyo publicitario para la PCjr; el primero desde abril. Además, la IBM tendió su sistema de "Writing to Read" para las escuelas en todo el país, ofreciendo sus nuevos programas de software y sus precios escolares especiales para la PCjr. La IBM también participó en grandes promociones conjuntas con gigantes de la mercadotecnia de productos de consumo como Procter & Gamble y Geneal Foods, ofreciendo la PCjr como premios de concurso para niños.

El mercado de las computadoras para el hogar, que consta de unidades con precios de menos de mil 500 dólares y que se usan principalmente en el hogar, se espera que crezca a una tasa anual de 24% a través de la década de 1980. Se calcula que un tercio de las viviendas estadunidenses poseen actualmente una computadora y que 80% tendrá una para el año 2000.

Los usos proyectados de las computadoras en el hogar en el futuro parece cosa de ciencia ficción. Las aplicaciones proyectadas para compras y transacciones bancarias desde el hogar, así como el control del equipo doméstico. Los usos presentes más comunes de las computadoras son para el procesamiento de palabras, finanzas hogareñas y juegos.

Quienes compraban computadoras personales en el pasado eran técnicos y amantes de pasatiempos y las ventas tenían una orientación tecnológica. Ahora, las ventas se logran por métodos tradicionales de mercado. Los nuevos compradores de computadoras personales no están interesados por la forma como funciona la máquina; quieren una computadora servicial y de alto rendimiento y toman decisiones de compra con base en el precio, compatibilidad, servicio, distribución, identidad e imagen corporativas y facilidad de uso. Debido a esta nueva orientación de consumo, la publicidad se ha vuelto sumamente importante para la creación de conocimiento y para proporcionar apoyo de mercadotecnia a los distribuidores. Los gastos en televisión para hardware y software combinados aumentaron alrededor de un tercio en 1984. La IBM fue la anunciante principal de sistemas de computadora personal en 1984. La Apple tiene el segundo lugar, con 16 millones gastados en 1983, 80 millones de dólares en 1984 y mucho más en 1985. Tanto los distribuidores como las compañías de software dan la bienvenida a esta tendencia hacia un aumento en la publicidad y promociones de consumo.

Las computadoras para el hogar se han distribuido a través de tiendas de especialidades como Computerland y mediante ventas directas a instituciones educativas. Sin embargo, a últimas fechas los comerciantes en masa se han convertido en un canal importante de distribución. Algunos analistas sostienen que las computadoras hogareñas deben venderse mediante canales masivos de comunicación para competir con eficiencia. Commodore es actualmente el único competidor principal que utiliza a los comerciantes en masa. Atari y Coleco, que originalmente vendía máquinas para juegos, también los usan. Los analistas consideraban la Apple IIc y la PCjr de extremo inferior como ideales para este canal debido a sus precios bajos y a sus aplicaciones sencillas. Corría la voz, aunque se desmentía, de que la IBM había iniciado pláticas con K. mart. Los acuerdos de distribución a gran escala entre el comercio detallista y los gigantes de las computadoras ''... podrían tener grandes implicaciones que van desde reducciones de precio hasta ventas y competencia renovada en el mercado de las computadoras para el hogar'' según el *Wall Street Journal* (25 de septiembre de 1984).

A diferencia del mercado de la computadora personal, que incluye las máquinas de más de mil 500 dólares, hay poca estandarización en el mercado de las computadoras para el hogar de menos de mil 500 dólares. IBM, Apple y Commodore no usan software compatible e incluso la PCjr y la IBM PC tienen compatibilidad limitada. Se esperaba que el aliento que la IBM les dio a los autores externos de software hiciera de las especificaciones técnicas de la PCjr las más usadas en lo que ha sido un negocio fragmentado. Otras tendencias relacionadas con el producto incluyen software integrado, bundling empacar más elementos en cada chip, y formar redes entre computadoras en el hogar y PCs o estructuras principales. Estos desarrollos son una respuesta a la demanda del consumidor por mayor utilidad y complejidad, pero requieren de un sistema ''transparente'' en el que el usuario sea prácticamente inconsciente de la manera como opera la computadora.

La industria de las computadoras para el hogar está en una época turbulenta. En 1983, los competidores estaban plagados por guerras de reducción de precios, oferta exagerada y grandes pérdidas de utilidades. La exhibición de artículos electrónicos de consumo que se llevó a cabo en enero de 1984 se caracterizó por la cautela. El *New York Times* (9 de enero de 1984) informó que la industria era ''más seria y sabia... Ya ha desaparecido el énfasis en reducciones de precios y el *mare mágnum* de introducciones de productos''. En vez de ello, ahora se hace hincapié en las utilidades, con tendencias hacia máquinas más costosas y menor énfasis en el precio como una base para la competencia. Como resultado, algunos esperan que la entrada de la IBM en el mercado del hogar origine un desplazamiento hacia la mercadotecnia de utilidad en vez de la basada en el precio: en este caso la facilidad de uso y las opciones se convierten en los puntos claves de venta. La presencia de la IBM en la industria de las computadoras para el hogar le da credibilidad y aumenta la confianza en el mercado. Se espera que la entrada de la IBM mejore las ventas globales. Se esperaba que la PCjr expandiera el mercado de la computadora para el hogar, que estabilizara la fijación de precios y creara un paraguas de precio para los competidores, y terminar los días de las grandes guerras de precios. Esto nunca se materializó y los precios para la PCjr y los productos Apple competitivos se anunciaron extensamente a nivel de detallista.

El mercado de la computadora para el hogar continúa experimentando una consolidación de competidores y líneas de producto. La retirada del mercado de Texas Instruments, la decadencia de Atari y la retirada de la Adam de Coleco marcaron la tendencia hacia la permanencia del más apto: IBM, Apple y Commodore. Sólo el más fuerte podía costear la implantación de estrategias de mercadotecnia de alto poder y ser capaces de reducir los costos de fabricación con la esperanza de reducir la pérdida en las utilidades.

Los principales competidores en la industria de la computadora para el hogar son IBM, Apple, Commodore, Tandy y en un grado menor Coleco, Atari y los japoneses.

Apple

Apple es el segundo fabricante más grande en computadoras con una porción de mercado de 9.5% en 1984. Tradicionalmente, Apple se ha concentrado en los mercados educativos y del hogar, pero el mercado de los negocios ha sido desde hace mucho tiempo uno de sus objetivos. Hasta 1983, el principal producto de Apple para competir con la PCjr era la Apple IIe introducida a un precio de mil dólares que después se rebajó. Otros productos Apple incluyen la Apple IIc, una computadora portátil, y la más complicada Macintosh que está posicionada entre la PC y la PCjr de IBM. La introducción de la Mac fue un intento para unir los mercados del hogar y de los negocios. La Mac es fácil de usar, y además es una máquina versátil. La computadora tiene los siguientes atributos: transportable, más memoria que la PC basica, menú de selección, gráficas, uso de ventanas y mouse manual y otras características. Los pronósticos en la industria dicen que la Mac venderá entre 200 mil y 500 mil unidades al año. Se llamó a más de 100 compañías para que produjeran software para la Mac. El software era especialmente decisivo ya que la Mac es incapaz de aceptar programas diseñados para sus computadoras hermanas. Y el sistema de operación de la Mac no es compatible ni con la IBM (MS-DOS) ni con los sistemas de operación ATT (UNIX).

Desde que John Sculley se trasladó de Pepsico a Apple como presidente, la publicidad se ha vuelto valiente, tanto en gastos como en contenido. Los gastos pasaron de dos millones de dólares, antes de que llegara Sculley, a 80 millones de dólares en 1984 y se espera que superen los 200 millones de dólares en 1985. En un esfuerzo por alentar las ventas navideñas en 1984, la campaña de publicidad de la Apple se concentró en "Use una Macintosh a prueba". La idea es que si la gente se lleva una Mac a casa, descubrirán lo fácil que es usarla. La Apple gastó 10 millones de dólares en la campaña con la esperanza de generar ventas de 100 mil unidades en tres meses.

Commodore

La Commodore 64 es una computadora de bajo precio (originalmente 595, descontada a menos de 200 dólares) que se usa para juegos y como procesadora de palabras. En el mercado inferior a los 500 dólares, más de 50 % de las unidades vendidas son Commodore 64. En 1983, las ventas de Commodore 64 llegaron a un millón de unidades pero ahora están disminuyendo. En el otoño de 1984, las ventas cayeron de 10 a 30% por abajo de los niveles de hace un año en el momento que las ventas deberían estar acelerándose para navidad. Otra señal de la disminución de clientes de primera vez es que las unidades de discos, partes de la máquina que permiten correr programas más complicados, se vendían con más rapidez que las computadoras mismas. Esto puede ser un signo de que los consumidores se están volviendo cada vez más avanzados en sus usos y, por lo tanto, intercambian aparatos.

En fabricación y mercadotecnia, la Commodore se ha distinguido en varias cosas. Primero, es un fabricante de bajo costo con sus propias operaciones de fabricación de semiconductores. Segundo, ha sido el principal reductor de precios en la industria. Por último, Commodore ha utilizado comerciantes en masa para la distribución. Más de la mitad de las ventas de Commodore 64 las hacen seis grandes comerciantes en masa, incluyendo K. mart.

La publicidad de Commodore durante la primera mitad de 1984 bajó 24% hasta 10 mil 300 millones de dólares en comparación con el mismo periodo de un año antes, pero subió en la segunda mitad y se dirigió en contra de la IBM y la Apple.

Tandy

A pesar de su liderazgo temprano en las computadoras para el hogar y un fuerte sistema de distribución, la porción de mercado de Tandy se ha erosionado. En un esfuerzo por invertir esta tendencia, Tandy ha introducido recientemente su TRS-80 Model 100, la tercera en su línea de computadoras 100% compatibles con la IBM con un precio de mil 200 dólares. Este precio es alrededor de la mitad de la IBM PC y comparable al de la PCjr. Su concepto publicitario es: "Tandy. Claramente superior".

Coleco

La Adam de Coleco, con un precio original de 600 dólares que después se rebajó mucho, era recientemente la computadora para el hogar que ocupaba el cuarto lugar en ventas, pero al igual que la TI se retiró del mercado. Las señales de que Coleco puede estar saliéndose de este mercado incluyen la cancelación de un contrato por un impresor, la reducción de precios y la limpieza de inventarios. Se estimaba que se habían vendido 200 mil unidades para fines de 1984. Inicialmente, la Adam mostró malos resultados de ventas porque el equipo llegaba tarde y en pequeñas cantidades y no era confiable. En un intento por estimular las ventas, la Coleco usó mucho la publicidad radiofónica y dispositivos promocionales como concursos, premios y becas de 500 dólares, pero todo esto sirvió de poco.

Atari

Atari es otro fabricante de computadoras cuyo futuro está en duda. La Warner Commnunications se la vendió a Jack Tramiel, fundador de Commodore International, pero ahora la compañía continúa teniendo problemas de fijación de precios e inventario. Asimismo, tiene problemas de flujo de efectivo. Es motivo de especulación saber si estos factores serán demasiado para Atari. A pesar de los problemas de la firma, a mediados de 1985 lanzó dos nuevas computadoras, una de las cuales intentaba ser un competidor de la Macintosh de la Apple.

Competidores japoneses

Los japoneses son competidores importantes en la industria de las computadoras y tiènen casi un monopolio en la producción de unidades impresoras. Además, la fabricación de computadoras y de sus componentes es algo que muchas compañías estadunidenses otorgan a los japoneses por subcontrato. Sin embargo, los japoneses todavía tienen que lograr una entrada significante en el mercado de las computadoras para el hogar. Los obstáculos de importancia para la entrada son la distribución y el software. Se especula con la idea de que los japoneses están esperando a que el mercado se asiente para entrar.

El mercado de las computadoras una vez volátil, como se caracterizó por muchos competidores, guerras de precio, oferta excesiva y grandes pérdidas está empezando a mostrar signos de alcanzar la estabilidad. Las tendencias son: 1) menos juegos y aplicaciones más serias en el hogar; 2) publicidad y promoción dinámicas; y 3) uso más eficaz de los canales de distribución. Estas fuerzas sustentarán a aquellas compañías capaces de reducir sus costos de fabricación y mejorar sus estrategias de mercadotecnia. Como el mercadólogo más importante de computadoras, IBM necesita desarrollar por completo un plan cuidadoso para apoyar sus esfuerzos en el mercado de la computadora para el hogar y dar una consideración cuidadosa al posible uso de los métodos de distribución en masa para llegar al mercado del hogar.

Basado en un caso preparado por Jennifer Bates, Andrea Fein, Emily Gales y Lucretia Hadden.

¿Qué productos PC y esfuerzos de mercadotecnia debería planear la IBM para los mercados educacional y del hogar?

CASO 16

MINNETONKA, INC.

En 1978, la Minnetonka, Inc., una firma de Chaska, Minnesota, que fabricaba principalmente artículos de baño y tocador introdujo el Softsoap, un jabón barato que se extrae apretando la tapa y que sale en forma líquida. Un analista de la industria declaró que Softsoap era la "primera gran innovación en el mercado del jabón de manos desde que Procter & Gamble introdujo un siglo antes Ivory, "el jabón que flota". El éxito de Softsoap fue meteórico pues en su primer año conquistó casi 8% del mercado, atrayendo además el interés de los gigantes como Procter & Gamble, Colgate-Palmolive, Lever Brothers y Amour-Dial. En un principio reaccionaron lentamente, pero ahora advierten la amenaza que significa para ellos que prácticamente dominan el mercado del jabón en barra. Y Minnetonka habrá de decidir cómo responde al reto.

Comenzando con una inversión de tres mil dólares en 1964, Robert Taylor, un graduado de administración de Stanford, empezó a fabricar en el sótano de su casa jabones perfumados envueltos en paquetes atractivos. Años después amplió su línea a los jabones de espuma para baño, los champús con fragancia de frutas y finos jabones en barra, salió de su sótano y fundó la empresa Minnetonka. En 1968, su inversión inicial se había convertido en 650 mil dólares. Animado por su éxito rápido, diversificó la empresa: además de los productos relacionados con el tocador agregó líneas que incluían desde velas hasta cosméticos y bienes raíces. Taylor confiaba aumentar sus ventas a más de 100 millones de dólares.

Los problemas se presentaron muy pronto debido a la administración de una cartera tan heterogénea. Ante los problemas causados por la recesión económica de 1974, Taylor sufrió una pérdida de un millón 600 dólares. Se vio obligado entonces a dar marcha atrás: disminuyó la inversión de la mayor parte de las líneas ajenas a los artículos de tocador y se concentró de nuevo en los jabones innovadores y atractivos, destinados primordialmente al mercado de los regalos. Una vez más en el campo que mejor dominaba, Taylor logró reestructurar Minnetonka con una exitosa expansión de sus líneas actuales (Village Bath, Dirty Kids) y compró Claire Burke, Inc. En 1976 Minnetonka era una empresa floreciente, dedicada sobre todo a los productos de especialidades de tocador para el mercado de regalos. Con un enfoque sumamente creativo en la producción y en el empaque, inventó productos como los champús con fragancia de frutas, los jabones de espuma ''War Paint'', el ''Incredible Soap Machine'' (un tubo de jabón líquido) y finos jabones en barra. Sus productos se distribuían principalmente en las tiendas de especialidades para el mercado de regalos.

En 1978, Taylor decidió ofrecer un producto de jabón líquido y posicionarlo frente a los jabones en barra, aprovechando así la información recabada durante las sesiones de discusiones en grupo sobre la Incredible Soap Machine, una variante de Village Bath dentro de la categoría de jabones finos y líquidos. Los grupos de discusión habían mostrado una reacción positiva ante la comodidad y elegancia de la Incredible Soap Machine, pero consideraban excesivo su precio, cuatro dólares 94 centavos, para el uso ordinario.

Minnetonka entonces propuso su Softsoap a un dólar 59 centavos por 10.5 onzas y lo distribuyó mediante tiendas de comestibles y farmacias, valiéndose principalmente de corredores de alimentos. Softsoap está empacado en forma atractiva dentro de un frasco de plástico a presión, cubierto con una tapa de plástico. Viene en cuatro colores: amarillo, café azul y verde; cada color representa un motivo ornamental distinto.

El inicio de las ventas en abril de 1980 tuvo el apoyo de un intenso programa de publicidad para televisión a nivel nacional, además de las ofertas mediante cupones que aparecían en revistas y en suplementos dominicales de la prensa. Softsoap tuvo tanto éxito que en pocos días muchas tiendas ya habían agotado sus existencias del pedido inicial.

Además de contar con un producto atractivo y de gran demanda que respondía a la exigencia de algunos consumidores, el éxito se basó fundamentalmente en una excelente distribución en tiendas de abarrotes, en farmacias y en locales que expenden todo tipo de mercancía. Al finalizar 1980, Softsoap era una marca que se vendía en casi todos los supermercados de Estados Unidos.

La exitosa campaña de publicidad que comenzó en 1980 se expandió en 1981, llevando su mensaje a los consumidores a través de publicidad en televisión, revistas, periódicos y al aire libre. Softsoap era el anunciante número uno en su categoría de producto durante 1981.

El exito de Softsoap acrecentó las ventas de Minnetonka a más de 95 millones de dólares en 1981 y los pronósticos de ventas eufóricos para el jabón líquido produjo una embestida violenta de la competencia. Las ventas de la compañía cayeron en casi 50% en dos años.

Para comienzos de 1982, había más de cuarenta competidores listos para capturar una porción del mercado de 80 millones de dólares del jabón líquido. La peor amenaza estaba en manos de los cuatro principales fabricantes: Armour-Dial, Procter & Gamble, Colgate Palmolive y Lever Brothers. Se decía que cada uno de éstos estaba en la etapa de investigación y desarrollo de productos para la clase del jabón líquido. A fines de 1981 se llevó a cabo la tan esperada prueba de mercadotecnia tanto de Rejoice de Procter & Gamble y de Liqua 4 de Armour-Dial. Rejoice fue posicionado para usarse ''en vez de una barra'' y afirmaba ''acondiciona su piel a medida que la limpia, dejándola suave y fresca''. Liqua 4 venía en un contenedor de plástico apretable en forma de barra de jabón de 5 onzas y se anunciaba como ''una fórmula líquida'' que sustituye al jabón en barra con ''cuidado completo de la piel''. Además de las marcas anunciadas, aparecieron a precios mucho más bajos marcas privadas patrocinadas por detallistas y jabones líquidos sin marca en envases muy similares.

Softsoap se distribuía a los detallistas con un precio sugerido de un dólar 59 centavos por 10.5 onzas. Los precios reales en los anaqueles fluctuaban entre un dólar 29 centavos y un dólar 77 centavos, sin incluir rebajas u ofertas de cupones, que a veces reducían el precio hasta a 90 centavos. El detallista recibía un margen de ganancia de 30%, en comparación con un margen promedio en la industria de los jabones de alrededor de 15%. Las marcas privadas y los jabones genéricos se vendían hasta por un dólar. Procter & Gamble retiró Rejoice y lanzó Liquid Ivory, a un precio menor de un dólar, presumiblemente para aprovecharse del nombre bien conocido de Ivory en un mercado que se consideraba demasiado pequeño, alrededor de 100 millones de dólares, para lanzar y sostener lucrativamente una nueva marca.

En esa época los escépticos en la industria afirmaban que el jabón líquido era un pequeño mercado de especialidad que se estaba acercando a su límite superior en una base per cápita; que el jabón líquido no era adecuado para la regadera o la bañera; que su importancia disminuiría después que las compras iniciales resultasen desalentadoras; y que más allá de un pequeño segmento, sería un artículo de especialidad para el mercado de los regalos o para mostrar en la casa cuando hay huéspedes.

El uso principal del Softsoap es como un jabón para las manos, casi siempre en lugar del jabón en barras para el tocador y el lavado. Y es en este uso primario en el que están basados su posicionamiento y promoción. Está dirigido al ama de casa en forma general. El segmento del mercado meta se encuentra definido hoy por los canales de distribución y, en sentido lato, abarca a todos los consumidores que frecuentan las tiendas donde se expende el producto.

La investigación indicó que el jabón líquido se usaba principalmente en el hogar como un jabón para las manos, mientras que casi 75% de las ventas de jabón en barra de mil millones de dólares era del que se usaba en la regadera o en la bañera. Buscando obtener una ventaja competitiva temprana en este segmento de mercado prácticamente no explotado del jabón líquido, Minnetonka lanzó ShowerMate, su producto de jabón líquido en un tubo con un gancho en un extremo, el que podía colgarse de la regadera o de un cortinero del baño durante su uso. En 1982, la compañía introdujo ShowerMate en unos cuantos mercados y muy pronto anunció que comenzaría a venderlo a escala nacional con apoyo publicitario a nivel de 10 a 15 millones de dólares al año. Los mercados iniciales fueron Houston; Orlando y Jacksonville, Florida; Denver; Portland, Oregon; Seattle; y Minneapolis-St. Paul. Ya existía un cierto número de productos líquidos competidores para usar en la regadera o la bañera. Entre éstos se contaban Shower of Capri de S. C. Johnson & Co., y Shower Up de Jo Go Industries. Tanto Armour-Dial como Procter & Gamble tenían productos en mercados de prueba.

ShowerMate, en una botella de 12 onzas con gancho para colgarla, se vendía por dos dólares al menudeo, mientras que Shower Up y Shower of Capri, en envases de 8 y 11 onzas, respectivamente, se vendían por un dólar 50 centavos y un dólar 70 centavos. Todos estos productos estaban apoyados por una fuerte publicidad y se vendían en tiendas de abarrotes, farmacias establecimientos generales y almacenes de comercialización en masa. La reducción de precio se difundió mucho.

El comercio recibió bien a ShowerMate en 1982. Parecía una repetición del éxito de Shoftsoap. Pero a pesar del desplazamiento de fondos publicitarios de Softsoap a ShoweMate y el gran volumen de ventas durante el periodo inicial, las ventas de la fábrica comenzaron a bajar. El producto tenía problemas. Robert Taylor dijo después: "Es difícil de romper el antiguo hábito del jabón en barra. Pensamos que sería más fácil transferir el halo de Softsoap. Tal vez subestimamos la dificultad de romper el hábito". Dos años después de su introducción, ShowerMate tenía distribución débil y un volumen declinante de ventas. La mayoría de los observadores lo consideraban un artículo muerto.

Check Up, una pasta dentífrica en un envase especial, se introdujo en 1983 y en un año logró distribución nacional con una porción de mercado estimada de 5%. De nueva cuenta, el éxito de un producto de comienzo rápido de Minnetonka amenazó a competidores bien atrincherados. Muy pronto Colgate introdujo su pasta dentífrica Colgate en un envase igual así como su marca Dentguard para placas. Check-Up se promovía como un dentífrico especial para placas y no se hacía hincapié en su envase característico. Otras marcas establecidas comenzaron a usar el mismo envase. Estas eran Crest (P&G), Aim (Lever Bros.) y Aqua-Fresh (Beecham). La importancia de este mercado de mil millones de dólares para los competidores se indica por las porciones de cada una de las marcas, que se estimaban así: Crest, 33%; Colgate, 22%; Aqua-Fresh, 11%; Aim, 10%. Las fuentes comerciales indicaban que a medida que los competidores anteriores entraban al mercado del envase nuevo, Check Up era fuertemente promovido a alrededor de 17 millones de dólares en una base anualizada, incluyendo publicidad y comercialización.

Según la *Forbes Magazine* (19 de noviembre de 1984), Robert Taylor piensa que Check Up lo hará mejor que Softsoap, a pesar de la similitud de sus comienzos rápidos. Su razonamiento es el siguiente:

1. Minnetonka distribuye Check Up y comparte las utilidades con Henkel, KG&A, la compañía de productos de consumo y sustancias químicas de tres mil 300 millones de dólares de Alemania Federal. Henkel fabrica el Check Up en Alemania y ha acordado cubrir una mitad del presupuesto de mercadotecnia de 17 millones de dólares para la marca estadunidense. Henkel vende su marca Thera-Med de pasta dentífrica en envase especial en varios países de Europa Occidental con porciones de mercado que van desde 6 hasta 12%.

2. Se recalcará la originalidad del producto, que en Check Up es el poder para pegar la placa. En el caso de Softsoap, el lema "jabón que no ensucia" promovió el jabón líquido y ayudó a los competidores, no sólo al producto del patrocinador.

3. El optimismo exagerado y los pronósticos eufóricos de ventas asociados con el éxito inicial de Softsoap dieron lugar a un exceso de producción. Cuando las ventas cayeron, la compañía no pudo reducir su producción rápidamente para evitar grandes pérdidas. Taylor planea evitar esta trampa.

4. La compañía no dependerá mucho de un produto. Tiene una línea más amplia que va desde jabones Roger & Gallet y fragancias Calvin Klein hasta afeite corporal Village Bath para quienes gustan de él.

Sin embargo, hay otras similitudes con la experiencia de Softsoap, como se señala en el artículo de *Forbes*. Los grandes competidores están entrando al mercado. La investigación dirigida por

Minnetonka indica que muchos consumidores están comprando Check Up por su envase original más que por sus cualidades como dentífrico. Taylor afirma lo siguiente: ''El peligro es que no podemos aferrarnos a la porción de mercado que hemos logrado, lo cual quiere decir que a la larga podríamos perder dinero''.

Como líder de mercado, Softsoap está posicionado actualmente en el medio del mercado o en el centro del mismo; es decir, se trata de un jabón de calidad regular y de precio módico que está al alcance casi de todos los consumidores. Los competidores ya empezaron a fragmentar este mercado de jabones líquidos con productos diseñados para: 1) quienes quieren un producto que limpie y cuide la piel aunque sea a un costo superior (Yardley's y Jovan), 2) el mercado al cuidado del niño (Yardley's), y 3) el mercado de baño y ducha. Minnetonka podría desalentar la competencia al lanzar productos de jabón líquido en éstos y en otros segmentos adelantándose a los principales competidores.

Además, en lugar de segmentar el mercado, la Minnetonka podría lanzar una línea de productos para el cuidado personal basados en la idea del envase a presión, como lociones para las manos y champú, como hizo con la pasta dentífrica Check Up. Pero la decisión fundamental estriba en si debe continuar o no en la competencia del mercado masivo frente a las principales compañías rivales o si debe vender productos de especialidad en mercados menos numerosos. Podría vender sus productos de mercado masivo (Soaftsoap, ShowerMate y Check-Up) a otra compañía y regresar a su negocio original: los productos de especialidad para el cuidado personal destinados al mercado de regalos. Si la Henkel está interesada en el mercado de Estados Unidos y tiene 23% de la propiedad de Clorox, una antigua subsidiaria de Procter & Gamble. Las fuentes comerciales indican que las dos compañías tienen un acuerdo cooperativo acerca de productos e investigación. Uno de éstos podría ser un posible comprador o socio. Si Minnetonka decide competir contra las principales compañías de jabón, entonces debe formular un plan a tal efecto. ¿Deberá competir de frente o en alguna otra estrategia más prometedora? Un enfoque lógico sería aprovechar las ventajas de la firma en relación con las oportunidades de mercado y las ventajas y desventajas competitivas.

¿Qué cambios debería hacer la Minnetonka en sus objetivos y estrategia de mercadotecnia?

CASO 17

MAYTAG CO.

La Maytag Co., fabricante de electrodomésticos de línea limitada, ha sido una de las firmas más prósperas en este sector durante los últimos años, con ventas anuales de más de 500 millones de dólares. Su estrategia básica ha sido la de hacer el mejor producto y cobrar lo correspondiente. Sus ventas han estado dirigidas principalmente al extremo superior del mercado de repuestos. Ni el recién formado mercado de familias ni el de la construcción han sido seleccionados como mercado meta. El equipo para lavandería de Maytag tiene fama de ser satisfactorio y sin problemas y la firma ha creado en su publicidad el personaje ''01' Lonely'', el encargado de las reparaciones. Ante el cambio en las condiciones de mercado, es deseable que la empresa considere la conveniencia de modificar su estrategia, especialmente en vista de su reciente adquisición de dos fabricantes de equipo de cocina. En el pasado se ha concentrado en lavadoras, lavatrastes y secadoras de alto precio para el mercado de repuesto.

La Maytag adquirió, por 28 millones de dólares, la Hardwick Store Co., con base en Cleveland, Tennessee, fabricantes y vendedores de hornos de microondas y estufas de gas, que se venden mediante los canales convencionales de distribución a precios bajos y medianos. También adquirió por 75 millones de dólares la Jenn-Air, un gran fabricante de parrillas eléctricas y sistemas de ventilación con ventas de más de 100 millones de dólares. Estas adquisiciones le proporcionaron a Maytag lo siguiente:

1. Una línea de producto de equipo de cocina, pero bajo dos nuevos nombres de marca diferentes a Maytag.

2. Una cadena de distribuidores independientes usados por las dos compañías adquiridas para complementar el sistema de distribución de Maytag, que vende productos directamente a 10 mil distribuidores.

3. Una identidad de consumo muy fuerte Jenn-Air entre los mismos clientes de extremo superior que compran aparatos Maytag.

4. La oportunidad de desarrollar productos de combinación única que incorporen las tecnologías convencionales y de microondas de Hardwick y la parrilla eléctrica y el sistema de ventilación de Jenn-Air.

5. La porción de mercado de menos de 2% de Hardwick en el mercado de microondas vendida mediante establecimientos convencionales en precios medianos y bajos.

6. Capacidades de fabricación de las líneas de producto adquiridas.

El presidente de Maytag explicó que aunque ''el mercado del equipo de cocina está maduro, se trata de uno muy interesante porque la innovación de productos está cambiando la manera tradicional como cocina la gente y ampliando las posibilidades de ventas''. Al mismo tiempo, la entrada de Maytag en el mercado del equipo para cocina es un negocio arriesgado. Poco después de que Maytag entrara al mercado de los aparatos para cocina, su rival Hobart Corp., fabricantes de lavatrastes Kitchen Aid, entraron también al adquirir gran parte de la línea de equipo Chambers Cooking de Rangaire.

El equipo de lavandería de Maytag se considera como el mejor de la línea, pero a pesar de muchos esfuerzos y de tiempo de mayor audiencia favorables que recibe en *Consumer Reports*, muchos consumidores y miembros de la industria todavía consideran sus lavaplatos como inferiores al Kitchen Aid de Hobart, durante mucho tiempo el líder en el nicho de alta calidad y elevado precio. Sin embargo, Maytag está cerrando la brecha. Ha lanzado una gran campaña de publicidad comparativa dirigida a Kitchen Aid. El encabezado de un anuncio dice: ''¿Cuál de estos dos lavaplatos es mejor: Kitchen Aid o Maytag?'' El mensaje da una comparación detallada punto por punto y se difundió en 58 grandes mercados por medio de comerciales en televisión y anuncios en la prensa.

Es posible que se esté erosionando el nicho de excelente calidad en el mercado para aparatos de cocina y equipo de lavandería, meta que buscan ambos productos. Aunque no se dispone de evidencia firme para apoyar lo anterior, existe la creencia cada vez más generalizada en la industria y entre el público de que la diferencia entre los aparatos caros y de precio mediano se torna cada vez más pequeña, a la vez que aumenta la diferencia de precio.

Los hornos de microondas para el hogar aparecieron en la década de 1950, pero su crecimiento fue lento hasta comienzos de la década de 1970. En esa época los problemas con el uso de microondas incluían cocimiento disparejo, las carnes no podían tostarse, las comidas envueltas en papel de aluminio o de estaño no podían ponerse en el horno, había pocos recetarios y se hablaba de un peligro real o imaginario de la radiación.

Tan pronto como se superaron estos problemas, las ventas se dispararon. Para fines de la década de 1970, los hornos de microondas ya no se consideraban un lujo. Como cada vez había más mujeres que trabajaban fuera de casa, el atractivo del horno se hizo más fuerte y actualmente se usan en más de 40% de los hogares estadunidenses, en comparación con 45% para los lavaplatos. Los hornos de microondas, cuyo precio fluctúa entre 150 y 600 dólares, ha sido uno de los artículos de más venta en el negocio de los electrodomésticos. Se pronostica una penetración de estas unidades de cocina comparable a la de los televisores a color. La competencia de precios y los descuentos son fuertes. Los precios buenos son difíciles de mantener.

Cinco de aproximadamente 40 fabricantes de hornos de microondas tienen más de 50% del mercado de consumo. Litton y Amana han sido los líderes, pero Sears, General Electric y Sharp están cerrando la brecha.

Algunos de los principales desarrollos en la industria son los siguientes:

1. La estructura de la industria comienza a cambiar a causa de las fusiones y adquisiciones; unas cuantas de las grandes compañías que manejan líneas completas producen casi todos los bienes. La Design and Manufacturing Co. de Connersville, Indiana, fabrica lavadoras de platos que representan más de la mitad de la inversión sin vender una sola unidad bajo su propio nombre. Abastece a empresas como Sears, Magic Chef, Roper, Western Auto, Gambles y Tappan.

2. La competencia siempre es fuerte en esta industria, pero ahora lo es más.
   a) Los productores de artículos de precio bajo, como la White Consolidated Industries están siempre tratando de reducir sus costos.
   b) La General Electric acaba de emprender un gran proyecto centrado en sus lavadoras de pla-

tos y destinado a mejorar tanto la calidad como la confiabilidad de éstas, pero también a reducir los costos de producción mediante un mayor uso de los robots industriales.

c) Los esfuerzos de mercadotecnia se han intensificado, dando mayor importancia a los factores que estimulan una venta rápida como rebajas de fábrica, ventas especiales en la planta y otros incentivos para los distribuidores y el consumidor.

3. Los productos se diseñan con menos componentes electromecánicos y con mayor número de componentes electrónicos para facilitar así las operaciones de control. Los microprocesadores y otras tecnologías avanzadas exigen mayores recursos no sólo para el diseño y fabricación del equipo, sino también para el servicio y la reparación.

4. El servicio comienza a convertirse en un gran problema. Para hacer reparaciones mayores se necesitan instrumentos especiales y personal especializado. Llamar un técnico cuesta mucho. Esos costos molestan al cliente, sobre todo cuando se trata de reparaciones menores. La mayor parte de las compañías preferirían no prestar ese servicio. Son pocas las que logran utilidades en esto, aunque se piensa que en la industria de los electrodomésticos la operación de servicios de la Sears es rentable dado el enorme volumen de contratos de servicio de mantenimiento que tiene.

5. La General Electric confía en reducir el problema iniciando un "Quick Fix System" (sistema de servicio rápido). Se lo ofrece al público mediante franquicias, donde los consumidores pueden comprar manuales de reparación muy completos para los aparatos de la firma y repuestos de uso común en exhibición especial. Según las encuestas, 40% de las reparaciones las realizan hoy los clientes que reciben poca ayuda del fabricante. Más aún, 25% de ellas las realizan mujeres.

   También se dispone de ayuda por teléfono. Whirlpool fue uno de los primeros en usar el número 800 para llamadas sin cargo. El número telefónico "GE Answer Center 800.626.2000" (una marca registrada) está abierto a toda hora durante el año para contestar preguntas acerca de la operación o reparación de aparatos GE y la selección o compra de otros nuevos.

El desarrollo tecnológico más significativo es el movimiento rápido hacia controles y lecturas de tipo electrónico, incluyendo controles digitales en vez de los botones y marcadores convencionales, lecturas digitales que indican el tipo y el tiempo de operación que se lleva a cabo, y lecturas de diagnóstico relámpago para reducir al mínimo las visitas del técnico. Para sorpresa de muchos en la industria, los consumidores (especialmente los más jóvenes y ricos) han respondido con entusiasmo a estas ofertas. Ahora parece ser que los electrodomésticos digitales se adueñarán del extremo superior del mercado y serán cada vez más populares en la escala media a medida que se reduzca el precio de artículos electrónicos, que es de unos 50 dólares para una lavadora de platos GE. La GE, la Whirlpool y la Kitchen Aid están incorporando emprendedoramente artículos electrónicos, mientras que la White Consolidated Industries, uno de los grandes mercadólogos del negocio, parece ser muy precavido. Maytag está entre dos aguas o moviéndose con lentitud.

Los hornos de microondas se cuentan entre los primeros electrodomésticos que incorporaron la electrónica, y los consumidores los han recibido bien. Hace tiempo una parte del equipo de cocina en California, ha comenzado a invadir el sudeste. Maytag tiene una posición menor en el mercado de movimiento rápido de los hornos de microondas. Su adquisición reciente de Hardwick no proporcionó ninguna ayuda real en contra de tal competencia. Salvo que pueda encontrar un nicho en el cual tenga alguna ventaja competitiva, no es probable que tenga utilidades con la comercialización de hornos de microondas.

Como se está convirtiendo en un electrodoméstico de mercado masivo, las ventas de hornos de microondas están elevándose y los precios están cayendo. El mercado está pasando por una evolución interna: los fabricantes estadunidenses y japoneses, que durante mucho tiempo dominaron el mercado, están enfrentándose a la competencia de otras fuentes, esta vez de Corea del Sur, incluyendo el Samsung Group y The Lucky-Goldstar Group, que introdujo modelos compactos de bajo precio, los que ocupan poco espacio y han tenido tanto éxito que están estableciendo instalaciones de fabricación en Estados Unidos. Los competidores afirman que los productos son de inferior calidad, pero esto no se ha verificado.

Los desarrollados que siguieron a las adquisiciones fueron:

1. Una línea más amplia de Maytag que incluye estufas y hornos de microondas.

2. Continuación de las líneas Jenn-Air y Hardwick.

3. Distribución más amplia al menudeo de los productos Maytag al agregar establecimientos de comercialización en masa como Montgomery-Ward.

4. Continuación del mismo lema publicitario, "Ol' Lonely", para recalcar la confiabilidad.

5. Continuación de la política de ventas de mejor precio.

Algunos temas de alto nivel que implican grandes cambios necesitan atención. Estos se dan de auditorías periódicas de mercadotecnia para hacer más eficaz lo que ya se hace. Los temas estratégicos incluyen los siguientes:

1. ¿Debería cambiar la compañía su énfasis en el mercado meta e incluir el mercado de repuestos? ¿El mercado de los constructores? De ser así, ¿qué prioridades se le debería asignar a cada segmento del mercado?

2. ¿Debería redondear la firma su línea de cocina agregando refrigeradores para competir más eficazmente con mercadólogos de línea completa?

3. ¿Debería la compañía realizar un nuevo plan de distribución para reducir los costos de transporte y de inventario? Los distribuidores deberán vender como lo hacen ahora, pero la entrega y servicio de los productos los manejará Maytag desde puntos de distribución de ubicación central.

La estrategia de mercadotecnia de Maytag ha funcionado bien para su equipo de lavandería pero no tan bien para su lavadora de platos, aunque ésta parece estar mejorando. Sin embargo, los cambios básicos demográficos e industriales que ocurren ahora indican que probablemente la antigua estrategia no se ajuste a desarrollos internos y externos actuales y futuros.

1. ¿Debería Maytag cambiar su estrategia básica de mercadotecnia de productos de precio de primera calidad para el mercado de repuesto? ¿Qué recomienda y por qué?

2. ¿Qué cambios debería hacer la Maytag en su estrategia básica de mercadotecnia, que ahora se concentra en productos de primera calidad para el mercado de repuesto?

siete

MERCADOTECNIA AMPLIADA

En la parte siete de este libro se examina la aplicación de la mercadotecnia a los mercados internacional, de servicios y no lucrativo y se considera su impacto sobre la sociedad en su conjunto. Específicamente:

Capítulo 22, **MERCADOTECNIA INTERNACIONAL**

Capítulo 23, **MERCADOTECNIA DE SERVICIOS Y MERCADOTECNIA NO LUCRATIVA**

Capítulo 24, **MERCADOTECNIA Y SOCIEDAD**

22
Mercadotecnia internacional

Campbell Soup Company es claramente líder en el mercado de sopas en Estados Unidos, con más de 80% del mercado de sopas en ese país. Pero cuando se ha aventurado en el extranjero, su rendimiento a menudo ha sido mucho menos impresionante.

Una de las primeras experiencias desastrosas en el extranjero de la Campbell's ocurrió en Gran Bretaña. Introdujo sus famosas latas de etiquetas rojo y blanco de sopa condensada en ese país en la década de 1960 y usó temas publicitarios estadunidenses. A la larga, la Campbell perdió 30 millones de dólares en esa aventura. La razón: los consumidores veían las latas pequeñas junto a las latas más grandes de sopas británicas y pensaban que la Campbell era cara. Lo que pasaban por alto era que la sopa Campbell's era condensada y, al agregarle una taza de agua, resultaba menos costosa que las otras sopas.

En 1978 Campbell entró al mercado de Brasil en una empresa conjunta con una compañía brasileña. Campbell invirtió 6 millones. Esta vez la Campbell's ofrecía combinaciones que consistían principalmente en vegetales y carne de res envasadas en latas extra grandes que llevaban el conocido emblema rojo y blanco. Las ventas iniciales fueron satisfactorias, pero después disminuyeron. Transcurridos 3 años y gastados 2 millones de dólares en campañas de publicidad, la Campbell cerró su negocio de sopas en Brasil.

¿Qué salió mal esta vez? En entrevistas posteriores con amas de casa brasileñas, la Campbell descubrió que estas mujeres pensaban que no cumplían con su papel de ama de casa si no servían a su familia una sopa que ellas mismas hubiesen preparado. Preferían comprar los productos deshidratados de Knorr y Maggi para hacer una sopa y agregar sus propios ingredientes y estilo. Compraban la sopa Campbell sólo para casos de urgencia cuando necesitaran algo rápido. Al parecer, la Campbell no había dirigido muchas investigaciones profundas de mercadotecnia antes de desplazarse a Brasil. Y había restringido sus pruebas de mercado a una ciudad del sur de clima templado, Curitiba, pero no había hecho pruebas en las áreas subtropicales de Brasil.

La incapacidad de Campbell's para interpretar correctamente un mercado extranjero la han repetido muchas firmas estadunidenses. Pocos meses después del fracaso de la Campbell en Brasil, la Gerber anunció que iba a cerrar su negocio de alimentos infantiles en Brasil después de una lucha de ocho años para recuperar la inversión. Parece ser que las madres brasileñas no consideran que la comida preparada para niños sea un buen sustituto de los alimentos frescos preparados por ellas mismas o por sus sirvientas. Compran comida preparada para niños en raras ocasiones, cuando visitan a la familia o cuando salen de vacaciones.[1]

Debido al gran tamaño del mercado estadunidense y a algunas experiencias negativas de mercadotecnia en el extranjero, muchas compañías estadunidenses han evitado la mercadotecnia internacional acometedora. La mayoría de las firmas estadunidenses prefieren la mercadotecnia doméstica en vez de la extranjera ya que es más sencilla y más segura. Los gerentes no tienen que aprender otro idioma, ni tratar con una moneda distinta, ni enfrentar incertidumbres políticas o legales, ni adaptar el producto a diferentes necesidades y expectativas de los consumidores.

Hay dos factores que atraen a las compañías al mercado internacional. Primero, *se ven impulsadas* a él por las escasas oportunidades o por las condiciones cambiantes de los negocios en su país; es decir, quizás disminuya el crecimiento del producto nacional bruto, tal vez el gobierno adopte una actitud negativa ante ellas, quizás los impuestos sean excesivos, tal vez el gobierno las obligue a expandirse al extranjero para que perciban más divisas y así ayuden a reducir el déficit de la balanza comercial.[2] Segundo, las compañías estadunidenses *se ven alentadas* a instalarse en otros países porque allí les brindan mejores oportunidades de desarrollo. Sin abandonar el mercado nacional, encuentran mercados internacionales muy atractivos y esto a pesar de los costos y problemas especiales que significa operar en el extranjero.

Las exportaciones estadunidenses fueron de más de 200 mil millones de dólares, alrededor de 6% del producto nacional bruto de E. U. de 1979. Esto hace de la Unión Americana la nación exportadora más grande del mundo en dólares absolutos. Otras naciones intervienen más en el comercio mundial. El Reino Unido, Bélgica, Holanda y Nueva Zelandia deben vender más de la mitad de su producción en el extranjero para mantener su nivel de empleo y pagar los bienes que importan. La mercadotecnia internacional constituye parte integral de las compañías en esos países.

Algunas compañías aquí y en el extranjero han entrado a la mercadotecnia internacional en una escala tan grande que se les podría denominar *compañías multinacionales*. Entre las compañías estadunidenses que obtuvieron más de 60% de sus ingresos en el extranjero en 1981 se cuentan: Pan Am World Airways (92%), Exxon (72%), Citicorp (67%), Texaco (62%), Mobil (60%) y Colgate-Palmolive (60%).[3] Caterpillar, Coca Cola, Dow Chemical, Ford, Gillette, Gulf Oil, IBM, ITT, Kodak, Pfizer y Xerox ganaron más de 50% de sus ingresos en el extranjero y sus operaciones internacionales están creciendo más rápido que sus operaciones nacionales. Las compañías estadunidenses se enfrentan a competidores multinacionales formidables como Royal Dutch/Shell, British Petroleum, Unilever, Philips, Volkswagenwerk, Nippon Steel, Siemens, Toyota Motor y Nestlé.

Mientras algunas compañías estadunidenses han penetrado en forma acometedora en los mercados del extranjero, muchas empresas extranjeras han invadido el mercado estadunidense. Sus nombres y marcas se han vuelto muy conocidos, como Sony, Honda, Nissan, Nestlé, Norelco, Mercedes Benz y Volkswagen, y muchos estadunidenses prefieren estas marcas que las nacionales. Muchos otros productos que parecen ser elaborados por firmas estadunidenses son fabricados en realidad por multinacionales extranjeras. En este grupo se incluyen Bantam Books, Baskin-Robbins Ice Cream, Capitol Records, Kiwi Shoe Polish, Lipton Tea y Saks Fifth Avenue. Estados Unidos también atrae grandes inversiones extranjeras en empresas turísticas y de bienes raíces. Entre estas inversiones se puede citar la compra de terrenos en Hawai por los japoneses, la creación de centros recreativos de temporada en la costa de Carolina del Sur por Kuwait, las compras que han hecho los árabes de edificios de oficinas en Manhattan y hasta la oferta de un jeque de Arabia Saudita para comprarle a su hijo El Álamo.

A medida que la competencia internacional se intensifica, las firmas estadunidenses tienen que volverse más expertas en el manejo de operaciones internacionales de mercadotecnia. Algunos de los mercadólogos más exitosos de Estados Unidos fallaron cuando fueron al extranjero. Kentucky Fried Chicken abrió once establecimientos en Hong Kong y todos ellos fracasaron en el plazo de dos años. McDonald's abrió su primer establecimiento europeo en un suburbio de Amsterdam, pero las ventas fueron muy bajas. Sin embargo, McDonald's aprendió rápidamente a ubicarse y adaptarse y ahora opera numerosos establecimientos exitosos en todo el mundo.

Cabría preguntar si la mercadotecnia internacional implica principios nuevos. Obviamente, aquí son aplicables perfectamente los principios del establecimiento de objetivos de mercadotecnia, elección de mercados meta, desarrollo de posiciones y mezclas de mercadotecnia y ejecución del control de la mercadotecnia. Los principios no son nuevos, pero las diferencias entre las naciones pueden ser tan grandes que el mercadólogo internacional necesita comprender los ambientes y las instituciones en el extranjero y estar preparado para revisar las premisas básicas acerca de la forma cómo la gente responde a los estímulos de mercadotecnia.

A continuación se examinarán las seis decisiones básicas que una compañía debe tomar cuando considere la mercadotecnia internacional (véase figura 22-1).

EVALUACION DEL AMBIENTE DE LA MERCADOTECNIA INTERNACIONAL

Una compañía debe aprender muchas cosas antes de decidirse a vender sus productos en el extranjero. Tiene que comprender a fondo el ambiente de la mercadotecnia internacional. Este ambiente ha sufrido cambios significativos desde 1945, creando oportunidades y problemas nuevos. Los cambios más importantes son: 1) la internacionalización de la economía mundial que se refleja en el rápido crecimiento del comercio o la inversión a escala mundial; 2) la erosión gradual de la posición dominante de Estados Unidos y los problemas concomitantes de una balanza comercial desfavorable y el valor fluctuante del dólar en los mercados mundiales; 3) el creciente poder económico de Japón en los mercados mundiales (véase recuadro 22-1); 4) el establecimiento de un sistema financiero internacional que ofrece mejor convertibilidad de la moneda; 5) el cambio en los ingresos a nivel mundial desde 1973 en favor de los países productores de petróleo; 6) las barreras comerciales cada vez más rigurosas con que se protegen los mercados nacionales contra la competencia extranjera; 7) la apertura gradual de los grandes mercados nuevos: China, la URSS y los países árabes.[4]

La compañía estadunidense que proyecte expandir sus actividades al extranjero debe comprender el sistema de comercio internacional. Al intentar venderle a otro país, la firma estadunidense se enfrentará a varias restricciones comerciales. La más común es la tarifa, *el*

FIGURA 22-1
Decisiones principales
en la mercadotecnia
internacional

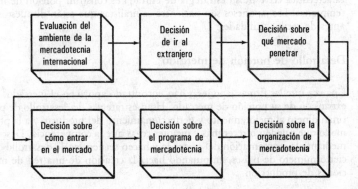

RECUADRO 22-1

LOS MERCADOLOGOS CAMPEONES DEL MUNDO: ¿SON LOS JAPONESES?

Pocas personas ponen en duda que los japoneses hayan realizado un milagro económico desde la Segunda Guerra Mundial. En un plazo relativamente corto, han logrado el liderazgo mundial en industrias que se consideraban dominadas por gigantes invencibles: automóviles, motocicletas, relojes, cámaras, instrumentos ópticos, acero, construcción de barcos, cierres, radios, televisores, videograbadoras, calculadoras de bolsillo, etc. Las firmas japonesas están pasando actualmente a la posición número dos en computadoras y equipo para la construcción, y están penetrando con fuerza en las industrias química, farmacéutica y de máquinas herramienta.

Se han ofrecido muchas teorías para explicar el éxito global del Japón. Algunas personas señalan sus prácticas comerciales únicas, como el empleo para toda la vida, círculos de calidad, administración por consenso y entrega puntual. Otros señalan el papel de apoyo de las políticas y subsidios del gobierno, la existencia de poderosas compañías mercantiles y el acceso fácil de los negocios al financiamiento bancario. Otros opinan que el éxito del Japón se basa en tasas salariales más bajas y políticas injustas de *dumping*.

Una de las claves principales del rendimiento del Japón es su habilidad en la formulación e implantación de la estrategia de mercadotecnia. Los japoneses vinieron a Estados Unidos para estudiar la mercadotecnia y regresaron a casa comprendiendo los principios de ésta mejor que muchas compañías estadunidenses. Los japoneses saben cómo seleccionar un mercado, entrar en éste en la forma correcta, construir su porción de mercado y proteger su posición de liderazgo contra los ataques de los competidores.

Selección de mercados

El gobierno y las compañías japonesas trabajan duro para identificar mercados globales atractivos. Favorecen a las industrias que requieren de muchas habilidades, de trabajo muy intensivo y sólo cantidades pequeñas de recursos naturales: los candidatos incluyen artículos electrónicos de consumo, cámaras, relojes, motocicletas y productos farmacéuticos. Prefieren mercados de producto que estén en un estado de evolución tecnológica. Les gustan los mercados de producto donde los consumidores alrededor del mundo están deseosos de comprar los mismos diseños de productos. Buscan industrias donde los líderes de mercado sean complacientes o no estén bien definidos.

Entrada en los mercados

Los japoneses mandan equipos de estudio al país meta para que pasen varios meses evaluando el mercado y elaborando una estrategia. El equipo busca nichos dónde entrar, que ninguna otra oferta satisfaga actualmente. A veces establecen su punto de avanzada con una versión de precio más bajo y menor calidad de un producto, a veces con un producto que es tan bueno como el de la competencia pero más barato, y a veces con un producto que muestra calidad superior o nuevas características o diseños. Los japoneses proceden a organizar una buena distribución para proporcionarles servicio rápido a sus clientes. Usan la publicidad para llamar la atención del público hacia sus productos. Una característica clave de su estrategia de entrada es construir porción de mercado en vez de utilidades tempranas. Los japoneses son pacientes capitalistas que están dispuestos a esperar hasta una década antes de recibir utilidades.

Desarrollo de porción de mercado

Una vez que las firmas japonesas han encontrado apoyo en el mercado, dirigen sus energías hacia la expansión de su porción de mercado. Usan estrategias de desarrollo de producto y de mercado. Destinan dinero al mejoramiento y perfeccionamiento del producto y a la proliferación de productos, de modo que pueden ofrecer más y mejores cosas que la competencia. Descubren nuevas oportunidades mediante la segmentación del mercado y hacen secuencias de desarrollo del mercado a lo largo de un cierto número de países, empujando hacia la creación de una red de mercados mundiales y ubicaciones de producción.

Protección de la porción de mercado

Después de haber logrado el dominio del mercado, los japoneses se encuentran en el papel de defensores más que de atacantes. Las firmas estadunidenses como Xerox, IBM, Motorola y Texas Instruments están montando contraofensivas. La estrategia defensiva de los japoneses consiste en una buena ofensiva mediante el constante desarrollo de productos y la mejor segmentación del mercado. Su objetivo es llenar vacíos en el mercado antes de que lo haga la competencia.

Fuente: Philip Kotler y Liam Fahey, ''The World's Champion Marketers: The Japanese'', *Journal of Business Strategy*, verano de 1982, pp. 3-13.

impuesto que el gobierno impone a determinados productos de importación. La tarifa puede tener por objeto aumentar los ingresos (tarifa de ingresos) o proteger a las compañías nacionales (tarifa protectora). El exportador también puede enfrentar una cuota, la que *establece límite sobre la cantidad de bienes que el país importador recibirá en algunas categorías de artículos.* El propósito de la cuota es conservar las divisas en moneda extranjera, y proteger la industria y el empleo. Un embargo es la *forma extrema de cuota en la que algunas clases de importaciones quedan absolutamente prohibidas.*

También se desalienta al comercio mediante un *control de cambios,* que regula la cantidad de moneda extranjera disponible y el tipo de cambio frente a otras divisas. Puede que la compañía estadunidense se enfrente también a un conjunto de *barreras no arancelarias,* como pueden ser la discriminación contra las licitaciones propuestas por ella o las normas relativas a los productos que discriminan a los que se fabrican en el extranjero. Por ejemplo, el gobierno holandés prohíbe los tractores que alcancen velocidades superiores a los 16 kilómetros por hora, con lo que se impide la importación de la mayor parte de los que se fabrican en Estados Unidos.

Al mismo tiempo, ciertas fuerzas se liberalizan y fomentan el comercio entre las naciones o al menos entre algunas naciones. El Acuerdo General de Tarifas y Aranceles (GATT) es un convenio internacional que ha reducido los niveles de tarifas en todo el mundo en seis ocasiones distintas. Ciertos países han formado *comunidades económicas,* la más importante es la Comunidad Económica Europea (también conocida como Mercado Común). Los miembros de la CEE son los principales países de Europa Occidental y están luchando por bajar las tarifas y precios, buscando al mismo tiempo crear más empleos y aumentar la inversión entre las naciones que la integran. La CEE ha tomado la forma de *unión aduanera,* en un *área de comercio libre* (los miembros no se enfrentan a ninguna tarifa) que impone una tarifa uniforme para el comercio con las naciones ajenas a la unión. El paso siguiente sería una *unión económica* en la que todos los miembros operaran bajo las mismas políticas comerciales.

Desde la formación de la CEE, se han formado otras comunidades económicas, entre las que se cuentan la Asociación Latinoamericana de Libre Comercio (ALALC), el Mercado Común Centroamericano (MCC) y el Consejo de Ayuda Económica Mutua (CAEM) (países de Europa Oriental).

Cada nación tiene características únicas que deben captarse. La buena disposición que tenga una nación hacia diferentes productos o servicios y su atractivo como un mercado para las firmas extranjeras depende de sus ambientes económico, político legal, cultural y de los negocios.

Ambiente económico

A la hora de considerar los mercados extranjeros, el mercadólogo internacional puede estudiar la economía de cada país. Hay dos características económicas que reflejan el atractivo del país como un mercado de exportación.

La primera es la *estructura industrial* de la nación. La estructura industrial moldea sus necesidades de productos y servicios, sus niveles de ingresos, de empleo y otros aspectos. Hay cuatro tipos de estructura industrial:

1. *Economías de subsistencia.* En una economía de subsistencia la mayoría de la gente se dedica a la agricultura sencilla. Consumen la mayor parte de su producción e intercambian el resto por productos y servicios de primera necesidad. Ofrecen pocas oportunidades para los exportadores.

2. *Economías exportadoras de materias primas.* Estas economías son ricas en uno o más recursos naturales pero son pobres en otros aspectos. Gran parte de sus ingresos provienen de la exportación de estos recursos. Los ejemplos con Chile (estaño y cobre), el Congo (caucho) y Arabia Saudita (petróleo). Estos países son buenos mercados para equipo de extracción, herramientas y suministros, equipo para manejo de materiales y camiones. Según el número de residentes extranjeros y de si hay gobernantes o terratenientes ricos, constituyen también un mercado para artículos de consumo y los lujos de tipo occidental.

3. *Economías de industrialización.* En una economía de industrialización, la fabricación comienza a representar de 10 a 20% del producto nacional bruto. Los ejemplos incluyen Egipto, Las Filipinas, India, y Brasil. A medida que crece la actividad industrial, el país depende más de las importaciones de materias primas, acero y maquinaria pesada y menos en importaciones de textiles terminados, productos de papel y automóviles. La industrialización crea a una nueva clase rica y a una pequeña clase media en constante crecimiento. Una y otra exigen nuevos tipos de bienes, algunos de los cuales es preciso importar.

4. *Economías industriales.* Las economías industriales son grandes exportadores de bienes manufacturados y fondos de inversión. Comercian entre sí con artículos manufacturados y también los exportan a otros tipos de economías a cambio de materias primas y bienes semielaborados. Sus enormes y variadas actividades industriales y su extensa clase media los convierten en un mercado excelente para todo tipo de bienes.

La segunda característica económica es la *distribución de los ingresos* en el país. La distribución de los ingresos está relacionada con la estructura industrial de un país, pero también recibe una fuerte influencia del sistema político. El mercadólogo internacional hace una distinción entre los países con base en cinco patrones diferentes de distribución del ingreso: 1) ingresos familiares muy bajos, 2) ingresos familiares principalmente bajos, 3) ingresos familiares muy altos y muy bajos, 4) ingresos familiares bajos, medios y altos y 5) ingresos familiares generalmente medianos. Considérese el mercado de los Lamborghinis, un automóvil que cuesta más de $50 000 dólares. El mercado sería muy pequeño en países con el tipo 1 o 2 de patrones de ingresos. El mercado más amplio para los Lamborghinis resulta ser Portugal (patrón de ingresos 3), el país más pobre de Europa pero que tiene suficientes familias ricas dispuestas a comprarlo para mantener su estatus.

Ambiente político legal   Las naciones difieren mucho en su ambiente político legal. Deberán considerarse al menos cuatro factores para tomar la decisión de emprender un negocio en un país extranjero.

Actitudes hacia el comercio internacional

Algunos países son muy receptivos y favorables a las firmas extranjeras mientras que otros se muestran sumamente hostiles. Como un ejemplo del primer caso, México ha atraído inversiones extranjeras durante muchos años ofreciendo incentivos de inversión y servicios de instalación. Por el otro lado, India impone a los exportadores varias restricciones: cuotas, control de divisas, obligación de contratar un elevado porcentaje de ciudadanos de ese país para que ocupen puestos ejecutivos, etc. La IBM y la Coca Cola decidieron cerrar sus negocios en la India debido a las dificultades que encontraron.

Estabilidad política

La estabilidad es otra cuestión importante. Los gobiernos cambian de manos, a veces violentamente. E incluso cuando no hay cambios de gobernantes, puede que un régimen decida responder a las nuevas exigencias populares. Tal vez expropie los bienes de una firma extranjera, bloquee sus divisas, imponga cuotas de importación o tarifas adicionales. Cuando hay mucha inestabilidad política, a la firma multinacional quizás le convenga todavía trabajar en ese país, pero la situación influirá en la manera de entrar. Preferirán la mercadotecnia de exportación a la inversión extranjera directa. Mantendrán bajas sus existencias de divisas extranjeras. Convertirán sus monedas con rapidez. Como resultado, la gente en el país anfitrión pagará precios más altos, tendrán menos empleos y recibirán productos menos satisfactorios.[5]

Reglamentaciones monetarias

Los vendedores quieren obtener utilidades en una moneda que tenga valor para ellos. En la mejor situación, el importador puede pagar en la moneda del vendedor o en monedas firmes. Si no las tienen, los vendedores podrían aceptar una moneda bloqueada si pueden comprar otros bienes en ese país que necesiten o que puedan vender en otra parte por una moneda necesaria. En el peor de los casos, deberán sacar su dinero del país anfitrión en forma de bienes no comerciales que puedan vender en otra parte pero con pérdidas. Aparte de las restricciones relativas a las divisas, un tipo de cambio fluctuante crea muchos riesgos para el exportador.

Burocracia gubernamental

Un cuarto factor es el grado en que el gobierno huésped dirija un sistema eficiente para ayudar a las compañías extranjeras: buena administración de las aduanas, información de mercado satisfactoria y otros aspectos que favorezcan las transacciones mercantiles. Los estadunidenses suelen sorprenderse mucho al ver que los obstáculos al comercio desaparecen si se les paga alguna cantidad adecuada (soborno) a ciertos funcionarios.

Ambiente cultural   Cada país tiene sus propias costumbres, normas y tabúes. Antes de trazar un programa de mercadotecnia, la empresa debe conocer la manera cómo el consumidor usa ciertos productos y lo que piensa de ellos. Véase una muestra de algunas de las sorpresas en el mercado de consumo:

- El hombre francés común usa el doble de cosméticos y artículos de belleza que la mujer.

- Los alemanes y los franceses comen espagueti empacado de marca que los italianos.

- A los niños italianos les gusta comer una barra de chocolate entre dos rebanadas de pan, como refrigerio.

- Las mujeres de Tanzania no dan huevos a sus hijos porque temen que se queden calvos o sea impotentes en la edad adulta.

Las normas y las conductas que rigen el trato comercial también varían de un país a otro. Es necesario que los ejecutivos estadunidenses las conozcan antes de trabajar fuera de su país. Véanse algunos ejemplos de conducta de negocios en el mercado extranjero que difieren de las prácticas en Estados Unidos:

■ A los sudamericanos les encanta hablar de negocios en estrecha proximidad física; de hecho, casi nariz con nariz. Los ejecutivos estadunidenses se retraen, pero los sudamericanos avanzan. Y, a la larga, ambos terminan ofendidos.

■ En la comunicación cara a cara, los ejecutivos japoneses raras veces le dicen que no a un ejecutivo estadunidense. Este se siente frustrado y no sabe en dónde se encuentra. Los estadunidenses van directamente al asunto. Para los japoneses tal actitud es insultante.

■ En Francia, a los mayoristas no les importa promover un producto. Les preguntan a los detallistas lo que quieren y se lo entregan. Si una empresa estadunidense fundamenta su estrategia en la colaboración de los mayoristas franceses, lo más seguro es que fracase.

Cada país (e incluso cada grupo regional dentro de cada país) tiene tradiciones culturales, preferencias y tabúes que el mercadólogo debe estudiar.[6]

DECISION DE INGRESAR EN EL MERCADO INTERNACIONAL

Las compañías penetran en el mercado internacional de dos maneras. Alguien (un exportador nacional, un importador extranjero, un gobierno extranjero) le pide a la empresa que venda en el extranjero. La otra forma es cuando la firma decide por su propia cuenta entrar al mercado internacional. Puede que tenga una capacidad excesiva o que vea mejores oportunidades de mercadotecnia en el extranjero que en el mercado nacional.

Antes de salir al extranjero, la compañía deberá intentar definir sus *objetivos y políticas de mercadotecnia internacional*. Primero, deberá decidir *qué proporción entre ventas totales y ventas en el extranjero* buscará. La mayoría de las empresas comienzan con cantidades pequeñas en el extranjero. Algunas planean permanecer a escala pequeña, ya que ven las operaciones extranjeras como una parte pequeña de sus negocios. Otras firmas tienen planes más grandiosos, ya que consideran los negocios extranjeros como iguales o más importantes que sus negocios domésticos.

Segundo, la compañía debe escoger entre la mercadotecnia en unos *cuantos países* y la mercadotecnia en *muchos países*. La Bulova Watch Company escogió la segunda opción y se expandió en más de 100 países. Se amplió demasiado, sólo obtuvo ganancias en dos países y perdió unos 40 millones de dólares.[7]

Tercero, la firma debe decidir los *tipos de países* a considerar. Los países que sean atractivos dependerán del producto, factores geográficos, ingresos y población, clima político y otros factores. El vendedor puede tener una preferencia por ciertos grupos de países o partes del mundo.

DECISION SOBRE QUE MERCADO PENETRAR

Después de desarrollar una lista de posibles mercados de exportación, la compañía tendrá que seleccionarlos y clasificarlos. Véase el ejemplo siguiente:

La investigación de mercados realizada por CMC en el campo de las computadoras reveló que Inglaterra, Francia, Alemania Occidental e Italia ofrecían buenos mercados. Los tres primeros tienen un tamaño casi igual, en tanto que Italia representa aproximadamente dos tercios del potencial de cualquiera de ellos . . . Una vez examinado todo, decidimos establecernos primero en Inglaterra, ya que su mercado para nuestros productos es adecuado, además de que su idioma y leyes se parecen mucho a los nuestros. Las diferencias son tales que se pueden cometer errores y, sin embargo, el ambiente se asemeja tanto al nuestro que esos errores nunca son demasiado graves. La elección de mercado parece relativamente sencilla y directa.[8]

Sin embargo, cabe poner en duda si la razón para seleccionar Inglaterra (la compatibilidad de su idioma y cultura) debería haber recibido tanta importancia. Los países candidatos deberán clasificarse sobre varios criterios, como el tamaño del mercado, el crecimiento del mercado, el costo de hacer negocios, la ventaja competitiva y el nivel de riesgo.

La compañía deberá estimar la tasa probable de rendimiento sobre la investigación en cada mercado. Intervienen cinco etapas:[9]

1. *Estimación del potencial actual del mercado.* El primer paso es estimar el potencial actual de la demanda en cada mercado, usando una lista de verificación de indicadores como la que aparece en la tabla 22-1. Esta tarea requiere del uso de datos publicados y datos principales recabados mediante encuestas de la compañía.

2. *Pronóstico del potencial futuro de mercado.* La firma también necesita pronosticar el potencial futuro de la demanda, una tarea difícil.

3. *Pronóstico del potencial de ventas.* La estimación del potencial de ventas de la empresa requiere pronosticar su probable porción de mercado, otra tarea difícil.

4. *Pronóstico de costos y utilidades.* Los costos dependerán de la estrategia de entrada que la compañía contemple. Si exporta o da licencias, sus costos se detallarán en los contratos. Si ubica instalaciones de fabricación en el extranjero, su estimación de costos requerirá comprender las condiciones laborales locales, los impuestos, las prácticas mercantiles, etc. La compañía sustrae los costos estimados de las ventas estimadas para saber las utilidades de la empresa para cada año del horizonte de planeación.

5. *Estimación de la tasa de rendimiento sobre la inversión.* La corriente de ingresos pronosticada deberá estar relacionada con la corriente de inversión para inferir la tasa implícita de rendimiento. Esta deberá ser lo bastante alta para cubrir: 1) el rendimiento meta normal sobre la inversión de la firma, y 2) el riesgo y la incertidumbre de la mercadotecnia en ese país.

DECISION SOBRE COMO ENTRAR EN EL MERCADO

Una vez que una compañía haya decidido vender en un país particular, debe determinar el mejor modo de entrar. Sus opciones son *exportación, empresa conjunta o sociedad* e *inversión directa en el extranjero.*[10] Cada estrategia sucesiva implica más compromiso, riesgo y posibles utilidades. Las tres estrategias de entrada al mercado se muestran en la figura 22-2, junto con las diversas opciones bajo cada una.

TABLA 22-1
Indicadores del potencial de mercado

1. **Características demográficas**
   Tamaño de la población
   Tasa de crecimiento de la población
   Grado de urbanización
   Densidad de la población
   Estructura de edades y composición de la población
2. **Características geográficas**
   Tamaño físico de un país
   Características topográficas
   Condiciones climatológicas
3. **Factores económicos**
   PMB per cápita
   Distribución del ingreso
   Tasa de crecimiento del PNB
   Razón de la inversión con el PNB

4. **Factores tecnológicos**
   Nivel de habilidad tecnológica
   Tecnología de producción existente
   Tecnología de consumo existente
   Niveles educativos
5. **Factores socio culturales**
   Valores dominantes
   Patrones del estilo de vida
   Grupos étnicos
   Fragmentación lingüística
6. **Metas y planes nacionales**
   Prioridades de la industria
   Planes de inversión en infraestructura

Fuente: Susan P. Douglas, C. Samual Craig, y Warren Keegan, ''Approaches to Assessing International Marketing Opportunities for Small y Medium-Sized Business,'' *Columbia Journal of World Business,* otoño de 1982, pp. 26-32.

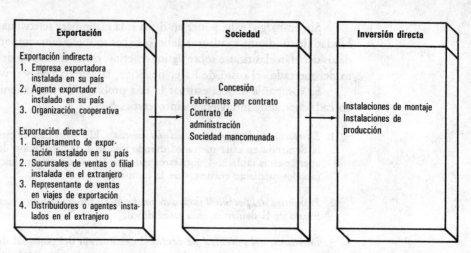

FIGURA 22-2
*Estrategias de
entrada en el mercado*

Exportación	Sociedad	Inversión directa

Exportación indirecta
1. Empresa exportadora
   instalada en su país
2. Agente exportador
   instalado en su país
3. Organización cooperativa
 	
Exportación directa
1. Departamento de exportación instalado en su país
2. Sucursales de ventas o filial instalada en el extranjero
3. Representante de ventas en viajes de exportación
4. Distribuidores o agentes instalados en el extranjero
	Concesión
	Fabricantes por contrato
	Contrato de administración
	Sociedad mancomunada
		Instalaciones de montaje
		Instalaciones de producción

Exportación   La forma más sencilla para entrar en un mercado extranjero es mediante la exportación. La *exportación ocasional* es un nivel pasivo de intervención donde la firma exporta excedentes de cuando en cuando, y vende bienes a compradores residentes que representan a firmas extranjeras. La *exportación activa* ocurre cuando la compañía hace un compromiso para ampliar las exportaciones a un mercado particular. En cualquier caso, la firma produce todos sus bienes en el país de origen. Puede que los modifique o no para el mercado de exportación. La exportación implica el menor cambio en las líneas de productos, organización, inversiones o misión de la compañía.

Una compañía puede exportar sus productos de dos maneras. Puede contratar a intermediarios independientes de mercadotecnia internacional (exportación indirecta) o manejar sus propias exportaciones (exportación directa).

Exportación indirecta

La exportación indirecta es más común en compañías que apenas comienzan a exportar. Primero, implica menos inversión. La firma no tiene que desarrollar una fuerza de ventas en el extranjero ni un conjunto de contratos. Segundo, implica menos riesgos. Los intermediarios de la mercadotecnia internacional aportan sus conocimientos y sus servicios en la relación, y el vendedor normalmente comete menos errores.

La compañía exportadora dispone de tres tipos de intermediarios nacionales:

1. *Comerciante de exportación instalado en el país.* Estos intermediarios compran los productos del fabricante y los venden en el extranjero por su cuenta.

2. *Agente de exportación instalado en el país.* El agente sencillamente acuerda buscar compradores extranjeros por una comisión.

3. *Organización cooperativa.* Una organización cooperativa desempeña actividades de exportación a nombre de varios productores y está en parte bajo el control administrativo de éstos. Esta forma la suelen usar los productores de artículos primarios como frutas y nueces.

Exportación directa

Los vendedores que tienen compradores extranjeros son propensos a usar la exportación directa. Lo mismo harán los vendedores cuyos exportadores han crecido lo suficiente para emprender sus propias exportaciones. La inversión y el riesgo son un tanto mayores, pero lo mismo es el potencial de rendimiento.

La compañía puede exportar de forma directa de varias maneras:

1. *Departamento o división de exportaciones instalado en el país de origen.* Un gerente de ventas de exportación con algunos ayudantes de oficina desempeña la actividad real de venta y hace uso de la ayuda de mercadotecnia necesaria. Podría convertirse en un departamento de exportación autosuficiente o una subsidiaria de ventas realizando todas las actividades de exportación y posiblemente operando como un centro de utilidades.

2. *Sucursal o subsidiaria de ventas en el extranjero.* Una sucursal de ventas en el extranjero le permite al fabricante lograr mayor presencia y control de programa en el mercado extranjero. La sucursal de ventas maneja la distribución de ventas y puede manejar el almacenaje y la promoción también. A menudo sirve como un centro de exhibición y de servicio al cliente.

3. *Representantes viajeros de ventas de exportación.* La firma puede mandar representantes de ventas desde el país de origen al extranjero en ciertos momentos para encontrar negocios.

4. *Distribuidores o agentes instalados en el extranjero.* Los distribuidores instalados en el extranjero compran y son propietarios de los bienes; los agentes con base en el extranjero venden los bienes a nombre de la compañía. Pueden recibir derechos exclusivos para representar al fabricante en ese país o solamente derechos generales.

Sociedad Un segundo método general para entrar en un mercado extranjero es asociarse con firmas extranjeras para establecer instalaciones de producción y mercadotecnia. La sociedad difiere de la exportación en el sentido de que ésta conduce a algunas instalaciones de producción en el extranjero, y difiere de la inversión directa en el sentido de que se forma una asociación con alguien en ese país. Pueden distinguirse cuatro tipos de sociedad.

Concesión

La concesión representa una forma sencilla de entrar en la mercadotecnia internacional. El concedente firma un contrato con el concesionario en el que ofrece el derecho de utilizar un proceso de fabricación, una marca, una patente, un secreto comercial u otra cosa de valor por un estipendio o regalía. De ese modo logra penetrar en el mercado con un riesgo insignificante; por su parte, el concesionario adquiere conocimientos técnicos sobre la producción, un producto famoso o un nombre bien conocido, sin necesidad de empezar desde cero. Gerber introdujo sus alimentos infantiles en el mercado japonés mediante este tipo de arreglo. La Coca-Cola realiza su mercadotecnia internacional otorgando concesión a los embotelladores de todo el mundo o, en un lenguaje más técnico, dándoles una franquicia, pues les proporciona el jarabe con el que se elabora el producto.

La concesión presenta inconvenientes por tener la firma menor control sobre los concesionarios que si hubiera instalado sus propios servicios de producción. Más aún, si el concesionario obtiene mucho éxito, la firma habrá renunciado a esas utilidades y, al finalizar el contrato, descubrirá con tristeza que ha creado a un competidor más. Para evitar estos peligros, el concedente debe establecer una ventaja mutua para la concesión. Una clave para hacer esto es seguir haciendo innovaciones de modo que el concesionario continúe dependiendo del concedente.[11]

Contrato de fabricación

Otra opción es hacer contratos con los fabricantes locales para producir el artículo. Sears usó este método para abrir nuevas tiendas de departamentos en México y en España. Sears localizó fabricantes locales calificados para producir muchos de los productos que vende.

La fabricación por contrato tiene la desventaja hay menos control sobre el proceso de fabricación y hay una pérdida de utilidades potenciales sobre la fabricación. Por otra parte, le ofrece a la firma una oportunidad para comenzar más rápido, con menos riesgo, y con la facilidad de formar una sociedad o de comprar al fabricante local después.

Contrato de administración

Aquí la firma nacional aporta conocimientos administrativos a una compañía extranjera que aporta el capital. La firma nacional está exportando los servicios administrativos en vez de los productos. Hilton usa este arreglo para administrar hoteles en todo el mundo.

El contrato de administración es un método de bajo riesgo para entrar en un mercado extranjero y produce ingresos desde el comienzo. Este arreglo es especialmente atractivo si a la firma contratante se le da la opción de comprar alguna participación en la compañía administrada dentro de un periodo establecido. Por otra parte, el acuerdo no es razonable si la compañía puede hacer mejor uso de su escaso talento administrativo o si puede tener mayores utilidades si emprende la aventura completa. El contrato de administración impide que la compañía establezca sus propias operaciones durante cierto lapso de tiempo.

Sociedad mancomunada

Las empresas mancomunadas constan de inversionistas extranjeros que se unen con inversionistas nacionales para crear un negocio local en que comparten la propiedad y el control. El inversionista extranjero puede comprar un interés en una compañía local, o ésta puede comprar un interés en una operación ya existente de una firma extranjera, o los dos factores pueden formar una nueva empresa.

Una sociedad mancomunada puede ser necesaria o deseable por razones económicas o políticas. Puede que la firma carezca de los recursos financieros, físicos o administrativos para emprender la aventura por sí sola. O tal vez el gobierno extranjero requiera esta sociedad como una condición para entrar en su mercado.

La sociedad mancomunada tiene ciertas desventajas. Puede que los socios estén en desacuerdo acerca de inversiones, mercadotecnia u otras políticas. Cuando a las firmas estadunidenses les gusta reinvertir las ganancias para el crecimiento, a las firmas locales les gusta tomar esas utilidades. Cuando las empresas estadunidenses acuerdan darle un gran papel a la mercadotecnia, es posible que los inversionistas locales confíen más en las ventas. Además, la empresa conjunta puede impedirle a una multinacional efectuar determinadas políticas de producción y mercadotecnia a nivel mundial.[12]

Inversión directa

La participación final en los mercados extranjeros es invertir en instalaciones de fabricación o montaje situadas en el extranjero. A medida que una firma adquiere experiencia en la exportación, las instalaciones de este tipo le ofrecen claras ventajas si el mercado internacional le parece suficientemente amplio. Primero, ahorra dinero por el menor costo de la mano de obra y de las materias primas, goza de los incentivos que el gobierno ofrece a los inversionistas extranjeros, paga menos por concepto de embarque y consigue otras ventajas. Segundo, proyectará una imagen más positiva en el país huésped, ya que crea empleos. Tercero, establece una relación más profunda con el gobierno, con sus clientes, con sus proveedores y distribuidores, lo que le permite adaptar sus productos al ambiente local. Cuarto, retiene un control completo sobre la inversión y, en consecuencia, está en condiciones de escoger las políticas de producción y de mercadotecnia que le ayuden mejor a alcanzar sus objetivos internacionales a largo plazo.

La principal desventaja es que la firma expone una gran inversión a riesgos como el bloqueo o la devaluación de las monedas extranjeras, el empeoramiento de los mercados o la expropiación. En algunos casos, la firma no tiene otra opción que aceptar estos riesgos si quiere operar en el país extranjero.

DECISION SOBRE EL PROGRAMA DE MERCADOTECNIA

Las compañías que operan en uno o más mercados extranjeros deben decidir en qué medida adaptarán sus mezclas de mercadotecnia a las condiciones locales. En un extremo se encuentran las firmas que usan una *mezcla estandarizada de mercadotecnia* en todo el mundo. La estandarización del producto, la publicidad, los canales de distribución y otros elementos de la mezcla de mercadotecnia prometen los costos más bajos porque no se han introducido grandes cambios. En esto se basa la creencia de que la Coca-Cola tiene el mismo sabor en todo el mundo, y de que la Ford debe producir un "automóvil universal" que corresponda a las necesidades de los clientes de la mayoría de los países.

En el otro extremo está una *mezcla de mercadotecnia específica para cada cliente*. El productor ajusta los elementos de la mezcla de mercadotecnia a cada mercado meta; tiene gastos más elevados pero espera obtener a cambio una mayor porción del mercado. Nestlé, por ejemplo, varía su línea de producto y su publicidad en diferentes países. Entre estos dos extremos, existen muchas posibilidades. Así, Levi Strauss puede vender los mismos pantalones en todo el mundo pero puede variar el tema publicitario en cada nación (véase recuadro 22-2).

En una encuesta reciente sobre multinacionales líderes en artículos empacados de consumo llegó a esta conclusión: "Para la multinacional exitosa, no es verdaderamente importante saber si los programas de mercadotecnia están estandarizados o diferenciados a nivel internacional; lo importante es que esté estandarizado el *proceso* mediante el que se desarrollan estos programas."[13]

Por ejemplo, muchos mercadólogos internacionales están centralizando su publicidad y otros procesos de decisión de mercadotecnia. En una encuesta de Grey Advertising sobre 50 mercadólogos multinacionales se descubrió que 76% creían que deberían usar la misma agencia de publicidad a escala mundial, con alguna desviación local en estrategias publicitarias cuando el caso lo justificara. Sólo 21% dirigen actualmente sus programas de publicidad centralmente, pero otro 41% se están acercando a la toma de decisiones centralizadas exclusivamente para la publicidad.[14]

RECUADRO 22-2

¿ESPECIFICACION O GLOBALIZACION?

El grado en que las compañías deberían estandarizar sus productos y sus mercados de mercadotecnia se ha convertido en el tema de una polémica reciente. Por un lado, hay compañías que especifican sus ofertas para satisfacer mejor las diversas necesidades de los consumidores en los diferentes mercados internacionales. Por el otro lado, hay compañías que buscan globalizar sus productos para venderlos de la misma forma a escala mundial. Véase a continuación cada posición.

Por un lado . . .

Los mercadólogos internacionales más tradicionales sostienen que los consumidores en diferentes países varían mucho en sus necesidades y deseos, y que los programas de mercadotecnia serán más eficaces si están ajustados a necesidades específicas de mercado. Weir afirma:

No hay un mercado "internacional" . . . desde el punto de vista de la mercadotecnia. En vez de ello, hay literalmente docenas de países en los que pueden venderse los productos y servicios estadunidenses. Todos éstos son diferentes uno del otro en economía, política, tradiciones, culturas y hábitos de consumo . . . y los hábitos arraigados del consumidor son difíciles de cambiar.

Aquéllos que apoyan los programas de mercadotecnia hechos a la medida, proporcionan una lista interminable de ejemplos que muestran cómo difieren los mercados internacionales en comparación con Estados Unidos y entre sí. Los países difieren en su desarrollo económico, político, legal y cultural y en sus instituciones. Los consumidores en diferentes países tienen diversas características geográficas, demográficas, económicas y culturales, las que dan lugar a motivaciones distintivas, poder de gasto, preferencias del producto y patrones de compra. La mayoría de los mercadólogos internacionales piensan que tales diferencias entre las culturas requieren de productos, precios, canales de distribución y estrategias de promoción hechos a la medida o según especificaciones.

Eric Haueter de CPC International (que vende más de 2 000 productos en 36 países, incluyendo marcas como Hellman's, Best Foods, Knorr, Mazzola y Skippy) opina que las firmas deberían "pensar globalmente pero actuar localmente para darle al consumidor industrial más qué decir acerca de lo que quiere". Para satisfacer diversas demandas individuales, debería "comercializar módulo por módulo, poco a poco, en vez de tratar de devorar todo el mundo de un bocado". El nivel corporativo proporciona dirección estratégica; las unidades locales se concentran en el individuo. Haueter cree que la preocupación por la estandarización hace a una compañía inflexible y la coloca en desventaja en comparación con los competidores que producen los bienes que los consumidores quieren.

> Es la cúspide de la arrogancia presuponer que puede estandarizarse un producto y vendérselo a la gente en todo el mundo; presuponer que si funciona bien aquí se le puede imponer en cualquier parte. Esto es lo que suele hacerse en nombre de la mercadotecnia internacional.... Lo que se requiere es una cadena de unidades locales que operan de modo autónomo e independiente pero bajo un conjunto común de pautas globales de tipo estratégico, financiero y ético.... Determinamos que había grandes oportunidades para negocio . . . si usted busca con cuidado, y entonces adapta y ajusta su enfoque en muchas formas distintas . . . descubrimos éxito al producir una mayor variedad de productos en lotes más pequeños y aprendemos a reducir al mínimo los efectos de economías de escala reducidas por la aplicación de tecnologías nuevas.

Por lo tanto, la mayoría de las compañías reconocen diferencias en las necesidades y deseos de los consumidores en diferentes países, presuponen que estas diferencias son difíciles de cambiar y elaboran a la medida o según especificaciones sus productos y sus programas de mercadotecnia para servir con más eficacia a los consumidores en cada país.

Por otra parte . . .

Recientemente, muchas compañías se han acercado a la *globalización:* la creación de "marcas mundiales", productos estandarizados que se fabrican, posicionan y comercializan de una forma muy parecida a escala mundial. Theodore Levitt, un defensor de la mercadotecnia global, afirma:

> El mundo se está convirtiendo en un lugar de mercado común en el que la gente, sin importar en dónde viva, desea los mismos productos y estilos de vida. Las compañías globales deben olvidar las diferencias de idiosincrasia entre los países y las culturas y se han concentrado en vez de ello en satisfacer impulsos universales.

Levitt cree que las nuevas tecnologías de transporte, comunicaciones y viajes han creado un mercado mundial más homogéneo. La gente en todo el mundo quiere las mismas cosas básicas: cosas que hacen la vida más fácil y aumentan su tiempo discrecional y su poder adquisitivo. Esta convergencia de necesidades y deseos ha creado mercados globales para productos estandarizados.

Según Levitt, las corporaciones multinacionales tradicionales se concentran en diferencias entre mercados específicos y presuponen falsamente que el concepto de mercadotecnia significa darle a la gente lo que dicen que quieren. Atienden diferencias superficiales o incluso atrincheradas y producen una proliferación de productos sumamente especificados o hechos a la medida en vez de cuestionar si las preferencias diferentes pueden cambiarse para aceptar productos estandarizados. La especificación o fabricación a la medida da lugar a menos eficiencia y a precios más altos para los clientes.

Como contraste, la corporación global vende más o menos el mismo producto de la misma forma a todos los consumidores para aprovechar los costos más bajos resultantes de la estandarización. Se concentra en similitudes a través de los mercados mundiales y trabaja activamente para "forzar sensiblemente productos y servicios adecuadamente estandarizados en todo el planeta". Elabora a la medida productos y mercados programas de mercadotecnia para satisfacer las preferencias locales sólo cuando estas preferencias no puedan cambiarse ni evitarse. Estos mercadólogos globales logran grandes ahorros mediante la estandarización de la producción, distribución, mercadotecnia y administración. De esta forma pueden traducir eficiencias de la estandarización en un mayor volumen para los clientes al ofrecer mayor calidad y productos más confiables a precios más bajos.

Levitt afirma que hay diferencias en las preferencias del consumidor, en los patrones de compras o gastos, costumbres, prácticas promocionales e instituciones culturales en diferentes mercados y que estas diferencias no pueden ignorarse por completo. Pero piensa que las preferencias y los patrones pueden cambiarse. Según Levitt, a pesar de lo que los consumidores dicen qué quieren, todos desean productos buenos a precios más bajos. La compañía global acepta o se ajusta a las diferencias sólo después de haber intentado agresivamente remodelarlas o evitarlas. Y las compañías pueden aprovecharse de las similitudes en las necesidades globales y hacer sin embargo ajustes pequeños en diferentes mercados. Levitt piensa que los consumidores aceptarán productos estandarizados de alta calidad y a menor precio incluso si éstos no son completamente adecuados.

Si el precio es lo suficientemente bajo, tomarán productos mundiales sumamente estandarizados, incluso si éstos no son exactamente lo que mamá consideraría adecuado, lo que la costumbre inmemorial consideraría adecuado o lo que los apologistas de la investigación de mercado han dicho que es preferido.

¿Qué enfoque es mejor entonces, la especificación o la globalización? La respuesta es diferente para cada compañía; depende de la naturaleza de los productos, mercados, posición de mercado, recursos financieros y otros factores de cada firma. Pero para la mayoría de las compañías, la respuesta probablemente se encuentre entre los dos extremos.

Fuentes: Basado en Edward L. Weir, ''Avoiding the Pitfalls of International Marketing,'' *Marketing and Media Decisions*, marzo de 1983, pp. 80-82: ''Modular Marketing Cracks International Markets,'' *Marketing News*, 27 de abril de 1984, p. 10; Mitchell Lynch, ''Harvard's Levitt Called Global Marketing 'Guru,''' *Advertising Age*, 25 de junio de 1984, pp. 49-50; Theodore Levitt, ''The Globalization of Markes,'' *Harvard Business Review*, mayo-junio, 1983, p. 92-102. Extracto reproducido con permiso de *Harvard Business Review*. Copyright © 1983 by the President and Fellows of Harvard College; todos los derechos reservados.

Ahora se examinarán las posibles adaptaciones a que están sujetos el producto, promoción, precio y distribución de una empresa cuando ésta se instala en el extranjero.

Producto Keegan distingue cinco estrategias de adaptación del producto y la promoción al mercado internacional (véase la figura 22-3).[15] Se examinarán las estrategias de producto y después se verán las dos estrategias de promoción.

Extensión directa significa introducir el producto en el mercado extranjero sin ningún cambio. La gerencia superior instruye a su personal de mercadotecnia en estos términos: ''Llévense el producto y encuéntrenle clientes.'' Sin embargo, el primer paso será determinar si los consumidores extranjeros usan ese producto. El uso del desodorante entre los hombres varía de 80% en Estados Unidos a 55% en Suecia, 28% en Italia y 8% en las Filipinas. Muchos españoles no ingieren productos como el queso y la mantequilla.

La extensión directa ha tenido éxito en algunos casos pero ha sido un desastre en otros. La General Foods introdujo en el mercado inglés su gelatina en polvo Jell-O sólo para descubrir que los británicos prefieren la gelatina en oblea sólida o en pastel. La extensión directa es tentadora porque no implica gastos adicionales en investigación y desarrollo, ni reorganizar la fabricación ni modificar la promoción. Pero puede resultar costosa a largo plazo.

La *adaptación del producto* implica alterar el artículo para que satisfaga las condiciones o preferencias locales. Heinz varía sus productos alimenticios para niños: en Australia vende una comida para niños hecha con sesos de cordero colado y en los Países Bajos un alimento hecho de frijoles tostados y colados. La General Foods combina diferentes clases de café para los británicos (que beben café con leche), para los franceses (que lo beben negro) y para los latinoamericanos (que quieren un sabor a achicoria).

La *invención del producto* consiste en crear algo nuevo. Esto puede darse de dos maneras. La *invención regresiva* consiste en reintroducir formas anteriores del producto que resultan estar bien adaptadas a las necesidades de ese país. La National Cash Register

FIGURA 22-3
*Cinco estrategias
internacionales de
producto y promoción*

Company reintrodujo su registradora accionada con manivela, cuyo precio es la mitad de lo que costaría una registradora moderna, y vendió grandes cantidades en Oriente, Latinoamérica y España. Este ejemplo ilustra la existencia del ciclo de vida internacional de los productos: los países se hallan en diferentes etapas de disposición para aceptar determinada mercancía.[16] La *invención hacia adelante* consiste en crear un producto totalmente nuevo para satisfacer una necesidad específica del país. En los países pobres urge contar con alimentos ricos en proteínas y a bajo precio. Compañías como Quaker Oats, Swift y Monsanto están dirigiendo investigaciones sobre las necesidades nutricionales de esos países, están elaborando nuevas formas de alimentos y preparando campañas publicitarias para lograr que el público pruebe los nuevos alimentos y los acepte. La invención de producto es una estrategia cara, pero se compensa con las utilidades que rinde.

Promoción   Las compañías tienen la opción de adoptar la misma estrategia que están aplicando en el mercado nacional, o bien modificarla en cada mercado del extranjero.

Considérese el mensaje. Muchas compañías multinacionales usan un tema publicitario estandarizado en todo el mundo. Exxon usó "Ponga un tigre en su tanque" y ganó reconocimiento internacional. El texto varía en cuestiones pequeñas, como pueden ser cambiar los colores para evitar tabúes en otros países. El color morado o púrpura está asociado con la muerte en la mayoría de los países latinoamericanos; el blanco es un color de luto en Japón; el verde se asocia con el paludismo en Malasia. A veces es necesario modificar los nombres. En Alemania *scotch* (cinta scotch) significa "una persona muy necia". En Suecia, Helene Curtis cambió el nombre de su champú Every Night (Cada noche) por Every Day (cada día) porque los suecos se lavan el cabello por las mañanas (véase recuadro 22-3).

Otras compañías alientan a sus divisiones internacionales a desarrollar sus propios anuncios. La compañía de bicicletas Schwinn podría muy bien usar un tema centrado en el placer en Estados Unidos, y un tema sobre la seguridad en Escandinavia.

RECUADRO 22-3

¡VIGILE SU LENGUAJE!

Muchas multinacionales estadunidenses tienen dificultades para cruzar la barrera del lenguaje, con resultados que fluctúan desde un poco de vergüenza hasta el fracaso absoluto. Nombres de marca aparentemente inocuos y frases publicitarias sencillas pueden adoptar significados no intentados u ocultos cuando se traducen a otros idiomas. Y las traducciones descuidadas pueden hacer que un mercadólogo parezca tonto frente a los consumidores extranjeros. Abundan los ejemplos a la hora de comprar productos de mercados extranjeros: véase uno de una firma de Taiwán que intenta instruir a los niños acerca de la forma de instalar una rampa en un garage para coches de juguete:

Antes de ponerte a jugar con, por favor coloca la placa de espera por ti mismo como per el diagrama. Pero después de que la hayas colocado, tú puedes jugar con como está y no necesario fijarla otra vez.

Muchas firmas estadunidenses son culpables de atrocidades similares cuando hacen mercadotecnia en el extranjero.

Los obstáculos clásicos del idioma abarcan nombres de marca estandarizados que no se pueden traducir bien. Cuando la Coca-Cola lanzó la Coke en China en la década de 1920, elaboró un grupo de caracteres chinos que, cuando se pronunciaban, sonaban como el nombre del producto. Por desgracia, los caracteres se traducían en realidad como "muerda el renacuajo de cera". Hoy en día, los caracteres en las botellas de Coke en China quieren decir "felicidad en la boca".

Varios fabricantes de automóviles han tenido problemas similares cuando sus nombres de marca chocaron contra la barrera del idioma. El Nova de la Chevrolet significaba en español *no va*. La GM cambió el nombre a Caribe y las ventas aumentaron. Ford introdujo su camión Fiera sólo para descubrir que el nombre significaría también en español "mujer vieja y fea". Y presentó su automóvil Comet en México como el Caliente, Rolls Royce evitó el nombre Silver Mist en los mercados alemanes, donde "mist" significa "estiércol". Sin embargo, Sunbeam entró en el mercado germano con su rizador de cabello Mist-Stick. Como era de esperarse, los alemanes no podían hacer gran cosa con una "varita de estiércol".

Una firma bien intencionada vendía su champú en Brasil bajo el nombre de Evitol. Muy pronto comprendió que estaba afirmando vender "un anticonceptivo para la caspa". Una compañía estadunidense ha tenido problemas vendiendo leche Pet en áreas de habla francesa. Parece que la palabra "pet" en francés significa, entre otras cosas, "romper el viento".

Estos disparates clásicos se descubren y se corrigen con rapidez, y tal vez no le ocasione al mercadólogo más que un poco de vergüenza. Pero muchos otros errores más sutiles pueden pasar desapercibidos y dañar el rendimiento del producto en formas menos evidentes. La compañía multinacional debe tamizar cuidadosamente sus nombres de marca y sus mensajes publicitarios para resguardarse de aquéllos que pudieran dañar las ventas, ridiculizar a la firma u ofender a los consumidores en mercados internacionales específicos.

Fuente: Algunos de estos y otros ejemplos de errores con el lenguaje se encuentran en David A. Ricks, "Products That Crashed into the Language Barrier," *Business and Society Review*, primavera de 1983, pp. 46-50.

Los medios también deben adaptarse al mercado internacional, ya que la disponibilidad de los medios varía de un país a otro. El tiempo de comercial de televisión está disponible durante una hora cada tarde en Alemania y los anunciantes deben comprar tiempo con meses de anticipación. En Suecia no existe tiempo de televisión para comerciales. La radio comercial no existe ni en Francia ni en Escandinavia. Las revistas son un medio principal en Italia y uno de poca importancia en Austria. Los periódicos son nacionales en el Reino Unido, y locales, en España.

Precio Los fabricantes suelen fijarles a sus productos un precio más bajo en los mercados del extranjero. Los ingresos pueden ser bajos entre la población, por lo que si quiere vender sus bienes hay que darlos a un precio módico. Los fabricantes posiblemente opten por un precio con objeto de obtener una participación en el mercado, aunque también esa actitud puede deberse al deseo de deshacerse de artículos que carecen de demanda en el mercado nacional. Si los productores venden más barato en el mercado internacional que en el nacional, este sistema recibe el nombre de *inundación del mercado* (dumping). La compañía Zenith acusó a los fabricantes japoneses de televisores de poner en práctica este sistema en el mercado estadunidense. Si la oficina de aduanas de Estados Unidos descubre esta táctica, impone una tarifa especial contra ella.

Los fabricantes tienen poco control sobre los precios al menudeo que cobran los intermediarios extranjeros que manejan sus productos. Muchos intermediarios extranjeros

Uso de un mensaje publicitario estandarizado: Coca-Cola usó a Mean Joe Greene en Estados Unidos, otros héroes de los deportes en otros países. *Cortesía de Coca-Cola Company*.

usan márgenes de ganancia elevados, aun cuando esto significa vender menos unidades. También les gusta comprar a crédito, y esto acrecienta los costos y el riesgo para el fabricante.

Canales de distribución   La compañía internacional debe adoptar un enfoque de *canal completo* ante el problema de distribuir sus productos entre los consumidores finales.[17] La figura 22-4 muestra los tres nexos primordiales existentes entre el vendedor y el consumidor final. El primero, o sea la *organización de las oficinas centrales de la empresa*, supervisa los canales y forma parte de ellos. El segundo, *los canales entre los países*, llevan los productos hasta las fronteras del país extranjero. El tercero, *los canales situados dentro de los países*, llevan el producto desde las fronteras hasta los consumidores. Demasiados productores estadunidenses piensan que han cumplido con su misión una vez que la mercancía sale de sus manos. Deberían prestar más atención a la manera como se maneja en el interior del país importador.

Los canales internos de distribución varían mucho en cada nación. Se observan notables diferencias en el *número y tipos de intermediarios* que sirven a cada mercado extranjero. Para lograr que su jabón llegue al Japón, Procter & Gamble debe pasar por el sistema posiblemente más complicado del mundo. Vende su mercancía a un *mayorista general*, quien a su vez la vende a un *mayorista especializado en productos básicos*. Este se la vende a un *mayorista de especialidades* que a su vez la vende a un *mayorista regional*. Este la vende a un *mayorista local*, quien finalmente la vende a los *detallistas*. Estos niveles de distribución se combinan a veces haciendo duplicar o triplicar el precio final en comparación con el precio de importación.[18] Si Procter & Gamble exportase su jabón al Africa tropical, la firma vendería a un *mayorista de importaciones*, quien se lo vendería a una *señora del pueblo*. Esta se lo vende a otra, quien se dedica a venderlo de *puerta en puerta*.[19]

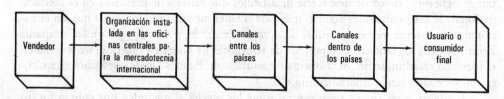

FIGURA 22-4 *Concepto de canal total para la mercadotecnia internacional.*

Otra diferencia reside en el *tamaño y carácter de las unidades detallistas* en el extranjero. Mientras que las cadenas detallistas a gran escala dominan el campo en Estados Unidos, en el mercado internacional casi todo el comercio al menudeo está en manos de muchos detallistas independientes. En la India, millones de detallistas manejan tiendas muy pequeñas o venden su mercancía en los mercados al aire libre. Sus precios nominales son altos, pero con el regateo se llega a un precio menor. Los supermercados supuestamente debieran reducir los precios; sólo que es difícil abrirlo debido a innumerables barreras económicas y culturales.[20] El ingreso de la población es bajo y la gente prefiere comprar a diario en pequeñas cantidades, en vez de hacerlo en grandes cantidades. Carecen de espacio de almacenamiento y refrigeración para mantener los alimentos durante varios días. El empaque no está bien desarrollado porque agregaría mucho al costo. Estos factores han impedido que el comercio detallista a gran escala se multiplique rápidamente en los países en desarrollo.

DECISION SOBRE LA ORGANIZACIÓN DE MERCADOTECNIA

Las compañías manejan sus actividades internacionales de mercadotecnia al menos en tres diferentes maneras. La mayoría de las firmas organizan primero un departamento de exportación, después crean una división internacional y, a la larga, se convierten en una organización multinacional.

Departamento de exportación

Normalmente una compañía penetrará en el mercado internacional con sólo exportar sus bienes. Si sus transacciones se expanden considerablemente, crea un departamento de exportación integrado por un gerente de ventas y algunos ayudantes. A medida que las ventas aumentan, el departamento se amplía e incorpora varios servicios de mercadotecnia para poder impulsar el negocio con mayor acometividad. Si la firma opta por formar sociedad con otras o prefiere la inversión directa, el departamento empezará a resultar insuficiente.

División internacional

Muchas compañías penetran en diversos mercados internacionales y manejan muchos negocios. Una firma puede exportar a un país, dar concesiones a otro, tener una empresa conjunta en un tercero y poseer una subsidiaria en un cuarto. Tarde o temprano creará una división internacional o una subsidiaria para manejar toda su actividad internacional. La división internacional está encabezada por un presidente de división internacional quien establece metas y presupuestos y es responsable por el crecimiento de la firma en el mercado internacional.

Las divisiones internacionales pueden organizarse de varias formas. El personal corporativo de la división internacional consta de especialistas en mercadotecnia, fabricación, investigación, finanzas, planeación y personal; planearán las diversas unidades organizacionales y les darán servicio a éstas. Las unidades operacionales pueden organizarse de acuerdo con uno o más de tres principios.

Pueden ser *organizaciones geográficas*. Después del presidente de la división internacional, puede haber vicepresidentes para Canadá y Estados Unidos, Latinoamérica, Europa, Africa y el Lejano Oriente. Estos vicepresidentes de área son responsables por una fuerza de ventas, sucursales de ventas, distribuidores y concesionarios en sus áreas respectivas. O las unidades operacionales pueden ser *organizaciones de grupo de producto,* con un vicepresidente responsable por las ventas mundiales de cada grupo de producto. Los vicepresidentes pueden recurrir a especialistas de área de asesoría corporativa para consultas acerca de diferentes áreas geográficas. Por último, las unidades operacionales pueden ser *subsidiarias internacionales,* cada una encabezada por un presidente. Los diversos presidentes de subsidiarias son responsables ante el presidente de la división internacional.

Una desventaja principal del concepto de división internacional es que la gerencia superior de la corporación puede considerarla sólo como otra división y nunca intervendrá lo suficiente para apreciar y planear la mercadotecnia global.

Organización multinacional

Varias firmas han superado la etapa de la división internacional y se han convertido en empresas verdaderamente multinacionales. Dejan de considerarse mercadólogos nacionales que se aventuran al extranjero y comienzan a verse como mercadólogos globales. La alta gerencia corporativa y el personal de asesoría están inmersos en la planificación de instalaciones de fabricación a escala mundial, políticas de mercadotecnia, flujos financieros y sistemas logísticos. Las unidades operacionales en su conjunto son responsables directamente ante el ejecutivo en jefe o el comité ejecutivo, no ante el jefe de una división internacional. A los ejecutivos se les capacita en operaciones a escala mundial, no sólo a escala nacional *o* internacional. Los integrantes de la gerencia se reclutan de muchos países; los componentes y los abastecimientos se compran donde puedan obtenerse al menor costo; y las inversiones se hacen donde los rendimientos anticipados sean los más altos.

Las grandes compañías deben convertirse en multinacionales en las décadas de 1980 y 1990 si quieren crecer. A medida que las firmas extranjeras invaden exitosamente el mercado nacional, las compañías estadunidenses tendrán que moverse con más acometividad dentro de los mercados extranjeros. Deberán dejar de ser compañías *etnocéntricas,* que consideran secundarias sus actividades en el extranjero, y convertirse en firmas *geocéntricas,* que ven el mundo entero como un solo mercado.[21]

■ *Resumen*

Las compañías emprenden la mercadotecnia internacional por una diversidad de razones. Algunas son impulsadas por pocas oportunidades en el mercado local y algunas son atraídas por oportunidades superiores en el extranjero. Dado el riesgo de la mercadotecnia internacional, las compañías necesitan una forma sistemática para tomar sus decisiones de mercadotecnia internacional.

El primer paso es comprender el ambiente de la mercadotecnia internacional, en particular el sistema de comercio internacional. A la hora de considerar un determinado mercado extranjero, deben evaluarse sus características económicas, político legales y culturales. Segundo, la compañía debe considerar qué proporción entre ventas extranjeras y locales buscará, si hará negocios en unos cuantos países o en muchos, y en qué tipo de naciones quieren vender. El tercer paso consiste en decidir en qué mercados entrar, y para esto es necesario evaluar la ta-

sa probable de rendimiento sobre la inversión en comparación con el nivel de riesgo. Cuarto, la compañía tiene que decidir cómo entrar en cada mercado atractivo, ya sea mediante exportación, sociedad o inversión directa. Muchas compañías comienzan como exportadoras, pasan a la sociedad y por último emprenden la inversión directa. Las firmas deben decidir a continuación el grado en el cual deban adaptar sus productos, precio, promoción y distribución a mercados extranjeros individuales. Por último, la firma debe desarrollar una organización eficaz para realizar mercadotecnia internacional. La mayoría de las firmas comienzan con un departamento de exportación y se gradúan con una división internacional. Unas cuantas llegan a ser organizaciones multinacionales, lo que quiere decir que los funcionarios superiores de la compañía planifican y administran la mercadotecnia a escala mundial.

Preguntas de repaso

1. Al evaluar el ambiente de la mercadotecnia internacional, la consideración más importante para la firma es el ambiente económico del país. Comente esta aseveración.

2. Explique los aspectos importantes del ambiente político legal que pudieran afectar la decisión de K mart de abrir establecimientos minoristas en Italia.

3. ¿Qué pasos intervienen para decidir los mercados en los que se va a penetrar? Relacione estos pasos con un ejemplo de un producto de consumo.

4. Explique brevemente las tres principales estrategias que una firma podría usar para entrar en un mercado extranjero.

5. ¿En qué se distingue la concesión de otras modalidades de sociedad?

6. ¿Qué posibilidades de estrategia de producto podría considerar las Hershey's para comercializar sus barras de chocolate en los países sudamericanos?

7. El precio de los productos vendidos en los mercados extranjeros es usualmente más bajo que en el mercado nacional. ¿Por qué?

8. Explique el tipo de organización de mercadotecnia internacional que le recomendaría a las siguientes firmas: a) la Benotto proyecta vender tres modelos de bicicleta en el Lejano Oriente; b) un pequeño fabricante de juguetes va a comercializar sus productos en Europa; c) la Dodge esta planeando vender su línea entera de automóviles y camiones en Kuwait.

Bibliografía

1. Basado en "Brazil: Campbell Soup Fails to Make It to the Table", *Business Week,* 12 de octubre de 1981; y "Brazil: Gerber Abandons a Baby-Food Market", *Business Week,* 8 de febrero de 1982.
2. Véase "The Reluctant Exporter", *Business Week,* 10 de abril de 1978, pp. 54-66.
3. Véase "The Top 1500 Companies", publicado por Economic Information Systems, New York, 1982.
4. Véase WARREN J. KEEGAN, "Multinational Product Planning: New Myths and Old Realities", en *Multinational Product Management* (Cambridge, MA: Marketing Science Institute, 1976), pp. 1-8.
5. Para un sistema de clasificación de la estabilidad política en las naciones, véase F. T. HANER, "Rating Investment Risks Abroad", *Business Horizons,* abril de 1979, pp. 18-23.
6. Para más ejemplos, véase DAVID A. RICKS, MARILYN Y. C. FU y JEFFERY S. ARPAN, *International Business Blunders* (Columbus, OH: Grid, 1974).
7. IGAL AYAL y JEHIEL ZIF, "Market Expansion Strategies in Multinational Marketing", *Journal of Marketing,* primavera de 1979, pp. 84-94.
8. JAMES K. SWEENEY, "A Small Company Enters the European Market", *Harvard Business Review,* septiembre-octubre de 1970, pp. 127-28.
9. Véase DAVID S. R. LEIGHTON, "Deciding When to Enter International Markets", en *Handbook of Modern Marketing,* Victor P. Buell, ed. (New York: McGraw-Hill, 1970), sec. 20, pp. 23-28.
10. La explicación sobre estrategias de entrada en esta sección se basa en GORDON E. MIRACLE y GERALD S. ALBAUM, *International Marketing Management* (Homewood, IL: Irwin, 1970), caps. 14-16.
11. Para más concesiones, véase ALLAN C. REDDY, "International Licensing May Be Best for Companies Seeking Foreign Markets", *Marketing News,* 12 de noviembre de 1982, pp. 6-7.
12. Para más sobre sociedades, véase "Are Foreign Partners Good for U.S. Companies?" *Business Week,* 28 de mayo de 1984, pp. 58-60.
13. RALPH Z. SORENSON y ULRICH E. WIECHMANN, "How Multinationals View Marketing Standardization", *Harvard Business Review,* mayo-junio de 1975, pp. 38-54.
14. DENNIS CHASE, "Global Marketing: The New Wave", *Advertising Age,* 25 de junio de 1984, p. 49.
15. WARREN J. KEEGAN, "Multinational Product Planning: Strategic Alternatives", *Journal of Marketing,* enero de 1969, pp. 58-62.
16. LOUIS T. WEELS, JR., "A Product Life Cycle for International Trade?" *Journal of Marketing,* julio de 1968, pp. 1-6.
17. Véase MIRACLE y ALBAUM, *International Marketing Management,* pp. 317-19.
18. Véase WILLIAM D. HARTLEY, "How Not to Do It: Cumbersome Japanese Distribution System Stumps U.S. Concerns", *Wall Street Journal,* 2 de marzo de 1972, pp. 1, 8.
19. Para una descripción de los sistemas de distribución en países seleccionados, véase WADI-NAMBIARATCHI, "Channels of Distribution in Developing Economies", *Business Quarterly,* invierno de 1965, pp. 74-82.
20. Sin embargo, véase ARIEH GOLDMAN, "Outreach of Consumers and the Modernization of Urban Food Retailing in Developing Countries", *Journal of Marketing,* octubre de 1974, pp. 8-16.
21. Véase YORAM WIND, SUSAN P. DOUGLAS y HOWARD V. PERLMUTTER, "Guidelines for Developing International Marketing Strategies", *Journal of Marketing,* abril de 1973, pp. 14-23.

Una estrategia original de anuncios hace aumentar el uso del Hospital Sunrise en los fines de semana

23
Mercadotecnia de servicios y mercadotecnia no lucrativa

El Evanston Hospital, que atiende la zona costera norte de Chicago, nombró al doctor John McLaren como su primer vicepresidente de mercadotecnia. Los hospitales han tenido vicepresidentes de desarrollo y relaciones públicas, pero este nombramiento causó algunos recelos tanto fuera como dentro de hospital.

Antes de 1970, los hospitales tenían el problema de contar con demasiados pacientes. La situación cambió drásticamente en la década de 1970 y los hospitales experimentaron una disminución en el número de pacientes y de pacientes-días. Dados los altos costos fijos y la elevación de los costos del trabajo, la disminución en el número de pacientes podía obligar a muchos a cerrar sus puertas.

Los hospitales comenzaron a buscar medios para conseguir una porción más grande de los pacientes disponibles. Como la mayoría de los pacientes van al hospital donde trabaja su médico, el mercado meta era el de los doctores. Cada hospital comenzó a estudiar tácticas para incorporar a su personal mayor cantidad de médicos "de alto rendimiento" de pacientes. Lo más importante era averiguar lo que el médico deseaba: cosas como equipo moderno, buenos colegas y un eficiente personal de enfermería y una respetable imagen del hospital y buen espacio para estacionamiento.

Mientras más consideraban el problema los hospitales, más complicados parecían los retos de mercadotecnia. Los hospitales tenían que investigar las necesidades sanitarias de la comunidad, la imagen de los hospitales de la competencia y lo que los pacientes pensaban acerca de los servicios del hospital. Los hospitales individuales comenzaron a comprender que ya no podían ofrecer todo tipo de servicio médico; esto provocó la duplicación de equipo costoso y servicios, así como capacidad ociosa.

Los hospitales empezaron a reunir y seleccionar diversas especialidades: cardiología, pediatría, tratamiento de quemaduras, psiquiatría.

Mientras tanto, algunos hospitales exageraron en su intento de conseguir pacientes. El Sunrise Hospital de Las Vegas mandó hacer un extenso anuncio en que mostraba un barco con esta inscripción: "Introducción a la excursión Sunrise: gane la excursión de su vida con sólo ingresar en el Sunrise Hospital cualquier viernes o sábado: excursión mediterránea de recuperación para dos". El St. Luke's Hospital en Phoenix empezó a ofrecer juegos nocturnos de lotería para todos los pacientes (menos los enfermos del corazón), despertando un enorme interés entre ellos y logrando una utilidad anual de 60 000 dólares. En un hospital de Filadelfia se servían cenas de gala con bistec y champaña para los padres de los niños recién nacidos.

¿Y entonces por qué contrataron al doctor John McLaren en el Hospital Evanston? Pues para promover determinados servicios (mercadotecnia de servicios), el hospital propiamente dicho (organización), a algunos médicos destacados (mercadotecnia de personas), Evanston como una comunidad muy atractiva (mercadotecnia de lugares) e ideas relativas a una salud más satisfactoria (mercadotecnia de ideas).

L a mercadotecnia como una disciplina se desarrolló inicialmente para la venta de productos físicos, como pasta de dientes, automóviles, acero y equipo. En los capítulos anteriores se dieron definiciones amplias de los productos, incluyendo ofertas tangibles e intangibles de organizaciones lucrativas y no lucrativas. Pero la mercadotecnia tradicional que se concentra en productos físicos puede hacer que la gente pase por alto muchos otros tipos de entidades que también se comercializan. En este capítulo se examinarán las características especiales y los requerimientos de mercadotecnia de los servicios, organizaciones, personas, lugares e ideas.

MERCADOTECNIA DE SERVICIOS

Las industrias estadunidenses de servicios han crecido muchísimo desde mediados de la década de 1940. Los negocios de servicio generan más de dos tercios del producto nacional bruto de Estados Unidos y emplean a más de siete de cada diez trabajadores estadunidenses.[1] En contraste, Alemania tiene 41% de su fuerza laboral empleada en ese sector e Italia tiene 35%. Como resultado de la mayor riqueza, más tiempo libre y la creciente complejidad de sus productos, Estados Unidos se ha convertido en la primera economía de servicio del mundo.

Las industrias de servicio son muy diversas. El sector gubernamental ofrece servicios con sus tribunales, agencias de empleo, hospitales, agencias de préstamos, servicios militares, policía y bomberos, servicio de correos, agencias reglamentadoras y escuelas. El sector no lucrativo privado ofrece servicios con sus museos, obras de caridad, iglesias, universidades, fundaciones y hospitales. Una buena parte del sector comercial ofrece servicios con sus líneas aéreas, bancos, hoteles, compañías de seguros, firmas consultoras, consultorios médicos, bufetes, compañías de entretenimiento, firmas de bienes raíces, agencias de publicidad e investigación y detallistas.

Y no sólo hay industrias tradicionales de servicio sino que todo el tiempo aparecen otras nuevas:

A cambio de una tarifa, ahora hay compañías que le cobran a usted por analizar su presupuesto, cuidar su jardín, despertarlo en la mañana, llevarlo al trabajo, o encontrarle un nuevo empleo, otra casa, una esposa, un clarividente, un alimentador de gatos o un violinista gitano. ¿O tal vez usted quiera rentar una podadora para jardín? ¿Unas cuantas reses? ¿Algunas pinturas originales? ¿O tal vez (alguien) para decorar su próxima fiesta de coctel? Si usted necesita servicios de negocios, otras compañías planearán sus convenciones y juntas de ventas, diseñarán sus productos, manejarán su procesamiento de datos o suministrarán secretarias temporales o incluso ejecutivos.[2]

Algunos servicios de negocios son muy grandes, con ventas y activos por miles de millones de dólares. La tabla 23.1 muestra las cinco compañías de servicio más grandes en cada una de siete categorías. En 1983, las 500 compañías de servicio más grandes de la revista *Fortune* totalizaron casi mil millones en ingresos. Pero también hay miles de proveedores de servicios más pequeños que contribuyen con otros mil millones o más.

Naturaleza y características de un servicio

Un servicio se define así:

Un *servicio* es cualquier actividad o beneficio que una parte ofrece a otra; son esencialmente intangibles y no dan lugar a la propiedad de ninguna cosa. Su producción puede estar vinculada o no con un producto físico.

TABLA 23-1 *Las compañías de servicio más grandes en Estados Unidos*

BANCOS COMERCIALES	FINANCIERAS DIVERSIFICADAS	SEGUROS DE VIDA	COMERCIO DETALLISTA	TRANSPORTE	SERVICIOS PUBLICOS	SERVICIOS DIVERSIFICADOS
Citicorp	Federal National Mortgage Association	Prudential	Sears	Santa Fe Southern Pacific	AT&T	Philbro-Solomon
BankAmerica	Aetna	Metropolitan	K mart	UAL	GTE	RCA
Chase Manhattan	American Express	Equitable	Safeway	United Parcel Service	Pacific Gas & Electric	City Investing
Manufacturers Hanover	CIGNA	Aetna	Kroger	CSX	Commonwealth Edison	Halliburton
J. P. Morgan	Travelers Corp.	New York Life	J. C. Penney	AMR	Southern Company	Fluor

Fuente: "The Service 500", *Fortune*, 11 de junio de 1984, pp. 170-91. © 1984 Time, Inc. Derechos reservados.

Rentar un cuarto de hotel, depositar dinero en el banco, viajar en avión, visitar a un psiquiatra, un corte de pelo, hacer reparar el automóvil, presenciar un encuentro de un deporte profesional, ver una película, llevar la ropa a una tintorería o a una lavandería, recibir asesoría legal de un abogado: todo esto implica comprar un servicio.

Los servicios tienen cuatro características que se deben considerar a la hora de diseñar programas de mercadotecnia.

Intangibilidad

Los servicios son intangibles. No se les puede ver, probar, palpar, oír ni oler antes de comprarlos. La persona que se hace una cirugía plástica no puede ver el resultado antes de la compra, y el paciente en la oficina psiquiátrica no puede saber el resultado con antelación. El comprador debe tener fe en el suministrador del servicio.

Los suministradores de servicios pueden hacer ciertas cosas para mejorar la confianza del cliente. Primero, pueden acrecentar la intangibilidad del servicio. Un cirujano plástico puede hacer un dibujo mostrando cómo será la cara del paciente después de la cirugía. Segundo, los suministradores de servicios pueden recalcar los beneficios del servicio en vez de limitarse a describir sus características. El funcionario universitario encargado de las inscripciones hablará con los estudiantes potenciales acerca de los importantes empleos que sus exalumnos han encontrado en vez de describir la vida dentro del campus. Tercero, los suministradores de servicios pueden desarrollar nombres de marca para sus servicios a fin de acrecentar la confianza, como limpieza Magikist, el servicio tapete rojo de United Airlines y Meditación Trascendental. Cuarto, los suministradores de servicios pueden usar a una celebridad para crear confianza en el servicio, como lo hizo American Express en una campaña de publicidad donde aparecían numerosas personalidades bien conocidas pero con rostros menos famosos.

Inseparabilidad

Un servicio no puede existir sin sus suministradores, ya se trate de personas o máquinas. Un servicio no puede ponerse en un anaquel para que el consumidor lo compre cuando lo necesite. El servicio requiere de la presencia de suministradores del servicio. La cirugía requiere de la presencia de médicos y de su equipo; verificar la exactitud de los registros de una compañía requiere de la presencia de un auditor.

Existen varias estrategias para resolver esta limitación. El suministrador del servicio puede aprender a trabajar con grupos más grandes. Los psicoterapeutas han ido abandonando la terapia individual y han adoptado la terapia en grupos pequeños o en grupos que pueden llegar a más de 300 personas en el salón de baile de un hotel. El suministrador del servicio puede aprender a trabajar más rápido: el psicoterapeuta puede pasar treinta minutos con cada paciente en vez de cincuenta y puede ver más pacientes. La organización de servicio puede entrenar a más suministradores de servicio y ganarse la confianza del cliente, como lo ha hecho la H & R Block con su cadena nacional de asesores en impuestos.

Variabilidad

Los servicios son sumamente variables dependen de quién los proporcione, cuándo y dónde. Un transplante de corazón por el doctor Christiaan Barnard muy probablemente será de mayor calidad que otro realizado por un graduado reciente. Y los transplantes del doctor Barnard mostrarán una variación con su energía y su condición mental en el momento de cada operación. Los usuarios de servicios a menudo son conscientes de esta alta variabilidad y hablan con otros antes de seleccionar a un suministrador.

Las firmas de servicio pueden dar dos pasos hacia el control de calidad. El primero es invertir en una buena selección y capacitación del personal. Las líneas aéreas, los bancos y los hoteles gastan grandes sumas para capacitar a sus empleados y lograr que proporcionen un buen servicio. El cliente deberá encontrar al mismo personal amable y eficiente en cada hotel Marriot. El segundo paso es monitorear la satisfacción del cliente mediante sistemas de sugerencias y quejas , encuestas del consumidor, y compras por comparación con el fin de detectar y corregir el mal servicio.[3]

Carácter perecedero

Los servicios no se pueden almacenar. La razón por la que los médicos les cobran a sus pacientes las citas a las que éstos no asistieron es que el valor del servicio sólo existía en ese punto cuando el paciente no se presentó. El carácter perecedero de los servicios no es un problema cuando la demanda es constante, ya que es fácil programar los servicios con anticipación. Cuando la demanda fluctúa, las firmas de servicio tienen problemas difíciles. Por ejemplo, las compañías de transporte público tienen que poseer mucho más equipo debido a la demanda a las horas pico que si la demanda fuese uniforme durante todo el día.

Sasser ha descrito cuatro estrategias que ayudan a lograr una mejor compenetración entre la oferta y la demanda en un negocio de servicios.[4]

En el lado de la demanda:

■ La *fijación de precios diferencial* desplazará parte de la demanda de periodos altos a bajos. Los ejemplos incluyen precios bajos para las funciones de cine temprano en la tarde y precios de descuento por fin de semana para alquiler de automóviles.

■ *La demanda fuera de las horas pico puede cultivarse.* McDonald's abrió su servicio de desayuno Egg McMuffin y los hoteles han instaurado su fin de semana de mini vacaciones.

■ *Los servicios complementarios* pueden desarrollarse durante las horas pico para proporcionar alternativas a los clientes que esperan, como salas de coctel para sentarse y esperar una mesa y cajeros automáticos en los bancos.

■ *Los sistemas de reservaciones* son una forma para administrar el nivel de la demanda. Las líneas aéreas, los hoteles y los médicos los usan mucho.

En el lado de la oferta:

■ Pueden contratarse *empleados de tiempo parcial* para atender la demanda en las horas pico. Las universidades agregan maestros de tiempo parcial cuando las inscripciones aumentan considerablemente y los restaurantes contratan meseros de tiempo parcial cuando los necesitan.

■ Pueden introducirse *rutinas de eficiencia de periodos pico.* Los empleados sólo ejecutan tareas esenciales durante los periodos de máxima demanda. Los paramédicos asisten a los médicos durante los periodos más atareados.

- Puede buscarse la *mayor participación del consumidor* en las tareas, como cuando los clientes llenan sus propios expedientes médicos o empacan sus compras.

- Pueden desarrollarse *servicios compartidos,* como sucede cuando varios hospitales comparten las adquisiciones de equipo médico.

- Se pueden desarrollar *instalaciones que hagan posible la expansión del potencial,* como cuando los parques de diversiones compran terrenos circundantes para su futura ampliación.

Clasificación de los servicios

Es difícil generalizar acerca de la mercadotecnia de los servicios porque éstos varían considerablemente. Los servicios pueden clasificarse de varias maneras. Primero, ¿están *basados en las personas o en el equipo?* (Véase figura 23-1). Un psiquiatra prácticamente no necesita equipo, pero un piloto necesita un avión. Dentro de los servicios basados en las personas, cabe distinguir entre aquéllos que implican a profesionales (contabilidad, asesoría administrativa), mano de obra especializada (plomería, reparación de automóviles), y mano de obra no especializada (servicios de portería, cuidado del jardín). En los servicios basados en el equipo, cabe distinguir entre aquéllos que implican equipo automático (lavado automático de automóviles, máquinas distribuidoras), equipo operado por mano de obra poco especializada (taxis, cinematógrafos), y el equipo operado por mano de obra especializada (aviones, computadoras). Incluso dentro de una industria de servicio específica, diferentes abastecedores del servicio varían en la cantidad de equipo que usan. A veces el equipo le agrega valor al servicio (amplificación estereofónica) y a veces existe para reducir la cantidad de trabajo necesario (lavado automático de automóviles).

Segundo, ¿es necesaria *la presencia del cliente* para el servicio? La cirugía cerebral implica la presencia del cliente, pero no sucede lo mismo con un taller de reparación de automóviles. Si el cliente debe estar presente, el abastecedor del servicio debe considerar las necesidades del cliente. Así, los operadores de salones de belleza invertirán en la decoración de su tienda, pondrán música de fondo y sostendrán charlas amenas con los clientes.

Tercero, ¿qué pasa con *el motivo que tiene el cliente para hacer la compra?* ¿Satisface el servicio una necesidad *personal* (servicios personales) o una necesidad *del negocio* (servicios a negocios)? Los médicos cobran a sus pacientes un precio diferente del que cargan a los empleados de una compañía que ha contratado sus servicios. Los prestadores de servicios suelen elaborar programas especiales para los mercados personales y los de los negocios.

Cuarto, ¿qué pasa con los *motivos del abastecedor del servicio (razones de índole lucrativa o no lucrativa)* y *forma (privada o pública)?* Estas dos características, cuando se cruzan, producen cuatro tipos bastante distintos de organizaciones de servicio. Evidentemente, los programas de mercadotecnia de un hospital de inversionistas privados serán distintos que los de un hospital de caridad pública o los de un hospital militar.[5]

Extensión e importancia de la mercadotecnia en el sector de los servicios

La firma de servicios casi siempre es superada por las compañías fabriles en cuanto al uso de la mercadotecnia. George y Barksdale encuestaron 400 firmas fabriles y de servicio y sacaron la conclusión de que

en comparación con las firmas manufactureras, las compañías de servicio parecen ser: 1) generalmente menos propensas a hacer que las actividades de mezcla de mercadotecnia se ejecuten en el departamento de mercadotecnia, 2) menos propensas a ejecutar análisis en el área de la oferta, 3) más propensas a manejar su publicidad internamente en vez de recurrir a agencias externas, 4) menos propensas a tener un plan de ventas general, 5) menos propensas a desarrollar programas de capacitación en ventas, 6) menos propensas a usar firmas de investigación de mercados y asesores en mercadotecnia y 7) menos propensas a gastar tanto en mercadotecnia como se exprese en un porcentaje de las ventas brutas.[6]

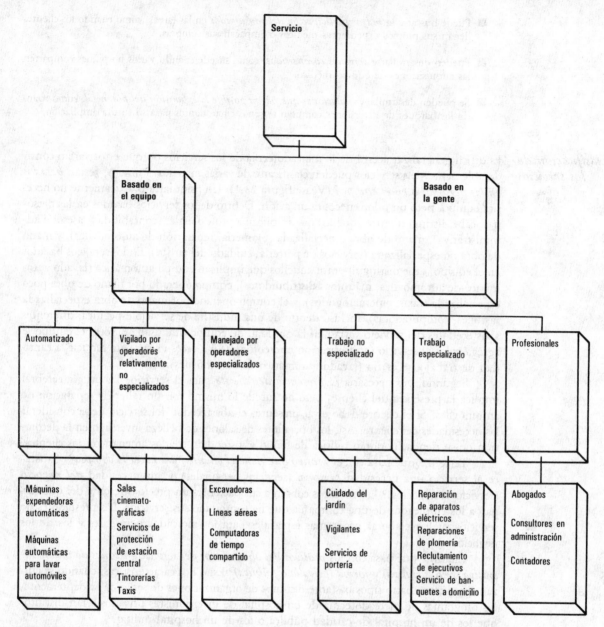

FIGURA 23-1 *Tipos de negocios de servicio*

Fuente: Reproducida con permiso de *Harvard Business Review.* Tomado de "Strategy is Different in Service Businesses", por Dan R. E. Thomas (Julio-agosto 1978). Copyright © 1978 por The President and Fellows of Harvard College, todos los derechos reservados.

Hay varias razones por las que las firmas de servicio han descuidado la mercadotecnia. Muchos negocios de servicios son pequeños (talleres de reparación de zapatos, peluquerías) y no usan técnicas administrativas como la mercadotecnia, que la consideran costosa o irrelevante. También hay negocios de servicio (bufetes y firmas de contabilidad) que creen que no es profesional usar la mercadotecnia. Otros negocios de servicio (universidades, hospitales) tenían tanta demanda anteriormente que no necesitaron la mercadotecnia hasta hace poco.

Hoy en día, conforme crecen la competencia y los costos y al disminuir la productividad y deteriorarse la calidad de los servicios, son más las empresas que comienzan a intere-

Una firma anuncia servicios legales.
Cortesía de Katz, Hirsch, Wise & Colky, Chicago, Ill.

sarse por la mercadotecnia. Las líneas aéreas figuran entre las primeras en estudiar a sus clientes y a la competencia, tomando después medidas para hacer el viaje más placentero y fácil. Los bancos son otra industria que también ha aplicado la mercadotecnia más a fondo en un lapso bastante breve. En un principio, creían que consistía fundamentalmente en la promoción y en la creación de un espíritu de afabilidad en el personal; en cambio, ahora han establecido sistemas de organización de mercadotecnia, de información, de planeación y control.[7] Los corredores de bolsa, las compañías de seguros y los hoteles la utilizan con poca uniformidad: algunas empresas líder avanzan a pasos agigantados (Merril Lynch, Hyatt Regency en Estados Unidos) y otras se quedan rezagadas.

A medida que la competencia se intensifica, se necesitará una mercadotecnia más compleja. Uno de los principales agentes de cambio estará formado por los productores que entran en las industrias de servicio. Sears entró a la mercadotecnia de servicios hace años: seguros, servicios bancarios, asesoría en declaraciones de impuestos, renta de automóviles. La Xerox Corporation opera un gran negocio de capacitación en ventas (Xerox Learning) y la Gerber tiene escuelas de enfermería y vende seguros.

Las firmas de servicios están bajo una gran presión para acrecentar la productividad. Como el negocio de servicio es de trabajo muy intensivo, los costos se han elevado con rapidez. Los abastecedores de servicios pueden mejorar la productividad de diversas maneras. Pueden trabajar más duro o mejor por la misma retribución. O pueden acrecentar la cantidad del servicio renunciando a cierta calidad. Por ejemplo, los doctores podrían tratar a más pacientes si les dan menos tiempo a cada uno. Los abastecedores de servicios también pueden agregar equipo para aumentar las capacidades del servicio. Levitt recomendaba que las compañías adoptaran una "actitud de fabricación" hacia la producción de servicios, como puede verse en el enfoque de línea de montaje de McDonald's en el negocio detallista de comida rápida, lo que ha dado lugar a la "tecnología de la hamburguesa".[8]

Las máquinas lavaplatos comerciales, los jumbo jets, los cinematógrafos con salas múltiples, todos éstos representan expansiones tecnológicas del servicio.

Las firmas de servicio también pueden reducir o substituir la necesidad de un servicio al inventar una solución de producto, la forma como la televisión substituyó el entretenimiento fuera de casa, la camisa de lavar y usar a la lavandería comercial y la penicilina a los sanatorios para tuberculosos. Por último, los suministradores de servicio pueden mejorar la productividad al producir servicios más efectivos. Las clínicas de no fumadores y el ejercicio pueden reducir la necesidad de servicios médicos costosos más adelante. La contratación de trabajadores paralegales reduce la necesidad de profesionales legales costosos.

MERCADOTECNIA DE ORGANIZACIONES

Se usará el término mercadotecnia de organizaciones para describir las *actividades emprendidas para crear, mantener o alterar las actitudes y la conducta del público meta hacia determinadas empresas*. No se hace referencia aquí a las actividades de mercadotecnia para vender los productos de la organización, sino aquéllas emprendidas para "vender" a la organización misma. La mercadotecnia de organizaciones ha estado tradicionalmente en las manos del departamento de relaciones públicas. Esto se deduce fácilmente de la siguiente definición de las relaciones públicas:

> La *relaciones públicas* son la función administrativa que evalúa las actitudes del público, identifica las políticas y procedimientos de un individuo o de una organización con el interés del público y planea y ejecuta un programa de acción para ganarse la comprensión y la aceptación del público.[9]

Las relaciones públicas son, en esencia, la administración de mercadotecnia cuyo centro ha dejado de ser el producto o servicio, para concentrarse en la empresa.[10] Se necesitan las mismas habilidades: conocimiento de las necesidades de la audiencia, deseos y psicología; habilidad para la comunicación; y habilidad para diseñar y ejecutar programas que tengan influencia. Las similitudes entre mercadotecnia y relaciones públicas han llevado a algunas compañías a combinar ambas funciones bajo un solo control. La General Electric nombró a un vicepresidente de mercadotecnia y asuntos públicos que "será responsable por todas las actividades corporativas en publicidad, asuntos públicos y relaciones públicas. También manejará la mercadotecnia corporativa, incluyendo la investigación y el desarrollo de personal".

La mercadotecnia de organizaciones exige evaluar la imagen actual y elaborar un plan para mejorarla.

Evaluación de la imagen

El primer paso en la evaluación de la imagen es investigar la imagen actual que tiene la organización entre los públicos clave. La *manera como un individuo o un grupo ve un objeto* se denomina su imagen. Diferentes personas pueden tener diferentes imágenes del mismo objeto. La organización podría estar complacida con su imagen pública o puede que descubra que su imagen tiene serios problemas.

La figura 23-2A muestra los resultados de medir las imágenes de cinco firmas consultoras en administración, usando las dos dimensiones de visibilidad y prestigio. La firma 1 se encuentra en la mejor posición; es sumamente visible y disfruta de la mejor reputación. La firma 2 está bien considerada pero es menos conocida; necesita aumentar su visibilidad. La firma 3 está menos bien considerada, pero afortunadamente no muchas personas lo saben. Esta firma deberá mantener un perfil bajo y mejorar su calidad. Si es eficaz, la firma 3 se moverá al cuadrante II, en cuyo punto buscará más publicidad no pagada. La

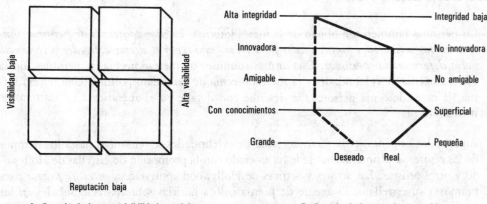

Reputación alta

Visibilidad baja

Alta visibilidad

Reputación baja

A. Espacio de imagen visibilidad-prestigio

Alta integridad ——————————— Integridad baja

Innovadora ——————————— No innovadora

Amigable ——————————— No amigable

Con conocimientos ——————————— Superficial

Grande ——————————— Pequeña

Deseado   Real

B. Espacio de imagen de contenido

FIGURA 23-2   *Instrumentos para la evaluación de la imagen*

firma 4 está en la peor posición: se le considera como un mal abastecedor de servicios y todo el mundo lo sabe. El mejor curso de acción para la firma es reducir su visibilidad (lo que la movería al cuadrante III) y entonces planear moverse eventualmente a los cuadrantes II y I. Esto llevaría algunos años, si acaso la firma lo llega a lograr. Así, la posición inicial de una firma en el espacio de visibilidad prestigio define el tipo básico de estrategia que necesita.

Una de las principales herramientas para medir el contenido detallado de una imagen es el *diferencial semántico*.[11] El diferencial semántico implica la elaboración de una lista apropiada de atributos que describen al objeto. La gente coloca una marca en cada escala de acuerdo con la impresión del grado en el que el objeto posea ese atributo. El investigador de imagen hace un promedio de las respuestas sobre cada escala y representa esto mediante un punto. Los puntos en las diversas escalas se conectan, formando un perfil de imagen del objeto. Supóngase que una firma descubre que su imagen es la que se muestra mediante la línea continua con la figura 23-2B. A la firma se le considera alta en integridad pero no parece especialmente innovadora, amigable con conocimientos o grande.

Planeación y control de la imagen

En el paso siguiente la organización identifica la imagen que le gustaría tener. No debe perseguir lo "imposible". Supóngase que la firma decide que una imagen factible y deseable es la que se muestra mediante la línea punteada en la figura 23-2B. A la firma le gustaría ser vista como más innovadora, más amigable, más conocedora y más grande.

La firma desarrolla ahora un plan de mercadotecnia para acercar su imagen real a la imagen deseada. Supóngase que quiere poner el mayor énfasis en su reputación como empresa conocedora. El paso crucial, por supuesto, es contratar a mejores consultores. Si la compañía tiene consultores muy conocedores pero que no son visibles, necesita hacerlos más visibles. Les aconsejará afiliarse a asociaciones comerciales y de negocios, a pronunciar discursos, escribir artículos y organizar seminarios públicos sobre "temas nuevos" y de impacto.[12]

La empresa debe encuestar a sus públicos periódicamente para ver si sus actividades están mejorando su imagen. La modificación de la imagen no puede lograrse de la noche a la mañana debido a limitaciones de fondos y a la "persistencia" de las imágenes públicas. Si la firma no está haciendo ningún progreso, esto se debe a la deficiencia en su naturaleza o en sus comunicaciones.

MERCADOTECNIA DE PERSONAS

Las personas también son objeto de la mercadotecnia. La *mercadotecnia de personas consiste en las actividades emprendidas para crear, mantener o alterar actitudes o conducta hacia determinadas personas.* Dos formas comunes de mercadotecnia de personas son la mercadotecnia de celebridades y la mercadotecnia de candidato político. Una tercera forma, la mercadotecnia personal, se describe con detalle en el apéndice 2 , "Carreras en mercadotecnia.

Mercadotecnia de celebridades

Aunque los orígenes de la mercadotecnia de celebridades se remontan hasta los tiempos de los césares, a últimas fechas se le ha asociado con la promoción de estrellas de Hollywood y otros artistas. Los actores y actrices de Hollywood contratan *agentes de prensa* para promover su estrellato. El agente de prensa coloca noticias sobre las celebridades en los medios masivos de comunicación y también organiza presentaciones personales en lugares muy concurridos. Uno de los promotores de mayor renombre fue el difunto Brian Epstein, que dirigió a los Beatles y los ayudó a lograr la fama, recibiendo por su trabajo una participación mayor que cualquiera de ellos. Hoy en día hay organizaciones especializadas que se encargan de promover a las celebridades. Bucky Dent de los yanquis telefoneó a la agencia William Morris y le pidió a Lee Salomon que dirigiera su vida pública.[13] La agencia lo hizo visitar hospitales para niños, pequeñas ligas y convenciones, ser uno de los anfitriones en el programa "A.M. New York", y aparecer en el espectáculo de Merv Griffin; hacerse y vender carteles con su imagen; hacer un comercial para un fabricante de automóviles, y aparecer en desplegados en Playboy y otras revistas.

Los mercadólogos de celebridades no pueden hacer milagros; mucho depende de la estrella. Si la estrella es un promotor nato, entonces no hay límite. Elton John, que ha ganado más dinero que los Beatles o Elvis Presley, usa en el escenario alguno de sus doscientos pares de gafas, toca el piano con los pies, le lanza pelotas de tenis a la multitud y contrata actores para que recorran el auditorio disfrazados de Frankenstein o la reina Isabel. Estas ideas las lleva a cabo muy bien, ya sean suyas o de su manejador.

Los mercadólogos de celebridades reconocen que el ciclo de vida de las celebridades es muy variado y a menudo corto (véase figura 23-3). El jefe de mercadotecnia de Polygram, una gran firma disquera, compara la carrera de un ejecutante con un cesto de fresas que se deben empacar, llevarse al mercado y venderse antes de que se pudran y pierdan su valor. Mike Gormley, director de publicidad nacional en discos Mercury, describe una junta típica: "Nos reunimos cada seis semanas. Analizamos las ventas. Si llegamos a la conclusión de que un grupo no está dando dividendos (o sea, que no vende discos ni se escucha en las estaciones de radio), le rescindimos su contrato: si ni la promoción da resultados, es inútil e insensato perder dinero en él".[14] Algunas celebridades de antes, como Eddie Fisher, tratan de reconquistar su sitio pero descubren que no es fácil volver a escalar la cima.[15]

Mercadotecnia de candidato político

La mercadotecnia de candidato político se ha convertido en una gran industria y en una área de especialización.[16] Cada cierto número de años el público es objeto de numerosas campañas para elegir funcionarios estatales, municipales o nacionales. Las campañas políticas consisten en que el candidato penetra en el mercado de los electores y aplica la investigación de mercadotecnia y la publicidad comercial para maximizar la "compra" por parte de los votantes.

El interés por los aspectos mercadológicos de las elecciones se ha intensificado ante el desarrollo tan impresionante de *la publicidad política, las encuestas de opinión pública, el análisis de los patrones electorales por computadora* y *las firmas que administran las campañas políticas.*

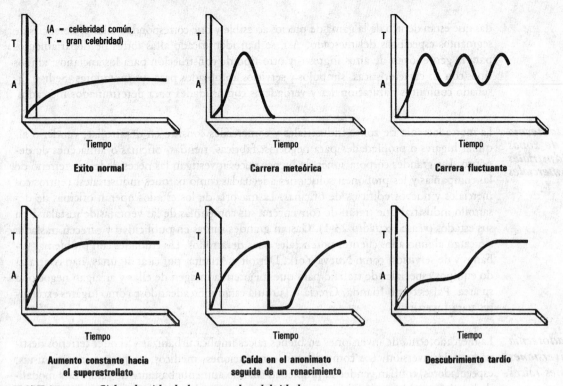

FIGURA 23-3 *Ciclos de vida de la carrera de celebridades*

Fuente: Charles Seton, ''The Marketing of a Free Lance Fashion Photographer'' (ponencia estudiantil no publicada, 20 de enero de 1978).

En Estados Unidos todavía se usan mucho las técnicas como estrechar la mano de los votantes, celebrar comidas para recaudar fondos, realizar reuniones de té en el vecindario, las asambleas públicas, el jefe de distrito electoral y el uso comunitario de automóviles para asistir a las urnas . . . el nuevo tipo de campaña ofrece estrategias cuidadosamente coordinadas en un marco en el que las actividades tradicionales se realizan según un plan maestro. Este se centra en un cambio fundamental: se abandona el método consistente en seguir las indicaciones del candidato y en actuar de manera espontánea para adoptar otra estrategia más rigurosa y dirigida por el equipo para conquistar o conservar el cargo público. Entre sus aspectos fundamentales se cuentan: un programa estratégico detallado, el empleo coordinado de sistemas especializados de propaganda y una forma más sutil de medir y manipular la opinión pública. Y aunque es inmensa la diferencia entre vender mercancía y vender a un candidato, algunos de los atributos de la publicidad comercial han sido incorporados a la política.[17]

MERCADOTECNIA DE LUGARES

La mercadotecnia de lugares implica actividades tendientes a crear, mantener o modificar las actitudes y el comportamiento hacia ciertos lugares. Pueden distinguirse cuatro tipos de mercadotecnia de lugares:

Mercadotecnia de viviendas

Consiste en desarrollar o promover la venta o alquiler de viviendas, departamentos y otras unidades habitacionales para una sola familia. Tradicionalmente se ha basado en los anuncios clasificados y en agentes de bienes raíces. Ha surgido una mercadotecnia muy avanzada en relación con la venta de condominios y la creación de comunidades totales.[18] Las grandes compañías constructoras investigan las necesidades habitacionales y producen viviendas que están dentro de la gama de precios accesible y que correspondan a las preferencias de segmentos específicos del mercado. Así, se han identificado altas torres de departamentos para la gente joven de altos ingresos y otro tipo de construcción para los ancianos: ambos tipos con las características, símbolos y servicios apropiados para sus moradores. Se han diseñado conjuntos habitacionales y verdaderas comunidades para determinados mercados.

Mercadotecnia de zonas industriales y comerciales

La mercadotecnia de zonas industriales y comerciales consiste en desarrollar, vender o alquilar lugares o propiedades para negocios: fábricas, tiendas, oficinas o almacenes de depósito. Las grandes corporaciones de bienes raíces investigan las necesidades de terreno de las compañías y les proponen soluciones adecuadas como parques industriales, centros comerciales y nuevos edificios de oficinas. La mayoría de los estados operan oficinas de desarrollo industrial que tratan de convencer a sus compañías de las ventajas de instalarse en sus estados (véase recuadro 23-1). Gastan grandes sumas en publicidad y ofrecen trasladar sin cargo alguno a los clientes potenciales a sus desarrollos. Las ciudades con problemas urbanos y de servicios, como Nueva York, Detroit y Atlanta, por citar algunas, han contratado equipos especiales de trabajo para que mejoren la imagen de ellas y atraigan negocios a su área. Países como Irlanda, Grecia y Turquía están mercadeándose como lugares excelentes para invertir.

Mercadotecnia de inversiones en bienes raíces

La mercadotecnia de inversiones en bienes raíces implica urbanizar y vender terrenos destinados a la inversión. Los compradores (corporaciones, médicos, pequeños inversionistas, especuladores) confían vender su propiedad cuando aumente bastante de valor. Esta modalidad de la mercadotecnia ha favorecido la urbanización de grandes extensiones de Florida y del Lejano Oeste. La compañías urbanizadoras cuentan con detallados programas de mercadotecnia para captar el interés por sus terrenos. Entre otras cosas utilizan los medios masivos de comunicación, la publicidad no pagada, el correo directo, ventas personales, reuniones en las que se sirve comida gratuita e incluso pagados al lugar.

Mercadotecnia de vacaciones

La mercadotecnia de vacaciones implica atraer vacacionistas a los lugares de esparcimiento, de recreo, a las ciudades, estados e incluso países que ofrecen un atractivo especial. El esfuerzo promocional lo hacen los agentes de viajes, las líneas aéreas, los clubes de automovilistas, las compañías petroleras, hoteles, moteles y agencias gubernamentales. La fuerza de la mercadotecnia de lugares quedó demostrada en la carrera del difunto Steve Hanna-

RECUADRO 23-1

"LA TIERRA MAS AGRADABLE": MERCADOTECNIA DE UBICACION DE NEGOCIOS EN CAROLINA DEL NORTE

En 1854, dos exploradores ingleses regresaron a su tierra natal afirmando haber descubierto "La tierra más amable bajo el cielo". Estaban describiendo lo que es ahora Carolina del Norte. Durante los últimos años, numerosas compañías estadunidenses y extranjeras han compartido esta opinión. En tres encuestas sucesivas de *Business Week,* Carolina del Norte se mencionó como primera elección entre los altos ejecutivos de negocios del país para ubicar plantas nuevas. El estado ofrece diversas ventajas económicas y culturales, pero gran parte del crédito por la popularidad le corresponde a la División de Desarrollo Industrial del departamento de comercio de Carolina del Norte. La división usa un programa de mercadotecnia de alta calidad, con publicidad, publicidad no pagada y ventas personales, para convencer a firmas e industrias a trasladarse a Carolina del Norte.

Los 24 representantes de desarrollo industrial de la división coordinan los esfuerzos con profesionales del desarrollo en más de 300 comunidades en Carolina del Norte. Y la división proporciona

Unos cuantos atractivos para sus ejecutivos que no le costarán a su compañía un solo centavo

Si usted tiene en mente una nueva inversión, probablemente sepa demasiado bien que algo importante está sucediendo en los centros de trabajo del país.

Cada vez es más difícil empujar a las personas que necesitan para que las cosas funcionen bien.

Además, están pidiendo cosas que usted no puede proporcionarles sencillamente con firmar un cheque de mayor valor.

A final de cuentas se trata de ésas con frecuencia intangibles prestaciones que se conocen mejor como "estilo de vida": educación, diversión, clima, y todo lo demás. En pocas palabras, es un bonito lugar de trabajo, pero ¿le gustaría a usted vivir ahí?

En Carolina del Norte la respuesta cada vez más tiende a ser un rotundo "sí". Porque es posible que lo único mejor que trabajar, ahí sea vivir bien.

Los inviernos son templados. Los veranos son tranquilos.

La primavera y el otoño son sencillamente magníficos.

El desarrollo urbano se ha mantenido a un mínimo y los espacios abiertos, a un máximo. Parques y bosques cubren miles de kilómetros cuadrados, desde las laderas de las montañas Blue Ridge hasta las prístinas playas de Outer Banks.

La diversión al aire libre es un evento cotidiano. Desde velear, pescar, acampar, montar a caballo, esquiar, nadar o jugar golf, hasta sencillamente sentarse en un jardín con una limonada y una guitarra.

Algunas de las mejores competencias de atletismo intercolegial se llevan a cabo aquí. Tenemos universidades excelentes como la del Norte de Carolina, Duke y la Estatal, que no son precisamente malos lugares para inscribir al incipiente médico, abogado, ingeniero o *quarterback* de la familia.

Carolina del Norte también es sede de un sorprendente número de acontecimientos no atléticos.

Teatro. Danza. Orquestas sinfónicas. Músicos de renombre nacional.

Obras de teatro al aire libre que frecuentemente superan a las de Broadway.

Estudiantes de todas partes vienen a la Escuela de Artes. Si es que pueden ingresar. Así de buena.

Hay algo para todos. Historia que se remonta a la época colonial, a la Guerra Civil, a los Hermanos Wright. Tenemos un zoológico que está por convertirse en el más grande del mundo. Jardines. Parques. Festivales de azalea y espigas de tallo azulado.

La lista es infinita.

Y el costo de todo esto es sorprendentemente bajo. En 1981, por ejemplo, una casa promedio tenía un costo aproximado de 63 mil dólares. Y la tasa de impuestos es una de las más bajas del país.

De modo que mientras considere las ventajas que le ofrece Carolina del Norte como posible lugar para vivir y trabajar, considere también sus ventajas para las personas que quiera traer.

Porque esto bien podría ser la mejor ventaja de todas.

Favor de enviarme más información acerca de las ventajas de vivir en Carolina del Norte

Nombre

Compañía

Dirección

Ciudad   Estado   C.P.

NORTH CAROLINA
North Carolina Dept. of Commerce, Industrial Development Division, Suite #104, 430 N. Salisbury St. Raleigh, NC 27611

Carolina del Norte se anuncia para atraer nuevos negocios a su estado. *Cortesía de la División de Desarrollo Industrial del departamento de comercio de Carolina del Norte.*

mucha información para las firmas, cerca de la ubicación en el estado: perfiles profundos de más de 325 comunidades, un inventario computadorizado de emplazamientos y edificios industriales disponibles, estimaciones de impuestos estatales y locales para lugares específicos, análisis de costos de mano de obra y beneficios marginales, detalles sobre el transporte conveniente a los lugares y estimados de los costos de construcción.

Pero la división de desarrollo industrial hace algo más que limitarse a proporcionar información: busca activamente compañías y las ayuda a instalarse en Carolina del Norte. Invita a grupos de ejecutivos de negocios para que recorran el estado y oigan presentaciones e instala casetas en exhibiciones comerciales. Sus representantes (que a menudo incluyen al gobernador del estado) viajan a otros estados para comunicarles la historia de Carolina del Norte a los ejecutivos en negocios e industrias que tengan atractivo. La división también comunica y persuade mediante folletos de información y promoción que se distribuyen por correo, y mediante publicidad en los medios de comunicación de masas. Los anuncios y los folletos, como los que se muestran aquí, dan información sobre los beneficios de Carolina del Norte: una fuerza laboral grande y productiva, numerosas instituciones de capacitación técnica y educativa, impuestos bajos, una buena red de transporte, costos bajos de energía y de construcción, un buen entorno y mucho apoyo gubernamental.

El presupuesto total de la división es de sólo 2 millones de dólares al año, pero los rendimientos son grandes. Desde 1977 hasta 1983, los negocios nuevos y en expansión anunciaron inversiones de más de 13 mil millones de dólares en Carolina del Norte, creando más de 200 000 nuevos puestos.

Fuente: Basado en información suministrada por la División de Desarrollo Industrial del departamento de comercio de Carolina del Norte.

gan: "edificó un monumento a su capacidad y a la potencia de las agencias de prensa al hacer de las carreras de Indianapolis en el día de los caídos en la guerra un acontecimiento nacional; además, convirtió Miami Beach y Sun Valley en famosos lugares de verano".[19]

Hoy en día casi todas las ciudades y estados anuncian sus atractivos turísticos. Miami Beach está considerando la conveniencia de legalizar el juego a fin de atraer mayor número de turistas, y las Islas Vírgenes desean recuperar su popularidad después de algunos lamentables accidentes ocurridos a turistas. Sin embargo, algunos lugares están tratando de descomercializarse. Palm Beach, en Florida, está dejando que su playa se erosione para desalentar al turismo; el estado de Oregon le hace publicidad a su mal clima; el Yosemite National Park posiblemente prohíba los vehículos para nieve, las convenciones y el uso de automóviles particulares; Finlandia, por su parte, desea que los turistas no pasen sus vacaciones en ciertas zonas donde el daño que causan al medio supera a los beneficios que aportan.

MERCADOTECNIA DE IDEAS

Las ideas también pueden ser objeto de mercadotecnia. En cierto sentido, la mercadotecnia siempre es el mercadeo de una idea, ya se trate de cepillarse los dientes, la de que Crest es la pasta que mejor evita la caries o la de cualquier otra cosa. En esta sección nos limitaremos a explicar la mercadotecnia de ideas sociales, a saber: las campañas contra el hábito de fumar, el alcoholismo, la drogadicción y la glotonería; las campañas ecologistas que promueven la protección de la naturaleza, la pureza del aire y la conservación de las bellezas naturales; y otro tipo de campañas como la planificación familiar, la defensa de los derechos de la mujer, la igualdad racial. A esta área se le denomina mercadotecnia social.[20]

La *mercadotecnia social* es el diseño, realización y control de programas que buscan mejorar la aceptación de una idea social, una causa o una costumbre en un grupo meta. Utiliza la segmentación del mercado, la investigación de los consumidores, el desarrollo de concepto, comunicaciones, buena disposición, incentivos y la teoría de intercambio para maximizar la respuesta del grupo meta en cuestión.

Los mercadólogos sociales pueden ir en pos de diferentes objetivos: producir *conocimiento* (conocimiento del valor nutritivo de diferentes alimentos); motivar una *acción aislada* (participar en una campaña de inmunización masiva); tratar de *cambiar la conducta* (campaña para fomentar el uso de cinturones de seguridad en los automóviles); cambiar una *creencia básica* (convencer a los que están en contra del aborto de que la mujer tiene el derecho de abortar).

El Advertising Council of America ha llevado a cabo docenas de campañas de publicidad social, entre ellas "Evite los incendios forestales", "Conserve limpia su ciudad", "Afíliese al cuerpo de paz", "Compre bonos", "Estudie en la Universidad". Pero la mercadotecnia social es mucho más amplia. Muchas campañas de publicidad pública fracasan porque le asignan a la publicidad el papel principal y no logran desarrollar ni usar todas las herramientas de la mezcla de mercadotecnia.

Wiebe, en su estudio de cuatro campañas sociales, mostró la forma cómo el éxito diferencial de éstas estaba relacionado con el gran parecido que tuvieran con la venta de un producto o servicio normales.[21] El gran éxito del maratón de radio Kate Smith para vender bonos una tarde se debió a la presencia de fuerza (patriotismo), dirección (comprar bonos), mecanismo (bancos, oficinas de correos, órdenes por teléfono), adecuación y compatibilidad (muchos centros para comprar los bonos) y distancia (facilidad de compra). Las otras tres campañas sociales tuvieron menos éxito porque se ignoraron las demás variables de la mezcla de mercadotecnia.

En el diseño de estrategias para el cambio social, los mercadólogos sociales pasan por un proceso normal de planeación de mercadotecnia. Primero, definen el objetivo del cambio social: por ejemplo, "reducir el porcentaje de adolescentes que fuman de 60 a 40% en el plazo de cinco años". Después analizan las actitudes, creencias, valores y conducta de los adolescentes, y las fuerzas que apoyan el tabaquismo entre los adolescentes. Consideran enfoques alternativos de comunicación y distribución que pudieran alejar a los jóvenes de ese hábito (véase recuadro 23-2), desarrollan un programa de mercadotecnia y construyen una organización de mercadotecnia para ejecutar el plan. Por último, evalúan y ajustan el programa en marcha para hacerlo más eficaz.

La mercadotecnia social es nueva, y por esto es difícil evaluar su efectividad en relación con otras estrategias del cambio social. Es difícil producir el cambio social con alguna estrategia, y mucho más si se aplica una estrategia basada por completo en la respuesta voluntaria. La mercadotecnia social se ha aplicado principalmente en la planeación familiar,[22] la protección ambiental,[23] la conservación de la energía, el mejoramiento de la nutrición, la seguridad para los conductores de automóviles y el transporte público, y han habido algunos éxitos alentadores. Pero se necesitan más aplicaciones para que pueda evaluarse por completo el potencial de la mercadotecnia social para producir el cambio social.

RECUADRO 23-2

¿PUEDE LA MERCADOTECNIA SOCIAL REDUCIR EL CONSUMO DE CIGARRILLOS?

Las pruebas científicas demuestran que hay un nexo entre el tabaquismo y el cáncer pulmonar, las enfermedades del corazón y el enfisema. La mayoría de los fumadores conocen los efectos nocivos de ese hábito. El problema radica en proporcionarles los medios para que fumen menos o motivarlos para que dejen de fumar. Los cuatro P sugieren varios posibles enfoques:

1. *Producto*
   a. Obligar a los fabricantes a agregar un ingrediente agrio o amargo al tabaco.
   b. Reducir aún más el contenido de alquitrán y nicotina en los cigarrillos.
   c. Encontrar un nuevo tipo de tabaco para los cigarrillos que tenga el mismo sabor y sea seguro.
   d. Promover otros productos que ayuden a la gente a aliviar la tensión, como la goma de mascar.

2. *Promoción*
   a. Aumentar el miedo que tienen los fumadores a morir demasiado jóvenes.
   b. Crear un sentimiento de culpabilidad o de vergüenza entre los fumadores.
   c. Fortalecer otras metas de los fumadores que les procuren mayor satisfacción que los cigarrillos.
   d. Recomendarles reducir el número de cigarrillos que fuman o fumar sólo la mitad de cada cigarrillo.

3. *Plaza*
   a. Hacer más difícil la obtención de cigarrillos o hacerlos inaccesibles.
   b. Facilitar a los fumadores la asistencia a clínicas contra el tabaquismo.
   c. Disminuir el número de lugares públicos donde se permita fumar.

4. *Precio*
   a. Aumentar considerablemente el precio de los cigarrillos.
   b. Aumentar el costo de los seguros de vida y seguro médico de los fumadores.

Las campañas contra el tabaquismo parecen valer la pena. Sin embargo, los mercadólogos sociales deberían notar algunas consecuencias secundarias. Las personas que dejan de fumar suelen comer más y aumentar de peso. El exceso de peso acorta la vida de la gente en aproximadamente 14 años. Esto mientras que el tabaquismo acorta la vida en unos 7 años. El licor acorta la vida en unos 4 años. Esto podría indicar que el mercadólogo social debería dejar en paz al fumador o alentarlo a que bebiera en vez de fumar.

■ *Resumen*

La mercadotecnia se ha ampliado mucho en los últimos años hasta incluir otras entidades "comercializables", además de los productos; es decir, servicios, organizaciones, personas, lugares e ideas.

Estados Unidos es la primera economía de servicios en el mundo y muchos de los estadunidenses trabajan en la industria de los servicios. Los *servicios* son actividades o beneficios que un partido puede ofrecer a otro y que son esencialmente intangibles, y no dan lugar a la propiedad de ninguna cosa. Los servicios son intangibles, inseparables, variables y perecederos. Los servicios pueden clasificarse según se basen en personas o en equipo, según se requiera o no de la presencia del cliente, según éste sea un consumidor o un negocio, según el prestador del servicio sea una empresa no lucrativa del sector público o privado. Las empresas de servicio van a la zaga de las fabriles en la adopción y aplicación de los conceptos de la mercadotecnia. Sin embargo, el aumento de los costos y de la competencia las están obligando a buscar sistemas para acrecentar su productividad. La mercadotecnia es un factor de progreso puesto que exige una planeación más sistemática de los conceptos de servicio, así como de su precio, distribución y promoción.

También las organizaciones son objeto de mercadeo. La *mercadotecnia de organizaciones* se emprende para crear, mantener o alterar actitudes o conducta de las audiencias meta hacia determinadas organizaciones. Requiere evaluar la imagen actual de la empresa y desarrollar un plan de mercadotecnia para dar lugar a una mejor imagen.

La *mercadotecnia de personas* consiste en las actividades emprendidas para crear, mantener o alterar actitudes o conducta hacia determinadas personas. Dos formas comunes son la mercadotecnia de celebridades y la mercadotecnia de candidato político.

La *mercadotecnia de lugares* incluye las actividades para crear, mantener o alterar actitudes o conducta hacia determinados lugares. Los cuatro tipos más comunes son mercadotecnia de viviendas, mercadotecnia de ubicación de negocios, mercadotecnia de bienes raíces y mercadotecnia de vacaciones.

La *mercadotecnia de ideas* abarca los esfuerzos para mercadear ideas. En el caso de ideas sociales se le denomina *mercadotecnia social,* y consiste en diseñar, implantar y controlar los programas cuya finalidad sea mejorar la aceptación de una idea, causa o costumbre social en determinado grupo. La mercadotecnia social va más allá de la mera publicidad, puesto que la coordina con otros elementos de la mezcla de mercadotecnia. El mercadólogo social define primero el objetivo del cambio social, analiza después las actitudes del consumidor y las fuerzas antagónicas, desarrolla y somete a prueba otros conceptos, crea los canales apropiados para la comunicación y distribución de la idea y, por último, evalúa los resultados. La mercadotecnia social ha sido aplicada a la planeación familiar, la protección del medio ambiente, campañas contra el tabaquismo y otros temas de interés público.

■ *Preguntas de repaso*

1. En 1983 el gobierno de Estados Unidos ocupó el vigésimo octavo lugar entre los anunciantes más grandes del país con base en el total de desembolsos en ese sector, mientras que el gobierno canadiense fue el principal anunciante en ese país, gastando el doble de la General Foods, que ocupó el segundo lugar. ¿A qué cree que se debió tal diferencia entre los gastos publicitarios de ambos gobiernos?

2. Muchos bancos han estado contratando a ejecutivos de mercadotecnia que tengan experiencia en bienes de consumo empacados. ¿Cuál cree que sea la causa de esa tendencia y qué problemas podría ocasionar ese sistema de contratación?

3. Relacione las cuatro características típicas de los servicios con la compra de un boleto para el cine.

4. Los productores de servicios siempre han estado más orientados hacia la mercadotecnia que los fabricantes de productos. Comente esta aseveración.

5. Explique por qué los canales de distribución son importantes para las siguientes empresas de servicios: a)

Coopers and Lybrand (firma de contabilidad "Big 8"), b) la Paramount Pictures, c) el taller de reparaciones Joe y d) el teatro local.

6. ¿Cuál es el propósito principal del encargado de la mercadotecnia de la organización? Explique su respuesta.

7. Los únicos lugares que pueden comercializarse bien son aquéllos que atraen al público. Comente.

8. ¿En qué se distinguen la mercadotecnia social y la publicidad social? Explique su respuesta.

■ *Bibliografía*

1. JAMES COOK, "You Mean We've Been Speaking Prose All These Years?" *Forbes,* 11 de abril de 1983, pp. 142-69.
2. "Services Grow While the Quality Shrinks", *Business Week,* octubre de 1971, p. 50.
3. Para una buena explicación de los sistemas de control de calidad en los hoteles Marriott. véase G. M. HOSTAGE, "Quality Control in a Service Business", *Harvard Business Review,* julio-agosto de 1975, pp. 98-106.
4. Véase W. EARL SASSER, "Match Supply and Demand in Service Industries", *Harvard Business Review,* noviembre-diciembre de 1976, pp. 133-40.
5. Para más sobre la clasificación de los servicios, véase CHRISTOPHER H. LOVELOCK, "Classifying Services to Gain Strategic Marketing Insights", *Journal of Marketing,* verano de 1983, pp. 9-20.
6. WILLIAM R. GEORGE y HIRAM C. BARKSDALE, "Marketing Activities in the Service Industries", *Journal of Marketing,* octubre de 1974, p. 65. Véase también A. PARASURAMAN, LEONARD L., BERRY y VALERIE A. ZEITHAML, "Service Firms Need More Marketing", *Business Horizons,* noviembre-diciembre de 1983, pp. 28-31.
7. Véase DANIEL T. CARROLL, "Ten Commandments for Bank Marketing", *Bankers Magazine,* otoño de 1970, pp. 74-80. Véase también G. LYNN SHOSTACK, "Banks Sell Services—No Things", y *Bankers Magazine",* invierno de 1977, pp. 40-45; y STEVEN MINTZ, "'Banking on Marketing, *Sales and Marketing Management,* 6 de junio de 1983, pp. 43-48.
8. THEODORE LEVITT, "Product-Line Approach to Service", *Harvard Business Review,* septiembre-octubre de 1972, pp. 41-52; véase también "The Industrialization of Service", *Harvard Business Review,* septiembre-octubre de 1976, pp. 63-74.
9. *Public Relations News,* 27 de octubre de 1947.
10. Para este argumento, véase PHILIP KOTLER y WILLIAM MINDAK, "Marketing and Public Relations", *Journal of Marketing,* octubre de 1978, pp. 13-20.
11. La técnica del diferencial semántico se presentó originalmente en C. E. OSGOOD, C. J. SUCI y P. H. TANNENBAUM, *The Measurement of Meaning* (Urbana: University of Illinois Press, 1957).
12. Para formas adicionales de comercializar una firma profesional de servicios, véase PHILIP KOTLER y PAUL N. BLOOM, *Marketing Professional Services* (Englewood Cliffs, NJ: Prentice-Hall, 1984).
13. CAROL OPPENHEIM, "Bucky Dent: The Selling of a Sudden Superstar", *Chicago Tribune,* 16 de diciembre de 1978, sec. 2, p. 1.
14. "In the Groove at Mercury Records", *Chicago Daily News,* Panorama magazine, 16 de octubre de 1976.
15. JOHN E. COONEY, "Eddie Fisher Discovers That Regaining Fame Is a Daunting Goal", *Wall Street Journal,* 20 de febrero de 1978, p. 1.
16. Véase THEODORE WHITE, *The Making of a President 1960* (New York: Atheneum, 1961); JOE McGINNESS, *The Selling of a President 1968* (New York: Trident Press, 1969); y DANIEL BURSTEIN, "Presidential Timbre; Grooming the Candidates", *Advertising Age,* 12 de marzo de 1984, p. M4.
17. Véase E. GLICK, *The New Methodology* (Washington, DC: American Institute for Political Communication, 1967), p. 1. Véase también PHILIP KOTLER y NEIL KOTLER, "Business Marketing for Political Candidates", *Campaigns and Elections,* verano de 1981, pp. 24-33.
18. Para una descripción de la mercadotecnia de una "nueva ciudad" en Texas, llamada The Woodlands", véase BETSY D. GELB y BEN M. ENIS, "Marketing a City of the Future", en *Marketing Is Everybody's Business* (Santa Monica, CA: Goodyear, 1977).
19. Véase SCOTT CUTLIP y ALLEN H. CENTER, *Effective Public Relations,* (3a. ed.) (Englewood Cliffs, NJ: Prentice-Hall, 1964), p. 10.
20. Véase PHILIP KOTLER y GERALD ZALTMAN, "Social Marketing: An Approach to Planned Social Change", *Journal of Marketing,* julio de 1971, pp. 3-12.
21. G. D. WIEBE, "Merchandising Commodities and Citizenship on Television", *Public Opinion Quarterly,* invierno de 1951-52, pp. 679-91.
22. Véase EDUARDO ROBERTO, *Strategic Decision-Making in a Social Program: The Case of Family-Planning Diffusion* (Lexington, MA: Lexington Books, 1975).
23. Véase KARL E. HENION II, *Ecological Marketing* (Columbus, OH: Grid, 1976).

24
Mercadotecnia y sociedad

La compañía Giant Foods, Inc., es una importante cadena de supermercados en el área de Washington, D.C. En 1970 la firma adoptó, como respuesta al creciente movimiento de consumo, un nuevo concepto de su negocio. La cadena típica de abarrotes está satisfecha con trabajar aquellos productos que los fabricantes quieren vender y que los compradores quieren comprar, sin hacer ningún juicio ni ofrecerles a los consumidores ningún consejo. Giant, sin embargo, adoptó un punto de vista distinto: "Somos el canal de alimentación para los consumidores. Deberemos esforzarnos por ayudar al consumidor a obtener el mayor valor posible no sólo en dinero efectivo, sino también en valor nutricional. Nuestra tienda deberá ser un instrumento para ayudar al consumidor a saber cómo comprar bien".

Esta orientación de consumo se ha implantado mediante una serie de medidas específicas:

1. La cadena no venderá ningún tipo de alimentos innecesariamente caros.

2. La cadena intentará manejar versiones de precio bajo, mediano y alto de los productos alimenticios básicos para darle al consumidor de dónde escoger.

3. La cadena señalaría ocasionalmente que algún artículo es caro y que otro artículo sustituto costaría menos y daría los mismos beneficios.

4. La cadena anunciará los precios de cada marca con claridad y en términos unitarios (kilogramos, litros, etcétera), de modo que los consumidores puedan hacer comparaciones de precio.

5. La cadena les pondrá fecha a los productos perecederos para información de los consumidores.

6. La cadena empleará a tiempo completo expertos en economía del hogar para responder preguntas acerca de valores nutricionales, recetas y otros problemas.

7. La cadena les facilitará a los consumidores presentar sus quejas.

8. La cadena nombrará a un conocido defensor del consumidor para su junta directiva de modo que la gerencia siempre esté consciente del punto de vista del consumidor.

A través de estas medidas, Giant dejó de ser un distribuidor que actuaba a favor de los intereses del vendedor para convertirse en un agente actuante de los intereses de los compradores. ¿Fue provechosa esa orientación hacia el consumidor? Según un vocero de la compañía: "Estas acciones han mejorado inmensamente la simpatía por Giant y le han ganado la admiración de líderes en el movimiento del consumidor".

Giant Foods adoptó un enfoque responsable y creativo de la mercadotecnia. Los mercadólogos responsables interpretan los deseos del consumidor y responden con productos apropiados, con un precio que les permite a los compradores obtener un buen valor y que proporciona utilidades para el productor. El *concepto de mercadotecnia* es una filosofía de servicio y ganancia mutua. Su práctica permite que la economía satisfaga las necesidades diversas y cambiantes de millones de consumidores.

No todos los mercadólogos practican el concepto de mercadotecnia. Algunos individuos y compañías se dedican a prácticas cuestionables. Y ciertas transacciones privadas de mercadotecnia, que parecen ser inocentes, tienen profundas implicaciones para la sociedad en su conjunto. Considérese la venta de los cigarrillos. Comúnmente, las compañías deberían tener libertad para vender cigarrillos y los fumadores para comprarlos. Sin embargo, esta transacción afecta el interés del público. Primero, es probable que el fumador esté acortando la duración de su propia vida. Segundo, el tabaquismo es una carga para la familia del fumador y para la sociedad en general. Tercero, otras personas que están en presencia del fumador tendrán que inhalar el humo, y pueden experimentar incomodidad y daño. Esto no quiere decir que los cigarrillos deberían prohibirse. Sino muestra más bien que las transacciones privadas pueden implicar cuestiones más generales de política pública.

El hombre de negocios puede contrarrestar tales críticas señalando la gran riqueza creada en Estados Unidos por esta filosofía de la producción en masa y el consumo en masa. Sin lugar a dudas, la existencia de unos pocos abusos, excesos y desperdicios son un pequeño precio que pagar por la oferta interminable de bienes materiales de que se disfruta en ese país.

Pero esta actitud es peligrosa. Si el público *piensa* que hay cosas erróneas con la mercadotecnia, sería tonto ignorar estas preocupaciones. Por razones de interés propio y de conciencia, los mercadólogos deberían examinar su papel en la sociedad.

En este capítulo se examinan las consecuencias sociales de las prácticas de mercadotecnia privada. Se responderán las siguientes preguntas: 1) ¿cuáles son las críticas sociales más frecuentes de la mercadotecnia? 2) ¿Qué medidas han emprendido los ciudadanos privados para contener los males de la mercadotecnia? 3) ¿Qué pasos deben dar los legisladores y los organismos del Estado para poner fin a esas deficiencias de la mercadotecnia? 4) ¿Qué pasos han dado las compañías con mayor visión para ejecutar una mercadotecnia socialmente responsable? 5) ¿Qué principios podrían guiar la política futura hacia la mercadotecnia?

CRITICAS SOCIALES CONTRA LA MERCADOTECNIA

Las críticas sociales de la mercadotecnia pueden clasificarse en tres grupos: las que afectan a los consumidores individuales, a la sociedad en su conjunto y a otras firmas de negocios.

Impacto de la mercadotecnia sobre el bienestar individual

Los consumidores tienen muchas dudas acerca de lo bien que el sistema de mercadotecnia estadunidense sirva a sus intereses. En una reciente encuesta de consumo dirigida por Louis Harris y asociados para la Atlantic Richfield Company, se descubrió que los consumidores están preocupados por precios altos, productos de mala calidad, productos peligrosos, afirmaciones publicitarias exageradas y otros problemas asociados con las prácticas publicitarias (véase figura 24-1). Los defensores del consumidor, las agencias gubernamentales y otros críticos han acusado a la mercadotecnia de perjudicar a los consumidores a través de precios altos, prácticas engañosas, ventas por alta presión, productos peligrosos o in-

FIGURA 24-1
*Encuesta de
preocupaciones del
consumidor, 1982
en comparación
con 1976*

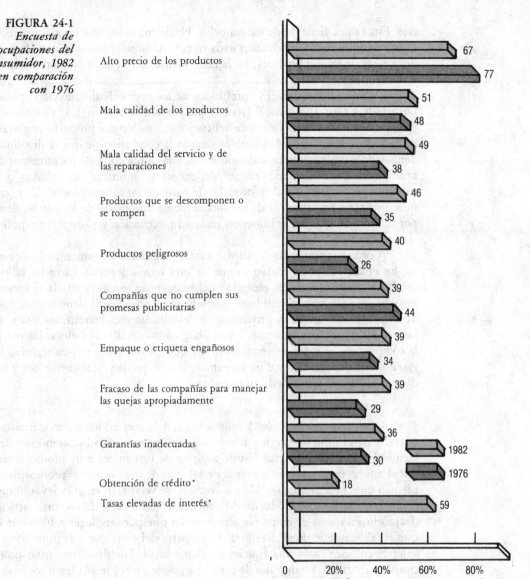

Alto precio de los productos — 67 / 77

Mala calidad de los productos — 51 / 48

Mala calidad del servicio y de las reparaciones — 49 / 38

Productos que se descomponen o se rompen — 46 / 35

Productos peligrosos — 40 / 26

Compañías que no cumplen sus promesas publicitarias — 39 / 44

Empaque o etiqueta engañosos — 39 / 34

Fracaso de las compañías para manejar las quejas apropiadamente — 39 / 29

Garantías inadecuadas — 36 / 30

Obtención de crédito* — 18

Tasas elevadas de interés* — 59

1982 / 1976

Porcentaje de consumidores que se preocupan "mucho"

*Obtención de crédito (18%) y altas tasas de interés (59%)
Preguntas formuladas en 1982 pero no en 1976

Fuente: consumerismo en la década de 1980, encuesta de 1 252 adultos, octubre 15 a 26, 1982, dirigida por Louis Harris and Associates por ARCO. Véase Myrlie Evers, "Consumerism in the Eighties," *Public Relations Journal,* Agosto 1983, pp. 24-26.

seguros, obsolescencia planeada y mal servicio para consumidores de condiciones económicas bajas. Estas críticas se examinarán a continuación.

Precios altos

Muchos críticos acusan al sistema de mercadotecnia estadunidense por hacer que los precios estén a un nivel más alto del que tendrían bajo otros arreglos "razonables". Señalan tres factores.

ALTOS COSTOS DE DISTRIBUCION.   Una acusación muy vieja consiste en señalar que los intermediarios, en su afán de lucro, imponen precios muy superiores al valor real de sus servicios. Esta crítica viene desde hace mucho. Platón afirmaba que los abarroteros practicaban las artes adquisitivas y no creaban nada nuevo. Aristóteles los condenaba por tener utilidades a costa de los compradores. En la Edad Media, la Iglesia imponía restricciones sobre los intermediarios.

Uno de los estudios más profundos de los costos de distribución apareció en *Does Distribution Cost Too Much?*[1] (¿cuesta mucho la distribución?). El estudio se dirigió después de observar que los costos de ventas y distribución del producto se elevaron de 20% en 1850 a 50% en 1920. Los autores sacaron la conclusión de que la distribución costaba demasiado y atribuyeron la situación a ''. . . la duplicación de los esfuerzos de ventas, la multiplicidad de tiendas, exceso de servicios, multitud de marcas y publicidad superflua . . . compras mal informadas de parte de los consumidores . . . y, entre los mismos distribuidores, carencia de un conocimiento apropiado de los costos, demasiado celo por la venta en grandes volúmenes, mala administración y planeación y políticas de precios equivocadas''.[2]

¿Cómo responden los detallistas a estas preguntas? Argumentan lo siguiente: primero, los intermediarios ejecutan lo que de otra forma deberían hacer los fabricantes o los consumidores. Segundo, la elevación del margen de ganancia refleja el mejoramiento de los servicios que los consumidores quieren: más comodidad, tiendas y surtido más grandes, horarios más amplios, privilegios de devolución, etc. Tercero, los costos de mantener las tiendas siguen aumentando, y esto obliga a los detallistas a elevar los precios. Cuarto, la competencia al menudeo es tan intensa que los márgenes son en realidad bastante bajos. Por ejemplo, las cadenas de supermercados se quedan escasamente con 1% de utilidades en sus ventas después de impuestos.

COSTOS MAS ALTOS DE PUBLICIDAD Y PROMOCION.   A la mercadotecnia moderna también se le acusa de hacer subir los precios debido a la enorme publicidad y promoción de ventas. Por ejemplo, una docena de pastillas de aspirina de una marca muy promocionada se vende por el mismo precio que un centenar de tabletas de marcas menos promovidas. Los críticos piensan que si los productos ''de uso común'' se vendieran en grandes volúmenes, su precio bajaría mucho. Los productos diferenciados (cosméticos, detergentes, artículos de tocador) incluyen costos de empaque y promoción que pueden llegar a 40% o más del precio que el fabricante le da al detallista. Gran parte del empaque y la promoción sólo agrega valor psicológico, más que funcional, al producto. Los detallistas usan promoción adicional (publicidad, estampillas de canje, juegos de azar) y le añaden unos cuantos centavos más a los precios al menudeo.

Los hombres de negocios responden de diversas maneras. Primero, los consumidores están interesados en algo más que las cualidades funcionales de los productos. Busca también beneficios psicológicos como los de sentirse rico, hermoso o especial. Los consumidores usualmente pueden comprar versiones funcionales de productos a precios más bajos, pero a menudo están dispuestos a pagar más por artículos que también proporcionan estos beneficios psicológicos. Segundo, la marca les da confianza a los compradores. Un nombre de marca significa una cierta calidad y los consumidores desean pagar más por marcas bien conocidas. Tercero la publicidad intensa es una forma necesaria y eficaz en cuanto a costos para informar a los millones de compradores potenciales sobre la existencia y méritos de una marca. Si los consumidores quieren saber qué hay en el mercado, los fabricantes deben gastar grandes sumas de dinero en publicidad. Cuarto, la publicidad y promoción intensas son necesarias para la firma cuando la competencia está haciendo lo mismo. La empresa individual perdería ecuanimidad si se quedara atrás en esos gastos. Al mismo tiempo, las compañías son muy conscientes en cuanto a sus costos de promoción y tratan de gastar su dinero sabiamente. Y quinto, la promoción de ventas intensa es necesaria de cuando en cuando debido a que en una economía de producción en masa los bienes se producen antes de que aparezca la demanda. Deben ofrecerse incentivos especiales a los compradores para liquidar los inventarios excesivos.

MARGEN DE GANANCIA EXCESIVO. Los críticos señalan que ciertas industrias son particularmente culpables de poner un margen de ganancia excesivo. Indican que la industria de los medicamentos, donde fabricar una píldora cuesta 5 centavos de dólar puede costarle al consumidor hasta 40 centavos; señalan las tácticas de fijación de precio de las funerarias que se aprovechan del estado anímico de los familiares desolados;[3] mencionan las elevadas tarifas de quienes reparan televisores o automóviles. La presunta explotación se dramatiza en libros como: *The Poor Pay More, The Hucksters, The Permissible Lie, The Innocent Consumer vs. the Exploiters, The Thumb on the Scale or the Supermarket Shell Game* y *100 000 000 Guinea Pigs*.

Los mercadólogos responden diciendo que la mayoría de los negocios intentan ser justos con los consumidores porque quieren seguir haciendo negocio con ellos. La mayoría de los abusos a los consumidores no son intencionales. Cuando mercadólogos sin escrúpulos se aprovechan de los consumidores, se les debe denunciar al Better Business Bureau y otros grupos de protección al consumidor. Los mercadólogos también responden argumentando que los consumidores a menudo no comprenden la razón para los altos márgenes de utilidad. Por ejemplo, los márgenes farmacéuticos deben cubrir los costos de comprar, promover y distribuir medicinas existentes y los altos costos de investigación y desarrollo para buscar nuevos medicamentos.

Prácticas engañosas

A los hombres de negocios se les acusa a menudo de prácticas engañosas que les hacen creer a los consumidores que obtendrán más valor del que reciben en verdad. Ciertas industrias reciben un número desproporcionado de quejas. Entre las peores transgresoras se cuentan las compañías aseguradoras (alegando que las pólizas tienen una "garantía de renovación" o que están firmadas por el gobierno), las compañías editoras (que atraen suscriptores con engaños), organizaciones que venden bienes raíces por correo (que falsean las condiciones de los terrenos o los gastos de urbanización), los contratistas de mejoramiento de viviendas (que aplican tácticas de anzuelo), los talleres de reparación de automóviles (que ofrecen precios muy bajos pero que luego descubren una reparación necesaria pero muy costosa), los planes de aire acondicionado doméstico (que representan falsamente los ahorros), las escuelas por correspondencia (que exageran las oportunidades de empleo para quienes finalicen el curso), las compañías de máquinas expendedoras automáticas (que garantizan falsamente ubicaciones excelentes), los estudios que imparten lecciones de baile (que reciben a ancianos y les cobran por lecciones que a su edad ya no llegarán a recibir) y compañías que venden aparatos médicos (exagerando sus virtudes terapéuticas).

Las prácticas engañosas se dividen en tres grupos. La *fijación de precios engañosa* incluye prácticas como anunciar falsamente precios "de fábrica" o "de mayorista" o anunciar una gran reducción de precio en comparación con una lista de precios altos artificial. La *promoción engañosa* incluye exagerar los atributos del producto, desfigurando las garantías, demostrando falsamente el rendimiento del producto, atrayendo al consumidor a la tienda por una rebaja que está agotada o que el vendedor baja de categoría, y organizando concursos arreglados. El *empaque engañoso* incluye exagerar el contenido aparente del paquete mediante un diseño sutil, no llenar el paquete por completo, usar etiquetas engañosas y describir el tamaño en términos engañosos.

Las prácticas engañosas han dado lugar a remedios administrativos y legales. En 1938 la Ley Wheeler-Lea autorizó a la Federal Trade Commission (FTC) a reglamentar las "prácticas o acciones injustas o engañosas". La FTC ha publicado varias normas en las que se enumeran estas prácticas. El problema más difícil es distinguir entre *publicidad exagerada* y *engaño*. La Shell Oil anunciaba en su publicidad que la Super Shell con *platformate* rendía más kilometraje que la misma gasolina sin *platformate*. Esto es verdad, pero lo que la Shell no decía es que casi todas las gasolinas para automóvil tienen este *platformate*. Su defensa fue que nunca había aseverado que el *platformate* era una característica exclusiva de Shell. Pero aun cuando el mensaje era literalmente verdadero, la FTC opinó que la intención del anuncio era la de engañar.

Los mercadólogos argumentan que la mayoría de los hombres de negocios evitan las prácticas engañosas porque éstas son perjudiciales para sus empresas a largo plazo. Si los consumidores no reciben lo que esperaban, escogerán productos más confiables. Asimismo, los consumidores suelen protegerse a sí mismos del engaño o la exageración. La mayoría de los consumidores reconocen la intención que tiene el mercadólogo de vender y ejercen un saludable escepticismo a la hora de adquirir algo, a veces hasta el punto de creer en las afirmaciones legítimas sobre el producto. Levitt afirma que es inevitable cierta exageración en la publicidad e incluso deseable:

> Casi no hay una sola compañía que no iría a la ruina si se negara a exagerar un poco su publicidad, ya que nadie compraría la sola funcionalidad.... E incluso peor, niega . . . las necesidades y valores honestos del hombre. Si la religión necesita de la arquitectura, libros, letra y música para atraer y mantener su audiencia, y si lo sexual debe perfumarse, empolvarse, recibir aerosol y moldeado con el fin de atraer la atención, es ridículo negar el carácter legítimo de embellecimientos más modestos y similares en el mundo del comercio.... Muchas de las denominadas distorsiones de la publicidad, el diseño del producto y el empaque pueden considerarse como un paradigma de las numerosas respuestas que el hombre da a las condiciones de la supervivencia en el ambiente. Sin distorsión, embellecimiento y elaboración, la vida sería gris, aburrida, angustiosa y sin interés.... Yo argumentaría que el embellecimiento y la distorsión se cuentan entre los propósitos socialmente deseables y legítimos de la publicidad; y la ilegalidad en publicidad consiste solamente en falsificación con intención de robo.[4]

Ventas de alta presión

A los vendedores en ciertas industrias se les acusa de aplicar técnicas de ventas de alta presión que inducen a la gente a comprar bienes que de otra manera no habría adquirido. Se dice a menudo que las enciclopedias, los seguros, los bienes raíces y las joyas se venden, no se compran. Los vendedores están entrenados para convencer al cliente con una conversación amena y con razones muy sutiles. Trabajan duro porque los concursos de ventas ofrecen grandes premios a quienes vendan más. Un gerente de ventas les dio la siguiente exhortación a sus vendedores:

> Un pensamiento esta mañana: alta presión.... Todo el mundo tiene miedo de esta palabra. Como hemos estado vendiendo con tanta facilidad durante los dos últimos años, todo el mundo se muestra melindroso de ponerse a trabajar.... Receptores de pedidos, eso es lo que ahora somos.... ¿Cuál es la respuesta? Presión, hermano, alta presión; y déjenme decirles una cosa, que aquellos vendedores que no se activen se van a quedar atrás, y rápido.[5]

Los hombres de negocios reconocen que a los compradores a menudo se les puede convencer de que adquieran cosas que no quieran o que no necesiten. La legislación reciente obliga a los vendedores de puerta en puerta que anuncien su propósito de vender. A los compradores también se les permite un periodo de enfriamiento de tres días en que pueden cancelar un contrato después de pensárselo bien. Además, los consumidores pueden quejarse frente a los Better Business Bureaus cuando sientan que se aplicó presión indebida.

Productos de mala calidad o inseguros

Otra crítica es que los productos carecen de la calidad que debieran tener. Una queja es que los productos no están bien hechos. "Si (el consumidor) se escapa de algún modo de los traqueteos, zumbidos, botones sueltos o piezas faltantes, probablemente quedarán abolladuras, manchas, disparidad de tamaños, vibraciones, escurrimientos o crujidos".[6] Los automóviles son objeto de más críticas que otras mercancías. La Consumers Union, una agencia de pruebas que publica *Consumer Reports,* sometió a prueba 32 automóviles y descubrió algo defectuoso en cada uno de ellos. "Los automóviles se entregaban con filtraciones, abolladuras en las defensas, puertas desalineadas, tapas rotas del distribuidor, una llave de ignición que no funcionaba bien".[7] También se han acumulado quejas contra los servicios de reparaciones de electrodomésticos y de automóviles, diversos aparatos y ropa.

Un segundo tipo de quejas es que algunos productos tienen pocos beneficios. Los consumidores se escandalizan al oír que el cereal seco para el desayuno puede tener muy poco valor nutricional. Robert B. Choate, un especialista en nutrición, dijo frente a un subcomité del Senado: "En resumen (los cereales), engordan pero hacen poco para impedir la malnutrición . . . El cereal promedio . . . no es una comida completa ni siquiera cuando se le agrega leche".[8] Choate agregaba que los consumidores a veces podían obtener más valor nutritivo si se comían el empaque del cereal en lugar de su contenido.

Una tercera queja se refiere a las características de seguridad del producto. Durante muchos años la Consumers Union ha informado de varios peligros en productos sometidos a prueba: peligros de descargas eléctricas en aparatos para el hogar, envenenamiento por monóxido de carbono con los calentadores, riesgo de cortarse los dedos con las podadoras a motor y volantes defectuosos en los automóviles. La calidad del producto ha sido un problema por diversas razones, incluyendo la indiferencia ocasional del fabricante, la mayor complejidad del producto, una mano de obra mal entrenada y un control de calidad insuficiente.

Por otra parte, la mayoría de los fabricantes quieren producir buena calidad. Los consumidores que están insatisfechos con uno de sus productos tal vez eviten sus demás artículos y recomienden a otros consumidores que hagan lo mismo. La forma como una compañía trate con los problemas de calidad y seguridad del producto puede lesionar o mejorar su reputación (véase recuadro 24-1). Las compañías que venden productos inseguros o de mala calidad se arriesgan a confrontaciones peligrosas con grupos de consumidores. Por ejemplo, el libro *Unsafe at Any Speed,* de Ralph Nader, expuso defectos de seguridad en el modelo Corvair de General Motors que llevó a la desaparición del automóvil. Aparte de los grupos de defensa del consumidor, varias leyes obligan a las agencias federales, estatales y locales a proteger a los consumidores en contra de productos malos o inseguros.

RECUADRO 24-1

UN CONTRASTE EN LA RESPUESTA DE LA COMPAÑÍA A PRODUCTOS INSEGUROS

Esta es la historia de dos compañías, una que se tardó en tomar medidas después de que las deficiencias en sus llantas mataron a 29 personas e hirieron a 50; otra que de inmediato intervino al descubrir que su juguete había matado a dos niños.

La preocupación por la seguridad de la llanta radial Firestone 500 apareció en 1976, año en que el grupo de Ralph Nader comenzó a recibir quejas de los consumidores. La National Highway

Traffic Safety Administration (NHTSA) investigó el caso luego de recibir más de 500 quejas. Se recabaron las denuncias de más de 14 000 personas. Y entonces la Firestone trató de conseguir una orden judicial para impedir que se publicara el informe de la NHTSA. La firma esperó hasta que el gobierno la obligó a retirar 13 millones de llantas radiales.

Parker Brothers, la compañía de juguetes filial de la General Mills retiró voluntariamente del mercado un juguete de increíble éxito llamado Riviton, un juego de piezas de plástico, remaches de caucho y un remachador. Cuando la compañía se enteró del primer fallecimiento causado por el juguete, pensó que se trataba de un desafortunado incidente que nunca volvería a repetirse. Y cuando se presentó la segunda muerte causada por la misma parte del juguete, "la decisión fue muy sencilla. No íbamos a quedarnos allí esperando a que ocurriera la muerte número tres", dice Randolph Barton, presidente de Parker Brothers. Para respaldar las medidas inmediatas tomadas por la empresa, Susan King, presidenta de la Consumer Product Safety Commission, declaró que la compañía era "un modelo de responsabilidad social".

Obsolescencia planeada

Los críticos han dicho que los fabricantes en ciertas industrias hacen que sus productos se vuelvan obsoletos antes de que sea verdaderamente necesario reemplazarlos. Hay tres tipos de obsolescencia:

La *obsolescencia planeada del estilo* es una estrategia del productor para cambiar los conceptos que tienen los usuarios de la apariencia aceptable. Los fabricantes de ropa para mujer, ropa para hombre, automóviles, mobiliario e incluso viviendas han sido acusados de esto. El cambio anual en el estilo de los automóviles de Detroit es un ejemplo.

La *obsolescencia funcional planeada* significa una política deliberada de los fabricantes para "no introducir todas las características atractivas, cuya ausencia actual y presentación posterior servirá para estimular una sustitución más temprana del producto...".[9] Un ejemplo sería abstenerse de equipar un automóvil con todos los adelantos modernos respecto a seguridad, control de contaminación y ahorro de gasolina.

La *obsolescencia material planeada* consiste en que los fabricantes seleccionan materiales y componentes más susceptibles de romperse, envejecer, corroerse. Por ejemplo, muchos fabricantes de tapicería y cortinas están utilizando un mayor porcentaje de rayón. Argumentan que este material reduce el precio de las cortinas y que tiene mejor caída. Los críticos señalan que el rayón hará que las cortinas no resistan dos lavadas.

La respuesta de los hombres de negocios es que a los consumidores les gustan los cambios en el estilo. Se aburren de los artículos viejos y quieren una nueva moda de vestir o un nuevo estilo de automóviles. Nadie tiene que comprar el artículo nuevo y si no le gusta al número suficiente de personas, fracasará. Las compañías retienen las nuevas características funcionales cuando no las han sometido bien a pruebas, cuando le agregan más costo al producto del que los consumidores están dispuestos a pagar, y por otras buenas razones. Pero hacen esto bajo el riesgo de que otro competidor introduzca la nueva característica y pueda robarse el mercado. Asimismo, las compañías a menudo sustituyen materiales y usan otros nuevos para reducir los costos y el precio. No diseñan sus productos para que se rompan antes del tiempo normal, pues de hacerlo sus clientes acudirían con la competencia. Gran parte de la denominada obsolescencia planeada es el resultado de factores dinámicos de la competencia y de los avances tecnológicos en una sociedad libre, que conducen a mejores bienes y servicios.

Mal servicio a clientes de escasos recursos

Al sistema estadunidense de mercadotecnia se le ha acusado de servir mal a los consumidores de escasos recursos. Según David Caplovitz en *The Poor Pay More,* los citadinos pobres se ven obligados a comprar en tiendas más pequeñas que tienen bienes de inferior calidad y que cobran precios altos.[10] El ex presidente de la Federal Trade Commission, Paul Rand Dixon, sintetiza así un estudio efectuado en Washington, D.C.:

> Los pobres pagan más (casi el doble) por aparatos electrodomésticos y por el mobiliario que se expende en Washington en las tiendas situadas en barrios de ingresos bajos . . . Los bienes que se compra por 100 dólares con un mayorista cuestan $225 en esos establecimientos, mientras que valen $159 en las tiendas generales . . . El crédito a plazos constituye uno de los principales factores de la mercadotecnia en la venta a los pobres . . . Los detallistas que trabajan en esas áreas cobran 33% anual por concepto de financiamientos . . .[11]

Sin embargo, irónicamente, las utilidades de esos comerciantes no fueron exhorbitantes:

> Los detallistas de mercados con bajos ingresos tienen costos sumamente altos, en parte por los gastos que representan las cuentas incobrables, pero en gran medida por los elevados costos de la venta, de los salarios y de las comisiones. Todos estos desembolsos reflejan en parte el uso de las demostraciones a domicilio, los gastos relacionados con el cobro y procesamiento de los contratos de crédito en bonos. Así, a pesar de que los márgenes de utilidad son el doble o el triple del que tienen los detallistas en el mercado general, por término medio los que trabajan en el de bajos ingresos no obtienen utilidades muy elevadas.[12]

Evidentemente, deben implantarse sistemas de mercadotecnia más eficientes en las zonas de bajos ingresos y, además, este público deberá contar con protección al consumidor. La FTC ha emprendido acciones contra los comerciantes que anuncian falsos valores, que venden artículos viejos como si fueran nuevos o que cobran demasiado por el crédito. Está intentando impedir que las empresas ganen dictámenes judiciales y obtengan órdenes de embargo en contra de personas de bajos ingresos que fueron inducidos a comprar algo. Otra esperanza es convencer a los detallistas a gran escala de que establezcan tiendas en las zonas pobres.[13]

Impacto de la mercadotecnia en la sociedad en su conjunto

El sistema estadunidense de mercadotecnia ha sido acusado de contribuir a la aparición de varios males en la sociedad. La publicidad ha sido un blanco frecuente, tanto así que la American Association of Advertising Agencies lanzó recientemente una campaña para defender a la publicidad de lo que consideraba críticas comunes pero injustificadas (véase recuadro 24-2). Aquí se examinarán las afirmaciones de que la mercadotecnia contribuye a un exceso de materialismo, deseos falsos, insuficiencia de bienes sociales, contaminación cultural y un exceso de poder político.

Materialismo excesivo

Los críticos han dicho que el sistema de mercadotecnia alienta un interés excesivo por los bienes materiales. A la gente se le juzga por lo que tiene y no por lo que es. Una persona ha tenido éxito en la vida sólo cuando es dueño de una casa en los suburbios, dos automóviles y los más nuevo en ropa y aparatos.

La mayoría de la gente entra a la carrera materialista con gran vigor, pero pocos ganan los grandes premios. Muchos renuncian a lo largo del camino, algunos repudian el sistema y el hincapié en la acumulación material deja a muchos descontentos o frustrados.

Parte de todo esto puede estar cambiando. Algunos estadunidenses han ido desligándose de ese deseo de poseer cosas. Ahora viven más relajados, juegan más y aprenden a vivir con menos. "Lo pequeño es más hermoso" y "Es preferible tener menos" son frases

RECUADRO 24-2

PUBLICIDAD: OTRA PALABRA PARA LA LIBERTAD DE ELECCION

En 1984, la American Association of Advertising Agencies lanzó una campaña de publicidad en la que aparecían anuncios como éste para contrarrestar las críticas comunes de la publicidad. La asociación está preocupada por los resultados de investigación de actitudes públicas negativas hacia la publicidad. Dos terceras partes del público reconoce que la publicidad proporciona información útil para hacer compras, pero una porción significativa opina que la publicidad es exagerada o engañosa. La asociación cree que la campaña de anuncios aumentará la credibilidad general de la publicidad y hará más eficaces los mensajes de los anunciantes. Varios medios han acordado publicar los anuncios como un servicio público.

Reproducida con permiso de la American Association of Advertising Agencies

que describen muy bien esta ideología nueva. Se hace más hincapié en cultivar las relaciones cercanas y los placeres sencillos en vez de ''ligarse demasiado a las cosas''.

Deseos falsos

El interés por las cosas no se ve como un estado natural del ser humano, sino como algo creado por la mercadotecnia. Los negocios contratan agencias de publicidad de la avenida

Madison para estimular el deseo de la gente por los bienes materiales y las agencias usan los medios de comunicación de masas para crear modelos materialistas de la buena vida. El consumo ostentoso que hacen algunos crea envidia en otros. La gente trabaja más duro para ganar el dinero necesario, sus adquisiciones aumentan la producción y la capacidad productiva del estado industrial y éste, a su vez, hace mayor uso de las agencias de la avenida Madison para estimular el deseo por la producción industrial. Así, se dice que la gente es el nexo manipulado entre los productores y el consumo. Los deseos terminan por depender de la producción. Galbraith denomina a esto "efecto de dependencia":

> El control o la administración de la demanda es, en realidad, una industria vasta y de rápido crecimiento. Comprenden una inmensa red de comunicaciones, un gran surtido de mercancías y organizaciones de ventas, casi toda la industria de la publicidad, numerosos servicios de investigación, de entrenamiento y de otros tipos y mucho más. En el lenguaje cotidiano, esta gran maquinaria, y los talentos diversos que emplea, se dice que se dedica a vender bienes. En lenguaje menos ambiguo quiere decir que está dedicada a la administración de aquéllos que compran bienes.[14]

Y Marcuse propone:

> Las necesidades falsas son aquéllas que intereses sociales determinados imponen sobre el individuo. Gran parte de las necesidades actuales de relajarse, divertirse, comportarse y consumir de acuerdo con la publicidad, amar y odiar lo que otros aman y odian, pertenecen a esta categoría de necesidades falsas.[15]

Estas citas tal vez exageren el poder de los negocios para estimular los deseos. Bajo condiciones sociales normales, la gente escoge entre estilos de vida conflictivos y tienen defensas normales en contra de los medios de masas: atención selectiva, percepción, distorsión y retención. Los medios de masas son más eficaces cuando atraen las necesidades existentes más que cuando intentan crear otras nuevas. Además, la gente busca información cuando hace compras importantes y no depende de una sola fuente de información. Incluso las compras pequeñas, sobre las cuales pueden influir los mensajes publicitarios, sólo conducen a compras repetidas si el producto satisface las expectativas de rendimiento. Por último, la alta tasa de fracasos de productos nuevos desmiente la afirmación de que las compañías son capaces de controlar la demanda.

En un nivel más profundo, sobre nuestros deseos y valores influyen no sólo los mercadólogos sino también la familia, los grupos de coetáneos, la religión, la extracción étnica y la educación. Si los estadunidenses son altamente materialistas, este sistema de valores surgió de procesos básicos de socialización que son mucho más profundos de lo que los negocios y los medios de comunicación de masas podrían producir por sí solos.

Bienes sociales insuficientes

A los negocios se les ha acusado de estimular excesivamente la demanda por bienes privados a costa de los bienes públicos. A medida que los bienes privados aumentan, requieren de un complemento de servicios públicos que usualmente no se da. Según Galbraith:

> Al aumentar la venta de automóviles se necesita ampliar y mejorar las calles, las carreteras, el control de tránsito y el espacio destinado a estacionamientos. El servicio de seguridad policial y las patrullas de caminos también deben prestarse a los conductores, lo mismo que el servicio hospitalario. A pesar de ser evidente la necesidad de lograr el equilibrio en esto, el empleo de vehículos en ocasiones ha rebasado muchísimo la disponibilidad de los servicios públicos. De ello ha resultado un terrible congestionamiento en las carreteras, una masacre anual de proporciones extraordinarias y los embotellamientos crónicos de las ciudades.[16]

De este modo, Galbraith estima que el consumo privado da origen a un "desequilibrio social" y a "costos sociales" que ni los productores ni los consumidores están dispuestos a pagar. Es necesario encontrar un medio para restaurar el equilibrio entre los bienes públicos y los privados. Las compañías productoras han de aceptar la responsabilidad de los costos sociales de su actividad. Y así los incorporarán al precio. En los casos en los que el consumidor no juzgue justificado el precio, esas firmas desaparecerán y los recursos así ahorrados se destinarán a usos que aminoren el costo social y privado.

Contaminación cultural

Los críticos acusan al sistema de mercadotecnia de provocar una *contaminación cultural*. Los sentidos de la gente son atacados constantemente por la publicidad. En los programas serios hay interrupciones para presentar comerciales, el material escrito se pierde entre un mar de anuncios, los panoramas más hermosos son inundados por carteles. Estas interrupciones hacen que el sexo, el poder o el estatus interfieran sin cesar en los procesos de nuestra conciencia.

Pero la inundación de publicidad afecta a los seres humanos de diferentes maneras. En un estudio de actitudes del consumidor hacia la publicidad, Bauer y Greyser descubrieron que la publicidad era tema de poca prominencia, algo como el clima cotidiano.[17] Aunque la gente a veces se queja de ella, no lo hacen seriamente. Sólo 15% de los entrevistados pensaban que la publicidad necesitaba de un cambio, y éstas eran personas que querían cambios en muchas instituciones. El entrevistado promedio "prestaba más atención" a alrededor de 66 anuncios durante un día promedio y no más de 16% de ellos les parecían molestos u ofensivos. Algunas personas pensaban que la mayor parte de la programación de televisión era los anuncios.

Los hombres de negocios responden a las acusaciones de ruido comercial con los argumentos siguientes: primero, confían en que sus anuncios lleguen principalmente a la audiencia meta. Dada la índole especial de los canales de comunicación masiva, inevitablemente habrá anuncios que lleguen a personas que no tengan ningún interés por el producto, que por lo mismo se sentirán aburridas o molestas. Los que compran revistas destinadas a ellos raras veces se quejan de los anuncios porque les ofrecen artículos de interés. Segundo, gracias a los anuncios la radio y la televisión son medios libres y mantienen bajos los costos de las revistas y los periódicos. La mayoría de la gente cree que los comerciales son un pequeño precio que pagar.

Poder político excesivo

Otra crítica es que los negocios confieren demasiado poder político. Hay senadores del petróleo, de los cigarrillos y de los automóviles que defienden los intereses de industrias particulares en contra del interés público. A los anunciantes se les ha acusado de tener mucho poder sobre los medios de masas, limitando la libertad de éstos a informar con independencia y objetividad. Un crítico dijo: "¿Cómo pueden *Life, Post* y *Reader's Digest* escribir la verdad sobre el escandalosamente bajo valor nutricional de casi todos los alimentos empacados . . . si están subsidiadas por anunciantes como General Foods, Kellogg's, Nabisco y General Mills? La respuesta es sencilla: *no pueden publicarla, y no lo hacen*".[18]

Las industrias estadunidenses sí promueven y defienden sus intereses. Tienen derecho a estar representadas en el Congreso y en los medios de comunicación de masas, aunque su influencia podría volverse demasiado grande. Por fortuna, en bien del pueblo se han controlado muchas corporaciones poderosas hasta ahora intocables. La Standard Oil fue desmantelada en 1911, y la industria de las empacadoras de carne fue sometida después de las declaraciones de Upton Sinclair. Ralph Nader, iniciador del movimiento en favor de los consumidores, inspiró la legislación que obliga a la industria automotriz a construir vehículos más seguros, y el ministro de salud pública les impone a las compañías cigarreras la obligación de incluir un aviso en las cajetillas. Los medios de comunicación han asumido una actitud más valiente al ofrecer material editorial destinado a diferentes segmentos del mercado. El excesivo poder de los negocios tiende a originar fuerzas que lo contrarrestan y que no les permiten exageraciones.

Impacto de la mercadotecnia sobre otros negocios

Los críticos han dicho que muchas compañías tiranizan a otras. Intervienen en esto tres problemas: fusiones anticompetitivas, barreras artificiales contra el ingreso y competencia depredatoria.

Adquisición anticompetitiva

Una acusación recurrente es la que dice que muchas empresas se expanden adquiriendo otras en vez de desarrollar desde dentro productos nuevos y necesarios. En cierto lapso, las nueve principales empresas farmacéuticas más importantes desarrollaron ocho nuevos negocios en su interior y compraron dieciséis empresas.[19] Como otro ejemplo, P&G adquirió Clorox, el principal productor de blanqueador líquido para el hogar.[20] La Suprema Corte dictaminó que la adquisición privaría a la industria de una competencia potencial no sólo de parte de P&G, en caso de haber penetrado ésta por su cuenta en el mercado, sino también por parte de las firmas más pequeñas que ahora ya se sentirían desalentadas.

La adquisición es un tema complicado. Las adquisiciones pueden ser buenas para la sociedad en ciertas circunstancias: cuando la compañía que compra obtiene economías de escala que conducen a costos más bajos y a precios más bajos; cuando una firma bien administrada se adueña de una empresa mal administrada y mejora la eficiencia de ésta; cuando una industria que no era competitiva se vuelve competitiva después de la adquisición. Las adquisiciones pueden ser perjudiciales, particularmente cuando un competidor joven y vigoroso es absorbido y menos firmas dominan la industria.

Barreras a la entrada

Los críticos han dicho que las prácticas de mercadotecnia agregan barreras sustanciales a la entrada. Estas barreras toman la forma de patentes, requerimientos sustanciales de promoción y contratos de exclusividad con proveedores o distribuidores.

Las personas que trabajan en la legislación antimonopolio admiten que algunas barreras dependen de la ventaja económica de las grandes corporaciones. Otras pueden derribarse con la aprobación de nuevas leyes o con el cumplimiento de las ya existentes. Por ejemplo, algunos han propuesto un impuesto progresivo sobre los gastos de publicidad, con el propósito de reducir el papel que los costos de venta desempeñan como barrera fundamental contra el ingreso de nuevas empresas en el mercado.

Competencia depredatoria

Algunas firmas usan tácticas competitivas con la intención de perjudicar o destruir a otras. Quizá fijen sus precios a un nivel inferior a los costos, amenacen con suspender sus transacciones con los proveedores o desacrediten los productos del competidor.

Se han elaborado varias leyes para impedir la competencia depredatoria. La dificultad estriba en establecer que la acción o la intención eran verdaderamente depredatorias. En el caso clásico de A&P, este gran detallista logró cobrar precios más bajos que las tiendas pequeñas de comestibles. La cuestión estriba en saber si esto fue una competencia depredatoria o la competencia saludable de una institución detallista más eficiente en contra de otra menos eficiente.[21]

ACCION CIUDADANA PARA REGLAMENTAR LA MERCADOTECNIA

En virtud de que algunas personas han considerado los negocios como la causa de muchos males económicos y sociales, de cuando en cuando han surgido movimientos para controlar a las empresas. Los más importantes han sido el *consumerismo* y el *ambientalismo*.

Consumerismo

Las compañías estadunidenses han sido el blanco en tres ocasiones del movimiento organizado de los consumidores. El primer movimiento ocurrió a comienzos de la década de 1900 y se debió al aumento de los precios, las revelaciones comprometedoras de Upton Sinclair sobre las condiciones prevalentes en la industria de la carne y el escándalo en los productos farmacéuticos. El segundo movimiento, a mediados de la década de 1930, provino de un cambio abrupto en los precios en plena depresión económica y de otro escándalo relacionado con las medicinas.

El tercer movimiento comenzó en la década de 1960. Los consumidores estaban mejor educados; los productos se habían tornado cada vez más complejos y peligrosos; el descontento con las empresas estadunidenses estaba generalizado; en sus obras de gran influencia, John Kenneth Galbraith, Vance Packard y Rachel Carson acusaban a las grandes corporaciones de prácticas manipuladoras y despilfarradoras; un discurso del presidente John F. Kennedy en que declaraba que los consumidores tenían el derecho a la seguridad, a estar informados, a escoger y a ser escuchados; el Congreso investigó ciertas industrias; por último, Ralph Nader apareció en escena para lograr el reconocimiento público de muchas cuestiones.[22]

Desde ese entonces, se han organizado muchos grupos de consumidores y se han aprobado varias leyes de protección al consumidor. El movimiento del consumidor se ha difundido a escala internacional y se ha hecho muy fuerte en los países escandinavos y en Holanda.

¿Pero qué es el movimiento en pro del consumidor? El **consumerismo** es un *movimiento organizado de ciudadanos y del gobierno para proteger los derechos de los compradores y reforzar su poder frente a los vendedores*. Los derechos tradicionales de los vendedores incluyen los siguientes:

1. El derecho a introducir cualquier producto en el tamaño y estilo que se desee, a condición de que no represente un peligro para la salud ni para la seguridad personal; o en el caso de que sea peligroso, dotarlo de un aviso de precaución y de controles.

2. El derecho de fijar el precio del producto en cualquier nivel, con tal que no discrimine entre clases semejantes de clientes.

3. El derecho a gastar cualquier suma de dinero para promover el producto, siempre y cuando esto no sea una competencia injusta.

4. El derecho a utilizar cualquier mensaje publicitario, con la única restricción de que no sea engañoso ni deshonesto en su contenido o realización.

5. El derecho a introducir cualquier esquema de incentivos de compra que se desee.

Los derechos tradicionales del comprador incluyen:

1. El derecho a no comprar el producto que le ofrecen.

2. El derecho a exigir que el producto sea seguro.

3. El derecho a esperar que el rendimiento del producto sea el afirmado.

Al comparar los derechos anteriores, muchos creen que el equilibrio de poder reside en el lado de los vendedores. Es verdad que los compradores pueden negarse a comprar. Pero los críticos piensan que el comprador tiene una carencia o insuficiencia de información, educación y protección para tomar decisiones adecuadas cuando se enfrente con vendedores sumamente enredosos. Los defensores del consumidor exigen el reconocimiento de otros derechos más:

4. Estar adecuadamente informados acerca de los aspectos más importantes del producto.

5. Estar protegido en contra de productos y prácticas de mercadotecnia cuestionables.

6. Influir en los productos y en las técnicas mercadológicas de modo que mejoren la calidad de la vida.

Cada derecho propuesto conduce a propuestas específicas de parte de los consumeristas. El derecho a estar informado incluye el derecho a saber el verdadero costo de interés de un préstamo *(veracidad en los préstamos)*, el verdadero costo por unidad estándar de marcas competidoras *(fijación de precio unitario)*, los ingredientes básicos de un producto *(etiquetas con ingredientes)*, la calidad nutricional de los alimentos *(etiquetación nutricional)*, la frescura de los productos *(fecha abierta)* y los verdaderos beneficios de un producto *(veracidad en la publicidad)*.

Las propuestas relacionadas con la *protección al consumidor* incluyen el fortalecimiento de la posición de los consumidores en casos de fraude comercial, la obligación de mayor seguridad en los productos y la emisión de mayores poderes para las agencias gubernamentales.

Las propuestas relativas a la *calidad de vida* incluyen reglamentar los ingredientes que hay en ciertos productos (detergentes) y el empaque (envases para refrescos), reducir el nivel de "ruido" publicitario y promocional, y colocar representantes de los consumidores en las juntas directivas de las compañías para introducir consideraciones de los consumidores en la toma de decisiones en los negocios.

Los consumidores no sólo tienen derecho, sino también responsabilidades de protegerse a sí mismos en vez de dejar esto a alguien más. Los consumidores que piensen que han sido engañados pueden recurrir a varios remedios asequibles, incluyendo escribirle al presidente de la compañía o a los medios de publicidad; contactar a las agencias locales, estatales o federales, y presentar demandas en los tribunales.

Ambientalismo   Mientras que los consumistas se concentran en saber si el sistema de mercadotecnia está sirviendo eficazmente los deseos del consumidor, los ambientalistas se concentran en el impacto de la mercadotecnia sobre el medio ambiente y los costos de atender esas necesidades y deseos. En 1962, Rachel Carson, en su obra *Silent Spring,* presentó un caso documentado de contaminación de pesticidas en el medio ambiente.[23] Ya no era una cuestión de recursos desperdiciados sino de supervivencia humana. En 1970, los Ehrlichs acuñaron el término "ecocatástrofe" para simbolizar el impacto dañino de ciertas prácticas comerciales estadunidenses sobre el medio ambiente.[24] Y en 1972, los Meadowses publicaron *The Limits to Growth,* que alertaba a la gente que la calidad de la vida declinaría inevitablemente ante un crecimiento demográfico incontrolado, ante una contaminación creciente y una explotación continua de los recursos naturales.[25]

Estas consideraciones constituyen el fundamento del movimiento ambientalista. El **ambientalismo** es *un movimiento organizado de ciudadanos y del gobierno que se propo-*

ne proteger y mejorar el ambiente de vida del ser humano. A los ambientalistas les preocupa la explotación de minas a cielo abierto, el humo de las fábricas, las vallas de anuncios, la basura, la pérdida de lugares recreativos, la proliferación de problemas de salud ocasionados por la contaminación del agua y del aire, así como de los alimentos por sustancias químicas.

Los ambientalistas no están en contra de la mercadotecnia ni del consumo; sencillamente quieren operar de acuerdo con más principios ecológicos. No piensan que la meta del sistema de mercadotecnia sea maximizar el *consumo, la elección del consumidor o la satisfacción del consumidor.* La meta del sistema de mercadotecnia debería ser la de maxi-

Fotografía de Luiz Claudio Marigo. *Tanagara de siete colores: Género: Tanagara Especie: fastuosa Tamaño adulto: promedio, 14 cm Peso: desconocido Hábitat: Bosques tropicales de la costa del norte de Brasil Número de sobrevivientes: desconocido.*

La Naturaleza según Canon:
Una herencia fotográfica
para todas las generaciones.

El sorprendentemente hermoso tanagara de siete colores, que alguna vez fuera abundante en los bosques tropicales de Brasil, ha desaparecido virtualmente en los últimos treinta años. Perseguido sin cesar para enjaularlo por su vistoso plumaje y amenazado con la pérdida de su hábitat, esta especie de tanagara en la actualidad enfrenta un futuro incierto.

Nada podría recuperar a esta especie si desapareciera de nuestro planeta. Y aunque la fotografía pueda registrarlo para la posteridad, más importante es aún que la fotografía ayude a salvarlo junto con los demás animales salvajes.

La fotografía es una herramienta de investigación de incalculable valor que puede auxiliar en los esfuerzos que se realizan para salvar al tanagara de siete colores. La continua protección que debe proporcionarse en contra del comercio de animales y para favorecer la protección de su hábitat natural son

indispensables para asegurar la supervivencia de esta especie. A través de la fotografía también se puede apreciar y comprender mejor a este exótico y fabuloso habitante de los bosques tropicales.

Y esta comprensión es quizás el único elemento de mayor importancia para salvar al tanagara de siete colores y a toda la fauna silvestre.

FD 150-600mm f/5.6L

Canon
Imágenes para toda época

Canon muestra preocupación social al exponer el papel de la fotografía en la creación de beneficios ambientales a largo plazo. *Cortesía de Canon, Inc.*

mizar la *calidad de la vida*. Y la calidad de la vida significa no sólo la cantidad y la calidad de los bienes y servicios de consumo, sino también la calidad del ambiente.

Los ambientalistas quieren que el costo ambiental se incluya en la toma de decisiones del productor y del consumidor. Favorecen el uso de impuestos y reglamentaciones para imponer los verdaderos costos sociales del comportamiento antiecológico. El hecho de obligar a los negocios a invertir en dispositivos anticontaminantes, al agregar impuestos a las botellas no retornables y al prohibir los detergentes altos en fosfatos se considera como algo necesario para llevar a los negocios y a los consumidores en una dirección positiva para conservar el medio ambiente.

Los ambientalistas critican la mercadotecnia más que los consumeristas. Se quejan de demasiados empaques desperdiciados, mientras que a los consumeristas les gusta la facilidad del empaque moderno. Los ambientalistas creen que la publicidad hace que la gente compre más de lo que necesita, pero los consumeristas se preocupan más acerca del engaño en la publicidad. A los ambientalistas les desagradan los centros comerciales, pero los consumeristas les dan la bienvenida a más tiendas.

Los ambientalistas han atacado duro a ciertas industrias. Las compañías acereras y las empresas de servicio público han tenido que invertir miles de millones de dólares en equipo para el control de la contaminación y en combustibles más costosos. La industria automotriz ha tenido que introducir costosos controles de emisión de gases en los vehículos. La industria de los jabones ha tenido que desarrollar detergentes bajos en fosfatos. La industria del empaque ha tenido que desarrollar formas para reducir la basura y aumentar la cualidad de biodegradables de sus productos. La industria gasolinera ha tenido que formular nuevas gasolinas sin plomo o bajas en este mineral. Estas industrias resienten las reglamentaciones ambientales, especialmente cuando se imponen demasiado rápido como para permitirles a las compañías hacer los ajustes apropiados. Estas compañías han absorbido grandes costos y se los han pasado a los compradores.

Las vidas de los mercadólogos se han complicado mucho. Tienen que verificar las cualidades ecológicas del producto y de su empaque. Tienen que elevar los precios para cubrir costos ambientales, sabiendo que el producto será más difícil de vender. Sin embargo, no hay un retorno a la economía ''vaquera'' de antes cuando muy pocos gerentes se preocupaban por el efecto de las decisiones de producto y de mercadotecnia sobre la calidad del medio ambiente. Fue en parte esta indiferencia la que condujo al ambientalismo originalmente.[26]

ACCIONES PUBLICAS PARA REGLAMENTAR LA MERCADOTECNIA

Los movimientos ciudadanos en contra de prácticas específicas de mercadotecnia generalmente estimularán el debate público y conducirán a propuestas legislativas. Las propuestas se discutirán, muchas serán derrotadas, otras se modificarán y a veces se les quitarán los dientes, y unas cuantas emergerán en una formulación aplicable.

En el capítulo 5 se enumeraron muchas de las leyes que tienen influencia sobre la mercadotecnia. La tarea consiste en traducir estas leyes en un lenguaje que los ejecutivos de mercadotecnia comprendan cuando tomen decisiones en las áreas de relaciones competitivas, productos, precio, promoción y canales de distribución. La figura 24-2 resume los temas principales a los que se enfrenta la gerencia de mercadotecnia cuando toma decisiones. Lo que se debe y lo que no se debe hacer, ya se ha examinado en otros capítulos.

ACCIONES DE LOS NEGOCIOS PARA LOGRAR UNA MERCADOTECNIA SOCIALMENTE RESPONSABLE

Inicialmente, muchas compañías se opusieron al consumerismo y al ambientalismo. Consideraban que las críticas eran injustificadas o que carecían de importancia. Resentían a los líderes de consumidores que apuntaban un dedo acusador y que hacían que las ventas se desplomaran. Las firmas resentían las propuestas de los consumidores de que el aumento de los negocios es más costoso que útil para los consumidores. Creen que la mayoría de los consumidores no prestaran atención a la fijación de precios unitarios o a la etiquetación de ingredientes y que las propuestas de substanciación de la publicidad, la publicidad correctiva y la contrapublicidad asfixiarán la creatividad publicitaria. Pensaban que los consumidores estarían mejor que nunca, que las grandes compañías desarrollaban productos seguros y que los promovían con honestidad, y que las nuevas leyes de consumo conducirían a costos más elevados para el vendedor que, entonces, se les pasarían a los consumidores en forma de precios más altos.

Actualmente, la mayoría de las compañías han tenido que aceptar en principio los nuevos derechos del consumidor. Podrían oponerse a determinadas leyes por considerar que en realidad no son el mejor medio para resolver determinados problemas del consumidor. Pero admiten los derechos de éste a recibir información y protección. Muchas de estas firmas han desarrollado respuestas constructivas al consumerismo y al ambientalismo con el fin de servir mejor las necesidades del consumidor (véase recuadro 24-3).

Aquí se examinarán las respuestas de negocios responsables y creativos a los cambios en el ambiente de la mercadotecnia. Primero se bosquejará un concepto de mercadotecnia ilustrada y después se considerará la ética de la mercadotecnia.

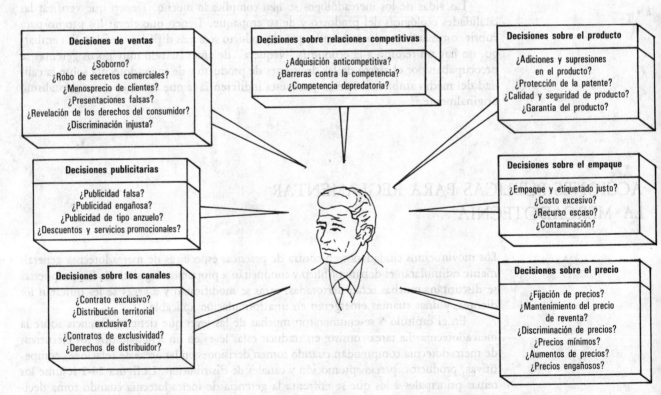

FIGURA 24-2 *Principales áreas de decisión de mercadotecnia que pueden ser motivo de discusión según la ley.*

RECUADRO 24-3

RESPUESTAS CONSTRUCTIVAS AL CONSUMERISMO

En 1974 los profesores Greyser y Diamond encuestaron a compañías grandes para saber qué pasos estaban dando para responder al consumerismo. Descubrieron que 51% mejoraban la calidad del producto y los estándares de rendimiento; 26% establecía los estándares de producto de la industria; 24% acrecentaban los compromisos de investigación para identificar mejor las necesidades y deseos del consumidor; 23% modificaban los productos en busca de mayor seguridad, facilidad de uso y reparaciones; 22% hacían visitas de seguimiento posteriores a la venta con los consumidores; 20% apoyaban los esfuerzos de autorreglamentación de la industria; 19% hicieron los anuncios más informativos; 16% desarrollaron manuales sobre uso, atención y seguridad del producto para el propietario; 15% creó nuevas posiciones organizacionales para tratar con asuntos del consumidor; y 14% proporcionó más información en las etiquetas del producto.

En el desarrollo de respuestas constructivas, un tema principal es cómo hacer intervenir la influencia del consumidor dentro del proceso de toma de decisiones de la compañía. Además de las encuestas y sistemas de quejas y sugerencias, pueden darse otros pasos. Las compañías Stop and Shop de Boston nombraron una *junta asesora de consumo* formada por 25 mujeres compradoras que tenían reuniones mensuales con los gerentes de alto nivel de la cadena de establecimientos. Varios fabricantes han creado una *unidad de asuntos del consumidor* que maneja preguntas y quejas de los consumidores, disemina información entre los clientes, trata con grupos de interés del consumidor y actúa como mediador de asuntos de interés del consumidor. La unidad de asuntos del consumidor también realiza una *auditoría de asuntos del consumidor* para determinar qué tan bien sirve la compañía a los consumidores e informa de sus resultados a la gerencia.

Fuentes: Stephen A. Greyser and Steven L. Diamond, ''Business Is Adapting to Consumerism,'' *Harvard Business Review*, septiembre-octubre de 1974, p. 57; y E. Patrick McGuire, *The Consumer Affairs Department: Organization and Functions* (New York: Conference Board, 1973).

Un concepto de la mercadotecnia ilustrada

El concepto de la mercadotecnia ilustrada se desprende del concepto de capitalismo ilustrado. Hace dos siglos, Adam Smith, en su obra *Wealth of Nations,* intentó mostrar que la libertad de empresa y la propiedad privada darían lugar a una economía dinámica y progresiva. La gente perseguía su interés propio y, si se les daba la libertad para hacerlo, ellos y la sociedad se beneficiarían. Los empresarios pondrían sus recursos en aquellas áreas de mayores oportunidades de utilidades. Las utilidades suelen ser altas cuando las necesidades deben satisfacerse. A medida que entran los recursos, los costos se reducen mediante una competencia saludable. El sistema se caracterizaría por eficiencia y flexibilidad. Estaría guiado por la ''mano invisible'' del sistema de precio para producir bienes necesarios sin recurrir a la burocracia y dirección del gobierno.

Por supuesto, se puede abusar de este sistema. Las compañías que intentan destruir a los competidores, que erigen barreras a la entrada y que ganan la protección y los favores de los legisladores no están compitiendo en forma limpia. El concepto de capitalismo ilustrado requiere que los hombres de negocios reconozcan que sus intereses a largo plazo están mejor atendidos mediante una actividad confiable y honesta dentro de las reglas del sistema. La mercadotecnia ilustrada sostiene que esta área de la compañía debería apoyar el mayor rendimiento a largo plazo del sistema de mercadotecnia. La mercadotecnia ilustrada abarca cinco principios:

Mercadotecnia orientada al consumidor

La compañía debería contemplar y organizar sus actividades de mercadotecnia desde el punto de vista de los consumidores. Debería esforzarse por percibir, servir y satisfacer eficaz y eficientemente un conjunto definido de necesidades de un grupo determinado de consumidores. Considérese el ejemplo siguiente:

> El Barat College, un colegio superior para señoritas ubicado en Lake Forest, Illinois, publicó un catálogo en que describía honestamente las ventajas y desventajas de la institución. Entre las deficiencias que exponía a las futuras alumnas se contaba ésta: "Una estudiante dotada de excepcional talento para la música o las matemáticas . . . hará bien en buscar otro colegio que cuente con un profesorado e instalaciones adecuadas para esos campos . . . No se ofrecerá el conjunto completo de cursos especializados de nivel superior que se imparten en las universidades . . . El repertorio de la biblioteca es el de un colegio pequeño y bajo en comparación con otras instituciones de alta calidad".

El efecto de "decirlo tal cual es" es ganarse la confianza de modo que los aspirantes realmente sepan lo que encontrarán en el Barat College, y recalcar que esta institución habrá de mejorar su valor para el consumidor tan rápidamente como el tiempo y los fondos lo permitan.

Mercadotecnia innovadora

La compañía debería buscar continuamente mejoramientos reales del producto y de la mercadotecnia. La firma que pasa por alto formas nuevas y mejores de hacer las cosas será amenazada a la larga por otra empresa que haya encontrado una mejor manera de hacer las cosas. Uno de los mejores ejemplos de un mercadólogo innovador es Procter & Gamble:

> P&G invierte mucho en investigación y desarrollo para encontrar soluciones innovadoras a problemas del consumidor. Como resultado, gran parte de sus productos nuevos rápidamente se vuelven líderes de mercado. P&G pasó varios años desarrollando una pasta de dientes que redujera eficazmente la caries. El resultado fue la Crest, que cuando fue lanzada al mercado superó velozmente a los competidores menos eficaces, y con mejoras constantes, Crest ha seguido como líder del mercado por más de 20 años. P&G examinó el mercado de los champúes y descubrió un beneficio que muchos consumidores querían pero que ninguna marca proporcionaba: control de la caspa. Años de investigación produjeron Head and Shoulders, un líder de mercado instantáneo. Después, la P&G estudió el negocio de los productos de papel. Descubrió una necesidad, la de encontrar un remedio a las tareas de manipular y lavar pañales. De nueva cuenta, después de años de investigación, la P&G descubrió una solución innovadora: un pañal desechable de papel que las familias pudieran costear. El producto, Pampers, inmediatamente se convirtió en líder de mercado.

Mercadotecnia de valores

La compañía debería poner gran parte de sus recursos en esta forma de mercadotecnia que acrecenta el valor de sus artículos y mercancías. Varias cosas que hacen los mercadólogos (promociones de ventas especiales, cambios menores en el empaque, exageración publicitaria) pueden elevar las ventas a corto plazo, pero agregan menos valor que mejoras en la calidad, características o conveniencia del producto. Considérese el ejemplo siguiente de mercadotecnia de valores:

> Kundenkreditbank es una cadena grande y lucrativa de bancos en Alemania. Su presidente, Stefan Kaminsky, decidió que el banco debería servir a consumidores de clase obrera y ayudarlos a acrecentar sus activos totales de modo que pudieran disfrutar de un nivel de vida más alto. El banco ofrece un alto nivel de servicio y de consejo al cliente. Las sucursales se mantienen pequeñas y los empleados están bien entrenados. Los empleados conocen a sus clientes de la misma manera como los abogados o los doctores conocen a los suyos. Los clientes pueden telefonearle al gerente del banco en la tarde si tienen un

problema. Cuando Kaminsky contrata gerentes de sucursal, les dice lo siguiente: "Quiero que usted comprenda que estará en esta sucursal por treinta años. Estos empleados son su familia. Usted será recompensado por su buen rendimiento mediante incrementos salariales y participación de bonificaciones en los ingresos obtenidos por la sucursal". Como a los gerentes de sucursal no se les recompensa por pasar a las oficinas centrales, excavan profundas raíces en sus comunidades. La sucursal del banco opera como un club: en una sección hay una mesa con informes y casetes que les ayudan a los consumidores a comprar artículos con más cuidado. Los empleados de banco hacen todo lo posible para ayudar a los clientes a acrecentar su riqueza.

Mercadotecnia con sentido de misión

La compañía debería definir su misión en términos sociales amplios más que en términos de productos estrechos. Cuando una compañía define una misión social, el personal de la empresa se siente mejor acerca de su trabajo y tiene un sentido de dirección más claro. Considérese la declaración de misión de la International Minerals and Chemical Corporation:

> Nosotros no nos dedicamos sencillamente al negocio de vender nuestra marca de fertilizantes. Tenemos un sentido de propósito, un sentido acerca de a dónde vamos. La primera función de la planeación corporativa es decidir en qué tipo de negocios está la compañía. Nuestro negocio es *productividad agrícola*. Estamos interesados en cualquier cosa que afecte el crecimiento de la planta, ahora y en el futuro.[27]

Mercadotecnia social

Una compañía ilustrada no tomará decisiones de mercadotecnia sin considerar los *deseos del consumidor, los requerimientos de la compañía, los intereses a largo plazo de los consumidores y los intereses a largo plazo de la sociedad*. La empresa está consciente de que si prescinde de las dos últimas consideraciones, no dará un buen servicio ni al consumidor ni a la sociedad.

Las compañías alertas han reconocido que los problemas sociales presentan oportunidades. Como dice Drucker: "El consumerismo en realidad debería ser, debe ser y yo espero que sea una oportunidad de mercadotecnia. Esto es lo que hemos estado esperando".[28]

Un mercadólogo orientado socialmente quiere diseñar no sólo productos agradables sino saludables. Esta distinción se muestra en la figura 24-3. Los productos actuales pueden clasificarse de acuerdo con su grado de *satisfacción inmediata y beneficio a largo plazo para el consumidor*. Los *productos deseables* combinan satisfacción inmediata elevada y beneficios altos a largo plazo, como alimentos nutritivos y sabrosos para el desayuno. Los *productos agradables* proporcionan satisfacción inmediata elevada pero pueden lesionar a los consumidores a largo plazo, como los cigarrillos. Los *productos saludables* tienen bajo atractivo pero benefician a los consumidores a largo plazo, como sucede con los detergentes bajos en fosfatos. Por último, los *productos deficientes* no tienen atractivo inmediato ni cualidades saludables, como un medicamento de patente de sabor desagradable.

El reto que plantean los productos agradables es que se venden extremadamente bien, pero a la larga pueden lesionar al consumidor. Por lo tanto, la oportunidad de producto consiste en agregar cualidades saludables sin disminuir las cualidades agradables del producto. Por ejemplo, Sears desarrolló un detergente sin fosfato para ropa, que era muy eficaz. El reto que plantean los productos saludables es agregar algunas cualidades agradables de modo que estos artículos se vuelvan más deseables en la mente del consumidor.

Etica de la mercadotecnia

Hasta los mercadólogos más conscientes y responsables se enfrentan a muchos dilemas morales. No siempre está claro lo que es mejor. Como no todos los ejecutivos tienen una fina sensibilidad moral, las compañías necesitan desarrollar políticas corporativas de mercadotecnia. Las *políticas* son "normas amplias y fijas que todos los miembros de la organiza-

FIGURA 24-3
Clasificaciones de oportunidades de producto nuevo

Satisfacción inmediata

	Baja	Alta
Alto	Productos saludables	Productos deseables
Bajo	Productos deficientes	Productos agradables

Beneficio para el consumidor a largo plazo

ción deben respetar y que no están sujetas a excepciones''.[29] Cubren relaciones con el distribuidor, estándares publicitarios, servicio al cliente, fijación de precios, desarrollo de producto y estándares éticos generales.

TABLA 24-1
Algunas situaciones moralmente difíciles en la mercadotecnia

1. Usted trabaja para una compañía cigarrera y hasta el momento no se ha convencido de que los cigarrillos causen cáncer. Ha llegado a su escritorio un informe reciente que demuestra claramente un vínculo entre el hábito de fumar y el cáncer. ¿Qué haría?

2. Su departamento de investigación y desarrollo ha modernizado uno de los productos. No es realmente ''nuevo y mejorado'', pero sabe que si coloca esta declaración en el paquete y en la publicidad las ventas aumentarán. ¿Qué haría?

3. Le han pedido a que agregue un modelo austero al extremo inferior de la línea que se puede anunciar para atraer clientes. El producto no será muy bueno, pero se puede confiar en los representantes de ventas para que convenzan a los compradores de que compren las unidades de precio más alto. Le piden su autorización para seguir adelante con el proyecto de la versión austera. ¿Qué haría?

4. Está entrevistando a un exgerente de producto que acaba de abandonar una empresa rival. Piensa contratarlo. El está dispuesto a revelarle los planes de esa firma para el próximo año. ¿Qué haría?

5. Uno de sus distribuidores en un territorio importante ha tenido problemas familiares últimamente y sus ventas han disminuido. Era uno de los mejores vendedores de la empresa. No se sabe cuándo se resolverán sus problemas familiares. Mientras tanto, están perdiéndose muchas ventas. Hay un recurso legal para quitarle la concesión y destituirlo. ¿Qué haría?

6. Tiene la oportunidad de obtener una gran cuenta que significará mucho para usted y su compañía. El agente de compras dio a entender que con un ''regalo'' podría obtener su cooperación. Su ayudante sugiere mandarle un televisor a colores. ¿Qué haría?

7. Ha escuchado que un competidor tiene una nueva característica en su producto que influirá mucho en las ventas. El competidor dará a conocer esta característica en una fiesta que ofrecerá a los competidores durante la exposición comercial anual. A usted le sería fácil mandar un espía a la reunión para enterarse de la naturaleza de la característica. ¿Qué debería hacer?

8. Está ansioso por obtener un buen contrato y durante las negociaciones de ventas se entera de que el comprador está buscando un empleo mejor. Usted no tiene intención de contratarlo, pero si señala tal posibilidad, probablemente él le dé el pedido. ¿Qué debería hacer?

9. Tiene que escoger entre tres campañas de anuncios que su agencia ha diseñado para su nuevo producto. La primera (A) es una campaña de información veraz y serena. La segunda (B) se vale de mensajes emocionales cargados de sexo y exagera las ventajas del producto. La tercera campaña (C) tiene un comercial ruidoso e irritante que ofrece la seguridad de captar la atención del público. Las pruebas preliminares muestran que los comerciales tienen el siguiente orden de eficacia: C, B y A. ¿Qué haría?

10. Usted es un vicepresidente de mercadotecnia que trabaja para una compañía cervecera y ha averiguado que un estado particularmente lucrativo está planeando elevar la edad mínima legal que se requiere para ingerir cerveza de 18 a 21 años. Se le ha pedido que se una a otras cervecerías para luchar contra este proyecto de ley y también le han solicitado una aportación monetaria. ¿Qué debería hacer?

11. Quiere entrevistar a una muestra de consumidores acerca de las reacciones a un producto competitivo. Le han aconsejado que invente un nombre ficticio como el de Instituto de Investigación de Mercadotecnia y que entreviste gente de tal suerte. ¿Qué debería hacer?

12. Produce un champú contra la caspa que la cura de una sola aplicación. Su ayudante le dice que el producto se venderá más pronto si en la etiqueta se recomiendan dos aplicaciones. ¿Qué debería hacer?

13. Está entrevistando a una mujer muy capaz que solicita trabajo como representante de ventas. Ella está mejor preparada que los hombres a quienes acaba de entrevistar. Al mismo tiempo, sospecha que algunos de sus vendedores actuales reaccionarán agresivamente si la contrata y sabe también que algunos clientes se sentirán molestos. ¿Qué haría?

14. Usted es gerente de ventas en una compañía que vende enciclopedias. Una de las estrategias de que se valen los representantes de esas empresas es pretender que están realizando una encuesta. Una vez que la terminan abordan al entrevistado desde el punto de vista de la venta. Esta técnica dá excelentes resultados y la aplican casi todos los competidores. ¿Qué debería hacer?

Las normas más completas no pueden prevenir ni resolver todas las sistuaciones éticas difíciles a las que se enfrenta el mercadólogo. Considérese las preguntas clásicas de Howard Bowen acerca de las responsabilidades del mercadólogo:

¿Deberá dirigir ventas de formas que violen la intimidad de la gente, por ejemplo, en las ventas de puerta en puerta...? ¿Deberá usar métodos que impliquen publicidad exagerada, cambios, premios, métodos de buhonero y otras tácticas que sin decir más son de dudoso buen gusto? ¿Deberá emplear tácticas de "alta presión" para convencer a la gente de que compren? ¿Deberá tratar de acelerar la obsolescencia de los bienes al sacar una sucesión interminable de nuevos modelos y estilos? ¿Deberá usar y fortalecer los motivos del materialismo, el consumo ofensivo y la conducta de imitación y emulación de los ricos?[30]

La tabla 24-1 enumera 14 situaciones éticas difíciles a las que los mercadólogos podrán enfrentarse durante sus carreras. Si los mercadólogos favorecen las acciones productoras de ventas inmediatas en todos los catorce casos, su conducta de mercadotecnia podrá describirse muy bien como inmoral o amoral. Si se niegan a seguir *cualquiera* de las acciones, podrían ser ineficaces como gerentes de mercadotecnia y estar insatisfechos debido a una tensión moral constante. Los gerentes necesitan un conjunto de principios que les ayuden a determinar la gravedad moral de cada situación y qué tan lejos pueden llegar sin violar sus normas de conducta.

¿Pero qué principios deberán guiar a las compañías y a los gerentes de mercadotecnia en cuestiones de responsabilidad ética y social? Goodpaster y Matthews describen tres marcos de referencia para la responsabilidad corporativa:[31]

■ *La mano invisible*. Bajo este marco de referencia, "las únicas y verdaderas responsabilidades sociales de las organizaciones de negocios son las de lograr utilidades y obedecer las leyes...el bien común está mejor atendido cuando cada uno de nosotros y nuestras instituciones económicas persiguen no el bien común ni el propósito moral ... sino la ventaja competitiva. La moralidad, la responsabilidad y la conciencia residen en la mano invisible de sistema de mercado libre, no en las manos de las organizaciones dentro del sistema, mucho menos en las manos de los gerentes dentro del sistema".

■ *La mano del gobierno*. Según este marco de referencia, "la corporación no tendría responsabilidad moral más allá de la obediencia política y legal ... las corporaciones buscan objetivos que sean racionales y puramente económicos. Las manos reglamentadoras de la ley y los procesos políticos más que la mano invisible del lugar del mercado convierten estos objetivos al bien común".

■ *La mano de la administración*. Este marco de referencia "alienta a las corporaciones a ejercer un juicio independiente y no económico acerca de cuestiones (morales y éticas) a las que se enfrentan en sus planes y operaciones a corto y a largo plazo". Requiere de "razonamiento moral e intención" de la corporación y que los gerentes apliquen su moralidad individual a las decisiones corporativas.

Los primeros dos criterios indican que las cuestiones de moralidad, ética, responsabilidad y conciencia las decide el mercado libre o el sistema legal, y que las compañías y sus gerentes no son responsables por juicios morales independientes. Las compañías pueden en buena conciencia hacer cualquier cosa que el sistema permita. El tercer criterio coloca la responsabilidad no en el sistema, sino en las manos de compañías individuales y de gerentes.

Este criterio más ilustrado de la mano de la administración indica que una corporación debería tener una "conciencia social", y que las compañías y los gerentes deberían aplicar estándares altos de ética y moralidad cuando tomen decisiones corporativas, independientemente de "lo que el sistema permita". La historia proporciona una lista interminable de ejemplos de acciones de compañías que, aunque estrictamente legales y permitidas por el sistema de mercado, fueron en extremo irresponsables. Considérese el ejemplo siguiente:

Antes de la ley de pureza en alimentos y medicamentos, la publicidad de una píldora para bajar de peso prometía que la persona que la tomara podría prácticamente comer de todo en cualquier momento y, sin embargo, perder peso. ¿Demasiado bueno para ser verdad? En realidad, la promesa era absolutamente verídica; el producto cumplía la oferta hecha con atemorizante frecuencia. Parece que el ingrediente activo principal en este "complemento dietético" era la larva de la tenia solitaria. Esta larva se desarrollaría en el tracto intestinal y, por supuesto, estaría bien alimentada; la persona que tomara la píldora prácticamente moriría de hambre.[32]

Cada compañía y su gerente de mercadotecnia deben elaborar una filosofía de conducta ética y socialmente responsable. Según el concepto de mercadotecnia social, cada gerente debe mirar más allá de lo que es legal y permitido y desarrollar estándares basados en la integridad personal, la conciencia corporativa y el bienestar del consumidor a largo plazo. Una filosofía clara y responsable le ayudará al gerente de mercadotecnia a tratar con las numerosas preguntas intricadas que plantean la mercadotecnia y otras actividades humanas.

Los ejecutivos de mercadotecnia en la década de 1980 y 1990 se enfrentarán a muchos retos. Tendrán abundantes oportunidades de mercadotecnia debido a avances tecnológicos en energía solar, computadoras y robots para el hogar, televisión por cable, medicinas modernas y nuevas formas de transporte, recreación y comunicación. Al mismo tiempo, las fuerzas en el ambiente socioeconómico aumentarán las restricciones bajo las que puede ejecutarse la mercadotecnia. Aquellas compañías que sean capaces de crear nuevos valores y practicar una mercadotecnia responsable socialmente tendrán un mundo para conquistar.

PRINCIPIOS DE POLITICA PUBLICA ACERCA DE LA MERCADOTECNIA

Por último, queremos proponer varios principios que podrían guiar la formulación de política pública hacia la mercadotecnia. Estos principios representan las premisas implícitas que sustentan gran parte de la teoría y la práctica contemporánea de la mercadotecnia en Estados Unidos.

Principio de la libertad del consumidor y el productor	*En el sentido más amplio posible, las decisiones de mercadotecnia la deberían tomar los consumidores y los productores bajo una libertad relativa.*

Este principio estipula que es importante un alto nivel de mercadolibertad de mercadotecnia para que un sistema de mercadotecnia suministre un elevado estándar de vida. La gente es capaz de lograr satisfacción en *sus* términos más que en los términos definidos por otra persona. Conduce a una igualación más cercana de los productos con los deseos y por lo tanto la posibilidad de mayor satisfacción. La libertad para consumidores y productores es la piedra de toque de un sistema de mercadotecnia dinámico. Pero se necesitan otras proposiciones para implantar esta libertad y evitar abusos.

Principio de contención del daño potencial

El sistema político interviene en la libertad del consumidor o del productor sólo si pudiera ocurrir un daño serio en ausencia de una intervención.

Hasta el grado que sea posible, las transacciones entabladas libremente entre consumidores y productores es asunto privado de éstos, no es asunto de terceros. La excepción son las transacciones que *dañan o amenazan lesionar a una o dos partes, o a una tercera*. El principio del daño transaccional es ampliamente reconocido como fundamento para la intervención gubernamental. La cuestión principal es saber si hay un daño real y suficiente, real o potencial que justifique la intervención.

Principio de la satisfacción de las necesidades básicas

El sistema de mercadotecnia debería servir a los consumidores pobres, así como a los ricos.

En un sistema de libre empresa, los productores producen bienes para mercados que desean y pueden comprar. Si ciertos grupos carecen de poder adquisitivo, puede que carezcan de bienes y servicios esenciales, lo cual dañará su bienestar físico o psicológico.

La solución requiere de la preservación del principio de la libertad del consumidor y del productor pero usando intervenciones políticas y económicas para hacer que la producción social esté más alineada con las prioridades de necesidades. Mediante impuestos sobre la renta progresivos, los ingresos excedentes de los ricos se transfieren a los pobres mediante pagos de seguridad social y mejores servicios sociales. El sistema reduce los extremos en los ingresos. La mayoría de la gente tendría comodidades básicas y buscarían más bienes y servicios como algo que cualquier persona compartiría hasta cierto grado.

Principio de la eficiencia económica

El sistema de mercadotecnia intenta suministrar bienes y servicios eficientemente y a precios bajos.

Toda sociedad se caracteriza por recursos escasos en relación con las necesidades y deseos de la población. El grado como estas necesidades y deseos puedan satisfacerse depende de la eficiencia con que se usen los recursos escasos. Existe ineficiencia o desperdicio si la sociedad pudiera producir lo mismo con menos recursos o tener más producción con los mismos recursos. El costo de la ineficiencia se mide por la satisfacción que los consumidores habrían disfrutado con los bienes que no se produjeron debido a la ineficiencia.

Las economías libres dependen de una competencia activa del productor y de compradores informados para hacer eficiente un mercado. Los competidores son maximizadores de utilidades que desarrollan productos, precios y programas de mercadotecnia ajustados a las necesidades del comprador y vigilan cuidadosamente sus costos. Los compradores son maximizadores de utilidad que están conscientes de los productos competitivos, precios y calidades, y que escogen cuidadosamente. La presencia de competencia activa y de compradores bien informados mantiene la calidad alta y los precios bajos.

Principio de la innovación

El sistema de mercadotecnia alienta la auténtica innovación.

Un sistema de mercadotecnia eficaz invierte en innovación continua del proceso y del producto. La innovación del proceso busca reducir los costos de producción y distribución. La innovación del producto busca formular productos nuevos que satisfagan las necesidades cambiantes del consumidor.

Puede hacerse una distinción entre innovaciones auténticas y triviales. Los mercadólogos están más interesados por la aceptación en el mercado de nuevas características y estilos que por saber si la innovación representa una contribución genuina al bienestar humano. Gran parte de la innovación es realmente *imitación* de otras marcas, con una pequeña diferencia para dar de que hablar. El consumidor puede encontrar diez marcas en una clase de producto que son muy similares. Esta desproporción entre el número de marcas y el número de productos verdaderamente diferentes se conoce como el problema de *proliferación de marca*. Un sistema de mercadotecnia eficaz alienta la innovación y la diferenciación reales del producto para satisfacer las preferencias de diferentes segmentos de mercado.

Principio de educación e información del consumidor

El sistema de mercadotecnia invierte mucho en educación e información para el consumidor con el fin de acrecentar la satisfacción y el bienestar del consumidor a largo plazo.

El principio de la eficiencia económica requiere inversión pública en educación e información para el consumidor. Esto es particularmente importante cuando los bienes y marcas son confusos debido a una abundancia y a un conflicto de llamados publicitarios.

Idealmente, los fabricantes proporcionarán información adecuada acerca de sus productos. Los grupos privados de consumidores y el gobierno diseminarían información y evaluación del producto y se apoyarían en los fabricantes para proporcionar mejor información. Los estudiantes en las escuelas públicas tomarían cursos en educación del consumidor para adquirir mayor habilidad de compra.

Principio de protección para el consumidor

El sistema de mercadotecnia debe complementar la educación e información del consumidor con protección al consumidor en ciertos productos y áreas de práctica de mercado.

La educación e información del consumidor no pueden hacer todo el trabajo de proteger a los consumidores. Los productos modernos son tan complejos que incluso los consumidores entrenados no pueden comprarlos con confianza. Los consumidores no saben si un televisor a color tiene demasiada radiación, si un automóvil nuevo está diseñado con las medidas de seguridad adecuadas, y si un nuevo medicamento carece de efectos secundarios peligrosos. Una agencia gubernamental tiene que revisar y juzgar los niveles de seguridad de diversos alimentos, medicinas, juguetes, aparatos eléctricos, telas, automóviles y viviendas.

La protección al consumidor también cubre las actividades de producción y de mercadotecnia que son destructivas para el medio ambiente. La protección al consumidor también cubre la prevención de prácticas engañosas y ciertas técnicas de ventas de alta presión donde los consumidores tal vez no estarían indefensos.

La premisa que sustenta estos siete principios es que la meta del sistema de mercadotecnia no es maximizar las utilidades para los productores o el consumo total o la elección del consumidor, sino maximizar la calidad de la vida. La *calidad de la vida* significa satisfacer necesidades básicas, tener productos variados y de buena calidad y disfrutar del ambiente físico y cultural. Como el sistema de mercadotecnia tiene un gran impacto sobre la calidad de la vida, debe administrarse sobre principios congruentes con el mejoramiento de la calidad de vida.

■ Resumen

Un sistema de mercadotecnia debe percibir, servir y satisfacer las necesidades del consumidor y mejorar la calidad de vida. En su esfuerzo por satisfacer las necesidades del consumidor, los hombres de negocios pueden emprender ciertas acciones que no gustan ni benefician a todo el mundo. Los ejecutivos de mercadotecnia deberán estar conscientes de las principales críticas.

El impacto de la mercadotecnia sobre el bienestar de los seres humanos ha sido criticado debido a elevados precios, prácticas engañosas, ventas de alta presión, productos defectuosos o inseguros, obsolescencia planeada y mal servicio a los consumidores de escasos recursos. El impacto de la mercadotecnia sobre la sociedad ha sido criticado debido a un materialismo excesivo, deseos falsos, bienes sociales insuficientes, contaminación cultural y exceso de poder político. El impacto de la mercadotecnia sobre la competencia en los negocios ha sido criticado por adquisiciones anticompetitivas, altas barreras para la entrada y competencia predatoria.

Estos abusos percibidos del sistema de mercadotecnia han dado lugar a movimientos de acción ciudadana, específicamente

el consumerismo y el ambientalismo. El *consumerismo* es un movimiento social organizado que busca fortalecer los derechos y el poder de los consumidores en relación con los vendedores. Los mercadólogos de recursos reconocerán esto como una oportunidad para servir mejor a los consumidores al proporcionar más información, educación y protección al consumidor. El *ambientalismo* es un movimiento social organizado que busca minimizar el daño que las prácticas de mercadotecnia ocasionan al medio ambiente y a la calidad de vida. Requiere de una intervención en los deseos del consumidor cuando la satisfacción de los mismos crearía demasiado costo ambiental.

La acción ciudadana ha llevado a la aprobación de muchas leyes para proteger a los consumidores en el área de seguridad del producto, veracidad en el empaque, veracidad en el crédito y veracidad en la publicidad.

Aunque muchos negocios se opusieron inicialmente a esos movimientos sociales y leyes, la mayoría de ellos reconocen ahora una necesidad de información, educación y protección para el consumidor. Algunas compañías han perseguido una política de mercadotecnia ilustrada, basada en los principios de orientación al consumidor, innovación, creación de valores, misión social y orientación social. Estas compañías han formulado políticas y normas para ayudar a sus ejecutivos a tratar con dilemas morales.

La política pública futura debe guiarse por un conjunto de principios que mejoren la contribución del sistema de merca-

dotecnia a la calidad de vida. El conjunto de principios requiere de una libertad relativa del consumidor y del productor, intervención sólo cuando hay daño potencial, arreglos para satisfacer adecuadamente las necesidades básicas de consumo, la práctica de la eficiencia económica, hincapié en la innovación auténtica y las medidas de educación, información y protección para el consumidor.

■ *Preguntas de repaso*

1. ¿Cuáles son las críticas más legítimas del impacto de la mercadotecnia sobre el bienestar del consumidor individual? Defienda brevemente su posición.

2. Aquéllos que critican el impacto de la mercadotecnia sobre la sociedad está realmente condenado al sistema estadunidense de hacer negocios más que al área de mercadotecnia. Comente esto.

3. La Federal Trade Commission está proponiendo restringir las fusiones entre corporaciones grandes (con más de 2 mil millones de dólares en ventas). ¿Con estas medidas qué críticas disminuirían en relación con el impacto que tiene la mercadotecnia sobre otros negocios? ¿Por qué?

4. ¿Cómo se diferencia el consumerismo del ambientalismo? ¿Cuál plantea la mayor amenaza para la mercadotecnia? Explique su respuesta.

5. Explique los cinco principios de la mercadotecnia ilustrada.

6. Los problemas éticos a los que se enfrenta la mercadotecnia disminuirán en la década de 1990. Comente esto.

7. Si usted fuera el gerente de mercadotecnia en la Dow Chemical Company, ¿cómo trataría, en principio, de controlar el daño potencial en lo que toca a la contaminación de agua?

8. ¿En qué forma afectaría la escasez de recursos naturales, incluyendo la energía, los principios de la eficiencia económica y la innovación en el futuro?

9. ¿Qué relaciones existen entre el principio de la educación e información de los consumidores y el principio de la protección al consumidor? ¿Cuál será el dominante en los próximos diez años? ¿Por qué?

■ *Bibliografía*

1. PAUL W. STEWART y J. FREDERICK DEWHURST con LOUIS FIELD, *Does Distribution Cost Too Much?* (New York: Twentieth Century Fund, 1939).
2. Ibid., p. 348.
3. JESSICA MITFORD, *The American Way of Death* (New York: Simon & Schuster, 1963).
4. Extractos de THEORDORE LEVIT, "The Morality (?) of Advertising", *Harvard Business Review*, julio-agosto de 1970, pp. 84-92.
5. "Confessions of a Diaper Salesman", *Fortune*, marzo de 1949.
6. "Rattles, Pings, Dents, Leaks, Creaks-And Costs", *Newsweek*, 25 de noviembre de 1968, p. 92.
7. Ibid.
8. "The Breakfast of Fatties?" *Chicago Today*, 24 de julio de 1970.
9. GERALD B. TALLMAN, "Planned Obsolescense as a Marketing and Economic Policy", en *Advancing Marketing Efficiency*, L. H. Stockman, ed. (Chicago: American Marketing Association, 1958), pp. 27-39.

10. DAVID CAPLOVITZ, *The Poor Pay More* (New York: Free Press, 1963).
11. Una conferencia dictada en Vanderbilt University Law School, publicada en *Marketing News*, 1 de agosto de 1968, pp. 11, 15.
12. Ibid.
13. Para más lecturas, véase ALAN R. ANDREASEN, *The Disadvantaged Consumer* (New York: Free Press, 1975).
14. JOHN KENNETH GALBRAITH, *The New Industrial State* (Boston: Houghton Mifflin, 1976), p. 200.
15. HERBERT MARCUSE, *One Dimensional Man* (Boston: Beacon Press, 1964), pp. 4-5.
16. JOHN KENNETH GALBRAITH, *The Affluent Society* (Boston: Houghton Mifflin, 1958), p. 255.
17. RAYMOND A. BAUER y STEPHEN A. GREYSER, *Advertising in America: The Consumer View* (Boston: Graduate School of Business Administration, Harvard University, 1968).
18. Tomado de un anuncio aparecido en *Fact* magazine, which does not carry advertisements.
19. MARK HANAN, "Corporate Growth through Venture Má-

nagement'', *Harvard Business Review,* enero-febrero de 1969, p. 44.

20. FTC v. Procter & Gamble, 386 U.S. 568 (1967).

21. Véase Morris Adelman, ''The A & P Case: A Study in Applied Economic Theory'', *Quarterly Journal of Economics,* mayo de 1949, p. 238.

22. Para más detalles, véase Philip Kotler, ''What Consumerism Means for Marketers'', *Harvard Business Review,* mayo-junio de 1972, pp. 48-57. Véase también Paul N. Bloom y Stephen A. Greyser, ''The Maturing of Consumerism'', *Harvard Business Review,* noviembre-diciembre de 1981, pp. 130-39.

23. Rachel Carson, *Silent Spring* (Boston: Houghton Mifflin, 1962).

24. Paul R. Ehrlich y Ann H. Ehrlich, *Population, Resources, Environment: Issues in Human Ecology* (San Francisco: W. H. Freeman, 1970).

25. Donnella H. Meadows, Dennis L. Meadows, Jorgen Randers y William W. Behrens III, *The Limits to Growth* (New York: Universe Books, 1972).

26. Véase Norman Kangun,''Environmental Problems and Marketing: Saint or Sinner?'' en *Marketing Analysis for Societal Problems,* Jagdish N. Sheth and Peter L. Wright, eds. (Urbana: University of Illinois, 1974).

27. Gordon O. Pehrson, cotejado en ''Flavored Algae from the Sea?'' *Chicago Sun-Times,* 3 de febrero de 1965, p. 54.

28. Peter Drucker, ''The Shame of Marketing'', *Marketing/Communications,* agosto de 1969, pp. 60, 64.

29. Earl L. Bailey, *Formulating the Company's Marketing Policies: A Survey* (New York: Conference Board, Experiences in Marketing Management, No. 19, 1968), p. 3.

30. Howard R. Bowen, *Social Responsibilities of the Businessman* (New York: Harper & Row, Pub., 1953), p. 215.

31. Kenneth E. Goodpaster y John B. Matthews, Jr., ''Can a Corporation Have a Conscience?'' *Harvard Business Review,* enero-febrero de 1982, pp. 132-41.

32. Dan R. Dalton y Richard A. Cosier, ''The Four Faces of Social Responsibility'', *Business Horizons,* mayo-junio de 1982, pp. 19-27.

CASO 18

NIKE, INC.

El ascenso meteórico de Nike (nombre de la diosa griega de la Victoria), hasta llegar a convertirse en el mercadólogo de zapatos número uno en Estados Unidos se basó en el auge del hábito de correr. Sus gerentes empresariales operaban informalmente tratando de mantenerse a la altura de la demanda para zapatos y equipo de atletismo. En 1985, después de este periodo de rápido crecimiento, el volumen de ventas anuales se acercaba a 1 000 millones de dólares, y el auge del hábito de correr parecía haber llegado a su punto más alto. Se necesita planeación y administración más formales con base en el análisis del mercado mundial de zapatos y equipo para atletismo con el fin de ayudar a la compañía a mantener su posición en la carrera.

A medida que las personas nacidas durante la explosión demográfica que siguió a la Segunda Guerra Mundial maduran en las décadas de 1980 y 1990, el grupo de la población de edades comprendidas entre 25 y 45 años crecerá y creará cambios en la demanda para la industria de los zapatos de atletismo de calidad. Las personas nacidas durante esa explosión demográfica crecieron usando zapatos de gimnasio como cosa común. Sin embargo, como adultos puede que sean menos propensos a comprar estos zapatos para el uso cotidiano. Al mismo tiempo, los miembros de esa explosión demográfica están asociados con gustos de escala alta, mayores ingresos disponibles y una preocupación por las buenas condiciones físicas. Esta tendencia podría ampliar el mercado potencial para zapatos, ropa y equipo de deportes de alta calidad.

Las actitudes del consumidor hacia las buenas condiciones físicas están cambiando. El hábito de correr ha sido sustituido hasta cierto punto por clubes de aeróbicos y de salud. Las buenas condiciones físicas están convirtiéndose en una actividad de grupo, que podría causar una disminución en el deporte solitario de salir a correr. Los consumidores están buscando programas de buenas condiciones físicas más diversos. Están aumentando el número de participantes en programas de deportes y ejercicio como aeróbicos, raquetball, máquinas Nautilus y ciclismo. Reebok y otras compañías de zapatos más pequeñas han aprovechado la popularidad de los aeróbicos para lanzar un nuevo zapato diseñado especialmente para este tipo de ejercicios. Nike ha sido lento para desarrollar zapatos especiales. Su entrada tardía en el segmento de aeróbicos no tuvo éxito.

Junto con estos cambios en los hábitos de buena condición física se ha dado un cambio en las necesidades de ropa deportiva, un segmento de mercado importante para Nike. Se espera que en cinco años este segmento sea igual a las ventas de Nike en el mercado de los zapatos. Las ventas actuales de ropa equivalen a 8% de las ventas totales de Nike. Los zapatos para niños, que son en gran parte un segmento de moda, responden por 15%. Es probable que Nike pueda transferir su imagen de alta calidad desde los zapatos hasta la ropa.

El éxito de Nike se basó en sus zapatos para correr. Nike comenzó en 1962 como el distribuidor exclusivo para Estados Unidos de Tiger, un zapato deportivo japonés de alto precio. Robert Knight, antiguo corredor en la Universidad de Oregon, comenzó su carrera comercial vendiendo zapatos Tiger en su propio automóvil en competencias deportivas de la escuela preparatoria. Muy pronto se separó de Tiger y comenzó a tener zapatos especializados con su propio diseño que fabricaba en Taiwán y en Corea del Sur.

Cuando se popularizó el hábito de correr, los zapatos de atletismo como los de Nike se convirtieron en parte del uniforme popular de la década de 1970. La imagen y la cultura de Nike encajaban en este periodo. La publicidad mostraba un corredor solitario contra el telón de fondo del intenso tránsito citadino. La publicidad tenía un atractivo especial para el mercado de la gente joven. Con el tremendo aumento de popularidad hubo un importante aumento en las ventas. El crecimiento anual de las ventas de Nike tuvo un promedio de 100% durante gran parte de la década de 1970, hasta que llegó a 694 millones de dólares en 1981, cuando Nike reemplazó a Adidas como el zapato deportivo de calidad y de mayores ventas.

El mercado del zapato deportivo está madurando y volviéndose más competitivo. En 1983, la tasa de crecimiento del mercado doméstico por año disminuyó a 8% en comparación con 14% para cada uno de los tres años anteriores. El auge del hábito de correr que se originó en la década de 1970 ha llegado a su pico. La muerte por ataque al corazón de Jim Fixx, autor del libro *Joy of Running* (La alegría de correr), puede haber señalado el punto clímax de esa moda.

Al pronosticar que ''sólo vemos un par de años más de fuerte crecimiento de los zapatos para correr en Estados Unidos'', Nike comenzó a diversificarse. En 1981 lanzó una línea de prendas de vestir y ropa para niño. También emprendió un esfuerzo para entrar en el mercado internacional, abriendo oficinas en Alemania Occidental y en Japón. Los tres esfuerzos experimentaron un crecimiento rápido de las ventas, y las nuevas empresas integraron 39% de las ventas de Nike.

Las ventas de zapatos para adultos y para niños en 1984 mostraron poco crecimiento en comparación con el año anterior. Las nuevas empresas de Nike no tuvieron un éxito completo. Aunque las ventas de prendas de vestir habían crecido 50% en 1984, las utilidades estaban por debajo del promedio. Nike descubrió que los mercados internacionales eran cada vez más difíciles de penetrar. En Europa, Nike tenía que competir con las marcas Adidas y Puma, fabricadas en Alemania Occidental, que tenían entre ambas el 95% del mercado europeo. Tanto en Europa como en Japón, Nike tenía que tratar con culturas donde el hábito de correr no se había convertido en un pasatiempo popular. Como resultado, el rendimiento en 1984 fue muy malo.

Nike es mejor conocido por sus zapatos para correr, que están diseñados especialmente con la ayuda de atletas profesionales en el laboratorio de la compañía. Nike está considerado como el zapato para el corredor serio, aunque suele usarse como zapato diario, especialmente entre los adolescentes. Nike tiene también una línea de zapatos para tenis y gimnasia, que integran una porción principal de sus ventas. La firma ha tenido también gran éxito con su línea de zapatos para niños y prendas de vestir. Sin embargo, son los zapatos Nike los que han mantenido la imagen de alta calidad que tiene la firma. Dentro de los segmentos de zapatos para correr, la competencia principal proviene de firmas especializadas como New Balance y Puma. Nike vende actualmente más de 500 tipos distintos de zapatos.

Los canales actuales de distribución de Nike son principalmente tiendas pequeñas de artículos deportivos de especialidad como Athlete's Feet y Footlocker. Es muy importante que los vendedores sean expertos en las prendas debido a la gran variedad de estilos y marcas de zapatos deportivos. Actualmente, Nike usa poco a los grandes detallistas como Sears, aunque vende algunas de sus marcas menos caras mediante J. C. Penney.

Los canales de distribución competitiva están concentrados en las mismas tiendas deportivas de especialidad como Nike. Converse es una excepción. Vende 30% de sus productos mediante establecimientos que no son de especialidad. Las tiendas deportivas de especialidad, los almacenes de departamentos, las zapaterías y las tiendas de descuento venden zapatos deportivos de buena calidad, pero las tiendas de especialidad manejan los zapatos de calidad superior. La mayor parte de los establecimientos venden también ropa deportiva.

Los detallistas han tenido poco poder de canal porque los productos se venden a través de una variedad de diferentes tipos de establecimientos. Los de especialidad están comenzando a ejercer mayor influencia a medida que aumenta la competencia por el espacio limitado de anaquel, y el tamaño de muchos detallistas acrecentará su influencia a medida que la competencia se vuelva más intensa.

Nike usa atletas profesionales para anunciar su producto. Nike contrató a los corredores más famosos, y éstos constituyeron un factor principal para el éxito de Nike en sus primeros 10 años. Nike ha continuado esta práctica en otros segmentos, usando a la estrella del tenis John McEnroe para respaldar su zapato tenis, y a Michael Jordan, estrella del baloncesto, para recomendar su zapato para este deporte.

El presupuesto promocional actual de Nike está concentrado en respaldos hechos por atletas y el patrocinio de eventos deportivos. Del presupuesto de 18 millones de dólares, 16 millones se destinan a respaldos y patrocinios. No tiene una fuerte campaña publicitaria para sus productos. Nike ha creado entre los consumidores un reconocimiento alto por su logotipo especial, pero no para sus productos específicos.

Las campañas de publicidad anteriores de Nike recalcaban al individuo solitario y original en comparación con la sociedad impersonal y mecanizada. Este tema tenía atractivo para los corredores. También atraía mucho a los jóvenes rebeldes de la década de 1970.

Los principales competidores de Nike en el mercado de zapatos atléticos de calidad son Converse y Adidas. Nike tiene actualmente 32% del mercado de 1.9 miles de millones de dólares de Estados Unidos, donde Converse y Adidas tienen 9% cada uno. Nike tuvo aproximadamente 614 millones en ventas, mientras que los otros dos tienen alrededor de 180 millones. Las tres firmas compiten dentro de cada segmento del mercado de zapatos deportivos y ofrecen una línea de prendas de vestir. También hay numerosos competidores más pequeños, que compiten en nichos de mercado especializados. Estas firmas más pequeñas han crecido con rapidez; siete de ellas tuvieron ventas recientes por más de 50 millones de dólares.

Converse está especializada en zapatos para baloncesto, tenis y gimnasia. Tiene gran atractivo para los adolescentes con productos que incluyen un zapato coloreado como el arcoiris para el "break-dancing". Converse entró recientemente al segmento de los zapatos para correr con una nueva línea de zapatos de alta calidad, pero ha tenido dificultades para establecer una imagen de calidad.

Adidas es la compañía de zapatos deportivos de mayor calidad en el mundo, con ventas de todas las líneas de producto que superaron los 2 mil millones de dólares en 1983. Compite en cada segmento, aunque también es bien conocida por sus zapatos de gimnasia. Adidas es también el vendedor más importante de prendas de vestir deportivas y es la firma más grande en el mercado internacional. Las ventas de prendas de vestir y las internacionales integran 80% de las ventas de Adidas en comparación con 24% para Nike.

En términos de fijación de precios, todas las grandes firmas tienen una fluctuación muy amplia. Los precios de los productos de Nike fluctúan de 15.95 dólares a 125. Las firmas más pequeñas suelen tener una fijación de precios comparable para todos sus productos y también tienen una fluctuación amplia.

Actualmente la rivalidad en la industria es relativamente moderada. Esto ha sucedido debido a la fuerte identificación de marca que se necesita para tener éxito dentro de esta industria. Conforme madura el mercado de los zapatos deportivos, las firmas comenzarán a competir fuera de sus nichos actuales. Esta competencia conducirá a mayor competencia por la porción de mercado y por el espacio de anaquel.

La industria tiene poco atractivo para compañías nuevas de gran tamaño debido a su etapa madura y a la necesidad de construir una franquicia de consumo. Sin embargo, las firmas más pequeñas que ya están en la industria podrían crecer a costa de las firmas grandes establecidas, si las tendencias del mercado y de la moda continúan alejándose de las carreras y explorando otros tipos de deportes para mantener la buena condición física. La competencia en el mercado de los zapatos deportivos actualmente es moderada debido a las barreras relativamente altas que obstaculizan la entrada, así como al rápido crecimiento del mercado. Sin embargo, a medida que los segmentos atléticos maduran y las tendencias de la moda se vuelven más conservadoras, es probable que la competencia se vuelva más intensa cuando las firmas busquen expandir sus nichos actuales de mercado.

El ambiente competitivo en Europa es menos favorable para Nike que el mercado nacional. Adidas y Puma dominan el mercado en Europa con una porción que en Alemania Occidental es de 95%. Nike también debe competir con varias firmas estadunidenses como Pony y New Balance, que también están intentando entrar en el mercado europeo. Nike ha tenido que hacer grandes inversiones en distribuidores y plantas de fabricación tan sólo para lograr su modesta penetración actual en el mercado europeo. Hay tarifas y otros obstáculos para entrar en el mercado común. La moda por correr que elevó las ventas de Nike en Estados Unidos nunca se materializó en Europa. Nike espera que esa moda ocurrirá pronto.

El ambiente competitivo en Asia es un tanto más favorable. El zapato deportivo Tiger de Japón es el único competidor asiático importante. No domina el mercado como lo hace Adidas en Europa. De los zapatos Nike, 95% ya se producen en Asia. Nike podría ahorrarse costos de transporte. Nike Japan es una sociedad entre Nike y una compañía mercantil japonesa que ocupa el sexto lugar en importancia en su país. Esta sociedad le proporciona a Nike reconocimiento instantáneo y contactos dentro del Japón. Nike tiene una imagen de alta calidad debido a su fuerte identificación con los principales deportes estadunidenses, como el tenis, el béisbol y el golf. También hay una tendencia reciente por el hábito de correr en Japón. Esto acompaña a otros deportes que de Estados Unidos han pasado a Japón.

   ¿Cómo debería cambiar Nike su línea de producto? ¿Por qué?

   ¿Debería hacer Nike un esfuerzo agresivo para desarrollar el mercado asiático?

   ¿Qué debería hacer con el mercado europeo?

CASO 19

SEARS ROEBUCK & CO.: RED FINANCIERA SEARS

La red financiera Sears está ofreciendo una amplia gama de servicios financieros para el consumidor a través de sus centros de red financiera en casi 300 almacenes Sears, con otros 200 o más que se abrirán en los próximos años. Sears espera atraer muchas de los casi 40 millones de familias que compran en Sears con regularidad y llevarlas a los centros financieros dentro del almacén, que reúnen en una sola ubicación a representantes del Allstate Insurance Group, Coldwell Banker Real State Group y Dean Witter Financial Services Group. En California, el Sears Savings Bank también está representado. Aunque se observan los horarios normales, el centro y sus representantes operan independientemente de la gerencia de la tienda, como agentes y concesionarios de Allstate, de modo muy parecido a como lo han hecho los departamentos ópticos.

   La gerencia necesita determinar ahora los grupos de consumidores potenciales; qué servicios financieros deberá ofrecer y cómo convendría empacarlos, y cómo deberían promoverse los centros y los servicios individuales. La planeación prudente requiere determinar inicialmente lo que sería conveniente para Sears antes de preocuparse demasiado por restricciones y requerimientos de carácter legal, ya que éstos varían de un área a otra y pueden cambiar. Esto es especialmente importante en esta industria turbulenta donde los cambios están cerca y la planeación es para largo plazo.

   Sears considera los servicios financieros como una oportunidad de crecimiento adecuada a sus capacidades y fuerza competitiva. También es atractiva porque amplía el negocio actual. Históricamente, Sears ha venido creciendo por más de 100 años al encontrar nuevas e importantes oportunidades de crecimiento que llevaron a la compañía más allá sin abandonar el negocio existente. En cada caso fue necesaria una persona de fuera para proporcionar la visión necesaria que permitiera ver la nueva oportunidad de crecimiento.

   En la década de 1890, cuando Richard Sears tenía dificultades para mantener a flote su negocio al menudeo, Julius Rosenwald, un proveedor de prendas de vestir a quien Sears debía dinero, vio la oportunidad de convertirse en "el comprador para el granjero estadunidense". Se convirtió en socio de Sears Roebuck, y el concepto de pedido postal lanzó a la compañía a una época de inmensa prosperidad. Para la década de 1920, la estructura social y económica de Estados Unidos había cambiado de nuevo drásticamente. La nueva oportunidad de crecimiento detectada por General Wood, que también venía de fuera, se encontraba en las áreas urbanas de crecimiento rápido pobladas por una clase trabajadora cada vez más próspera y una nueva clase media de oficinistas. Para servir a estos consumidores nuevos, Wood desarrolló un sistema a escala nacional de tiendas al menudeo, usando las plantas de pedido postal como intermediario, y el catálogo, como un complemento de la venta detallista. Un segundo periodo enormemente próspero se abrió para Sears.

   La economía estadunidense en su etapa actual se caracteriza por la incapacidad de las instituciones existentes para servir las crecientes necesidades del país de servicios financieros y de bienes raíces más eficientes, más accesibles y más adecuados. Esto lo vio Arthur Wood, alguien que también vino de fuera y que entró a la firma como consejero legal y sirvió como presidente antes de Edward R. Telling. El señor Telling fue el responsable de desarrollar el concepto de servicios financieros y su implantación. La confianza que el público estadunidense tiene en Sears probablemente sea la principal ventaja de esta compañía, que le servirá muy bien en campos donde la confianza es esencial.

   Los consumidores encuentran ahora que los centros de red financiera Sears son un grupo de tres oficinas separadas pero contiguas, cada una de las cuales maneja su propio servicio: seguros, bienes raíces o inversiones en acciones y bonos. En algunas situaciones el Coldwell Banker ofrece descuentos sobre la mercancía de la tienda. En algunas tiendas de California hay servicios bancarios, y Sears está esforzándose por adquirir "bancos del consumidor" y hacer asequible este servicio en otros estados donde la legalidad está ahora en entredicho.

J. C. Penney y K mart se encuentran en diversas etapas de planeación y de oferta de centros financieros. K mart está considerando agregar varios servicios bancarios y de inversiones a una gama amplia de ofertas de seguros que sometió a prueba en 15 tiendas de Texas y Florida. La mezcla exacta de servicios de inversión dentro de los almacenes K mart todavía no se ha determinado, pero según el vicepresidente ejecutivo de finanzas de K mart, será muy similar a Sears. En el área de San Diego a comienzos de 1985 se abrieron 10 centros financieros en almacenes K mart conjuntamente con First Nationalwide, la institución de ahorros y préstamos que ocupa el sexto lugar en importancia en Estados Unidos. La Federal Home Loan Board la aprobó para que operara sucursales de servicio limitado en los almacenes K mart. Las sucursales ofrecen cuentas en el mercado de dinero, cuentas de retiro individual y certificados de depósito a corto plazo.

En el desarrollo del potencial completo de la oportunidad de servicios financieros, el primer paso consiste en desarrollar cada servicio financiero independientemente, excepto para la ubicación común, la publicidad común y las promociones cruzadas que permite la ley. A este respecto debería considerarse la estrategia de Allstate que Coldwell Banker y Dean Witter podrían usar para desarrollar el negocio mediante sus actividades de centro financiero.

El núcleo de la red financiera es el fuerte negocio de seguros de vida, de casas y de automóviles de la Allstate Insurance Company, que se desarrolló mediante una estrategia centrada en agentes de la compañía ubicados dentro de la tienda, quienes después de recopilar una lista de clientes, se trasladaron a nuevas sucursales de ventas de comunidad llevándose a sus clientes. Esto abría el camino para agentes recientemente reclutados que pasaban por el mismo proceso y continuaban así ampliando la base de clientes de la compañía. Todavía no se sabe si este proceso podría o debería usarse con los servicios de inversiones o de bienes raíces.

Los servicios financieros de Sears podrían considerar ofertas o invitaciones a concesionarios como H&R Block para operar las declaraciones de impuestos, cuestiones legales, planeaciones financieras y administración de propiedades. El agrupamiento de estos servicios permite la creación de un supermercado financiero o centro de servicios que puede ser más conveniente para los clientes y que tal vez aumente la frecuencia de visitas al centro financiero, debido a la amplitud de servicios disponibles. Donde no haya un banco Sears disponible, podrían incluirse "estaciones de efectivo" o cajeros automáticos mediante acuerdo con una cadena bancaria, lo cual de nueva cuenta aumentaría la conveniencia para el cliente y la frecuencia de visitas.

Aunque los posibles beneficios a largo plazo del agrupamiento de los servicios financieros en un paquete, tal vez incluyendo mercancía, deba esperar hasta que los servicios individuales estén firmemente establecidos y hasta que los problemas legales, competitivos y operacionales se hayan clarificado, es importante desarrollar varias perspectivas acerca del futuro y de la forma cómo Sears puede proporcionar los servicios individuales e integrados a los consumidores y obtener utilidades.

También se necesitan planes de transición. Véase un posible plan. Los consumidores en el grupo meta de Sears en su mayor parte deciden transacciones financieras específicas una por una, con una idea aproximada de un plan completo. Pueden pedir consejos de los amigos, familiares, abogados y otras personas, pero ellos mismos toman las decisiones y manejan sus asuntos. Hay una oportunidad para desarrollar un servicio de planeación financiera que ayude a los clientes a coordinar sus transacciones financieras. La responsabilidad y la confianza son esenciales. El planificador de un solo servicio, como un agente de seguros o un corredor de bolsa, suele recalcar demasiado su servicio específico y con frecuencia proporciona consejos tal vez no muy objetivos. La planeación financiera puede dirigir a los clientes hacia los servicios. Si Sears puede organizar un servicio así de tal modo que el interés del consumidor y de la compañía se beneficien mutuamente, podría usar el servicio como el núcleo de sus negocios de servicios financieros para el consumidor. Si pasamos por alto momentáneamente los aspectos legales y pensamos en lo que sería conveniente económicamente para Sears y sus clientes, deben ofrecerse y analizarse posibles planes como una base para moverse hacia el futuro.

1. ¿Cuáles son las ventajas y desventajas del plan de red financiera Sears actual y del recomendado?

2. ¿Cuál es la estrategia de mercadotecnia que se está usando? Intente estipularla en el menor número posible de palabras.

3. ¿Qué cambios recomendaría usted en los aspectos de mercadotecnia del programa? ¿Por qué?

CASO 20

DART & KRAFT INC.: TUPPERWARE

La división Tupperware, una de las más lucrativas de la compañía en la década de 1970, con una tasa de crecimiento anual de 17%, se vio afectada por cambios económicos y sociales a comienzos de la década de 1980. Ahora se enfrenta con el problema de formular un plan de mercadotecnia para evitar la amenaza y aprovechar las oportunidades creadas por el cambio ambiental.

Desde su fundación en 1945 por Ear Tupper, un químico de Du Pont, Tupperware se ha convertido en el principal fabricante de artículos de plástico para el hogar. Empezó con una línea de recipientes de plástico con tapas que se vendían en supermercados y tiendas departamentales. Tuvo poco éxito hasta que adoptó el método de distribución de la fiesta en casa, creado por Stanley Home Products en la década de 1930. La demostración era la clave para que el consumidor comprendiera la calidad del producto y de la tapa. Tupperware creció rápidamente y fue adquirida por Dart Industries en 1958. Tupperware era responsable de 9% de las ventas de su compañía matriz y 26% de sus utilidades en 1982, pero los resultados recientes han sido mucho menos impresionantes. Las ventas internacionales respondieron por 57% de los ingresos de Tupperware y se proyecta que crecerán 16% al año. En comparación con 12% para el mercado nacional. Tupperware ha escogido específicamente aquellos países donde el crecimiento en los ingresos disponibles sostendrán los crecientes gastos en refrigeración. La compañía ofrece dos razones para su menor rendimiento a últimas fechas: el efecto de traducir resultados del extranjero a dólares estadunidenses y la mayor dificultad para reclutar personal de ventas independiente.

En el mercado nacional, la escasez de espacio de anaquel junto con barreras bajas para la entrada, han hecho que la industria de ventas directas experimente una gran elevación en el número de compañías que rivalizan por un grupo, de lento crecimiento, de personas que desean trabajar como agentes independientes. A pesar de la tendencia que tienen los representantes de manejar productos de más de una compañía, los vendedores directos se enfrentan a una escasez de distribuidores. La habilidad para atraer nuevos reclutas es el determinante principal del crecimiento en las ventas directas. Por tanto, se está intensificando la competencia por vendedores competentes, lo que amenaza la posición de Tupperware como uno de los patrones más atractivos para las ventas directas. Los cosméticos Mary Kay y Avon están aumentando los incentivos y los paquetes de compensaciones. Una respuesta similar de Tupperware disminuiría sin lugar a dudas su margen de utilidad. Estos desarrollos hacen dudar de la conveniencia de continuar exclusivamente con una mercadotecnia de fiestas caseras. Algunos observadores de la industria temen que el método de las fiestas esté cerca de su punto de saturación como medio eficaz de distribución. Aunque el influjo de nuevas empresas de ventas directas ha sido rápido, algunos competidores, como Rubbermaid, han preferido vender mediante tiendas.

Otros cambios demográficos y económicos están complicando las cosas para Tupperware. Una economía en fortalecimiento está: (1) disminuyendo la necesidad de que las mujeres colaboren en el ingreso familiar y (2) ofreciendo más oportunidades para empleo de tiempo completo. Hay menos mujeres en casa durante el día, y ya no hay tantas que estén dispuestas a dedicar tiempo extra para las fiestas de ventas directas. Además, el número de familias que usan Tupperware es un porcentaje declinante de la población.

Tupperware fabrica plásticos de alta calidad que están garantizados para toda la vida. La línea principal consiste de contenedores o envases para guardar y servir alimentos, pero también maneja juguetes y otros productos para el hogar, incluyendo objetos decorativos. La tasa baja de recompra que implica la garantía para toda la vida, aunada al elevado porcentaje de ventas realizadas con los mismos clientes, indica la necesidad de mejoramientos y cambios en la línea de producto. Los productos nuevos se introducen cada 60 días a medida que los productos más antiguos y de movimiento más lento se descontinúan con la misma frecuencia. La línea total tiene un número constante de 125 productos. Las ideas para productos nuevos provienen de tres fuentes: los propios laboratorios de investigación y desarrollo de Tupperware, inventores independientes, distribuidores y anfitrionas. La compañía también consulta a los distribuidores y a las anfitrionas para recabar ideas sobre colores nuevos, distintos tamaños o nuevos usos para los productos actuales. Los mejoramientos del producto también son importantes. El descubrimiento de un nuevo polímero en 1979, que permite lavar los productos Tupperware en máquinas automáticas y la adopción de la tecnología de ''sello instantáneo'' descubierta por MIT en 1970, le dan a Tupperware una ventaja de calidad sobre su competencia. En 1984 se lanzaron los Modular Mates. Esta es una línea de envases compactos y apilables dirigidos a familias pequeñas que tienen poco espacio para vivir. Se han desarrollado utensilios para hornos de microondas y se están haciendo planes para atender este mercado de crecimiento rápido.

Todas las ventas se hacen en fiestas y con pago de contado. Como la mayoría de los clientes pagan con cheque, Tupperware ha logrado mantener un registro exacto sobre quiénes son sus clientes exactamente y con cuánta frecuencia compran. Raras veces hay un cambio muy grande en los precios de la línea de productos; el precio de la mayoría de los productos sigue siendo muy similar al precio original, que se establece con un margen elevado, típicamente más elevado que los productos de la competencia.

El único canal de distribución de Tupperware es su organización de ventas de campo de multinivel. Hay cuatro niveles en la pirámide de ventas de Tupperware: vendedores, gerentes de unidad, distribuidores y vicepresidentes regionales. Los vendedores forman la base amplia de la estructura de ventas y constituyen el elemento fundamental del sistema de las fiestas; casi todos los vendedores son mujeres. Reclutan amigos y conocidos para celebrar fiestas caseras, Tupperware, en las cuales hacen demostraciones del producto y reciben pedidos. A las anfitrionas se les recompensa con un regalo. Además de una comisión de ventas de 35%, los vendedores también ganan premios por reclutar a nuevos vendedores. Como la mayoría de las mujeres tienen varios grupos distintos de amigos, cada fiesta introduce al vendedor a nuevos usuarios y facilita las cosas para realizar fiestas en el futuro y obtener más reclutas. Cuando los amigos se terminan, los vendedores reclutan anfitrionas de puerta en puerta.

Para llegar a ser gerente de unidad se requiere un entrenamiento adicional en ventas, así como haber logrado ciertos niveles de ventas y reclutamiento. Los gerentes trabajan tiempo completo organizando fiestas, entrenando a los vendedores y llevando los libros. La proporción entre gerentes de unidad y vendedores es de aproximadamente 1:12. Reciben una comisión de 3 a 5% de las ventas al menudeo en su unidad y automóvil nuevo cada dos años.

Los distribuidores son el tercer nivel de la organización y son escogidos entre los gerentes de unidad. Generalmente son un equipo de marido y mujer. Se requiere una gran inversión en inventario y en renta de almacén, que Tupperware ayuda a financiar. Los distribuidores supervisan varias unidades y son responsables de los costos asociados con embarques, reuniones semanales y regalos de incentivo para sus ''territorios''. Como compensación, reciben 20% de comisión sobre las ventas al menudeo en su área. Tupperware establece metas de ventas para sus distribuidores, quienes a su vez tienen gran libertad para diseñar incentivos que estimulen a los vendedores y a los gerentes para alcanzar estas cifras. Los costos de distribución corresponden a más de 50% de las ventas al menudeo.

En el nivel superior de la jerarquía de ventas de Tupperware están sus 12 vicepresidentes regionales, los únicos miembros de la organización de ventas que son empleados de la compañía. Todos ellos son hombres y reciben salarios anuales de más de 100 000 dólares.

El reclutamiento y la motivación de la fuerza de ventas son esenciales para la ejecución de la estrategia de mercadotecnia de Tupperware. En cada nivel de la organización de ventas, la corporación emplea las técnicas más avanzadas de capacitación y motivación basadas en el reconocimiento y la recompensa. El sistema alienta tanto el volumen de ventas como el de reclutamiento. Aunque el movimiento de personal en las operaciones de ventas directas es elevado, el movimiento de personal de Tupperware está muy por debajo del promedio de la industria. La compañía atribuye su éxito a un enfoque familiar, que intenta hacer intervenir a los esposos de las vendedoras en los aspectos sociales y remunerativos del negocio. Además de ser un canal de distribución, la fuerza de ventas le proporciona a Tupperware un sistema de información administrativa muy eficaz y eficiente. Los gerentes de unidad y los distribuidores preparan informes semanales que comunican por teléfono a los vicepresidentes regionales, esto le da a la gerencia superior información oportuna sobre las ventas. A continuación se elaboran promociones ajustadas a las condiciones actuales del mercado.

Actualmente Tupperware no usa publicidad dirigida al consumidor. La gerencia cree que una de las ventajas de las ventas directas es que elimina la necesidad de publicidad para hacerse conocer entre los consumidores. La fuerza y el nombre de marca de Tupperware apoya este punto de vista. Sin embargo, se usan mucho la publicidad y la promoción dirigidas a vendedores potenciales y actuales, gerentes y distribuidores. Además de la publicidad en los medios (televisión, revistas femeninas) destinada a elevar los niveles de reclutamiento, los esfuerzos promocionales incluyen concursos, viajes gratuitos para los vendedores, reuniones de ventas, celebraciones, premios por satisfacer cuotas de ventas y reclutamiento y regalos para las anfitrionas.

Tupperware compite en busca de reclutas de ventas directas y consumidores para sus productos. Al igual que sucede con muchas empresas de ventas directas, hay una gran superposición entre estos grupos. Sólo las grandes empresas de ventas directas tienen los recursos para competir con los programas de compensaciones y de incentivos de Tupperware; éstas incluyen Avon, Mary Kay y Annway. La escasez de vendedores independientes está haciendo que las grandes empresas compitan más fuerte por los reclutas. Todo el presupuesto de publicidad y promoción de 1984 de Mary Kay se destinó a programas orientados al reclutamiento. Avon revisó recientemente su sistema de compensaciones para permitirles a los líderes de ventas ganar comisiones sobre las ventas de los representantes que manejan.

Como Tupperware está colocado en la categoría que se define en términos generales como almacenamiento de alimentos, sus productos compiten con una gran variedad de sustitutos: papel aluminio, plástico y los envases de uso repetido en que varios fabricantes empacan sus productos. Hay pocos nombres de marca nacionales en el mercado de artículos de cocina de plástico con sus ventas anuales estimadas de 2.2 miles de millones de dólares, de las que una mitad está en la categoría de servicio de mesa para la cena, servicio de mesa y utensilios de cocina. Tupperware es el líder con 17%, seguido de Rubbermaid con 8% del mercado y de Eagle con una porción todavía más pequeña. El resto se divide entre pequeños productores regionales, muchos de ellos en el negocio de etiqueta privada o en el genérico. Como Rubbermaid ha comenzado a vender a través de los supermercados, esto deja prácticamente a Tupperware como el mercadólogo de plan de fiesta de artículos de plástico para el hogar. Además, Rubbermaid, Eagle y otros competidores se han vuelto todavía más competitivos al acrecentar sus esfuerzos para venderles líneas más amplias a los supermercados.

Las opciones de Tupperware para enfrentar la situación actual incluyen las siguientes:

1. Mejorar la eficacia del enfoque actual de plan de fiestas.
2. Vender a través de uno o más tipos de tiendas detallistas, como supermercados, establecimientos de comercialización en masa, tiendas de departamentos o tiendas de artículos domésticos de especialidad.
3. Mercadotecnia de pedido postal para seleccionar segmentos a través de campañas de correo directo, catálogos de especialidades de la compañía y catálogos de especialidades de otras compañías.
4. Programa de teléfono o de telemercadotecnia.
5. Programa de compras electrónicas desde el hogar mediante un sistema interactivo que ya existe en algunas secciones de Estados Unidos pero que se usa más en Gran Bretaña.

A la hora de considerar las diversas opciones, se le ha pedido a usted que estudie las fuerzas que dan lugar a la situación actual de Tupperware y las tendencias de las mismas como una base para hacerle recomendaciones a la gerencia.

1. ¿Qué recomendaciones haría usted a la gerencia de Tupperware para que mejorara su mercadotecnia en Estados Unidos?
2. ¿Qué métodos de ventas al menudeo debería usar Tupperware? ¿Cómo? ¿Por qué?
3. ¿Qué problemas y oportunidades habría de enfrentar Tupperware con la aplicación del plan de fiestas en los mercados internacionales?

APENDICE: LA INDUSTRIA DE LAS VENTAS DIRECTAS

Más de 400 compañías utilizan el canal de distribución de ventas directas evadiendo a los establecimientos minoristas mediante vendedores directos en el hogar. Este canal abarca una gran diversidad de artículos, incluyendo cosméticos, libros, artículos domésticos de plásticos, joyería, juguetes, vitaminas, y algunas firmas notables: Tupperware, Avon, Mary Kay, Stanley Home Products. Se usan tres formas de ventas directas: repetitivas, no repetitivas y el plan de fiestas. Las ventas repetitivas incluyen todos los productos que se consumen en un régimen regular y que tienen, por tanto, una frecuencia de compras elevada. Las ventas no repetitivas incluyen artículos durables de consumo, como las aspiradoras. La tercera forma (plan de fiestas) se usa en 15% de todas las ventas directas. Cada año tres cuartas partes de las familias estadunidenses reciben la visita de vendedores directos; alrededor de 50% de esas visitas dan lugar a compras. En algunos productos, como los artículos para el hogar, 83% de los contactos se materializan en compras. El plan de fiestas es particularmente eficaz porque está diseñado para ajustarse al horario tanto del vendedor como de la anfitriona. Esto supera la principal objeción que se hace a otros métodos de ventas directas: de que las visitas de ventas a menudo se hacen en momentos inoportunos. Sin embargo, algunos consumidores todavía se muestran reacios a participar en planes de fiesta; creen que la asistencia a una fiesta significa un compromiso para comprar algo.

Las compañías se sienten atraídas por las ventas directas debido a los costos más bajos de operación y a la mayor flexibilidad en relación con la comercialización en masa convencional. Los distribuidores y los vendedores son contratantes independientes. Por lo tanto, un gran porcentaje de los costos promocionales y de distribución de la compañía son variables, vinculados directamente con las ventas en la forma de comisiones e incentivos. Los costos fijos son bajos. No hay pago de pensiones o gastos de seguros, el papeleo es limitado y la publicidad se realiza principalmente por referencia verbal.

El número de compañías de ventas directas se ha elevado desde 250 en 1980 hasta más de 400 en 1983, un aumento de 30 a 35%. Este crecimiento puede atribuirse a un cierto número de factores. El espacio de anaquel en las tiendas detallistas se ha vuelto cada vez más limitado debido a la proliferación del producto y los gerentes de esos establecimientos les dan preferencia a los productos comprobados. Los costos crecientes del capital y de los gastos de operación como la publicidad han hecho que las operaciones de ventas directas sean relativamente atractivas. Además, las firmas minoristas están usando las ventas directas para complementar las ventas dentro de las tiendas. Este crecimiento reciente en las firmas de ventas directas ha dado lugar a una gran competencia entre estas compañías en busca de vendedores eficientes a largo plazo. Las ganancias en productividad por representante son difíciles de obtener y de mantener. Los reclutas nuevos suelen ser más productivos, pero también son más difíciles de encontrar. El movimiento laboral entre los vendedores directos supera el 100%.

Cuando los consumidores comparan las ventas directas con otros métodos de compras, uno de cada cuatro indica estar interesado en las ventas directas. La compra directa es más atractiva para personas que viven en los suburbios o en las zonas rurales, mujeres, familias y hasta cierto punto los negros. Pero el público tiene ciertas dudas sobre las ventas directas. Los consumidores creen que terminan comprando cosas que realmente no necesitan, que los precios son mucho más altos que para productos similares comprados en un establecimiento detallista, y que las presentaciones en casa no le permiten al comprador potencial hacer comparaciones.

El éxito de las compañías de ventas directas está relacionado directamente con el número y la productividad de sus vendedores. Por lo tanto, un elemento crucial en la estrategia de cualquier compañía de ventas directas es un programa de incentivos que recompense a los vendedores por reclutar a otros nuevos además de las comisiones que percibe por sus propias ventas. El objetivo es tener un sistema en que el reclutamiento se perpetúe a sí mismo, atrayendo a un círculo cada vez más amplio de vendedores productivos y a largo plazo.

Más de 80% de los vendedores directos son mujeres. Suelen tener ingresos ligeramente más altos que el promedio y educación a nivel de bachillerato superior. Suelen ser jóvenes, religiosas y conservadoras políticamente. Alrededor de la mitad de ellas han trabajado en ventas directas por menos de dos años, y 35% han tenido más de cinco años de experiencia. Dos tercios trabajan menos de 10 horas por semana. Las ventas directas son particularmente atractivas para las mujeres porque la independencia les proporciona flexibilidad a las amas de casa con niños.

La motivación que sustente la decisión de una persona para entrar en el área de las ventas directas tiene fuertes implicaciones para su productividad. Las mujeres que aceptan el trabajo por consideraciones puramente financieras tienden a trabajar un corto tiempo, pues cuando logran una meta monetaria determinada previamente se marchan. Las mujeres que se dedican a las ventas en busca de una sensación de logro son las que más probabilidades tienen de trabajar a largo plazo. El primer año de ventas es el más importante. Si una persona aguanta el primer año, aumentan mucho las posibilidades de que continúe. La razón más común para renunciar es la insatisfacción con las compensaciones.

Las 14 compañías principales de ventas directas en Estados Unidos

COMPAÑIA	FUERZA DE VENTAS ESTIMADA PARA FINES DE 1982	VENTAS AL DETALLE ESTIMADAS PARA 1982 (millones)
Avon Products	440 000R	$1 262R
Amway	675 000	900
Tupperware (Dart & Kraft)	140 000	245
Encyclopedia Britannica	N/D	400
Shaklee	8 880*	360
Electrolux (Consolidated Foods)	8 500	300
Mary Kay	177 000R	578R
Home Interiors	40 000	200
World Book (Scott & Fetzer)	15 000	190
Princess House (Colgate-Palmolive)	20 000	85
Kirby (Scott & Fertzer)	10 000	65
Stanhome	37 000	62
Jafra (Gillette)	60 000	51
Fuller Brush (Consolidated Foods)	15 000	60

*Sólo representantes que compran directamente y que, a su vez les venden a los vendedores que comercializan los artículos.
R = real; N/D = no disponible
Fuente: Morgan Stanley Research Estimates

APENDICE 1

Aritmética de la mercadotecnia

Un aspecto de la mercadotecnia que no se trató en el texto es las matemáticas de la mercadoctenia. El cálculo de las ventas, costos y ciertas razones es importante en muchas decisiones de mercadotecnia. El propósito de este apéndice es describir tres áreas principales de matemáticas de la mercadotecnia: el estado de resultados, las razones analíticas y los márgenes de utilidad y rebaja.

ESTADO DE OPERACION

El estado de resultados y la hoja de balance son los principales estados financieros que utilizan las empresas. La hoja de balance muestra los activos, los pasivos y el capital contable de una firma en determinado momento. El estado de resultados (llamado también estado de pérdidas y ganancias o estado de ingresos) es el principal de los dos estados para obtener información de mercadotecnia. Muestra las ventas de la compañía, el costo de los bienes vendidos y los gastos durante el periodo dado de tiempo. Al comparar el estado de resultados de un periodo con el siguiente, la firma puede detectar tendencias favorables o desfavorables y emprender la acción apropiada.

La tabla A.1-1 muestra el estado de resultados de 1985 para Dale Parsons, una pequeña tienda de especialidades en ropa para hombre ubicada en el Oeste medio. Este estado es para un detallista; el estado de resultados para un fabricante sería un tanto distinto. Específicamente, la sección destinada a adquisiciones en el área de "costo de bienes vendidos" sería sustituida por "costo de bienes fabricados".

El esquema del estado de resultados sigue una secuencia lógica de pasos para llegar a esta cifra de utilidad neta de una firma de $5 000:

Ventas netas	$60 000
Costo de bienes vendidos	—35 000
Margen bruto	$25 000
Gastos	—20 000
Utilidad neta	$ 5 000

A continuación se examinarán los principales elementos del estado de resultados.

El primer elemento del estado de resultados detalla lo que la compañía Parsons recibió por los bienes vendidos durante el año. Las cifras de ventas están integradas por tres

TABLA A.1-1
*Estado de resultados de
Dale Parsons para el año
que termina el 31 de
diciembre de 1985.*

Ventas brutas		$65 000
Menos: devoluciones y descuentos		5 000
Ventas netas		$60 000
Costo de los bienes vendidos		
Inventario inicial, 1 de enero, al costo		$12 000
Compras brutas	$33 000	
Menos: descuentos en compras	3 000	
Compras netas	$30 000	
Más flete	2 000	
Costo neto de las compras entregadas		32 000
Costos de los bienes disponibles para la venta		$44 000
Menos: inventario final, 31 de diciembre, al costo		9 000
Costo de los bienes vendidos		35 000
Margen bruto		$25 000
Gastos:		
Gastos de ventas		
Ventas, sueldos y comisiones	$ 8 000	
Publicidad	1 000	
Entrega	1 000	
Total de gastos de ventas	$10 000	
Gastos administrativos		
Sueldos de oficina	$ 4 000	
Suministros de oficina	1 000	
Diversos (asesor externo)	1 000	
Total de gastos administrativos	$ 6 000	
Gastos generales		
Alquiler	$ 2 000	
Calefacción, luz y teléfono	1 000	
Diversos (seguros, depreciaciones)	1 000	
Gastos generales totales	$ 4 000	
Gastos totales		$20 000
Utilidad neta		$ 5 000

conceptos: ventas brutas, devoluciones y descuentos, ventas netas. El primer concepto representa el importe total que se carga a los clientes durante el año por mercancía adquirida en la tienda de Parsons. Según lo previsto, algunos clientes devuelven la mercancía por defectos o porque cambian de parecer. Este intercambio se denomina "devolución" cuando al cliente se le reembolsa íntegramente su dinero o el crédito completo sobre la venta. Quizás decida conservar la mercancía si la tienda le rebaja el precio para compensar el defecto. A esto se le llama "bonificación por defecto". Una vez deducidas las devoluciones y rebajas de las ventas brutas, se obtienen las ventas netas, es decir, los ingresos al término de un año de ventas:

Ventas brutas	$65 000
Devoluciones y rebajas	—5 000
Ventas netas	$60 000

Es conveniente examinar el costo de los bienes que Dale Parsons vendió en 1985. Desde luego, debe incluirse el inventario del negocio con que empezó. Durante el año se vendieron trajes, pantalones, corbatas, camisas, pantalones de mezclilla y otros artículos por valor de $33,000. La compañía dio un descuento de $3 000 a la tienda; por tanto, las ventas netas fueron de $30 000. Como la tienda está situada en una población pequeña y necesita una ruta especial de entrega, Parsons tuvo que pagar $2 000 para que le entregaran la mercancía, lo que le da un costo neto de $32 000. Cuando el inventario inicial se sumó a esta cifra, el costo de los bienes disponibles para su venta ascendió a $44 000. El inventario final de $9 000 en ropas que había en la tienda el 31 de diciembre se restó y se obtuvo $35 000 como "costo de los bienes vendidos". También en este caso se sigue una serie lógica de pasos para llegar al costo de los bienes vendidos:

Cantidad con que empezó Parsons (inventario inicial)	$12 000
Cantidad neta de compras de Parsons	+ $30 000
Costos que se sumaron al conseguir esas compras	+ $ 2 000
Costo total de la mercancía que Parsons tenía disponible para su venta en el año	$44 000
Cantidad que Parsons tuvo al final del año (inventario final)	− $ 9 000
Costo de la mercancía que realmente se vendió	$35 000

La diferencia entre lo que Parsons pagó por su mercancía ($35 000) y lo que recibió ($60 000) por ella recibe el hombre de margen bruto ($25 000).

Con el propósito de mostrar lo que Parsons "ganó" al terminar el año, al margen bruto se le deben restar los "gastos" hechos para generar ese volumen de ventas. Los gastos de ventas incluían dos empleados de tiempo parcial; publicidad local en prensa, radio, televisión; y el costo de entrega de mercancía a los consumidores después de las alteraciones. Los gastos de ventas equivalían a $10 000 para el año. Los gastos administrativos incluían el salario de un contador de medio tiempo, suministros de oficina como papelería, tarjetas de negocio y diversos gastos de una auditoría administrativa llevada a cabo por un asesor externo. Los gastos administrativos fueron de $6 000 en 1985. Por último, los gastos generales de renta, servicios públicos, seguros y depreciación fueron en total de $4,000. Los gastos totales fueron de $20 000 para el año. Al restar los gastos ($20 000) del margen bruto ($25 000), se llega a las utilidades netas de $5 000 para Parsons durante 1985.

RAZONES ANALITICAS

El estado de resultados proporciona los datos necesarios para derivar varias razones claves. Típicamente estas razones se conocen como razones de operación (es decir, la razón de determinados conceptos en el estado de operación con las ventas netas) y permiten a las empresas comparar su rendimiento en un año con el de años anteriores (o con los estándares o competidores de la industria en el mismo año) con el propósito de evaluar su éxito global. Las razones de operación más importantes que se calculan son: los porcentajes de margen bruto, utilidades netas, gastos de operación, devoluciones y rebajas.

RAZON	FORMULA	COMPUTACION DE LA TABLA A.1-1
Porcentaje de margen bruto	$= \dfrac{\text{Margen bruto}}{\text{Ventas netas}}$	$= \dfrac{\$25\,000}{\$60\,000} = 42\%$
Porcentaje de utilidades netas	$= \dfrac{\text{Utilidades netas}}{\text{Ventas netas}}$	$= \dfrac{\$5\,000}{\$60\,000} = 8\%$
Porcentaje de gastos de operación	$= \dfrac{\text{Gastos totales}}{\text{Ventas netas}}$	$= \dfrac{\$20\,000}{\$60\,000} = 33\%$
Porcentajes de devoluciones y rebajas	$= \dfrac{\text{Devoluciones y rebajas}}{\text{Ventas netas}}$	$= \dfrac{\$5\,000}{\$60\,000} = 8\%$

Otra razón que es útil para propósitos analíticos es la tasa de rotación de inventario. La tasa de rotación es el número de veces que un inventario tiene rotación o se vende durante un periodo específico (generalmente un año). Se puede calcular a partir de un costo, venta o precio unitario. Así, la fórmula podría ser:

$$\text{índice de rotación de inventario} = \frac{\text{costo de los bienes vendidos}}{\text{inventario promedio al costo}}$$

o bien

$$\text{índice de rotación de inventario} = \frac{\text{precio de venta de los bienes vendidos}}{\text{precio promedio de venta del inventario}}$$

o bien

$$\text{índice de rotación de inventario} = \frac{\text{ventas en unidades}}{\text{inventario promedio en unidades}}$$

Se usará la primera fórmula:

$$\frac{\$35\,000}{\dfrac{\$12\,000 + \$9,000}{2}} = \frac{\$35\,000}{\$10\,500} = 3.3$$

Es decir, el inventario de Parsons tuvo más de 3.3 de rotación en 1985. Por lo regular, a una tasa más alta de rotación de inventario corresponde también una mayor eficiencia en la administración y utilidades más grandes de la empresa.

El rendimiento sobre la inversión (RSI) suele servir de medida de la eficiencia general y se sirve de datos tomados del estado de resultados y del balance general. A continuación se transcribe una fórmula de uso común para calcular el (RSI):

$$RSI = \frac{\text{utilidades netas}}{\text{ventas}} \times \frac{\text{ventas}}{\text{inversión}}$$

Pueden surgir dos preguntas después de analizar la fórmula anterior: ¿por qué usar un proceso de dos etapas cuando el rendimiento sobre la inversión podría obtenerse sencillamente como utilidad neta sobre la inversión? ¿qué es exactamente la inversión?

La información necesaria para contestar la primera pregunta se obtiene a observar cómo puede afectar cada componente de la fórmula al RSI. Supóngase que Dale Parsons calculó ese dato de este modo:

$$RSI = \frac{\text{utilidades netas } \$5\,000}{\text{ventas } \$60\,000} \times \frac{\text{ventas } \$60\,000}{\text{inversión } \$30\,000}$$

$$8.3\% \quad \times \quad 2 \quad = 16.6\%$$

Si Parsons hubiera creído que lograría ciertas ventajas de mercadotecnia aumentando su participación en el mercado de ropa, posiblemente habría generado el mismo RSI de haberse duplicado las ventas y de haber permanecido inalterada la inversión (aceptando una razón de utilidad más baja pero produciendo transacciones comerciales y repartición de mercado más altas):

$$RSI = \frac{\text{utilidades netas } \$5\,000}{\text{ventas } \$120\,000} \times \frac{\text{ventas } \$120\,000}{\text{inversión } \$30,000}$$

$$4.16\% \quad \times \quad 4 \quad = 16.6\%$$

Podría haber aumentado su RSI con una utilidad neta mayor mediante una más eficiente planeación, realización y control de mercadotecnia:

$$RSI = \frac{\text{utilidades netas } \$10\,000}{\text{ventas } \$60\,000} \times \frac{\text{ventas } \$60\,000}{\text{inversión } \$30\,000}$$

$$16.6\% \quad \times \quad 2 \quad = 33.2\%$$

Otra manera para acrecentar el RSI es encontrar la forma de producir el mismo nivel de ventas y utilidades disminuyendo al mismo tiempo la inversión (quizá reduciendo el tamaño del inventario promedio del negocio):

$$RSI = \frac{\text{utilidades netas } \$5\,000}{\text{ventas } \$60\,000} \times \frac{\text{ventas } \$60\,000}{\text{inversión } \$15\,000}$$

$$8.3\% \quad \times \quad 4 \quad = 33.2\%$$

¿Qué es la "inversión" en la fórmula RSI? Por inversión suele entenderse el total de activos de una empresa. Pero muchos otros analistas recurren actualmente a otras medidas del rendimiento para evaluar la eficiencia gerencial. Véanse algunas de ellas: rendimiento sobre los activos netos (RSAN), rendimiento sobre el capital de los accionistas (RCI), rendimiento sobre los activos administrados (RSA). Como la inversión se mide en un punto determinado del tiempo, es costumbre calcular el RSI como la inversión promedio entre dos periodos (por ejemplo, entre el 1 de enero y el 31 de diciembre del mismo año). También puede medirse como una "tasa interna de rendimiento" empleando el análisis de flujo por pronto pago (véase un manual financiero que explique ese método). El objetivo de usar cualquiera de estas mediciones es precisar la eficacia con que la empresa ha usado sus recursos. A medida que la inflación, las presiones de la competencia y el costo del capital muestran un movimiento ascendente, esas mediciones adquieren más importancia como parámetros de la eficiencia de la administración de mercadotecnia y de la gerencia.

MARGENES DE UTILIDAD Y REBAJAS

Para detallistas y mayoristas es imprescindible conocer los conceptos de margen de utilidad y rebaja. La compañía necesita obtener ganancias si quiere seguir en el negocio; de ahí que el porcentaje de margen de utilidad sea una consideración estratégica de capital importancia. Tanto el margen de utilidad como la rebaja se expresan en porcentajes.

A continuación mostramos dos formas de calcular los márgenes de utilidad (con base en el costo o en el precio de venta):

$$\text{porcentaje del margen de utilidad basado en el costo} = \frac{\text{margen de utilidad en dólares}}{\text{costo}}$$

$$\text{porcentaje del margen de utilidad basado en el precio de venta} = \frac{\text{margen de utilidad en dólares}}{\text{precio de venta}}$$

Dale Parsons debe decidir cuál fórmula usar pues de lo contrario habrá enorme confusión. Si compró las camisas a $8 dólares y quiso obtener un margen de utilidad de $4, este porcentaje de sobrecargo en el costo será de $4/$8 = 50%. Si este margen de utilidad lo basó en el precio de venta, el porcentaje será de $4/$12 = 33.3%. Al calcular el porcentaje de sobrecargo, los detallistas suelen emplear el precio de venta y no el de costo.

Supóngase que Parsons conocía su costo ($10) y el margen de utilidad deseado (25%) en una corbata y que quería obtener el precio de venta utilizando el margen de utilidad como porcentaje de la fórmula para el precio de venta. La fórmula es:

Precio de venta = costo + (margen de utilidad x precio de venta)
Precio de venta = $10 + .25% del precio de venta
.75% del precio de venta = $10
Precio de venta = $13.33

Conforme pasa un producto por el canal de distribución, cada integrante del canal añade su margen de utilidad al producto antes de venderlo al siguiente integrante. Esta "cadena de márgenes de utilidad" se ilustra en la venta de un traje de Parsons a $200:

		CANTIDAD EN $	% DE PRECIO DE VENTA	
	Costo	$108	90%	
Fabricante	Margen de utilidad	12	10	Margen de utilidad
	Precio de venta	$120	100%	
	Costo	$120	80%	
Mayorista	Margen de utilidad	30	20	Margen de utilidad
	Precio de venta	$150	100%	
	Costo	$150	75%	
Detallista	Margen de utilidad	50	25	Margen de utilidad
	Precio de venta	$200	100%	

El detallista cuyo margen de utilidad es de 25% no necesariamente obtiene una utilidad mayor que el fabricante cuya ganancia es de 10%. La utilidad depende también de cuántos artículos puedan venderse con ese margen de utilidad (tasa de rotación de inventario) y de la eficiencia de operación (gastos, etc.)

A veces al detallista le gustaría poder convertir en costo (y viceversa) los márgenes de utilidad basados en el precio de venta. Véanse las fórmulas:

$$\text{porcentaje del margen de utilidad basado en el precio} = \frac{\text{porcentaje del margen de utilidad basado en el costo}}{100\% + \text{porcentaje del margen de utilidad basado en el costo}}$$

$$\text{porcentaje del margen de utilidad basado en el costo} = \frac{\text{porcentaje del margen de utilidad basado en el precio de venta}}{100\% - \text{porcentaje del margen de utilidad basado en el precio de venta}}$$

Supóngase que Parsons descubre que su competidor se vale de un porcentaje de 30% de margen de utilidad basado en el costo y que desea saber cuánto sería esto en un porcentaje del precio de venta. El cálculo será:

$$\frac{30\%}{100\% + 30\%} = \frac{30\%}{130\%} = 23\%$$

Como Parsons estaba usando 25% de margen de utilidad basado en el precio de venta de los trajes, piensa que este recargo será compatible con el de su competidor.

Al finalizar el verano, Parsons se dio cuenta de que tenía en existencia un inventario de pantalones de verano. Advirtió entonces que era indispensable una rebaja, o sea, una reducción del precio inicial de venta. Había comprado 20 pares a $10 cada uno y había vendido 10 pares a $20 cada uno. Rebajó los otros pares a $15 y vendió 5 pares. La razón (porcentaje) de descuento se calcula así:

$$\text{porcentaje de rebaja} = \frac{\text{rebaja en dólares}}{\text{ventas totales netas en dólares}}$$

La rebaja en dólares es de $25 (5 pares × $5 cada uno) y las ventas totales netas ascienden a $275, que da (10 pares × 20) + (5 pares × $15). La razón será entonces: $25/$275 = 9%.

Las razones de descuento suelen calcularse para cada departamento y no para artículos individuales, por lo que una medida de la eficiencia relativa de la mercadotecnia en ese departamento se calcula y se compara en diferentes periodos. Parsons usará razones de rebaja para juzgar la eficiencia relativa de los clientes y vendedores en los departamentos de la tienda.

APENDICE 2

Carreras en mercadotecnia

Ahora que el estudiante ha terminado su primer curso en mercadotecnia, ya tendrá un conocimiento bastante amplio sobre lo que éste abarca. Quizá haya decidido que la mercadotecnia le ofrece lo que desea de una carrera profesional: retos constantes, problemas estimulantes, trabajar con la gente y oportunidades de progreso prácticamente ilimitadas. La mercadotecnia es una disciplina muy amplia, con una extraordinaria variedad de tareas que exigen análisis, planeación, implantación y control de programas. Los puestos para desempeñarla se encuentran en todo tipo de empresas sin importar su tamaño. En este apéndice el lector se familiarizará con las oportunidades para quienes comienzan a trabajar en mercadotecnia y para quienes ya llevan tiempo en ella; también hallará aquí sugerencias para que seleccione mejor una carrera y aprenda a comercializarse a sí mismo.

DESCRIPCION DE LOS PUESTOS DE MERCADOTECNIA

Entre una tercera y cuarta parte de la fuerza laboral civil en Estados Unidos ocupa puestos relacionados con la mercadotecnia. Por consiguiente, existe un enorme número de carreras en ella. Se piensa que esos puestos constituyen un excelente entrenamiento para ocupar niveles más altos en la empresa porque en ellas se llegan a conocer los productos y el público.

Un perfil de ejecutivos de alto nivel publicado en 1976 por la revista *Fortune 500* reveló que cada vez con mayor frecuencia las grandes corporaciones emplean ejecutivos con estudios de mercadotecnia para ocupar la mayor parte de las posiciones de alto nivel.

Los salarios en mercadotecnia varían según la compañía y el puesto. El sueldo inicial suele ser ligeramente inferior a los que reciben en ingeniería y química, pero son iguales o mayores que los de economía y finanzas, contabilidad, administración de empresas y artes liberales. En Estados Unidos durante 1984 los vendedores que tenían el bachillerato recibían un salario inicial de 18 mil dólares y los que tenían la maestría recibían 25 mil dólares. Si logra obtener un puesto de éstos, pronto será ascendido a un puesto de mayor responsabilidad y disfrutará de mejores percepciones. En la tabla A.2-1 se incluyen los salarios promedio y las bonificaciones que se dan en diversos puestos de mercadotecnia.

TABLA A.2-1
Salario anual promedio en puestos de mercadotecnia

PUESTO	SALARIO (En dólares)
Gerencia de ventas, vicepresidente	$61 375
Agencia de publicidad, vicepresidente	$59 233
Gerencia de mercadotecnia, vicepresidente	$56 686
Gerente de ventas	$45 851
Gerente de planeación de mercadotecnia	$44 527
Gerente de investigación de mercadotecnia	$42 403
Gerente de mercadotecnia	$40 841
Gerente de publicidad y promoción de ventas	$40 428
Gerente de marca	$38 525
Vendedores	$36 706
Empleado en planeación de mercadotecnia	$35 033
Empleado en investigación de mercadotecnia	$33 292
Empleado en publicidad y promoción de ventas	$30 792

Fuente: Gordon McAleer, *The 1984 American Marketing Association Marketing Compensation Report* (Chicago: American Marketing Association., 1984), p. 18.

La mercadotecnia se ha convertido en una carrera atractiva para algunas personas que antes no habían considerado este campo. Una tendencia es el creciente número de mujeres que entran en este campo. Antes se les empleaba en el sector minorista. Hoy empiezan a ocupar todo tipo de puestos en ventas y en mercadotecnia. Según datos publicados por *Business Week,* las mujeres representaron 2% del reclutamiento de ventas en la industria de los seguros durante 1971 y 12% durante 1978. Las mujeres tienen mucho éxito en las carreras en ventas dentro de las compañías farmacéuticas, las editoriales, los bancos y cada vez más en puestos de ventas industriales. Su número comienza a aumentar también en la gerencia de producto y de marca.

Otra tendencia actual es la creciente aceptación de la mercadotecnia en las organizaciones no lucrativas. Las universidades, instituciones artísticas, bibliotecas y hospitales la aplican cada vez más a sus problemas. Comienzan a contratar directores y vicepresidentes de mercadotecnia para coordinar todas las actividades mercadológicas.

A continuación se proporcionan breves descripciones de los puestos más importantes en mercadotecnia.

Publicidad Esta es una actividad central que exige mucha habilidad en la planeación, recopilación de información y creatividad. Aunque la remuneración que se paga al personal de este departamento es similar a la que se percibe en otros campos, las oportunidades de un progreso rápido suelen ser mayores, por darse poca importancia a la edad o a la antigüedad. Véanse a continuación los trabajos típicos en publicidad.[1]

Los redactores producen los conceptos que luego se convierten en palabras escritas y en imágenes visuales de los anuncios. Buscan datos, leen vorazmente, toman ideas prestadas. Hablan con los clientes, proveedores y *cualquier persona* que les pueda dar una pista para captar el interés y la atención del público.

Los artistas son la otra parte del equipo creativo. Su función principal consiste en traducir las ideas del redactor de textos en imágenes visuales de gran impacto denominadas ''bocetos'' (layouts). Los artistas de las agencias publicitarias desarrollan bocetos para impresión, diseños de empaques, bocetos para televisión, logotipos corporativos, marcas comerciales y símbolos. Especifican el tamaño y el estilo de la tipografía, pegan los tipos en su lugar y organizan todo lo relativo al anuncio para que pueda ser reproducido por los

[1] La descripción de los puestos en publicidad se basa en Jack Engel, *Advertising: The Process and Practice* (Nueva York: McGraw-Hill, 1980), p. 429-34.

impresores y grabadores. Un director artístico de mucho talento o un jefe de redactores se convierte en el director creativo de la agencia y supervisa todas las actividades de ésta. El director creativo ocupa un puesto muy importante en la estructura de la agencia.

Los ejecutivos de cuenta son el vínculo entre los clientes y la agencia. Su tarea fundamental consiste en conocer la mercadotecnia y sus componentes. Explican los planes y objetivos de los clientes al equipo creativo y supervisan el desarrollo del plan global de publicidad. Una de sus tareas principales es lograr que el cliente quede satisfecho con el servicio de la agencia. Los ejecutivos de cuenta suelen ser personas muy amables, diplomáticas y brillantes, ya que su trabajo requiere en esencia, de capacidad para las relaciones personales.

Los que compran medios masivos de comunicación se encargan de seleccionar los más idóneos para su cliente. Los representantes de los medios se apresuran a las oficinas del cliente en cuanto se enteran de que éste tiene la intención de invertir en ellos. Llegan armados de un arsenal de datos estadísticos para demostrar que *su* eficacia es superior, que *su* tarifa por mil es menor y que *su* medio llega a más audiencias maduras que el de la competencia. El anunciante deberá evaluar esas afirmaciones y, además, negociar con la radio y la televisión una tarifa más baja. Procurará llegar a un acuerdo con los medios impresos para obtener una buena posición en los anuncios de prensa.

Las grandes agencias de publicidad cuentan con un activo departamento de investigación de mercadotecnia que proporciona información sobre el mercado para poder preparar nuevas campañas y evaluar las que están realizándose. Al lector que le interese la investigación de mercados debe considerar la conveniencia de trabajar en las agencias publicitarias.

Gerencia de marca y de producto

Los gerentes de marca y de producto planean, dirigen y controlan los esfuerzos comerciales y de mercadotecnia para sus productos. Se ocupan de la investigación y el desarrollo, empaque, fabricación, ventas y distribución, publicidad, promoción, investigación de mercados, análisis y pronóstico. En las compañías de bienes de consumo, el empleado de ingreso reciente (generalmente se requiere de un título académico) es asignado a un equipo de marca y aprende los fundamentos efectuando análisis numéricos y observando a los compañeros de mayor experiencia y antigüedad. Si es competente, con el tiempo encabezará el equipo y más tarde será asignado a la dirección de una marca más grande. La gerencia de producto se considera la mejor preparación que capacita para desempeñar otros puestos en la corporación.

Relaciones con los clientes

Algunas grandes empresas de bienes de consumo han creado el puesto de representante de relaciones con los clientes, para contar con un vínculo entre los clientes y la firma. El representante se encarga de las quejas, sugerencias y problemas concernientes a los productos, decide las medidas que deben tomarse y coordina las actividades necesarias para resolver el problema. Es un puesto en que se necesita a alguien que sea empático, diplomático y que sepa trabajar con individuos de la más diversa personalidad tanto dentro como fuera de la empresa.

Mercadotecnia industrial

Las personas interesadas en las carreras en mercadotecnia industrial pueden dedicarse a ventas, servicio, diseño de productos, investigación de mercados y trabajos afines. Generalmente necesitan una preparación técnica. Casi todos comienzan en ventas y dedican mucho tiempo a su formación, asesorándose a menudo con los vendedores más experimentados. Si permanecen en el departamento de ventas, puede que con el tiempo ocupen puestos a nivel regional o más arriba. A veces pasan a la gerencia de producto y trabajan en estrecha colaboración con los clientes, abastecedores, producción e ingeniería de ventas.

Mercadotecnia internacional	Las firmas que aumentan su capacidad internacional buscan personal capacitado que domine algún idioma extranjero y que esté dispuesto a viajar o a vivir en el extranjero. Para este trabajo seleccionan a personas con experiencia, que ya hayan demostrado su capacidad en un trabajo similar en su país. A veces, un grado académico es un requisito o por lo menos una ventaja.
Ciencia de la gerencia de mercadotecnia y análisis de sistemas	Quienes han tomado cursos en administración, en métodos cuantitativos y en análisis de sistemas pueden convertirse en asesores de los gerentes que afronten problemas especialmente difíciles, como medición y pronóstico de la demanda, análisis de la estructura de mercado, evaluación de productos nuevos. Las oportunidades profesionales existen sobre todo en las firmas más grandes orientadas a la mercadotecnia, en las compañías de asesoría gerencial y en las instituciones públicas que se dedican al transporte, educación, servicios médicos. Casi siempre se exige un título académico.
Investigación de mercados	Los investigadores de mercados colaboran con los gerentes en la definición de problemas y en la obtención de la información que necesitan para resolverlos. Diseñan el proyecto de investigación, que entre otras cosas incluye cuestionarios y muestras, se encargan de tabular los datos, hacer los análisis, preparar los informes y hacer recomendaciones a la gerencia. Conviene haber tomado cursos de estadística, psicología y sociología a nivel de maestría. Existen oportunidades profesionales entre los fabricantes, detallistas, algunos mayoristas, en las asociaciones comerciales e industriales, en las firmas de investigación de mercados, en las agencias de publicidad, en los organismos gubernamentales y en las organizaciones privadas no lucrativas.
Planeación de productos nuevos	Quienes tengan interés por productos nuevos encontrarán oportunidades de empleo en muchas empresas. Casi siempre necesitan excelente preparación en mercadotecnia, en investigación de mercados y en pronóstico de ventas. Deben reunir cualidades organizativas para motivar y coordinar a otros; a veces se les pide una información técnica. Generalmente estos individuos trabajarán primero en otros puestos de mercadotecnia antes de ser asignados al departamento de productos nuevos.
Distribución física	Es un campo dinámico y muy amplio, con muchas oportunidades profesionales.Los grandes transportistas, fabricantes, mayoristas y detallistas emplean a especialistas en distribución física. Los cursos sobre métodos cuantitativos, finanzas, contabilidad y mercadotecnia proporcionarán a los estudiantes los conocimientos necesarios.
Relaciones públicas	La mayoría de las empresas tienen a un encargado de relaciones públicas o a un personal especializado para prever los problemas en ese campo, para que atienda las quejas, trate con los medios de comunicación, construya la imagen de la empresa y realice otras actividades afines. Los que deseen dedicarse a las relaciones públicas han de saber hablar y escribir con mucha fluidez, saber convencer y, además, haber hecho cursos en periodismo, comunicaciones o artes liberales. Este puesto ofrece muchos retos e intereses, orientado como está hacia los seres humanos.
Adquisiciones	Los agentes de adquisiciones están desempeñando un papel cada vez más importante en la rentabilidad de las empresas en periodos de costos crecientes de los materiales y de gran escasez. En las firmas minoristas, ser un ''agente de adquisiciones'' muchas veces abre la puerta a los puestos de la alta gerencia. En efecto, estas personas contribuyen de manera notable a mantener bajos los costos de producción. En ciertos puestos de compras conviene tener una preparación técnica y conocer de crédito, finanzas y distribución física.

Administración de empresas detallistas	Estas compañías brindan una oportunidad de asumir responsabilidades en mercadotecnia. El crecimiento del mercado del comercio detallista a gran escala ha hecho sentir la necesidad de una "formación profesional" como parte de la preparación que se requiere para una carrera en las empresas detallistas. Aunque el sueldo inicial y las asignaciones de puestos han sido menores que en la publicidad o la producción, la brecha ha ido cerrándose poco a poco. El camino que conduce a los puestos de alta gerencia es la administración de mercancías y tiendas. En la administración de mercancías se asciende de aprendiz de adquisiciones a ayudante del agente de adquisiciones y luego a gerente de la división de mercancías. En la administración de tiendas se pasa de aprendiz de administrador a ayudante del gerente de departamento (de ventas) y luego a gerente de departamento. Finalmente se ocupa el puesto de gerente de la tienda (sucursal). A diferencia de los agentes de adquisiciones, quienes se ocupan fundamentalmente de la selección del surtido y de la promoción, los gerentes del departamento de ventas se dedican sobre todo a dirigir la fuerza de ventas y a exhibir la mercancía. La venta minorista a gran escala ofrece al nuevo empleado la oportunidad de llegar en pocos años a la gerencia de una sucursal o departamento de una tienda, que venda hasta $5 millones.
Ventas y administración de ventas	Existen oportunidades en ventas y administración de ventas en una gran variedad de empresas lucrativas y no lucrativas, lo mismo que en el sector de productos y servicios: finanzas, seguros, firmas de asesoría y el gobierno. Es preciso evaluar con gran cuidado la propia formación, los intereses personales, los conocimientos técnicos y académicos en relación con las oportunidades existentes de ventas. Los programas de capacitación muestran gran diversidad en cuanto a forma y duración, habiendo algunos que duran unas cuantas semanas, hasta otros que se imparten en dos años. La trayectoria de estas carreras conduce desde el puesto de vendedor hasta el nivel de gerencia de distrito o región y, en muchos casos, hasta la alta gerencia.
Otras carreras en mercadotecnia	Se ha excluido la descripción de otros puestos relacionados con la mercadotecnia, como la promoción de ventas, venta al mayoreo, empaque, fijación de precios y gerencia de créditos. La información pertinente puede recabarse en las bibliotecas.

ELECCION Y OBTENCION DE UN EMPLEO

En esta sección se describirá la manera para escoger y conseguir un empleo. Para eso es necesario aplicar los conocimientos de mercadotecnia, en especial el análisis y la planeación. A continuación se verán ocho pasos que se pueden seguir para escoger una carrera y encontrar el primer trabajo.

Realizar una autoevaluación	Este paso es crucial en la búsqueda de un empleo. A menos que se tenga una idea muy clara de lo que uno quiere (un clima agradable, una ciudad con toda clase de espectáculos culturales, una empresa que no sea más grande que la escuela donde el aspirante obtuvo su título, o un trabajo en Francia) seguramente la persona terminará escogiendo algo que no será lo óptimo. La autoevaluación es en gran parte un proceso de aclarar y articular ideas que la persona ya tiene en forma poco exacta o ambigua. Como auxiliares en la autoevaluación, conviene examinar las siguientes obras, que plantean muchas preguntas que deben considerarse:

1. *What Color is Your Parachute?*, de Richard Bolles.
2. *Three Boxes in Life and How to Get Out of Them*, de Richard Bolles.
3. *Guerrilla Tactics in the Job Market*, de Tom Jackson.

También se puede utilizar el servicio de asesoría académico. Las pruebas como el inventario de intereses Strong-Campbell ayudarán a elaborar un perfil de los intereses.

Examinar la descripción del puesto

A continuación deben examinarse varias descripciones de puestos para ver cuál corresponde mejor a los intereses, deseos y capacidades de cada uno. Las descripciones pueden encontrarse, por ejemplo, en el *Occupation Outlook Handbook* y en el *Dictionary of Occupational Titles,* publicados por el U.S. Department of Labor. En ellos se describen las tareas de quienes ocupan diversos puestos, la preparación y escolaridad que se requiere, la disponibilidad de puestos en cada campo, así como las posibilidades de progreso y las remuneraciones.

Establecer los objetivos de la búsqueda de empleo

La lista inicial de carreras que haga la persona debe ser extensa y flexible. No debe cometerse el error de ser demasiado unilateral en cuanto a la forma de alcanzar los objetivos. Por ejemplo, si una persona persigue el objetivo de la investigación de mercados, debe incluir en su lista tanto el sector privado como el público, lo mismo que las firmas regionales y las de nivel nacional. Sólo después de examinar muchas opciones la persona deberá empezar a concentrarse en determinados sectores de la industria y quizás le sean adecuadas las primeras asignaciones de trabajo. Se debe elaborar una lista de metas básicas. Entre otras cosas, la lista puede incluir un puesto en una firma pequeña, localizada en un clima agradable, que requiera investigación de mercadotecnia o bien trabajar en una empresa que se dedique al procesamiento de datos.

Examinar el mercado laboral y evaluar las oportunidades

A continuación debe examinarse el mercado para esos puestos o hacerse una idea sobre cuántas vacantes pudiere haber. Puede encontrarse una lista actualizada sobre las oportunidades de trabajo en mercadotecnia en la última edición de *College Placement Annual,* que se obtiene en las oficinas escolares de empleo. Esta publicación se revisa cada año y muestra las vacantes que hay en las empresas que desean contratar a graduados. También aparece el nombre de aquéllas que buscan a personal con experiencia o con altos grados académicos. En esta etapa se deben aprovechar al máximo los servicios de una oficina de empleo, pues sólo así se podrán descubrir las vacantes y concertar entrevistas con las empresas que ofrecen puestos de mercadotecnia que sean de interés para el aspirante. Este tiene que tomarse su tiempo para analizar las industrias y las compañías en las que esté interesado. Algunas fuentes de información son las revistas de negocios, los informes anuales, libros de consulta de administración, profesores y condiscípulos. Intente analizar el patrón futuro de crecimiento y utilidades de la compañía y de la industria, las oportunidades de progreso, los niveles de sueldo, puestos iniciales, cantidad de viajes que deben hacerse, etc.

Establecer estrategias para la búsqueda

Para entrar en contacto con la firma pueden aplicarse una o varias estrategias: 1) entrevistas en la universidad, 2) telefonear o escribir y 3) hablar con profesores y alumnos para obtener el nombre de posibles contactos.

Elaborar un curriculum vitae y una carta explicatoria

En el currículum aparecen las capacidades, escolaridad, antecedentes, preparación, experiencia laboral y cualidades personales. Debe ser breve, generalmente de una página. Lo que se intenta con el currículum es suscitar una respuesta positiva del empleador potencial.

La carta explicatoria es, en cierta manera, más difícil de redactar que el currículum. La carta debe ser convincente, profesional e interesante. Idealmente, deberá hacerlo destacar a usted de entre todos los demás candidatos para el puesto. Cada carta deberá parecer y sonar original, es decir, dirigida y ajustada a la organización específica con la que se intenta contactar. Deberá describir el puesto que usted solicita, despertar interés, describir sus cualidades e indicar cómo se pueden poner en contacto con usted. La carta explicatoria deberá estar dirigida a un individuo y no a un cargo. Después de la carta conviene hacer una llamada telefónica de seguimiento.

Obtención de entrevistas

Véanse algunos consejos a seguir antes, durante y después de la entrevista. Preparación para la entrevista:

1. Los entrevistadores tienen estilos extremadamente diversos; por ejemplo, el entrevistador que adopta una actitud amistosa y de diálogo franco; el que prefiere un estilo de investigador; el que en cada cosa siempre busca el por qué. Prepárese para cualquier cosa.
2. Practique la entrevista con un amigo y pida una crítica.
3. Formule al menos cinco buenas preguntas que no obtengan una respuesta fácil en las publicaciones de la empresa.
4. Prevea las preguntas que tal vez le hagan durante la entrevista y elabore las respuestas más adecuadas.
5. Evite las entrevistas sin interrupción, pueden ser agotadoras.
6. Vístase para la entrevista en estilo conservador más que con ropa de moda.
7. Procure llegar 10 minutos antes de la entrevista para ordenar sus ideas antes de que lo llamen. Verifique el lugar que ocupe en las entrevistas, el nombre del entrevistador y el número de la oficina.
8. Repase los puntos fundamentales que quiera usted cubrir.

Durante la entrevista:

1. Salude al entrevistador con un fuerte apretón de manos. Preséntese usando la misma forma que él haya utilizado. Procure dar una buena impresión inicial.
2. No pierda la compostura. Relájese. Sonría de vez en cuando. Procure mantener una actitud entusiasta durante la sesión.
3. Mantenga un buen contacto ocular, una buena postura y hable con claridad. No se frote las manos ni juegue con el reloj, los anillos, el cabello. Adopte una buena postura en la silla. No fume, aunque lo inviten.
4. Lleve siempre copias de su currículum vitae.
5. Tiene que conocer su historia al dedillo. Presente sus puntos de venta. Responda preguntas directamente. Evite respuestas de una sola palabra, pero no sea demasiado elocuente.
6. Déjele la iniciativa al entrevistador la mayor parte del tiempo, pero no sea pasivo. Encuentre una oportunidad apropiada para dirigir la conversación hacia aquellas cosas que quiere que el entrevistador escuche.
7. La parte final de la entrevista es el momento más oportuno para abordar las cuestiones más importantes para usted o plantear una pregunta pertinente, con el fin de terminar la sesión con un tono alto.
8. No tenga miedo de "cerrar": Usted podría decir: "Estoy muy interesado por el puesto y he disfrutado de esta entrevista."

Después de la entrevista:

1. A la hora de marcharse, anote los puntos de mayor importancia. Asegúrese de registrar quién se encargará del seguimiento de la entrevista y cuándo le comunicarán una decisión.
2. Analice objetivamente la entrevista en relación con las preguntas planteadas, las respuestas dadas, su desempeño general durante la entrevista y la respuesta del entrevistador (interesado, aburrido, etc) ante puntos específicos.
3. Envíe una carta de agradecimiento en que aporte más información y señale que está disponible para cualquier aclaración ulterior.
4. Si no recibe contestación dentro del tiempo especificado, escriba o llame por teléfono para saber la decisión.

Seguimiento   Si la entrevista ha sido satisfactoria, recibirá usted una invitación para visitar la compañía. Después le harán entrevistas que durarán desde unas pocas horas hasta un día completo. Se hará un escrutinio del interés que tenga, su grado de madurez, entusiasmos, agresividad, razonamiento lógico y conocimientos prácticos. Deberá plantear preguntas que sean importantes para usted. Investigue el ambiente, las funciones de puesto, las responsabilidades, oportunidades, problemas industriales del momento y la "personalidad de la firma". Si todo va bien, usted estará trabajando en esta organización en poco tiempo. Grábese desde ahora los nombres de la gente que conoció y evite la pena de no recordarlos después.

Glosario

Actitud. Evaluaciones cognoscitivas duraderas de tipo positivo o negativo de una persona, sus sentimientos y las tendencias de acción hacia un objeto o idea.

Administración de mercadotecnia. Análisis, planeación, realización y control de los programas destinados a crear, establecer y mantener intercambios útiles con los compradores meta con el propósito de alcanzar los objetivos organizacionales.

Administradores o gerentes de mercadotecnia. El personal de la compañía que interviene en el análisis, planeación, implantación o control de las actividades de mercadotecnia.

Adopción. Decisión de un individuo de convertirse en usuario frecuente del producto.

Agentes intermediarios. Comisionistas y representantes de fabricantes que encuentran consumidores o negocian contratos, pero no tienen derechos sobre la mercancía.

Ambientalismo. Movimiento organizado de ciudadanos y del gobierno que se propone proteger y mejorar el ambiente natural del ser humano.

Ambiente de mercadotecnia de una compañía. Consta de actores y fuerzas que son externos a la función de administración de mercadotecnia de la firma, y que influyen sobre la capacidad de la gerencia para desarrollar y mantener transacciones exitosas con sus consumidores meta.

Análisis de la variancia de ventas. Intento por determinar las contribuciones relativas de diferentes factores para una brecha en el rendimiento de ventas.

Análisis de series de tiempo. Pronóstico de una firma que se prepara con base en las ventas del pasado.

Análisis de valor. Enfoque de la reducción de costos en el cual los componentes se estudian cuidadosamente para determinar si pueden rediseñarse o estandarizarse con métodos de producción más económicos.

Análisis de ventas. Acto que determina el orígen por producto, cliente, territorio, etc. de las ventas de la compañía.

Análisis estadístico de la demanda. Conjunto de procedimientos estadísticos diseñados para descubrir los factores reales más importantes que afectan a las ventas y su influencia relativa.

Aprendizaje. Cambios en la conducta de un individuo que son resultado de la experiencia.

Auditoría de mercadotecnia. Examen completo, sistemático, independiente y periódico del ambiente, objetivos, estrategias y actividades de mercadotecnia de una compañía (o una unidad de negocio) con el fin de determinar áreas problemáticas y oportunidades y recomendar un plan de acción para mejorar el rendimiento de mercadotecnia de la empresa.

Bienes de capital. Bienes que entran parcialmente en el producto.

*Bienes de comparación. Bienes que el consumidor, durante el proceso de selección y compra, compara característicamente de acuerdo con la idoneidad, calidad, precio y estilo.

Bienes de especialidad. Bienes con características o identificación de marca muy especiales; están destinados a un grupo selecto de compradores a quienes no les importa mucho el precio.

Bienes de uso común. Bienes que el consumidor compra con frecuencia, inmediatamente y con el mínimo de esfuerzo en la comparación y en la compra.

Bienes duraderos. Bienes tangibles que por lo común sobreviven a varios usos.

*Bienes no buscados. Bienes que el consumidor conoce o desconoce, pero que normalmente no piensa adquirir.

*Bienes no duraderos. Bienes tangibles que por lo común se consumen en uno o unos cuantos usos.

Canal de distribución. Conjunto de formas e individuos que tienen derechos, o ayudan en la transferencia de derechos, del bien o servicio particular a medida que pasa del productor al consumidor.

Canal de mercadotecnia. Conjunto de firmas e individuos que tienen derechos, o ayudan en la transferencia de derechos, del bien o servicio particular a medida que pasa del productor al consumidor.

†Centro de compras. Todos aquellos individuos y grupos que participan en el proceso de toma de decisiones de compra y que comparten algunas metas comunes así como los riesgos que se deriven de la decisión.

Clases sociales. Divisiones relativamente homogéneas y estables en una sociedad. Están ordenadas jerárquicamente y sus miembros comparten valores, intereses y conductas similares.

Comercio detallista o al menudeo. Todas las actividades que intervienen en la venta de bienes o servicios directamente a los consumidores finales para su uso personal no lucrativo.

Comercio mayorista. Todas las actividades relacionadas con la venta de bienes y servicios a quienes los compran para revenderlos o para uso comercial.

Completar la línea de productos. Ampliación de una línea de producción al agregar más arículos dentro de la gama actual de la línea.

Compra de sistemas. El acto de adquirir una solución completa para un problema sin tomar todas las decisiones separadas que esto implica.

†Compra organizacional. Proceso de toma de decisiones mediante el cual las organizaciones formales establecen la necesidad para la compra de productos y servicios e identifican, evalúan y seleccionan entre marcas y proveedores alternativos.

Comprador. La persona que hace la compra.

Concepto de mercadotecnia. Orientación organizacional que sostiene que la clave para alcanzar las metas organizacionales consiste en determinar las necesidades y deseos de los mercados meta y proporcionar las satisfacciones deseadas en forma más efectiva y eficiente que los competidores.

Concepto de mercadotecnia social. Orientación administrativa que sostiene que la tarea de organizar consiste en determinar las necesidades, deseos e intereses de los mercados meta, y proporcionar las satisfacciones deseadas con más eficacia y eficiencia que los competidores, y hacerlo de una manera que mantenga o mejore el bienestar de la sociedad y de los consumidores.

Concepto de producción. Orientación administrativa que sostiene que los consumidores favorecen aquellos productos que estén disponibles y que sean sumamente costeables, motivo por el cual la gerencia debe concentrarse en el mejoramiento de la eficiencia de producción y distribución.

*Las definiciones precedidas por un asterisco son de *Marketing Definitions: A Glossary of Marketing Terms* (Chicago: American Marketing Association. 1960).

†Las definiciones precedidas por una cruz son de Frederick E. Webster, Jr., and Yoram Wind, *Organizational Buying Behavior* (Englewood Cliffs, N.J.: Prentice-Hall, 1972).

Concepto de producto. Orientación administrativa que sostiene que los consumidores preferirán aquellos productos que ofrezcan la mejor calidad, rendimiento y características, y por ello la organización deberá dedicar su energía a introducir mejoramientos constantes en sus productos.

Concepto de ventas. Orientación administrativa que sostiene que los consumidores no comprarán el volumen suficiente de productos de la empresa, a no ser que ésta emprenda un gran esfuerzo de promoción y ventas.

Consumidorismo. Movimiento organizado de ciudadanos y del gobierno para proteger los derechos de los compradores y reforzar su poder ante los vendedores.

Contenedorización. La colocación de bienes en cajas contenedoras o camiones remolque que son fáciles de transferir de un medio de transporte a otro.

Creencia. Pensamiento descriptivo que una persona tiene acerca del algo.

Cuota. Límite sobre la cantidad de bienes que el país importador recibirá en algunas categorías de artículos.

Cuota de ventas. Meta de ventas que establece para una línea de producto, división de una compañía o representante de ventas. Es principalmente una herramienta gerencial para definir y estimular esfuerzos de ventas.

Datos primarios. Información que originalmente se recolecta con fines específicos.

Datos secundarios. Información existente en algún lado que se recolectó para otro fin.

Decisor. Persona que determina en última instancia la decisión de compra o cualquier parte de ésta: comprar o no, qué comprar, cómo comprar o dónde comprar.

Demanda de la compañía. Ventas de la firma que resultan de su participación en la demanda del mercado.

Demanda de mercado. *Volumen total* que un grupo de consumidores definido *compraría* en un *área geográfica* definida, en un *lapso de tiempo* definido, dentro de un *ambiente de mercadotecnia* definido, bajo un *programa de mercadotecnia* definido.

Demanda total del mercado. Volumen total que un grupo de consumidores definidos compra en un área geográfica definida, en un lapso de tiempo definido, en un ambiente de mercado definido, bajo un nivel y una mezcla de esfuerzo de mercadotecnia de la industria definidos.

Demandas. Los deseos de los individuos que se encuentran respaldados por el poder adquisitivo.

Derechos de autor. El derecho legal exclusivo para reproducir, publicar y vender la forma y el contenido de una obra literaria, musical o artística.

Desarrollo de mercado. El intento que realiza una compañía para aumentar sus ventas al introducir sus productos actuales en mercados nuevos.

Desarrollo de producto. El término se refiere al intento de una compañía por aumentar sus ventas mediante el desarrollo de productos nuevos o mejorados para sus mercados actuales.

Deseos humanos. Forma que adoptan las necesidades humanas, de acuerdo con la cultura y la personalidad individual.

Detallistas o tiendas al menudeo. Negocios cuyas ventas provienen principalmente del comercio al menudeo.

Distribución física. Las tareas que intervienen en la planeación, implantación y control de los flujos físicos de materiales y artículos finales desde el punto de origen hasta los puntos de uso para satisfacer las necesidades de los consumidores a cambio de utilidades.

Diversificación concéntrica. La compañía agrega productos nuevos que tengan semejanza tecnológica o de mercadotecnia con la línea de producto existente; estos artículos suelen tener interés para nuevas clases de consumidores.

Diversificación conglomerada. La compañía agrega productos nuevos que no tienen relación con la tecnología, productos o mercados actuales; estos productos por lo normal serán de interés para nuevas clases de consumidores.

Diversificación horizontal. La compañía agrega productos nuevos que podrían ser de interés para sus consumidores actuales aunque los artículos no tengan relación tecnológica con su línea de producto presente.

Embargo. Forma extrema de cuota en la que algunas clases de importaciones quedan absolutamente prohibidas.

Empaque. Actividades que consisten en diseñar y producir el recipiente o la envoltura de un producto.

Error DROP. Ocurre cuando la compañía desecha la que fuera una buena idea de producción.

Error GO. Ocurre cuando la compañía permite el desarrollo y comercialización de una idea de producción deficiente.

Estatus. Reflejo de la estimación general que la sociedad confiere a cada papel.

Estilo de vida. Patrón de vida de una persona, expresada en sus actividades, intereses y opiniones.

Estrategia centrada en el consumidor. Estrategia que requiere gasto de mucho dinero en la publicidad y promoción para desarrollar la demanda entre consumidores.

Estrategia centrada en los intermediarios. Estrategia que requiere el uso de la fuerza de ventas y la promoción para impulsar el producto a través de canales.

Estrategia de ampliación de marca. Cualquier esfuerzo para usar un nombre de marca exitoso con el fin de lanzar modificaciones del producto o artículos nuevos.

Estrategia de asignación de precios. Tarea de definir el rango inicial bruto de los precios y el precio proyectado mediante el lapso de tiempo que la campaña usará para lograr sus objetivos de mercadotecnia en el mercado meta.

Estrategia de cosecha. Estrategia de mercadotecnia mediante la cual la firma disminuye drásticamente sus gastos con objeto de aumentar sus ganancias actuales, a sabiendas que esto acelerará la disminución en la tasa de ventas y la desaparición del producto.

Estrategia de mercadotecnia. Lógica de mercadotecnia mediante la cual el negocio espera lograr sus objetivos de mercadotecnia. La estrategia consta de estrategias específicas de mercados meta, mezclas de mercadotecnia y nivel de gastos de mercadotecnia.

Etapa de crecimiento, Etapa del ciclo de vida de un producto que se distingue por rápida aceptación en el mercado y aumento de utilidades.

Etapa de declinación. Etapa del ciclo de vida del producto en la que las ventas y ganancias se deterioran.

Etapa de madurez. Etapa del ciclo de vida del producto en la que la tasa de crecimiento de las ventas del producto desciende y las utilidades se estabilizan.

Etapa introductoria. Etapa del ciclo de vida de un producto que se distingue por un crecimiento lento y ganancias mínimas mientras el producto se introduce en el mercado.

Extensión de la línea de productos. Ampliación de la línea de producto de una compañía más allá de su gama actual.

Facilitadores. Empresas (como las de transportes, almacenes, bancos y seguros) que participan en las tareas logísticas y financieras de distribución, pero que no adquieren derechos de los bienes ni negocian compras o ventas.

Función de respuesta de ventas. Pronóstico del volumen probable de ventas durante un determinado periodo, asociado con diferentes niveles posibles de uno o más elementos de la mezcla de mercadotecnia.

Grupos de referencia. Aquellos grupos que ejercen influencia directa o indirecta en las actitudes o conductas de la persona.

Guardabarreras. Personas que controlan el flujo de información de los demás.

Idea del producto. Idea para un posible producto que la compañía visualiza poder ofrecer en el mercado.

Imagen. Forma en la que un individuo o grupo percibe un objeto.

Imagen del producto. El concepto particular que los consumidores adquieren de un producto real o potencial.

Implementación de mercadotecnia. Proceso que convierte las estrategias y planes en acciones de mercadotecnia con el fin de lograr los objetivos estratégicos del área.

Impulso. Fuerte estímulo interno que incita a la acción. El impulso se convierte en motivo cuando se dirige a un objeto-estímulo que reduce el impulso.

Indicación. Estímulo menor que determina cuándo, dónde y cómo responde el individuo.

Influenciador. Persona cuyas opiniones o consejos tienen algún peso para tomar la decisión final.

Ingreso discrecional. Cantidad de dinero que le queda a una persona después de pagar por su alimentación, ropas, viviendas, seguros y otras necesidades.

Ingreso personal disponible. Cantidad de dinero que le queda a la gente después de pagar impuestos.

Iniciador. Persona que es la primera en recomendar o tener la idea de comprar un producto o servicio particular.

Integración hacia adelante. La compañía busca ser propietaria o tener más control de sus sistemas de distribución.

Integración hacia atrás. La compañía intenta ser propietario o tener mayor control de sus sistemas de abastecimiento.

Intercambio. Acción de obtener un objeto deseado ajeno mediante el ofrecimiento de algo a cambio.

Intermediarios de la mercadotecnia. Firmas que le ayudan a la compañía a promover, vender y distribuir sus bienes entre los consumidores.

Intermediarios del comerciante. Mayoristas y detallistas que compran, tienen derecho a la mercancía y la revendan (a menudo se les llama revendedores).

Investigación de mercados. Diseño, obtención, análisis y comunicación sistemáticos de los datos y resultados pertinentes para una situación específica de mercadotecnia que afronta la compañía.

Líder en precios. Producto cuyo precio es inferior a su margen de ganancia bruta o de costo. Se usa para atraer clientes a la tienda en espera de que compren otros artículos a márgenes de utilidad normales.

*Línea de productos. Grupo de artículos estrechamente relacionados entre sí, ya sea porque funcionan de una manera similar, se venden a los mismos grupos de consumidores, se comercializan a través de un mismo tipo de canales o caen dentro de determinada gama de precios.

*Logo de la marca. La parte de una marca que puede reconocerse pero que no es pronunciable: un símbolo, diseño o color de letras distintivas.

Macroambiente. Las fuerzas sociales más grandes que afectan a todos los actores en el microambiente de la compañía; es decir, las fuerzas demográficas, económicas, naturales, tecnológicas, políticas y culturales.

*Marca. Nombre, término, signo, símbolo o diseño, o una combinación de éstos, cuya finalidad es identificar los bienes y servicios de un vendedor o grupo de vendedores y distinguirlos de los competidores.

*Marca registrada. Marca o parte de una marca que tiene protección legal porque es propiedad exclusiva. La marca registrada protege los derechos exclusivos del vendedor a usar el nombre o el logo de la marca.

Materiales y partes. Bienes que entran por completo en el producto del fabricante.

Mercado. Conjunto de compradores reales y potenciales de un producto.

Mercado de consumo. Todos los individuos y familias que compran o adquieren bienes y servicios para consumo personal.

Mercado de reventa. Todos los individuos y organizaciones que adquieren bienes con el propósito de revenderlos o rentarlos a otros con una utilidad.

Mercado gubernamental. Unidades gubernamentales (federales, estatales y locales) que compran o rentan bienes y servicios para desempeñar las principales funciones del gobierno.

Mercado industrial. Todos los individuos y organizaciones que adquieren bienes y servicios que entran en la producción de productos y servicios que se venden, rentan o suministran a otros.

Mercado internacional. Compradores en otros países, incluyendo consumidores, productores, revendedores y gobiernos extranjeros.

Mercado meta. Conjunto bien definido de clientes cuyas necesidades proyecta satisfacer la compañía.

Mercadotecnia. Actividad humana dirigida a la satisfacción de necesidades y deseos mediante el intercambio de procesos.

Mercadotecnia de organizaciones. Actividades emprendidas para crear, mantener o alterar las actitudes y la conducta del público meta hacia determinadas empresas.

Mercadotecnia de producto diferenciado. Estilo de mercadotecnia en el que el vendedor produce dos o más productos que tienen diferentes características, estilos, calidad, tamaños, etc.

Mercadotecnia de selección de mercado meta. Estilo de mercadotecnia en el que el vendedor hace una distinción entre segmentos de mercado, selecciona uno o más de estos segmentos y desarrolla mezclas de productos y mercadotecnias ajustadas a cada segmento.

Mercadotecnia diferenciada. La firma decide operar en diversos segmentos del mercado y diseñar ofertas separadas para cada uno.

Mercadotecnia indiferenciada. La firma decide ignorar las diferencias de segmento de mercado y perseguir el mercado total con una sola oferta.

Mercadotecnia masiva. Estilo de mercadotecnia en la que el vendedor produce, distribuye y promueve en masa un producto para todos los compradores.

Mercadotecnia social. Diseño, realización y control de programas que buscan mejorar la aceptación de una idea social, causa o costumbre en un grupo meta. Utiliza la segmentación del mercado, la investigación de los consumidores, el desarrollo de concepto, comunicaciones, buena disposición, incentivos y la teoría del intercambio para maximizar la respuesta del grupo meta en cuestión.

Mezcla de mercadotecnia. Conjunto de variables controlables de la mercadotecnia que la firma combina para provocar la respuesta que quiere en el mercado meta.

'Mezcla de productos. Conjunto de todas las líneas de productos y artículos que una compañía le ofrece en venta a su público consumidor.

Microambiente. Actores en el entorno inmediato de la compañía que afectan la habilidad de ésta para servir a sus consumidores; es decir, la propia compañía, firmas de intermediario, mercados de consumo, competidores y públicos.

Moda. Estilo popular o de aceptación actual en un ámbito determinado. Las modas tienden a pasar por cuatro etapas: de identificación, emulación, de masas y declinación.

Moda pasajera. Modas particulares que captan la atención del público, que se adoptan con gran entusiasmo, llegan a un auge temprano y se esfuman muy rápidamente.

Modernización de la línea de productos. Decisión de si la línea debe reacondicionarse poco a poco o de una sola vez.

Motivo. Necesidad lo suficientemente apremiante para incitar a la persona a buscar la satisfacción de esa necesidad. La satisfacción reduce la tensión.

Necesidad humana. Estado de privación que siente una persona.

Nombre de marca. La parte de una marca que puede vocalizarse: es decir, la parte pronunciable.

Oportunidad de crecimiento por diversificación. Oportunidades que se encuentran fuera del sistema actual de canales de mercadotecnia.

Oportunidad de mercadotecnia de una compañía. Area atractiva para la acción de mercadotecnia, en la cual la firma disfrutará de una ventaja competitiva.

Organización.   Unidad social que se caracteriza por metas explícitas, reglas y reglamentos definidos, una estructura de estatus formal y líneas claras de comunicación y autoridad.

Organización de administración de producto.   Forma de mercadotecnia en la que los productos son, responsabilidad de los gerentes de producción que trabajan con diversos especialistas en la compañía para desarrollar y lograr sus planes para el producto.

Organización de la gerencia de mercado.   Forma de organización de mercadotecnia en la que los mercados principales son responsabilidad de gerentes de mercados que trabajan con diferentes especialistas para desarrollar y lograr sus planes para el mercado.

Organización de mercadotecnia funcional.   Forma de organización de mercadotecnia en la que diversas funciones de mercadotecnia se encuentran bajo la dirección de administradores separados que presentan informes al vicepresidente.

Papel.   Actividades que se espera que una persona ejecute según las personas que la rodean.

Penetración de mercado.   Más ventas a los consumidres actuales de una compañía sin cambiar el producto en lo absoluto.

‡**Percepción.**   Proceso mediante el cual el individuo selecciona, organiza e interpreta la información sensorial para crear una imagen significativa del mundo.

Persistencia de imagen.   El resultado de que la gente continúe percibiendo lo que espera ver, en lugar de lo que realmente es.

Personalidad.   Características psicológicas distintivas de una persona que dan lugar a respuestas relativamente consistentes y permanentes a su propio ambiente.

Planeación estratégica.   Proceso administrativo que consiste en desarrollar y mantener concordancia estratégica entre las metas y capacidades de organización y sus oportunidades cambiantes de mercadotecnia. Se basa en el establecimiento de una misión clara para la compañía, los objetivos y las metas de apoyo, una cartera comercial sólida y estrategias funcionales coordinadas.

Posición.   La forma en la que los consumidores definen un producto.

Posicionamiento en el mercado.   Formulación de un posicionamiento competitivo para el producto y una mezcla de mercadotecnia detallada.

Potencial de mercado.   El límite al que llega la demanda de mercado cuando los gastos de mercadotecnia industrial tienden a infinito, dado un conjunto de precios competitivos y un ambiente determinado.

Potencial de ventas.   El límite al que llega la demanda de una compañía cuando sus gastos de mercadotecnia aumentan con respecto a la competencia.

Potencial total de mercado.   Máxima cantidad de ventas (en unidades o divisas) que pueden estar a disposición de todas las firmas de una industria durante un periodo dado, a nivel dado de gastos de mercadotecnia y bajo condiciones ambientales dadas

Pregunta abierta.   Pregunta que permite al respondiente contestar con sus propias palabras.

Pregunta cerrada.   Pregunta que abarca todas las respuestas posibles; el respondiente escoge entre ellas.

Presentación de la línea de productos.   Ocasiona la pregunta de qué producto presentar para promover una línea.

Presupuesto de ventas.   Cálculo conservador del volumen esperado de ventas. Se utiliza principalmente para tomar decisiones de compras, producción y flujo de efectivo.

Proceso de administración de mercadotecnia.   Consiste en 1) organizar el proceso de planificación de mercadotecnia, 2) analizar las oportunidades de mercado, 3) seleccionar mercados meta, 4) desarrollar la mezcla de mercadotecnia y 5) administrar el esfuerzo de mercadotecnia.

‡Definición extraída de Bernard Berelson y Gary A. Steiner, *Human Behavior: An Inventory of Scientific Findings* (New York: Harcourt Brace Jovanovich, 1964), p. 88.

Proceso de adopción.   El proceso mental mediante el cual un individuo pasa de la etapa en que oye hablar por primera vez de una innovación hasta la adopción final.

Producto.   Cualquier cosa que pueda ofrecerse a la atención de un mercado para su adquisición, uso o consumo, y que además pueda satisfacer un deseo o una necesidad.

Producto nuevo.   Un bien, servicio o idea que algunos consumidores potenciales perciben como algo nuevo.

Promoción de ventas.   Incentivos a corto plazo para alentar las compras o ventas de un producto o servicio.

Pronóstico.   Arte de anticipar lo que los compradores tenderán a hacer con mayor posibilidad, dado un conjunto de condiciones.

Pronóstico de mercado.   El nivel esperado de demanda de mercado correspondiente al nivel proyectado de gastos de mercadotecnia industriales en un ambiente dado.

Pronóstico de ventas de una compañía.   El nivel de ventas de la firma, con base en el supuesto de lograr cierta porción de las ventas de la industria.

Proveedores.   Firmas y personas que proporcionan los recursos que la compañía y sus competidores necesitan para producir bienes y servicios.

Prueba de mercado.   Etapa donde el producto y programa de mercadotecnia se introducen en situaciones de mercado más realistas.

Prueba de mercadotecnia.   Selección de uno o más mercados para la introducción de un producto y programa de mercadotecnia nuevos con objeto de ver qué tan bien funciona y qué revisiones necesitará, si las requiere.

Psicografía.   Técnica de medición de los estilos de vida.

Publicidad.   Cualquier forma pagada de presentación no personal y promoción de ideas, bienes o servicios por patrocinador identificado.

*Publicidad no pagada.   Estimulación no personal de la demanda de un producto, servicio o unidad comercial que se logra al colocar noticias comercialmente significativas en un medio impreso, o bien al obtener una presentación favorable en la radio, la televisión o en el escenario que el patrocinador no pague.

Público.   Cualquier grupo que tiene un interés real o potencial en la capacidad de una organización para alcanzar sus objetivos, o que influye en esa capacidad.

Relaciones públicas.   Función administrativa que evalúa las actitudes del público, identifica las políticas y procedimientos de un individuo o de una organización con el interés del público y planea y ejecuta un programa de acción para ganarse la comprensión y aceptación del público.

Revendedores.   Véase Intermediarios del comerciante.

Segmentación del mercado.   División del mercado en grupos distintivos de compradores que pueden requerir productos o mezclas de mercadotecnia separados.

Segmentación demográfica.   División del mercado en grupos con base en variables demográficas como la edad, el sexo, el tamaño de la familia, el ciclo de vida familiar, ingresos, ocupación, educación, religión, raza y nacionalidad.

Segmentación geográfica.   División del mercado en diferentes unidades geográficas como naciones, estados, regiones, municipios, ciudades o barrios.

Segmentación por conducta.   La división de compradores en grupos con base en sus conocimientos, actitudes, uso o respuesta a un producto.

Segmentación psicográfica.   División de compradores en diferentes grupos con base en la clase social, el estilo de vida o las características de la personalidad.

Segmento de mercado.   Consumidores que responderán de una manera similar a un conjunto de estímulos de mercadotecnia.

Selección de mercado meta.   Evaluación del atractivo de cada segmento o selección de uno o más de los segmentos de mercado para entrar.

Servicio. Cualquier actividad o beneficio que una parte ofrece a otra; son esencialmente intangibles y no dan lugar a la propiedad de ninguna cosa. Su producción puede estar vinculada o no con un producto físico.

Sistema de información de mercadotecnia. Estructura permanente e interactiva compuesta por personas, equipo y procedimientos, cuya finalidad es recabar, clasificar, analizar, evaluar y distribuir información pertinente, oportuna y precisa que servirá a quienes toman decisiones de mercadotecnia para mejorar la planeación, ejecución y control.

Sistema de informes internos. Proporciona datos vigentes de ventas, costos, inventarios, flujos en efectivo y cuentas por cobrar y pagar.

Sistema de inteligencia de mercadotecnia. Conjunto de recursos y procedimientos mediante el cual los ejecutivos obtienen diariamente información de los avances en el ámbito comercial.

Sistema de mercadotecnia vertical. Coordina etapas sucesivas de producción y distribución: no mediante la propiedad común ni por vínculos contractuales, sino mediante el tamaño y poder de una de las partes.

Sistema de mercadotecnia vertical contractual. Sistema en el que firmas independientes en diferentes niveles de producción y distribución integran sus programas en una base contractual para obtener más ahorros o impacto de ventas del que lograrían solas.

Sistema de mercadotecnia vertical corporativo. Sistema que combina etapas sucesivas de producción y distribución bajo un solo propietario.

Sistema político. Formas e instituciones mediante las cuales se gobierna a una nación. Consiste de un conjunto interactuante de leyes, agencias gubernamentales y grupos de presión que influyen y restringen la conducta de varias organizaciones e individuos en la sociedad.

Standar Industrial Classification (SIC). Clasificación del Censo de Estados Unidos de industrias de acuerdo con el producto elaborado o la operación ejecutada.

Subculturas. Grupos de seres humanos que comparten sistemas de valores resultantes de sus experiencias o circunstancias comunes en la vida.

Suministros y servicios. Artículos que no entran en lo absoluto en el producto elaborado.

Tarifa. Impuesto que el gobierno impone a determinados productos de importación.

Teoría de disonancia cognitiva. Casi todas las compras tienden a acarrear un descontento posterior, por esto es necesario saber qué tanta insatisfacción provocará el producto y qué hará el consumidor al respecto.

Teoría de la expectativa de funcionamiento. La satisfacción del consumidor es una función de las expectativas del producto del consumidor y del rendimiento percibido del producto.

Transacción. Intercambio de valores entre dos partes.

*Unidad de producto. Unidad que se distingue de las demás por su tamaño, precio, aspecto u otro atributo. En ocasiones un artículo se denomina unidad de mantenimiento de existencias o variante del producto.

Unidad estratégica de negocio. Cualquier firma que constituya a la compañía.

Usuario. Persona que consume o usa el producto o servicio.

Ventas de sistemas. Estrategia clave de mercadotecnia industrial para obtener y mantener cuentas.

*Ventas personales. Presentación oral en una conversación con uno o más compradores potenciales a fin de lograr la venta.

Indice de autores

Indice alfabético

exportaciones indirectas, 642
Intermediarios, canal de mercadotecnia, 398-399, 411-412. Véase también *Intermediarios*
Intermediarios del comerciante, 122-123
Intermediarios financieros, 123-124
Interrogante, SBU, 63-64
Invención de producto, 647-648
Inventario, canal, 419-423
Inversión, mercado extranjero, 643-644, 645
Investigación de mercadotecnia, 90-110, 600-601. Véase también *Datos; Información, mercadotecnia; Preguntas*
  carreras, 719
  de las compañías por tipo, 90-91
  desarrollo de plan, 94-107
  en las organizaciones más pequeñas, 108-110
  instrumentos mecánicos, 107
  objetivos, 93-94, 591
  proceso de, 93, 109
Investigación, experimental, 99, 100
  observacional, 98
  y desarrollo;
      de productos nuevos, 324, 326, 332-333, 334
      departamento de mercadotecnia e, 71, 121-122
      desembolsos en, 140-143, 147, 324, 326, 332, 333
Investigación motivacional (Ernest Dichter), 173, 211-212
Investigación por encuesta, 98-100
Investigadores y departamento de mercadotecnia, 93-96, 107, 109-110

J

Japón, mercadotecnia global, 635-637, 142-143
Jóvenes, 128, 160
Jubilados en la población, 129
Juego (promocional), 513, 676-677

K

K Mart, 453, 657
Kullen "King" (Michael), 435

L

Las cuatro P's de la mercadotecnia, 42, 51, 157-158, 159, 209, 283, 303-304
LBM, 587-588, 618, 619-623
Lealtad al producto, 264-265
Legislación, Estados Unidos, hito, 144
Legislación reglamentaria, 18, 19, 142-146, 367-368, 695
Levi Strauss, 119, 231-232
Ley, antifusión de, 1950, 145, 317
Ley antimonopolística Sherman de 1890, 144
Ley Clayton de 1914, 144, 418
Ley de alimentos, medicamentos y

cosméticos de 1938, 44, 317
Ley de alimentos y medicamentos de 1906, 144, 695
Ley de, carnes saludables de 1967, 146
  inspección de la carne de 1906, 144
Ley de etiquetado y publicidad de cigarrillos de 1967, 145
Ley de fijación de precios de los bienes de consumo de 1975, 145
Ley de justicia en empaquetamiento y etiquetación veraces de 1966, 145, 308
Ley de libertad de información, 88
Ley de mejoramiento de la comisión federal de comercio de 1975, 145, 317
Ley de mejoramiento de la comisión federal de comercio de 1980, 145
Ley de mejoramiento Magnuson-Moss de la Warranty/FTC de 1975, 145, 317
Ley de política ambiental de 1969, 145
Ley de práctica justa de cobros de deudas de 1978, 145
Ley de protección al niño de 1966, 145
Ley de revelación de información automotriz de 1958, 145, 367-368
Ley de seguridad de productos de consumo de 1972, 145, 146, 317, 679-680
Ley de la comisión federal de comercio de 1914, 144, 308
Ley de seguridad de vehículos automotores de 1962, 146
Ley de veracidad en otorgamiento de préstamos de 1968, 145
Ley de Weber, 175, 180, 314
Ley Miller-Tydings de 1937, 145
Ley nacional de tráfico y seguridad de 1958, 145
Ley Robinson-Patman de 1936, 144, 222, 367-368
Ley Wheeler-Lea de 1938, 145, 677-678
Leyes federales que afectan la mercadotecnia, 144-146. Véase también *Legislación reglamentaria*
Licitación abierta, 226, 227
Licitación cerrada 371-372
Líderes de opinión, 164, 198-199, 476-477
Líderes de pérdidas, 451
Limits to Growth, The (Meadows et al.), 687
Línea de producto, 312-314
  completo, 313-314
  diferenciación 561, 562
  en la venta al menudeo, 432-438
  extensión/ampliación, 313-314
  fuerza de ventas establecida a lo largo de, 530
  presentación, 315, 437-438
Liquidación, planeación de portafolio de la cartera, 64, 65
Loctite Corporation, 394
Lugar (plazo) mercadotecnia, 42-43, 460

M

Macroambiente, compañía, 120, 127-151
Madres que trabajan, 129-131
Madurez del producto, 342-343
Madurez (preparación) del comprador,

Mensaje publicitario;
  formato, 475, 501
  486-487
Mantenimiento SBU, 63-64
Mapa de posición del producto, 41
Mapa de preferencia del consumidor, 41
Marca:
  calidad, 299-300
  definición, 291-292
  patrocinio, 296-298
Marca, nombre familiar, 300
Marca registrada, 292, 642-643
Marcas, 291-296, 338
  consecuencias sociales, 295-296, 676, 677, 697
  puntos de vista, 295-296
Marcas de intermediarios, 296-298
Marcas etiquetadas privadas, 296-298
Marcas múltiples, 572, 676
Margen de ganancia, 368-369, 676, 677
  aritmética, 712-713
Market Research Corporation of America, 88
Materialismo en Estados Unidos, 681-683, 693
Matriz de expansión de producto/mercado, 34
Matriz de planeación comercial estratégica, 58
Matriz de planeación de portafolio (de la cartera) (SBU), 62-67
Matriz de portafolio, unidad de negocios estratégica, 61-63, 65
Maximización de consumo, 20-21
Maximización de opciones, 20
Maximización de la calidad de vida, 20
Mayoristas, 122-123, 125, 454-461, Véase también *Intermediarios*
  en el canal de distribución, 403-406, 418, 454-461
  tipos de, 455-459
Mayoristas de camioneros, 456
Mayoristas de entrega y pago inmediato, 455, 456
Mayoristas del comerciante, 455-458
McDonald's Corporation, 481-482, 635, 658.
  concepto de mercadotecnia, 16-17, 662
  investigación experimental, 98-100
  operación de franquicia, 61
Medición de la demanda actual del mercado, 238-244
Medición de la demanda de consumidores de interés, 236-237
Medición de la opinión del consumidor, 245
Medios de comunicación, 473, 501-507
  costos de vehículos específicos, 503-504
  oportunidad de, 505
Medios de comunicación masiva, 477
Medios de publicidad. Véase *Medios de comunicación masiva*
Medios de transporte, 423-425
Mejoramiento de la calidad, 342, 572-573
Mensaje (promocional), 471, 474-475, 478
  tono, 501
Mensaje (publicidad), 498-501
  estilos de ejecución, 499-501
  formato, 475, 501-502